개념 학습과 정리가 한번에 끝나는 기본서

개념풀

윤리와 사상

개념책

· 핵심 개념을 흐름으로 쉽게 풀어 가는 개념 학습법 도입

· 시험에 자주 출제되는 자료를 완벽하게 분석한 특강 구성

· 내신과 수능 대비를 위한 다양한 유형의 단계별 문제 수록

개념책+정리노트 제대로 활용하기

개념 학습과 정리가 한번에 끝나는 기본서

개념풀
윤리와 사상

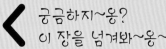
궁금하지~옹?
이 장을 넘겨와~옹~

개념을 학습하고 노트에 스스로 정리하는 사과탐 기억 학습법 구현!!

교재 구성

- 개념을 쉽게 풀어 이해가 잘되는 **개념책**
- 학습한 개념을 정리해 보는 개념책 맞춤 **정리노트**

사과탐 기억 학습법이란?
핵심 단어-주제어 기억법과 PQ4R 학습법을 적용하여 사과탐 공부를 효과적으로 할 수 있도록 구성된 개념풀만의 학습법입니다.

개념책을 보며 나만의 스타일로
노트 정리~

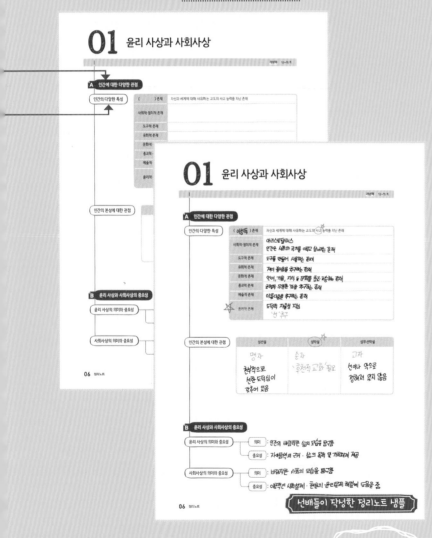

선배들이 작성한 정리노트 샘플

정리가 막막하다면?

선배들이 작성한
정리노트를 탐고해 봐~

선배들의 노트 바로 가기

선배들의 정리노트
활용법 동영상

군더더기 없이 핵심만
정리한 선배의 노트

자신만의 팁을 많이
제시한 선배의 노트

정리노트를 다시 쓰고 싶다면?

빈 노트 바로 가기

개념책을 보지 않고
노트 정리에
도전해 볼까?

개념 학습과 정리가
한번에 끝나는 **개념풀**이면,
윤리와 사상의 모든 개념은
완벽하게 끝!!!

쉽게 풀어 이해가 빠른 **개념책**으로

개념 학습~

개념풀 TIP

중요한 내용은 '한눈에 정리'로
휘리릭 점검하면
학습 속도가 빨라져.

01 ～ 윤리 사상과 사회사상

❶ 윤리적 존재로서의 인간
일부 동물도 곤경에 처한 동료를 돕거나, 공동의 문제를 해결하려고 서로 협력하기도 한다. 이는 인간이 윤리적 존재로서 보여 주는 행위와 유사하다. 하지만 동물의 행위는 단지 본능에서 비롯된 행위인 반면, 인간의 행위는 이성적 판단과 윤리적 규범 체계에 따라 의식적으로 이루어진 윤리적 행위라는 점에서 다르다. 즉, 인간만이 윤리적 존재로서의 특성을 지닌다.

A 인간에 대한 다양한 관점

1. 인간의 다양한 특성

이성적 존재	자신과 세계에 대해 사유하는 고도의 사고 능력을 지닌 존재
사회적·정치적 존재	· 여러 사람들과 사회와 국가를 이루고 살아가는 존재 · 아리스토텔레스: "인간은 본성적으로 국가 공동체를 구성하며, 공동체 구성원으로서 살아갈 때 자아를 실현할 수 있다."
도구적 존재	필요에 따라 무형·유형의 도구를 만들어 사용하는 존재
유희적 존재	삶의 재미와 즐거움을 추구하는 존재
문화적 존재	언어, 기술, 지식 등 다양한 문화를 창조하고 계승하는 존재
종교적 존재	유한성을 넘어 초월적이고 무한한 것을 추구하는 존재
예술적 존재	다양한 예술 활동으로 아름다움을 추구하는 존재
윤리적 존재	· 인간의 가장 본질적 특성 · 스스로 도덕 법칙을 만들고 이를 실천할 수 있는 도덕적 자율성을 지닌 존재 · 인간은 선을 추구하며 윤리적으로 살아갈 때 인간다운 삶을 영위할 수 있음

★ 한눈에 정리

인간 본성에 대한 관점 비교

맹자	순자	고자
인간 본성은 선함	인간 본성은 악함	인간 본성은 선악으로 정해져 있지 않음

❷ 인간 본성에 대한 서양 사상가들의 관점

루소	인간의 본성은 원래 선하나 환경, 제도 등의 영향으로 악하게 변함
홉스	인간은 자기 보존의 욕망을 지닌 이기적 존재로, 남을 해치더라도 이득을 추구하고 안전을 지키고자 함
로크	인간의 마음은 아무것도 그려지지 않은 빈 서판과 같음

2. 인간 본성에 대한 관점

성선설 (性善說)	· 인간에게는 천부적으로 선한 도덕심이 갖추어져 있다는 입장 · 선한 도덕심을 유지하고 확충하기 위해 노력할 것을 강조함 · 대표 사상가: 맹자
성악설 (性惡說)	· 인간은 본래 이익을 좋아하고 악하다고 보는 입장 · 교육과 제도로 인위적·후천적으로 인간의 욕망을 제어하고 교화할 것을 강조함 · 대표 사상가: 순자
성무선악설 (性無善惡說)	· 인간의 본성은 선이나 악으로 결정되어 있지 않다는 입장 · 인간다움을 실현하기 위해서는 후천적 요인이 중요하다고 봄 · 대표 사상가: 고자(인간은 식욕과 성욕만을 타고난다고 주장함)

❸ 인간 본성에 대한 현대적 관점

뇌 과학과 심리학	인간의 마음이나 욕구 등에 대한 탐구를 근거로 인간 본성을 논의함
진화론적 관점	인간의 도덕성을 진화에 이로운 선택의 결과로 봄

B 윤리 사상과 사회사상의 중요성

1. 윤리 사상의 의미와 중요성

의미	· 인간의 행위 규범이자 삶의 도리인 윤리에 관한 체계적이고 이론적인 생각 · '어떻게 사는 것이 바람직하고 좋은 삶인가'에 대한 체계적인 대답
중요성	· 자아 탐색의 근거와 삶의 목적 및 가치 체계를 제공함 · 도덕적 행동의 지침 및 판단 근거를 제공함

2. 사회사상의 의미와 중요성

의미	· 사회 현상에 대한 체계적인 해석 · 사회 체제나 제도의 바람직한 모습과 구현 방법에 대한 체계적인 사유
중요성	· 이상적인 사회 모습의 설계와 실현 방안 모색에 도움을 줌 · 현 사회를 진단하고 평가하는 기준을 제공하여 현실의 윤리 문제와 사회적 딜레마 해결에 도움을 줌

12 Ⅰ. 인간과 윤리 사상

공부할 때는
스트레칭
필수~

윤리와 사상을 집필하신 선생님

김옥배 서울대학교사범대학부설고등학교 교사
김환승 인천국제고등학교 교사
안인선 한가람고등학교 교사
이준형 의정부광동고등학교 교사
이희성 하남고등학교 교사
정남철 등촌고등학교 교사

윤리와 사상을 집필하신 선생님

김옥배 서울대학교사범대학부설고등학교 교사
김환승 인천국제고등학교 교사

개념과 정리가 한번에 끝나는 기본서

개념풀

— 윤리와 사상 —

쉽게 풀어 이해가 잘되는

개념책

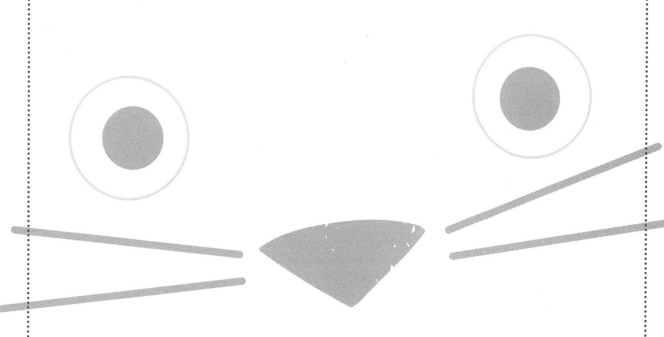

자율학습에 용이한 개념풀 윤리와 사상
교재 구성과 학습 시스템

교재 구성

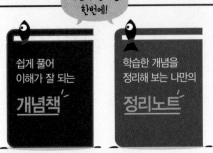

개념과 정리를
한번에!

쉽게 풀어
이해가 잘 되는
개념책

학습한 개념을
정리해 보는 나만의
정리노트

의구심이
남지 않는 완벽한
정답과 해설

학습 시스템

1st 개념을 익힌다.

윤리와 사상에 나오는 모든 개념을 친절하고 상세한
내용 정리로 술술 익힌다.

준비물 개념책

읽으면, 나도 모르게
개념이 쏙쏙
들어온다~옹!

2nd 개념을 적용한다.

단계별 문제 풀이로 학습한 개념을 적용하고 실력을
다진다.

준비물 개념책, 정답과 해설

개념을 적용해서
문제를 풀면 만점도
맞을 수 있다~옹!

3rd 개념을 완성한다.

정리노트에 학습한 개념을 자기만의 스타일로
정리하여 개념을 완성한다.

준비물 개념책, 정리노트

내 입맛대로
노트를 정리하면,
개념 공부는 끝이다~옹!

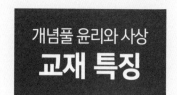

개념풀 윤리와 사상
교재 특징

쉽게 풀어 이해가 잘 되는 **개념책**

이해하기 쉬운 개념 학습

▪ **술술 읽히는 개념과 자료 정리**

5종 교과서를 철저하게 비교·분석하여 이해하기
쉽게 풀어 정리했습니다.

❶ **한눈에 정리** 꼭 알아야 할 핵심 내용을 표나 도식
으로 한눈에 파악

❷ **교과서 자료 모아보기** 교과서 알짜 자료를 분석
하고 자료별 핵심 내용을 한 문장으로 제시

❸ **자료 확인 문제** 자료를 읽고 간단한 문제로 이해
도 점검

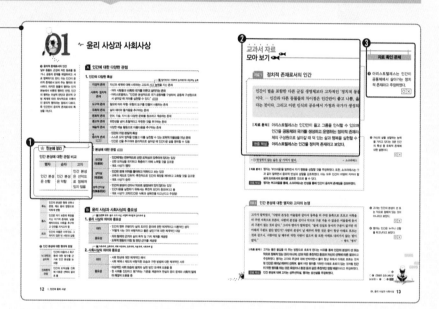

▪ **수능 자료로 개념 완성 수능 POOL**

윤리와 사상은 자료와 선택지가 어떤 사상(가)의 입
장인지를 아는 훈련이 필요합니다. 단원별 수능 빈
출 자료와 선택지를 제시하고 이것이 어떤 사상(가)
의 입장인지 익힐 수 있도록 구성하였습니다.

❶ **수능풀 Guide** 수능 빈출 주제에 따른 핵심 내용
정리

❷ **기출 자료 익히기** 수능 기출 자료가 어떤 사상(가)
의 입장인지 유추하는 훈련법 제시

❸ **기출 선택지 익히기** 수능 기출 선택지가 어떤 사
상(가)의 입장인지 간단한 문제로 확인

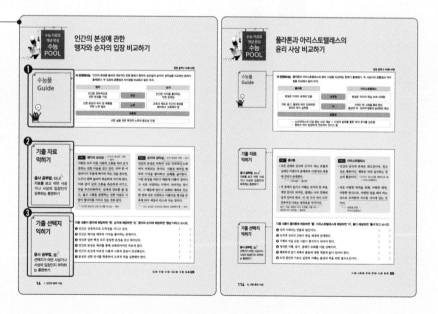

쉽게 풀어 이해가 잘 되는 **개념책**

다양한 유형의 단계별 문제

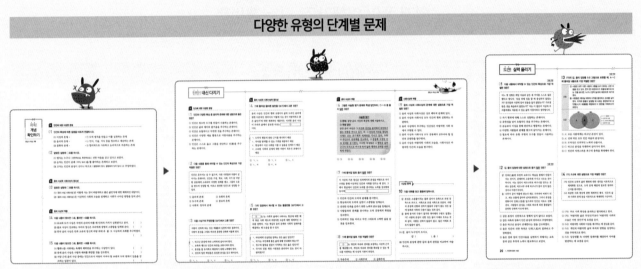

▪ 콕콕! 개념 확인하기
앞에서 정리한 주요 개념을 다시 확인할 수 있습니다.

▪ 탄탄! 내신 다지기
학교 시험 난이도로 구성된 다양한 유형의 문제로 내신에 대비할 수 있고, 출제율이 높아지고 있는 서답형 문제를 연습할 수 있습니다.

▪ 도전! 실력 올리기
고난도 문제와 수능 기출 변형 문제로 내신뿐 아니라 수능에도 대비할 수 있습니다.

실전에 대비하는 대단원 학습

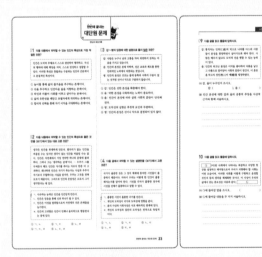

▪ 한눈에 보는 대단원 정리
주요 내용을 중단원별로 정리하여 핵심 내용을 한눈에 파악할 수 있습니다.

▪ 한번에 끝내는 대단원 문제
대단원을 아우르는 문제로 중간·기말 고사에 대비할 수 있으며, 출제율이 높아지고 있는 서답형 문제를 연습할 수 있습니다.

학습한 개념을 직접 써 보는 나만의 정리노트

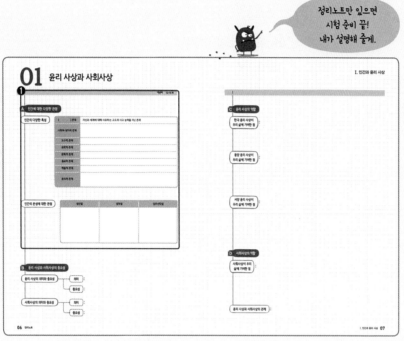

❶ 중단원 내용 구조가 한눈에 보이도록 구성하여 개념책과 교과서를 보면서 빈 공간에 나만의 노트 정리를 할 수 있습니다.

❷ 대단원에서 꼭 알아둬야 할 개념이나 용어를 정리하여 들고 다니며 틈나는 대로 익힐 수 있습니다.

❸ 마인드맵을 그려 보면서 대단원의 전체적인 내용과 흐름을 제대로 알고 있는지 확인해 볼 수 있습니다.

선배들의 정리노트
다운로드 바로 가기

차례

무엇을 공부할지 함께
확인해 볼까~옹?

우리 학교 교과서가 개념풀의 어느 단원에 해당하는지 확인하세요!

교과서랑 비교하며 공부할때 유용하다~옹!

I
인간과
윤리 사상

배울 내용 한눈에 보기

01 윤리 사상과 사회사상

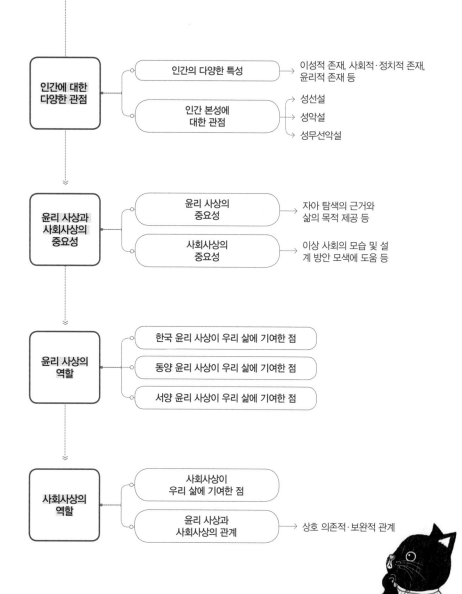

인간에 대한 다양한 관점

- 인간의 다양한 특성 → 이성적 존재, 사회적·정치적 존재, 윤리적 존재 등
- 인간 본성에 대한 관점
  - 성선설
  - 성악설
  - 성무선악설

윤리 사상과 사회사상의 중요성

- 윤리 사상의 중요성 → 자아 탐색의 근거와 삶의 목적 제공 등
- 사회사상의 중요성 → 이상 사회의 모습 및 설계 방안 모색에 도움 등

윤리 사상의 역할

- 한국 윤리 사상이 우리 삶에 기여한 점
- 동양 윤리 사상이 우리 삶에 기여한 점
- 서양 윤리 사상이 우리 삶에 기여한 점

사회사상의 역할

- 사회사상이 우리 삶에 기여한 점
- 윤리 사상과 사회사상의 관계 → 상호 의존적·보완적 관계

01 ~ 윤리 사상과 사회사상

❶ 윤리적 존재로서의 인간

일부 동물도 곤경에 처한 동료를 돕거나, 공동의 문제를 해결하려고 서로 협력하기도 한다. 이는 인간이 윤리적 존재로서 보여 주는 행위와 유사하다. 하지만 동물의 행위는 단지 본능에서 비롯된 행위인 반면, 인간의 행위는 이성적 판단과 윤리적 규범 체계에 따라 의식적으로 이루어진 윤리적 행위라는 점에서 다르다. 즉 인간만이 윤리적 존재로서의 특성을 지닌다.

A 인간에 대한 다양한 관점

1. 인간의 다양한 특성

이성적 존재	자신과 세계에 대해 사유하는 고도의 사고 능력을 지닌 존재 <뜻 합리적으로 사유하고 논리적으로 추론하는 능력>	
사회적·정치적 존재	• 여러 사람들과 사회와 국가를 이루고 살아가는 존재 • 아리스토텔레스: "인간은 본성적으로 국가 공동체를 구성하며, 공동체 구성원으로서 살아갈 때 자아를 실현할 수 있다." 자료1	
도구적 존재	필요에 따라 무형·유형의 도구를 만들어 사용하는 존재	
유희적 존재	삶의 재미와 즐거움을 추구하는 존재	
문화적 존재	언어, 기술, 지식 등 다양한 문화를 창조하고 계승하는 존재	
종교적 존재	유한성을 넘어 초월적이고 무한한 것을 추구하는 존재	
예술적 존재	다양한 예술 활동으로 아름다움을 추구하는 존재	
❶ 윤리적 존재 자료2	• 인간의 가장 본질적 특성 • 스스로 도덕 법칙을 만들고 이를 실천할 수 있는 도덕적 자율성을 지닌 존재 • 인간은 선을 추구하며 윤리적으로 살아갈 때 인간다운 삶을 영위할 수 있음	

❷❸ 2. 인간 본성에 대한 관점 자료3

성선설 (性善說)	• 인간에게는 천부적으로 선한 도덕심이 갖추어져 있다는 입장 • 선한 도덕심을 유지하고 확충하기 위해 노력할 것을 강조함 • 대표 사상가: 맹자
성악설 (性惡說)	• 인간은 본래 이익을 좋아하고 악하다고 보는 입장 • 교육과 제도로 인위적·후천적으로 인간의 욕망을 제어하고 교화할 것을 강조함 • 대표 사상가: 순자
성무선악설 (性無善惡說)	• 인간의 본성이 선이나 악으로 결정되어 있지 않다는 입장 • 인간다움을 실현하기 위해서는 후천적 요인이 중요하다고 봄 • 대표 사상가: 고자(인간은 식욕과 성욕만을 타고난다고 주장함)

★ 한눈에 정리

인간 본성에 대한 관점 비교

맹자	순자	고자
인간 본성은 선함	인간 본성은 악함	인간 본성은 선악으로 정해져 있지 않음

❷ 인간 본성에 대한 서양 사상가들의 관점

루소	인간의 본성은 원래 선하나 문명, 제도 등의 영향으로 악하게 변함
홉스	인간은 자기 보존의 욕망을 지닌 이기적 존재로, 남을 해치더라도 이득을 추구하고 안전을 지키고자 함
로크	인간의 마음은 아무것도 그려지지 않은 빈 서판과 같음

❸ 인간 본성에 대한 현대적 관점

뇌 과학과 심리학	인간의 마음이나 욕구 등에 대한 탐구를 근거로 인간 본성을 논의함
진화론적 관점	인간의 도덕성을 진화에 이로운 선택의 결과로 봄

B 윤리 사상과 사회사상의 중요성

1. 윤리 사상의 의미와 중요성

예 동양의 유교·불교·도가 사상, 서양의 의무론과 공리주의 등

의미	• 인간의 행위 규범이자 삶의 도리인 윤리에 관한 체계적이고 이론적인 생각 • '어떻게 사는 것이 바람직하고 좋은 삶인가'에 대한 체계적인 대답
중요성	• 자아 탐색의 근거와 삶의 목적 및 가치 체계를 제공함 • 도덕적 행동의 지침 및 판단 근거를 제공함

2. 사회사상의 의미와 중요성

예 자유주의, 공화주의, 세계 시민주의, 민주주의, 자본주의, 사회주의 등

의미	• 사회 현상에 대한 체계적인 해석 • 사회 체제나 제도의 바람직한 모습과 구현 방법에 대한 체계적인 사유
중요성	• 이상적인 사회 모습의 설계와 실현 방안 모색에 도움을 줌 • 현 사회를 진단하고 평가하는 기준을 제공하여 현실의 윤리 문제와 사회적 딜레마 해결에 도움을 줌

교과서 자료 모아 보기

자료1 정치적 존재로서의 인간

> 인간이 벌을 포함한 다른 군집 생명체보다 고차적인 '정치적 동물'이라는 점은 자명한 사실이다. … 인간과 다른 동물들의 차이점은 인간만이 좋고 나쁨, 옳고 그름 등을 인식할 수 있다는 것이다. 그리고 이런 인식의 공유에서 가정과 국가가 생성되는 것이다.
>
> — 아리스토텔레스, "정치학"

| 자료 분석 | 아리스토텔레스는 인간만이 옳고 그름을 인식할 수 있으며 이러한 인식의 공유를 기초로 인간을 공동체와 국가를 생성하고 운영하는 정치적 존재라고 보았다. 그리고 인간은 공동체의 구성원으로 살아갈 때 덕 있는 삶과 행복을 실현할 수 있다고 주장하였다.

한줄 핵심 ▶ 아리스토텔레스는 인간을 정치적 존재라고 보았다.

❶ 아리스토텔레스는 인간이 공동체에서 살아가는 정치적 존재라고 주장하였다.

◯ ╳

자료2 윤리적 존재로서의 인간

> • 부끄러움은 사람에게 있어서 중대한 것이다. 임기응변의 기교를 부리는 사람은 부끄러움을 느끼지 않는다. 다른 사람과 같지 못함을 부끄럽게 여기지 않는다면, 어찌 다른 사람과 같음을 지니겠는가?
> — 맹자, "맹자"
> • ㉠ 반성하지 않는 삶은 살 가치가 없다.
> — 소크라테스

| 자료 분석 | 맹자는 '부끄러움'을 말하면서 자기 행동을 성찰할 것을 주장하였다. 또한, 소크라테스는 ㉠과 같이 말하면서 윤리적 반성과 성찰을 강조하였다. 이는 모두 인간이 마땅히 지켜야 할 삶의 도리로서의 윤리를 강조한 것으로 볼 수 있다.

한줄 핵심 ▶ 맹자는 부끄러움을 통해, 소크라테스는 반성을 통해 인간이 윤리적 존재임을 강조하였다.

❷ 자신의 삶을 성찰하는 능력을 가지고 있다는 것은 인간의 특성 중 유희적 존재에 대한 설명이다.

◯ ╳

자료3 인간 본성에 대한 맹자와 고자의 논쟁

> 고자가 말하였다. "사람의 본성은 여울물과 같아서 동쪽을 터 주면 동쪽으로 흐르고 서쪽을 터 주면 서쪽으로 흐른다. 사람의 본성을 선이나 악으로 구분 지을 수 없음은 여울물에 동서의 구분이 없는 것과 같다." 그러자 맹자가 말하였다. "물에 진실로 동서의 구분이 없지만 위아래의 구분도 없단 말인가? 사람의 본성이 날 때부터 착한 것은 물이 항상 아래로 흐르는 것과 같으니, 사람이란 날 때부터 악한 사람이 없으며 물 또한 아래로 내려가지 않는 법이 없다."
>
> — 맹자, "맹자"

| 자료 분석 | 고자는 물은 물길을 터 주는 방향으로 흐르게 된다는 비유를 통해 인간의 본성이 선 또는 악으로 정해져 있는 것이 아니며, 선과 악은 후천적인 환경과 자신의 선택에 따른 결과라고 주장하였다. 맹자는 고자의 주장에 대해 반박하면서 물이 항상 위에서 아래로 흐르는 것처럼 인간은 태어날 때부터 선하며, 물에 어떤 행위를 가하면 아래로 흐르지 않는 것처럼 인간이 악한 행위를 하는 것은 욕망이나 환경 등과 같은 후천적인 영향 때문이라고 주장하였다.

한줄 핵심 ▶ 인간 본성에 대해 고자는 성무선악설, 맹자는 성선설을 주장하였다.

❸ 고자는 인간의 본성이 선 또는 악으로 정해져 있는 것이 아니라고 보았다.

◯ ╳

❹ 맹자는 인간은 누구나 선함을 타고난다고 보았다.

◯ ╳

정답 ❶ ◯ ❷ ╳(윤리적 존재) ❸ ◯ ❹ ◯

❹ 한국과 동양 윤리 사상의 특징과 기여

특징	• 유기체적 세계관: 세계를 유기적 관계로 맺어진 통합된 전체로 이해함 • 개인은 공동체 안에 있을 때 의미가 있다고 봄
기여	인격 수양, 타인과의 관계, 자연관 등 도덕적 판단에 기여함

❺ 건국 신화
한 나라가 세워지게 된 기원을 설명한 거룩한 이야기로, 그 나라를 세운 사람들의 고유한 사상이 투영되어 있다. 고조선의 건국 신화에는 인본주의, 평화주의 등의 사상이 담겨 있다.

❻ 서양 윤리 사상의 특징
서양 윤리 사상은 대체로 인간이 구현해야 할 보편적 가치를 추구하고, 인간의 이성과 이에 바탕을 둔 윤리적 탐구를 중시한다.

❼ 또 다른 사회사상

민본주의	백성을 근본으로 여김 → 오늘날 국가의 근본은 시민이라는 믿음으로 이어짐
사회주의	경제적 평등 지향 → 경제적 불평등 해소를 위한 다양한 제도에 영향을 줌

★ 한눈에 정리

윤리 사상과 사회사상의 관계

윤리 사상	사회사상
인간의 바람직한 삶의 모습을 탐구함	바람직한 사회의 모습에 대해 탐구함

• 공통점: 궁극적으로 인간다움과 행복을 실현하고자 함
• 관계: 상호 의존적·보완적 관계

C 윤리 사상의 역할

1. 한국 윤리 사상이 우리 삶에 기여한 점 ❹❺

(1) 건국 신화, 토속 신앙, 풍류도 등의 민족 고유의 정신적 바탕 위에 유·불·도 사상과 조화 → 화해와 통합의 정신을 가르쳐 줌 └ 뜻 유·불·도의 가르침이 포함된 우리 고유의 사상

(2) 효, 노인 공경, 공동체의 유대 중시 → 현대 사회의 가족 해체 현상 극복에 도움을 줌

2. 동양 윤리 사상이 우리 삶에 기여한 점 ❹ 자료 4

유교 사상	도덕적 인격 수양과 공동체 강조 → 개인주의, 이기주의로 인한 문제 해결에 도움을 줌
불교 사상	만물의 상호 의존적 관계를 인식하여 자비(慈悲)를 베풀 것을 강조 → 모든 생명의 소중함을 인식하고 존중하도록 도움을 줌 └ 뜻 남을 깊이 사랑하고 가엾게 여기는 마음
도가 사상	자연의 순리에 따른 삶 강조 → 인간을 억압하는 사회 구조를 비판하는 기준을 제공함

3. 서양 윤리 사상이 우리 삶에 기여한 점 ❻

고대 그리스 윤리 사상	행복을 삶의 궁극적 목적으로 보고 덕 있는 삶을 통한 행복 추구 → 현대인에게 앎과 행복의 관계를 알려 줌
헬레니즘 윤리 사상	• 육체적 쾌락이 아니라 정신적 쾌락이나 금욕이 개인의 행복에서 중요함을 알려줌 • 세계 시민으로 나아가기 위한 이론적 바탕 제공 → 세계화 시대에 필요한 윤리적 태도를 성찰하도록 도움
중세 윤리 사상	사랑과 배려를 확장할 것을 강조 → 종교를 넘어 윤리적 삶에도 영향을 줌
근대 윤리 사상	• 도덕적 판단과 행동의 원천인 이성과 감정 탐구 → 합리적 판단과 공감의 역할 및 그 중요성을 일깨워 줌 • 인간으로서 마땅히 지켜야 할 보편적 도덕 법칙이 있음을 강조함 • 다수의 행복 중시 → 다수를 고려하는 사회 정책과 제도의 입안 기준을 제시함
현대 윤리 사상	• 스스로 결단하는 주체적 삶 강조 → 인간 소외 현상 해결에 도움을 줌 • 사회 변화에 대응하여 우리 삶을 실질적으로 개선하기 위한 유용성을 강조함

D 사회사상의 역할

1. 사회사상이 우리 삶에 기여한 점 ❼

자유주의 자료 5	개인의 자유를 무엇보다 중시 → 부당한 간섭으로부터 개인의 자유와 권리를 보장하는 사상적 근거를 제공함
공화주의	공적인 삶과 공공성을 무엇보다 중시 → 공익 실현을 위한 정치 참여의 중요성을 강조함
민주주의	국가 권력이 국민에게서 나온다는 사실 강조 → 국민이 국가의 주인으로서 정치에 적극 참여해야 함을 일깨워 줌
자본주의	사유 재산과 자유로운 시장 경제 강조 → 시장에서 자유로운 경쟁으로 생산의 증대와 풍요로운 삶에 기여함
세계 시민주의	전 인류가 국적 등에 관계 없이 보편적 가치를 지닌 시민임을 강조 → 지구적 차원의 윤리 문제를 해결하는 기준을 제시함

2. 윤리 사상과 사회사상의 관계 자료 6

(1) 윤리 사상과 사회사상 모두 궁극적으로 인간다움과 행복을 실현하고자 함

(2) 개인의 문제는 사회의 문제와 연결되어 있으므로 윤리 사상과 사회사상은 서로 영향을 주고받는 상호 의존적·보완적 관계임 └ 왜 사회 구조가 정의롭지 못하면 개인이 도덕적으로 살기 어렵고, 제도가 잘 되어 있어도 개인이 도덕적이지 않으면 제도는 형식에 불과하기 때문임

자료4 유교의 인격 수양에 대한 강조가 우리 삶에 주는 의의

옛날에 밝은 덕[明德]을 천하에 밝히고자 하는 자는 먼저 그 나라를 다스리고, 그 나라를 다스리고자 하는 자는 먼저 그 집안을 가지런히 하고, 그 집안을 가지런히 하고자 하는 자는 먼저 몸을 닦고, 그 몸을 닦고자 하는 자는 먼저 그 마음을 바르게 하고, 그 마음을 바르게 하고자 하는 자는 먼저 그 뜻을 성실하게 하고, 그 뜻을 성실하게 하고자 하는 자는 먼저 그 지식을 지극히 하였으니, 지식을 지극히 함은 사물의 이치를 깊게 연구함에 있다.

– 공자, "대학"

| 자료 분석 | 유교 사상은 자신의 인격을 완성한 후 가족과 국가, 천하를 평안하게 한다는 수신(修身)·제가(齊家)·치국(治國)·평천하(平天下)를 강조한다. 이처럼 개인의 인격 수양을 강조하는 유교 사상은 과도한 개인주의, 이기주의로 인한 윤리 문제를 해결하는 데 도움을 줄 수 있으며, 우리 사회의 부정부패를 예방하는 역할을 할 수 있다.

한줄 핵심 ▶ 유교 사상이 강조하는 개인의 인격 수양은 이기주의로 인한 윤리 문제의 해결, 부정부패 예방에 도움을 줄 수 있다.

❺ 유교에서는 개인의 인격 수양이 중요함을 강조한다.
◯✕

자료5 '미국 독립 선언서'에 나타난 자유주의 사상

모든 사람은 평등하게 태어났고, 창조주는 몇 개의 양도할 수 없는 권리를 부여했으며, 이러한 권리에는 생명, 자유, 그리고 행복 추구가 있다. 이 권리를 확보하기 위하여 인류는 정부를 조직했으며, 이 정부의 정당한 권력은 인민의 동의로부터 유래하고 있다.

–'미국 독립 선언서'

| 자료 분석 | '미국 독립 선언서'는 자유주의가 강조하는 자유와 평등의 가치를 잘 보여 준다. 자유주의는 근대 이전까지 당연하게 여겨진 신분제를 철폐하는 데 큰 영향을 주었으며, 오늘날 개인의 자유, 권리, 평등을 중시하는 사회 환경과 제도를 조성하는 데에도 기여하였다.

한줄 핵심 ▶ 자유주의는 개인의 자유와 권리를 중시하는 사회 분위기를 형성하는 데 기여하였다.

❻ 자유주의는 개인의 자유를 중시하는 사상이다.
◯✕

자료6 아리스토텔레스가 본 윤리 사상과 사회사상의 관계

국가가 훌륭해지는 것은 행운의 소관이 아니라 지혜와 윤리적 결단의 산물이다. 훌륭한 국가가 되려면 국정에 참여하는 시민들이 훌륭해야 한다. 그런데 우리의 시민들은 모두 국정에 참여한다. 따라서 우리는 어떻게 해야 사람이 훌륭해질 수 있는지 고찰해 봐야 한다.

– 아리스토텔레스, "정치학"

| 자료 분석 | 아리스토텔레스에 따르면, 한 국가의 훌륭함은 그에 속한 시민의 훌륭함과 연관된다. 따라서 좋은 국가가 없으면 인간다운 삶을 영위할 수 없으며, 바람직한 시민이 없으면 국가가 제대로 운영될 수 없다. 이러한 아리스토텔레스의 주장을 통해 개인의 도덕성과 공동체의 도덕성의 관계가 밀접하며, 윤리 사상과 사회사상의 관계가 밀접함을 알 수 있다.

한줄 핵심 ▶ 윤리 사상과 사회사상은 상호 의존적·보완적 관계이다.

❼ 아리스토텔레스는 한 국가의 훌륭함과 그 국가에 속한 시민의 훌륭함은 관련이 없다고 보았다.
◯✕

❽ 윤리 사상과 사회사상은 서로 의존적 관계에 있다.
◯✕

❽
(국가의 훌륭함은 시민의 훌륭함과 관련이 있음.)
✕ ❼ ◯ ❻ ◯ ❺ **정답**

인간의 본성에 관한
맹자와 순자의 입장 비교하기

관련 문제 ▶ 20쪽 03번

수능풀 Guide

이 단원에서는 인간의 본성을 둘러싼 대표적인 관점 중에서 맹자의 성선설과 순자의 성악설을 비교하는 문제가 출제된다. 두 입장의 공통점과 차이점을 비교해서 알아 두자.

맹자		순자
인간은 천부적으로 선한 본성을 가짐	본성	인간은 이익을 좋아하는 악한 존재임
선한 본성의 유지 및 확충을 위한 노력 필요	노력	교육과 제도로 인간의 욕망을 제어하고 교화해야 함
공통점		
선한 삶을 위한 후천적 노력의 중요성 인정		

기출 자료 익히기

윤사 공부법, 하나!
자료를 보고 어떤 사상가나 사상의 입장인지 유추하는 훈련하기

자료1 맹자의 성선설 ┌ 인간의 본성은 선함 → 맹자
사람은 모두 다른 사람의 고통을 차마 보지 못하는 선한 마음을 갖고 있다. 만약 한 어린아이가 우물에 빠지려 하는 것을 본다면, 누구나 깜짝 놀라며 측은하게 여기게 된다. 이와 같이 남의 고통을 측은하게 여기고, 악을 부끄러워하며, 남에게 양보할 줄 알고, 옳고 그름을 분별하는 선한 마음은 사람이 팔다리를 가지고 있는 것과 같다.
└ 인간은 본성의 선한 단서를 타고남 → 맹자

자료2 순자의 성악설 ┌ 인간 본성은 악함 → 순자
인간의 본성은 악하며 선은 인위적인 노력에서 비롯되는 것이다. 사람은 태어날 때부터 이익을 좋아하고 손해를 싫어한다. 이런 본성을 따르기 때문에 다툼이 일어나고 서로 사양하는 미덕이 사라지는 것이다. 그 때문에 반드시 교화와 예의로 인도한 뒤에 서로 사양하고 아름다운 형식을 갖추게 되어 세상이 다스려 지는 것이다.
└ 인간 본성은 악하므로 예로써 교화해야 함 → 순자

기출 선택지 익히기

윤사 공부법, 둘!
선택지가 어떤 사상가나 사상의 입장인지 파악하는 훈련하기

다음 내용이 맹자에 해당하면 '맹', 순자에 해당하면 '순', 맹자와 순자에 해당하면 '맹순'이라고 쓰시오.

❶ 인간은 선천적으로 도덕성을 지니고 있다. ( )

❷ 인간은 태어날 때부터 이익을 좋아하는 존재이다. ( )

❸ 성인과 일반 백성 모두 동일한 본성을 갖고 태어난다. ( )

❹ 인간의 본성은 예의를 통해 교화되어야만 바르게 된다. ( )

❺ 인간의 본성에 따르면 다툼과 사회적 혼란이 만연해진다. ( )

❻ 본성의 선한 단서를 확충하여 도덕적 덕을 실현해야 한다. ( )

A 인간에 대한 다양한 관점

01 인간의 특성에 따른 설명을 바르게 연결하시오.

(1) 이성적 존재 •　　　　　　　• ㉠ 도덕 법칙을 만들고 이를 실천하는 존재

(2) 윤리적 존재 •　　　　　　　• ㉡ 언어, 기술, 지식 등을 창조하고 계승하는 존재

(3) 문화적 존재 •　　　　　　　• ㉢ 합리적으로 사유하고 논리적으로 추론하는 존재

02 알맞은 설명에 ○표를 하시오.

(1) 맹자는 누구나 (선천적으로, 후천적으로) 선한 마음을 갖고 있다고 보았다.

(2) 순자는 인간이 본래 (이익, 도리)을/를 좋아하는 존재라고 보았다.

(3) 고자는 인간의 본성이 선이나 악으로 (결정되어 있다, 결정되어 있지 않다)고 주장하였다.

B 윤리 사상과 사회사상의 중요성

03 알맞은 설명에 ○표를 하시오.

(1) (윤리 사상, 사회사상)은 어떻게 사는 것이 바람직하고 좋은 삶인가에 대한 체계적인 대답이다.

(2) (윤리 사상, 사회사상)은 이상적인 사회의 모습을 설계하고 사회가 나아갈 방향을 알려 준다.

C 윤리 사상의 역할

04 다음 내용이 맞으면 ○표, 틀리면 ×표를 하시오.

(1) 유교와 도가 사상은 자연의 순리에 따를 때 인의의 가치가 실현된다고 본다.　　(　　)

(2) 불교 사상이 강조하는 자비의 정신은 우리에게 생명의 소중함을 일깨워 준다.　　(　　)

(3) 한국 윤리 사상은 민족 고유의 정신적 바탕 위에 유·불·도 사상과의 조화를 추구하였다.

(　　)

05 다음 내용이 맞으면 ○표, 틀리면 ×표를 하시오.

(1) 헬레니즘 시대에는 육체적 쾌락만을 추구하는 사상만이 있다.　　　　　　(　　)

(2) 중세 윤리 사상은 사랑과 배려를 확장할 것을 강조한다.　　　　　　　　(　　)

(3) 서양 근대 윤리 사상 중에는 인간으로서 마땅히 지켜야 할 보편적 도덕 법칙이 있음을 강

조하는 입장이 있다.　　　　　　　　　　　　　　　　　　　(　　)

D 사회사상의 역할

06 사회사상과 그것이 우리 삶에 기여한 점을 바르게 연결하시오.

(1) 민주주의 •　　　　　　　• ㉠ 사유 재산과 자유 시장 제도를 보장함

(2) 자유주의 •　　　　　　　• ㉡ 국가 권력이 국민으로부터 나옴을 밝힘

(3) 자본주의 •　　　　　　　• ㉢ 개인의 자유를 보장하는 사상적 근거를 제공함

A 인간에 대한 다양한 관점

01 인간의 다양한 특성 중 윤리적 존재에 대한 설명으로 옳은 것은?

① 인간은 필요한 도구를 만들어 사용하는 존재이다.

② 인간은 삶의 재미와 즐거움을 추구하는 존재이다.

③ 인간은 초월적이고 무한한 것을 추구하는 존재이다.

④ 인간은 다양한 예술 활동으로 아름다움을 추구하는 존재이다.

⑤ 인간은 스스로 옳고 그름을 판단하고 선(善)을 추구하는 존재이다.

02 다음 내용을 통해 파악할 수 있는 인간의 특성으로 가장 적절한 것은?

> 인간은 혼자서는 살 수 없으며, 다른 사람들과 더불어 살아가는 존재이다. 인간은 가정, 학교, 사회, 국가 등 다양한 공동체에 소속되어 다양한 관계를 맺고, 그들의 도움을 받으며 성장할 때, 비로소 완전한 인간으로 성장할 수 있다.

① 윤리적 존재

② 유희적 존재

③ 도구적 존재

④ 종교적 존재

⑤ 사회적·정치적 존재

03 다음 사상가의 주장만을 〈보기〉에서 고른 것은?

> 사람이 선하게 되는 것은 예(禮)의 실천에 따른 결과이다. 사람이 본성을 그대로 따르면 혼란한 상태에 머물게 된다.

〈보기〉
ㄱ. 타고난 본성에 따라 소박하게 살아가야 한다.
ㄴ. 교육과 제도로 인간의 욕망을 교화시켜야 한다.
ㄷ. 본성을 잘 유지하고 확충하기 위해 노력해야 한다.
ㄹ. 성인과 일반 백성들은 동일한 본성을 갖고 태어난다.

① ㄱ, ㄴ   ② ㄱ, ㄷ   ③ ㄴ, ㄷ
④ ㄴ, ㄹ   ⑤ ㄷ, ㄹ

B 윤리 사상과 사회사상의 중요성

04 ㉠에 들어갈 올바른 말만을 〈보기〉에서 고른 것은?

> 윤리 사상은 인간의 행위 규범이자 삶의 도리인 윤리에 관한 이론적인 생각이자 '어떻게 사는 것이 바람직하고 좋은 삶인가'에 대한 체계적인 대답이다. 이러한 윤리 사상이 우리의 삶에서 중요한 이유는 ㉠ 이다.

〈보기〉
ㄱ. 도덕적 행동의 판단 근거를 제시하기 때문
ㄴ. 자아를 탐색할 수 있는 기회를 제공하기 때문
ㄷ. 현실에서 이상 사회를 이룰 수 없음을 일깨우기 때문
ㄹ. 소속된 사회의 문제에 대한 비판이 최우선 과제이기 때문

① ㄱ, ㄴ   ② ㄱ, ㄷ   ③ ㄴ, ㄷ
④ ㄴ, ㄹ   ⑤ ㄷ, ㄹ

05 ㉠의 입장에서 제시할 수 있는 물음만을 〈보기〉에서 고른 것은?

> ㉠ 은/는 사회적 삶에서 나타나는 현상에 대한 해석 혹은 사회 제도의 바람직한 모습에 대한 체계적인 사유를 말한다. 이는 현실의 윤리 문제와 사회적 딜레마를 해결하는 데 도움을 줄 수 있다.

〈보기〉
ㄱ. 타인에게 진실만을 말하는 것은 옳은 일인가?
ㄴ. 국가는 국민에게 좋은 삶에 대해 안내해야 하는가?
ㄷ. 친구의 잘못을 일일이 지적하는 것은 옳은 일인가?
ㄹ. 국가의 입법·행정·사법권은 분리되어 있는 것이 바람직한가?

① ㄱ, ㄴ   ② ㄱ, ㄷ   ③ ㄴ, ㄷ
④ ㄴ, ㄹ   ⑤ ㄷ, ㄹ

C 윤리 사상의 역할

06 그림은 서술형 평가 문제와 학생 답안이다. ㉠~㉤ 중 옳지 <u>않은</u> 것은?

서술형 평가

◎ **문제**: 동양 윤리 사상의 특징에 대해 서술하시오.

◎ **학생 답안**

동양 윤리 사상은 ㉠자연과 인간을 분리하여 파악하지 않는 관점을 지니고 있다. 즉, ㉡인간과 자연을 통일된 전체로 보는 유기체적 세계관을 지니고 있다. 또한 ㉢개인보다 공동체를 강조하며, ㉣공동체 구성원 간의 관계를 중시한다. 이러한 특징들은 ㉤인간이 이성적 존재자로서 모두가 평등하고, 수단이 아닌 목적으로 대해야 함을 강조하는 사상으로 이어지게 되었다.

---

① ㉠　　② ㉡　　③ ㉢　　④ ㉣　　⑤ ㉤

07 ㉠에 들어갈 말로 옳지 <u>않은</u> 것은?

이 사상의 기본 정신은 인의예지의 본성을 바탕으로 자기 수양을 통해 이상적인 인간과 사회를 만드는 데 있다. 그래서 현실에서 인간의 도리를 중시하는 노력을 강조함과 동시에 　　　　㉠　　　　

---

① 인간과 인간의 도덕적 관계를 중시한다.
② 현실에서의 도덕적 실천이 소중함을 일깨운다.
③ 건전한 인격을 갖추기 위한 노력의 중요성을 일깨운다.
④ 사람들과의 관계를 중시하는 도덕 공동체의 확립을 강조한다.
⑤ 인위적인 것을 버리고 자연 그대로의 소박한 삶을 살 것을 강조한다.

08 ㉠에 들어갈 말로 가장 적절한 것은?

　㉠　는 개인의 자유와 권리를 보장하는 사상적 근거를 제공했으며, 개인의 자유와 권리를 확보할 수 있는 제도를 마련하는 데 사상적 기반이 되었다.

---

① 자유주의　　② 사회주의　　③ 공화주의
④ 자본주의　　⑤ 세계 시민주의

D 사회사상의 역할

09 윤리 사상과 사회사상의 관계에 대한 설명으로 가장 적절한 것은?

① 윤리 사상과 사회사상은 상호 배타적 관계에 있다.
② 윤리 사상과 사회사상 모두 인간의 행복 실현과는 무관하다.
③ 윤리 사상에서 추구하는 인간상은 바람직한 사회 속에서 구현될 수 있다.
④ 윤리 사상과 사회사상 모두 공동체가 갖추어야 할 집단의 규범만을 탐구한다.
⑤ 윤리 사상은 바람직한 사회의 모습을, 사회사상은 바람직한 인간의 모습을 탐구한다.

서답형 문제

10 다음 대화를 읽고 물음에 답하시오.

갑: 본성은 소용돌이치는 물과 같아서 동쪽으로 트면 동쪽으로 흐르고, 서쪽으로 트면 서쪽으로 흐른다. 사람의 본성에 선함과 선하지 않음의 구분이 없는 것은 물에 동쪽과 서쪽의 구분이 없는 것과 같다.
을: 물에 동서의 구분이 없지만 위아래의 구분도 없겠는가? 사람의 본성이 선한 것은 물이 아래로 흐르는 것과 같다. 사람은 선하지 않음이 없고, 물은 아래로 흐르지 않음이 없다.

---

(1) 갑, 을이 누구인지 쓰시오.

　　　　갑: (　　　　　　), 을: (　　　　　　　　)

(2) 인간의 본성에 관한 갑과 을의 관점을 비교하여 서술하시오.

_____

_____

기출 변형

01 다음 내용에서 파악할 수 있는 인간의 특성으로 가장 적절한 것은?

어느 옛 성현은 매일 다음과 같은 세 가지를 스스로 질문했다고 합니다. '남을 위해 일을 할 때 충실하지 않았는가? 친구들과 사귐에 있어 믿음을 잃지 않았는가? 가르침받은 것을 복습하지 않았는가?' 저는 이 질문이 지금의 우리들에게도 적용될 수 있는 삶의 지침이라고 생각합니다.

① 자기 행위에 대해 스스로 성찰하는 존재이다.

② 유한성을 넘어 초월적인 것을 추구하는 존재이다.

③ 본능보다 이성을 통해 판단하고 행동하는 존재이다.

④ 다양한 사람들과 관계를 맺으며 살아가는 존재이다.

⑤ 필요에 따라 유형·무형의 도구를 만들어 사용하는 존재이다.

기출 변형

02 갑, 을의 입장에 대한 설명으로 옳지 <u>않은</u> 것은?

갑: 인의(仁義)란 후천적 교육이나 학습을 통해서 만들어지는 것이지, 본래부터 고유하게 가지고 나오는 것이 아니다. 이는 장인이 버드나무로 바구니를 만드는 것과도 같은데, 버드나무 속에 바구니가 들어 있지 않은 것이나 마찬가지이다.

을: 나무가 곧아 먹줄에 맞는다 해도 구부려야 바퀴가 되고, 쇠는 숫돌에 갈아야 날카로워진다. 그러니 본성을 변화시켜 인위(人爲)를 일으켜야 인간은 비로소 선해진다. 사람들이 본성을 그대로 따르게 되면 틀림없이 혼란한 상태에 이르게 된다.

① 갑은 본성이 선과 악으로 정해져 있지 않다고 보았다.

② 갑은 식욕과 성욕이 인간 본성의 전부라고 주장하였다.

③ 을은 타고난 본성이 존재한다는 점을 강조하였다.

④ 을은 인간의 선한 측면은 인위(人爲)의 결과라고 주장하였다.

⑤ 을은 갑과 달리 인간다움을 실현하기 위해서는 교육 등과 같은 후천적 노력이 필요하다고 보았다.

기출 변형

03 (가)의 갑, 을의 입장을 (나) 그림으로 표현할 때, A~C에 들어갈 내용으로 가장 적절한 것은?

(가)	갑: 사람은 모두 다른 사람의 고통을 보지 못하는 선한 마음을 갖고 있다. 만약 한 어린아이가 우물에 빠지려 하는 것을 본다면, 누구나 깜짝 놀라며 측은하게 여기게 된다. 을: 사람들은 태어날 때부터 이익을 좋아하고 손해를 싫어한다. 이익의 충돌이 발생할 때 사회는 혼란해지며 성인(聖人)이 예(禮)를 제정하여 이 혼란을 극복하고자 하였다.
(나)	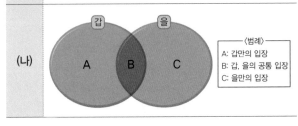

① A: 모든 사람에게는 타고난 본성이 있다.

② A: 선과 악은 모두 인간 마음의 본성이다.

③ B: 도덕성은 인위적인 노력의 산물이다.

④ C: 타고난 본성을 억제하며 살아가야 한다.

⑤ C: 인간의 자연스러운 욕구의 충족을 확대해야 한다.

04 (가), (나)에 대한 설명으로 가장 적절한 것은?

(가) 인간의 도덕적 삶과 행위에 대한 생각을 이론적으로 체계화한 것으로, 도덕 문제 해결에 필요한 원리와 근거를 탐구한다.

(나) 복잡한 사회 현상에 관한 체계적인 해석, 인간의 삶과 사회의 관계 등을 이론적으로 체계화한 사상이다.

① (가): 주로 사회 현상을 분석하고 평가하려고 한다.

② (가): '바람직한 삶은 무엇인가'보다 '바람직한 사회의 모습은 어떤 것인가'에 초점을 둔다.

③ (나): 바람직한 사회의 이상을 제시하는 데 관심을 둔다.

④ (나): 개인의 바람직한 삶의 목적과 방향을 설정하는 것을 주목적으로 한다.

⑤ (나): 일상생활 속 다양한 딜레마를 해결하여 자아를 발견하는 데 초점을 둔다.

05 다음 내용에서 파악할 수 있는 한국과 동양 윤리 사상에 대한 설명으로 가장 적절한 것은?

> 한국과 동양 윤리 사상은 우리가 사는 이 세계를 개체의 단순한 집합이 아니라 유기적 관계로 맺어진 통합된 전체로 이해한다. 따라서 세계에는 독립된 존재가 있을 수 없고, 모든 존재는 다른 존재와의 관계 속에서만 존재할 수 있다고 본다.

① 인간과 자연 사이의 조화를 중시한다.
② 인간과 세계를 독립된 실체의 결합으로 파악한다.
③ 자유와 평등의 가치를 강조하여 인권의 확장에 기여한다.
④ 인간이 자연을 지배하고 정복할 수 있다는 점을 강조한다.
⑤ 인간과 자연을 이원론적으로 구분하는 분석적 사고를 중시한다.

07 그림은 서술형 평가 문제와 학생 답안이다. ㉠~㉤ 중 옳지 않은 것은?

> ### 서술형 평가
> ◎ **문제**: 각 시대별 서양 윤리 사상의 특징을 서술하시오.
> ◎ **학생 답안**
> 고대 그리스 윤리 사상은 ㉠행복을 삶의 궁극적인 목적으로 보고 그 실현 방안으로 덕 있는 삶을 제시하였고, 이를 통해 앎과 행복의 관계를 강조하였다. ㉡중세 윤리는 사랑을 익명의 이웃에게까지 확장해야 한다는 가르침을 주었다. ㉢근대 윤리 사상에는 도덕적 판단과 행동의 근거로서 보편적 도덕 법칙의 중요성을 강조하는 사상이 있다. 또한 ㉣다수의 행복을 중시하는 사상도 있는데, 이를 통해 사회 정책이나 제도의 기준을 제시하였다. 이후 ㉤현대에 와서는 덕 있는 사람이 되기 위해서라면 어떤 욕망도 배제해야 한다고 주장하는 사상이 주목받고 있다.

① ㉠　　② ㉡　　③ ㉢　　④ ㉣　　⑤ ㉤

기출 변형

06 갑~병의 입장에 대한 설명으로 옳지 않은 것은?

> 갑: 가족 구성원으로서의 개인이 도덕 수양을 통해 먼저 자신의 인격을 완성하고, 나아가 가족과 국가, 천하를 평안하게 해야 한다.
> 을: 자연 그대로 소박하게 살아가야 한다. 예악과 같은 인위적인 가치는 자연스러운 본성과 맞지 않는다. 인간은 본래의 자기 모습대로 살아가야 한다.
> 병: 모든 사물은 의존 관계에 있으며, 누구나 불성을 가지고 있는 소중한 존재임을 깨달아야 한다. 따라서 자신이 소중하듯이 다른 존재도 소중하다는 점을 깨달아야 한다.

① 갑은 인간관계 속에서 사람의 도리를 중시한다.
② 을은 인간의 과도한 욕망을 절제할 것을 강조한다.
③ 병은 타인과의 공존과 생명 존중의 정신을 강조한다.
④ 갑과 병은 개인의 수양을 넘어 정치 공동체의 도덕성 실현에 주된 관심을 갖는다.
⑤ 을과 병은 인간과 자연을 조화적 관점에서 본다.

08 ㉠에 들어갈 말로 가장 적절한 것은?

> 갑: 정치권력의 정당성은 어떻게 확보할 수 있나요?
> 을: 정치권력은 국민으로부터 나옵니다. 따라서 통치권은 피지배자의 동의에 의해서만 합법화될 수 있습니다.
> 갑: 그것은 지배자 계급과 피지배자 계급이 따로 있다는 뜻인가요?
> 을: 그렇지 않습니다. 모든 국민은 선거를 통해 정치권력을 획득할 수 있습니다.
> 갑: 그렇다면 당신은 [㉠] 입장이군요.

① 국민에 의한 정치의 중요성을 강조하는
② 정치권력의 정당성을 계급 갈등에서 찾는
③ 사유 재산과 자유 시장 경제를 보장해야 한다는
④ 생산 수단의 공동 소유를 통해 정치권력을 유지해야 한다는
⑤ 인류를 국적과 인종에 상관 없이 보편적 가치와 권리를 지닌 시민으로 보아야 한다는

01 윤리 사상과 사회사상

A 인간에 대한 다양한 관점

(1) 인간의 다양한 특성

이성적 존재	고도의 사고 능력을 지닌 존재
사회적·정치적 존재	• 여러 사람들과 사회와 국가를 이뤄 살아가는 존재 • 인간은 공동체 구성원으로서 살아갈 때 자아를 실현할 수 있음
도구적 존재	필요에 따라 유형·무형의 도구를 만들어 사용하는 존재
유희적 존재	삶의 재미와 즐거움을 추구하는 존재
문화적 존재	다양한 문화를 창조하고 계승하는 존재
종교적 존재	초월적이고 무한한 것을 추구하는 존재
예술적 존재	다양한 예술 활동으로 아름다움을 추구하는 존재
윤리적 존재	• 인간의 가장 본질적 특성 • 옳고 그름을 판단하고 이를 실천할 수 있는 도덕적 자율성을 지닌 존재 • 인간은 윤리적으로 살아갈 때 인간다운 삶을 영위할 수 있음

(2) 인간 본성에 대한 관점

성선설	• 인간의 본성은 선하다는 관점 • 대표 사상가: 맹자
성악설	• 인간의 본성은 악하다는 관점 • 대표 사상가: 순자
성무선악설	• 인간의 본성은 선이나 악으로 결정되어 있지 않다는 관점 • 대표 사상가: 고자

B 윤리 사상과 사회사상의 중요성

윤리 사상	구분	사회사상
어떻게 사는 것이 바람직하고 좋은 삶인가에 대한 체계적인 대답	의미	사회 현상에 대한 해석과 사회 제도의 바람직한 모습 및 구현에 관한 사유
• 자아 탐색의 근거와 삶의 목적 및 가치 체계 제공 • 도덕적 행동 지침 및 판단 근거 제공	중요성	• 이상 사회의 실현 방안 모색에 도움 • 현실의 윤리 문제와 사회적 딜레마를 해결하는 데 도움

C 윤리 사상의 역할

(1) 한국 윤리 사상이 우리 삶에 기여한 점

한국 윤리 사상	• 건국 신화, 풍류도 등 고유한 정신적 바탕 위에 유·불·도 사상과 조화 → 화해와 통합의 정신 강조 • 효, 노인 공경, 공동체의 유대 중시 → 현대 사회의 가족 해체 현상 극복에 도움

(2) 동양 윤리 사상이 우리 삶에 기여한 점

유교 사상	도덕적 인격 수양과 공동체 강조 → 이기주의로 인한 문제 해결에 도움
불교 사상	만물의 상호 의존적 관계 인식 강조 → 모든 생명의 소중함을 인식하고 존중하도록 일깨움
도가 사상	자연스러운 순리에 따른 삶 강조 → 과도한 욕망에 대한 절제를 일깨움

(3) 서양 윤리 사상이 우리 삶에 기여한 점

고대 그리스 윤리 사상	덕 있는 삶을 통한 행복 추구 → 현대인에게 앎과 행복의 관계를 알려 줌
헬레니즘 윤리 사상	세계 시민으로 나아가기 위한 이론적 바탕 제공 → 세계화 시대에 필요한 윤리적 태도 강조
중세 윤리 사상	사랑과 배려를 익명의 이웃에까지 확장할 것 강조 → 종교를 넘어 윤리적 삶에도 영향
근대 윤리 사상	• 도덕적 판단과 행동의 원천인 이성과 감정 탐구 → 합리적 판단과 공감의 역할 및 그 중요성 일깨움 • 보편적 도덕 법칙 강조 • 다수의 행복 중시 → 사회 정책의 입안 기준 제시
현대 윤리 사상	• 개별 인간의 주체적인 삶 강조 • 사회 변화에 대응하는 문제 해결의 유용성 강조

D 사회사상의 역할

(1) 사회사상이 우리 삶에 기여한 점

자유주의	개인의 자유와 권리를 보장하는 사상적 근거 제공
공화주의	공익 실현을 위한 정치 참여의 중요성 강조
민주주의	국가권력은 국민으로부터 나옴을 강조
자본주의	사유 재산, 자유 경쟁에 입각한 경제 활동 활성화
세계 시민주의	지구적 차원의 윤리 문제 해결에 도움

(2) 윤리 사상과 사회사상의 관계

윤리 사상	← 상호 의존적·보완적 관계 →	사회사상

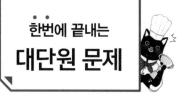

01 다음 내용에서 파악할 수 있는 인간의 특성으로 가장 적절한 것은?

> 인간은 도덕적 주체로서 스스로 판단하여 행위하고, 자신의 행위에 대해 책임을 지며, 스스로 반성하고 성찰할 수 있다. 이러한 특성은 동물과는 구분되는 인간의 근본적이고 본질적인 특성이다.

① 놀이를 통해 삶의 즐거움을 추구하는 존재이다.
② 선을 추구하고 인간다운 삶을 지향하는 존재이다.
③ 타인과 더불어 사회를 이루고 살아가는 존재이다.
④ 삶의 유한성을 깨닫고 초월자에게 귀의하는 존재이다.
⑤ 합리적 선택을 통해 자기 이익을 극대화하는 존재이다.

02 다음 내용에서 파악할 수 있는 인간의 특성으로 옳은 것만을 〈보기〉에서 있는 대로 고른 것은?

> 생각은 인간을 위대하게 만든다. 팔다리가 없는 인간을 떠올릴 수는 있지만 생각이 없는 인간을 떠올릴 수는 없다. 인간은 자연계에서 가장 연약한 하나의 갈대에 불과하다. 그러나 그는 '생각하는 갈대'이다. … 우주가 그를 무찌른다 해도 인간은 자기를 죽이는 자보다 한층 더 고귀하다. 왜냐하면 인간은 자기가 죽는다는 사실과 우주가 자기보다 우월하다는 사실을 알지만, 우주는 그것을 전혀 모르기 때문이다. 그러므로 인간의 존엄성은 오로지 그가 생각한다는 데 있다.

> 보기
> ㄱ. 사유하는 능력은 인간을 인간답게 만든다.
> ㄴ. 인간은 믿음을 통해 신과 하나가 될 수 있다.
> ㄷ. 인간은 이성을 발휘함으로써 자연계의 다른 존재들을 능가한다.
> ㄹ. 인간의 고귀함은 인간이 언제나 윤리적으로 행동한다는 점에 있다.

① ㄱ, ㄴ 　　② ㄱ, ㄷ 　　③ ㄴ, ㄹ
④ ㄱ, ㄷ, ㄹ 　　⑤ ㄴ, ㄷ, ㄹ

03 갑~병의 입장에 대한 설명으로 옳지 않은 것은?

> 갑: 사람은 누구나 남의 고통을 차마 외면하지 못하는 마음을 가지고 있습니다.
> 을: 인간의 본성은 본래 악하며, 선은 교육과 제도를 통한 인위적인 노력에서 비롯되는 것입니다.
> 병: 인간의 본성은 흐르는 물에 동쪽과 서쪽의 구분이 없는 것처럼 선이나 악으로 구분되지 않습니다.

① 갑: 인간은 선한 본성을 확충해야 한다.
② 을: 악한 본성을 극복하려는 노력이 중요하다.
③ 을: 인간이 본성에 따라 살면 사회적 혼란이 만연해진다.
④ 병: 도덕성의 실현은 후천적 요인과 무관하다.
⑤ 병: 인간의 본성은 선이나 악으로 결정되어 있지 않다.

04 다음 글에서 파악할 수 있는 설명만을 〈보기〉에서 고른 것은?

> 국가가 출중한 것은 그 정치 체제에 참여한 시민들이 출중하기 때문이다. 따라서 우리는 어떻게 한 인간이 훌륭해지는지를 알아야 한다. 시민들 각자가 훌륭한 경우에 시민들 전체가 훌륭하다고 말할 수 있다.

> 보기
> ㄱ. 훌륭한 시민이 훌륭한 국가를 만든다.
> ㄴ. 개인의 도덕성이 국가의 도덕성에 영향을 준다.
> ㄷ. 윤리 사상과 사회사상은 서로 배타적인 관계에 있다.
> ㄹ. 개인의 도덕성과 집단의 도덕성은 전적으로 독립적이다.

① ㄱ, ㄴ 　　② ㄱ, ㄷ 　　③ ㄴ, ㄷ
④ ㄴ, ㄹ 　　⑤ ㄷ, ㄹ

05 다음 대화에서 서양 윤리 사상의 역할을 <u>잘못</u> 이해한 학생은?

갑: 고대 그리스 윤리 사상은 덕 있는 삶을 통한 행복을 추구하면서 현대인에게 앎과 행복의 관계를 알려 주었어.

을: 헬레니즘 시대의 모든 윤리 사상가들은 육체적 쾌락만을 최대한으로 추구하면 행복할 수 있음을 강조하였어.

병: 서양 중세 윤리 사상은 사랑과 배려를 확장할 것을 강조하면서 종교적 가르침과 더불어 윤리적 실천의 중요성도 알려 주었어.

정: 서양 근대 윤리 사상 중에는 다수의 행복을 중시하는 사상이 있었어. 이는 다수를 고려하는 사회 정책의 입안 기준을 생각해 보는 데 기여하였어.

무: 서양 현대 윤리 사상 중에는 스스로 결단하는 주체적 삶을 강조한 사상이 있었어. 이는 현대의 인간 소외 현상을 해결하는 데 도움을 줄 수 있어.

① 갑   ② 을   ③ 병   ④ 정   ⑤ 무

06 다음 동양 윤리 사상이 우리 삶에 기여한 점으로 가장 적절한 것은?

인의(仁義)나 예악(禮樂)과 같은 인위적인 가치는 인간의 자연스러운 본성에 맞지 않습니다. 인간은 자연 그대로 소박하게 살아가는 삶이 이상적입니다.

① 개인의 자유와 권리를 강조하여 공동체보다 개인이 우선함을 알려 준다.

② 만물의 상호 의존성을 강조하여 모든 생명을 소중하게 여기는 마음을 일깨워 준다.

③ 자연의 순리에 따르는 삶을 강조하여 인간을 억압하는 사회 구조를 비판하는 기준을 제공해 준다.

④ 개인의 도덕적 인격 수양을 강조하여 현대의 과도한 개인주의로 인한 문제 해결에 도움을 준다.

⑤ 육체적 쾌락보다 정신적 쾌락을 우선하여 진정한 쾌락이 무엇인지 생각해 보는 계기를 마련해 준다.

07 A 사상이 우리 삶에 끼친 영향만을 〈보기〉에서 고른 것은?

> A
>
> 자유를 최상의 정치·사회적 가치로 삼는 역사적 전통이며, 사회 철학적 관점이자 이념이다. 정치적으로는 의회·행정부의 공존 틀을 점진적으로 도입·발전시켜 나가는 과정과, 권력 분립을 통한 개인 자유의 지속적 신장을 목표로 하는 모든 운동과 관련이 된다.

보기

ㄱ. 개인의 자유와 권리가 신장되었다.

ㄴ. 개인의 자유보다 공공성을 강조함으로써 공동체 의식을 함양하였다.

ㄷ. 사상과 종교의 자유를 보장함으로써 다양한 삶의 방식을 존중하는 태도를 강조하였다.

ㄹ. 육체적 쾌락이 아니라 정신적 쾌락이나 금욕을 추구하는 것이 개인의 행복에 있어 중요함을 알려 주었다.

① ㄱ, ㄴ   ② ㄱ, ㄷ   ③ ㄴ, ㄷ
④ ㄴ, ㄹ   ⑤ ㄷ, ㄹ

08 (가), (나)에 대한 평가로 가장 적절한 것은?

(가) 생산 수단의 공동 소유와 계획 경제를 통해 경제적으로 평등한 세상을 만들어야 한다.

(나) 자유로운 경쟁과 사적 소유를 기반으로 한 시장 경제 체제의 확립이 중요하다. 경제 활동의 자유와 이익 추구를 적극적으로 보장해야 한다.

① (가): 보통 선거의 확립으로 정치 참여의 기회가 확대되었다.

② (가): 자유로운 경제 활동을 지향함으로써 개인의 노력에 따른 소득을 정당화하는 데 기여하였다.

③ (나): 사유 재산의 축적을 긍정하여 물질적 부가 증대되었다.

④ (나): 필요에 따른 분배를 긍정하여 소유의 평등을 강조하였다.

⑤ (가), (나): 물질적 부의 편중으로 인한 부익부 빈익빈 문제가 발생하였다.

09 다음 글을 읽고 물음에 답하시오.

> 갑: 통치자는 인의(仁義)의 덕으로 나라를 다스려 사람들이 본성을 함양하면서 살아가도록 해야 한다. 사람은 배우지 않고도 도덕적 선을 행할 수 있는 능력이 있다.
> 을: 인간의 타고난 본성은 이익을 좋아하여 다툼을 낳고 그 다툼으로 말미암아 사회적 혼란이 생긴다. 이 혼란을 막고자 성인(聖人)이 예(禮)를 제정하였다.

(1) 갑, 을이 누구인지 쓰시오.

갑: (　　　　　　), 을: (　　　　　　)

(2) 인간 본성에 대한 갑과 을의 공통적 주장을 사상적 근거와 함께 서술하시오.

10 다음 글을 읽고 물음에 답하시오.

> 　㉠　(이)란 사회에서 나타나는 복잡하고 다양한 현상을 설명하고 해석함으로써 우리가 지향해야 할 사회는 어떤 모습이며, 이러한 사회를 어떻게 구현하고 운영할 것인지 등의 생각을 체계화한 것이다. 이 사상이 우리의 삶에서 갖는 중요성은 다음과 같다. 　㉡　

(1) ㉠에 들어갈 말을 쓰시오. (　　　　　　)

(2) ㉡에 들어갈 내용을 두 가지 서술하시오.

11 다음 글을 읽고 물음에 답하시오.

> 갑: 자연의 모든 존재가 그 구성 요소들에 의존하는 것이 아니라 그 구성된 형식이나 구조에 의존한다. 따라서 부분보다는 전체가 중요하고, 부분은 전체와의 연관 속에서만 의미를 가진다. 자연은 대우주이고, 인간은 소우주이다. 이러한 세계관을 　㉠　 세계관이라고 한다.
> 을: 자연의 활동은 그 자체의 생명력이 있는 것이 아니라 외부의 힘이 원인을 제공함으로써 가능하다. 자연에서 각각의 사건은 다른 물리적 사건에 의해 촉발되어, 사건들은 일련의 연쇄, 즉 인과 관계로만 존재한다. 이에 따르면 우리는 자연을 기계적인 것으로 이해할 수 있다.

(1) ㉠에 들어갈 말을 쓰시오. (　　　　　　)

(2) 갑의 입장에서 을의 세계관에 대해 제기할 수 있는 비판을 서술하시오.

12 다음 글을 읽고 물음에 답하시오.

> 롤스는 인간의 행동이나 품성을 도덕적으로 평가하지 않고 사회 제도를 도덕적으로 평가한다. 대규모의 사회적 문제가 발생하는 오늘날에는 개인 간의 행동을 도덕적으로 분석하는 것이 아니라, 사회 제도를 도덕적으로 분석해야만 문제를 더 잘 다룰 수 있다고 보기 때문이다. 이는 ㉠윤리 사상보다 　㉡　적 측면에 더 주목하는 입장이다.

(1) ㉡에 들어갈 말을 쓰시오. (　　　　　　)

(2) ㉠과 ㉡의 관계에 대해 서술하시오.

Ⅱ
동양과 한국 윤리 사상

배울 내용 한눈에 보기

01 사상의 연원

| 동양 윤리 사상의 연원 | → 대표 사상 → 유교 사상, 불교 사상, 도가 사상 |

| 한국 윤리 사상의 연원 | → 연원 → 고조선의 건국 신화, 무속 신앙 |
| | → 특징 → 인본주의 정신, 현세 지향적 가치관, 화합과 조화 정신 |

02 인의 윤리

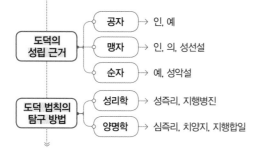

도덕의 성립 근거
- 공자 → 인, 예
- 맹자 → 인, 의, 성선설
- 순자 → 예, 성악설

도덕 법칙의 탐구 방법
- 성리학 → 성즉리, 지행병진
- 양명학 → 심즉리, 치양지, 지행합일

03 도덕적 심성

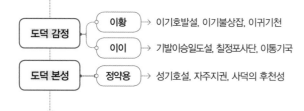

도덕 감정
- 이황 → 이기호발설, 이기불상잡, 이귀기천
- 이이 → 기발이승일도설, 칠정포사단, 이통기국

도덕 본성
- 정약용 → 성기호설, 자주지권, 사덕의 후천성

04 자비의 윤리

깨달음
- 초기 불교 → 연기설, 사성제, 삼법인
- 불교의 전개 → 부파 불교
  - 대승 불교 → 중관 사상, 유식 사상

깨달음의 길
- 교종 → 경전의 해석, 계율의 실천 강조
- 선종 → 불성의 자각, 좌선과 화두 수행 강조

05 분쟁과 화합

한국 불교 사상
- 원효 → 일심, 화쟁, 원융회통
- 의천 → 내외겸전, 교관겸수
- 지눌 → 돈오점수, 정혜쌍수, 간화선

한국 불교의 윤리적 특징
- 한국 불교의 특징과 현대적 의의

06 무위자연의 윤리

도가 사상의 전개
- 노자 → 무위자연, 소국과민
- 장자 → 제물, 소요, 좌망, 심재

도가 사상의 영향
- 도교의 성립과 전개 과정
- 한국 고유 사상과의 융합

07 한국과 동양 윤리 사상의 의의

한국 전통 윤리 사상의 근대적 지향성
- 실학과 강화학파
- 근대 격변기의 사상 → 위정척사, 개화사상
- 주요 신흥 민족 종교 → 동학, 증산교, 원불교

동양의 이상적 인간상과 시민
- 현대 사회의 윤리적 상황
- 동양의 이상적 인간상의 시사점

01 〜 사상의 연원

❶ 인(仁)
유교에서 강조하는 최고의 덕목으로, 사회적으로 완성된 인격체의 인간다움, 사람을 사랑하는 것, 자신의 사욕을 극복하고 예를 회복하는 것[克己復禮(극기복례)]을 의미한다.

★ 한눈에 정리

대표적인 동양 윤리 사상

유교	· 인의 윤리 · 도덕적 삶 강조 · 인간관: 중간자적 존재
불교	· 자비의 윤리 · 자비의 실천 강조 · 인간관: 깨달음에 이를 수 있는 존재
도가	· 무위자연의 윤리 · 소박한 삶 추구 · 인간관: 소박한 본성을 지닌 존재

---

❷ 자비(慈悲)
자(慈)는 사랑하는 마음을 가지고 중생에게 즐거움을 주는 것이고, 비(悲)는 불쌍히 여기는 마음을 가지고 중생의 고통을 없애 주는 것을 뜻한다. 모든 존재와 현상은 원인과 조건의 상호 관계에 의해 생겨난다는 연기(緣起)를 깨달음으로써 무차별적인 사랑인 자비로 이어질 수 있다.

❸ 무위자연(無爲自然)
인위적으로 무엇을 하려 하지 않고, 스스로 그러한 대로 사는 것을 의미한다.

❹ 경천사상
하늘을 숭배하는 사상을 말한다. 경천사상에는 하늘의 뜻에 어긋나지 않는 삶을 살아가려는 소박하고 순수한 종교적 심성과 하늘에서 비롯된 민족으로서 주체성을 지니고 그에 걸맞은 삶을 살아야 한다는 책임 의식이 나타나 있다.

A 동양 윤리 사상의 연원

1. 동양 윤리 사상의 등장

(1) 등장 배경

① 농경 중심의 사회: 가족 공동체 중시 → 가족 윤리를 바탕으로 사회 및 국가의 윤리를 정립함
└─ **왜** 농경 사회를 유지하기 위한 집단적 노동력이 중시되었기 때문임

② 자연의 운행과 변화에 관심: 자연의 원리를 통해 인간 삶의 목적과 방향을 설정함
└─ **왜** 농경은 자연의 절대적인 영향을 받기 때문임

(2) 대표 사상 자료1

유교	· ❶인의 윤리: 인격의 수양과 도덕적 실천을 강조함 · 삶과 죽음에 대한 이해: 내세보다 현세에서 수양하는 삶을 이상으로 봄 · 인간관: 인간은 위로는 자연이 만물을 생성하는 마음을 이어받고, 아래로는 하늘이 부여한 이치를 실현해야 하는 중간자적 존재
불교	· ❷자비의 윤리: 내가 소중하듯 모든 존재가 소중하다는 진리를 깨달아 자비의 윤리를 펼칠 것을 강조함 → 연기(緣起)를 깨달아 고통에서 벗어난 경지인 해탈을 추구해야 함 · 삶과 죽음에 대한 이해: 윤회(輪廻)의 과정 · 인간관: 인간은 어리석음으로 말미암아 고통 속에서 살아가지만 노력을 통해 깨달음에 이를 수 있는 존재 └─ **뜻** 생사(生死)가 끊임없이 반복되고, 현세에서의 행위가 내세의 삶을 결정한다는 주장
도가	· ❸무위자연의 윤리: 우주의 근원을 도(道)로 규정하고, 우주와 자연의 질서에 순응하는 무위자연의 삶을 강조함 · 삶과 죽음에 대한 이해: 기(氣)가 모이고 흩어지는 과정 · 인간관: 인간은 소박한 본성을 지닌 존재이지만, 인위적 가치와 제도가 그 본성을 그르침 · 만물을 차별하지 않는 제물(齊物)을 실천하고, 자유롭게 노니는 소요(逍遙)의 경지에 이르러야 함 → 자연과 인간이 하나가 되는 물아일체의 경지를 강조함 자료2

2. 동양 윤리 사상의 특징

(1) 유기체적 세계관: 모든 존재를 상호 의존적으로 살아가는 하나의 유기체로 봄

(2) 공존과 공생의 사회관: 인간을 타인, 만물과 더불어 살아가는 존재로 봄

(3) 개인의 인격 도야 강조: 스스로의 수양과 노력으로 이상적 인격에 도달하고자 함

(4) 인간의 행복과 사회 질서 실현의 원리 제시: 자연과 인간에 대한 근원적인 성찰 강조 → 다양한 각도에서 실현 원리 및 방법을 제시함

B 한국 윤리 사상의 연원

1. 한국 윤리 사상의 연원

┌─ **뜻** 자연과 하나가 되고자 함   ┌─ **뜻** 널리 인간을 이롭게 한다는 의미로 고조선의 건국 이념임

고조선의 건국 신화 (단군 신화)	· 고조선 건국에 관한 신화로, 민족정신의 원형이자 윤리 의식의 바탕 · 경천사상, 천일합일 사상, 홍익인간 등의 이념을 담고 있음 자료3
무속(巫俗) 신앙	무당의 힘을 빌려 하늘에 복을 기원하고 나쁜 기운을 물리치려는 믿음

2. 한국 윤리 사상의 특징

(1) 인본주의 정신: 인간의 행복과 존엄성을 중시함 ┐ **예** 조선 성리학의 인간 본성에 관한 탐구, 동학의 인내천(人乃天) 사상 등

(2) 현세 지향적 가치관: 세상의 삶을 긍정함 ┐ **예** 현세에서의 행복을 추구한 민간 신앙, 도덕적 인간과 사회를 현실에서 구현하려 한 한국 유교 등

(3) 화합과 조화 정신: 인간과 인간, 인간과 사회, 인간과 자연의 조화를 소중히 여김
└─ **예** 유·불·도 등 여러 사상을 담고 있는 우리 고유의 사상인 풍류도, 원효의 화쟁론, 의천과 지눌의 선교 통합, 근대 신흥 종교의 유·불·도 융합 노력 등

자료1 동양 윤리 사상의 이상적 인간상

유교	불교	도가
배우고 때때로 익히면 또한 기쁘지 아니한가? … 남이 알아주지 않아도 화내지 않으면 또한 군자(君子)가 아니겠는가?	탐욕과 성냄과 어리석음을 버리고 무소의 뿔처럼 혼자서 가라.	말에 멍에를 달고 소에 코뚜레를 다는 것은 인위(人爲)이고, 원래 그대로 두는 것이 말과 소의 자연스러움이다.

| 자료 분석 | 유교는 자기를 수양함과 동시에 타인을 사랑하는 군자(君子)를 이상적 인간으로 본다. 불교는 스스로 깨달아 지혜로운 사람이 되고 나아가 중생을 깨닫게 하는 자비로운 사람, 즉 보살(菩薩)을, 도가는 인위에서 벗어나 자연에 순응하는 지인(至人)을 이상적 인간으로 본다.

　　　　　　　　　　　　　　　　　　　　　　　　　　　불교에서는 이러한 삶을 자리이타
　　　　　　　　　　　　　　　　　　　　　　　　　　　(自利利他)의 삶이라고 부름

한줄 핵심 ▶ 유교는 군자, 불교는 보살, 도가는 지인을 이상적 인간상으로 제시한다.

❶ 유교에서는 이상적 인간상으로 '군자'를 제시한다.　　☐ ◯ ☐ ✕

❷ 불교는 '지인'을 이상적 인간으로 본다.　　☐ ◯ ☐ ✕

자료2 호접몽(胡蝶夢)과 물아일체의 삶
┌ '나비의 꿈'을 뜻함

┌ 도가의 대표 사상가

어느 날 장자가 제자들에게 말하였다. "내가 어젯밤 꿈에 나비가 되었다. 날개를 펄럭이며 꽃 사이를 즐겁게 날아다녔는데, 너무도 기분이 좋아서 내가 나인지도 잊어버렸다. 그러다 불현듯 꿈에서 깨었다. 깨고 보니 나는 나비가 아니라 내가 아닌가? … 그렇다면 지금의 나는 정말 나인가, 아니면 나비가 꿈에서 내가 된 것인가? 지금의 나는 과연 진정한 나인가? 아니면 나비가 나로 변한 것인가?"
　　　　　　　　　└ 사물과 자기의 구별을 잊은 상태　　　　 – 장자, "장자, '제물 편'"

| 자료 분석 | 장자가 제시한 호접몽을 통해 도가 사상이 추구한 물아일체(物我一體)의 경지를 알 수 있다.

한줄 핵심 ▶ 도가 사상은 인간과 자연의 구분을 넘어서 자연과 하나가 되는 물아일체의 경지를 추구한다.

❸ 도가는 물아일체의 경지를 강조한다.　　☐ ◯ ☐ ✕

자료3 고조선의 건국 신화에 담긴 정신

환인의 아들 환웅이 ㉠ 하늘 아래에 뜻을 두고 인간 세상을 다스리고자 하였다. 환인이 이를 알고 ㉡ 인간 세상을 내려다보니 널리 이롭게 할 만하였다. … 환웅은 무리 삼천 명을 거느리고 태백산 신단수 아래에 내려와서, 풍백, 우사, 운사를 거느리고 곡식, 수명, 질병, 형벌, 선악 등을 주관하였다. 이때 곰과 호랑이가 ㉢ 늘 사람이 되기를 빌었다. 곰은 삼칠일 동안 몸을 삼가 여자의 몸이 되었으나, 호랑이는 그렇지 못하였다. ㉣ 환웅이 임시로 변하여 웅녀와 결혼하고, 아들을 얻으니 그를 단군왕검이라 하였다.　　　– 일연, "삼국유사"

사회 정의와
도덕의식 등
도 나타남

| 자료 분석 | 위 자료를 바탕으로 고조선의 건국 신화에서 나타난 한국 윤리 사상의 특징을 정리하면 다음과 같다. 또한 사회 정의와 도덕의식 등도 찾아볼 수 있다.

고조선의 건국 신화	한국 윤리 사상의 특징
㉠ 환웅이 인간 세상에서 살기를 바라고 곰과 호랑이가 인간이 되길 원함	인본주의 정신
㉡ 홍익인간 정신을 강조하며 좋은 삶을 염원함	현세 지향적 가치관
㉢ 환웅과 웅녀의 결합은 인간과 자연의 화합 측면에서 이해될 수 있음	화합과 조화 정신

한줄 핵심 ▶ 고조선의 건국 신화에는 인본주의, 조화 지향, 사회 정의와 도덕의식 등이 담겨 있다.

❹ 고조선의 건국 신화에는 인본주의 정신, 현세 지향적 가치관, 화합과 조화의 정신 등이 담겨 있다.　　☐ ◯ ☐ ✕

◯ ❹ ◯

❶ (쌀보산보) 살보 의상 이이교불 ❷
도 ◯ 이교유 ✕ ❷ ◯ ❶ **답정**

A 동양 윤리 사상의 연원

01 빈칸에 알맞은 말을 쓰시오.

(1) 동양은 ☐☐ 중심 사회로 가족 공동체를 중시하였다.

(2) 유교는 ☐을/를 바탕으로 인격의 수양과 도덕적 실천을 강조한다.

(3) 불교에서는 내가 소중하듯 모든 존재가 소중하다는 ☐☐의 윤리를 강조한다.

(4) 도가에서는 인간을 소박한 본성을 지닌 존재로 보며, 우주와 자연의 질서에 순응하는 ☐☐☐☐의 삶을 제시한다.

02 알맞은 설명에 ○표를 하시오.

(1) (유교, 도가)는 인위적 가치와 제도는 인간의 본성을 그르친다고 본다.

(2) (불교, 도가)는 스스로 깨달아 지혜로운 사람이 되고 나아가 중생을 깨닫게 하는 보살을 이상적 인간으로 본다.

03 다음 내용이 맞으면 ○표, 틀리면 ✕표를 하시오.

(1) 불교에서는 삶과 죽음을 기(氣)가 모이고 흩어지는 과정으로 본다. ( )

(2) 도가에서는 자연과 인간이 하나가 되는 물아일체의 경지를 강조한다. ( )

04 동양 윤리 사상의 특징을 〈보기〉에서 골라 쓰시오.

ㄱ. 유기체적 세계관	ㄴ. 인격 도야의 강조	ㄷ. 인간과 자연의 분리
ㄹ. 정복 지향적 자연관	ㅁ. 유일신에게 귀의하는 삶	ㅂ. 공존과 공생의 사회관

( )

B 한국 윤리 사상의 연원

05 빈칸에 알맞은 말을 쓰시오.

(1) 고조선의 건국 신화에는 널리 인간을 이롭게 한다는 ☐☐☐☐의 정신이 담겨 있다.

(2) ☐☐ 신앙은 하늘과 인간을 매개한다고 믿어지는 무당의 힘을 빌려 복을 기원하고 나쁜 기운을 물리치려는 믿음이다.

06 알맞은 설명에 ○표를 하시오.

(1) 고조선의 건국 신화에서 환웅은 인간 세상에 내려와 살기를, 곰과 호랑이는 인간이 되기를 원하는데, 여기에서 (인본주의, 극기복례)의 특징을 엿볼 수 있다.

(2) 풍류도, 원효의 화쟁론 등을 통해 한국 윤리 사상의 (현세 지향적 가치관, 조화 정신)을 발견할 수 있다.

탄탄! 내신 다지기

A 동양 윤리 사상의 연원

01 유교 사상가가 강조한 덕목으로 가장 적절한 것은?

① 인(仁) ② 자비(慈悲) ③ 소요(逍遙)
④ 무위(無爲) ⑤ 무지(無知)

02 다음 사상의 특징으로 가장 적절한 것은?

> 배우고 때때로 익히면 또한 기쁘지 아니한가? … 남이 알아주지 않아도 화내지 않으면 그 또한 군자(君子)가 아니겠는가?

① 개인의 인격 수양을 강조한다.
② 연기에 따른 상호 의존성을 강조한다.
③ 내세가 현세의 삶보다 가치 있다고 본다.
④ 인위적인 규범과 제도를 거부하고 소박한 삶을 추구한다.
⑤ 사회적 규범의 준수보다 개인의 자유 실현을 강조한다.

03 불교에서 강조하는 삶의 자세만을 〈보기〉에서 고른 것은?

> 보기
> ㄱ. 하늘이 부여한 이치를 실현해야 한다.
> ㄴ. 자연에 따라 사는 소박한 삶을 살아야 한다.
> ㄷ. 현실의 고통에서 벗어나 참된 행복에 이르러야 한다.
> ㄹ. 내가 소중하듯 모든 존재가 소중함을 깨달아야 한다.

① ㄱ, ㄴ ② ㄱ, ㄷ ③ ㄴ, ㄷ
④ ㄴ, ㄹ ⑤ ㄷ, ㄹ

04 다음 사상의 입장을 〈보기〉에서 고른 것은?

> • 천지(天地)는 나와 나란히 생겨나고, 만물은 나와 하나이다.
> • 삶을 즐거워할 줄도 모르고 죽음을 싫어할 줄도 모른다.

> 보기
> ㄱ. 인(仁)을 실천하는 삶을 살아야 한다.
> ㄴ. 자비(慈悲)를 실천하는 삶을 살아야 한다.
> ㄷ. 자연의 질서에 순응하는 삶을 살아야 한다.
> ㄹ. 인위(人爲)적인 것을 배격하는 삶을 살아야 한다.

① ㄱ, ㄴ ② ㄱ, ㄷ ③ ㄴ, ㄷ
④ ㄴ, ㄹ ⑤ ㄷ, ㄹ

05 ㉠, ㉡에 해당하는 개념으로 옳은 것은?

> • 불교에서는 세계 모든 존재가 서로 인과적으로 의존하고 있다는 진리를 깨달아 자비의 윤리를 실천해야 한다고 본다. 또한 ┌ ㉠ ┐ 을/를 깨달아 고통에서 벗어나 해탈에 이를 수 있다고 주장한다.
> • 도가에서는 인위적 가치와 제도를 거부하고 자연에 따라 살아가는 ┌ ㉡ ┐ 의 삶을 살 것을 강조한다.

	㉠	㉡
①	연기(緣起)	무위자연(無爲自然)
②	연기(緣起)	인(仁)
③	무위자연(無爲自然)	자비(慈悲)
④	윤회(輪廻)	자비(慈悲)
⑤	윤회(輪廻)	인(仁)

06 유교, 불교, 도가 사상의 공통점으로 옳지 않은 것은?

① 인간을 만물과 더불어 살아가는 존재로 본다.
② 인간의 행복과 사회 질서의 실현 원리를 제시한다.
③ 규범과 가치에 얽매이기보다 개인의 자유를 추구한다.
④ 스스로의 수양과 노력으로 이상적 인격에 도달하고자 한다.
⑤ 모든 존재를 상호 의존적으로 살아가는 하나의 유기체로 본다.

07 그림은 어느 학생의 노트 필기 내용이다. ㉠~㉤ 중 옳지 않은 것은?

> 〈유교, 불교, 도가 사상의 특징〉
> 1. 유교, 불교, 도가 사상의 특징
>   • 유교 사상: 인간 간의 도리를 지키며 도덕으로 살아야 함·········㉠
>   • 불교 사상: 고통의 원인을 깨달아 모든 고통에서 벗어난 경지에 이르러야 함 ·········㉡
>   • 도가 사상: 인위적·세속적 가치에서 벗어나 살아가야 함···㉢
> 2. 유교, 불교, 도가 사상의 비교
>   • 유교, 도가 사상: 사회의 윤리적 규범을 확립해야 함·········㉣
>   • 유교, 불교, 도가 사상: 모든 존재의 상호 연관성을 중시함···㉤

① ㉠   ② ㉡   ③ ㉢   ④ ㉣   ⑤ ㉤

B 한국 윤리 사상의 연원

08 다음 내용을 통해 파악할 수 있는 한국 윤리 사상의 특징으로 옳은 것만을 〈보기〉에서 있는 대로 고른 것은?

> 환인의 아들 환웅이 하늘 아래에 뜻을 두고 인간 세상을 다스리고자 하였다. 환인이 이를 알고 인간 세상을 내려다보니 널리 이롭게 할 만하였다. 이에 환웅이 내려와 인간 세상을 다스렸다. 이때 곰과 호랑이가 늘 사람 되기를 원하였다. 이에 곰은 삼칠일 동안 몸을 삼가 여자의 몸이 되었으나, 호랑이는 그렇지 못하였다. 웅녀가 아이 얻길 원하자 환웅이 임시로 변하여 웅녀와 결혼하고 아들을 얻으니, 그가 단군왕검이다.

> 보기
> ㄱ. 인간을 중시하는 인본주의 정신을 추구한다.
> ㄴ. 자연을 정복하여 인간의 삶을 개선하려고 한다.
> ㄷ. 중재자인 무당의 힘을 빌려 하늘에 복을 기원한다.
> ㄹ. 하늘을 성스럽게 여겨 하늘과 인간을 연결하고자 한다.

① ㄱ, ㄷ   ② ㄱ, ㄹ   ③ ㄴ, ㄹ
④ ㄱ, ㄴ, ㄷ   ⑤ ㄴ, ㄷ, ㄹ

09 다음 중 '무당'의 역할에 대한 옳은 설명만을 〈보기〉에서 있는 대로 고른 것은?

> 보기
> ㄱ. 인간의 소망을 신령에게 전달해 준다.
> ㄴ. 길흉화복을 예언하고 안녕을 기원한다.
> ㄷ. 내세에서 영생하기를 유일신에게 요청한다.
> ㄹ. 산 자와 죽은 자의 한을 풀어 주는 역할을 한다.

① ㄱ, ㄴ   ② ㄱ, ㄷ   ③ ㄷ, ㄹ
④ ㄱ, ㄴ, ㄹ   ⑤ ㄴ, ㄷ, ㄹ

서답형 문제

10 다음 글을 읽고 물음에 답하시오.

> 교사: 한국 윤리 사상의 대표적인 연원은 고조선의 건국 신화입니다. 고조선의 건국 신화 속에서 한국 윤리 사상의 어떤 특징을 찾을 수 있나요?
> 학생: [㉠]을/를 찾을 수 있습니다.
> 교사: 고조선의 건국 신화 속에서 각각의 근거를 찾아서 발표해 볼까요?
> 학생: [㉡]

(1) ㉠에 들어갈 내용을 세 가지 쓰시오.

(2) ㉡에 들어갈 내용을 서술하시오.

도전! 실력 올리기

01 다음 사상에서 강조하는 삶의 태도로 가장 적절한 것은?

> 성인(聖人)은 아무것에도 얽매이지 않고 마음을 자유로이 노닐게 한다. 그는 지식을 재앙의 근원으로 여기고 예의 규범을 몸을 얽매는 것으로 생각한다. 세상의 도덕을 교제의 수단으로 간주하고 기교를 장사의 솜씨로 여긴다. 성인은 모략을 하지 않으니 어찌 지식이 필요하겠는가?

① 물아일체(物我一體)의 삶을 살아야 한다.
② 인(仁)을 실천하는 도덕적 삶을 살아야 한다.
③ 예(禮)를 실천하여 인간다운 삶을 살아야 한다.
④ 분별적 앎을 쌓아 소요(逍遙)하는 삶을 살아야 한다.
⑤ 중생을 구제하고 자비를 실천하는 삶을 살아야 한다.

02 (가), (나) 사상의 입장에 대한 옳은 설명만을 〈보기〉에서 있는 대로 고른 것은?

> (가) 사욕을 이겨 내고 예를 회복[克己復禮]하여야 인(仁)이 이루어진다. 예(禮)가 아니면 쳐다보지 말고, 들으려고 하지 말고, 말조차 건네지 말고, 맞대응하지도 말라.
> (나) 현실을 고통이라 자각하고 고통의 원인을 잘 알아 끊어 버리며, 열반을 얻을 수 있음을 자각하여 바르게 수행한 사람은 성인(聖人)의 깃발을 바로 세운 사람이라 할 수 있다.

> 보기
> ㄱ. (가)는 수양을 통한 개인의 인격 완성을 중시한다.
> ㄴ. (나)는 인간을 어리석음으로 인해 고통 속에서 살아가는 존재로 본다.
> ㄷ. (가), (나)는 타인에 대한 연민과 동정을 중시한다.
> ㄹ. (가), (나)는 공동체가 요구하는 도덕적 가치에 얽매이기보다 개인의 자유를 추구한다.

① ㄱ, ㄷ   ② ㄱ, ㄹ   ③ ㄴ, ㄹ
④ ㄱ, ㄴ, ㄷ   ⑤ ㄴ, ㄷ, ㄹ

03 (가)의 입장을 (나)의 그림으로 탐구할 때, A~B에 들어갈 옳은 질문만을 〈보기〉에서 있는 대로 고른 것은?

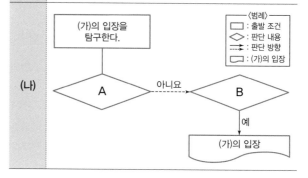

> (가) 환인의 아들 환웅이 하늘 아래에 자주 뜻을 두고서 인간 세상을 탐내어 구하였다. 환인이 환웅의 뜻을 알고서 내려다보니 삼위태백(三危太伯)이 인간을 널리 이롭게 할 만하였다. 이에 천부인(天符印) 셋을 주며 내려가 다스리도록 하였다.

> 보기
> ㄱ. A: 홍익인간의 정신을 실현하고자 하는가?
> ㄴ. A: 현세보다 내세에서의 행복을 중시하는가?
> ㄷ. B: 하늘[天]과 인간[人]의 합일을 지향하는가?
> ㄹ. B: 신을 배제한 인간 중심주의를 실현하고자 하는가?

① ㄱ, ㄴ   ② ㄴ, ㄷ   ③ ㄷ, ㄹ
④ ㄱ, ㄴ, ㄹ   ⑤ ㄱ, ㄷ, ㄹ

04 다음 사상에 대한 설명으로 옳은 것은?

> 우리나라에 현묘한 도(道)가 있음에 이를 풍류(風流)라고 한다. 그 가르침의 근원에 대해서는 선사(仙史)에 자세하게 기록되어 있는데, 유·불·도의 삼교(三敎)를 포함하고 백성들을 접하여 교화한다. 집에서는 효를 행하고 나가서는 나라에 충성함은 공자의 가르침과 같고, 무위로 일을 처리하고 말없는 가르침을 행하는 것은 노자의 뜻과 같으며, 악을 짓지 말고 모든 선을 받들어 행하라는 것은 석가의 가르침과 같다.

① 유·불·도가 조화를 이룬 외래 사상이다.
② 유·불·도가 전래된 이후에 형성된 사상이다.
③ 유·불·도의 모든 요소가 포함되어 있는 사상이다.
④ 화랑도의 정신으로부터 유래되어 형성된 사상이다.
⑤ 유·불·도의 가르침과 통할 수 없는 내용이 사상의 중심이다.

02 ~ 인의 윤리

곁주석 (왼쪽 열)

❶ 극기복례(克己復禮)
공자는 당시의 예가 지나치게 형식화되었다고 보아 인을 바탕으로 극기복례를 실천해야 한다고 강조하였다. 구체적 방법으로 '예가 아니면 보지도, 듣지도, 말하지도, 행하지도 않아야 한다.'고 주장하였다.

❷ 정명(正名)
공자는 '정명'을 이룰 때 사회적 혼란이 사라져 안정을 이룰 수 있다고 보았다. 이를 "임금은 임금답고 신하는 신하답고 부모는 부모답고 자식은 자식다워야 한다[君君臣臣父父子子]."라는 말로 표현하였다.

❸ 맹자의 인(仁)과 의(義)
맹자가 제시한 인은 따뜻하고 포용적인 사랑, 의는 옳고 그름을 분명하게 구분하는 사회적 정의를 뜻한다. 맹자는 "자기 생명을 버리더라도 의로움을 취해야 한다[捨生取義]"고 말하며 의를 강조하였다.

❹ 사단(四端)
타인의 고통을 차마 그대로 보아 넘기지 못하는 네 가지의 선한 마음으로 사덕을 실현할 수 있는 실마리를 뜻한다.

- 측은지심(惻隱之心): 남을 불쌍히 여기는 마음
- 수오지심(羞惡之心): 자기 잘못을 부끄러워하고 타인의 옳지 못함을 미워하는 마음
- 사양지심(辭讓之心): 겸손하고 양보하는 마음
- 시비지심(是非之心): 옳고 그름을 가릴 줄 아는 마음

❺ 항산(恒産)의 보장
항산은 생계를 유지하는 데 필요한 일정한 재산이나 생업, 즉 백성의 경제적 안정을 뜻한다. 맹자는 백성이 경제적으로 안정되어야 도덕적 마음[恒心(항심)]을 유지할 수 있다고 보아 항산의 보장을 강조하였다.

A 도덕의 성립 근거: 공자, 맹자, 순자의 사상

★ 1. 공자의 사상

(1) 시대적 배경: 춘추 전국 시대의 정치적 혼란을 해결하고자 다양한 사상이 등장함
└ 예 유가, 도가, 묵가, 법가 등

(2) 인(仁)과 예(禮)

① 인: 내면적 도덕성, 사랑에 바탕을 둔 진정한 인간다움

중요성	개인의 도덕적 타락으로 사회적 혼란이 발생함 → 인의 실현을 통해 도덕적 사회 실현
실천 덕목	• 효(孝): 부모를 잘 섬기는 것 ── 왜 타인과 사회적 관계로 확장할 때 사회 질서를 바로잡을 수 있다고 보았기 때문임 • 제(悌): 형제끼리 서로 우애롭게 지내는 것
실천 방법	• 충(忠): 조금의 속임이나 허식 없이 자기 마음을 성실하게 함 • 서(恕): 자신의 마음을 미루어 다른 사람의 마음을 헤아림 [자료1]

② 예: 인의 정신을 담고 있는 외면적 사회 규범 → 개인의 사욕을 극복하고 진정한 예를 회복하는 '극기복례❶'를 강조함

(3) 정치론

왜 사람들을 교화하여 개인의 도덕적 자발성을 북돋우려고 했기 때문임

정명(正名)❷	각자가 자신의 신분과 직책에 맞는 권한을 행사하고 의무를 수행해야 함
덕치(德治)	• 형벌에만 의지하지 않고 도덕과 예로 백성을 교화하는 정치 • 덕치의 실현을 위해 통치자는 수기치인(修己治人) 해야 함 ── 똑 통치자가 먼저 군자다운 인격을 닦은 후 백성을 다스려야 함
대동 사회	재화가 고르게 분배되고 사회적 약자가 보살핌을 받는 이상 사회를 추구함

★ 2. 맹자의 사상

└ 예 사적 이익의 추구

(1) 인(仁)과 의(義)❸: 도덕적 타락으로 사회적 혼란 발생 → 인, 의를 통해 해결하고자 함

(2) 성선설

의미	인간은 누구나 선천적으로 사단을 지니므로 선한 존재임
사덕(四德)	선천적인 도덕 자각 능력인 양지(良知), 선천적인 도덕 실천 능력인 양능(良能)을 바탕으로 사단을 기르고 확충하는 수양을 하여 인의예지(仁義禮智), 즉 사덕에 이를 수 있음

(3) 수양론

① 잃어버린 본심을 되찾고[求放心(구방심)] 욕심을 적게 가져야 함[寡欲(과욕)]

② 의로운 일을 꾸준히 실천하여 쌓아서[集義(집의)] 호연지기(浩然之氣)를 길러 대장부가 되어야야 함
똑 지극히 크고 강한 기개, 어떤 권위와 폭력으로도 꺾을 수 없는 씩씩한 기상

(4) 정치론

왕도(王道)정치	• 의미: 백성을 아끼고 사랑하며 덕으로 다스리는 정치 • 실현 방법: 백성들과 즐거움을 함께 누려야 함[與民同樂], 백성들의 항산(恒産)❺ 보장 등
민본주의 [자료2]	• 의미: 백성을 나라의 근본으로 생각하고 백성의 입장에서 정치를 실현해야 함 • 역성혁명(易姓革命): 백성을 저버린 군주는 교체되어야 함

★ 3. 순자의 사상 [자료3]

(1) 예: 성인이 제정한 인위(人僞)로, 인간의 본성을 교화하고 규제하는 **외면적 도덕규범**임

(2) 천인분이(天人分二): 자연과 인간의 일은 구분된다고 보아 인간의 능동적 측면을 강조함

교과서 자료 모아 보기

자료1 공자의 서(恕)

자공이 물었다. "일생 동안 행할 만한 한 마디 말이 있습니까?" 공자가 답했다. "그것은 서 (恕)일 것이다. 내가 원하지 않는 것은 남에게도 행하지 마라." — 공자, "논어"

| 자료 분석 | 공자는 인(仁)을 실천하는 구체적 방법의 하나로 서(恕)의 덕목을 제시하였다. '서'는 다른 사람을 나와 동등하게 대우하는 공정한 마음가짐, 즉 상호 존중의 원칙을 포함한다. 이 때문에, '서'를 통한 인의 실천은 도덕규범으로서 보편성을 갖는다.

한줄 핵심 > 서(恕)는 자신을 미루어 다른 사람의 마음을 헤아리는 것[推記及人(추기급인)]이다.

❶ 공자는 인의 실천 방법으로서 '서(恕)'를 제시하였다. ○ ×

❷ '서(恕)'는 조금의 속임이나 허식 없이 자신의 마음을 성실하게 하는 것이다. ○ ×

자료2 맹자의 민본주의와 역성혁명

천하를 얻는 데에는 원칙이 있다. 백성을 얻으면 이미 천하를 얻은 셈이다. 백성을 얻는 데에는 원칙이 있다. 그 마음을 얻으면 백성을 얻은 셈이다. 그 마음을 얻는 데에는 원칙이 있다. 그들이 원하는 바를 이루어 주고, 그들이 싫어하는 바를 하지 않는 것이다. — 맹자, "맹자"

| 자료 분석 | 맹자는 민본주의를 근거로 역성혁명을 제시하였다. 백성을 나라의 근본으로 여겼기 때문에, 맹자는 민심을 잃는 것이 곧 천하를 잃는 것과 같다고 보았다. 따라서 군주가 군주답지 못하다면 그 군주는 교체되어야 한다고 주장하였다.

한줄 핵심 > 맹자는 백성을 나라의 근본으로 여기는 민본주의에 근거하여 역성혁명을 주장하였다.

❸ 맹자는 백성을 나라의 근본으로 여기는 민본주의를 주장하였다. ○ ×

❹ 맹자는 군주의 절대성을 인정하여 역성혁명을 반대하였다. ○ ×

자료3 순자와 한비자의 정치론

순 자 만약 사람에게 예(禮)가 없다면 제대로 살아가지 못하고, 도모하는 일에 예가 없다면 편안하지 못할 것이다. 예는 나라를 다스리는 근본이다. 임금이 예를 따르면 천하를 얻을 수 있지만 그렇지 않으면 사직을 훼손하게 된다. — 순자, "순자"

한비자 엄혹한 형벌은 백성들이 두려워하는 것이며, 중한 벌은 백성들이 싫어하는 바이다. 따라서 성인(聖人)은 백성들이 두려워하는 바를 제시하여 그들의 불의를 금지하고, 그들이 싫어하는 바를 제정하여 그들의 불법을 방지한다. — 한비자, "한비자"

| 자료 분석 | 유가의 순자와 법가의 한비자는 모두 성악설에 근거하여 인간을 이기적인 존재로 간주하였다. 하지만 이기적 존재인 인간을 다스리는 방법에 대한 입장은 서로 달랐는데, 순자는 예(禮)를, 한비자는 법(法)을 강조하였다. 순자는 국가를 다스리는 근본을 예라고 보아, 예를 바탕으로 다스리는 예치를 주장하였다. 하지만 한비자는 나라를 다스리는 데 있어 중요한 것은 법이며, 백성에게 공표한 법은 모두 지켜야 하며, 군주는 신상필벌(信賞必罰)의 원칙에 따라 통치해야 한다고 주장하였다. 공이 있는 자에게는 반드시 상을 주고, 죄가 있는 자에게는 반드시 벌을 줌

한줄 핵심 > 순자는 예에 근거하여, 한비자는 법에 근거하여 통치해야 한다고 주장하였다.

❺ 순자는 군주가 예에 근거하여 나라를 다스려야 한다고 보았다. ○ ×

(3) 성악설

의미	인간은 본래 이익을 좋아하고 남을 미워하는 악한 품성을 지닌 존재임
화성기위(化性起僞)	예를 바탕으로 후천적 노력을 하여 본성을 선하게 변화시켜야 함

왜 인간의 악한 본성대로 살면 사회적 혼란이 발생하여 무질서한 상태가 된다고 보았기 때문임

(4) 정치론

① **예치(禮治)**: 예를 통치의 표준으로 삼고, 예를 통해 다스리는 정치

② 덕의 유무에 따른 사회적 지위 결정, 능력에 따른 관직 부여, 재화의 공정한 분배 주장

❻ 이와 기의 관계
성리학에서는 이와 기는 서로 떨어질 수 없으며 동시에 뒤섞일 수 없다고 보았다. 왜냐하면, 모든 존재와 현상은 이와 기의 결합이므로 이와 기는 서로 떨어질 수 없으며[理氣不相離(이기불상리)], 동시에 원리로서의 이와 재료로서의 기는 서로 의미와 역할이 다르므로 섞일 수 없기[理氣不相雜(이기불상잡)] 때문이다.

B 도덕 법칙의 탐구 방법: 성리학과 양명학

⭐ **1.** 성리학 [자료4] [자료5] [자료6]

(1) 성즉리(性卽理): 인간의 선한 본성은 우주 만물의 보편적 법칙인 이(理)임
　　뜻 인간의 본성이 곧 이치임

(2) 이기론(理氣論)
　　뜻 우주 만물의 구조를 설명하는 이론

① **의미**: 모든 존재와 현상은 이와 기의 결합으로 나타남
　　❻

② **이와 기**

이(理)	사물의 본질을 가리키는 무형(無形)의 원리이자 인간이 마땅히 따라야 할 도덕 법칙
기(氣)	이가 현상으로 드러나기 위한 유형(有形)의 재료이자 힘

(3) 심성론(心性論) ❼

① **의미**: 도덕 행위의 근거와 실천을 해명한 이론 → 이기론을 통해 인간 마음을 분석함

② 인간의 성을 본연지성과 기질지성으로 나눔

③ **심통성정(心統性情)**: 마음이 성과 정을 주재하고 포괄함

④ **성발위정(性發爲情)**: 성이 발하여 정이 됨

(4) 수양론

① **존천리거인욕(存天理去人欲)**: 도덕 법칙을 잘 보존하고 인욕을 제거할 것

② **격물치지(格物致知)**: 도덕 법칙이 내재된 사물의 이치를 탐구하여 앎을 이루어 나갈 것 ❽

③ **존양성찰(存養省察)**: 양심을 보존하여 나쁜 마음이 스며들지 않게 잘 살필 것

④ **거경(居敬)**: 항상 마음을 경건하게 할 것

(5) 경세론

① 민본(民本)과 위민(爲民)의 이념 아래 덕치(德治)와 예치(禮治)를 구현해야 함

② 올바른 정치의 근본은 통치자의 도덕성과 바른 마음임

　　뜻 마음을 중시하는 심학(心學)을 왕수인이 집대성한 학문

⭐ **2.** 양명학 [자료4] [자료5] [자료6]

(1) 심즉리(心卽理): 마음이 곧 이치 → 이치는 실천하는 주체의 마음에 있다고 봄

(2) 치양지(致良知)

뜻 인간이라면 누구나 선천적으로 타고나는 것으로, 시비(是非)와 선악(善惡)을 사려하지 않고도 즉각적으로 가려내고 이에 따라 행할 수 있는 능력임

① 마음에 있는 양지를 자각하고 그대로 따르는 것

② 누구나 선천적으로 양지를 지니고 있으므로 이론적 지식을 쌓는 것보다 양지를 깨닫고 적극적으로 실천하는 것이 중요함

(3) 지행합일(知行合一) ❾: 앎으로서의 지(知)와 실천으로서의 행(行)은 본래 하나임

(4) 수양론

① **존천리거인욕**: 사욕을 극복하고 순선한 마음을 유지해야 함

② **격물치지**: 마음을 바로잡아[正] 천리(天理)인 양지를 각각의 사물에 실현하는 것

❼ 심성론의 주요 개념
• **본연지성(本然之性)**: 하늘로부터 부여받은 순선한 인간의 본성 → 기질지성에서 기를 배제한 이(理)만을 가리켜 본연지성이라고 함
• **기질지성(氣質之性)**: 현실에서 변화하는 기질의 영향을 받아 나타나는 현실적 본성 → 선악이 혼재하므로 기질을 통해 드러나는 감정과 욕구를 바로잡아야 도덕적 행위가 가능함
• **성(性)**: 마음의 본체로, 사덕을 지칭함
• **정(情)**: 마음의 작용으로, 순선한 사단과 선악의 가능성을 모두 지닌 칠정(七情)을 지칭함

❽ 성리학에서 본 앎과 실천의 관계
성리학은 도덕적 지식을 먼저 알아야 도덕적 행동을 할 수 있다고 보아 선지후행(先知後行)을 주장하였다. 하지만 앎과 행동이 서로 영향을 주어 함께 발전해 나가야 한다는 지행병진(知行竝進)도 강조하였다.

❾ 양명학에서 본 앎과 실천의 관계
양명학은 앎과 행함은 본래 하나라는 지행합일(知行合一)을 주장하였으며 이를 "앎은 행함의 시작이고 행함은 앎의 완성이다."라고 표현하였다.

자료 4 성리학의 성즉리와 양명학의 심즉리

- 천지간에는 이도 있고 기도 있다. 이는 형이상의 도(道)이고, 사물을 생성하는 근본이다. … 그러므로 ㉠ 사람과 사물이 생성될 때는 반드시 이를 부여받은 뒤에 성(性)이 생기고, 기를 부여받은 뒤에 형체가 생긴다.
  └─ 성즉리
  – 주희, "주문공문집"

- ㉡ 마음[心]이 곧 이(理)이다. 천하에 마음 밖의 일이 있고, 마음 밖의 이치가 있겠는가? …
  └─ 심즉리
  부모에게서 효도[孝]의 이치를 구할 수 없고, 임금에게서 충성[忠]의 이치를 구할 수는 없다. … 모두 마음에 있을 뿐이니, 마음이 곧 이이다.
  – 왕수인, "전습록"

| **자료 분석** | 주희는 ㉠과 같이 인간의 선한 본성이 곧 우주 만물의 보편적 법칙인 '이(理)'라는 성즉리(性卽理)를 주장하였다. 반면 왕수인은 ㉡과 같이 욕심에 가려지지 않은 본래의 마음이 곧 '이(理)'라는 심즉리(心卽理)를 주장하였다.

| **한줄 핵심** | 주희는 사람의 본성은 곧 이(理)라는 성즉리, 왕수인은 마음이 이(理)라는 심즉리를 주장하였다.

❻ 주희는 인간의 본성이 곧 이치라고 보았다.　◯ ✕

❼ 왕수인은 인간의 마음 그 자체가 우주 자연의 이치라고 보았다.　◯ ✕

자료 5 주희와 왕수인의 격물치지

- 하나의 사물이 있으면 거기에는 반드시 하나의 이치가 있다. 격물이란 사물의 이치를 궁구하는 것이다. 그러나 격물에는 하나의 방법만이 있는 것은 아니다.　– 주희, "대학혹문"

- 격물의 '격'은 바로잡는다는 정(正)의 의미이고, '물'은 일이라는 사(事)의 의미이다. 내 마음의 뜻과 생각이 향하는 일이 물이고, 격물이란 그 일을 바로잡는 것이다. 즉 어떤 일을 당해서 그 일에 관한 자신의 바르지 않은 생각을 바로잡는 것이다.　– 왕수인, "전습록"

| **자료 분석** | 주희와 왕수인은 모두 도덕 법칙의 탐구 방법으로 '격물치지'를 주장하였다. 하지만 격물에 대한 해석은 서로 달랐는데, 주희는 격물을 일과 사물에 담긴 이치를 끝까지 탐구하는 것이라고 이해한 반면, 왕수인은 마음의 바르지 못함을 없애 마음을 바로잡는 것으로 이해하였다.

| **한줄 핵심** | '격물'을 주희는 각 사물의 이치에 대한 탐구, 왕수인은 마음을 바로잡는 것으로 보았다.

❽ 주희는 도덕 법칙이 내재된 사물의 이치를 탐구하여 앎을 이루어 나가야 한다고 주장하였다.　◯ ✕

❾ 왕수인은 격물치지를 바르지 못한 마음을 바로잡아 마음의 양지(良知)를 실현하는 것이라고 보았다.　◯ ✕

자료 6 성리학과 양명학의 앎과 행함에 대한 관점

- 지(知)와 행(行)은 항상 서로 의존한다. 마치 눈이 있어도 발이 없으면 다닐 수 없고, 발이 있어도 눈이 없으면 볼 수 없는 것과 같다. ㉠ 선후를 논하면 지가 우선이고, 경중을 논하면 행이 더 중요하다.　– 주희, "주자어류"

- 알면서 행하지 않는 사람은 없다. ㉡ 알면서 행하지 않는 것은 아직 참으로 알지 못한 것이다.　– 왕수인, "전습록"

| **자료 분석** | 주희는 지행병진과 선지후행을 주장하였다. 즉 ㉠과 같이 먼저 올바른 지식을 갖추어야 참된 실천을 할 수 있다고 본 것이다. 왕수인은 지행합일을 주장하였다. 앎과 행동은 둘이 아닌 하나이지만 ㉡과 같이 안다고 하면서도 행하지 않는 것은 사사로운 욕심으로 인해 앎과 실천이 분리된 것으로, 이는 아직 알지 못하는 것과 같다고 보았다.

| **한줄 핵심** | 주희는 선지후행, 왕수인은 지행합일을 주장하였다.

❿ 주희와 왕수인 모두 도덕적 지식을 먼저 알아야 도덕적 행동을 할 수 있다고 주장하였다.　◯ ✕

정답 ❻ ◯ ❼ ◯ ❽ ◯ ❾ ◯
❿ ✕(주희만의 입장) ❻ ◯ ❼ ◯
(선지후행, 지행병진)

관련 문제 ▶ 43쪽 06번

성리학과 양명학의 윤리 사상 비교하기

수능풀 Guide

이 단원에서는 성리학과 양명학의 특징을 묻는 문제가 자주 출제된다. 두 사상의 공통점과 차이점을 비교해서 알아 두자.

성리학		양명학
• 성즉리: 인간의 본성이 곧 이치 • 모든 존재는 '이'와 '기'의 결합으로 이루어짐	**입장**	• 심즉리: 마음이 곧 이치 • '이'는 마음 밖에 있지 않음
선지후행, 지행병진	**앎과 행함**	지행합일
각 사물의 이치를 탐구하여 앎을 이루어 나감	**격물치지**	마음을 바로잡아 마음의 양지를 실현함

공통점
• 인간의 본성을 선하다고 봄(=성선설) • 지(知)와 행(行)을 일치시키고자 함

기출 자료 익히기

윤사 공부법, 하나!
자료를 보고 어떤 사상가나 사상의 입장인지 유추하는 훈련하기

자료1 성리학 ┌ 인간의 본성이 곧 이치임(성즉리) → 성리학

• 성(性)은 곧 이(理)이다. 마음[心]에서는 성이라고 부르고, 일[事]에서는 이라고 부른다. 성이란 사람이 하늘로부터 부여받은 이므로 온전하게 선하지 않음이 없다.

• 마음은 몸을 주재하는 것으로, 그 본체는 성(性)이고 작용은 정(情)이다. 마음은 성과 정을 통괄[統]하고, 그 밝은 덕은 온갖 이치를 갖추고 있으면서 만사에 감응하지 않음이 없다. ┌ 마음이 성과 정을 주재하고 포괄함(심통성정) → 성리학

자료2 양명학 ┌ 마음이 곧 이치임(심즉리) → 양명학

• 심(心)은 곧 이(理)이다. 천하에 마음 밖의 일이 없고, 마음 밖의 이치가 없다. 마음이 사사로운 욕심에 가려지지 않은 것이 곧 천리(天理)이니, 마음 밖에서 조금이라도 보탤 필요가 없다.

• 마음은 몸을 주재하는 것으로, 그 본체는 성(性)이고 천리(天理)이며 참된 앎[良知]이다. 마음의 본체는 천하의 이치를 포괄하고 있으면서 옳고 그름을 알지 못함이 없다. ┌ 마음을 곧 성이자 천리, 양지로 봄 → 양명학

기출 선택지 익히기

윤사 공부법, 둘!
선택지가 어떤 사상가나 사상의 입장인지 파악하는 훈련하기

다음 내용이 성리학에 해당하면 '성', 양명학에 해당하면 '양', 두 사상 모두에 해당하면 '성양'을 쓰시오.

❶ 마음이 성(性)과 정(情)을 통괄[統]한다고 본다. ( )

❷ 본성을 함양하고 사물에 대한 지식을 축적해야 한다. ( )

❸ 천지만물은 선한 마음에서 의미를 지니며 실재하게 된다. ( )

❹ 타고난 선한 성품을 보존하고 나쁜 욕심을 제거해야 한다. ( )

❺ 격물(格物) 공부는 마음의 그릇된 의념[意]을 바로잡는 것이다. ( )

양 ❺ 양성 ❹ 양 ❸ 성 ❷ 성 ❶ **답정**

A 도덕의 성립 근거

01 빈칸에 알맞은 말을 쓰시오.

(1) 공자는 인을 실천하는 구체적인 방법으로 □□의 덕목을 제시하였다.

(2) 맹자는 집의를 통해 지극히 크고 굳세며 올곧은 도덕적 기개인 □□□□을/를 길러야 한다고 주장하였다.

(3) 순자는 성인의 가르침에 인간의 악한 본성을 선하게 변화시켜야 한다는 □□□□을/를 주장하였다.

02 알맞은 설명에 ○표를 하시오.

(1) 공자는 각자 자기 신분과 직책에 맞는 역할을 수행하는 (정명, 항산)을 이룰 때 사회가 안정된다고 보았다.

(2) 맹자는 모든 사람의 마음속에는 측은지심, 수오지심, 사양지심, 시비지심의 (사덕, 사단)이 있다고 주장하였다.

(3) 순자는 하늘을 (도덕의 근원, 자연 현상)으로 파악하여, 하늘과 사람의 일을 구분해야 한다고 주장하였다.

03 다음 정치론과 이를 주장한 사상가를 바르게 연결하시오.

(1) 덕치 •   • ㉠ 공자, 맹자

(2) 왕도 정치 •   • ㉡ 순자

(3) 예치 •   • ㉢ 맹자

B 도덕 법칙의 탐구 방법

04 다음 내용이 맞으면 ○표, 틀리면 ×표를 하시오.

(1) 성리학은 인간의 본성이 곧 이치라고 보았다. (   )

(2) 양명학은 앎은 행동의 시작이고 행동은 앎의 완성이라고 보아 앎과 행동이 서로 분리될 수 없다는 지행합일을 주장하였다. (   )

(3) 성리학과 양명학 모두 모든 현상을 이와 기의 결합으로 보았다. (   )

(4) 성리학과 달리 양명학은 '존천리거인욕'의 수양 방법을 강조하였다. (   )

05 알맞은 설명에 ○표를 하시오.

(1) 주희는 (본연지성, 기질지성) 속에는 이와 기가 함께 섞여 있고, 그중 이만을 가리킨 것이 (본연지성, 기질지성)이라고 하였다.

(2) 왕수인은 마음 밖에 이치도, 사물도 없다고 보아 (성즉리, 심즉리)를 제시하였다.

06 다음 입장과 이를 주장한 사상가를 바르게 연결하시오.

(1) 치양지설 •   • ㉠ 주희

(2) 성즉리설 •   • ㉡ 왕수인

A 도덕의 성립 근거

01 밑줄 친 ㉠, ㉡에 해당하는 덕목으로 옳은 것은?

> 공자는 인(仁)을 실천하기 위해 ㉠조금의 속임이나 허식 없이 자신의 마음을 성실하게 해야 하며, ㉡자신을 미루어 다른 사람의 마음을 헤아려야 한다고 주장하였다.

	㉠	㉡		㉠	㉡
①	효(孝)	제(悌)	②	충(忠)	서(恕)
③	제(悌)	서(恕)	④	서(恕)	충(忠)
⑤	충(忠)	제(悌)			

02 다음 대화에서 스승이 강조하고 있는 ㉠의 의미로 가장 적절한 것은?

스승님, 사회가 혼란해진 원인은 무엇입니까?

인간이 도덕적으로 타락했기 때문이라네.

이러한 문제를 해결하려면 어떻게 해야 합니까?

㉠극기복례를 통해 인을 실현해야 하네.

① 의로운 일을 꾸준히 실천하여 쌓는 것이다.
② 자기의 사욕을 극복하고 예를 회복하는 것이다.
③ 인위가 아니라 스스로 그러한 대로 사는 것이다.
④ 도덕과 예의로 백성을 교화하는 정치를 하는 것이다.
⑤ 각자 자기 신분과 직책에 맞는 역할을 수행하는 것이다.

03 맹자가 제시한 '대장부'가 되기 위한 자세로 가장 적절한 것은?

① 호연지기(浩然之氣)를 길러야 한다.
② 무지(無知)와 무욕(無欲)한 삶을 살아야 한다.
③ 옳고 그름의 분별에서 벗어난 삶을 추구해야 한다.
④ 사덕(四德)을 실천하여 악한 본성을 억제해야 한다.
⑤ 옳은 일을 반복적으로 실천하여 사덕을 형성해야 한다.

04 표는 어느 고대 중국 사상가를 상대로 한 가상 설문 조사 결과이다. ㉠, ㉡에 들어갈 질문만을 〈보기〉에서 고른 것은?

	질문	응답	
		예	아니요
(1)	인간의 본성을 변화시켜야 하는가?	✓	
(2)	예를 바탕으로 국가를 다스려야 하는가?	✓	
(3)	㉠	✓	
(4)	㉡		✓

<보기>
ㄱ. ㉠: 성인(聖人)은 도덕성을 지니고 태어나는가?
ㄴ. ㉠: 인간의 본성을 예(禮)로 교화해야 하는가?
ㄷ. ㉡: 인간의 본성을 확충하면 사회 혼란이 사라지는가?
ㄹ. ㉡: 이상 사회를 실현하려면 예치(禮治)가 필수적인가?

① ㄱ, ㄴ ② ㄱ, ㄷ ③ ㄴ, ㄷ
④ ㄴ, ㄹ ⑤ ㄷ, ㄹ

05 갑은 긍정, 을은 부정의 대답을 할 질문으로 가장 적절한 것은?

> 갑: 사람에게 사단이 있는 것은 사람에게 팔다리가 있는 것과 같으니, 사단이 있음에도 스스로 인의를 행할 수 없다고 말하는 사람은 자기 스스로를 해치는 사람이다.
> 을: 사람은 나면서부터 욕망이 있는데 욕망을 채우지 못하면 이를 추구하지 않을 수 없다. 욕망을 추구하는 데 일정한 기준과 제한이 없으면 다툼이 없을 수 없다.

① 하늘은 인간에게 덕성을 부여하는 존재인가?
② 욕망을 절제하기 위한 후천적 노력이 필요한가?
③ 인간의 본성을 선이나 악으로 규정할 수 있는가?
④ 누구나 노력을 통해 이상적 인간이 될 수 있는가?
⑤ 예법(禮法)으로 내면의 본성을 변화시켜야 하는가?

B 도덕 법칙의 탐구 방법

06 주희의 입장으로 옳지 **않은** 것은?

① 기질지성은 선과 악이 섞여 있다.

② 본연지성은 하늘이 부여한 이치[理]이다.

③ 본연지성은 기질지성 속에 내포되어 있다.

④ 기질지성은 사람의 타고난 기질에 따라 차이가 생긴다.

⑤ 본연지성과 기질지성은 서로 분리되는 다른 두 측면이다.

07 그림은 어느 학생의 노트 필기 내용이다. ㉠~㉤ 중 옳지 **않은** 것은?

<주희와 왕수인의 입장 비교>
1. 주희의 주장
• 성즉리: 인간의 본성이 곧 이치임 ·············· ㉠
• 격물치지: 사물에 나아가 그 이치를 끝까지 탐구함 ·········· ㉡
2. 왕수인의 주장
• 심즉리: 인간의 마음이 곧 이치임 ·············· ㉢
• 격물치지: 마음을 바르게 하여 천리인 양지를 실현함 ·········· ㉣
3. 주희와 왕수인의 공통된 주장
• 먼저 올바른 지식을 갖추어야 참된 실천을 할 수 있음 ·········· ㉤

① ㉠ ② ㉡ ③ ㉢ ④ ㉣ ⑤ ㉤

08 주희의 입장에 비해 왕수인의 입장이 갖는 상대적 특징을 그림의 ㉠~㉤ 중에서 고른 것은?

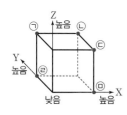

• X: 각 사물의 이치 탐구를 강조하는 정도
• Y: 앎과 행함에 선후가 없음을 강조하는 정도
• Z: 마음을 떠나서 이치가 따로 없음을 강조하는 정도

① ㉠ ② ㉡ ③ ㉢ ④ ㉣ ⑤ ㉤

09 다음을 주장한 동양 사상가의 입장만을 <보기>에서 고른 것은?

> 마음이 곧 이(理)다. … 부모에게서 효도[孝]의 이치를 구할 수 없고, 임금에게서 충성[忠]의 이치를 구할 수는 없다. … 모두 마음에 있을 뿐이니, 마음이 곧 이이다.

<보기>
ㄱ. 지(知)와 행(行)은 본래 하나이다.
ㄴ. 각 사물의 이치를 끝까지 탐구해야 한다.
ㄷ. 마음 밖에 이치가 없고 마음 밖에 사물이 없다.
ㄹ. 도덕적 실천을 통해 양지(良知)를 형성해야 한다.

① ㄱ, ㄴ ② ㄱ, ㄷ ③ ㄴ, ㄷ
④ ㄴ, ㄹ ⑤ ㄷ, ㄹ

서답형 문제

10 다음은 동양 사상가 갑, 을의 가상 대화이다. 물음에 답하시오.

> 격물(格物)의 '격'은 '바로잡는다[正].'는 뜻입니다. 따라서 격물은 그 마음의 바르지 못함을 없애 그 마음의 본체를 회복하는 것을 의미합니다.

> 아닙니다. 격물(格物)의 '격'은 '도달하다[至].'는 뜻입니다. 따라서 격물은 사물에 나아가 그 이치[理]를 궁구하여 나의 앎을 극진히 하는 것을 의미합니다.

(1) 갑, 을 사상가가 누구인지 쓰시오.

갑: (   ), 을: (   )

(2) '격물치지'에 대한 갑, 을의 주장과 그 근거를 비교하여 서술하시오.

_____

_____

_____

기출 변형

01 다음을 주장한 고대 동양 사상가의 입장만을 〈보기〉에서 있는 대로 고른 것은?

이름이 바르지 않으면 말[言]에 순서가 없게 되고, 말에 순서가 없어지면 일이 이루어지지 않는다. 일이 이루어지지 않으면 예악(禮樂)이 바로서지 않아서 형벌의 집행이 공정하게 되지 않는다.

〈보기〉
ㄱ. 천명(天命)을 모르면 군자라고 말할 수 없다.
ㄴ. 자신의 욕망을 극복하여 예(禮)를 회복해야 한다.
ㄷ. 통치자는 도덕적 모범을 보임으로써 백성들을 교화해야 한다.
ㄹ. 존비친소(尊卑親疏)의 차별을 두지 않고 인(仁)을 행해야 한다.

① ㄱ, ㄴ　　　② ㄱ, ㄹ　　　③ ㄷ, ㄹ
④ ㄱ, ㄴ, ㄷ　　⑤ ㄴ, ㄷ, ㄹ

02 다음을 주장한 고대 동양 사상가의 입장으로 가장 적절한 것은?

측은하게 여기는 마음은 인(仁)의 단(端)이고, 부끄러워하고 미워하는 마음은 의(義)의 단이고, 사양하는 마음은 예(禮)의 단이고, 시비를 가리는 마음은 지(智)의 단이다. 사람이 이 사단(四端)을 가지고 있는 것은 그가 팔과 다리를 가지고 있는 것과 같다.

① 인의(仁義)를 실천하여 덕을 형성해야 한다.
② 본성을 변화시켜 도덕적인 삶을 살아야 한다.
③ 사덕의 지속적 실천으로 사단을 생성해야 한다.
④ 본성에 내재한 사단을 보존하고 확장해야 한다.
⑤ 집의(集義)로써 타고난 호연지기를 발휘해야 한다.

03 다음을 주장한 고대 동양 사상가가 긍정의 대답을 할 질문으로 가장 적절한 것은?

예(禮)는 몸을 바르게 하는 것이고, 스승은 예를 바르게 하는 자이다. 예가 없으면 어떻게 몸을 바르게 하고, 스승이 없다면 어떻게 예가 옳은지 아는가? 성정을 바로잡아, 지혜가 스승과 같아진다면 성인(聖人)일 것이다.

① 본성에는 선, 악의 요소가 함께 존재하는가?
② 본성에 내재한 선의 실마리를 보존해야 하는가?
③ 예법(禮法)을 통해 타고난 본성을 유지해야 하는가?
④ 욕구를 억제하기 위해 내면의 덕을 발휘해야 하는가?
⑤ 타고난 이기적 본성을 인위적으로 변화시켜야 하는가?

기출 변형

04 (가)의 갑, 을의 입장을 (나) 그림으로 표현할 때, A~C에 들어갈 적절한 진술만을 〈보기〉에서 있는 대로 고른 것은?

(가)	갑: 성(性)은 하늘로부터 타고난 것이기에 배우거나 노력으로 이룰 수 없다. 배고파도 어른을 위해 사양하는 것은 성에 어긋나는 것이다. 을: 정치란 바르게 하는 것이다. 덕(德)으로 정치를 하는 것을 비유하면, 북극성이 제자리에 머물러 있으면 뭇별들이 그를 향하는 것과 같다.
(나)	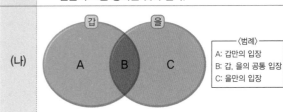

〈범례〉
A: 갑만의 입장
B: 갑, 을의 공통 입장
C: 을만의 입장

〈보기〉
ㄱ. A: 본성을 실현하기 위해 예(禮)에 따라야 한다.
ㄴ. B: 개인의 인격 함양을 위해 예에 의한 교화가 필요하다.
ㄷ. B: 백성들의 편안한 삶을 위해서는 통치자가 먼저 수양해야 한다.
ㄹ. C: 인의를 해치는 군주는 정명(正名)에 입각해 교체해야 한다.

① ㄱ, ㄴ　　　② ㄴ, ㄷ　　　③ ㄷ, ㄹ
④ ㄱ, ㄴ, ㄹ　　⑤ ㄱ, ㄷ, ㄹ

기출 변형

05 다음을 주장한 동양 사상가의 입장만을 〈보기〉에서 고른 것은?

> 하나의 사물이 있으면 하나의 이(理)가 있다. 이를 궁구하여 밝히는 것이 격물(格物)이다. 또한 사물 속의 당연한 이치와 그렇게 되는 까닭을 아는 것이 격물이다.

> ㄱ. 사물에 나아가 그 이치를 깊이 있게 탐구해야 한다.
> ㄴ. 앎[知]과 실천[行]을 병진하여 천리를 보존해야 한다.
> ㄷ. 앎에 대해서만 말해도 실천은 저절로 그 안에 있게 된다.
> ㄹ. 마음을 바르게 하는[正] 격물을 통해 앎을 실현해야 한다.

① ㄱ, ㄴ   ② ㄱ, ㄷ   ③ ㄴ, ㄷ
④ ㄴ, ㄹ   ⑤ ㄷ, ㄹ

기출 변형

06 갑, 을의 입장에 대한 설명으로 옳은 것은?

> 갑: 성(性)은 곧 이(理)이다. 마음[心]에서는 성이라고 부르고, 일[事]에서는 이라고 부른다. 부자(父子) 사이에는 부자의 이가 있고, 군신(君臣) 사이에는 군신의 이가 있다.
> 을: 부모를 섬기는 경우 부모에게서 효도의 이치[理]를 구할 수 없고, 임금을 섬기는 경우 임금에게서 충성의 이치를 구할 수 없다. 모두가 다만 이 마음에 있을 뿐이니 마음이 곧 이치이다.

① 갑은 본연지성은 선하고 기질지성은 악하다고 본다.
② 갑은 지행(知行)의 경중(輕重)을 논하면 지가 행보다 중요하다고 본다.
③ 을은 이론적 지식을 쌓는 것보다 양지(良知)의 적극적 실천을 중시한다.
④ 갑은 을과 달리 참된 앎인 양지를 천리(天理)로 본다.
⑤ 을은 갑과 달리 양지는 누구나 본래 갖추고 있다고 본다.

07 다음을 주장한 동양 사상가의 입장으로 가장 적절한 것은?

> 마음은 몸을 주재하는 것으로, 그 본체는 성(性)이고 천리(天理)이며 참된 앎[良知]이다. 마음의 본체는 천하의 이치를 포괄하고 있으면서 옳고 그름을 잘 알지 못함이 없다.

① 마음 밖에는 어떠한 이치도 존재하지 않는다.
② 지행(知行)의 선후를 논하면 지가 행보다 앞선다.
③ 사물의 이치를 탐구하여 지(知)를 늘려 가야 한다.
④ 양지(良知)를 습득하여 타고난 덕을 발휘해야 한다.
⑤ 격물(格物)은 이치를 탐구하여 지극한 앎을 이루어 나가는 것이다.

기출 변형

08 (가)의 갑, 을의 입장을 (나) 그림으로 탐구하고자 할 때, A~C에 들어갈 옳은 질문만을 〈보기〉에서 있는 대로 고른 것은?

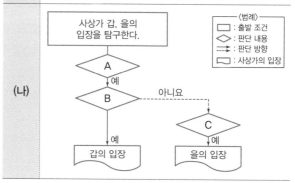

(가)	갑: 마음이 곧 이(理)이다. 내 마음의 양지인 천리를 사물마다 온전하게 실현하면 사물 각각이 그 이를 얻게 되는 것이다. 내 마음의 양지를 온전하게 실현함이 치지(致知)이다. 을: 성은 마음의 이(理)이고, 정(情)은 마음의 활동이다. 마음은 성과 정을 통괄[統]하고, 그 밝은 덕은 온갖 이치를 갖추고 있으면서 만사에 감응하지 않음이 없다.

> ㄱ. A: 사욕을 제거하고 천리(天理)를 보전해야 하는가?
> ㄴ. A: 인간은 선천적으로 양지(良知)를 지니고 있는가?
> ㄷ. B: 앎[知]과 행함[行]은 본래 하나가 아닌 별개인가?
> ㄹ. C: 격물(格物) 공부는 그릇된 마음을 바로잡는 것인가?

① ㄱ, ㄴ   ② ㄴ, ㄷ   ③ ㄷ, ㄹ
④ ㄱ, ㄴ, ㄹ   ⑤ ㄱ, ㄷ, ㄹ

03 ~ 도덕적 심성

❶ 칠정(七情)
인간의 일반적인 감정 전체를 기쁨[喜], 노여움[怒], 슬픔[哀], 두려움[懼], 사랑[愛], 미움[惡], 욕망[欲]의 일곱 가지로 구분하여 제시한 것이다.

A 도덕 감정: 이황과 이이의 사상

1. 유교 윤리의 수용

고려 말	원(元)을 통해 성리학 수용 → 자연과 인간 탐구, 정치적·사회적 개혁 진행
조선	• 개인의 도덕적 완성과 도덕적 이상 사회 구현의 실천적 방법 제시 • 이황, 이이 등을 중심으로 심성론에 대한 깊은 논의 전개

└─ **뜻** 사단칠정(四端七情)을 중심으로 인간의 본성과 감정 및 도덕적 가치의 문제를 깊이 있게 탐구한 조선 성리학의 학문적 흐름

★ 한눈에 정리

이황과 이이의 사상 비교

이황	이이
이기호발설	기발이승일도설
이기불상잡	이기지묘
이귀기천	이통기국

• 마음에는 이(理)뿐만 아니라 기(氣)도 존재함
• 기가 발할 때는 항상 이가 기를 탐
• 이 자체는 수양의 대상이 아님

2. 이황의 사상 [자료1] [자료2]

(1) **이기호발설(理氣互發說):** 이와 기는 모두 발하는 운동성을 지님 → 사단은 이가 발하여 기가 이를 따른 것이고[四端理發而氣隨之], 칠정은 기가 발하여 이가 기를 탄 것[七情氣發而理乘之]

(2) **이와 기의 관계**

이기불상잡 (理氣不相雜)	주희의 '이와 기는 서로 섞이지 않는다.'는 주장에 주목 → 기에 대한 이의 주재성 강조
이귀기천 (理貴氣賤)	• 이는 기의 주재자로서 기에 명령할 뿐 구속되지 않음 → 이는 귀하고 기는 천함 • 이는 순선한 반면, 기는 선과 악 어느 쪽으로도 발할 수 있음

(3) **사단칠정론**

① **사단:** 본연지성이 발한 것으로, 이의 발현으로서 순선무악함

② **칠정:** 기질지성이 발한 것으로, 기에 근원하여 드러났기 때문에 선악의 가능성이 모두 있음

③ **사단과 칠정의 엄격한 구분:** 인간이 도덕적으로 선한 존재임을 부각하기 위함

(4) **수양론**

① '이'의 함양에 초점을 맞추어 경(敬) 공부를 강조함

② 궁극적으로 인간의 마음이 이와 하나 되는 심여이일(心與理一)의 경지를 추구함

❷ 경(敬) 공부
• 정제엄숙(整齊嚴肅): 몸과 마음을 반듯하게 하여 엄숙한 기상을 유지해야 함
• 주일무적(主一無適): 어떤 일을 할 때 마음을 흐트리지 않고 집중해야 함
• 상성성(常惺惺): 항상 깨어 있는 마음을 가져야 함

3. 이이의 사상 [자료1] [자료2]

(1) **기발이승일도설(氣發理乘一途說):** 모든 감정은 기가 발하고 이가 기를 타는 경우뿐임

(2) **이와 기의 관계**

이기지묘 (理氣之妙)	이와 기는 하나이면서 둘이고 둘이면서 하나인 묘합의 관계에 있음
이통기국 (理通氣局)	• 이: 시공간의 제약을 받지 않아 보편성 유지 → 보편적으로 실재함 • 기: 시공간의 제약을 받아 조건에 따른 특수성을 지님

(3) **사단칠정론** [자료1]

① 사단과 칠정이 발하는 근원은 모두 기질지성으로 같음

② 사단과 칠정은 발한 결과의 적절성 여부에서 차이가 날 뿐임

③ **칠정포사단(七情包四端):** 칠정이 사단을 포함함

(4) **수양론**

① **교기질(矯氣質):** 기의 특수성으로 기질의 차이 발생 → 수양을 통한 기질의 교정을 강조함

② 경(敬) 공부와 함께 천도(天道)와 인도(人道)를 아우르는 성(誠) 공부 강조 → 경의 실현을 통해 성에 이르러야 함

└─ **왜** '경'이 아니면 몸을 주재하는 마음을 단속할 수 없고 '성'이 아니면 천리의 본연을 보존할 수 없기 때문에 경과 성을 함께 수양해야 함

❸ 교기질의 방법
기질을 교정할 수 있는 대표적인 방법으로 역행(力行)이 있다. 역행의 구체적 행위는 극기(克己)인데, 이는 예를 갖추고 규범을 준수하면서 사욕을 제거하는 것이다.

❹ 성(誠)
하늘의 진실한 이치이자 마음의 본체를 뜻한다. 이이는 성이 없으면 뜻을 세울 수 없고 이치를 바로잡을 수 없으며 기질을 변화시킬 수도 없다고 하였다.

자료1 이황과 이이의 사단칠정론

- 사단과 칠정이 비록 같은 정(情)이지만 연원이 다르므로 옛부터 이름을 달리하였던 것입니다. 만약 연원이 다르지 않았다면 왜 다르게 말했겠습니까? 그러므로 사단의 연원을 이라고 인정한다면, 희(喜), 노(怒), 애(哀), 구(懼), 애(愛), 오(惡), 욕(欲) 즉 칠정의 연원은 기가 아니고 무엇이겠습니까?
  － 이황, "퇴계전서"

- 정(情)은 하나이다. 그럼에도 사단이다 칠정이다 말하는 것은 오로지 이만을 말할 때와 기를 겸하여 말할 때가 같지 않기 때문이다. 사단은 칠정을 겸할 수 없으나 칠정은 사단을 겸할 수 있다. 사단은 전체를 아우르는 점에서는 칠정만 못하고 칠정은 순수한 점에서는 사단만 못하다는 것이 나의 견해이다.
  － 이이, "율곡전서"

| **자료 분석** | 이황은 사단과 칠정의 연원이 다르다고 보아, 사단은 이의 발현으로 칠정은 기의 발현으로 주장하였다. 반면 이이는 사단과 칠정 모두 기질지성이 발한 것이므로 두 방향으로 갈라져 나아간 대립적 감정이 아니라고 보았다. 이러한 점에서 칠정은 사단을 겸할 수 있으며, 칠정 중 선한 감정만을 표출한 것을 사단이라고 하였다.

한줄 핵심 이황은 사단의 연원은 이, 칠정의 연원은 기라고 구분한 반면, 이이는 사단과 칠정의 연원은 모두 기라고 보았다.

❶ 이황은 사단은 성(性)이고 칠정은 정(情)이라고 보았다.
〇 ✕

❷ 이이는 사단이 칠정을 포함한다고 주장하였다.
〇 ✕

❸ 이황과 이이는 모두 사단과 칠정의 연원이 '기'로 같다고 주장하였다.
〇 ✕

자료2 이황과 이이의 수양론

- 마음의 이(理)는 너무 넓어 잡을 수 없고 흐려서 그 경계를 알 수 없으니, ㉠실로 경(敬)으로 마음을 집중하지 않으면 어찌 그 성(性)을 보존하고, 그 본체를 세울 수 있겠는가? 이 마음이 발할 때는 은미하여 털끝처럼 살피기 어렵고 위태로워 구덩이처럼 밟기 어려우니, 참으로 경으로 마음을 집중하지 않으면 어찌 그 기미를 바르게 하고 실제의 작용에 통할 수 있겠는가? 군자의 학문은 마음이 아직 발하지 않을 때 반드시 경을 위주로 존양(存養) 공부를 하고 마음이 이미 발했을 때도 경을 위주로 성찰(省察) 공부를 해야 한다. 이는 경학(敬學)이 처음과 끝이 되고 체와 용을 관통하는 까닭이다.
  － 이황, "천명도설 도여서"

- 성(誠)이란 하늘의 진실된 이치이자 마음의 본체이다. 사람이 그 본심을 회복할 수 없는 것은 사특함이 있어 가려진 것에 연유한다. ㉡경(敬)을 위주로 하여 사특함을 다 제거하면 본체는 온전해진다. 경은 노력의 요체요, 성은 노력을 거둬들이는 경지이므로 경을 통해 성에 나아가는 것이다.

- 사람의 기질은 맑고 흐리고 순수하고 섞임이 다르지만 그것을 변화시킬 수 있다. 기가 맑고 질이 순수한 사람은 힘쓰지 않아도 지행(知行)에 능할 것이다. 하지만 기가 맑지 않고 질이 순수하지 않은 사람도 힘써 성(誠)하고자 한다면 맑고 순수해질 수 있다.
  － 이이, "율곡전서"

| **자료 분석** | 이황은 ㉠과 같이 경 공부의 중요성을 강조하면서, 경으로 마음을 다스림으로써 천리를 보존하고 인간의 욕망을 조절할 수 있다고 주장하였다. 이이는 ㉡과 같이 경을 통해 성에 도달해야 한다고 강조하면서 성이 없으면 뜻을 세울 수도, 기질을 변화시킬 수도 없다고 보았다.

한줄 핵심 이황은 '경(敬)'의 실천을, 이이는 '경(敬)'을 통해 '성(誠)'에 이를 것을 강조하였다.

❹ 이황은 기를 제어해야 사단을 제대로 발휘할 수 있다고 주장하며, 경(敬)으로 마음을 주재할 것을 강조하였다.
〇 ✕

❺ 이이는 사욕을 제거하는 방법으로 경(敬)의 실천을 제시하였으며, 이를 통해 성(誠)에 이를 것을 말하였다.
〇 ✕

정답 ❶ ✕(사단도 정에 속함), ❷ ✕(이이는 사단이 칠정에 포함된다고 봄), ❸ 〇, ❹ 〇, ❺ ✕(이이의 견해임)

❺ 성리학의 한계
실학을 집대성한 정약용은 성리학적 이해로는 현실적인 인간의 모습을 파악하기 어렵다고 보았다. 그는 성리학의 이법적 실제로서의 '이'를 비판적으로 검토하고, 대안을 모색하고자 하였다.

❻ 도덕적 기호
정약용은 기(氣), 생명, 지각 능력, 도덕적 기호를 기준으로 존재를 구분하였는데, 인간만이 도덕적 기호를 지닌다고 보았다.

기, 생명, 지각 능력, 도덕적 기호가 있음 — 인간
기, 생명, 지각 능력이 있음 — 동물
기, 생명이 있음 — 식물
기(氣)만 있음 — 무생물

★ 한눈에 정리

정약용의 사상

성기호설	• 인간의 본성은 일종의 경향성, 즉 마음의 기호임 • 영지의 기호, 형구의 기호
욕구	도덕적 삶을 위해 필요한 추동력
인간관	자율적인 존재, 자주지권
사덕	실천을 통해 후천적으로 형성됨

❼ 자주지권(自主之權)
정약용이 천주교의 영향을 받아 사용한 용어로, 그리스도교에서 창조된 인간에게 주어진 '자유 의지'에서 나온 말이다.

❽ 올바른 자주지권을 위한 자세
• 신독(愼獨): 매 순간 양심의 소리에 귀를 기울여야 함
• 사천(事天): 하늘의 뜻에 부합하려고 노력해야 함
• 서(恕): 상대방을 대할 때 자신의 마음을 미루어 보아 상대방을 이해하고 배려해야 함
• 구인(求仁): 모든 관계에서 요구되는 도리를 실천해야 함

B 도덕 본성: 실학과 정약용의 사상

1. 성리학에 대한 반성과 실학의 등장

(1) 실학의 등장 배경

① 성리학이 왜란과 호란 등 국가적 어려움을 극복할 길을 제시하지 못하고 사변적·이론적 논쟁에 치중함

② 백성들의 실생활을 도울 수 있는 학문을 해야 한다는 개혁적 움직임 → 실학의 등장

(2) 실학의 특징

① 실증을 중시하는 청(淸)나라의 고증 학풍과 발달한 문물에 자극을 받아 성리학의 한계❺를 인식하고 대안을 모색함

② 현실적·실질적 문제를 대상으로 함 → 민생의 구제, 국부의 증대를 목표로 한 사회 개혁론에 주목함, 지배 계급의 윤리적 건전성 회복에 관심을 둠

★ 2. 정약용의 사상

(1) 성기호설(性嗜好說)

① 의미: 인간의 본성은 일종의 경향성, 즉 선을 좋아하고 악을 싫어하는 마음의 기호임

② 기호의 종류

영지(靈知)의 기호 (=천명지성)	• 선을 좋아하고 악을 미워하는 기호 • 인간만이 지닌 도덕적 기호이자 인간이 동물과 달리 존귀한 이유가 되는 기호
형구(形軀)의 기호 (=기질지성)	• 육체적이고 감각적인 것을 좋아하는 기호 • 인간과 동물 모두 지닌 생리적 기호

(2) 욕구에 대한 긍정

① 인간의 욕구: 생존과 더불어 도덕적 삶을 위해 필요한 삶의 추동력

② 성리학의 엄격한 금욕주의적 수양론에서 벗어나 욕구를 긍정함

(3) 인간관 [자료 3]

① 인간: 주체적이고 자율적인 존재

②❼ 자주지권: 인간이 하늘로부터 부여받은 선하고자 하면 선할 수 있고 악하고자 하면 악할 수 있는 자유 의지

③ 인간의 도덕적 행위 ┌ **왜** 인간이 그 자율성에 따라 무엇을 행하든 하늘은 관여하지 않으며, 인간이 스스로 선택하고 실천하는 것이므로 그 책임도 자신에게 있다고 보았기 때문임

• 도덕 행위에 대한 책임은 그 행위를 선택한 자신에게 있음

• 자주지권을 통해 영지의 기호와 형구의 기호 간의 갈등을 극복하고 선한 것을 실천할 때 도덕적임

③❽ 자주지권을 바르게 발휘하기 위한 자세: 자기 수양(신독, 사천), 관계 윤리(서, 구인)

(4) 사덕(四德)의 후천성 [자료 4]

① 사덕이 본성에 내재되어 있다는 성리학의 주장을 비판함

② 사단(四端)의 확충을 통해 사덕이 후천적으로 형성된다고 주장함

3. 한국 유교 윤리의 의의와 시사점

(1) 개인의 도덕성과 공동체 문화 강조: 도덕적 인간과 도덕적 사회가 되어야 함을 일깨움

(2) 도덕 주체의 자각 강조: 개인과 사회의 도덕적 역량을 향상하는 데 지침을 제공함

자료3 정약용의 자주지권

─ 사람에게 자주지권을 부여한 인격적 존재

하늘은 인간에게 자주지권을 주어서, 선(善)을 하고자 하면 선을 할 수 있고, 악(惡)을 하고
자 하면 악을 할 수 있도록 하였다. (인간의 마음은) 이리저리 움직여서 고정되어 있지 않으
니, 자주지권은 자기에게 있다. 이것은 동물에게 정해진 마음이 있는 것과 같지 않다. 그러
므로 ⑤선을 행하면 자기의 공이 되고 악을 행하면 자기의 죄가 되는 것이니, 이것은 마음의
자주지권이며, 이른바 본성이 아니다.　　　　　　　　　　　　　　－ 정약용, "맹자요의"

| 자료 분석 | 정약용은 인간은 하늘로부터 자주지권을 부여받은 존재라고 보았다. 따라서 자주지권을 근
거로 선을 지향하는 '도덕적 기호'와 악으로 기울어지기 쉬운 '생리적 기호' 간의 갈등을 극
복하고 선한 것을 스스로 선택하고 실천할 때 비로소 도덕적일 수 있다고 주장하였다. 이러
한 관점에서 정약용은 무엇을 행하든 그것은 스스로 선택하고 실천한 것이므로 ⑤과 같이
도덕 행위에 대한 책임은 인간 자신에게 있다고 보았다.

한줄 핵심 ▶ 정약용은 인간이 하늘로부터 자주지권을 부여받은 존재이므로 자신의 행위에 대한 도덕적
책임은 자신에게 있다고 보았다.

❻ 정약용은 인간이 선하고자
하면 선할 수 있고 악하고자
하면 악할 수 있는 자유 의
지를 갖는다고 주장하였다.

　　　　　　　　　○ ×

❼ 정약용은 인간 스스로의 노
력과 실천을 통해 자주지권
이 형성된다고 보았다.

　　　　　　　　　○ ×

자료4 사덕에 대한 정약용의 해석

- 사단(四端)은 심(心)이라고는 할 수 있으나 성(性)이라고 할 수 없고, 심이라고는 할 수 있
  으나 이(理)라고는 할 수 없고, 심이라고 할 수 있으나 덕(德)이라고 할 수 없으니, 명칭을
  바로잡지 않을 수 없다. … 이 측은지심(惻隱之心)에 나아가면 바로 인(仁)을 얻을 수 있고,
  이 수오지심(羞惡之心)에 나아가면 바로 의(義)를 얻을 수 있다. … 인의예지(仁義禮智)의
  　　　　　　　　　　　　　　　　　　　　　　　　　└ 사덕
  이름과 같은 것은 반드시 일을 행한 뒤에 이루어지는 것이다.
- 어린아이가 우물로 기어 들어가는 것을 보고 측은해하면서도 가서 구하지 않는다면, 그 마
  음만으로 인(仁)이라 할 수 없을 것이다. 누군가 욕을 하거나 발로 차면서 밥을 줄 때 이를
  수치스러워하면서도 버리고 가지 않는다면, 그 마음만으로 의(義)라 할 수 없을 것이다. 귀
  한 손님이 대문 앞에 왔을 때 공경하면서도 마중을 나가지 않는다면, 그 마음만으로 예(禮)
  라 할 수 없을 것이다. 착한 사람이 억울한 일을 당한 것을 보고 부당하다고 여기면서도 옳
  고 그름에 대한 태도가 뚜렷하지 못하다면, 그 마음만으로 지(智)라 할 수 없을 것이다.
  　　　　　　　　　　　　　　　　　　　　　　　　　　　　　－ 정약용, "맹자요의"

| 자료 분석 | 정약용은 인의예지(仁義禮智)의 사덕을 인간의 선천적 본성으로 규정하는 성리학의 관점
을 비판하면서, 사단을 확충하지 않는다면 사단이 성립될 수 없다고 주장하였다. 이처럼 정
약용은 사덕은 사람의 마음에 처음부터 있는 것이 아니라 덕 있는 행동을 실천함으로써 형
성되는 것이라고 강조하였다.

한줄 핵심 ▶ 정약용은 사덕이 성(性)으로 주어지는 것이 아니라 선택과 실천을 통해 후천적으로 형성된
다고 주장하였다.

❽ 정약용은 인의예지의 사덕
(四德)을 인간의 선천적인
본성으로 보았다.

　　　　　　　　　○ ×

❾ 정약용은 인간의 도덕성은
덕 있는 행동을 통해 형성된
다고 주장하였다.

　　　　　　　　　○ ×

정답 ❻ ○ ❼ ×(자주지
권은 하늘이 인간에게 부여한
것임) ❽ ×(사덕은 후천적
으로 형성되는 것임) ❾ ○

이황, 이이, 정약용의
윤리 사상 비교하기

관련 문제 ▶ 51쪽 09번

수능풀 Guide

이 단원에서는 이황, 이이, 정약용의 입장을 비교하여 묻는 문제가 자주 출제된다. 세 사상가의 공통점과 차이점을 비교해서 알아두자.

기본 입장		수양론
• 이기호발: '이'와 '기' 모두 각각 발할 수 있음 • 이기불상잡 강조, 이기귀천 주장	이황	경의 실천 방법: 주일무적, 정제엄숙, 상성성
• 기발이승일도설: 사단과 칠정 모두 '기'가 발하고 '이'가 탄 것임 • 이기불상리 강조, 이통기국 주장	이이	경과 성의 실천, 교기질, 극기
• 성기호: 본성은 기호, 즉 마음의 경향성 • 인간의 욕구 긍정: 생존과 도덕적 삶을 위해 필요함	정약용	신독, 사천, 서, 구인

기출 자료 익히기

윤사 공부법, 하나!
자료를 보고 어떤 사상가나 사상의 입장인지 유추하는 훈련하기

자료1 이황

성(性)에 대해 이(理)와 기(氣)로 나누어 말할 수 있듯이 정(情)에 대해서도 이와 기로 나누어 말할 수 있다. 즉, 칠정을 사단과 대립시켜 구분되는 것으로 본다면, 칠정과 기의 관계는 사단과 이의 관계와 같다. 사단은 이가 발하여 기가 이를 따르는 것이고, 칠정은 기가 발하여 이가 기를 타는 것이다.
└ '이'와 '기'는 모두 발할 수 있음 → 이황

자료2 이이

성은 마음의 본체이고, 정은 마음의 작용이다. 이와 기는 서로 분리되지 않는다. 마음이 움직이면 정이 되는데, 발하는 것은 기고 발하는 까닭은 이다. 기가 아니면 발할 수 없고 이가 아니면 발할 까닭이 없으니 어찌 이발(理發)이 있겠는가? 기발(氣發)이 있을 따름이다.
└ 사단과 칠정 모두 '기'가 발하고 '이'가 탄 것임 → 이이

자료3 정약용

인의(仁義)라는 이름은 일을 행한 뒤에 이루어지는 것이다. 그러므로 사람을 사랑한 뒤에 그것을 인(仁)이라고 하니, 사람을 사랑하기 이전에는 인이라는 이름이 성립되지 않는다. 자신을 선하게 한 뒤에 이것을 의(義)라고 하니, 자신을 선하게 하기 전에는 의라는 이름이 성립되지 않는다.
└ 사덕의 후천성을 주장함 → 정약용

기출 선택지 익히기

윤사 공부법, 둘!
선택지가 어떤 사상가나 사상의 입장인지 파악하는 훈련하기

다음 내용이 맞으면 ○표, 틀리면 ×표를 하시오.

❶ 이황은 기처럼 이도 자발적으로 동정(動靜)한다고 본다. ( )

❷ 이이는 이는 기가 발하게 되는 까닭일 뿐 발하는 것은 아니라고 본다. ( )

❸ 정약용은 인간의 본성에 내재된 사덕을 실천하는 것을 선한 행위로 본다. ( )

A 도덕 감정

01 빈칸에 알맞은 말을 쓰시오.

(1) 이황은 기뿐만 아니라 이도 운동성이 있다는 □□□□□을/를 주장하였다.

(2) 이황은 □□은/는 이에 근원하여 드러나므로 순선한 감정이고, □□은/는 기에 근원하여 드러나므로 선악의 가능성이 모두 있는 감정이라고 보았다.

(3) 이이는 모든 감정은 기가 발하고 그것에 이가 타는 경우 뿐이라는 □□□□□□□을/를 제시하였다.

(4) 이이는 이는 보편성을 유지하지만, 기는 특수성을 가진다는 □□□□을/를 주장하였다.

02 알맞은 설명에 ○표를 하시오.

(1) 이황은 이의 함양에 초점을 맞추어 (경, 성) 공부를 강조하였다.

(2) 이이는 수양을 통해 (본연, 기질)을 교정해야 한다고 주장하였다.

03 다음 내용과 이를 주장한 사상가를 바르게 연결하시오.

(1) 칠정이 사단을 포함한다. •   • ㉠ 이황

(2) 이는 기의 주재자로서 귀하며 기는 천하다. •   • ㉡ 이이

B 도덕 본성

04 정약용의 주장으로 맞으면 ○표, 틀리면 ×표를 하시오.

(1) 인간의 본성은 일종의 경향성이며 마음이 기호이다.   (   )

(2) 인간의 욕구는 도덕적 삶을 위해 억제해야 할 요소이다.   (   )

(3) 인간에게는 선하고자 하면 선할 수 있고, 악하고자 하면 악할 수 있는 자주지권이 있다.

(   )

05 알맞은 설명에 ○표를 하시오.

(1) 정약용은 인간이 동물과 달리 존귀한 이유를 (형구, 영지)의 기호 때문이라고 보았다.

(2) 정약용은 (사덕, 사단)은 인간의 본성에 내재하는 것이 아니라 (사덕, 사단)의 확충을 통해 후천적으로 형성된다고 보았다.

06 다음 개념에 해당되는 설명을 바르게 연결하시오.

(1) 천명지성 •   • ㉠ 선을 좋아하고 악을 미워하는 영지의 기호

(2) 기질지성 •   • ㉡ 감각적인 것을 좋아하는 형구의 기호

A 도덕 감정

01 다음을 주장한 한국 사상가의 입장만을 〈보기〉에서 고른 것은?

> 사단과 칠정이 비록 같은 정(情)이기는 하지만 연원이 다르기 때문에 옛날부터 이름을 달리하였던 것입니다. 만약 연원이 다르지 않았다면 무엇 때문에 다르게 말했겠습니까? 그러므로 사단의 연원을 이라고 인정한다면, 희(喜), 노(怒), 애(哀), 구(懼), 애(愛), 오(惡), 욕(欲) 즉 칠정의 연원은 기가 아니고 무엇이겠습니까?

> 보기
> ㄱ. 기(氣)는 천하고 이(理)는 귀하다.
> ㄴ. 칠정(七情)은 본연지성이 발한 것이다.
> ㄷ. 사단(四端)은 이가 발하여 드러난 순선한 감정이다.
> ㄹ. 칠정은 기가 발하여 드러나므로 악의 가능성만 있다.

① ㄱ, ㄴ   ② ㄱ, ㄷ   ③ ㄴ, ㄷ
④ ㄴ, ㄹ   ⑤ ㄷ, ㄹ

02 다음을 주장한 한국 사상가가 강조한 수양론만을 〈보기〉에서 있는 대로 고른 것은?

> 마음의 이(理)는 너무나 넓어 잡을 수 없고 흐려서 그 경계를 알 수 없으니, 실로 경(敬)으로 마음을 집중하지 않으면 어떻게 그 성(性)을 보존하고, 그 본체를 세울 수 있겠는가? … 군자의 학문은 마음이 아직 발하지 않을 때 반드시 경을 위주로 하여 존양(存養) 공부를 하고 마음이 이미 발했을 때도 역시 경을 위주로 하여 성찰(省察) 공부를 해야 한다. 이는 경학(敬學)이 처음과 끝이 되고 체와 용을 관통하는 까닭이다.

> 보기
> ㄱ. 항시 또렷이 깨어 있어야 한다.
> ㄴ. 의식을 집중시켜 마음이 흐트러지지 않게 해야 한다.
> ㄷ. 몸가짐을 단정히 하고 엄숙한 태도를 유지해야 한다.
> ㄹ. 시비를 분별하지 않는 도(道)의 경지에 도달해야 한다.

① ㄱ, ㄴ   ② ㄱ, ㄹ   ③ ㄷ, ㄹ
④ ㄱ, ㄴ, ㄷ   ⑤ ㄴ, ㄷ, ㄹ

03 다음을 주장한 한국 사상가의 입장으로 옳지 않은 것은?

> 정(情)은 하나이다. 그럼에도 사단이다 칠정이다 말하는 것은 오로지 이만을 말할 때와 기를 겸하여 말할 때가 같지 않기 때문이다. 사단은 칠정을 겸할 수 없으나 칠정은 사단을 겸할 수 있다.

① 사단과 칠정은 부분과 전체의 관계이다.
② 이는 운동성이 없고 기만 운동성을 지닌다.
③ 기는 만물에 통하고 이는 형체에 국한된다.
④ 발하는 것은 기이고, 발하는 까닭은 이이다.
⑤ 사단과 칠정은 모두 기가 발하여 드러난 감정이다.

04 이이가 긍정의 대답을 할 질문으로 가장 적절한 것은?

① 사단과 칠정의 연원은 각기 다른가?
② 이는 형체가 없으나 운동성을 지니는가?
③ 이와 기는 서로 떨어져 존재할 수 없는가?
④ 타고난 기질은 수양을 해도 교정할 수 없는가?
⑤ 칠정은 사단 가운데 선한 부분을 가리키는가?

05 그림은 서술형 평가 문제와 학생 답안이다. 학생 답안의 ㉠~㉤ 중 옳지 않은 것은?

> **서술형 평가**
> ◎ 문제: 한국 사상가 갑, 을의 입장에 대해 비교하여 서술하시오.
>
> 갑: 이(理)에 동정(動靜)이 있어서 기(氣)에 동정이 있다. 이가 움직이면 기가 따르며, 기가 움직이면 이가 그 기를 올라타서 드러나는 것이다.
> 을: 이는 무형(無形)이고 기는 유형(有形)이며, 이는 무위(無爲)이고 기는 유위(有爲)이다. 기가 아니면 발할 수 없고 이가 아니면 발할 근거가 없다.
>
> ◎ 학생 답안
> 갑, 을의 입장을 비교하면, 갑은 ㉠사단(四端)은 이가 발한 것이고, 칠정(七情)은 기가 발한 것이라고 주장하였다. ㉡이와 기 모두 능동적 운동성을 갖는다고 본 것이다. 반면 을은 ㉢사단과 칠정 모두 기가 발한 것이라고 주장하였다. ㉣기만 능동적 운동성을 갖는다고 본 것이다. 한편 ㉤갑, 을 모두 사단과 칠정은 부분과 전체의 관계로 칠정이 사단을 포함한다고 주장하였다.

① ㉠   ② ㉡   ③ ㉢   ④ ㉣   ⑤ ㉤

B 도덕 본성

06 그림은 어느 학생의 노트 필기 내용이다. ㉠~㉤ 중 옳지 **않은** 것은?

〈정약용의 사상〉
1. 성기호설
• 인간의 본성은 선을 좋아하고 악을 싫어하는 기호임 ·········· ㉠
• 영지의 기호: 인간만이 지니고 있는 기호임 ·················· ㉡
• 형구의 기호: 인간과 동물 모두 지니고 있는 기호임 ········· ㉢
2. **사단과 사덕**: 사단은 본성에 내재하지 않고 사덕의 확충을 통해 형성됨 ·· ㉣
3. **인간의 욕구**: 도덕적 삶을 위해 필요한 삶의 추동력이므로 긍정어어야 함 ·· ㉤

① ㉠   ② ㉡   ③ ㉢   ④ ㉣   ⑤ ㉤

07 다음을 주장한 한국 사상가의 입장만을 〈보기〉에서 있는 대로 고른 것은?

인의예지라는 이름은 일을 행한 뒤에 이루어진다. … 어찌 인의예지 네 알맹이가 복숭아씨나 살구씨처럼 사람의 마음 가운데 주렁주렁 매달려 있는 것이겠는가?

보기
ㄱ. 욕구는 도덕적인 삶을 위한 추동력이다.
ㄴ. 사덕(四德)은 선택과 실천을 통해 형성된다.
ㄷ. 인간의 성(性)은 선과 악을 좋아하는 기호이다.
ㄹ. 자유 의지는 사단(四端)의 확충을 통해 형성된다.

① ㄱ, ㄴ   ② ㄱ, ㄹ   ③ ㄷ, ㄹ
④ ㄱ, ㄴ, ㄷ   ⑤ ㄴ, ㄷ, ㄹ

08 정약용이 긍정의 대답을 할 질문만을 〈보기〉에서 고른 것은?

보기
ㄱ. 사단은 선한 마음으로 사덕의 시작인가?
ㄴ. 악한 본성으로 인해 부도덕한 행위를 하는가?
ㄷ. 하늘은 인간에게 자유 의지를 부여한 존재인가?
ㄹ. 사덕은 사단을 통해서 파악되는 선천적인 것인가?

① ㄱ, ㄴ   ② ㄱ, ㄷ   ③ ㄴ, ㄷ
④ ㄴ, ㄹ   ⑤ ㄷ, ㄹ

09 다음을 주장한 한국 사상가의 입장만을 〈보기〉에서 고른 것은?

자신을 선하게 한 뒤에 이것을 의(義)라고 하니, 자신을 선하게 하기 전에는 의라는 이름이 성립되지 않는다.

보기
ㄱ. 인간만이 영지(靈知)의 기호를 가진다.
ㄴ. 사단(四端)을 인간의 본성으로 보아야 한다.
ㄷ. 인(仁)은 사랑하는 행위에 의해 형성되는 덕이다.
ㄹ. 도덕적 행위를 통해 자주지권을 형성할 수 있다.

① ㄱ, ㄴ   ② ㄱ, ㄷ   ③ ㄴ, ㄷ
④ ㄴ, ㄹ   ⑤ ㄷ, ㄹ

서답형 문제

10 다음은 한국 사상가 갑, 을의 가상 대화이다. 물음에 답하시오.

정(情)에 사단(四端)과 칠정(七情)의 분별이 있는 것은 성(性)에 본연지성과 기질지성의 분별이 있는 것과 같습니다. 따라서 사단과 칠정의 연원을 분명하게 구분해서 살펴보아야 합니다.

아닙니다. 칠정(七情)은 정(情)의 전체를 이르는 것이고, 사단(四端)은 정(情)의 순선한 것을 이르는 것입니다. 측은하게 여기는 것은 기가 발한 것이고, 측은의 본체는 인(仁)이니 이가 타는 것입니다.

(1) 갑, 을 사상가가 누구인지 쓰시오.
   갑: (   ), 을: (   )

(2) 사단과 칠정이 드러나는 방식에 대한 갑, 을의 주장을 비교하여 서술하시오.

_____

_____

01 다음을 주장한 한국 사상가의 입장으로 가장 적절한 것은?

> 이(理)가 발(發)함에 투철하지 못하여 기(氣)에 가려진 연후에 불선(不善)함이 있게 된다. 그러나 본래 사단의 정(情)은 이가 발하는 것으로 순선하여 악(惡)이 없다.

① 사물에서 이와 기는 서로 떨어져서 존재한다.
② 사단과 칠정은 성(性)이 발하지 않은 상태이다.
③ 사단과 칠정은 그 근원이 서로 다른 정(情)이다.
④ 발하는 것은 오직 기이고, 이는 발하는 까닭이다.
⑤ 사욕을 제거하여 칠정을 사단으로 변화시켜야 한다.

02 그림의 가상 편지를 쓴 한국 사상가의 입장만을 〈보기〉에서 있는 대로 고른 것은?

> ○○에게
> 귀하의 입장을 서신을 통해 잘 읽어 보았습니다. 제 생각은 귀하의 생각과는 다릅니다. 사단, 칠정은 본연지성(本然之性), 기질지성(氣質之性)과 똑같습니다. 본연지성은 기질을 겸하지 않고 말하는 것이고, 기질지성은 본연지성을 겸해 말하는 것입니다. 따라서 사단은 칠정을 겸할 수 없지만, 칠정은 사단을 겸할 수 있습니다. …(후략).

〈보기〉
ㄱ. 사단과 칠정은 모두 기가 발한 것이다.
ㄴ. 나쁜 기질은 수양을 통해 교정될 수 있다.
ㄷ. 사단은 기가 발하고 이가 그것을 탄 것이다.
ㄹ. 칠정의 선함과 사단의 선함을 다르게 보아야 한다.

① ㄱ, ㄴ   ② ㄱ, ㄹ   ③ ㄷ, ㄹ
④ ㄱ, ㄴ, ㄷ   ⑤ ㄴ, ㄷ, ㄹ

03 다음은 한국 사상가 갑, 을의 입장이다. 갑에 비해 을이 갖는 상대적 특징을 그림의 ㉠～㉤ 중에서 고른 것은?

> 갑: 이(理)는 기(氣) 아니면 있을 곳이 없고, 기는 이가 아니면 근거가 없다. 둘은 서로 떨어질 수 없어, 오직 기가 발함에 이가 타고, 이는 통(通)하지만 기는 국한[局]된다.
> 을: 이와 기는 서로 의지하여, 이가 발하면 기가 따르고 기가 발하면 이가 탄다. 이의 본체의 무위(無爲)만을 보고, 그 작용이 드러남을 알지 못하여 이를 죽은 물건으로 간주하면 도리에 맞지 않는다.

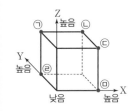

• X: 이의 능동성을 강조하는 정도
• Y: 이기불상리를 상대적으로 강조하는 정도
• Z: 이귀기천을 강조하는 정도

① ㉠   ② ㉡   ③ ㉢   ④ ㉣   ⑤ ㉤

04 한국 사상가 갑, 을 모두 긍정의 대답을 할 질문만을 〈보기〉에서 있는 대로 고른 것은?

> 갑: 기(氣)가 발함에 이(理)가 탄다는 것은 옳다. 다만 칠정(七情)만 그런 것이 아니라, 사단(四端) 역시 기가 발함에 이가 타는 것이다.
> 을: 사단의 정(情)은 이가 발하여 기가 그것을 따르는 것이니, 순선하여 악이 없다. 칠정의 정은 기가 발하여 이가 그것을 타는 것이다.

〈보기〉
ㄱ. 칠정은 기가 발한 감정인가?
ㄴ. 칠정이 사단을 포괄할 수 있는가?
ㄷ. 사단의 정(情)은 순선하여 악이 없는가?
ㄹ. 사단과 칠정은 성(性)이 이미 발한 상태인가?

① ㄱ, ㄴ   ② ㄱ, ㄹ   ③ ㄴ, ㄷ
④ ㄱ, ㄷ, ㄹ   ⑤ ㄴ, ㄷ, ㄹ

기출 변형

05 다음을 주장한 한국 사상가의 입장만을 〈보기〉에서 있는 대로 고른 것은?

> 인간의 마음은 이리저리 움직여서 고정되어 있지 않으니, 자주지권(自主之權)은 자기에게 있다. 이것은 동물에게 정해진 마음이 있는 것과 같지 않다. 그러므로 선을 행하면 자기의 공이 되고 악을 행하면 자기의 죄가 되는 것이니 이것은 마음의 자주지권이며 이른바 본성이 아니다.

> 〈보기〉
> ㄱ. 인의예지는 사단의 확충을 통해 형성된다.
> ㄴ. 인간의 자주지권은 하늘이 부여한 것이다.
> ㄷ. 인간의 욕구는 도덕적 삶을 위해 제거되어야 한다.
> ㄹ. 하늘은 인간의 마음을 살펴 잘못을 경고하는 존재이다.

① ㄱ, ㄴ   ② ㄱ, ㄷ   ③ ㄷ, ㄹ
④ ㄱ, ㄴ, ㄹ   ⑤ ㄴ, ㄷ, ㄹ

기출 변형

06 (가)의 한국 사상가 갑, 을의 입장을 (나) 그림으로 탐구하고자 할 때, A~C에 들어갈 옳은 질문만을 〈보기〉에서 있는 대로 고른 것은?

(가)	갑: 사단은 인성(人性)이 본래 가지고 있는 것이며, 사단을 확충하지 못하면 사덕은 이루어질 수 없다. 측은(惻隱)은 인(仁)의 시작인 것이다. 을: 사단은 이(理)만을 말하고 칠정은 이와 기(氣)를 겸하여 말하는 것이다. 사단과 칠정은 모두 기가 발하여 이가 그것을 탄 것일 뿐이다.
(나)	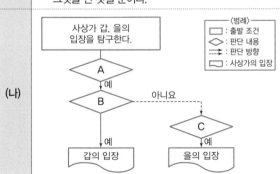

> 〈보기〉
> ㄱ. A: 사단을 확충해야 바람직한 인간이 되는가?
> ㄴ. B: 사덕은 모든 사람에게 선천적으로 부여되는가?
> ㄷ. B: 사덕은 모든 욕구를 제거해야 형성될 수 있는가?
> ㄹ. C: 사단을 통해 사덕이 마음에 내재함을 알 수 있는가?

① ㄱ, ㄴ   ② ㄱ, ㄹ   ③ ㄷ, ㄷ
④ ㄱ, ㄷ, ㄹ   ⑤ ㄴ, ㄷ, ㄹ

기출 변형

07 한국 사상가 갑, 을, 병 중 적어도 두 사람이 긍정의 대답을 할 질문만을 〈보기〉에서 있는 대로 고른 것은?

> 갑: 성(性)은 기질(氣質)의 성이며, 기질의 성이 본연의 성을 포함[兼]하고 있듯이 정(情)도 칠정(七情)뿐이다.
> 을: 성을 이(理)와 기(氣)로 나누어 말할 수 있다면, 정(情)에 해당하는 사단과 칠정 또한 이와 기에서 유래한 것으로 나누어 말할 수 있다.
> 병: 성은 선을 즐거워하고 악을 부끄러워한다. 인간은 스스로 주인이 되는 권한[自主之權]을 지니고 있어, 덕을 행한 공로와 악을 범한 과오가 자신에게 있다.

> 〈보기〉
> ㄱ. 사덕은 인간의 도덕적 본성인가?
> ㄴ. 사단을 사덕의 형성 근거로 보아야 하는가?
> ㄷ. 엄격한 금욕주의적 수양을 추구해야 하는가?
> ㄹ. 사단을 적극적으로 발휘하는 삶을 살아야 하는가?

① ㄱ, ㄴ   ② ㄱ, ㄹ   ③ ㄴ, ㄷ
④ ㄱ, ㄷ, ㄹ   ⑤ ㄴ, ㄷ, ㄹ

기출 변형

08 (가)의 한국 사상가 갑, 을의 입장을 (나) 그림으로 표현할 때, A~C에 들어갈 진술만을 〈보기〉에서 고른 것은?

(가)	갑: 성(性)은 이(理)가 아니라 어떤 구체적인 대상에 대해 좋아하고 싫어하는 경향성[嗜好]을 말하는 것이다. 을: 성에 본연의 성과 기질의 성의 분별이 있듯이, 정도 이와 기로 나누어 사단(四端)과 칠정(七情)으로 구별할 수 있다.
(나)	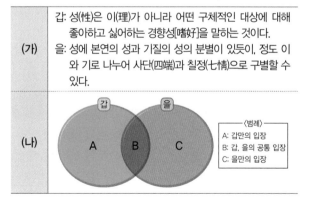

> 〈보기〉
> ㄱ. A: 악을 부끄럽게 여기는 성향은 인간의 본성이다.
> ㄴ. A: 사덕은 마음의 이치로서 실천에 의해 만들어진다.
> ㄷ. B: 사단은 선행의 행사 여부와 관계없이 내재한다.
> ㄹ. C: 사덕은 사단의 확충을 통해서 획득된다.

① ㄱ, ㄴ   ② ㄱ, ㄷ   ③ ㄴ, ㄷ
④ ㄴ, ㄹ   ⑤ ㄷ, ㄹ

04 ~ 자비의 윤리

A 깨달음: 불교의 연원과 전개

1. 불교의 연원과 근본 사상

(1) 불교의 연원

① 석가모니가 생로병사(生老病死)의 고통에서 벗어나고자 출가 수행하여 깨달음을 얻음

② 인도의 전통 사상의 비판적 계승, 새로운 세계관과 인생관 제시 → 불교를 창시함

③ 부처[佛], 진리[法], 수행 공동체[僧]를 갖춘 종교 체계를 형성함

(2) 초기 불교의 가르침 [자료 1]

> 예 업(業), 윤회(輪廻), 해탈, 우주의 궁극 원리와 개인의 내재 원리 일치 등

① **연기설(緣起說):** 우주와 인생의 모든 존재와 현상은 직접적인 원인[因(인)]과 간접적인 조건[緣(연)]의 상호 관계에 의해 생겨남 → 어떤 존재와 현상도 독립적일 수 없음

② **사성제(四聖諦):** 괴로움이 생기는 원인과 그것을 멸하는 길을 밝힘

> 뜻 불교의 석가모니가 깨달은 네 가지 성스러운 진리로, 연기설에 기초함

고성제(苦聖諦)	인간 삶의 갖가지 괴로움 (예 생로병사의 고통) — 뜻 현실 세계의 모든 것이 고정된 실체가 없음을 모르는 것
집성제(集聖諦)	괴로움의 원인: 무명(無明)과 애욕(愛欲)으로 인한 집착, 삼독❶
멸성제(滅聖諦)	삼독을 제거하여 괴로움이 사라진 상태: 열반의 경지❷
도성제(道聖諦)	열반에 이르는 수행 방법: 삼학(三學), 팔정도(八正道) [자료 2]

③ **삼법인(三法印):** 삶의 무상함을 깨닫고 고정불변의 실체가 없음을 통찰하면 괴로움에서 벗어나 열반에 이를 수 있다는 진리를 담음

제행무상 (諸行無常)	• 모든 것이 고정됨 없이 끊임없이 생멸 변화함 • 모든 것은 인연에 의해 생성된 일시적인 것일 뿐 영원하지 않음
제법무아 (諸法無我)	• 고정된 실체(불변의 자아)가 없음 • 모든 존재는 인연에 따른 임시적 존재 → 인간도 오온의 일시적 결합에 불과함❸
일체개고 (一切皆苦)	• 일체의 모든 것이 고통임 • 자신과 현실 세계가 영원하다고 집착하여 삼독에 빠져 고통받음
열반적정 (涅槃寂靜)	• 열반에 이르면 고통과 번뇌에서 벗어난 고요한 마음 상태를 갖게 됨 • 삼법인에 열반적정을 포함하여 사법인이라고도 함(열반적정을 삼법인으로 보기도 함)

> 뜻 제행무상, 제법무아, 일체개고를 이름

2. 불교의 전개

(1) 부파 불교(소승 불교)

① **성립 배경:** 석가모니 열반 후, 경전 편찬 과정에서 교리 해석 차이로 교파가 분열됨

② **특징:** 개인의 해탈 중시 → 사회와 분리된 엄격한 종교성 추구를 강조함

③ **이상적 인간상:** 아라한 — 뜻 불교 수행자가 도달할 수 있는 최고 단계에 도달한 수행자

(2) 대승 불교

> 뜻 많은 사람이 함께 타고 깨달음에 이를 수 있는 큰 수레를 뜻함

① **성립 배경:** 부파 불교를 비판하고 개혁하려는 새로운 불교 운동의 결과로 발생함

② **특징:** 중생과 함께하는 대중적 측면 강조 → 수행자의 깨달음뿐만 아니라 타인의 깨달음도 중시함

> 왜 부파 불교는 출가 수행자가 아니면 성취하기 어려운 교리를 강조한다고 보았기 때문임

③ **이상적 인간상:** 보살 — 뜻 위로는 깨달음을 얻고자 노력하고 아래로는 중생을 구제하는 자로서, 육바라밀의 실천으로 도달 가능함

④ **공(空) 사상** [자료 3]

• 모든 현상과 존재가 고정불변의 독자적 실체를 지니지 않는다고 봄

• 각 현상을 다른 현상과 구별하게 하는 불변의 고유한 본질인 자성(自性)은 없다고 봄

★ 한눈에 정리

연기설과 사성제

원인	결과
집성제	고성제
도성제	멸성제

연기설에 따라 사성제를 살펴볼 수 있다. 집성제와 고성제는 각각 현실 세계의 원인과 결과(집착 → 고통), 도성제와 멸성제는 각각 이상 세계의 원인과 결과(수행 → 해탈)이다.

❶ 삼독(三毒)
탐욕[貪], 분노[瞋], 어리석음[癡]을 뜻한다. 이 세 가지 번뇌가 중생을 해롭게 하는 것이 마치 독약과 같다 하여 삼독이라고 부른다.

❷ 열반(涅槃, Nirvana)
불어서 꺼진 상태를 뜻한다. 타오르는 번뇌의 불꽃을 지혜로 꺼서 일체의 번뇌가 소멸한 상태, 즉 번뇌의 속박에서 해탈(解脫)한 경지를 지칭한다.

❸ 오온(五蘊)
인간을 구성하는 다섯 가지 구성 요소로 물질적 육체인 색(色), 의식이나 감정인 수(受), 마음속의 표상인 상(想), 현재의 작용인 행(行), 주체적 인식과 판단인 식(識)이 있다.

❹ 보살의 수행법: 육바라밀
보살이 열반에 이르기 위해 실천해야 할 여섯 가지 덕목으로 보시(베풂), 지계(계율 준수), 인욕(관용), 정진(노력), 선정(평상심), 반야(지혜) 바라밀을 말한다.

자료1 불교의 연기설

> • 이것이 있기 때문에 저것이 있고, 이것이 생기기 때문에 저것이 생긴다. 이것이 없기 때문에 저것이 없고, 이것이 사라지기 때문에 저것이 사라진다.
> • 비유하면 세 개의 갈대를 아무것도 없는 땅 위에 세우려고 할 때 서로 의지해야 설 수 있는 것과 같다. 만일 그 가운데 한 개를 제거해 버리면 두 개의 갈대는 서지 못하고, 그 가운데 두 개의 갈대를 제거해 버리면 나머지 한 개도 역시 서지 못한다. 그 세 개의 갈대는 서로 의지해야 설 수 있는 것이다. ─"잡아함경"

| **자료 분석** | 불교의 연기설에 의하면 모든 존재는 반드시 여러 원인과 조건에 의해 생겨나고 소멸한다. 즉 개개의 존재들은 보이지 않는 불가분의 끈으로 맺어졌으며 서로에게 원인과 조건이 되는, 상호의존적인 관계이다.

한줄 핵심 불교는 어떤 존재나 현상도 독립적일 수 없으며 모든 존재가 상호 의존적이라고 본다.

❶ 불교에서는 모든 것은 여러 원인과 조건에 의해 생겨나고 소멸한다고 보았다. ○Ｘ

❷ 불교에서는 모든 존재의 상호 독립성을 강조하였다. ○Ｘ

자료2 불교의 수행 방법: 삼학과 팔정도

삼학	팔정도	
계(戒, 계율(戒律)): 계율을 지키고 그릇됨과 악을 고치며 좋은 습관을 유지하는 공부	• 정어(正語): 올바른 말 • 정업(正業): 올바른 행위	• 정명(正命): 올바른 생활
정(定, 선정(禪定)): 선정 수행을 하여 집중하며, 마음을 고요한 경지에 이르게 하는 공부	• 정정진(正精進): 올바른 노력 • 정념(正念): 올바른 의식	• 정정(正定): 올바른 집중
혜(慧, 지혜(知慧)): 사물의 실상을 통찰하여 부처의 깨달음과 같은 지혜를 얻는 공부	• 정견(正見): 올바른 견해	• 정사(正思): 올바른 생각

| **자료 분석** | 불교에서는 열반에 이르기 위한 수행 방법으로 삼학과 팔정도를 제시한다. 삼학은 중생들이 체계적인 수행을 통해 깨달음을 얻을 수 있도록 석가모니가 제시한 계, 정, 혜의 방법이다. 팔정도는 괴로움에서 벗어나 열반에 이르기 위한 여덟 가지 수행 방법으로, 극단적 쾌락과 고행에서 벗어난 중도의 수행법이라는 특징을 가진다.

한줄 핵심 불교에서는 삼학과 팔정도를 수행함으로써 열반에 이를 수 있다고 본다.

❸ 석가모니는 체계적인 수행을 위해 계율과 선정, 지혜를 모두 중시하였다. ○Ｘ

❹ 팔정도는 고통스러운 수행을 통해 깨달음을 추구하는 방법이다. ○Ｘ

자료3 대승 불교의 공 사상

> 사리자여, 색(色)이 공과 다르지 않고, 공이 색과 다르지 않습니다. 색이 곧 공이요, 공이 곧 색입니다. 수(受), 상(想), 행(行), 식(識)의 경우도 이와 마찬가지입니다. 사리자여, 모든 사물은 그 실상에 있어서 공입니다. ─"반야심경"

| **자료 분석** | 대승 불교는 부파 불교의 일부에서 주장한 '자성'의 개념을 지적하면서 모든 현상과 존재가 고정불변의 독자적 실체를 지니지 않는다는 공 사상을 전개하였다. 이러한 공 사상은 중관 사상과 유식 사상의 출발점이 되었다.

한줄 핵심 대승 불교의 공 사상은 모든 현상과 존재가 고정불변의 독자적 실체를 지니지 않는다고 보았다.

❺ 대승 불교는 모든 현상과 존재가 고정불변의 독자적 실체를 지니지 않는다고 본다. ○Ｘ

○ ❺ (성립이 삼악도를 깨닫아 공부함으로 벗어날 수) ×❹ ○ ❸ (움 관계이므로 상호의존적 이 아니라 서로에게 원인이 되는) ×❷ ○ ❶ **정답**

★ 한눈에 정리

중관 사상과 유식 사상

중관 사상	유식 사상
모든 것은 고정 불변의 실체가 아니고, 인연에 따라 임시로 존재할 뿐임	모든 것은 마음이 만든 허상이지만, 진리를 깨닫는 마음은 존재함
공통점: 연기설, 공 사상	

❺ 중관(中觀)
극단에 치우진 잘못된 견해를 바로 잡고 중도의 진리를 올바르게 관찰하는 지혜를 말한다.

★ 한눈에 정리

교종과 선종

교종	경전을 해석하고 그 교리를 통해 진리를 깨닫고 계율을 실천할 것을 강조함
선종	외부의 도움 없이도 자신의 불성을 자각하면 깨달음을 얻을 수 있다고 봄

❻ 교관이문, 지관겸수
· 교관이문(教觀二門): 깨달음을 얻으려면 이론에 해당하는 교(教)와 실천에 해당하는 관(觀)이 모두 어우러져야 함
· 지관겸수(止觀兼修): 마음의 집중[止]과 통찰[觀]의 수행을 함께 해야 함

❼ 무진연기(無盡緣起)
만물은 끝없는 시공간 속에서 서로의 원인이 되며, 대립을 초월하여 하나로 융합된다는 뜻이다.

❽ 좌선(坐禪)과 화두(話頭)
좌선은 고요히 앉아서 참선한다는 뜻으로 특히 선종에서 중시하는 수행법이다. 화두는 '말머리'라는 의미로, 불교에서 수행자가 깨달음을 얻기 위해 참선하며 해결해야 할 과제를 뜻한다.

(3) 대승 불교의 교리 전개 [자료 4]

❺ 중관(中觀) 사상	· 공(空)에 대한 이론적 측면을 철저히 논한 사상으로, 용수에 의해 구체화됨 · 모든 존재는 고정불변하는 독자적 성질[自性(자성)]이 없음 → 모든 존재는 실체가 없는 공임 · 중도의 강조: 공은 고정불변하는 유(有)나 아무것도 없는 무(無)와 같은 극단이 있지 않음 → 중관을 중시함
유식(唯識) 사상	· 중관 사상을 극단적 허무론이라고 비판하면서 등장함 → 무착과 세친이 요가 수행에 의거하여 체계화함 └ **왜** 모든 것을 실체가 없는 공으로 보았기 때문임 · 식(識)의 존재: 구체적인 사물의 실체는 존재하지 않지만, 마음의 작용인 식은 존재함 · 유식: 모든 현상은 오직 마음의 작용으로만 존재하고 마음을 떠나서는 어떠한 실재도 존재할 수 없음 → 일체유심조(一切唯心造) 강조 · 모든 것은 의식의 흐름이므로 의식을 제대로 잡고 그 근본을 알아야 해탈에 이를 수 있다고 봄 └ **뜻** 현상을 구성하는 모든 것은 마음이 만들어 낸 것임

B 깨달음의 길: 교종과 선종

1. 교종 [자료 5]
(1) **특징**: 경전의 교리를 통해 진리를 깨닫고 계율을 실천하는 것을 중시함
(2) **대표적 종파**
① 천태종(天台宗): 현실 속에 참된 이상과 진리가 존재한다고 봄 → 교관이문(教觀二門), 지관겸수(止觀兼修) 강조 ❻
② 화엄종(華嚴宗): 무진연기(無盡緣起)의 법칙을 강조함 ❼
③ 정토종(淨土宗): 깊은 신앙심을 갖고 염불을 외면 극락정토에서 다시 태어난다고 봄
(3) **한계점**: 난해하고 방대한 이론으로 인해 대중적 기반을 확보하지 못함

2. 선종 [자료 5]
(1) **특징**
① 불성에 대한 직관: 부처의 마음에 주목하고 그에 기초하여 성립됨
② 돈오(頓悟): 누구나 자기 본성을 보면 외부의 도움 없이도 즉각 깨달음에 이를 수 있음
③ 선(禪): 마음을 한 곳에 모아 고요한 경지에 들어가는 것 → 좌선과 화두 수행을 중시함 ❽ └ **왜** 깨달음의 길이 교리에 있지 않고 실천적 수행과 관련이 있다고 보기 때문임
(2) **기본 가르침**

이심전심(以心傳心)	법은 마음에서 마음으로 주고받음
불립문자(不立文字)	별도의 언어와 문제를 세워 말하지 않음 → 복잡한 교리를 떠나 심성(心性)을 도야해야 함
교외별전(教外別傳)	경전과는 별도로 가르침을 전수하는 방법
직지인심(直指人心)	자신의 마음을 직접 바라봄
견성성불(見性成佛)	마음속의 불성을 깨달으면 누구나 부처가 될 수 있음

3. 불교 사상의 시사점
(1) **자비의 실천 강조**: 주변 사람이나 동식물 등 모든 생명체로 무한히 확장될 수 있음 → 다른 존재가 괴로움에서 벗어나도록 돕는 도덕적 삶의 중요성을 일깨움
(2) **평등적 세계관 제시**: 모든 존재를 구별하거나 차별하지 않는 평등을 강조함 → 이기주의로 인한 갈등과 대립 해소에 도움을 줌
(3) **인간의 주체성 강조**: 절대적 존재의 도움이 아니라 인간 스스로의 의지로 수행하여 깨달음을 얻을 수 있다고 봄 → 도덕적 삶과 그 실천에서의 주체성을 강조함

자료 확인 문제

자료4   중관 사상과 유식 사상

> 고정불변하는 것이 존재한다는 유(有), 아무것도 존재
> 하지 않는다는 무(無)와 같은 견해
>
> **중관 사상** 모든 것이 존재한다거나 존재하지 않는다고 하는 것은 모두 극단적인 잘못된 견
> 해이다. … 모든 것은 자기가 만들었다거나 다른 사람이 만들었다고 하는 것도 영
> 원한 실체를 인정하는 극단적인 견해이다. 이러한 ㉠ 극단적인 견해를 제거하고
> 올바른 길을 선택하여 살아가야 한다.　　　　　　　　　　 – 용수, "중론"
>
> **유식 사상** 진리의 세계에서 나오는 가르침을 듣고, 들은 가르침에 대해 근원적으로 사유한
> 다. 마음이 대상이나 자기에게 사로잡히지 않고 그 본래의 상태로 되며, 있는 것
> 은 있는 것으로 없는 것은 없는 것으로 확실하게 관찰한다. 자기 존재의 근거를
> 완전히 없애고, 진리의 세계에 융화해서 일체의 중생과 평등한 입장에 서서 오염
> 에 벗어난다.　　　　　　　　　　　　　　　　 – 무착, "대승장엄경론"

| **자료 분석** | 중관 사상은 ㉠과 같이 극단에 치우친 견해를 제거하고 올바른 길을 선택해야 한다고 주장
한다. 중관 사상은 이러한 극단적인 견해를 바로잡고 올바른 길, 즉 중도의 진리를 바르게
관찰하는 지혜를 가져야 함을 강조한다. 유식 사상은 중관 사상과 마찬가지로 자성이 없다
는 공 사상을 계승한다. 하지만 중관 사상과 달리, 구체적인 사물의 실체는 부정하되, 그것
을 감각하고 사고하는 마음의 작용인 식(識)은 존재한다고 본다. 그래서 모든 현상은 오직
마음의 작용으로만 존재함을 강조한다.

한줄 핵심 중관 사상과 유식 사상 모두 자성이 없다는 점에는 동의하지만, 중관 사상은 모든 존재의
실체가 없다고 보고 유식 사상은 마음의 작용인 식은 존재한다고 본다.

❻ 중관 사상은 현상에 불변하는
본질이 있음을 강조하였다.
　　　　　　　　　◯ ✕

❼ 유식 사상은 불변의 본질을
가진 객관적 현상이 존재한
다고 본다.
　　　　　　　　　◯ ✕

자료5   교종과 선종

> 경전의 이해를 강조함 → 교종
>
> **교종** 경전에서 말하는 진리 외에 다시 무슨 진리가 있는가? 경전에서 훌륭한 보살이 보여 준
> 점진적인 수행 외에 다시 무슨 가르침이 있는가? 만약 당신이 주장하는 대로 경전 속
> 가르침이 무의미하다면 누가 보살의 길을 따라 수행하여 부처가 되려 하겠으며, 보살
> 의 점진적 수행을 통해 무엇을 얻을 수 있단 말인가?
>
> **선종** 훌륭한 스승의 가르침 속 핵심은 자기 마음의 참된 본성을 정확히 지적하여 보여 주는
> 것이다. 따라서 경전의 가르침 외에도 참된 본성의 깨달음에 대한 훌륭한 스승의 가르
> 침이 별도로 전해 내려오는 것이다. 당신이 아무리 많은 경전을 아무리 오래 읽는다고
> 하더라도 그것은 당신이 참된 본성의 깨달음에 대한 가르침을 이해하고 깨닫는 데 아
> 무런 도움이 되지 못한다.　　　본성의 직관을 중시함 → 선종
> 　　　　　　　　　　　　　　　　　　　　　　　　 – 천책, "선문보장록"

| **자료 분석** | 교종은 경전의 교리를 통해 진리를 깨닫고 실천하는 것을 중시하는 종파이다. 반면, 선종은
불성에 대한 직관을 중시하여 누구나 자기 마음속의 불성을 깨달으면 부처가 될 수 있다고
강조하는 종파이다.

한줄 핵심 교종은 경전의 교리를 통해 진리를 깨닫는 것을, 선종은 불성에 대한 직관을 중시하였다.

❽ 교종에서는 경전의 교리를
통한 진리의 깨달음을 중시
한다.
　　　　　　　　　◯ ✕

❾ 선종에서는 누구나 자신의
마음속의 불성을 깨달으면
부처가 될 수 있다고 본다.
　　　　　　　　　◯ ✕

◯ ❻ ◯ ❽ (답정)
돈 이음달깨 인음마 다거나
이유불 ⟨혀관중⟩✕ ❼ (음
상 이상사 식유 상혀관중)
고 는재존 금은⟨돈✕ ❻ **답정**

수능 자료로 개념 완성 수능 POOL

교종과 선종의 윤리 사상 비교하기

수능풀 Guide

이 단원에서는 교종과 선종의 특징을 묻는 문제가 자주 출제된다. 선종과 교종의 공통점과 차이점을 비교하여 알아 두자.

교종		선종
경전의 교리를 통해 진리를 깨닫고 계율을 실천하는 것을 중시함	입장	누구나 자기 본성을 보며 부처임을 단박에 깨칠 수 있음
점진적 수행인 점수(漸修)의 과정을 통해 깨달음을 얻을 수 있다고 봄	수양 방법	자신의 본성이 부처임(불성)을 단박에 깨치는 것(돈오), 좌선과 화두를 중시함
지나치게 이론적이고 엄격하여 대중에게 널리 퍼지지 못함	한계	경전의 가치를 무시하는 경향이 있음, 맹목적 깨달음 추구와 계율에 따른 도덕적 생활을 경시할 수 있음
공통점		석가모니의 가르침: 연기설, 사성제, 삼법인 등

기출 자료 익히기

윤사 공부법, 하나!
자료를 보고 어떤 사상가나 사상의 입장인지 유추하는 훈련하기

자료 1 교종

• 경전에서 훌륭한 보살이 보여 준 점진적인 수행 외에 다시 무슨 가르침이 있는가? 만약 당신이 주장하는 대로 경전 속 가르침이 무의미하다면 누가 보살의 길을 따라 수행하여 부처가 되려 하겠으며, 보살의 점진적 수행을 통해 무엇을 얻을 수 있단 말인가? └─ 경전의 가르침을 공부해야 함을 강조함 → 교종

• 깨닫기 위해서는 붓다가 남겨 준 교리와 경전을 하나하나 공부해야 합니다. 즉, 부분적 지식의 축적으로 전체적 깨달음을 얻을 수 있으므로, 점차 깨달아 부처가 되어 완성되자는 가르침을 실천해야 합니다. └─ 점진적인 깨달음을 강조함 → 교종

자료 2 선종

• 자성(自性)에는 잘못됨도 없고 어리석음도 없고 어지러움도 없다. 생각마다 반야로써 비추어 보아 법의 모습[法相]에서 벗어나면 자유자재하게 되니 세울 것이 무엇이 있겠는가? 자성을 스스로 깨달음은 단박에 깨닫고 단박에 닦는 것이다. └─ 단박에 자신의 본성이 부처임을 깨우침 → 선종

• 부처는 자성(自性) 속에서 이루어지니 자신 밖에서 부처를 찾지 말라. 자성이 미혹되면 중생이고, 자성을 깨달으면 부처다. 자성을 깨닫는다는 것은 단박에 깨치고[頓悟] 단박에 닦는 것이니[頓修], 점진적 단계는 없다. └─ 누구나 자신의 불성을 깨달으면 부처가 된다고 가르침 → 선종

기출 선택지 익히기

윤사 공부법, 둘!
선택지가 어떤 사상가나 사상의 입장인지 파악하는 훈련하기

다음 내용이 교종에 해당하면 '교', 선종에 해당하면 '선'을 쓰시오.

❶ 본성을 직관하여 단박에 깨우쳐야 한다. ( )

❷ 경전이나 교리에 의존하지 않고 깨달을 것을 강조한다. ( )

❸ 경전에 담긴 부처의 가르침에 대한 체계적인 이론을 제시한다. ( )

❹ 경전이나 의례 같은 외적인 형식보다 내면의 자각을 중시한다. ( )

❺ 깨닫기 위해서는 반드시 부처가 남긴 교리와 경전을 공부해야 한다고 본다. ( )

교❺ 선❶ 교❸ 선❷ 선❹ 선❶ **정답**

A 깨달음

01 빈칸에 알맞은 말을 쓰시오.

(1) 불교의 □□□에 의하면 모든 존재와 현상은 원인과 조건의 상호 관계에 의해 생겨난다.

(2) 불교의 □□□은/는 괴로움에서 벗어나 열반에 이르기 위한 여덟 가지 수행법이다.

(3) □□□□은/는 고정된 실체는 없으며, 모든 존재는 인연에 따른 임시적 존재라는 것이다.

(4) □□ 사상은 모든 현상은 오직 마음의 작용으로만 존재하므로 마음을 떠나서는 어떠한 실재도 존재할 수 없다고 본다.

02 불교의 사성제와 그 의미를 바르게 연결하시오.

(1) 고성제 •   • ㉠ 열반에 이르는 수행 방법

(2) 집성제 •   • ㉡ 괴로움에서 벗어난 열반의 경지

(3) 멸성제 •   • ㉢ 무명(無明)과 애욕(愛欲)으로 인한 집착

(4) 도성제 •   • ㉣ 인생은 갖가지 괴로움과 고통

03 대승 불교 사상의 특징으로 맞으면 ○표, 틀리면 ×표를 하시오.

(1) 사회와 분리된 엄격한 종교성을 추구한다. ( )

(2) 각각의 현상[法]을 다른 현상과 구별하게 하는 불변의 고유한 본질인 자성(自性)의 존재를 인정한다. ( )

(3) 위로는 진리를 구하고 아래로는 많은 중생을 구제하는 보살을 이상적 인간상으로 여긴다. ( )

B 깨달음의 길

04 알맞은 설명에 ○표를 하시오.

(1) (선종, 교종)은 경전의 교리를 통해 진리를 깨닫고 계율을 실천하는 것을 중시한다.

(2) (돈오, 좌선)은/는 누구나 자기 본성을 보면 외부의 도움 없이도 즉각 깨달음에 이를 수 있음을 뜻한다.

05 선종의 기본 가르침을 〈보기〉에서 골라 쓰시오.

| 보기 | ㄱ. 교관이문(教觀二門) | ㄴ. 이심전심(以心傳心) | ㄷ. 불립문자(不立文字) |
| | ㄹ. 교외별전(教外別傳) | ㅁ. 직지인심(直指人心) | ㅂ. 견성성불(見性成佛) |

( )

탄탄! 내신 다지기

A 깨달음

01 밑줄 친 '갑 사상가'의 입장으로 옳은 것은?

> 갑 사상가는 과거 궁궐에서 부귀영화를 누리던 태자였다. 그 시절, 성의 동문 밖으로 산책을 나갔다가 허리가 굽은 노인을 보고 인간은 누구나 늙는다는 사실을 절감하였고, 남문 밖에서 고통으로 신음하는 병자를 보고 병에 시달리는 인생의 고통을 절실히 알게 되었다. 서문 밖에서는 상여 행렬을 보고 태어난 자는 누구나 반드시 죽는다는 사실을 통감하였고, 북문 밖에서 세상의 모든 형식적 속박에서 벗어난 듯이 보이는 수행자를 보고, 고민을 해결할 한 가닥 희망을 붙들게 되었다.

① 계율에서 벗어난 자유로운 삶을 추구하였다.
② 윤회의 반복된 흐름에 순응하는 삶을 강조하였다.
③ 인간이 해탈에 이를 수 있다는 것을 최초로 제시하였다.
④ 생로병사의 고통에서 벗어날 수 있는 방법이 없음을 깨달았다.
⑤ 인간이 진리를 제대로 파악하지 못하여 고통을 겪는다고 보았다.

02 다음 사상에 대한 설명으로 옳은 것만을 〈보기〉에서 고른 것은?

> 이것이 있기 때문에 저것이 있고, 이것이 생기기 때문에 저것이 생긴다. 이것이 없기 때문에 저것이 없고, 이것이 사라지기 때문에 저것이 사라진다.

〈보기〉
ㄱ. 어떤 존재와 현상도 독립적일 수 없다.
ㄴ. 모든 존재는 우연히 홀로 생겨나고 사라진다.
ㄷ. 개개의 존재들은 보이지 않는 불가분의 끈으로 맺어졌다.
ㄹ. 만물의 진정한 실체는 원인과 조건 없이 영원히 존재하는 것이다.

① ㄱ, ㄴ   ② ㄱ, ㄷ   ③ ㄴ, ㄷ
④ ㄴ, ㄹ   ⑤ ㄷ, ㄹ

03 ㉠, ㉡에 들어갈 말로 옳은 것만을 〈보기〉에서 고른 것은?

> 사상가: 인생은 본질적으로 괴로운 것입니다. 괴로움의 예로는 생로병사와 더불어 사랑하는 사람과의 이별, 싫어하는 사람과의 만남, 원하는 것을 얻지 못함, 오온(五蘊) 등이 있습니다.
> 학 생: 그 괴로움의 원인은 무엇입니까?
> 사상가: [㉠]
> 학 생: 그렇다면 괴로움을 소멸한 상태에 도달하기 위한 방법은 무엇입니까?
> 사상가: [㉡]

〈보기〉
ㄱ. ㉠: 탐욕, 분노, 무지의 번뇌입니다.
ㄴ. ㉠: 사람들이 불변의 자아를 깨닫지 못하는 것입니다.
ㄷ. ㉡: 삼학(三學)과 팔정도(八正道)가 있습니다.
ㄹ. ㉡: 고통의 극한을 통해 수행하는 방법이 있습니다.

① ㄱ, ㄴ   ② ㄱ, ㄷ   ③ ㄴ, ㄷ
④ ㄴ, ㄹ   ⑤ ㄷ, ㄹ

04 다음 사상에 대한 설명으로 옳은 것만을 〈보기〉에서 고른 것은?

> • 나는 나 자신을 진리 속에 둘 것이며, 그래서 모든 세상 사람이 도움을 받을 수 있도록 나는 모든 중생을 진리 속에 있게 할 것이며, 또 모든 무한한 세계의 중생을 열반으로 인도할 것이다.
> • 보살도 이와 같이 모든 중생을 아들처럼 사랑하기 때문에 중생이 병들면 보살이 병들고 중생의 병이 나으면 보살도 낫습니다. … 보살의 병은 *대비심(大悲心) 때문에 생깁니다.
> *대비심: 중생을 불쌍히 여겨 괴로움을 덜어 주려는 부처나 보살의 마음

〈보기〉
ㄱ. 출가한 자만이 깨달음을 얻을 수 있다고 본다.
ㄴ. 교리 공부와 자기 해탈에 치중하여 세속과 거리를 둔다.
ㄷ. 불변의 고유한 본질인 자성(自性)의 존재에 대한 주장을 비판한다.
ㄹ. 수행자 개인의 해탈뿐만 아니라 중생의 구제를 실천하는 삶을 강조한다.

① ㄱ, ㄴ   ② ㄱ, ㄷ   ③ ㄴ, ㄷ
④ ㄴ, ㄹ   ⑤ ㄷ, ㄹ

05 갑, 을의 입장에 대한 설명으로 옳은 것만을 〈보기〉에서 고른 것은?

> 갑: 모든 것은 독자적인 실체가 아니고, 임시로 붙여진 이름에 불과합니다. 그러므로 우리는 사물이 실체로서 존재한다는 무지로부터 벗어나 집착에서 생겨나는 온갖 고통과 번뇌를 없애야 합니다.
> 을: 현상 세계는 마음이 만들어 낸 허상에 불과하지만, 그 것을 만들어 낸 마음은 존재합니다. 그러므로 우리는 수행을 통해 자아에 대한 집착에서 벗어나 청정한 마음을 얻어야 합니다.

> 보기
> ㄱ. 갑은 진리를 깨달은 청정한 마음의 존재를 긍정한다.
> ㄴ. 갑은 모든 현상은 오직 마음의 작용으로만 존재한다고 본다.
> ㄷ. 을은 마음을 비우는 수행 방법으로 요가를 강조한다.
> ㄹ. 갑과 을은 공 사상에 뿌리를 두고 자아에 대한 집착에서 벗어날 것을 강조한다.

① ㄱ, ㄴ   ② ㄱ, ㄷ   ③ ㄴ, ㄷ
④ ㄴ, ㄹ   ⑤ ㄷ, ㄹ

B 깨달음의 길

06 ㉠에 들어갈 말에 대한 설명으로 가장 적절한 것은?

> 인도의 대승 불교가 중국으로 전래되면서, 경전에 대한 관점과 해석에 따라 다양하게 발전했다. 이에 따라 특정한 경전의 이론에 입각한 여러 종파가 형성되었는데, 이러한 종파를 ㉠ (이)라고 한다.

① 경전의 해석과 계율의 실천을 강조한다.
② 마음에서 마음으로 주고받는 것을 강조한다.
③ 사회와 분리된 엄격한 종교성의 추구를 강조한다.
④ 불성을 깨달으면 누구나 바로 부처가 될 수 있음을 강조한다.
⑤ 내면의 자각을 중시하여 외적인 형식으로부터 자유로운 수행을 강조한다.

07 나무아미타불을 염불하면 누구나 극락정토에서 다시 태어날 수 있다고 주장하는 불교의 종파는?

① 천태종   ② 화엄종   ③ 정토종
④ 법상종   ⑤ 선종

08 다음 사상의 기본 가르침으로 옳지 <u>않은</u> 것은?

> 부처는 자신의 본성 속에서 이루어지니 자신 밖에서 부처를 찾지 말라. 자신의 본성이 미혹되면 중생이고, 자신의 본성을 깨달으면 부처이다. 자신의 본성을 깨닫는다는 것은 단박에 깨치고[頓悟] 단박에 닦는 것이니[頓修], 점진적 단계라는 것은 없다.

① 이심전심(以心傳心)   ② 불립문자(不立文字)
③ 교외별전(敎外別傳)   ④ 교관이문(敎觀二門)
⑤ 견성성불(見性成佛)

서답형 문제

09 다음 글을 읽고 물음에 답하시오.

> 불교는 우리가 괴로움에서 벗어나 진리를 깨우칠 수 있는 길을 알려 준다. ㉠ 은/는 불교의 경전 및 교리를 깊게 이해하고 계율을 실천해야 한다고 주장한다. ㉡ 은/는 자기 안의 본성을 자각하여 깨달음을 얻을 수 있다고 본다. 이처럼 깨달음에 도달하는 방법은 다르지만 궁극적으로 깨달음을 얻고자 하는 것은 공통적이다. 그렇다면 ㉢불교에서 지향하는 것은 구체적으로 무엇이며 이를 통해 현대 사회의 윤리 문제를 해결하는 데 어떻게 기여할 수 있을까?

(1) ㉠, ㉡에 들어갈 말을 쓰시오.
     ㉠: (   ), ㉡: (   )

(2) ㉢의 물음에 대한 답을 서술하시오.

01 다음을 주장한 고대 동양 사상가에 대한 옳은 설명만을 〈보기〉에서 고른 것은?

> • 자기 자신을 등불로 삼고 자기 자신에 의지하라. 진리 [法]에 의지하고 진리를 스승으로 삼아라.
> • 연기(緣起)를 보는 자는 곧 진리를 보며, 진리를 보는 자는 곧 연기를 본다.

〈보기〉
ㄱ. 만물은 불변하며 변하는 것은 오직 인간의 정신뿐이다.
ㄴ. 현세의 삶에서 쌓은 업(業)에 의해 내세의 삶이 결정된다.
ㄷ. 우주의 모든 사물과 현상은 원인과 결과로 연결되어 있다.
ㄹ. 일체의 모든 것은 고통이며 인간은 고통에서 벗어날 수 없다.

① ㄱ, ㄴ   ② ㄱ, ㄷ   ③ ㄴ, ㄷ
④ ㄴ, ㄹ   ⑤ ㄷ, ㄹ

기출 변형

02 다음을 주장한 고대 동양 사상가의 입장만을 〈보기〉에서 있는 대로 고른 것은?

> 걸어서 가는 것으로는 세계의 끝에 이를 수 없고, 세계의 끝에 이르지 못하면 괴로움[苦]에서 벗어날 수 없다. 세계의 끝은 분명히 있으나 오직 바른 지혜를 가진 자만이 능히 그것을 알 수 있으니, 그 지혜로 세간(世間)을 통달하면 피안(彼岸)에 이를 수 있다.

〈보기〉
ㄱ. 고통은 인간 세계의 현상적인 삶의 모습이다.
ㄴ. 모든 사람은 마음속에 불성(佛性)을 가지고 있다.
ㄷ. 번뇌에서 벗어나지 못하면 생사의 세계를 그치지 않고 돌게 된다.
ㄹ. 무명(無明) 상태에서는 상호 의존 관계에 들지 못하고 홀로 있게 된다.

① ㄱ, ㄷ   ② ㄴ, ㄹ   ③ ㄷ, ㄹ
④ ㄱ, ㄴ, ㄷ   ⑤ ㄱ, ㄴ, ㄹ

03 ㉠에 들어갈 진술로 가장 적절한 것은?

> 한 알의 콩이 있다고 할 때, 콩은 하나의 인(因), 즉 제일 원인이다. 그러나 콩이라는 종자만으로 싹이 터서 자라 열매를 맺을 수는 없고, 거기에 반드시 흙, 수분, 온도 등의 연(緣), 즉 보조 원인이 필요하다. 가령 목재라는 하나의 인이 목공의 연을 만나면 책상이 되지만, 불의 연을 만나면 불타서 재가 된다. 이처럼 모든 존재는 ____㉠____

① 영원불변하고 절대적이다.
② 고정된 실체로서 존재한다.
③ 서로 독립적으로 존재한다.
④ 의존적 관계로서 끊임없이 변화한다.
⑤ 연기에 따라 형성되어 변화하지 않는다.

기출 변형

04 그림은 서술형 평가 문제와 학생 답안이다. 학생 답안의 ㉠~㉣ 중 옳은 것만을 고른 것은?

> **서술형 평가**
>
> ◎ **문제**: 다음 고대 불교 사상가의 입장을 설명하시오.
>
> > 고통을 끊으려면 탐욕을 떠나야 한다. 색(色)의 실상에 대해 알지 못하고 밝지 못하여 탐욕을 떠나지 못하면 마음이 해탈하지 못한다.
>
> ◎ **학생 답안**
> 우주와 인생의 모든 현상은 반드시 원인과 조건에 따라 일어난다고 본 위 사상가는 ㉠ <u>쾌락을 인간 세계의 현상적인 삶의 모습으로 보았으며</u>, ㉡ <u>애욕(愛慾)을 없애 열반의 상태에 이를 것을 강조하였다</u>. 또한, ㉢ <u>모든 것을 불변하는 실체로 보았고</u>, ㉣ <u>수행 방법으로 삼학과 팔정도를 제시하였다.</u>

① ㉠, ㉡   ② ㉠, ㉢   ③ ㉡, ㉢
④ ㉡, ㉣   ⑤ ㉢, ㉣

05 갑은 부정, 을은 긍정의 대답을 할 질문으로 옳은 것은?

> 갑: 사회와는 분리된 엄격한 종교성과 수행자 자신의 정
> 신세계에 몰입하는 것이 가장 중요합니다.
> 을: 그런 태도는 너무 개인주의적이라고 봅니다. 출가자
> 가 아닌 사람들에게도 관심을 가져야 합니다.

① 중생의 본성은 악한가?
② 보살이 이상적 인간상인가?
③ 사성제를 참된 진리로 볼 수 있는가?
④ 삶이 주는 참된 즐거움을 누릴 수 있는가?
⑤ 수행을 위해서는 반드시 출가해야 하는가?

06 (가)의 갑, 을 사상가들의 입장을 (나) 그림으로 표현할
때, A~C에 해당하는 진술로 가장 적절한 것은?

(가)	갑: 모든 존재는 실체가 없는 공(空)이며, 양극단에 대한 집 착을 버린 중도(中道)가 진리이다. 을: 이 세상은 의식의 장난에 불과하고, 의식을 떠나 객관 적 실재란 존재하지 않는다.
(나)	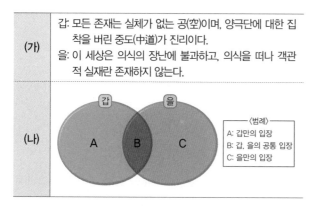

〈범례〉
A: 갑만의 입장
B: 갑, 을의 공통 입장
C: 을만의 입장

① A: 진리를 깨달은 청정한 마음은 존재한다.
② A: 사회와 분리된 엄격한 종교성을 추구해야 한다.
③ B: 출가 수행자가 아니면 깨달음을 성취하기 어렵다.
④ B: 연기를 바탕으로 자아에 대한 집착에서 벗어나야
한다.
⑤ C: 깨달음을 통해 인식되는 공성(空性) 또한 실체가
아니다.

07 다음을 주장한 동양 사상가의 입장에 대한 옳은 설명만
을 〈보기〉에서 있는 대로 고른 것은?

> 자성(自性)에는 잘못됨도 없고 어리석음도 없고 어지러움
> 도 없다. 생각마다 반야로써 비추어 보아 법의 모습[法相]
> 에서 벗어나면 자유자재하게 되니 세울 것이 무엇이 있겠
> 는가? 자성을 스스로 깨달음은 단박에 깨닫고 단박에 닦
> 는 것이다.

〈보기〉
ㄱ. 자신의 마음을 직관하여 단박에 깨달아야[頓悟] 한다.
ㄴ. 단박에 깨닫기 위해 선(禪) 수행과 경전 공부에 매진
해야 한다.
ㄷ. 참선(參禪) 수행으로 본성을 자각하기 위해 계율을 엄
격하게 따라야 한다.
ㄹ. 누구든 자신의 본성을 보면 외부의 도움 없이도 즉각
깨달음에 이를 수 있다.

① ㄱ, ㄴ
② ㄱ, ㄹ
③ ㄷ, ㄹ
④ ㄱ, ㄴ, ㄷ
⑤ ㄴ, ㄷ, ㄹ

08 그림은 불교 사상 (가), (나)를 탐구하기 위한 것이다. A,
B에 들어갈 질문으로 가장 적절한 것은?

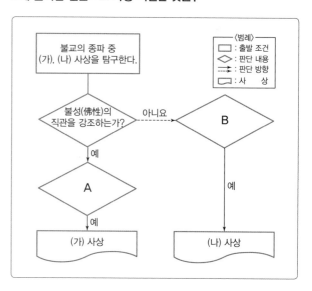

① A: 점진적 수행을 통한 깨달음을 강조하는가?
② A: 문자로써 참다운 진리를 나타낼 수 있는가?
③ A: 경전의 바깥에서 참된 진리를 찾을 수 있는가?
④ B: 교리로부터 해방된 자유를 중시하는가?
⑤ B: 이론에 집착하는 수행 방법에서 벗어났는가?

05 ～ 분쟁과 화합

❶ 불교 수용의 시대적 배경
당시 삼국은 국가적 차원에서 불교를 수용하였다. 이로 인해 초기에는 왕실 중심의 불교가 형성되었다. 불교는 각 지방, 부족의 여러 민간 신앙을 융합하면서 발전하였는데 이는 삼국의 정신적 통일에 기여하였다.

A 한국 불교 사상

1. 불교의 수용과 발전 ─ 왜 당시 삼국은 국가 체제를 정비하면서 부족 국가에서 중앙 집권적 고대 국가로 성장하던 시기였음

수용 배경	삼국 시대에 체제 정비, 민심 안정을 위해 국가적 차원에서 불교를 수용함
발전	• 통일 신라 시대에 중국을 통해 다양한 불교 사상 수용 • 통일 신라 시대: 교종의 번성으로 경전 연구와 이론 정립 • 고려 시대: 통일 신라 말 유입된 선종과 교종의 대립 발생 → 화합하려는 노력을 전개함 └─ 예 의천과 지눌의 사상

⭐ **한눈에 정리**

원효의 사상

일심	일체의 대립을 초월하는 마음으로, 마음이 모든 것의 근거이고 바탕임
화쟁	서로 다른 주장들이 조화를 이루게 하여 대립에서 벗어나 화해하도록 이끌어야 함
무애행	경전을 읽지 못해도 누구나 염불을 외면 깨달음을 얻을 수 있음

⭐ 2. 원효의 사상

(1) 일심(一心) 사상
① 일심: 일체의 대립을 초월하는 마음 → **마음이 모든 것의 근거이고 바탕임** ─ 왜 일심을 바탕으로 이론들이 생기고, 일심으로 종합되기 때문임
② 서로 다른 이론은 마음의 진리를 다른 시각에서 본 것일 뿐임
③ 중생의 마음에는 진여문과 생멸문의 두 측면이 있음[一心二門(일심이문)] → 마음의 두 측면의 근원은 하나임 자료 1
④ 부처와 중생은 근본적으로 둘이 아님 → 중생이 무지에서 벗어나면 본래의 마음으로 돌아가 부처가 됨 ─ 뜻 '화'는 조화, 화해, 화합을 뜻하고, '쟁'은 주장과 견해 사이의 다툼, 대립을 뜻함

(2) 화쟁(和諍) 사상 자료 2
① 일심 사상에 바탕을 두고 화쟁 사상을 전개함
② 화쟁: 서로 다른 주장과 견해들이 조화를 이루게 하여, **다툼과 대립에서 벗어나 화해하고 화합하도록 이끌어야 함** ─ 뜻 '원융'은 원만하여 막힘이 없음을, '회통'은 온갖 대립과 갈등을 해소하여 더 높은 차원에서 하나로 통합하는 것을 뜻함
③ 원융회통(圓融會通): 모든 종파와 사상을 분리하여 고집하지 말고, 보다 높은 차원에서 하나로 종합해야 함 → 당시 대립하는 불교 이론과 종파를 통합하는 근간이 됨 ─ 뜻 걸림이 없음

(3) 무애행(無碍行)
① 의미: 정해진 틀이나 형식에서 벗어나 수행함
② 불경을 읽지 못해도 누구나 '나무아미타불'만 염불하면 깨달음을 얻는다고 가르침 ─ 왜 누구나 일심의 주체이기 때문에 깨달음에 이를 수 있음

(4) 의의
① 화합과 조화를 중시하는 한국 불교의 전통을 수립함
② 당시 왕실 중심의 불교를 대중화하는 데 기여함

❷ 원효의 독창적인 사상 체계
원효는 특정 경전을 중심으로 다른 경전과 사상을 해석하는 중국 불교와 달리, 다양한 경전과 부처의 사상을 통합적으로 해석하고 이해하여 독창적인 사상 체계를 전개하였다.

❸ 진여문(眞如門)과 생멸문(生滅門)
• 진여문: 중생이 본래 갖추고 있는 분별과 대립이 소멸된 청정한 성품
• 생멸문: 중생이 본래 갖추고 있는 청정한 성품이 분별과 대립을 일으키는 모습으로, 선악이 뒤섞여 있는 현실의 마음

❹ 교종과 선종의 대립
통일 신라 말 중국으로부터 선종이 전래되면서 지방 호족을 중심으로 부흥하였고 전국적으로 구산선문(九山禪門)이 형성되었다. 이후 고려 시대에 들어 선종은 교종과 심하게 대립하였다.

3. 의천의 사상

(1) 성립 배경: 고려 초에 교종과 선종의 대립이 심화됨 → 원효의 화쟁 사상을 계승하여 천태종(교종)을 중심으로 선종을 포함한 다른 종파를 통합하고자 함

(2) 수행법 자료 3
① 경전만 공부하거나 직관만을 중시하는 것은 적절한 수행법이 아니므로 두 방법을 함께 해야 한다고 봄 ─ 뜻 경전의 교리를 읽고 지적으로 이해하는 교(教)와 마음을 바라보는 참선 수행[觀(관)]을 함께 수행하여 진리를 깨우쳐야 함
② 내외겸전(內外兼全), 교관겸수(教觀兼修) 주장 ─ 뜻 선종의 수양 방법인 마음 수양[內(내)]과 교종의 수양 방법인 교리 공부[外(외)]를 모두 갖추어야 함

(3) 의의
① 교종과 선종의 대립과 갈등을 화합하고자 노력함
② 깨달음을 위해서는 종파에 얽매이지 않는 포용적 사유를 보임

교과서 자료 모아 보기 🐟🐟

자료1 원효의 일심이문

> ㉠ 어젯밤 잠자리는 흙구덩이라 생각하여 또한 편안하였는데[眞如門], → 진여문
> ㉡ 오늘밤 잠자리는 무덤 속에 의탁하니 매우 뒤숭숭하구나[生滅門]. → 생멸문
> 알겠도다! 마음이 생겨나므로 갖가지 현상이 생겨나고,
> 마음이 사라지므로 흙구덩이와 무덤이 둘이 아님을.
> 또 삼계는 오직 마음뿐이요 만법은 오직 인식일 뿐이니,
> ㉢ 마음 밖에 현상이 없는데 어디서 따로 구하겠는가[一心]?
> 나는 당나라에 가지 않겠다!   – 원효, "열반경종요(涅槃經宗要)"

| **자료 분석** | 원효는 잠자리에 얽힌 자신의 경험을 통해 마음에는 ㉠진여문과 ㉡생멸문의 두 측면이 있으나 별개가 아닌 하나임을 깨달았다. 나아가 ㉢과 같이 마음이 모든 현상을 만들어 낸다는 점을 주장하였다.

한줄 핵심 ▶ 원효는 일심 사상을 주장하며 마음이 모든 것의 근거이고 바탕이라고 보았다.

❶ 원효는 마음의 두 가지 측면인 진여문과 생멸문을 서로 별개의 것이 아니라고 보았다. ◯ ✕

자료2 원효의 화쟁 사상

> 부처가 세상에 있었을 때에는 그의 말씀에 힘입어 중생이 한결같이 이해했으나 … 쓸데없는 이론들이 구름 일어나듯 하여 혹은 말하기를 나는 옳고 남은 그르다 하며, 혹은 나는 그러하나 남들은 그렇지 않다고 주장하여 드디어 하천과 강을 이룬다. … ㉠ 비유컨대 청(靑)과 남(藍)이 같은 바탕이고, 얼음과 물이 같은 원천이고, 거울이 만 가지 형태를 다 용납함과 같다.   – 원효, "십문화쟁론"

| **자료 분석** | 원효는 ㉠의 비유를 통해 당시 다양한 이론과 종파가 대립하는 것을 지적하였다. 다양한 이론과 종파의 주장을 보다 높은 차원에서 보면 다르면서도 같고 같으면서도 다르기 때문에 서로 다툴 필요가 없다고 본 것이다. 즉, 화쟁 사상은 일심을 바탕으로 다양한 이론과 종파의 가치를 인정하고, 그 바탕 위에서 전체로서의 조화를 꾀하였다.

한줄 핵심 ▶ 원효는 화쟁 사상을 통해 모든 종파와 사상을 분리하여 고집하지 말고, 보다 높은 차원에서 조화를 이루고자 하였다.

❷ 화쟁은 일심을 바탕으로 불교의 다양한 종파의 가치를 인정하고 조화를 추구하는 사상이다. ◯ ✕

❸ 원효는 서로 다른 종파 중에서 최고의 이론을 찾기 위해 치열하게 다퉈야 한다고 주장했다. ◯ ✕

자료3 의천이 제시한 수행법

> 교(敎)를 배우는 자는 대다수 내적인 것을 버리고 외적인 것을 구하며, 선(禪)을 익히는 자는 외적 경계를 잊고 내적인 것을 밝히기를 좋아한다. 그렇지만 이는 한쪽에 치우친 태도로, 양자의 대립은 마치 토끼 뿔이 긴가 짧은가, 신기루로 나타난 꽃의 빛깔이 진한가 열은가를 놓고서 싸우는 것과 같다.   – 의천, "대각국사 문집"

| **자료 분석** | 의천은 밑줄 친 내용처럼 교(敎)와 선(禪) 어느 한쪽에 치우쳐 수행하는 것을 지적하였다. 따라서 경전과 교리 공부, 참선 수행을 함께하여 깨우침을 얻어야 한다고 주장하였다.

한줄 핵심 ▶ 의천은 경전 읽기와 참선 수행을 함께하여 진리를 깨우쳐야 한다고 주장하였다.

❹ 의천은 경전 읽기와 참선 수행을 병행하여 진리를 깨우쳐야 한다고 주장했다. ◯ ✕

○ ❹ (병행하여)
교(敎)와 선(禪) 어느 한쪽에 치우치지 않고 조화로운 수행을 강조하였다.
✕ ❸ ○ ❷ ○ ❶ **정답**

★ 한눈에 정리

지눌의 사상

돈오점수	단박에 진리를 깨친 뒤에도, 지속적인 수행을 통해 번뇌를 차차 소멸시켜 감
정혜쌍수	정과 혜를 함께 닦음 → 마음의 본체와 마음의 작용이 따로 있을 수 없으므로 함께 수행해야 함
의의	교종을 중심으로 선종과의 조화를 추구함

4. 지눌의 사상

(1) 선교 통합: 조계종(선종)을 중심으로 불교 교단을 정화하기 위한 정혜결사 운동 진행 → 선종을 중심으로 교종을 통합하고자 함

(2) 선교일원(禪敎一元): '선은 부처의 마음이요, 교는 부처의 말씀이다.'라고 보아 선종과 교종이 본래 하나라고 주장함

(3) 수행법

[왜] 돈오한 후에도 오랫동안 누적된 그릇된 인식과 나쁜 습관과 기운[習氣(습기)]는 바로 제거되지 않기 때문에 점수가 필요함

① **돈오점수(頓悟漸修)**: 단번에 진리를 깨친(돈오) 뒤 점진적인 닦음(점수)의 과정에서 몸에 벤 나쁜 습관이나 기운, 번뇌를 차차 소멸시켜 가야 함 [자료 4]

돈오	'마음이 부처'라는 사실을 자각하는 것 → 선종에서 중시함
점수	점진적이고 지속적인 수행 → 교종에서 중시함

② **정혜쌍수(定慧雙修)**: 점수의 구체적인 방법으로, 정과 혜를 함께 닦아야 함을 뜻함

정	마음을 한곳에 집중하여 혼란함이 없는 고요한 경지에 이르도록 하는 것(선정)	정은 마음의 본체, 혜는 마음의 인식 작용이므로 둘은 분리되지 않음 → 정, 혜를 함께 닦아야 함
혜	사물을 사물 그대로 보아 사물의 실상을 파악하는 지혜로, 마음에 어리석음이 없는 상태	

③ **간화선(看話禪)**: 화두를 들고 수행하는 참선 방법으로, 논리적 정합성보다 직관적 사유를 중시함

└ [뜻] 말머리라는 뜻으로 참선 수행을 위한 실마리를 의미함

(4) 의의: 명상 수행과 경전 공부의 균형 강조 → 한국 불교의 중요한 전통으로 계승됨

└ [왜] 지눌은 선종의 전통을 계승하면서 동시에 깨달음과 수행 지침으로서 경전의 가르침도 중시함

❺ 돈오점수

돈오	• 먼저 단박에 깨침 • 내 마음이 부처라는 사실을 한순간에 철저하게 자각하는 것
점수	• 돈오 후 점진적으로 닦음 • 돈오의 바탕 위에서 마음속에 쌓인 인식과 습관을 제거하는 것

B 한국 불교의 윤리적 특징

1. 한국 불교의 특징

[뜻] 모든 종파와 교리를 통하게 하여 화합하려는 성격을 지닌 불교

[뜻] 언뜻 보기에는 서로 어긋나는 뜻이나 주장을 해석하여 조화롭게 함

(1) 조화 정신: 통불교(通佛敎), 회통 불교(會通佛敎)적 성격을 지님 [자료 5]

① 종파 간 통합 추구: 원효의 화쟁 사상, 의천과 지눌의 선종과 교종을 통합하려는 노력 등

② 타 종교와의 조화: 도교나 민간 신앙과 조화를 이루며 성장함 [예] 사찰에 세워진 산신각, 신선과 호랑이를 그리는 불교 미술 등

(2) 보살행(菩薩行): 자신의 깨달음과 함께 타인을 구제하고자 함

(3) 호국 불교: 세속오계, 대장경 간행, 승려들의 의병 투쟁 등

(4) 생활 규범의 지침 제시: 인과응보설을 통한 선행과 자비의 중요성을 강조한 것은 생활 규범의 지침이 됨

2. 한국 불교의 현대적 의의

(1) 통합과 조화 강조

① 통합과 조화를 추구하는 한국 불교는 갈등을 원만히 해결하고 화해할 수 있는 방법과 자세를 제시함

② 현대 사회의 세대 갈등, 이념 갈등, 노사 갈등 등을 해결할 수 있는 실마리를 제공함

(2) 이타적 실천 강조

① 보살행, 보시의 실천을 강조하는 한국 불교는 타인과 환경을 먼저 생각하고 배려하는 이타적 삶의 원동력이 될 수 있음

② 이기주의나 환경 문제 등을 해결하는 데 도움을 줌

(3) 주체적 수행 강조: 소유와 집착에서 벗어나 진정한 자신을 발견하고 자기 행복을 찾아가는 데 도움을 줌

❻ 세속오계(世俗五戒)

신라의 원광 법사가 화랑도에 전해 준 다섯 가지 계율이다. 세속오계는 국가에 대한 충성과 전쟁에서의 용맹 등을 강조한다.

❼ 보시(布施)

자비심으로 남에게 아무런 조건 없이 재물이나 불법을 베푸는 것을 뜻한다.

자료4 **지눌의 돈오점수**

┌── 자신의 마음이 곧 부처라는 사실을 단번에 깨쳐 자각하는 것
• 돈오(頓悟)란 평범한 사람이 진리를 모를 때 자신의 본성이 곧 진실한 진리의 몸임을 알지 못하다가 어느 날 갑자기 훌륭한 스승을 만나 가르침을 받으면 한순간 진리의 빛으로 자신의 본성을 보는 것을 말한다. 점수(漸修)는 비록 본성을 깨달은 점에서 부처와 차이는 없지만 근원을 알 수 없이 오래된 미세한 번뇌는 완전히 제거하지 못했기 때문에 깨달음에 의지하며 수행하여 점차 성취해 나가는 것을 말한다. 즉 잘못된 습기(習氣)를 말함
└── 마음속에 쌓인 오래된 인식과 잘못된 습관.
• 어린아이의 눈, 귀, 코, 혀, 몸 등이 어른과 다름없음을 알 때 돈오요, 이것이 점점 공훈(功勳)을 들여 성장하는 것이 점수이다. 연못의 얼음이 전부 물인 줄 알지만, 그것이 해를 받아 녹는 것처럼, 범부가 곧 부처임을 깨달았으나 법력으로 부처의 길을 닦는 것과 같은 것이다. ― 지눌, "수심결"

| 자료 분석 | 지눌은 돈오 이후에도 잘못된 습기를 점진적으로 제거하는 수행인 점수가 필요하다고 주장하였다. 따라서 지눌은 선종에서 강조하는 돈오와 교종에서 중시하는 점수 모두를 이용해 수행할 것을 강조했다고 할 수 있다.

한줄 핵심 ▶ 지눌은 선종에서 강조하는 돈오와 교종에서 중시하는 점수를 모두 중요하게 여겼다.

❺ 돈오는 자신의 마음이 곧 부처라는 사실을 단번에 깨쳐 자각하는 것이다.
○ ╳

❻ 점수는 선종에서 중시하는 수행법으로 경전과 교리를 강조한다.
○ ╳

자료5 **한국 불교에 나타난 조화 정신**

불도(佛道)는 넓고 탕탕하여 걸림이 없고 범주가 없다. 영원히 의지하는 바가 없기에 타당하지 않음이 없다. 이 때문에 일체의 다른 교의가 모두 다 불교의 뜻이요, 백가의 설이 옳지 않음이 없으며, 팔만의 법문이 모두 이치에 들어간다. 그런데 자기가 조금 들은 바 좁은 견해만을 내세워, 그 견해에 동조하면 좋다고 하고 그 견해에 반대하면 잘못이라고 하는 사람이 있다. 마치 갈대 구멍으로 하늘을 보는 사람이 갈대 구멍으로 하늘을 보지 않은 사람은 모두 하늘을 보지 못하는 자라고 하는 것과도 같다. 이런 것을 일컬어 식견이 적은데도 많다고 믿어서 식견이 많은 사람을 도리어 헐뜯는 어리석음이라고 한다.
― 원효, "보살계본지범요기"

| 자료 분석 | 원효는 자신의 생각만이 옳다는 협소한 관점을 지닌 어리석음을 지적하며, 더 높은 차원에서 문제를 해결하려는 자세를 가져야 한다고 주장하였다. 이러한 원효의 사상은 의천과 지눌에게도 영향을 주었다. 당시 교종과 선종의 대립에 대해, 의천은 교종을 중심으로 선종을 통합하려 노력하였고 지눌은 선종을 중심으로 교종을 통합하려 노력하였다. 또한 의천은 교관겸수와 내외겸전을, 지눌은 돈오점수와 정혜쌍수를 제시하는 등 수행법에서도 교종과 선종의 조화를 꾀하였다. 이러한 점을 통해 한국 불교가 지닌 조화와 통합의 정신을 파악할 수 있다.

한줄 핵심 ▶ 원효, 의천, 지눌 등의 사상을 통해 한국 불교가 지닌 조화 정신을 파악할 수 있다.

❼ 원효는 자기의 입장만을 진리라고 내세우는 어리석음에서 벗어날 것을 강조하였다.
○ ╳

❽ 한국 불교는 조화와 화합을 강조하는 통불교적 성격을 지닌다.
○ ╳

○ ❽ ○ ❼ (탈정
유 탈수땀 극하시중 시에종교 시에용교
극수땀)╳ ❻ ○ ❺ 탈정

수능 자료로
개념 완성
**수능
POOL**

의천과 지눌의 윤리 사상 비교하기

관련 문제 ▶ 73쪽 06번

**수능풀
Guide**

이 단원에서는 의천과 지눌의 사상적 특징을 묻는 문제가 자주 출제된다. 두 사상가의 공통점과 차이점을 비교하여 알아 두자.

의천		지눌
교종을 중심으로 선종을 통합하고자 함	**특징**	선종을 중심으로 교종을 통합하고자 함
내외겸전, 교관겸수	**수양 방법**	돈오점수, 정혜쌍수, 간화선
공통점	교종, 선종의 대립과 갈등을 화합하고자 함	

기출 자료 익히기

윤사 공부법, 하나!
자료를 보고 어떤 사상가나 사상의 입장인지 유추하는 훈련하기

자료1 의천

명상 속에서 진리를 통찰하는 수행을 배우지 않고 경전만을 공부한다면, 비록 윤회와 해탈의 원인과 결과에 대한 가르침을 듣더라도 진리를 통찰하는 명상법은 잘 알지 못할 것이다. 또한 경전은 공부하지 않고 오직 진리를 통찰하는 명상법만을 배운다면, 설령 진리를 통찰하는 명상법을 알게 되더라도 윤회와 해탈의 원인과 결과에 대한 가르침을 제대로 이해할 수 없을 것이다. ◀
　└ 교종과 선종의 수양 방법을 모두 갖추어야 한다고 봄 → 의천

자료2 지눌

- 얼어붙은 연못이 온전히 물이라는 사실을 알더라도, 햇볕의 따뜻한 기운을 빌려야 실제로 녹여서 물로 만들 수 있다. 이와 같이 돈오(頓悟)와 점수(漸修)도 마치 수레의 두 바퀴와 같으므로 어느 하나만 있어서는 안 된다. └ 돈오 이후에 점수를 행하는 것이 부처가 되는 올바른 길임을 강조함 → 지눌

- 점수문에 속하는 열등한 수행이더라도 마음을 다스리는 데에는 필요하다. 망상이 들끓으면 우선 정(定)으로 그 마음을 다스려 본래의 고요함으로 되돌리고, 혜(慧)로 멍한 상태를 다스리면 결국 대자유인이 될 것이다. └ 선정과 지혜를 병행하여 수행할 것을 강조함 → 지눌

기출 선택지 익히기

윤사 공부법, 둘!
선택지가 어떤 사상가나 사상의 입장인지 파악하는 훈련하기

다음 내용이 의천에 해당하면 '의', 지눌에 해당하면 '지'를 쓰시오.

❶ 교종을 중심으로 선종을 통합하고자 노력하였다. ( )

❷ 화두를 활용한 선(禪) 수행을 통한 깨달음을 강조하였다. ( )

❸ 단박에 깨달은 이후에도 점진적인 수행이 필요하다고 보았다. ( )

❹ 점수의 방법으로 선정과 지혜를 함께 닦는 수행법을 제시하였다. ( )

❺ 경전의 가르침인 교(敎)와 마음을 바라보는 관(觀)을 함께 닦아야 한다고 보았다. ( )

정답 ❶ 의 ❷ 지 ❸ 지 ❹ 지 ❺ 의

68 Ⅱ. 동양과 한국 윤리 사상

A 한국 불교 사상

01 빈칸에 알맞은 말을 쓰시오.

(1) 원효는 모든 중생들도 부처와 같은 마음을 지니고 있다는 □□ 사상을 제시하였다.

(2) 의천은 □□을/를 중심으로 □□을/를 포함한 다른 종파들을 통합하고자 하였다.

(3) 지눌은 '선은 부처의 마음이요, 교는 부처의 말씀이다.'라고 보아 선종과 교종이 본래 하나라는 □□□□을/를 주장하였다.

02 다음 개념과 그 의미를 바르게 연결하시오.

(1) 진여문 •   • ㉠ 선악이 뒤섞여 있는 현실의 마음

(2) 생멸문 •   • ㉡ 원만하여 막힘없이 대립을 통합함

(3) 원융회통 •   • ㉢ 청정한 본래의 마음

03 다음 내용이 맞으면 ○표, 틀리면 ×표를 하시오.

(1) 원효는 '나무아미타불'만 염불하면 누구나 깨달음에 이를 수 있다고 주장하였다. (   )

(2) 의천은 화쟁을 통해 대립과 갈등을 해소하여 더 높은 차원에서 하나로 통합하고자 하였다.
(   )

04 알맞은 설명에 ○표를 하시오.

(1) 지눌이 주장한 (내외겸전, 정혜쌍수)은/는 선정과 지혜를 함께 닦아야 한다는 의미로, 점수의 구체적인 방법이다.

(2) 의천은 경전의 교리를 읽고 지적으로 이해하는 것과 마음을 바라보는 참선 수행을 함께 수행하여 진리를 깨우쳐야 한다는 (교관겸수, 원융회통)을/를 제시하였다.

05 교종과 선종의 합일을 추구하는 수행 방법을 〈보기〉에서 골라 쓰시오.

> 보기
> ㄱ. 내외겸전(內外兼全)   ㄴ. 교관겸수(敎觀兼修)   ㄷ. 돈오점수(頓悟漸修)
> ㄹ. 견성성불(見性成佛)   ㅁ. 정혜쌍수(定慧雙修)   ㅂ. 염화미소(拈華微笑)

(   )

B 한국 불교의 윤리적 특징

06 한국 불교에 대한 내용으로 맞으면 ○표, 틀리면 ×표를 하시오.

(1) 기존의 민간 신앙을 배제하고 독자적으로 발전하였다.   (   )

(2) 자신의 깨달음과 함께 타인을 구제하려는 보살행의 성격을 띤다.   (   )

(3) 모든 종파와 교리를 통하게 하여 화합하려는 통불교적 성격을 지닌다.   (   )

(4) 주체적 수행을 강조하여 소유와 집착에서 벗어나 자기 행복을 찾아가는 데 도움을 준다.
(   )

A 한국 불교 사상

01 한국 불교에 대한 설명으로 옳은 것은?

① 조선 시대에 본격적으로 수용되었다.
② 고유의 민간 신앙과 조화되지 못하였다.
③ 민간의 불교는 국가로부터 탄압을 받았다.
④ 수용 당시 중앙 집권적 국가 구조 수립을 방해하였다.
⑤ 수용 초기에는 왕실과 지배층 중심의 불교를 형성하였다.

02 다음을 주장한 동양 사상가의 입장으로 옳은 것은?

> 모든 경계가 무한하지만 다 일심(一心) 안에 들어가는 것이다. 부처님의 지혜는 모양을 떠나 마음의 원천으로 돌아가고, 지혜와 일심은 완전히 같아서 둘이 없는 것이다.

① 일체 만물과 현상은 모두 마음이 만들어 낸다.
② 일심(一心)은 때 묻은 마음의 현실적 측면이다.
③ 출가 수행자만이 진정한 깨달음을 얻을 수 있다.
④ 자신에게 불변하는 모습이 있음을 믿어야 한다.
⑤ 일부 중생만이 부처와 같은 마음을 갖고 태어난다.

03 다음을 주장한 동양 사상가의 입장만을 〈보기〉에서 고른 것은?

> 쪽빛과 남색이 하나이고 물과 얼음이 근본적으로 같은 것처럼, 진여와 생멸 모두 일심(一心)일 뿐이다.

보기
ㄱ. 자기 안의 일심을 알지 못하여 윤회를 한다.
ㄴ. 본래의 마음과 현실의 마음의 근원은 하나이다.
ㄷ. 모든 사람의 마음이 다르듯 일심의 근원도 다르다.
ㄹ. 자기 마음을 초월한 일심을 찾기 위해 수행해야 한다.

① ㄱ, ㄴ   ② ㄱ, ㄷ   ③ ㄴ, ㄷ
④ ㄴ, ㄹ   ⑤ ㄷ, ㄹ

04 다음을 주장한 동양 사상가의 입장만을 〈보기〉에서 고른 것은?

> 명상 속에서 진리를 통찰하는 수행을 배우지 않고 경전만을 공부한다면, 비록 윤회와 해탈의 원인과 결과에 대한 가르침을 듣더라도 진리를 통찰하는 명상법은 잘 알지 못할 것이다. 또한 경전은 공부하지 않고 오직 진리를 통찰하는 명상법만을 배운다면, 설령 진리를 통찰하는 명상법을 알게 되더라도 윤회와 해탈의 원인과 결과에 대한 가르침을 제대로 이해할 수 없을 것이다.

보기
ㄱ. 진정한 깨달음은 단번에 깨치는 것이다.
ㄴ. 교와 선을 조화하여 갈등을 해소해야 한다.
ㄷ. 깨달음을 얻기 위해 교와 관을 함께 닦아야 한다.
ㄹ. 교와 선 중에서 자신에게 적합한 것을 선택하여 수행해야 한다.

① ㄱ, ㄴ   ② ㄱ, ㄷ   ③ ㄴ, ㄷ
④ ㄴ, ㄹ   ⑤ ㄷ, ㄹ

05 다음을 주장한 동양 사상가의 입장으로 옳은 것은?

> 부처가 입으로 설한 것이 교(敎)가 되고, 조사(佛祖)가 마음으로 전한 것이 선(禪)이 되었으니 부처와 조사(佛祖)의 마음과 입이 반드시 둘이 아니다.

보기
ㄱ. 선종과 교종은 본래 하나이다.
ㄴ. 단박에 깨친 이후에도 수행은 필요하다.
ㄷ. 교리 공부에 치중하여 깨달음을 추구해야 한다.
ㄹ. 중생에 대한 관심보다 수행자 개인의 해탈에 집중해야 한다.

① ㄱ, ㄴ   ② ㄱ, ㄷ   ③ ㄴ, ㄷ
④ ㄴ, ㄹ   ⑤ ㄷ, ㄹ

06 ㉠, ㉡에 대한 옳은 설명만을 〈보기〉에서 고른 것은?

> 단박에 깨친 뒤에도 오랫동안 누적된 그릇된 인식과 잘못된 습관과 기운은 바로 제거되지 않는다. 이를 제거하기 위해 '점수'가 필요한데, 점수의 구체적인 방법은 ㉠정(定)과 ㉡혜(慧)를 함께 닦는 것이다.

> 보기
> ㄱ. ㉠은 마음을 한곳에 집중하여 혼란함이 없도록 하는 것이다.
> ㄴ. ㉡은 사물을 사물 그대로 보아 마음에 어리석음이 없도록 하는 것이다.
> ㄷ. ㉠은 마음의 인식 작용이고 ㉡은 마음의 본체이다.
> ㄹ. ㉠, ㉡은 각각 장단점이 명확하여 둘로 분리된다.

① ㄱ, ㄴ ② ㄱ, ㄷ ③ ㄴ, ㄷ
④ ㄴ, ㄹ ⑤ ㄷ, ㄹ

07 갑, 을의 입장에 대한 옳은 설명만을 〈보기〉에서 있는 대로 고른 것은?

> 갑: 불성(佛性)의 본체는 바로 일심(一心)이다. 일심의 일은 진여문과 생멸문이 서로 다르지 않다는 것을 뜻한다.
> 을: 점수는 본성을 깨달은 점에서 부처와 차이가 없지만 오래된 번뇌를 완전히 제거하지 못했기에 깨달음에 의지하여 수행하는 것이다.

> 보기
> ㄱ. 갑은 일심의 차원에서 갈등이 해소될 수 있다고 보았다.
> ㄴ. 갑은 염불하면 누구나 부처가 될 수 있다고 주장하였다.
> ㄷ. 을은 교리 공부를 우선 수행해야 한다고 보았다.
> ㄹ. 갑과 을은 종파 간 대립의 해소와 화합을 중시하였다.

① ㄱ, ㄷ ② ㄱ, ㄹ ③ ㄴ, ㄷ
④ ㄱ, ㄴ, ㄹ ⑤ ㄴ, ㄷ, ㄹ

B 한국 불교의 윤리적 특징

08 한국 불교의 특징에 대한 설명으로 옳지 <u>않은</u> 것은?

① 위기로부터 국가를 지키려고 노력한다.
② 출가 수행하여 깨달음을 얻는 데만 힘쓴다.
③ 인과응보를 통해 생활 규범의 지침을 제시한다.
④ 다양한 논쟁을 해소하고 조화하기 위해 노력한다.
⑤ 자신의 깨달음과 함께 다른 사람의 구제에 힘쓴다.

09 다음을 통해 알 수 있는 한국 불교의 특징으로 가장 적절한 것은?

> • 원효의 원융회통(圓融會通)
> • 의천의 교관겸수(教觀兼修)
> • 지눌의 돈오점수(頓悟漸修)

① 생명 존중의 정신을 강조한다.
② 국가의 수호를 중요하게 여긴다.
③ 조화와 화합을 중요하게 생각한다.
④ 일상 속에서 깨달음을 찾는 것을 강조한다.
⑤ 중생에게 깨달음을 전해야 하는 것을 강조한다.

서답형 문제

10 다음 글을 읽고 물음에 답하시오.

> 중생의 마음에 청정한 본래의 마음인 ㉠ 와/과 선악이 뒤섞여 있는 현실의 마음인 ㉡ 의 두 측면이 있지만 서로 별개의 것이 아니다. 비록 현상의 본성에 대한 중생의 무지로 말미암아 본래의 마음이 현실의 마음으로 바뀌더라도 둘은 근원에서 하나이다. 또한 경전에 담긴 부처의 서로 다른 가르침도 중생 마음의 다양한 측면을 설명한 것이다.

(1) ㉠, ㉡에 들어갈 말을 쓰시오.
　㉠: (　　　　　　), ㉡: (　　　　　　)

(2) 위의 주장이 현대 사회의 문제를 해결하는 데 줄 수 있는 시사점을 예를 들어 서술하시오.

기출 변형

01 다음을 주장한 동양 사상가의 입장으로 가장 적절한 것은?

> 석가여래께서 말씀하신 모든 가르침은 하나의 깨달음으로 귀결되지 않는 것이 없다. 다만 무명(無明)으로 말미암아 꿈 따라 유전(流轉)하기도 하지만 모두 석가여래의 한결같은 말씀에 따라 종국에는 일심(一心)의 원천으로 돌아오지 않는 이가 없도다.

① 모든 중생은 깨달음을 얻을 수 있다.
② 종파 간의 경쟁을 통해 발전을 도모해야 한다.
③ 모든 것은 초월자로부터 비롯됨을 깨달아야 한다.
④ 대립의 해소를 위해서 특정 경전을 해석해야 한다.
⑤ 일체의 쟁론은 일심의 관점에서 존재 가치가 없다.

02 다음의 가상 인터뷰에서 ㉠에 들어갈 말로 가장 적절한 것은?

> 기자: 요즘 스님께서는 표주박에 무애(無碍)를 새기고 전국을 다니며 백성들을 만나신다고 들었습니다. 이유가 무엇인지요?
> 스님: 글을 모르는 백성들도 깨달음을 얻어 극락에 갈 수 있는 방법을 가르쳐 주기 위해서입니다.
> 기자: 그 방법이 무엇인가요?
> 스님: ㉠

① 각자 맡은 역할에 충실히 살아가면 됩니다.
② 만물이 불변한다는 진리를 깨우치면 됩니다.
③ 나무아미타불(南無阿彌陀佛)을 염불하면 됩니다.
④ 세속에서 벗어나 계율에 따르는 수행을 하면 됩니다.
⑤ 초월자(超越者)의 존재를 믿고 용서를 구하면 됩니다.

03 다음을 주장한 동양 사상가의 입장에 대한 옳은 설명만을 〈보기〉에서 있는 대로 고른 것은?

> 세상에는 완전한 재능을 갖춘 이가 드물고 교(敎)와 선(禪)의 아름다움을 모두 갖추기 어렵기 때문에 교를 배우는 자는 대다수 내적인 것을 버리고 외적인 것을 구하며, 선을 익히는 자는 외적 경계를 잊고 내적인 것을 밝히기를 좋아한다. 그렇지만 이는 한쪽에 치우친 태도로, 양자의 대립은 마치 토끼 뿔이 긴가 짧은가, 신기루로 나타난 꽃의 빛깔이 진한가 옅은가를 놓고서 싸우는 것과 같다.

> **보기**
> ㄱ. 경전 읽기와 참선을 함께 수행해야 한다.
> ㄴ. 교리를 통해서는 진정한 진리를 찾을 수 없다.
> ㄷ. 교종을 주(主)로 하고 선종을 종(從)으로 봐야 한다.
> ㄹ. 언어에 의존하지 않고 수행해야 진정한 깨달음에 이를 수 있다.

① ㄱ, ㄷ   ② ㄴ, ㄹ   ③ ㄷ, ㄹ
④ ㄱ, ㄴ, ㄷ   ⑤ ㄱ, ㄴ, ㄹ

04 다음을 주장한 동양 사상가의 입장에 해당하는 것에만 모두 '✓'를 표시한 학생은?

> "땅에서 넘어진 자 땅을 딛고 일어나라."라고 하였다. 일심(一心)이 미혹되어 끝없는 번뇌를 일으키는 자는 중생이며, 일심을 깨달아 끝없이 오묘한 작용을 일으키는 자는 부처이다. 그러므로 선정[定]과 지혜[慧]를 함께 닦는 결사(結社)를 통해 수행에 정진해야 한다.

번호	관점 \ 학생	갑	을	병	정	무
(1)	교종을 중심으로 선종을 통합해야 한다.	✓			✓	✓
(2)	화두를 들고 참선하는 수행을 해야 한다.		✓		✓	✓
(3)	깨달음을 얻기 위해서는 경전 공부를 우선해야 한다.	✓	✓	✓		
(4)	돈오의 바탕 위에 정과 혜를 병행하여 수행해야 한다.		✓	✓		✓

① 갑   ② 을   ③ 병   ④ 정   ⑤ 무

기출 변형

05 다음을 주장한 동양 사상가가 긍정의 대답을 할 질문만을 〈보기〉에서 고른 것은?

> 선(禪)은 조사가 마음으로 전하는 것이고, 교(敎)는 부처의 말씀이다. 선과 교는 분리될 수 없으며, 고요하고 자취도 없는 마음의 본체인 정(定)과 깊은 지성의 작용인 혜(慧)를 함께 닦아야 한다.

보기
ㄱ. 우주 만물이 고정된 실체이며 곧 진리인가?
ㄴ. 선종과 교종은 근본적인 측면에서 일치하는가?
ㄷ. 자신의 마음을 직관하여 단박에 깨달아야 하는가?
ㄹ. 불성을 깨달으면 나쁜 습기(習氣)가 곧바로 사라지는가?

① ㄱ, ㄴ   ② ㄱ, ㄷ   ③ ㄴ, ㄷ
④ ㄴ, ㄹ   ⑤ ㄷ, ㄹ

기출 변형

06 다음을 주장한 동양 사상가 갑, 을의 입장에 대한 옳은 설명만을 〈보기〉에서 있는 대로 고른 것은?

> 갑: 나의 스승은 "관(觀)도 배우지 않으면 안 되고, 경(經)도 전수하지 않으면 안 된다."라고 말씀하셨다. 내가 교관에 지극히 마음을 다하는 것은 이 말씀을 가슴속에 간직하고 있기 때문이니, 화엄을 전수하더라도 관문은 반드시 배워야 한다.
> 을: 점수문에 속하는 열등한 수행이더라도 마음을 다스리는 데에는 필요하다. 망상이 들끓으면 우선 정(定)으로 그 마음을 다스려 본래의 고요함으로 되돌리고, 혜(慧)로 명한 상태를 다스리면 결국 대자유인이 될 것이다.

보기
ㄱ. 갑은 단박에 깨달은 후에는 수행이 필요 없다고 본다.
ㄴ. 갑은 관을 우선하고, 교(敎)를 그 후에 해야 한다고 본다.
ㄷ. 을은 선(禪)을 부처의 마음으로, 교를 부처의 말씀으로 본다.
ㄹ. 갑, 을은 깨달음을 위해 참선 수행이 필요하다고 본다.

① ㄱ, ㄷ   ② ㄴ, ㄹ   ③ ㄷ, ㄹ
④ ㄱ, ㄴ, ㄷ   ⑤ ㄱ, ㄴ, ㄹ

기출 변형

07 갑, 을 모두 긍정의 대답을 할 질문만을 〈보기〉에서 고른 것은?

> 갑: 일심(一心)의 법(法)을 세운다는 것은 법에 대한 의심을 없애는 것이다. 대승(大乘)의 법에는 오직 일심만이 있으며, 일심 외에는 다른 법이 없다. 일심의 법을 세워 진여(眞如)와 생멸(生滅)의 두 가지 문[二門]에 들어가야 한다.
> 을: 얼어붙은 연못이 온전히 물이라는 사실을 알아도, 햇볕의 따뜻한 기운을 빌려야 실제로 녹여서 물로 만들 수 있다. 이와 같이 돈오(頓悟)와 점수(漸修)도 마치 수레의 두 바퀴와 같아서 하나만 있으면 안 된다.

보기
ㄱ. 종파 간의 우열을 가려야 하는가?
ㄴ. 선종을 중심으로 교종을 통합해야 하는가?
ㄷ. 모든 인간은 해탈할 수 있는 가능성이 있는가?
ㄹ. 진리에 대한 깨달음을 얻기 위해 수행이 필요한가?

① ㄱ, ㄴ   ② ㄱ, ㄷ   ③ ㄴ, ㄷ
④ ㄴ, ㄹ   ⑤ ㄷ, ㄹ

08 그림은 수행 평가 문제와 학생 답안이다. 학생 답안의 ㉠~㉢ 중 옳은 것만 고른 것은?

> **수행 평가**
> ◎ **문제:** 한국 불교 사상의 특징을 설명하시오.
> ◎ **학생 답안**
> 한국에 전래된 이후 불교는 끊임없는 종파 간의 갈등과 대립을 극복하고 통합을 이루어 나가고자 하였다. 이를 통해 한국 불교가 ㉠ 조화와 통합을 중시함을 알 수 있다. 그리고 대승 불교의 전통으로 ㉡ 수행자 자신의 깨달음과 함께 다른 사람을 구제하는 보살행(菩薩行)을 강조한다. 또한, 수행을 중시하는 종교답게 ㉢ 민족과 국가의 문제에 초연(超然)하였으며, ㉣ 다른 민간 신앙들과 섞이지 않고 불교의 순수함을 유지하고자 노력하였다.

① ㉠, ㉡   ② ㉠, ㉢   ③ ㉡, ㉢
④ ㉡, ㉣   ⑤ ㉢, ㉣

06 ~ 무위자연의 윤리

★ 한눈에 정리

노자와 장자의 사상

구분	노자	장자
이상적 경지	무위자연	제물, 소요
수양 방법	허정	좌망, 심재
공통점	인위에서 벗어나 자연의 도에 따를 때 진정한 자유를 누리며 살아갈 수 있음	

❶ 도가 사상의 연원: 노자와 장자
춘추 전국 시대의 혼란 속에서 개인의 삶을 중시하고 생명 보존과 자유로운 삶을 추구하는 경향이 나타났다. 노자(老子)와 장자(莊子)에 의해 발전하였기에 노장사상(老莊思想)이라고도 한다.

❷ 인위에 대한 노자의 비판
노자는 "대도(大道)가 무너지자 인의(仁義)가 생겨났고, 큰 인위가 있어서 지혜가 나타났고 육친이 화목하지 못하자 효와 자애가 생겨났고, 나라가 혼란해지자 충신이 나타났다."라고 말하며 인위적 덕목으로 인해 혼란이 발생한다고 주장하였다.

❸ 상선약수(上善若水)
노자는 "가장 좋은 선은 물과 같다. 물의 선함은 만물을 이롭게 하지만 다투지 아니하며[不爭(부쟁)], 여러 사람이 싫어하는 낮은 위치에 처한다[謙虛(겸허)]. 그러므로 도에 가깝다."라고 주장하였다.

❹ 장자의 이상적 인간상
장자는 "지인은 자신에 집착하지 않고, 신인은 공적에 얽매이지 않으며, 성인은 명예를 탐내지 않는다."라고 하였다. 지인, 신인, 성인뿐 아니라 진인, 천인 등은 표현이 다를 뿐 모두 '도'에 일치한 이상적 인간을 뜻한다.

A 도가 사상의 전개

1. ❶노자의 사상

(1) 사회 혼란의 원인과 해결 방안

> **왜** 인간은 본래 소박한 자연의 덕을 갖고 태어났지만 사물의 겉모습에 이끌려 그 본질이나 가치를 바르게 인식하지 못함

원인	인위적 가치 분별과 같은 그릇된 인식과 가치관, 인위적 사회 제도
해결 방안	도(道)에 따라야 함 → 무위자연과 무위의 정치를 실현함

(2) 도(道)와 덕(德)

① 도(道) 자료1

> **왜** 노자는 도를 형상도 없으며, 다른 것과 비교할 수도 없어서 '말해질 수 있는 도는 참다운 도가 아니다.'라고 보았기 때문임

의미	천지 만물의 근원이자 변화 법칙
특징	· 인간의 경험과 상식으로는 파악할 수 없는 절대적·근원적인 것 · 도의 관점에서 보면 천지 만물은 상대적인 가치만을 지님

② 덕(德): 도가 현실 속에서 구체적으로 드러난 것 → 도를 지키고 따를 때 얻을 수 있음

(3) 이상적 경지

> **뜻** 마음에 내재한 일체의 인위적인 것을 비워 낸 본래의 마음 상태

무위자연 (無爲自然)	· ❷인위를 따르지 않고 자연 그대로의 질서에 따르는 것 · 무위자연하려면 허정(虛靜)에 힘써야 함 → 무위(無爲)와 무욕(無欲)의 자세로 살아야 함
❸상선약수	최고의 선은 물과 같음 → 자연에 따르는 삶의 모습을 뜻함
성인(聖人)	물과 같은 삶을 살며 스스로를 드러내지 않는 사람

(4) 이상적 정치와 이상 사회 자료2

> **왜** 인위가 없을 때 자연이 왜곡·변형되지 않고 발휘될 수 있어서 모든 것이 이루어지기 때문임

이상적 정치	· 무위의 정치[無爲之治]: 다스림이 없는 다스림 · 인위적 조작이 없는 다스림을 통해 백성들의 무지(無知)와 무욕(無欲)을 실현하여 백성들이 평화롭고 소박한 삶을 살도록 함
이상 사회	소국과민(小國寡民): 작은 영토에 적은 백성이 모여 살아가는 사회를 추구함

2. 장자의 사상

(1) 사회 혼란의 원인과 해결 방안

원인	감각을 통한 사물 인식으로 차별, 편견, 자기중심적 관점 발생
해결 방안	도의 관점에서 세상 만물의 상대적 가치와 평등함을 인식해야 함

(2) 도(道)

> **예** 도(道)는 개미나 쭉정이, 기왓장 속, 심지어 오물 더미에도 깃들어 있음

의미	천지 만물의 근원, 천지 만물 어디에나 내재하는 것
특징	자기중심적 편견에서 벗어나 도의 관점에서 사물을 바라보면 만물은 모두 평등함 자료3

> **왜** 인간의 자기중심적 편견에서 비롯된 분별은 상대적인 것에 불과함

(3) 이상적 경지와 수양 방법

이상적 경지	· 제물(齊物): 세속의 차별 의식에서 벗어나 도의 관점에서 만물을 절대 평등하게 인식하는 것 · 소요(逍遙): 도를 깨달아 인위적인 기준이나 외적 제약에 얽매이지 않는 정신적 자유의 경지 → 소요의 경지에 이른 사람은 물아일체(物我一體)의 삶을 살아감 · ❹이상적 인간: 진인(眞人), 천인(天人) 등
수양 방법	· 좌망(坐忘): 조용히 앉아서 현재의 세계를 잊고 무아(無我)의 경지에 들어가는 것 · 심재(心齋): 잡념을 없애고 마음을 비워 깨끗이 하는 것

> **뜻** 세속의 모든 구속에서 해방되어 대자연의 섭리에 자신을 내맡긴 상태를 뜻함

자료1 노자의 도(道)

- 도는 만물을 낳고, 덕은 만물을 기른다.
- 도는 천지의 시초이며, 만물의 어머니이다.
- 도를 도라고 말하면, 그 도는 영원한 도가 아니다.
- 사람은 땅을 본받고, 땅은 하늘을 본받고, 하늘은 도를 본받고, 도는 자연(스스로 그러함)을 본받는다. — 노자, "도덕경"

| **자료 분석** | 노자는 '도'를 천지 만물을 창조하고 운행하는 원리라고 하였다. 그리고 인간의 감각을 초월하여 존재하기 때문에 언어로 규정할 수 없다고 하였다.

한줄 핵심 도가의 '도'는 천지 만물을 창조하고 운행하는 원리이며 언어로 표현할 수 없다.

❶ 도가의 '도'는 언어로 규정할 수 있는 구체적인 개념이다. ○ ✕

❷ 도가의 '도'는 천지 만물을 창조하고 운행하는 원리이다. ○ ✕

자료2 노자의 무위의 정치와 소국과민

- 성인(聖人)의 정치는 백성들의 마음을 비우게 해 주고, 그 배를 채워 주며, 그 뜻을 약하게 해 주고, 그 뼈를 튼튼하게 해 주는 것이다. 항상 백성들로 하여금 앎이 없고[無知(무지)] 욕심이 없게 하여[無欲(무욕)], 저 아는 자로 하여금 감히 손댈 수 없게 하는 것이다. 이와 같은 무위(無爲)를 행하기만 하면, 다스려지지 않는 경우가 없게 된다.
  └─ 세속의 가치를 추구하려는 욕심을 버린 상태   └─ 인위적인 규범이나 가치를 초월한 상태
- 나라는 작고 백성이 적어서, 온갖 문명의 이기가 있어도 쓰지 못하게 하고, 백성들이 생명을 소중히 여겨 멀리 옮겨 살지 않도록 하면, 배와 수레가 있더라도 타고 갈 곳이 없고, 갑옷과 군대가 있어도 진 칠 곳이 없다. — 노자, "도덕경"

| **자료 분석** | 노자는 백성들의 무지와 무욕을 지향하는 무위의 정치를 추구하였다. 그리고 이러한 다스림이 실현된 이상 사회를 소국과민으로 제시하였다. 소국과민은 인위적인 제도와 규범으로 운영되는 거대한 통일 제국이 아닌 작은 영토에 적은 백성이 모여 살아가는 사회이다.

한줄 핵심 노자는 백성들의 무지와 무욕을 지향하는 무위의 정치를 추구하며, 이것이 실현된 소국과민 사회를 이상 사회로 주장하였다.

❸ 노자는 백성들의 무지와 무욕을 실현하는 것이 이상적인 정치라고 보았다. ○ ✕

❹ 소국과민은 체계적인 제도와 규범으로 운영되는 도가의 이상 사회이다. ○ ✕

자료3 장자의 상대주의적·평등적 세계관

모장과 여희는 사람들이 미인이라고 하지만 그들을 보면 물고기는 깊이 숨고, 새들은 높이 날아가 버리고, 순록과 사슴은 급히 도망가 버리니 이 넷 중에 누가 천하의 참다운 아름다움을 아는가? 보건대 어짊과 의로움의 기준이나 옳고 그른 방향이 어지러이 뒤섞여 있다. 내 어찌 그 분별을 알 수 있겠는가? — 장자, "장자"

| **자료 분석** | 장자는 이러한 비유를 통해 선악(善惡), 미추(美醜), 빈부(貧富)의 분별은 자기중심적 사고에서 비롯된 상대적인 것에 불과하다고 지적하였다. 즉 자기중심적인 편견에서 벗어나 '도'의 관점에서 만물을 평등하게 인식할 것을 강조하였다.

한줄 핵심 장자는 '도'의 관점에서 세상 만물을 보면 분별은 상대적인 것에 불과하다고 하였다.

❺ 장자는 '도'의 관점에서 선악, 미추, 빈부의 분별은 상대적인 것에 불과하다고 보았다. ○ ✕

정답 ❶ ✕(언어로 규정할 수 없음) ❷ ○ ❸ ○ ❹ ✕(인위적인 제도와 규범으로 운영되는 거대한 통일 제국이 아님) ❺ ○

❺ 도교와 도가 사상

도교	도가 사상
교단과 교리 체계를 갖춤 → 불로장생과 신선술을 믿는 종교	세속적 가치를 초월하는 삶의 자세를 강조한 철학적 사상
공통점: 자연의 흐름, 즉 도(道)에 따르는 삶을 추구함	

⭐ **한눈에 정리**

도교의 전개 과정

황로학파	·무위의 통치술 강조 ·백성과 더불어 평안한 삶 추구
태평도	인간의 질병과 고통을 악행의 결과로 보고 죄를 고백하게 함
오두미교	선행을 하면 병이 낫고 신선이 될 수 있다고 주장함
현학	세속적 가치를 초월하여 예술적·형이상학적 담론(청담)을 즐김

❻ 삼관수서(三官手書)
하늘과 땅, 물을 관장하는 신에게 죄를 고백하고 다시 죄를 짓지 않을 것을 맹세하는 글을 써서 바치며 병을 치유해 달라고 기원하는 의식이다.

❼ 죽림칠현(竹林七賢)
위진(魏晉) 시대의 정치적 혼란 속에서 세속적 주제와 거리를 두고, 형이상학적이고 예술적인 논의를 중시하는 청담 사상을 제시한 일곱 명의 현인이다. 이들은 인간의 고정관념을 초월한 무(無)의 세계를 진실한 세계로 보아 정신적 자유를 추구하였다.

❽ 재초(齋醮)
도사가 도관(도교의 사원) 및 전국의 명산 등에서 하늘을 비롯한 여러 신에게 재앙을 물리치고 복을 내리도록 비는 국가적 차원의 도교 제례이다.

B 도가 사상의 영향

1. 도교의 성립과 전개 ❺

(1) 도교의 성립

① 노장 사상을 기반으로 당시 시대적 상황과 요구에 따라 민간 신앙을 비롯한 다양한 사상과 결합하여 성립됨

② 도가 사상 중 종교적인 요소를 수용하여 교리 체계를 구성 → 현세적 길(吉)과 복(福)을 추구함

(2) 도교의 전개 과정

황로학파 (黃老學派)	·전설상의 제왕인 황제(黃帝)와 노자(老子)를 숭상함 ·도가를 바탕으로 유가·묵가·법가 등의 사상을 수용함 ·무위(無爲)로써 다스린다는 제왕의 통치술을 주장, 백성과 더불어 평안한 삶 추구
태평도 (太平道)	·만인이 영화로운 태평(太平) 시대를 실현한다는 종교적 이상을 제시함 ·인간의 질병과 고통을 악행의 결과로 보아 죄를 고백하게 함 ·복을 추구하고 질병을 치료한다고 주장하여 민간을 중심으로 교세를 확장함
오두미교 (五斗米教)	·노자를 신격화하여 교조로 받들고 "도덕경"을 경전으로 삼음 ·교리를 믿고 선행을 하면 반드시 병이 낫고 신선이 될 수 있다고 주장하여 민간의 호응을 획득함 → 삼관수서를 행하고 도덕적 선행을 권장함
현학(玄學)	·도가 사상을 철학적으로 계승 ᠁ 교단에 가입하려는 사람들에게 쌀 다섯 알을 받은 것에서 유래한 이름임 ·대표적 현학자들: 죽림칠현 → 세속적 가치를 초월한 청담(淸談)을 즐김

(3) 도교의 특징 ᠁ 대체로 농민과 일반 백성의 신앙을 기초로 뿌리 내렸기 때문임

① 민중들의 삶과 밀접한 관련을 맺으며 발전함

② 종교적 구원을 내세워 핍박받는 백성을 위로하고 지배 계급을 비판하며 대안을 제시하여 이상 사회로 나아가는 방향을 제시함

2. 도가·도교 사상과 한국 고유 사상의 융합

(1) 전통 사상에 나타난 도가·도교적 요소: 단군이 신선이 되었다는 단군 신화, 고대 고분 벽화에 그려진 학을 탄 신선의 모습, 백제 금동 대향로와 산수문전 등의 유물, 최치원의 '난랑비서문'에 나타난 풍류 사상 등 〔자료 4〕

(2) 도가·도교 사상의 영향 ᠁ 국가적 차원에서 도교가 크게 성행하여 종교적 면모를 갖춤

국가 행사	고려 시대에 행해진 재초, 도관 건립, 팔관회 등
의학 발전	양생 수련이 의학 발전에 기여함 ᠁ 예 "동의보감", "활인심방"은 도교의 신선 사상(양생술)에 영향을 받은 의학서임
민간 생활	권선징악을 지향하는 권선서 유행, "공과격" 보급 〔자료 5〕
신흥 종교	조선 말기 동학, 증산교 등 신흥 종교의 형성에 영향을 줌

᠁ 착한 일을 권하는 책으로, 소박한 기복적 취지와 실천 가능한 규율을 담음

(3) 민간 신앙과의 융합: 장수와 복을 기원하는 삼신 숭배, 풍수지리 사상에 영향을 줌

예 성황은 토지와 마을을 지켜 주는 신, 칠성은 아이를 얻거나 아이의 건강을 지켜 주는 신, 조왕은 민가의 부엌에 있는 신으로 가족의 건강과 안녕을 위해 모신 신

3. 도가·도교 사상의 한계와 현대적 의의

한계	국가의 통치 이념이나 학문으로서의 독자적 영역을 확보하지는 못함
현대적 의의	·편견과 차별 의식 개선: 만물을 평등하게 바라보는 태도를 함양함 ·정신적 가치 추구: 도덕적 가치를 추구하며 소박하게 사는 삶을 강조함 ·환경 문제 해결을 위한 자연관: 인간 중심적 관점에서의 탈피를 강조함

자료4 '난랑비서문'과 풍류 사상

유교, 불교, 도교를 포함하여 삼교라고 함

나라에 현묘한 도가 있으니 그것을 풍류(風流)라고 한다. 그 가르침의 근원은 "선사(仙史)"에 상세히 실려 있으니, 그 내용은 유·불·도 삼교의 가르침을 포함하고 있어 뭇 사람을 교화한다. 예를 들어, 집에 들어와서는 효도하고, 나라에 나아가서는 충성하는 것은 공자의 취지이고, 무위로써 일을 처리하고 말 없는 가르침을 행하는 것은 노자의 근본 주장이며, 모든 악을 저지르지 않고 모든 선을 받들어 행하는 것은 석가의 교화이다.

– 최치원, '난랑비서문'

| **자료 분석** | 최치원은 '난랑비서문'을 통해 우리 고유의 사상인 풍류 사상이 이미 도가·도교적 요소뿐만 아니라 유교와 불교적 요소도 포함하고 있었음을 밝혔다. 즉, 삼교가 우리나라에 전해지기 이전부터 민족 고유의 풍류 사상에 삼교의 가르침들이 담겨 있었다. 따라서 풍류 사상은 자연 이치와의 조화를 강조하면서 자연에서 심신을 수련할 것을 강조하고 유·불·도의 조화를 이룬 전통 사상이라고 할 수 있다.

한줄 핵심 최치원의 '난랑비서문'을 통해 우리 고유의 사상인 풍류 사상에 이미 도가·도교적인 요소가 포함되어 있음을 알 수 있다.

⑥ 풍류 사상은 유·불·도 사상의 전래 이후에 등장한 외래 사상이다.

◯ ✕

⑦ '난랑비서문'에는 풍류 사상에 도가·도교적인 요소가 포함되어 있음이 나타나 있다.

◯ ✕

자료5 "공과격"에 나타난 도교 사상

"역경(易經)"에서 말하기를, ㉠ 선을 쌓은 집안은 반드시 기쁜 일이 있으며, 악을 쌓은 집안은 자손에게까지 재앙이 미친다고 한다. "도과(道科)"에서 말하기를 ㉡ 선을 쌓으면 좋은 징조가 보이고, 악을 쌓으면 재앙을 초래한다고 한다. 그래서 유교와 도교의 가르침은 다른 점이 하나도 없다. 옛날 성인군자와 도가 높은 사람은 모두 계율을 만들어 안으로 마음을 가다듬고 수양했을 뿐만 아니라, 밖으로는 다른 사람들을 훈계하고 타일러 공덕을 쌓았다. 나는 꿈속에서 태미선군을 찾아뵙고 "공과격"을 받아 신심이 돈독한 자에게 전하라는 명을 받았다.

– "태미선군 공과격"

| **자료 분석** | 중국 고대부터 민간에 전해져 내려온 "공과격"이란 사람들에게 착한 일을 권하기 위해 도교에서 만든 일종의 권선서이다. "공과격"은 사람의 일상 행위를 공(功, 선행), 과(過, 악행)로 나누어 열거하고 각각의 행위에 점수를 부여하였는데, 이를 기준으로 매일 자기 행위를 채점하고 선행을 하기 위해 노력하게 한다. 이러한 "공과격"은 ㉠, ㉡과 같이 인과응보 사상과 밀접한 관련이 있다. 즉, 사람이 선행을 베풀어 공덕(公德)을 쌓으면 복을 받고, 악행을 저질러 악업(惡業)을 지으면 벌을 받게 된다고 강조한다. 이러한 권선서는 특히 조선 초부터 민가에 널리 유포되어 우리의 도덕 생활에 많은 영향을 주었다.

한줄 핵심 "공과격"이란 사람들에게 착한 일을 권하고자 만든 일종의 권선서이다.

⑧ "공과격"은 사람들에게 착한 일을 권하기 위해 만든 권선서이다.

◯ ✕

⑨ "공과격"은 사람들이 자신의 악행을 잊고 살아갈 수 있도록 돕는 책이다.

◯ ✕

(쉽게 정답)
⑥✕(풍류 사상은 유·불·도 사상이 전래되기 이전부터 있었던 우리 고유의 사상이다.) **⑦**◯ **⑧**◯
⑨✕(올바르게 살아갈 수 있도록 돕는 책이다.)

노자와 장자의 윤리 사상 비교하기

수능풀 Guide

이 단원에서는 노자와 장자의 사상적 특징을 묻는 문제가 자주 출제된다. 유교, 불교 사상과 달리 도가 사상만이 가지는 특징은 물론, 노자와 장자의 사상적 특징을 비교하여 알아 두자.

노자		장자
• 무위자연: 인위를 행하지 않고 자연에 따름 • 상선약수: 자연에 따르는 모습으로 물과 같은 삶 추구	**이상적 경지**	• 제물: 만물을 차별하지 않으며 물아일체가 되는 경지 추구 • 소요: 절대적 자유의 경지 추구
허정: 인위적인 것을 비워 낸 본래의 마음 상태	**수양 방법**	• 좌망: 조용히 앉아서 현재의 세계를 잊고 무아의 경지에 들어가는 것 • 심재: 잡념을 없애고 마음을 비워 깨끗이 하는 것

공통점
- '도'의 의미: 만물을 생성하는 근원이자 운용하는 법칙
- 인위를 거부하고 자연에 순응하는 삶을 추구함
- 상대주의적·평등적 세계관: 절대적 도의 관점에서 보면 만물은 상대적 가치만을 지니며 평등함

기출 자료 익히기

윤사 공부법, 하나!
자료를 보고 어떤 사상가나 사상의 입장인지 유추하는 훈련하기

자료1 노자 · 상선약수를 제시함
┌→ 노자의 이상적 경지
- 으뜸가는 선(善)은 물과 같다. 성인(聖人)은 만물을 이롭게 하고 다투는 일이 없으며 모두가 싫어하는 낮은 곳에 처한다. 성인의 다스림은 백성들의 마음을 비우고 배를 든든하게 한다.

- 성인(聖人)은 백성들이 간교한 지혜와 욕심을 품지 않게 하고, 무위(無爲)로 다스리기 때문에 다스려지지 않는 경우가 없다. 현자를 높이지 않아야 백성들이 다투지 않는다. · 백성들의 무지와 무욕을 지향함 → 노자의 이상적 정치

자료2 장자 · 잡념을 없애고 마음을 비워 깨끗이 함 → 장자의 수행 방법
- 도(道)는 오로지 빈[虛] 곳에만 모이는 것이니 이렇게 마음을 비움이 심재(心齋)다. 성인의 다스림은 밖을 다스리는 것이 아니라 자기를 바르게 한 후에 행동하는 것에 그친다.

- 지인(至人)은 만물을 각자의 본성에 맡겨 두고 자유로운 세계에서 무궁하게 노닐며, 어떤 것에 의해서도 걸림이 없다. 소요(逍遙)의 경지는 지인의 마음을 밝혀 놓은 것이다. └→ 도를 깨달아 인위적 기준과 외적 제약에서 벗어난 정신적 자유 → 장자의 이상적 경지

기출 선택지 익히기

윤사 공부법, 둘!
선택지가 어떤 사상가나 사상의 입장인지 파악하는 훈련하기

다음 내용이 노자에 해당하면 '노', 장자에 해당하면 '장'을 쓰시오.

❶ 절대적 자유의 경지인 소요를 추구하였다. ( )

❷ 으뜸이 되는 선은 물과 같으므로 물과 같은 삶을 추구하였다. ( )

❸ 조용히 앉아서 현재의 세계를 잊는 수양 방법을 제시하였다. ( )

❹ 백성들의 무위와 무욕을 실현하는 무위의 다스림을 강조하였다. ( )

❺ 무위자연의 경지에 이르기 위해 허정에 힘쓰는 것을 중시하였다. ( )

장❺ 노❹ 장❸ 노❷ 장❶ **답정**

A 도가 사상의 전개

01 빈칸에 알맞은 말을 쓰시오.

(1) 노자는 자연의 순리에 따르는 □□□□을/를 강조하였다.

(2) 노자가 제시한 □□은/는 인위적인 것을 비워 낸 본래의 마음 상태를 뜻한다.

(3) 장자는 도의 관점에서 만물을 평등하게 인식하는 경지를 □□(이)라고 하였다.

(4) 도가는 도의 관점에서 보면 선악, 미추, 빈부 등의 분별이 □□□(이)라고 하였다.

02 다음 개념과 그 의미를 바르게 연결하시오.

(1) 좌망 •   • ㉠ 작은 나라의 적은 백성

(2) 심재 •   • ㉡ 으뜸이 되는 선은 물과 같음

(3) 소국과민 •   • ㉢ 조용히 앉아 현재의 세계를 잊는 것

(4) 상선약수 •   • ㉣ 잡념을 없애고 마음을 비워 깨끗이 함

03 노자 사상의 특징으로 맞으면 ○표, 틀리면 ×표를 하시오.

(1) 백성들의 무지와 무욕을 실현하는 정치를 펼쳐야 한다.   (   )

(2) 사회 혼란은 개인의 도덕성이 타락하여 인간으로서의 도리를 지키지 않아서 발생한다.

(   )

(3) 도를 깨달아 인위적 기준과 외적 제약에 얽매이지 않는 소요의 경지에 오른 자는 물아일체
의 삶을 살아간다.   (   )

B 도가 사상의 영향

04 알맞은 설명에 ○표를 하시오.

(1) (도가, 도교)는 교단과 교리 체계를 갖추고 현세적인 길과 복을 추구하면서 불로장생과 신
선술을 믿은 종교이다.

(2) (황로학파, 태평도)는 전설상의 제왕인 황제와 노자를 숭상하며 무위의 통치 방법을 강조
하였다.

(3) (죽림칠현, 오두미교)은/는 위진 시대의 세속적 주제와 거리를 두고 형이상학적이고 예술적
인 논의를 중시하면서 자연에서 살아간 현인들을 가리킨다.

05 도교의 영향을 받은 것을 〈보기〉에서 골라 쓰시오.

보기
ㄱ. 서원   ㄴ. 재초   ㄷ. 도관
ㄹ. 과거시험   ㅁ. 동의보감   ㅂ. 고분 벽화 속 신선

(   )

탄탄! 내신 다지기

01 도가의 도(道)에 대한 설명으로 옳은 것은?

① 인간의 경험과 상식으로 파악하기 힘들다.
② 성현(聖賢)들의 책을 공부하여 파악할 수 있다.
③ 인간의 언어로 한정할 수 있는 객관적인 것이다.
④ 미추(美醜), 선악(善惡) 등과 같은 가치의 기준이 된다.
⑤ 인간의 도덕적 도리(道理)로서 마땅히 따라야 하는 것이다.

02 다음 사상가가 제시하는 사회 혼란의 해결 방안만을 〈보기〉에서 고른 것은?

> 대도(大道)가 무너지자 인의가 생겨났고, 크나큰 인위가 있기 때문에 지혜가 나타나고, 육친이 화목하지 못하자 효와 자애가 생겨났고, 나라가 혼란에 빠지자 충신(忠臣)이 나타났다.

> 보기
> ㄱ. 도(道)의 관점에서 만물을 인식해야 한다.
> ㄴ. 사람들의 무지(無知)와 무욕(無欲)을 실현해야 한다.
> ㄷ. 현명한 지도자가 체계적인 사회 제도를 만들어야 한다.
> ㄹ. 일상생활 속의 문제도 해결할 세부적인 법을 제정해야 한다.

① ㄱ, ㄴ   ② ㄱ, ㄷ   ③ ㄴ, ㄷ
④ ㄴ, ㄹ   ⑤ ㄷ, ㄹ

03 다음을 주장한 고대 동양 사상가의 입장으로 가장 적절한 것은?

> 사람들은 아름다운 것이 아름다운 줄로만 알지만 이는 추악한 것이고, 누구나 착한 것이 착한 줄로만 알지만 이는 착한 것이 아니다. 따라서 길고 짧음은 상대를 드러내 주고, 높고 낮음은 서로를 다하게 한다.

① 마음에서 무위적인 것을 비워 내야 한다.
② 인과 예를 바탕으로 도(道)를 공부해야 한다.
③ 문물을 발전시켜 자연 재난을 극복해야 한다.
④ 물과 같은 겸허와 부쟁의 덕을 갖추어야 한다.
⑤ 자신의 능력을 드러내 사회에 이바지해야 한다.

04 다음 사상가가 제시하는 이상적인 지도자의 역할로 가장 적절한 것은?

> 뛰어난 덕(德)은 덕을 마음에 두지 않으니 이 때문에 덕이 있고, 하찮은 덕은 덕을 잃지 않으려고 하니 이 때문에 덕이 없다. 뛰어난 덕은 무위(無爲)하며 또 그것으로 무엇을 하려고 하지 않는다.

① 지도자는 백성들을 인과 의로 교화해야 한다.
② 지도자는 백성들의 무지와 무욕을 실현해야 한다.
③ 지도자는 교류를 통해 다양한 문화를 받아들여야 한다.
④ 지도자는 문명을 발달시켜 백성을 편안하게 해야 한다.
⑤ 지도자는 강력한 힘으로 나라를 부강하게 만들어야 한다.

05 ㉠, ㉡에 들어갈 알맞은 말을 옳게 연결한 것은?

> 절대적인 도의 관점에서 사물을 인식할 때, 만물의 평등함을 깨우치고, 자유로운 이상적인 삶을 살아갈 수 있다. 이러한 경지로 ㉠ 와/과 ㉡ 을/를 제시할 수 있다. ㉠ (이)란 세속의 차별 의식에서 벗어나 '도'의 관점에서 만물을 평등하게 인식하는 것이다. ㉡ 은/는 도를 깨달아 인위적인 기준이나 외적인 제약에 얽매이지 않는 정신적 자유의 경지를 말한다.

	㉠	㉡		㉠	㉡
①	소요	제물	②	소요	심재
③	제물	소요	④	제물	좌망
⑤	좌망	심재			

06 을의 입장에 대한 옳은 설명만을 〈보기〉에서 있는 대로 고른 것은?

| 도는 어디에 있습니까? | 없는 곳이 없습니다. |
| 갑 ① | 을 |

| 도는 땅강아지와 개미에도, 돌피나 피같은 식물에도 있고, 기와나 벽돌에도 있습니다. |
| 갑 ② | 을 |

보기
ㄱ. 도의 관점에서 만물은 상대적 가치를 지닌다.
ㄴ. 도를 통해 윤회의 고통으로부터 해탈해야 한다.
ㄷ. 도는 인간에게 없고 자연 만물에 내재하는 것이다.
ㄹ. 외적 제약에 얽매이지 않는 자유의 삶이 이상적이다.

① ㄱ, ㄴ   ② ㄱ, ㄹ   ③ ㄷ, ㄹ
④ ㄱ, ㄴ, ㄷ   ⑤ ㄴ, ㄷ, ㄹ

B 도가 사상의 영향

07 도가와 도교에 대한 설명으로 옳은 것은?

① 도가는 교단과 교리 체계를 갖추었다.
② 도가는 현세의 길과 복을 추구하였다.
③ 도교는 민중들의 삶과 떨어진 채로 발전하였다.
④ 도교는 세속적 가치를 초월할 것을 강조하였다.
⑤ 도가와 도교는 도(道)에 따르는 삶을 추구하였다.

08 그림은 어느 학생의 노트 필기 중 일부이다. ㉠~㉣ 중 옳은 특징만을 있는 대로 고른 것은?

〈오두미교의 특징〉
• 교단에 가입하려면 쌀 다섯 말을 내야 했음
• 도덕적 선행을 권장함 ·············· ㉠
• "도덕경"을 경전으로 삼음 ·············· ㉡
• 노자를 신격화하여 교조로 받아들임 ·············· ㉢
• 세속과 거리를 두고 정신적 자유를 추구함 ·············· ㉣
• 교리를 믿고 규율과 의식을 따르면 반드시 병이 낫는다고 주장함

① ㉠, ㉡   ② ㉠, ㉣   ③ ㉢, ㉣
④ ㉠, ㉡, ㉢   ⑤ ㉡, ㉢, ㉣

---

09 ㉠에 대한 설명으로 옳은 것은?

㉠ 은/는 중국 위, 진 왕조 시절 정치권력에 등을 돌리고 죽림에 모여 거문고와 술을 즐기고, 청담(淸談)을 주고받으며 세월을 보낸 일곱 명의 선비들이다.

① 인간의 생활에 유용한 지식을 강조하였다.
② 인의의 실현을 학문의 궁극적 목표로 삼았다.
③ 국가 차원에서 제사를 지내 풍요를 기원하였다.
④ 세속적 가치를 떠난 예술적 사유를 중시하였다.
⑤ 행위를 선과 악으로 나누고 수량화하여 계산하였다.

서답형 문제

10 다음 글을 읽고 물음에 답하시오.

자연은 인위적으로 어떤 일을 도모하지 않지만 이루어지지 않는 것이 없다. 따라서 대자연의 흐름을 거스르지 않는 삶을 살아야 한다. 자연의 따르는 삶의 태도를 ㉠ (이)라 표현할 수 있다. ㉠ 은/는 최고의 선은 물과 같다는 뜻으로, 물은 만물을 아주 이롭게 해 주면서도, ㉡ . 그러므로 물은 도에 가깝다고 할 수 있다.

(1) ㉠에 들어갈 말을 쓰시오.

(   )

(2) ㉡에 들어갈 물의 특징을 두 가지 쓰고, 그것이 주는 의의를 서술하시오.

_____

_____

_____

01 밑줄 친 '도(道)'에 대한 옳은 설명만을 〈보기〉에서 고른 것은?

> 모든 것이 섞여 있었으니, 하늘과 땅이 생기기 전이었다. 조용하고 알 수 없구나! 변함없이 홀로 서 있네. 두루 미치나 쉬지 않으니 우주의 어미가 될 만하구나. 나는 그 이름을 알지 못하나, 억지로 쓰자니 도(道)라 쓰고, 억지로 부르자니 크다고 한다.

> 보기
> ㄱ. 천지 만물을 발생하게 하고 변화시키는 것이다.
> ㄴ. 억지로 하지 않지만 성취되지 않는 바가 없는 것이다.
> ㄷ. 현상적 실체를 가져 다른 것과 비교할 수 있는 것이다.
> ㄹ. 사람의 감각 작용으로 인지하고 공부할 수 있는 것이다.

① ㄱ, ㄴ   ② ㄱ, ㄷ   ③ ㄴ, ㄷ
④ ㄴ, ㄹ   ⑤ ㄷ, ㄹ

기출 변형

02 다음을 주장한 고대 동양 사상가가 긍정의 대답을 할 질문만을 〈보기〉에서 있는 대로 고른 것은?

> 대장부는 예(禮)를 충성과 신의가 엷어진 것이며 혼란이 생겨나는 시작이라고 여긴다. 도(道)를 잃게 되면 덕(德)이 나타나고, 덕을 잃게 되면 인(仁)이 생기며 인을 잃게 되면 의(義)가 나타나고, 의를 잃게 되면 예가 생겨나기 때문이다.

> 보기
> ㄱ. 만물의 근원이자 변화 법칙인 도(道)를 따라야 하는가?
> ㄴ. 깨달음을 얻어 고통받는 중생(衆生)을 구제해야 하는가?
> ㄷ. 무위자연의 경지에 이르기 위해 허정(虛靜)에 힘써야 하는가?
> ㄹ. 혼란을 바로잡기 위해 인의(仁義)의 도덕을 바로 세워야 하는가?

① ㄱ, ㄷ   ② ㄴ, ㄹ   ③ ㄷ, ㄹ
④ ㄱ, ㄴ, ㄷ   ⑤ ㄱ, ㄴ, ㄹ

03 다음 사상가가 주장하는 통치자의 역할로 가장 적절한 것은?

> 나라를 작게 하고 백성의 수를 적게 하라. 많은 도구가 있더라도 쓸 일이 없게 하고, 백성들로 하여금 죽음을 무겁게 여겨 멀리 가지 않도록 하라. 그러면 비록 배와 수레 같은 교통수단이 있어도 탈 필요가 없게 된다.

① 예와 법으로 백성을 다스려야 한다.
② 백성들이 무지(無知)하게 살도록 한다.
③ 선과 악의 기준을 분명하게 세워야 한다.
④ 하늘의 명을 통치의 근본으로 삼아야 한다.
⑤ 백성들이 속세와의 인연을 끊을 수 있게 돕는다.

기출 변형

04 다음을 주장한 고대 동양 사상가의 관점에만 모두 '✓'를 표시한 학생은?

> 흰기러기는 하얗게 되겠다고 매일 목욕하지 않고, 까마귀는 까맣게 되겠다고 매일 먹물을 칠하지 않는다. 흑백의 우열은 논변할 가치가 없고, 명예를 다툰다고 위신이 서는 것도 아니다. 샘이 말라 뭍에서 오도 가도 못하게 되면, 물고기들은 거품으로 서로를 적셔 주면서 삶을 도모하지만, 이는 강과 호수 안에서 서로를 잊고 지내는 것만 못하다.

번호	관점＼학생	갑	을	병	정	무
(1)	인간은 동물보다 높은 가치의 덕을 지닌다.	✓	✓		✓	
(2)	이상적 경지에 오르기 위해 수양해야 한다.			✓	✓	✓
(3)	도의 관점에서 만물은 상대적 가치를 지닌다.	✓		✓		✓
(4)	도를 기준으로 만물의 선악을 분별해야 한다.		✓		✓	✓

① 갑   ② 을   ③ 병   ④ 정   ⑤ 무

정답과 해설 24쪽

기출 변형

05 ㉠에 들어갈 말만을 〈보기〉에서 고른 것은?

> 사상가: 지인은 신령스럽습니다. 큰 늪지가 타올라도 뜨
> 거운 줄을 모르고, 황하와 한수가 얼어붙어도 추
> 운 줄을 모르고, 사나운 벼락이 산을 쪼개고 바람
> 이 불어 바다를 뒤흔들어도 놀라지 않습니다. 이
> 런 사람은 구름을 타고 해와 달에 올라 사해(四
> 海) 밖에 노닙니다. 그에게는 삶과 죽음마저 상관
> 이 없는데, 하물며 이로움이니 해로움이니 하는
> 것이 무엇이겠습니까?
> 기 자: 그러한 사람이 되려면 어떤 수행을 해야 하나요?
> 사상가: _____㉠_____

> 〈보기〉
> ㄱ. 잡념을 없애고 마음을 비워 깨끗이 해야 합니다.
> ㄴ. 절대적인 도를 통해 타고난 본성을 변화시켜야 합니다.
> ㄷ. 조용히 앉아 현재를 잊고 무아의 경지에 들어가야 합니다.
> ㄹ. 옛 성현의 말씀을 통해 인간의 도리를 바로 세워야 합니다.

① ㄱ, ㄴ ② ㄱ, ㄷ ③ ㄴ, ㄷ
④ ㄴ, ㄹ ⑤ ㄷ, ㄹ

기출 변형

06 갑, 을 사상가의 공통된 주장만을 〈보기〉에서 고른 것은?

> 갑: 으뜸가는 선(善)은 물과 같다. 성인(聖人)은 만물을 이
> 롭게 하고 다투는 일이 없으며 모두가 싫어하는 낮은
> 곳에 처한다. 성인의 다스림은 백성들의 마음을 비우
> 고 배를 든든하게 한다.
> 을: 도(道)는 오로지 빈[虛] 곳에만 모이는 것이니 이렇게
> 마음을 비움이 심재(心齋)이다. 성인의 다스림은 자기
> 를 바르게 한 후에 행동하는 것에 그친다.

> 〈보기〉
> ㄱ. 무위의 경지에 이르면 불로장생을 얻을 수 있다.
> ㄴ. 분별적 지식으로서의 도의 흐름에 자신을 내맡겨야
> 한다.
> ㄷ. 도의 관점에서 보면 만물은 상대적인 가치를 지닐 뿐
> 이다.
> ㄹ. 도는 만물의 변화 법칙으로 인간의 경험을 넘어서는
> 것이다.

① ㄱ, ㄴ ② ㄱ, ㄷ ③ ㄴ, ㄷ
④ ㄴ, ㄹ ⑤ ㄷ, ㄹ

07 그림은 수행 평가 문제와 학생 답안이다. 학생 답안의 ㉠~㉣ 중 옳은 것만을 있는 대로 고른 것은?

> **수행 평가**
>
> ◎ **문제**: 다음 사상의 전개 과정과 특징을 설명하시오.
>
> > 우주의 근원으로서의 도를 중심으로 이론과 실천 방법을 전개
> > 하였고, 교단과 교리 체계를 갖추고 현세적인 길(吉)과 복(福)을
> > 추구한 종교이다.
>
> ◎ **학생 답안**
>
> ㉠ 황로학파는 무위의 통치 방법을 강조하였다. ㉡ 태평
> 도는 복을 추구하고 질병을 치료한다고 하여 민간을 중
> 심으로 교세를 크게 확장하였고, ㉢ 오두미교는 선행을
> 하면 병이 낫고 신선이 될 수 있다고 하였다. ㉣ 위진 시
> 대의 현학자들은 백성과 더불어 사는 평안한 삶을 추구
> 하였다.

① ㉠, ㉢ ② ㉡, ㉣ ③ ㉢, ㉣
④ ㉠, ㉡, ㉢ ⑤ ㉠, ㉡, ㉣

08 ㉠에 들어갈 말로 옳은 것만을 〈보기〉에서 고른 것은?

> 나라에 현묘한 도가 있으니 그것을 풍류(風流)라고 한다.
> 그 가르침의 근원은 선사(仙史)에 상세히 실려 있으니, 그
> 내용은 유·불·도의 삼교의 가르침을 포함한다. 예를 들어,
> _____㉠_____은 노자의 근본 주
> 장이다.

> 〈보기〉
> ㄱ. 무위로써 일을 처리하는 것
> ㄴ. 말 없는 가르침을 행하는 것
> ㄷ. 집에 들어와서는 효도하는 것
> ㄹ. 나라에 나아가서는 충성하는 것

① ㄱ, ㄴ ② ㄱ, ㄷ ③ ㄴ, ㄷ
④ ㄴ, ㄹ ⑤ ㄷ, ㄹ

07 ∿ 한국과 동양 윤리 사상의 의의

❶ 실학의 정신
· 경세치용(經世致用): 학문은 세상을 다스리는 데에 실질적인 이익을 줄 수 있는 것이어야 함
· 이용후생(利用厚生): 기구를 편리하게 쓰고 먹을 것과 입을 것을 넉넉하게 하여, 국민의 생활을 나아지게 해야 함
· 실사구시(實事求是): 사실에 근거하여 진리를 탐구하는 일로, 공리공론을 떠나서 정확한 고증을 바탕으로 하는 과학적이고 객관적인 학문 태도를 뜻함

❷ 근대 격변기의 상황
19세기 조선은 정치적 혼란, 민란(民亂)의 연속, 서양 문물의 유입, 서양의 통상 요구 본격화 등으로 전통 사회의 기반이 무너지고 백성의 삶이 어려워진 때이다.

★ **한눈에 정리**

위정척사와 동도서기론

위정척사	동도서기론
서양 기술 배척	서양 기술 수용
공통점: 유교적 문화, 종교, 질서의 유지 주장	

---

❸ 이항로와 기정진의 위정척사
· 이항로: 우리의 문화와 정신을 지킬 수 있는 위정척사의 정당성을 강조함
· 기정진: 서구와의 통상을 반대하며 상소문을 통해 "그들이 가진 끝없는 탐욕은 우리 백성을 금수와 같이 만들 것입니다. 만약 통상의 길이 한번 열리면 2, 3년 안에 서양화되지 않는 이가 없을 것입니다."라고 주장함

A 한국 전통 윤리 사상의 근대적 지향성

1. 실학과 강화학파

(1) 실학

등장 배경 〔자료1〕	· 병자호란, 임진왜란 이후 사회적·경제적 혼란이 심화됨 〔예 경제 파탄, 국가 재정의 위기, 신분제의 동요〕 · 사회 문제를 해결하는 데 한계를 드러낸 성리학을 **공리공론(空理空論)**으로 비판하며 도덕의 실천을 강조하고 사회의 여러 문제를 해결하고자 함 〔뜻 실천이 따르지 않는 헛된 이론이나 논의〕
특징	· 청(淸)의 고증학[北學(북학)], 서양의 과학 및 종교 사상[西學(서학)] 비판적 수용 → 성리학과 구분되는 세계관, 인간관 등을 제시함 · 도덕 규범이 인간의 필요에 따라 제정될 수도 있다는 도덕관을 제시함 · 역사, 지리, 문화, 풍속 등 독자적으로 탐구하여 자주적 학문 개척 → 사회의 혼란 수습, 민생 문제 해결에 관심을 둠
영향	· 경세치용, 이용후생, 실사구시의 방향으로 전개 → 토지 개혁, 상공업 진흥, 신분제 개혁 등의 주장으로 이어져 개화사상의 형성에 영향을 줌

(2) 강화학파

등장 배경	성리학에 치우친 사상적 분위기에서 정제두가 양명학을 바탕으로 독자적인 학문 체계를 이룸 → 강화학파 형성 〔왜 왕수인이 집대성한 양명학은 주요 성리학자들에 의해 배척되었음〕
특징	· 정제두: 양명학의 심즉리(心卽理)설을 바탕으로 선한 삶의 근거를 양지(良知)에서 찾음 · 인식 주체로서의 '나'가 도덕 문제의 판단 기준이라고 보아 참다운 마음의 이치를 알고 실천할 것을 강조함 〔자료2〕 · 개방적 학문 태도: 양명학의 비판적 수용, 도교와 불교의 수용, 고증학의 방법론 활용 등 다양한 학문에 대한 관심을 둠
영향	일제 강점기에 민족의 자주성을 주장하며 독립운동에 헌신함

2. 근대 격변기의 사상과 신흥 민족 종교

(1) 근대 격변기의 사상 〔자료3〕

① **위정척사(衛正斥邪)** 〔뜻 정당한 것, 즉 유교에 근거한 우리의 역사와 문화를 지키고 사악한 것, 즉 서양의 문물을 앞세운 제국주의의 침략을 배척함〕
· 성리학에 근거한 유교적 질서를 지키고 **서양의 종교와 문물을 배척**해야 한다는 주장
· 대표 사상가: 이항로, 기정진, 최익현 등
· 영향: 주체성을 지키려는 의식과 절의(節義)를 강조하는 선비 정신의 표출 → 의병 운동으로 이어짐

② **개화사상** 〔왜 현실 개혁을 위해 서양의 문물이 필요하다고 봄〕
· 근대화된 서양 문물을 수용하여 민족의 어려움을 극복하고 부국강병을 이루려는 사상
· 개화사상의 구분

급진적 개화론	· 조선의 유교적 질서에 대한 근본적인 변혁 → 전통적 정치 체제 혁파, 서구식 정부 수립 등 기존 국가 질서의 전반적 쇄신을 주장함 〔예 전제 군주제, 신분 질서 등〕 · 만인의 생명 보전, 자유와 행복의 추구 강조 → 백성의 권리 보장, 군주의 권한 축소
온건적 개화론 (동도서기론)	유교적 질서[東道(동도)]를 지키는 가운데 서양의 과학 기술[西器(서기)]을 수용하자는 주장 → 동도서기론

· 영향: 구한말 애국 계몽 운동으로 이어짐

자료1 실학의 등장 배경

사대부들이 평생 읽는다는 글은 "주례"에는 거인, 윤인, 여인 등 수레와 관련한 사람을 뜻하는 용어를 말하지만 그저 입으로만 외울 뿐, 정작 수레를 만드는 법이 어떤지 수레를 부리는 기술이 어떤지 하는 연구는 없다. 이는 소위 건성으로 읽는 풍월일 뿐이니, 학문에 무슨 도움이 될 것인가. 오호라 한심하고 기막힐 일이다. — 박지원, "열하일기"

| 자료 분석 | 실학은 성리학을 현실과는 무관한 공리공론이라고 비판하면서 사회의 여러 문제를 해결하고자 하였다. 이에 따라 경세치용, 이용후생, 실사구시를 중시하는 방향으로 전개되었다.

한줄 핵심 ▶ 실학은 당시 사회의 여러 문제를 해결하고자 노력하였다.

❶ 실학은 전통의 유교 사상에 반대하면서 새로운 학문을 만들고자 하였다. ○ ×

❷ 실학은 현실 사회의 문제를 해결하는 것에 관심을 둔다. ○ ×

자료2 양명학을 재해석한 정제두

천리(天理)의 바름이 사물에 있다고 여겨 그것에서 천리를 구할 수 있겠는가? 사물에 이(理)가 정해져 있는 것이 아니고, 사람이 사물을 연구해서 이를 얻을 수 있는 것도 아니다. 사물에 따라 각각을 결정하고 때에 맞게 사물을 처리하는 것은 ㉠ 오직 내 마음에 있는데, 어찌 내 마음 바깥에 있다고 여겨 따로 이치를 구하려 하는가.──양명학의 심즉리설을 이어받음 — 정제두, "하곡집"

| 자료 분석 | 정제두는 ㉠과 같이 도덕 행위의 근거가 마음의 본체인 양지(良知)에 있다고 주장하였다. 따라서 인간이 도덕적 주체임을 깨닫고 사욕을 극복해 양지를 극복할 것을 강조하였다.

한줄 핵심 ▶ 정제두는 양명학의 심즉리를 계승하여 도덕 행위의 근거가 양지에 있다고 주장하였다.

❸ 정제두는 성즉리를 계승하여 도덕 행위의 근거가 양지에 있다고 보았다. ○ ×

자료3 위정척사와 동도서기론 비교

• 서양과 화친할 수 없다는 것은 내 나라 사람의 주장이고, 서양과 화친하자는 것은 적국 사람의 주장입니다. ㉠ 전자를 따르면 옛 문물과 제도를 보전할 수 있지만 후자를 따르면 금수(禽獸)의 나라가 될 것입니다. 타고난 천성을 조금이라도 지닌 자라면 모두 알 수 있는 일인데, 하물며 밝고 성스러운 전하께서 어찌 분별하지 못하고 받아들일 리가 있겠습니까. — 이항로, "화서집"

• 동서고금을 막론하고 바꿀 수 없는 것은 도(道)이고 수시로 바뀌어 고정적일 수 없는 것은 기(器)이다. … 대개 동양인들은 형이상[道]에 밝은 반면, 서양인들은 형이하[器]에 밝다. ㉡ 동양의 도로써 서양의 기를 행한다면 지구의 오대주는 평정할 것도 없다.──동도서기 — 신기선, "농정신편"

| 자료 분석 | 위정척사는 ㉠과 같이 유교적 질서를 지키고 서양과 일본 세력의 문물을 거부해야 한다는 입장이다. 온건적 개화론, 즉 동도서기론은 ㉡과 같이 동양의 유교적 질서를 지키면서 서양의 기술을 수용하자는 입장이다.

한줄 핵심 ▶ 위정척사와 동도서기론 모두 유교적 전통을 수호하고자 하지만, 서양과 일본의 문물에 대해서는 위정척사는 거부, 동도서기론은 수용의 입장을 지닌다.

❹ 위정척사는 올바른 것을 지키고 사악한 것을 배척한다는 뜻이다. ○ ×

❺ 동도서기론은 동양의 정신을 바탕으로 서양의 문물을 받아들이고자 하였다. ○ ×

○ ❺
○ ❹ (점함K 를店명사 기하반대하는 것은 ❶) × ❸
○ ❷ (기하반대하지 않음)
문물 수용 옹 올바름, 사악한이 ❶ 점답 ×(유교 사상을 위정척사

④ 주요 신흥 민족 종교의 성립

동학 (東學)	천주교가 확산되는 시대 분위기 속에서, 최제우가 보국안민(輔國安民)을 목표로 경천사상의 바탕 위에 유·불·도 사상을 융합하여 성립함
증산교 (甑山敎)	강일순이 유·불·도에 기독교 사상과 무속 신앙을 조화하여 성립함
원불교 (圓佛敎)	박중빈이 일원상을 신앙의 대상으로 삼아 불교의 현대화, 생활화, 대중화를 주창하며 성립함

⑤ 동학의 가르침
· 시천주(侍天主): 내 안에 한울님을 모시고 있음
· 오심즉여심(吾心卽汝心): 내 마음이 곧 네 마음임
· 사인여천(事人如天): 사람을 하늘과 같이 섬김
· 인내천(人乃天): 사람이 곧 하늘임

⑥ 후천 개벽
불평등의 낡고 어두운 선천(先天)이 끝나고 평등과 정의가 구현된 후천(後天)이 현세에 도래하여 새로운 세상이 열린다는 주장이다. 후천 개벽 사상은 동학뿐만 아니라 증산교, 원불교에서도 제시하였다. 이들은 궁핍과 차별이 사라진 평등한 사회를 제시함으로써 백성들의 고단한 삶에 위안을 제공하고자 하였다.

⑦ 현대 사회의 다양한 윤리적 문제
· 황금 만능주의 팽배
· 지나친 이기주의 발생
· 계층 간 사회 갈등 심화
· 인간의 존엄성 훼손 및 생명 경시 풍조 등

(2) 신흥 민족 종교

① 등장 배경과 특징

등장 배경	· 시대적 배경: 위정척사, 개화사상 등의 노력에도 불구하고 지배 세력의 착취, 외세의 침략으로 백성들의 삶이 피폐해짐 · 사상적 배경: 유교의 시대사적 한계 노출, 불교나 도교도 백성에게 위안을 주지 못함
특징	고유한 민족정신을 바탕으로 유·불·도 사상을 주체적으로 수용함, 농민을 비롯한 백성의 요구를 담기 위해 노력함, 당시의 혼란을 극복하기 위한 방안을 제안함

② 주요 신흥 민족 종교의 특징 자료 4 자료 5

동학 (東學)	· 인간 존중과 평등의 정신: 시천주, 오심즉여심, 사인여천, 인내천 등 · 후천 개벽 사상: 신분 차별이 사라진 자유롭고 평등한 이상 사회가 현세에 도래할 것이라고 주장함
증산교 (甑山敎)	· 세상이 잘못된 까닭은 신분·남녀 차별 등으로 수모와 박해를 받은 사람들의 원한이 쌓였기 때문 → 해원상생(解冤相生) 주장 똭 원한을 풀고 더불어 살아가야 함 · 인간의 아집과 기성 종교의 타락으로 인해 세상이 어지러워짐 → 지상 낙원을 이루기 위해 반성과 수행을 해야 함 똭 정신의 고양을 추구하는 수도의 삶과 육신의 삶을 함께 온전히 완성해야 함
원불교 (圓佛敎)	· 정신개벽, 영육쌍전(靈肉雙全), 이사병행(理事竝行) 주장 → 정신과 물질의 균형 강조 · 일원상(一圓相): 우주의 근본 원리를 나타냄 → 신앙의 대상이자 수행의 표본 · 생활 속에서 보은, 평등, 자비의 실천을 강조함 똭 영적인 수도의 삶과 건전한 현실의 삶을 함께 온전히 완성해야 함

B 동양의 이상적 인간상과 시민

1. 현대 사회의 윤리적 상황: 다양한 윤리적 문제 발생 → 시민의 덕성 함양과 도덕적 사회 구현을 위한 노력이 중시됨

2. 동양의 이상적 인간상의 윤리적 시사점 자료 6

구분	특징	윤리적 시사점
유교의 군자(君子)	의로움을 추구하고 공공의 이익을 지향하며 청렴과 절의를 지킴	· 부정의한 방법으로 이익을 추구하는 일을 경계함 · 타인의 처지 배려, 예를 갖추고 서로 존중하는 태도를 강조함
불교의 보살(菩薩)	자신의 깨달음뿐만 아니라 중생 구제를 함께 추구함	· '우리'의 차원에서 세상을 보고 함께 사는 사회를 만들려는 공감, 배려, 생명 존중 정신 등을 강조함 · 조건 없이 중생에게 이로운 행동을 실천하는 마음을 강조함
도가의 진인(眞人)	만물이 나름의 가치를 가지고 있음을 깨달음	· 다양성을 존중하는 평등의 관점을 강조함 · 인위에서 벗어나 자연 그대로의 소박하고 겸허한 삶의 실천을 강조함

3. 동양의 이상적 인간상이 현대 시민에게 주는 시사점

강조점	시사점
자기 수양의 필요성	부단한 자기 수양과 성찰을 통해 더 바람직한 삶을 살아가도록 함
정신적·윤리적 가치의 추구	· 정신적·윤리적 가치의 중요성을 인식하여 물질 만능주의, 이기주의 등을 극복하게 함 · 경제적 가치보다 인격적 가치에 중점을 두고 도덕적 이상을 추구하게 함
생명의 소중함	생명 존중 정신을 일깨워 인권과 생명의 가치가 실현된 사회를 추구하게 함
조화로운 삶의 추구	· 조화의 정신을 계승하여 사회 갈등의 극복, 구성원의 조화로운 삶이 실현된 사회를 추구하게 함 · 지나친 경쟁만을 추구하기보다 서로 공존하는 이상적 공동체를 추구하게 함

교과서 자료
모아 보기

자료4 동학의 특징

- ㉠ 사람은 한울이라 평등하고, 차별이 없나니 사람이 인위로써 귀천을 분별함은 곧 천의를 어기는 것이니 제군은 일체 귀천의 차별을 철폐하여 선사(先師)의 뜻을 잇기로 맹세하라.
  — 최제우, "천도교 창건사"
- ㉡ 사람이 곧 하늘이니 평등하고 차별이 없어야 한다. 사람의 귀천(貴賤)을 분별함은 곧 한울님의 뜻을 어기는 것이다.
  — 이돈화, "천도교 창건사"

| 자료 분석 | 동학은 ㉠, ㉡과 같이 **인내천(人乃天)** 정신을 바탕으로 평등과 인도주의를 현세에서 실현하고자 하였다. 이러한 동학은 당시의 성리학적 신분 질서에 반대했으며, 어린이 운동과 여성 운동에 힘썼다. 나아가 교육과 언론·출판 사업, 3·1 운동에도 영향을 주었다.

한줄 핵심 동학은 인내천을 바탕으로 평등과 정의를 실현하고자 하였다.

❻ 동학은 성리학적 신분 질서를 유지하되 그 속에서 평등과 정의를 실현하고자 하였다.
〇 ✕

자료5 증산교와 원불교의 특징

- 이 시대는 여성 해원(解冤) 시대이다. 수천 년 동안 여자의 깊고 깊은 한을 풀어 건곤(乾坤)의 예법을 다시 꾸며서 앞으로는 여자의 말을 듣지 않고는 남자의 권리를 행하지 못하도록 내가 세상을 꾸미리라.
  — 강일순, "도전"
- 일원은 우주 만유의 본원이며 … 모든 일을 경우에 따라 처결하되 과거와 같이 여자라고 구별할 것이 아니라 남자와 같이 취급하여 줄 것이니라.
  — 박중빈, "정전"

| 자료 분석 | 증산교와 원불교는 집권 관료층이 아닌 백성들의 요구를 담고자 하였다. 그래서 기존의 신분 질서, 차별 등에 반대하고 모든 인간이 존중받고 평등하게 사는 사회를 지향하였다.

한줄 핵심 증산교와 원불교는 모든 인간이 존중받고 평등하게 살 수 있는 사회를 지향하였다.

❼ 증산교와 원불교에서는 인간 존중을 주장하였지만, 여성의 인권에 대해서는 관심이 없었다.
〇 ✕

자료6 동양의 이상적 인간상

┌─ 유교의 이상적 인간상
- ㉠ 군자는 마음이 평온하고 너그럽고, 소인은 마음이 항상 근심으로 조마조마하다. 군자는 태연하면서도 교만하지 않고, 소인은 교만하면서도 태연하지 않다.
  — 공자, "논어"
- 이후로 백천만억겁 동안에 죄의 업보로 고통받는 일체 중생을 제도하여 지옥·축생·아귀 등에서 벗어나게 하고, ㉡ 일체 중생이 모두 성불(成佛)한 뒤에야 제가 바야흐로 깨달음을 이루겠습니다.   — "지장경"
  └─ 불교의 이상적 인간상
- ㉢ 지인(至人)은 자신에 집착하지 않고, ㉣ 신인(神人)은 공적에 얽매이지 않으며, ㉤ 성인(聖人)은 명예를 탐하지 않는다. → 도가의 이상적 인간상
  — 장자, "장자"

| 자료 분석 | ㉠의 군자는 유교의 이상적 인간상으로, 자아의 완성을 위해 끊임없이 스스로 성찰하면서 **개인의 도덕적 수양에 힘쓰는** 자이다. 불교의 이상적 인간상은 보살로, ㉡과 같이 자신의 깨달음뿐만 아니라 **중생 구제에도 힘쓰는** 자이다. ㉢은 도가의 이상적 인간상을 부르는 말들로, 이는 무위자연과 정신적 자유의 경지를 추구하는 자이다.

한줄 핵심 동양의 이상적 인간상을 통해 자기 수양의 필요성, 도덕적 가치의 추구 등을 배울 수 있다.

❽ 군자는 항상 도덕적 인격 수양에 힘쓰는 유교의 이상적 인간상이다.
〇 ✕

❾ 보살은 깨달음과 중생 구제를 동시에 추구하는 불교의 이상적 인간상이다.
〇 ✕

(정답) ❻ ✕(동학은 성리학적 신분 질서에 반대하며 평등과 정의를 추구함) ❼ ✕(여성 운동을 함) ❽ 〇 ❾ 〇

A 한국 전통 윤리 사상의 근대적 지향성

01 빈칸에 알맞은 말을 쓰시오.

(1) □□은/는 성리학을 비판하며 사회와 삶의 실제 문제를 해결하고자 하였다.

(2) □□□□은/는 양명학을 독자적으로 재해석한 정제두의 학풍을 이어받아 형성되었다.

(3) □□□□은/는 유교적 질서를 지키고 서양 문물을 배척해야 하다고 주장하였고, □□□□□은/는 유교적 질서를 지키는 가운데 서양의 과학 기술의 수용을 강조하였다.

(4) 동학은 □□□□을/를 목표로 경천사상의 바탕 위에 유·불·도 사상을 융합하였다.

02 다음 내용이 맞으면 ○표, 틀리면 ×표를 하시오.

(1) 실학은 성리학적 신분 질서의 폐지를 주장하면서 등장하였다. ( )

(2) 실학은 도덕규범이 인간의 필요에 따라 제정될 수도 있다고 본다. ( )

(3) 정제두는 심즉리설을 바탕으로 선한 삶의 근거를 사단과 사덕에서 찾았다. ( )

(4) 원불교는 영육쌍전, 이사병행 등을 통해 정신과 물질의 균형을 강조하였다. ( )

03 동학의 주요 개념과 그 의미를 바르게 연결하시오.

(1) 시천주 •
(2) 오심즉여심 •
(3) 인내천 •
(4) 사인여천 •

• ㉠ 사람을 하늘과 같이 섬김
• ㉡ 사람이 곧 하늘임
• ㉢ 내 마음이 곧 네 마음임
• ㉣ 내 안에 한울님을 모시고 있음

B 동양의 이상적 인간상과 시민

04 빈칸에 알맞은 말을 쓰시오.

(1) 유교의 이상적 인간상인 □□은/는 자아의 완성을 위해 끊임없이 스스로 성찰하면서 개인의 도덕적 수양과 사회적 책무를 실천하는 어진 사람이다.

(2) □□은/는 위로는 깨달음을 구하고 아래로는 중생을 구제하는 길을 걷는 사람으로, 불교의 이상적 인간상이다.

(3) 도가의 이상적 인간상은 도를 체득하여 모든 것이 궁극적으로 □□하다는 것을 아는 사람이다.

05 동양의 이상적 인간상에서 강조하는 점을 〈보기〉에서 골라 쓰시오.

> 보기
> ㄱ. 자기 수양의 필요성   ㄴ. 윤리적 가치의 중요성   ㄷ. 생명 존중 정신
> ㄹ. 조화 정신   ㅁ. 이성적·과학적 정신   ㅂ. 이분법적 사고

( )

A 한국 전통 윤리 사상의 근대적 지향성

01 실학의 특징 중 '사실에 근거해 과학적이고 객관적인 학문을 해야 함'을 뜻하는 말로 옳은 것은?

① 경세치용(經世致用) ② 이용후생(利用厚生)
③ 실사구시(實事求是) ④ 해원상생(解冤相生)
⑤ 이사병행(理事竝行)

02 다음 한국 윤리 사상에 대한 설명으로 옳은 것은?

> 사대부들이 평생 읽는다는 글은 "주례"에는 거인, 윤인, 여인 등 수레와 관련한 사람을 뜻하는 용어를 말하고 있지만 그저 입으로만 외울 뿐이요, 정작 수레를 만드는 법이 어떠한지 수레를 부리는 기술이 어떠한지 하는 연구는 없다. 이는 소위 건성으로 읽는 풍월일 뿐이니, 학문에 무슨 도움이 될 것인가. 오호라 한심하고 기막힐 일이다.

① 우리보다 중국을 중심으로 학문을 탐구하였다.
② 현실 사회와 삶의 실제적 문제를 해결하고자 노력하였다.
③ 인간의 욕구를 부정적인 것으로 보고 천리(天理)를 강조하였다.
④ 서양의 과학 및 종교 사상을 배척하고 옳은 정신을 지키려고 하였다.
⑤ 유교적 전통 질서를 부정하고 만민이 평등한 세상을 만들고자 하였다.

03 다음 한국 윤리 사상에 대한 설명으로 옳은 것은?

> 마음이 도덕적 이치인 이(理)를 갖추고 있으므로 배우지 않아도 누구나 갖고 있는 양지가 밝아지면 모든 이치가 저절로 밝아진다.

① 천지 만물의 이치에 대한 탐구를 강조한다.
② 도덕 판단의 기준을 초월적 존재에서 찾는다.
③ 양명학을 배척하고 성리학적 전통을 계승한다.
④ 주체로서의 참된 자아에 대한 각성을 중시한다.
⑤ 육체적 욕구를 긍정하여 상공업 발달을 강조한다.

04 다음을 주장한 사상의 입장만을 〈보기〉에서 고른 것은?

> 저들의 물건은 손으로 생산하는 것이므로 날마다 계산해도 남음이 있지만, 우리의 물건들은 백성들의 생명이 달린 것이고, 땅에서 생산되는 것이므로 양이 한정되어 있습니다. 부족한 것으로 남는 물건과 바꾸는데 우리가 어떻게 곤란을 겪지 않을 수 있겠습니까?

보기
ㄱ. 유교적 인륜과 의리 정신을 고수해야 한다.
ㄴ. 유교적 질서를 유지하면서 서양 기술을 수용해야 한다.
ㄷ. 서양의 문물이 들어오면 인간들은 금수(禽獸)가 된다.
ㄹ. 서양의 문물과 제도를 바탕으로 합리적인 국가를 만들어야 한다.

① ㄱ, ㄴ   ② ㄱ, ㄷ   ③ ㄴ, ㄷ
④ ㄴ, ㄹ   ⑤ ㄷ, ㄹ

05 다음은 어느 학생의 노트 필기 중 일부이다. ㉠~㉤ 중 옳지 <u>않은</u> 것은?

> 〈개화사상의 특징〉
> 1. 급진적 개화론
> • 모든 사람의 생명 보전과 자유·행복 추구 강조 ·········· ㉠
> • 백성의 권리 보장, 군주의 권한 축소 주장 ············· ㉡
> 2. 동도서기론
> • 조선의 유교적 질서의 근본적 변혁 주장 ·············· ㉢
> • 서양 과학 기술의 수용을 통한 부국강병 강조 ·········· ㉣
> 3. 공통점: 서구 문명의 능동적 수용을 통한 사회 개혁 도모 ㉤

① ㉠   ② ㉡   ③ ㉢   ④ ㉣   ⑤ ㉤

06 다음 사상이 주장하는 것으로 가장 적절한 것은?

> 우리의 도는 바른 덕에 근원한 것이요, 서양의 기술을 배우는 것은 이용후생에 근원한 것이다. 이 둘을 병행하여도 도리에 어긋나지 않는다.

① 유교의 정신을 바탕으로 서양의 문물을 받아들이자.
② 서양의 새로운 사상을 받아들여 나라를 발전시키자.
③ 마음을 비우고 속세를 떠나 깨달음의 나라를 세우자.
④ 유교적 신분 질서를 타파하여 평등한 세상을 이룩하자.
⑤ 우리의 정신을 지키기 위해 서양의 모든 것을 배척하자.

07 다음 사상이 주장할 내용으로 옳은 것만을 〈보기〉에서 고른 것은?

> • 사람이 곧 하늘이다[人乃天].
> • 내 마음이 곧 네 마음이다[吾心卽汝心].

> 보기
> ㄱ. 만민 평등사상을 지향해야 한다.
> ㄴ. 민족 주체 의식을 고양해야 한다.
> ㄷ. 서양의 문물을 받아들여야 한다.
> ㄹ. 기존의 신분 질서를 유지해야 한다.

① ㄱ, ㄴ ② ㄱ, ㄷ ③ ㄴ, ㄷ ④ ㄴ, ㄹ ⑤ ㄷ, ㄹ

08 ㉠, ㉡에 대한 설명으로 옳은 것만을 〈보기〉에서 고른 것은?

> 동학은 보국안민(輔國安民)을 목표로 경천(敬天)사상의 바탕 위에 유·불·도 사상을 융합하여 성립되었으며, '후천개벽(後天開闢)' 사상을 제시했다. 이에 따르면 인류의 역사를 크게 ㉠선천과 ㉡후천으로 구분할 수 있다.

> 보기
> ㄱ. ㉠은 전설 속의 태평성대를 의미한다.
> ㄴ. ㉡은 현세가 아닌 내세를 의미한다.
> ㄷ. ㉡에서는 사람의 귀천(貴賤)이 사라진다.
> ㄹ. ㉠을 부정적으로 보고 ㉡을 이상적으로 본다.

① ㄱ, ㄴ ② ㄱ, ㄷ ③ ㄴ, ㄷ
④ ㄴ, ㄹ ⑤ ㄷ, ㄹ

09 ㉠, ㉡에 들어갈 말을 옳게 연결한 것은?

> ㉠ 은/는 강일순이 무속 신앙과 유·불·도 사상을 재해석하여 만든 민족 종교이다. ㉠ 은/는 원한을 푸는 해원(解冤), 다른 사람과 더불어 사는 상생(相生), 작은 은혜에도 보답하는 보은(報恩)을 강조한다.
> ㉡ 은/는 박중빈이 우주 만물의 근원이자 모든 중생의 청정한 마음을 상징하는 일원상(一圓相)을 신앙의 대상으로 삼아 만든 종교로, ㉡ 은/는 영육쌍전(靈肉雙全)과 이사병행(理事並行)을 주장한다.

	㉠	㉡		㉠	㉡
①	증산교	동학	②	동학	원불교
③	원불교	증산교	④	원불교	동학
⑤	증산교	원불교			

B 동양의 이상적 인간상과 시민

10 동양의 이상적 인간상에 대한 설명으로 가장 적절한 것은?

① 진인은 일원상을 수행의 표본으로 삼는다.
② 진인은 백성들이 무지로부터 벗어나도록 돕는다.
③ 군자는 인생의 고통에서 벗어나기 위해 진리를 찾는다.
④ 보살은 깨달음을 구하는 동시에 중생 구제에 힘쓴다.
⑤ 보살은 인식 주체로서의 '나'를 도덕 문제의 판단 기준으로 본다.

서답형 문제

11 다음 글을 읽고 물음에 답하시오.

> 유교의 이상적 인간상인 ㉠ 은/는 자아의 완성을 위해 끊임없이 스스로 성찰하면서 개인의 도덕적 수양과 사회적 책무를 실천하는 어진 사람이다. 불교의 이상적 인간상인 ㉡ 은/는 위로는 깨달음을 구하고 아래로는 중생을 교화하는 길을 걷는 사람이다. 도가의 이상적 인간상은 지인(至人), 천인(天人) 등으로 불리며, 도를 체득하여 모든 것이 궁극적으로 평등하다는 것을 아는 사람이다.

(1) ㉠과 ㉡에 들어갈 말을 쓰시오.
  ㉠: (   ), ㉡: (   )

(2) 동양의 이상적 인간상이 가지는 현대적 의의를 두 가지 이상 서술하시오.

01 다음을 주장한 한국 사상가의 입장으로 가장 적절한 것은?

> 천리(天理)의 바름이 사물에 있다고 여겨 그것에서 천리를 구할 수 있겠는가? 사물에 이(理)가 정해져 있는 것이 아니고, 사람이 사물을 연구해서 이를 얻을 수 있는 것도 아니다. 사물에 따라 각각을 결정하고 때에 맞게 사물을 처리하는 것은 오직 내 마음에 있는데, 어찌 내 마음 바깥에 있다고 여겨 따로 이치를 구하려 하는가.

① 도덕 문제의 판단 기준은 하늘이 정한 바른 이치이다.
② 참된 자아에 대한 각성과 생활 속의 실천을 중시해야 한다.
③ 성리학을 중심으로 사물의 이치를 철저하게 탐구해야 한다.
④ 낡은 시대가 가고 새로운 시대가 현세에 온다고 믿어야 한다.
⑤ 세상이 혼란스러워진 이유는 박해받은 사람들의 원한 때문이다.

기출 변형
02 갑, 을은 근대 한국 사상가이다. 갑은 긍정, 을은 부정의 대답을 할 질문으로 가장 적절한 것은?

> 갑: 사람의 마음은 하늘의 마음[天心]이다. 서양의 학(學)은 제 몸만을 위하고 하늘을 위하지 않는다. 배우는 자는 마음을 지키고 기운을 바르게[守心正氣] 해야 하며, 나라를 돕고 백성을 편안하게[輔國安民] 해야 한다.
> 을: 이(理)는 선함의 근본이고, 기(氣)는 과불급의 원인이다. 서양은 형기(形氣)를 중시하고 인륜을 저버린다. 유학은 이치를 숭상하고 도리를 중시한다. 올바른 것은 지키고[衛正], 그릇된 것은 배척[斥邪]해야 한다.

① 외세로부터 국가를 지키기 위해 노력해야 하는가?
② 신분 차별을 철폐하고 새로운 세상을 만들어야 하는가?
③ 성리학적 가치를 바탕으로 한 전통을 유지해야 하는가?
④ 민족의 정체성을 지키면서 서양의 문물을 수용해야 하는가?
⑤ 서양의 종교와 문물을 수용하여 부국강병을 이루어야 하는가?

03 다음을 주장한 사상의 입장으로 가장 적절한 것은?

> 대개 동양인들은 형이상에 밝기 때문에 그 도가 천하에 홀로 우뚝하며, 서양인들은 형이하에 밝기 때문에 그 기는 천하에 대적할 자가 없다. 동양의 도로써 서양의 기를 행한다면 지구의 오대주는 평정할 것도 없다.

① 외세의 인위적인 문물을 배척하고 전통을 지켜야 한다.
② 유교적 질서를 지키면서 서양의 문물을 수용해야 한다.
③ 서구식 정부를 수립하여 군주의 권한을 축소해야 한다.
④ 하늘이 곧 인간이라는 점을 깨달아 인간 평등을 실현해야 한다.
⑤ 서양의 종교, 정치, 과학을 수용하여 부강한 나라를 만들어야 한다.

기출 변형
04 근대 한국 사상 (가), (나)에 대한 설명으로 옳지 <u>않은</u> 것은?

> (가) 이웃이 정을 담아 주는 음식이 맛없다고 내색하면 원한을 쌓게 된다. 원한은 풀고[解冤] 은혜는 갚아야 하는 법, 반 그릇의 밥을 얻어먹더라도 잊어서는 안 된다.
> (나) 길가의 한 그루 소나무가 아름답다고 자기 집에 옮겨 심을 필요가 없으니, 만물은 모두 하나의 원(圓) 안에 있는 것이기 때문이다. 이 원이 곧 우주이다.

① (가)는 지상 낙원을 이루기 위해 반성과 수행을 강조한다.
② (가)는 유·불·도에 기독교 사상과 무속 신앙을 조화시킨 사상이다.
③ (나)는 물질이 개벽되는 시대를 비판하고 전통 정신의 보존을 주장한다.
④ (나)는 수도의 삶과 현실의 삶을 온전히 함께 완성해 가는 것을 추구한다.
⑤ (가), (나)는 집권 관료층이 아닌 백성의 요구를 들어 혼란을 극복하고자 하였다.

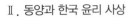
01 사상의 연원

A 동양 윤리 사상의 연원

유교	• 인과 예를 바탕으로 인격 수양과 도덕적 실천을 강조함 • 인간관: 중간자적 존재
불교	• 연기에 따른 상호 의존성과 자비의 실천을 강조함 • 인간관: 깨달음에 이를 수 있는 존재
도가	• 우주의 근원을 도로 보고 무위자연의 삶을 추구함 • 인간관: 소박한 본성을 지닌 존재

B 한국 윤리 사상의 연원

배경	• 단군 신화: 경천사상, 천일합일 사상, 홍익인간 등이 담겨 있음 • 무속 신앙: 무당을 매개로 하늘에 복을 기원함
특징	인본주의 정신, 현세 지향적 가치관, 화합과 조화의 정신 등이 나타남

02 인의 윤리

A 도덕의 성립 근거

공자	• 인(仁)의 강조 • 정명론, 덕치, 대동 사회 제시
맹자	• 성선설: 인간에게는 타고난 도덕심이 존재함 • 왕도 정치, 역성혁명론 제시
순자	• 성악설: 인간은 본래 이익을 좋아하는 존재임 • 화성기위, 예치 강조

B 도덕 법칙의 탐구 방법

성리학	• 성즉리: 인간의 본성이 곧 이치임 • 격물치지: 각 사물의 이치를 탐구하여 앎을 이룸 • 선지후행, 지행병진 강조
양명학	• 심즉리: 인간의 마음이 곧 이치임 • 격물치지: 마음을 바르게 하여 마음의 양지를 적극적으로 발휘함 • 지행합일 강조

03 도덕적 심성

A 도덕 감정

이황	• 이기호발설: 이와 기 모두 운동성을 지님 • 이귀기천설: 이는 존귀하고 기는 비천함 • 선한 본성을 실천하기 위해 경(敬)을 강조함 → 주일무적, 정제엄숙, 상성성
이이	• 기발이승일도설: 기만 운동성을 지님 • 이기지묘: 이와 기는 하나이면서 둘이고 둘이면서 하나인 묘합의 관계임 • 이통기국론: 이는 만물에 통하고 기는 국한됨 • 경(敬)을 통해 성(誠)에 이를 것을 강조함 → 경과 성의 실천, 교기질, 극기

B 도덕 본성

정약용의 성기호설	• 의미: 인간의 본성은 선을 좋아하고 악을 싫어하는 기호 • 종류: 영지(靈知)의 기호, 형구(形軀)의 기호
욕구의 긍정	욕구는 생존과 도덕적 삶을 위해 필요한 추동력
자주지권	선하고자 하면 선할 수 있고, 악하고자 하면 악할 수 있는 자유 의지로, 하늘이 부여함 → 인간은 자율적인 존재임
사덕의 후천성	사덕은 사단의 확충을 통해 형성됨
수양론	신독, 사천, 서, 구인

04 자비의 윤리

A 깨달음

(1) 불교의 연원과 근본 사상

연기설	우주와 인생의 모든 존재와 현상은 인과 연의 상호 관계에 의해 생겨남
사성제	• 고성제(苦聖諦): 인생은 생로병사의 고통 • 집성제(集聖諦): 고통의 원인은 집착하는 마음 • 멸성제(滅聖諦): 괴로움에서 벗어난 열반의 경지 • 도성제(道聖諦): 열반에 이르는 수행 방법(삼학, 팔정도)
삼법인 (또는 사법인)	• 제행무상: 모든 존재는 끊임없이 변화함 • 제법무아: 고정된 실체가 없음 • 일체개고: 일체의 모든 것이 고통임 • 열반적정: 열반으로 고요한 마음 상태

(2) 불교의 전개

부파 불교	사회와 분리된 엄격한 종교성 추구, 개인의 해탈 중시
대승 불교	• 자기 깨달음과 함께 중생 구제도 중시함 • 공 사상: 모든 존재는 고정불변의 독자적 실체가 없음 • 중관 사상: 모든 존재는 실체가 없는 공임 • 유식 사상: 진리를 깨닫는 마음은 존재

B 깨달음의 길

교종	경전의 교리로 진리를 깨닫고 계율을 실천해야 함
선종	• 교종의 지나친 경전 중시, 복잡한 의례 비판 → 본성의 자각을 중시함 • 이심전심, 불립문자, 교외별전, 직지인심, 견성성불

05 분쟁과 화합

A 한국 불교 사상

원효	• 일심 사상: 보편적이고 초월적인 마음 • 화쟁 사상: 모든 종파를 분리하지 말고 높은 차원(일심)에서 하나로 종합 • 무애행 → 불교의 대중화에 기여
의천	• 교종을 중심으로 선종의 조화 추구 • 내외겸전, 교관겸수 강조
지눌	• 선종을 중심으로 교종의 조화 추구 • 돈오점수, 정혜쌍수, 간화선 강조

B 한국 불교의 윤리적 특징

조화 정신	종파와 교리의 화합 강조(통불교 또는 회통 불교)
보살행	깨달음과 함께 타인 구제에 힘씀
호국 불교	세속오계, 팔만대장경, 의병 투쟁 등

06 무위자연의 윤리

A 도가 사상의 전개

노자	• 도: 만물의 근원이자 변화 법칙 • 허정, 상선약수, 무위자연의 삶, 무위지치, 소국과민 강조
장자	• 도: 천지 만물 어디에나 깃들어 있음 • 제물, 소요의 경지 지향 → 좌망, 심재로 도달

B 도가 사상의 영향

도교의 전개	• 황로학파: 무위의 통치 방법을 강조함 • 태평도: 복을 추구하고 질병을 치료한다고 함 • 오두미교: 선행을 하면 병이 낫고 신선이 될 수 있다고 함 • 현학: 세속적 가치를 초월하여 예술적·형이상학적 담론(청담)을 즐김
한국 고유 사상과 융합	• 풍류도에 이미 도교가 나타남 • 재초, 권선서 등

07 한국과 동양 윤리 사상의 의의

A 한국 전통 윤리 사상의 근대적 지향성

실학	• 배경: 성리학의 공리공론을 비판하며, 사회와 삶의 실제 문제를 해결하고자 함 • 특징: 경세치용, 이용후생, 실사구시 → 민본주의적·근대 지향적 성향
강화학파	• 배경: 양명학을 독자적으로 재해석한 정제두의 학풍을 이어받아 형성됨 • 인식 주체로서 '나'를 도덕 판단의 기준으로 삼음 • 사욕을 극복하여 양지를 실천할 것을 강조함
위정척사	올바른 유교적 질서를 지키고(위정), 사악한 서양 종교와 문물을 배척(척사)해야 함을 주장함
개화사상	• 급진적 개화론: 유교 질서의 근본적 변혁 주장, 서양 문명 수용을 주장함 • 온건적 개화론(동도서기론): 유교 질서를 지키면서 서양 과학 기술의 수용을 주장함
동학	보국안민, 시천주, 오심즉여심, 사인여천, 인내천, 후천 개벽 주장
증산교	해원상생, 보은 강조
원불교	• 일원상을 신앙의 대상으로 삼음 • 물질 개벽에 맞춘 정신 개벽, 영육쌍전, 이사병행 주장

B 동양의 이상적 인간상과 시민

유교의 군자	개인의 도덕적 수양과 사회적 책무를 실천하는 어진 사람
불교의 보살	위로는 깨달음을 구하고 아래로는 중생을 교화하는 길을 걷는 사람
도가의 진인	도를 체득하여 모든 것이 궁극적으로 평등하다는 것을 아는 사람(지인, 천인, 신인)

01 다음을 통해 파악할 수 있는 한국 윤리 사상의 특징만을 〈보기〉에서 고른 것은?

> • 옛글에 이르기를 하느님인 환인의 아들 환웅이 인간 세상에 내려와 다스렸다. 그때 곰과 호랑이가 인간이 되게 해 달라고 간청하였다. 곰은 환웅이 시키는 대로 하여 여자로 변하였다. 환웅이 잠시 인간으로 변해 웅녀와 혼인하여 아들을 낳으니, 단군이다.
> • 우리나라에는 현묘한 도(道)가 있으니 이를 풍류(風流)라고 한다. 그것은 실로 유·불·도를 포함한 것으로서 백성들과 접하여 그들을 교화하였다. 집에서는 효를 행하고 나라에 충성하라는 것은 공자의 가르침과 같고, 무위로 일을 처리하라는 것은 노자의 뜻과 같으며, 악을 짓지 말고 모든 선을 행하라는 것은 석가모니의 가르침과 같다.

> 보기
> ㄱ. 갈등과 대립보다 조화의 정신을 추구한다.
> ㄴ. 자연에 대한 지배보다 자연 친화를 추구한다.
> ㄷ. 현세의 행복보다 사후의 영원한 삶을 중시한다.
> ㄹ. 초월적 유일신에 대한 절대적 신앙을 중시한다.

① ㄱ, ㄴ　　② ㄱ, ㄷ　　③ ㄴ, ㄷ
④ ㄴ, ㄹ　　⑤ ㄷ, ㄹ

02 다음을 통해 알 수 있는 동양 윤리 사상의 특징으로 가장 적절한 것은?

> 동양 고전인 "주역"에는 대대(對待)라는 말이 등장한다. 대대는 다른 성질을 가진 것들이 서로 대립하면서도 동시에 서로 의존하는 관계를 뜻한다. 예를 들어 낮과 밤은 대립하면서도 서로를 필요로 하고, 둘이 합쳐져야만 하루가 된다.

① 인간과 자연은 이분법적으로 나눌 수 있다.
② 모든 존재는 독립적이고 개별적으로 존재한다.
③ 세상은 상호 의존하여 살아가는 하나의 유기체이다.
④ 자연은 인간의 행복 추구를 위해 사용되는 도구이다.
⑤ 인간은 자연을 지배할 권리를 가진 자연의 주재자이다.

03 다음은 고대 동양 사상가 갑, 을의 입장이다. 갑이 을에게 제기할 비판에 모두 '✓'를 표시한 학생은?

> 갑: 배우지 않아도 능한 것이 양능(良能)이고, 생각하지 않고도 아는 것이 양지(良知)이다. 손을 잡아야 설 수 있는 아이일지라도 어버이를 사랑할 줄 모르지 않으며, 자라서는 자기 형을 공경할 줄 모르지 않는다.
> 을: 성(性)은 하늘로부터 타고난 것이기에 배움과 노력으로 이룰 수 없다. 그러나 위(僞)는 배움과 노력으로 이룰 수 있다. 배고파도 어른을 위해 사양하는 것, 자식을 위해 힘들어도 일하는 것은 모두 성에 어긋나는 것이다.

번호	관점 \ 학생	갑	을	병	정	무
(1)	예(禮)를 통한 교화(敎化)의 필요성을 간과한다.	✓			✓	✓
(2)	하늘을 인륜의 모범으로 삼아 도덕을 실현해야 함을 간과한다.		✓	✓	✓	
(3)	성인과 일반 백성들은 동일한 본성을 갖고 태어남을 간과한다.	✓		✓		✓
(4)	아우가 형에게 양보하는 것은 성에 부합하는 것임을 간과한다.		✓		✓	✓

① 갑　　② 을　　③ 병　　④ 정　　⑤ 무

04 고대 동양 사상가 갑, 을 모두 긍정의 대답을 할 질문만을 〈보기〉에서 고른 것은?

> 갑: 정사(政事)를 펴려면 반드시 명분을 바로잡아야[正名] 한다.
> 을: 걸(桀)과 주(紂)는 인의(仁義)를 해쳤기에 그들을 내쫓은 것은 옳다.

> 보기
> ㄱ. 군주와 신하는 각각 이름에 걸맞는 역할을 해야 하는가?
> ㄴ. 군주는 먼저 자신을 수양한 뒤 다스림을 행해야 하는가?
> ㄷ. 백성을 돌보지 않는 군주는 혁명을 통해 교체 가능한가?
> ㄹ. 도덕 교육이 백성의 생업[恒産] 보장보다 우선해야 하는가?

① ㄱ, ㄴ　② ㄱ, ㄷ　③ ㄴ, ㄷ　④ ㄴ, ㄹ　⑤ ㄷ, ㄹ

05 다음을 주장한 동양 사상가의 입장으로 옳은 것만을 <보기>에서 고른 것은?

> 이(理)는 형이상의 도(道)로서 사물을 낳는 근본이고, 기(氣)는 형이하의 기(器)로서 만물을 형성하는 재료이다. 따라서 사람이나 사물이 생길 때에는 반드시 이를 부여받아 성(性)을 얻고, 기를 부여받아 형체를 이루게 된다. 기가 있으면 반드시 그곳에 이도 있다.

> 보기
> ㄱ. 이와 기는 현실에서 서로 분리된다.
> ㄴ. 기는 이가 현상으로 드러나기 위한 재료이다.
> ㄷ. 이와 기는 역할이 다르나 서로 뒤섞일 수 있다.
> ㄹ. 모든 존재와 현상은 이와 기의 결합으로 되어 있다.

① ㄱ, ㄴ   ② ㄱ, ㄷ   ③ ㄴ, ㄷ
④ ㄴ, ㄹ   ⑤ ㄷ, ㄹ

06 (가)의 중국 사상가 갑, 한국 사상가 을, 병의 입장을 (나) 그림으로 탐구하고자 할 때, A~D에 들어갈 옳은 질문만을 <보기>에서 있는 대로 고른 것은?

(가)	갑: 마음의 실체는 성(性)이요, 성이 곧 이(理)이다. 그러므로 효(孝)의 마음이 있기 때문에 효의 이가 존재한다. 을: 사단(四端)은 이가 발하여 드러난 도덕 감정이고, 칠정(七情)은 기가 발하여 드러난 감정이다. 병: 본연지성은 기질을 겸하지 않고 말하는 것이고, 기질지성은 본연지성을 겸해 말하는 것이다. 따라서 칠정은 사단을 겸한다.
(나)	

> 보기
> ㄱ. A: 격물(格物)이란 마음을 바로잡는[正] 것인가?
> ㄴ. B: 마음에는 기뿐만 아니라 이도 존재하는가?
> ㄷ. C: 사단은 칠정 중 선한 감정을 의미하는가?
> ㄹ. D: 모든 감정은 기가 발하여 이가 기를 탄 것인가?

① ㄱ, ㄴ   ② ㄱ, ㄹ   ③ ㄴ, ㄷ
④ ㄱ, ㄷ, ㄹ   ⑤ ㄴ, ㄷ, ㄹ

[07~08] 갑, 을은 한국 사상가들이다. 물음에 답하시오.

> 갑: 사단(四端)은 선한 것만을 가리키는 것으로 주안점이 이(理)에 있기에 이발(理發)이라고 한다. 칠정(七情)은 선한 것과 선하지 않은 것을 다 포함하여 가리키는 것으로 주안점이 기(氣)에 있기에 기발(氣發)이라고 한다.
> 을: 사단은 다만 이(理)만 말한 것이고, 칠정은 이기(理氣)를 합하여 말한 것이다. 그러므로 칠정은 사단을 포괄한 것이요, 사단과 칠정은 서로 다른 두 정(情)이 아니다. 따라서 이기가 서로 발한다는 주장은 옳지 않다.

07 갑, 을 모두 부정의 대답을 할 질문으로 가장 적절한 것은?

① 사단과 칠정은 부분과 전체의 관계인가?
② 이와 기는 자발적으로 동정(動靜)하는가?
③ 사단과 칠정은 모두 선악의 가능성을 갖는가?
④ 칠정은 기가 발하고 이가 기를 탈 때 드러나는 정인가?
⑤ 칠정은 기가 발하는 것이 절도에 맞지 않으면 악이 되는가?

08 다음을 주장한 사상가가 위의 갑, 을에게 공통으로 제기할 수 있는 비판만을 <보기>에서 있는 대로 고른 것은?

> 어린아이가 우물에 빠지는 것을 보았을 때 측은지심(惻隱之心)이 생겨도 구해 주지 않는다면 사랑[仁]이라고 할 수 없다. 즉 마음의 근원을 파고 들어가는 것이 아니라 사람을 사랑한 다음에야 사랑이라고 할 수 있는 것이다.

> 보기
> ㄱ. 사덕은 인간의 본성이 아님을 모르고 있다.
> ㄴ. 욕구는 도덕적 삶을 위해 필요함을 모르고 있다.
> ㄷ. 사단이 사덕의 존재를 알게 해 주는 단서임을 모르고 있다.
> ㄹ. 사덕은 실천을 통해 사단을 확충함으로써 형성됨을 모르고 있다.

① ㄱ, ㄴ   ② ㄴ, ㄷ   ③ ㄷ, ㄹ
④ ㄱ, ㄴ, ㄹ   ⑤ ㄱ, ㄷ, ㄹ

09 한국 사상가 갑, 을의 입장만을 〈보기〉에서 있는 대로 고른 것은?

> 갑: 사단(四端)은 선한 정(情)을 달리 이르는 것이며, 칠정(七情)을 말하면 사단은 그 가운데 이미 있다.
> 을: 사단은 이(理)가 발하고 기가 그것을 따르니, 본래 순선하고 악이 없지만 이가 발한 것이 완수되지 못하고 기에 가려지면 불선이 된다.

〈보기〉
ㄱ. 갑: 사람마다 기질은 다르나 그것을 변화시킬 수 있다.
ㄴ. 을: 칠정은 기가 발하여 밖으로 드러나는 성(性)이다.
ㄷ. 갑, 을: 천리(天理)를 보존하고 인욕을 제거해야 한다.
ㄹ. 갑, 을: 이와 기는 한순간도 서로 떨어져 있을 수 없다.

① ㄱ, ㄴ   ② ㄴ, ㄷ   ③ ㄷ, ㄹ
④ ㄱ, ㄴ, ㄹ   ⑤ ㄱ, ㄷ, ㄹ

10 다음 동양 사상의 입장만을 〈보기〉에서 있는 대로 고른 것은?

> • 이것이 있을 때 저것이 있고, 이것이 생겨날 때 저것이 생기며, 이것이 있지 않을 때 저것이 있지 않고, 이것이 사라질 때 저것이 사라진다.
> • 고통을 끊으려면 탐욕을 떠나야 한다. 색(色)의 실상에 대해 알지 못하고 밝지 못하여 탐욕을 떠나지 못하면 마음이 해탈하지 못한다.

〈보기〉
ㄱ. 생로병사로 이어지는 모든 인생은 그 자체로 고통이다.
ㄴ. 모든 현상은 독립적으로 존재하므로 다양성을 인정해야 한다.
ㄷ. 진리를 깨닫지 못하면 번뇌로 업을 짓고 윤회를 계속해야 한다.
ㄹ. 자아는 물질, 느낌, 분별 의식, 의지, 인식의 불변하는 결합이다.

① ㄱ, ㄷ   ② ㄱ, ㄹ   ③ ㄴ, ㄹ
④ ㄱ, ㄴ, ㄷ   ⑤ ㄴ, ㄷ, ㄹ

11 그림은 불교 사상 (가), (나)를 탐구하기 위한 것이다. A, B에 들어갈 질문으로 가장 적절한 것은?

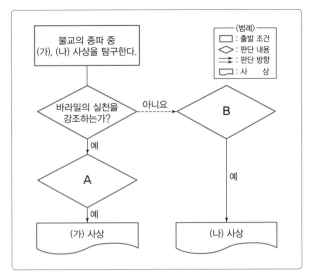

① A: 이상적 인간상을 아라한으로 보는가?
② A: 사회와 분리된 엄격한 종교성을 강조하는가?
③ A: 자신의 깨달음과 더불어 중생 구제도 강조하는가?
④ B: 재가자와 출가자의 구분을 중시하지 않는가?
⑤ B: 교리 연구에서 벗어나 불성의 직관을 강조하는가?

12 다음을 주장한 동양 사상가의 입장으로 옳은 것은?

> 진정 올바른 반야(지혜)를 일으켜 살펴보면 찰나 간에 잘못된 생각은 모조리 사라지며, 자신의 내면에 있는 본성을 인식하여 한 번 깨달으면 곧장 부처의 경지에 이른다.

① 불성을 자각하기 위해 반드시 경전 공부를 해야 한다.
② 불성을 자각한 후에도 점진적으로 수행해 나가야 한다.
③ 불성을 깨달은 후에도 그릇된 습성은 완전히 사라지지 않는다.
④ 자기 본성을 자각하면 경전 공부 없이도 깨달음에 이를 수 있다.
⑤ 선종[禪]을 중심으로 교종[敎]을 조화시켜 화합을 이루어야 한다.

13 (가) 사상가의 입장에서 볼 때, (나)의 퍼즐 속 세로 낱말 (C)에 대한 설명으로 옳은 것은?

(가)	유(有)를 싫어하고 공(空)을 좋아함은 나무를 버리고 큰 숲으로 달려가는 것과 같다. 비유컨대 청색과 남색이 같은 바탕이고, 얼음과 물은 같은 원천이며, 거울은 모든 형상을 받아들이고, 물이 수천 갈래로 나누어지는 것과 같다.
(나)	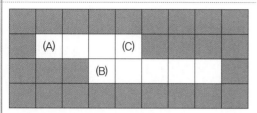 [가로 열쇠] (A): 왕수인의 주장으로, "앎은 곧 실천의 시작이고, 실천은 곧 앎의 완성이다."라는 뜻 (B): 동학의 가르침으로, 내 마음이 곧 네 마음이라는 뜻 [세로 열쇠] (C): …… 개념

① 선(善)을 좋아하고 악(惡)을 미워하는 마음을 가리킨다.

② 모든 이치와 사물이 존재하는 도덕적 마음을 가리킨다.

③ 차이를 넘어서는 보편적이고 초월적인 마음을 가리킨다.

④ 선악이 뒤섞여 분별을 일으키는 현실의 마음을 가리킨다.

⑤ 선천적으로 옳고 그름을 분별할 수 있는 마음을 가리킨다.

14 다음을 주장한 동양 사상가에 대한 설명으로 옳은 것은?

비록 본래의 성품이 부처와 다름이 없음을 깨닫기는 했지만, 지난날 오랫동안 익혀 온 습성과 버릇은 갑자기 모두 없애기 어렵다. 그러므로 깨달음을 의지해 닦고 점차로 익혀서 깨달음의 결실이 이루어지고, 오랫동안 수행을 통해 성인의 자질을 길러서 마침내 성인이 되니 이를 점수라 한다.

① 경전 공부를 통해 돈오해야 한다고 보았다.

② 중생의 악한 본성을 교화하기 위해 노력하였다.

③ 정을 마음의 작용, 혜를 마음의 본체로 보았다.

④ 교종의 입장을 중심에 두고 선종을 조화시켰다.

⑤ 화두를 근거로 깨달음을 찾는 간화선을 중시하였다.

15 다음을 주장한 고대 동양 사상가에 대한 설명으로 옳은 것은?

뛰어난 예(禮)는 예를 따르면서 사람이 응하지 않으면 팔을 걷어붙이고 억지로 하게 한다. 그러므로 도(道)를 잃게 된다. 도를 잃은 후에 덕이 나오고, 덕을 잃은 후에 인이 나오고, 인을 잃은 후에 의가 나오고, 의를 잃은 후에 예가 나온다.

① 하늘의 이치를 도덕의 기준으로 삼았다.

② 인간의 자연스러운 본질인 생명을 중시하였다.

③ 수행을 통해 본성을 변화시킬 것을 강조하였다.

④ 학문을 연마해 국가에 이바지할 것을 강조하였다.

⑤ 현자(賢者)를 숭상하고 본받아야 한다고 강조하였다.

16 다음을 주장한 고대 동양 사상가의 입장만을 〈보기〉에서 고른 것은?

모장과 여희는 사람들이 미인이라고 하지만 그들을 보면 물고기는 깊이 숨고, 새들은 높이 날아가 버리고, 순록과 사슴은 급히 도망가 버리니 이 넷 중에 누가 천하의 참다운 아름다움을 아는가? 보건대 어짊과 의로움의 기준이나 옳고 그른 방향이 어지러이 뒤섞여 있다. 내 어찌 그 분별을 알 수 있겠는가?

보기
ㄱ. 도를 기준으로 선악을 분별할 줄 알아야 한다.
ㄴ. 인간의 마음을 통해서 참된 지식을 구해야 한다.
ㄷ. 대자연의 섭리에 자신을 내맡기는 삶을 살아야 한다.
ㄹ. 차별 의식에서 벗어나 만물을 평등하게 인식해야 한다.

① ㄱ, ㄴ　　② ㄱ, ㄷ　　③ ㄴ, ㄷ
④ ㄴ, ㄹ　　⑤ ㄷ, ㄹ

17 다음은 어느 학생의 노트 필기 내용이다. ㉠~㉣ 중 옳은 것을 고른 것은?

> 〈죽림칠현(竹林七賢)〉
> • 위진 시대의 현학자(玄學者)들
> • 노자를 신격화하여 교조(教祖)로 섬김 ·············· ㉠
> • 노장 사상을 철학적으로 계승함 ················· ㉡
> • 세속적 가치를 초월한 담론을 즐김 ··············· ㉢
> • 선행을 하면 병이 낫는다고 주장함 ·············· ㉣

① ㉠, ㉡ 　② ㉠, ㉢ 　③ ㉡, ㉢
④ ㉡, ㉣ 　⑤ ㉢, ㉣

18 (가)의 근대 한국 사상가 갑, 을의 입장을 (나) 그림으로 표현할 때, A~C에 해당하는 진술로 가장 적절한 것은?

(가)	갑: 지극히 올바른 도를 밝혀 백성을 교화하고, 인애(仁愛)의 정신을 넓혀 가야 한다. 우리 것이 성대해지면 저들 것이 사라지고, 이쪽 것이 밝혀지면 저쪽 것이 달아날 것이다. 을: 동서고금을 막론하고 바꿀 수 없는 것은 도(道)이고 수시로 바뀌어 고정적일 수 없는 것은 기(器)이다. 동양의 도로써 서양의 기를 행해야 한다.
(나)	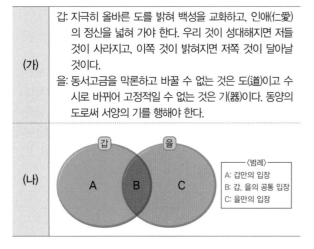 〈범례〉 A: 갑만의 입장 B: 갑, 을의 공통 입장 C: 을만의 입장

① A: 백성의 생업 보장을 전제로 서학을 수용해야 한다.
② A: 동양의 도와 서양의 기가 둘이 아님을 알아야 한다.
③ B: 전통적인 유교적 질서를 지켜 나가야 한다.
④ B: 신분의 차별이 사라진 평등 사회를 만들어야 한다.
⑤ C: 서양의 기술이 들어오지 못하게 막아야 한다.

19 근대 한국 사상가 갑은 긍정, 을은 부정의 답을 할 질문으로 가장 적절한 것은?

> 갑: 마음을 떠나 한울님을 생각할 수 없고 사람을 떠나 한울님을 생각할 수 없으니, 사람을 공경하는 것은 멀리하면서 한울님을 공경하는 것은 꽃을 따 버리고 열매가 생기기를 바라는 것과 같다.
> 을: 서양과 화친할 수 없다는 것은 내 나라 사람의 주장이고, 서양과 화친하자는 것은 적국 사람의 주장입니다. 전자를 따르면 옛 것을 보전할 수 있지만 후자를 따르면 금수(禽獸)의 나라가 될 것입니다.

① 모든 사람이 자유롭고 평등한 사회가 현세에 도래하는가?
② 국제 사회의 현실을 직시하고 서구 문명을 수용해야 하는가?
③ 유교적 질서를 지키고 서양 종교와 문물을 배척해야 하는가?
④ 성리학은 바른 것이고 서양의 사상과 기술은 사악한 것인가?
⑤ 전통 질서를 보존하고 서양의 과학 기술을 받아들여야 하는가?

20 근대 한국 사상 (가), (나)의 입장에 대한 옳은 설명만을 〈보기〉에서 있는 대로 고른 것은?

> (가) 과거에는 모든 인사가 도의에 어그러져서 원한이 맺히고 쌓여 삼계(三界)에 넘치매 마침내 살기(殺氣)가 터져 나와 세상에 모든 참혹한 재앙을 일으킨다.
> (나) 우주 만유의 본원이요, 모든 부처님과 성인의 심인(心印)인 법신불 일원상(一圓相)을 신앙의 대상과 수행의 표본으로 모셔야 한다.

〈보기〉
ㄱ. (가)는 작은 은혜에도 보답하는 보은을 강조한다.
ㄴ. (나)는 물질의 개벽(開闢)을 부정해야 한다고 본다.
ㄷ. (나)는 현실의 삶에 대한 집착을 버릴 것을 강조한다.
ㄹ. (가), (나)는 선천이 가고, 후천이 온다고 주장한다.

① ㄱ, ㄴ 　② ㄱ, ㄹ 　③ ㄴ, ㄷ
④ ㄱ, ㄷ, ㄹ 　⑤ ㄴ, ㄷ, ㄹ

21 다음 글을 읽고 물음에 답하시오.

> 맹자는 사적 이익의 추구와 같은 도덕적 타락 때문에 혼란이 발생한다고 파악하고 이를 해결하기 위해 ⊙인(仁)과 ⓒ의(義)를 강조하였다. 또한 성선설을 주장하며 인간은 누구나 다른 사람의 고통을 차마 그대로 보아 넘기지 못하는 선한 마음 즉, ⓒ   을/를 지니고 태어난다고 보았다. 그래서 수양을 통해 ⓒ   을/를 확충할 때 인의예지(仁義禮智)라는 사덕(四德)에 이를 수 있다고 주장하였다.

(1) ⊙, ⓒ의 의미를 쓰시오

ⓒ: (   ), ⓒ: (   )

(2) ⓒ이 무엇인지 쓰고, 구체적인 내용과 그 의미를 서술하시오.

---

22 다음 글을 읽고 물음에 답하시오.

> <u>갑</u> 사상가는 사람의 본성을 도의(道義)와 기질(氣質)이 합해진 것으로 보았다. 그는 식욕을 추구하는 성향을 기질지성이라 하고, 선을 좋아하고 악을 싫어하는 성향을 도의지성(道義之性)이라고 주장하며, 사람과 짐승의 본성을 똑같이 기질지성이라고 하면 사람을 깎아내리는 것이고, 똑같이 도의지성이라고 하면 금수를 끌어올리는 것이라고 주장하였다.

(1) 밑줄 친 '갑 사상가'가 누구인지 쓰시오.

(   )

(2) 갑 사상가의 입장에서 성리학의 본성론을 비판하여 서술하시오.

---

23 다음 글을 읽고 물음에 답하시오.

> 갑: 경전에 대한 이해를 통하여 깨달음을 추구하여야 합니다.
> 을: 달을 가리키는데 ⊙달은 보지 않고 그 ⓒ손가락만 보고 있는 모습과 같군요.
> 병: 도(道)에 들어가는 문(門)은 많지만 요체를 말하자면 돈오와 점수 두 가지에 지나지 않습니다.

(1) ⊙, ⓒ이 의미하는 바를 쓰시오.

ⓒ: (   ), ⓒ: (   )

(2) 병의 입장에서 갑, 을을 비판하고, 그 대안을 서술하시오.

---

24 다음 글을 읽고 물음에 답하시오.

> ⊙신인(神人)은 빛을 타고 만물을 비추나 그 모습은 보이지 않는다. 이것을 조광(照曠)이라 한다. 생명의 본원에 이르고, 만물의 실정에 깊이 미치니 천지와 더불어 같이 즐기며, 만사를 잊고 만물을 오로지 그 본래의 모습으로 돌아가게 한다. 이것을 혼명(混冥)이라 한다. 이 경지에 오른 사람이 바로 신인이다.

(1) 위 사상의 관점에서 ⊙과 같은 자를 일컫는 또 다른 말을 두 가지 이상 쓰시오.

(   )

(2) 위 사상의 관점에서 ⊙의 경지에 이르기 위한 수양법 두 가지를 서술하시오.

III
서양
윤리 사상

배울 내용 한눈에 보기

01 사상의 연원

```
┌─────────────┐   ┌─────────────┐
│ 고대 그리스    │─→│ 고대 그리스 사상 │
│ 사상과 헤브라이즘 │   ├─────────────┤
└─────────────┘   │ 헤브라이즘     │
                  └─────────────┘

┌─────────────┐   ┌─────────────┐
│ 규범의 다양성과  │─→│ 윤리적 상대주의  │─→ 소피스트
│ 보편 도덕      │   ├─────────────┤
└─────────────┘   │ 윤리적 보편주의  │─→ 소크라테스
                  └─────────────┘
```

02 덕

```
┌─────────────┐   ┌─────────────┐
│ 영혼의 정의와   │─→│ 플라톤       │─→ 이원론적 세계관,
│ 행복         │   └─────────────┘   이데아론, 철인 통치론
└─────────────┘

┌─────────────┐   ┌─────────────┐   현실주의적 세계관,
│ 이론과 실천의   │─→│ 아리스토텔레스  │─→ 목적론적 세계관,
│ 탁월성과 행복   │   └─────────────┘   지적인 덕, 품성적 덕,
└─────────────┘                     중용
```

03 행복 추구의 방법

```
┌─────────────┐   ┌─────────────┐   쾌락주의 윤리 사상,
│ 쾌락의 추구와   │─→│ 에피쿠로스학파  │─→ 평정심(아타락시아)
│ 평정심       │   └─────────────┘
└─────────────┘

┌─────────────┐   ┌─────────────┐   금욕주의 윤리 사상,
│ 금욕과 부동심   │─→│ 스토아학파    │─→ 부동심(아파테이아)
└─────────────┘   └─────────────┘
```

04 신앙

```
┌─────────────┐   ┌─────────────┐
│ 그리스도교와    │─→│ 그리스도교의 기원 │─→ 유대교, 예수의 가르침
│ 사랑의 윤리    │   ├─────────────┤   플라톤 사상 수용,
└─────────────┘   │ 아우구스티누스  │─→ 신에 대한 사랑 강조
                  └─────────────┘

┌─────────────┐   ┌─────────────┐   아리스토텔레스 사상 수용,
│ 그리스도교와    │─→│ 아퀴나스     │─→ 자연법 윤리 제시
│ 자연법 윤리    │   ├─────────────┤
└─────────────┘   │ 종교 개혁     │─→ 루터, 칼뱅
                  └─────────────┘
```

05 도덕의 기초

```
┌─────────────┐   ┌─────────────┐
│ 도덕적인 삶과   │─→│ 합리론       │
│ 이성         │   ├─────────────┤
└─────────────┘   │ 스피노자     │─→ 이성적 관조 강조
                  └─────────────┘

┌─────────────┐   ┌─────────────┐
│ 도덕적인 삶과   │─→│ 경험론       │
│ 감정         │   ├─────────────┤
└─────────────┘   │ 흄          │─→ 이성보다 감정이 우위
                  └─────────────┘
```

06 옳고 그름의 기준

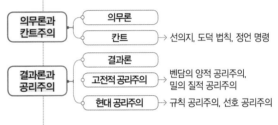

```
┌─────────────┐   ┌─────────────┐
│ 의무론과      │─→│ 의무론       │
│ 칸트주의      │   ├─────────────┤
└─────────────┘   │ 칸트        │─→ 선의지, 도덕 법칙, 정언 명령
                  └─────────────┘

┌─────────────┐   ┌─────────────┐
│ 결과론과      │─→│ 결과론       │   벤담의 양적 공리주의,
│ 공리주의      │   ├─────────────┤─→ 밀의 질적 공리주의
└─────────────┘   │ 고전적 공리주의  │
                  ├─────────────┤
                  │ 현대 공리주의   │─→ 규칙 공리주의, 선호 공리주의
                  └─────────────┘
```

07 현대의 윤리적 삶

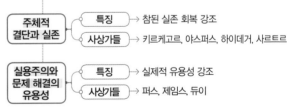

```
┌─────────────┐   ┌─────────────┐
│ 주체적        │─→│ 특징        │─→ 참된 실존 회복 강조
│ 결단과 실존    │   ├─────────────┤
└─────────────┘   │ 사상가들     │─→ 키르케고르, 야스퍼스, 하이데거, 사르트르
                  └─────────────┘

┌─────────────┐   ┌─────────────┐
│ 실용주의와     │─→│ 특징        │─→ 실제적 유용성 강조
│ 문제 해결의    │   ├─────────────┤
│ 유용성       │   │ 사상가들     │─→ 퍼스, 제임스, 듀이
└─────────────┘   └─────────────┘
```

01 ~ 사상의 연원

❶ 자연 철학자
소크라테스 이전 자연 철학자들은 자연의 다양한 변화를 보편적인 원리나 근원적인 요소를 통해 설명하고자 했다. 이들은 변화하는 세계에서 변화지 않는 본질을 탐구하며, 아래와 같이 만물의 근원을 제시하였다.

- 탈레스: 물(水)
- 헤라클레이토스: 불(火), '만물은 유전(流轉)한다'
- 엠페도클레스: 흙(土)·물(水)·불(火)·공기(氣)
- 데모크리토스: 원자(原子, atom)

❷ 헤브라이즘(Hebraism)
고대 유대 민족의 유대교로부터 이후 예수가 유대교의 배타적 선민사상과 율법주의를 비판하고 신과 이웃의 사랑을 강조하며 전개된 그리스도교에 이르기까지의 사상과 문화 및 전통을 의미한다.

❸ 소피스트(Sophist)
'지혜를 가진 사람'을 뜻하는 말로, 고대 그리스 사회에서 처음으로 돈을 받고 학생들을 가르쳤던 사람들로 알려져 있다.

★ 한눈에 정리

소피스트 윤리 사상의 특징

윤리적 상대주의 주장	누구에게나 보편타당한 도덕규범은 없음
경험 중시	개인의 감각과 경험을 중시함
세속적 성공 중시	현실의 삶에서 세속적 성공을 추구함

❹ 회의주의
인간의 인식이 주관적·상대적인 것이라고 보아 진리의 절대성을 의심하고, 궁극적 판단을 하지 않으려는 태도를 말한다.

A 고대 그리스 사상과 헤브라이즘

1. 고대 그리스 사상의 특징과 영향 [자료1]

(1) 형성 배경

① **자연 철학자의 등장:** 자연 철학자들은 자연의 변화를 논리적으로 설명하는 것과 본질적이고 보편적인 것에 관심을 보임 — 예 만물의 근원, 세계의 기원

② 아테네의 민주주의 발달: 정치 참여 과정에서 바람직한 삶에 대한 토론이 활발해짐

(2) 특징

① 사물과 인간의 본질을 탐구하는 것에 관심을 보임

② 이성적이고 합리적인 사고와 논변을 중시함

(3) 영향

① 옳은 것과 그 인식 방법, 행복과 같이 삶에서 추구해야 할 좋은 것 등이 서양 윤리 사상의 주요 주제가 됨

② 인간 이성에 관심을 갖게 되었고 윤리의 보편성 및 다양성을 둘러싼 논쟁이 시작됨

2. 헤브라이즘의 특징과 영향 [자료1]

(1) 특징

① 절대자로서의 신(神)에 대한 믿음을 강조함

② 보편적인 윤리적 행동 지침을 신의 명령이자 인간 삶의 규율로 제시함
— 예 살인과 절도 금지, 부모 공경 등

(2) 영향

① 신, 신과 인간의 관계에 기초한 삶의 원리 등이 서양 윤리 사상의 주요 주제가 됨

② 인간의 존엄성과 그 근거, 인간이 따라야 할 절대적 규칙 등에 대한 탐구에 영향을 줌

B 규범의 다양성과 보편 도덕: 윤리적 상대주의와 윤리적 보편주의

1. 윤리적 상대주의와 소피스트의 윤리 사상

(1) 윤리적 상대주의: 누구에게나 보편타당한 도덕 규범은 존재하지 않는다는 입장으로 소피스트들이 본격적으로 주장함

(2) 소피스트의 윤리 사상

① **대표 사상가**

프로타고라스	• 각 개인의 경험만이 진리와 가치 판단의 기준이라고 봄 • "인간은 만물의 척도이다." [자료2]
트라시마코스	• 정의를 강자(더 강한 자)의 이익을 위한 것으로 봄 • "정의는 강자의 이익이다." [자료3]
고르기아스	• 회의주의적 관점에서 보편적 진리와 그에 관한 객관적 인식을 부정함 • "아무것도 존재하지 않는다. 존재하더라도 알 수 없다. 알 수 있더라도 전달할 수 없다."

② **특징**

- **경험 중시:** 인간의 감각과 주관적 경험을 지식과 도덕 판단의 근원으로 봄

- **세속적 성공 중시:** 세속적 가치와 이를 얻는 데 필요한 수사학·변론술을 중시함
  — 예 부, 명예 등
  — 뜻 고대 그리스에서 정치적 연설이나 법정 변론 등의 효과를 올리려는 화법의 연구에서 나온 학문

자료1 고대 그리스 사상과 헤브라이즘

헤브라이즘은 세상이 신에 의해 창조되었다고 설명한다. 창조주인 신이 세상을 창조하였으며, 세상 만물은 모두 신의 피조물이라는 것이다. 그리고 세상의 모든 변화는 신의 뜻에 따른 것이라고 설명한다. 반면, 고대 그리스의 자연 철학에서는 신에 대한 언급 없이 세상의 기원을 설명하려고 노력한다. 예를 들어 기원전 6세기에 활동한 철학자 탈레스는 세상 만물의 구성 요소를 탐구하는 데 힘을 기울였다.

– 새뮤얼 이녹 스텀프·제임스 피저, "소크라테스에서 포스트모더니즘까지"

| 자료 분석 | 고대 그리스 사상은 자연에 대한 관심에서 출발하여 이후 인간의 경험과 이성을 바탕으로 세계를 설명하려는 철학자들이 나타나면서 인본주의적 성격을 띠게 되었다. 한편 헤브라이즘은 세상이 신에 의해 창조되었다고 보면서 신을 중심으로 세상을 설명하였다.

한줄 핵심 고대 그리스 사상과 헤브라이즘은 서양 윤리 사상의 주요 원천이 되었다.

❶ 헤브라이즘 사상은 세상이 신에 의해 창조되었다고 주장하였다.

◯ ✕

자료2 소피스트와 윤리적 상대주의

└ 모든 것을 판단하는 기준은 각 개인이라는 뜻

인간은 만물의 척도이다. 존재하는 것에 대해서는 그것이 존재한다는 척도이며, 존재하지 않는 것에 대해서는 그것이 존재하지 않는다는 척도이다.

– 프로타고라스, "진리에 관하여"

| 자료 분석 | 윤리적 상대주의를 주장했던 소피스트의 특징은 프로타고라스의 주장에 잘 드러난다. 그는 사람마다 판단의 기준이 다를 수밖에 없기에 모든 주장은 상대적인 것이고, 옳고 그름의 판단도 개인에 따라 다르기에 보편적인 윤리란 존재하지 않는다고 주장하였다.

한줄 핵심 소피스트 사상가들은 보편타당한 도덕 법칙은 존재하지 않는다는 윤리적 상대주의를 제시하였다.

❷ 소피스트 사상가들은 보편타당한 도덕 법칙은 존재하지 않는다고 주장하였다.

◯ ✕

자료3 트라시마코스가 본 정의

법률의 제정에 있어 각 정권은 자기 이익을 목적으로 합니다. 법 제정 이후 권력자들에게 이익이 될 뿐인 법을 통치받는 사람들에게 정의로운 것인 듯 공표합니다. 이를 위반하는 자들은 정당하지 못한 일을 한 자들로 취급하고 처벌합니다. … 그러니 정의란 실은 더 강한 자 및 통치자의 이익이고, 복종하고 섬겨야 하는 사람들의 입장에서는 해로운 것입니다.

– 플라톤, "국가"

| 자료 분석 | 소피스트 사상가 트라시마코스는 통치자와 같은 강자들은 오직 자신의 이익을 추구하기 위해 법률과 같은 것들을 제정하고, 이를 지키지 않는 자들을 정당하지 못하다고 말하며 처벌한다고 보았다. 이에 트라시마코스는 정의란 강자의 이익을 위한 것일 뿐이라고 주장하였다.

한줄 핵심 소피스트 사상가 트라시마코스는 정의는 강자의 이익을 위한 것에 불과하다고 주장하였다.

❸ 트라시마코스는 정의가 보편적인 개념이라고 설명하였다.

◯ ✕

정답 ❶ ◯ ❷ ◯ ❸ ✕(정의란 강자의 이익을 위한 것에 불과하다고 봄)

(3) 소피스트 윤리 사상의 의의와 영향

의의	철학적 관심이 자연과 만물의 근원에서 인간의 문제로 전환되는 데 기여함
영향	경험주의, 쾌락주의, 실용주의, 상대주의 윤리 사상의 연원이 됨

2. 윤리적 보편주의와 소크라테스의 윤리 사상

(1) 윤리적 보편주의

① 보편타당한 도덕 판단의 기준과 도덕규범이 있다는 입장

② 소크라테스는 소피스트의 윤리적 상대주의를 비판하며 감각적 경험이 아닌 이성을 통해 보편적 윤리를 파악할 수 있다고 주장함 자료4

(2) 소크라테스의 윤리 사상

① **무지(無知)**: 비도덕적 행동의 원인 → 무지의 자각은 진리 탐구의 기본 조건임 자료5
❺

② **주지주의(主知主義)**: 인간의 삶에서 앎을 중시하고, 참된 앎(지식)을 모든 덕(德)과 행복의 원천으로 봄 ❻

③ **지행합일(知行合一)**: 선을 알면 행하고, 행하지 못하는 이유는 선을 모르기 때문이라고 주장함

④ **지덕복 합일설(知德福合一說)**: 참된 앎을 지닌 사람은 덕 있는 사람이 되고, 덕 있는 사람은 행복한 삶을 살게 된다고 봄 ╌╌ 뜻 상대가 제시하는 의견에 논리적이고 이성적인 물음을 계속 제기하는 화법

⑤ **문답법**: 참된 앎을 추구하는 방법으로 문답법(산파술)을 사용함 자료6

⑥ **성찰하는 삶**: 인간이 추구해야 할 최상의 과업으로 영혼을 온전하게 가꾸는 것을 제시하고 자신의 삶에 대한 반성과 성찰을 강조함 → "검토되지 않은 삶은 살 만한 가치가 없다."

(3) 소크라테스 윤리 사상의 의의와 영향

의의	• 보편적 가치의 존재를 강조함 • 지식과 도덕, 성찰하는 자세의 중요성을 인식하게 함
영향	이성주의, 보편주의, 절대주의 윤리 사상의 연원이 됨

3. 윤리적 상대주의와 윤리적 보편주의의 비교

구분	윤리적 상대주의	윤리적 보편주의
공통점	• 인간의 구체적인 삶의 문제에 대해 관심을 가짐 • '어떤 삶이 좋은 삶인가?', '어떻게 살아야 하는가?'와 같은 윤리적 문제에 대해 탐구함	
대표 사상가	소피스트	소크라테스
장점	• 서로 다른 개인과 사회의 상이한 도덕규범을 이해하고 관용하는 데 도움을 줌 → 서로 다른 가치관을 존중하고 다양한 삶의 방식을 포용하므로 현대 민주주의 사회와 다문화 사회에 적절함	• 다원화된 사회에서 발생할 수 있는 가치관의 혼란을 극복하는 데 도움을 줌 → 윤리적 보편성의 추구는 규범과 관습의 차이를 넘어 서로를 인정하고 소통하여 윤리적 합의점을 찾아낼 기반을 제공함
한계	❼ • 윤리적 회의주의에 빠질 위험이 있음 • 옳음의 보편적 기준을 부정하고 인정하지 않음으로써 가치관의 혼란을 가져올 수 있음	• 단일한 가치만을 강조해 개인의 자유를 침해하고 사회를 획일화할 수 있음 • 개인이나 사회가 처한 특수한 상황이나 맥락을 충분히 고려하지 못할 수 있음

★ 한눈에 정리

소크라테스 윤리 사상의 특징

윤리적 보편주의 주장	누구에게나 보편타당한 도덕규범이 존재함
참된 앎 강조	• 참된 앎은 모든 덕과 행복의 원천임 • 참된 삶을 지닌 사람은 도덕적인 삶을 살 수 있음 • 참된 앎을 추구하는 방법으로 문답법 사용
성찰하는 삶 강조	자신의 삶에 대한 반성과 성찰 중시

❺ **주지주의**
삶과 행동에서 앎을 중요시하는 태도를 말한다.

❻ **덕(virtue)**
그리스어 'arete'에서 나온 말로, 탁월함, 뛰어난 소질 혹은 자기가 해야 할 일을 효과적으로 수행할 수 있는 능력 등을 뜻한다.

❼ **윤리적 회의주의**
윤리적 문제에 관해 무엇이 옳고 참된 것인지를 판단하거나 공동체의 합의를 이끌어 내려는 노력이 의미 없다고 보는 관점이다.

자료4 소크라테스의 윤리적 보편주의

각자가 지각을 통해 판단하는 것이 옳고, 다른 사람이 지각한 바를 더 잘 판별하는 것도 아니요, 다른 사람의 판단이 옳은지 그른지를 검토하는 데 있어서 당사자보다 더 권위가 있는 것도 아니라면, 도대체 어떻게 프로타고라스가 다른 사람들의 교사가 되어 엄청난 보수를 받는 것이 정당하다고 할 수 있겠는가? … 앎이란 경험들 속에 있는 것이 아니라네. 앎이란 그 경험들과 관련된 추론 속에 있는 것이라네.   – 플라톤, "테아이테토스"

| 자료 분석 | 소피스트 사상가인 프로타고라스는 세상 모든 것에 대한 판단은 각 개인의 기준에 따를 뿐이라고 주장하였다. 이에 대해 소크라테스는 보편타당한 도덕규범은 존재하며, 인간은 이성을 통해 이를 파악할 수 있다고 반박하였다.

한줄 핵심 소크라테스는 윤리적 상대주의를 비판하고, 이성에 의해 보편적 진리를 파악할 수 있다고 주장하였다.

❹ 소크라테스는 감각적 경험이 진리를 파악하는 기준이 될 수 없다고 주장하였다.
◯ ✕

자료5 소크라테스가 강조한 무지의 자각

• 아름다운 것과 좋은 것을 아는 사람은 결코 그 반대의 것을 택하지 않을 것이다. 그리고 아름다운 것과 좋은 것에 대하여 무지하면 그것을 추구한다 하더라도 실패하게 될 것이다.
– 크세노폰, "소크라테스 회상"

• 자신이 모르면서도 알고 있다고 믿는 것이 인간이 가진 무지 중에서 가장 큰 무지입니다.
– 플라톤, "소크라테스의 변명"

| 자료 분석 | 소크라테스는 윤리적 문제를 제대로 모르면 올바르게 행동할 수 없고, 자신이 그것에 무지(無知)하다는 사실조차 모른다면 진리를 추구하려는 노력도 할 수 없다고 보았다. 그래서 이러한 무지를 깨닫고 참된 지식을 추구할 것을 강조하였다.

한줄 핵심 소크라테스는 자신의 무지를 자각하고 진리를 추구할 것을 역설하였다.

❺ 소크라테스는 비도덕적인 행동의 원인이 무지(無知)라고 주장하였다.
◯ ✕

자료6 소크라테스의 문답법

아버지를 불경죄로 고발하려는 에우티프론에게 소크라테스는 "경건함이란 무엇인가?"라고 묻는다. 이 물음에 대해 에우티프론은 여러 대답을 차례로 내놓지만, 소크라테스는 각각의 대답이 지니는 한계를 지적하면서 더욱 확실한 정의를 요구한다. 에우티프론이 더는 대답하지 못하고 혼란에 빠지자, 소크라테스는 그에게 이렇게 말한다. "만일 자네가 경건함이 무엇인지를 정확히 알지 못한다면, 자네는 결코 감히 나이 든 아버지를 고발해서는 안 될 것일세."
– 새뮤얼 이녹 스텀프·제임스 피저, "소크라테스에서 포스트모더니즘까지"

| 자료 분석 | 소크라테스는 인간의 이성을 바탕으로 참된 앎을 추구할 수 있다고 보았다. 따라서 상대가 제시하는 의견에 논리적이고 이성적인 물음을 계속 제기하는 문답법을 사용해 참된 앎에 다가서고자 하였다.

한줄 핵심 소크라테스는 참된 앎의 추구를 위한 방법으로 문답법을 제시하였다.

❻ 소크라테스의 문답법은 일방적으로 자기주장을 관철하는 방법이다.
◯ ✕

(일방적으로 자기주장을 관철하는 것이 아니라 상대방과의 대화를 통해)
✕ ❻ ◯ ❺ ◯ ❹ **정답**

A 고대 그리스 사상과 헤브라이즘

01 빈칸에 알맞은 말을 쓰시오.

( )은/는 서양 윤리 사상의 뿌리가 되는 사상으로, 고대 유대 민족의 유대교로부터 이후 전개된 그리스도교에 이르기까지 그 사상과 문화 및 전통을 아우르는 말이다.

02 고대 그리스 사상에 대한 설명으로 맞으면 ○표, 틀리면 ×표를 하시오.

(1) 신을 윤리의 궁극적 근거로 삼는 신 중심의 윤리 사상을 전개하였다. ( )

(2) 사물과 인간의 본질에 관심을 지녔고 이성적이고 합리적인 사고와 논변을 중시하였다.
( )

B 규범의 다양성과 보편 도덕

03 빈칸에 알맞은 말을 쓰시오.

(1) 윤리적 □□주의란 보편타당한 도덕 판단의 기준과 도덕규범이 있다는 입장이다.

(2) 윤리적 □□주의란 누구에게나 보편타당한 도덕규범은 존재하지 않는다는 입장이다.

04 알맞은 말에 ○표를 하시오.

(1) (소피스트, 소크라테스)는 보편적이고 객관적인 윤리가 존재한다고 주장하였다.

(2) (소피스트, 소크라테스)는 현실에서 세속적 성공을 추구하며 수사학·변론술 등을 가르쳤다.

(3) 소크라테스는 모든 악은 (무지, 무아)에서 비롯된다고 보았다.

(4) 소크라테스는 인간의 (이성, 감각적 경험)에 의해 보편적 진리를 파악할 수 있다고 보았다.

05 사상가와 그 주장을 바르게 연결하시오.

(1) 고르기아스 •   • ㉠ 인간은 만물의 척도이다.

(2) 트라시마코스 •   • ㉡ 정의는 강자의 이익이다.

(3) 프로타고라스 •   • ㉢ 아무것도 존재하지 않는다.

06 다음 내용이 맞으면 ○표, 틀리면 ×표를 하시오.

(1) 윤리적 보편주의가 극단화될 경우 개인의 자유를 침해하고 사회를 획일화할 수 있다.
( )

(2) 소피스트의 사상은 서양 윤리 사상에서 이성주의와 절대주의 윤리 사상의 전통과 관련이 깊다. ( )

(3) 소크라테스는 소피스트들을 비판하면서 세속적 성공보다 선하고 도덕적인 삶을 추구할 것을 강조하였다. ( )

탄탄! 내신 다지기

A 고대 그리스 사상과 헤브라이즘

01 ㉠에 대한 설명으로 옳은 것은?

서양 윤리 사상은 고대 그리스 사상과 헤브라이즘에 뿌리를 둔다고 볼 수 있다. ㉠고대 그리스의 자연 철학은 신에 대한 언급 없이 세상의 기원을 설명하려고 노력하였고, 헤브라이즘은 만물이 신의 피조물이라고 주장하였다.

① 유대교를 비판적으로 계승하였다.
② 선민사상과 율법주의를 주장하였다.
③ 유일무이한 신에 대한 믿음을 중시하였다.
④ 보편적 원리로 자연의 다양한 현상을 설명하였다.
⑤ 신에 대한 절대적 믿음을 누구나 지켜야 할 규율로 제시하였다.

02 헤브라이즘에 대한 설명으로 옳지 <u>않은</u> 것은?

① 서양 윤리 사상의 뿌리가 되었다.
② 절대자로서 신에 대한 믿음을 강조하였다.
③ 인간이 따라야 할 절대적 규칙에 대한 탐구에 영향을 주었다.
④ 신과 인간의 관계에 대한 탐구가 이루어지는 데 영향을 주었다.
⑤ 현실 삶에서의 성공을 위한 수사학과 변론술, 처세술을 강조하였다.

03 그림은 노트 필기의 일부이다. ㉠~㉤ 중 옳지 <u>않은</u> 것은?

〈헤브라이즘의 특징과 영향〉
1. 의미
　고대 유대 민족의 유대교로부터 이후 전개된 그리스도교에 이르기까지의 사상 ················· ㉠
2. 특징
• 유일무이한 신(神)을 믿음 ······················ ㉡
• 보편적인 윤리적 행동 지침을 인간 삶의 규율로 제시함 ······· ㉢
3. 영향
• 인간과 세계의 근원으로서 신, 신과 인간의 관계에 대한 탐구가 주요 주제가 됨 ················ ㉣
• 인간으로서 따라야 할 다양한 상대적 규칙에 대한 깊이 있는 탐구가 이루어짐 ················ ㉤

① ㉠　　② ㉡　　③ ㉢　　④ ㉣　　⑤ ㉤

B 규범의 다양성과 보편 도덕

04 그림의 고대 서양 사상가의 입장에서 긍정의 대답을 할 질문으로 가장 적절한 것은?

자신이 모르면서도 알고 있다고 믿는 것이 인간이 가진 무지(無知) 중에서 가장 큰 무지입니다. ··· 나는 악한 일을 행하는 것과 자신보다 뛰어난 존재를 거역하는 일은 부끄럽고 사악한 일이라는 것을 알고 있습니다.

① 진리의 판단 기준은 개개인인가?
② 인간의 경험과 감각이 도덕의 근거인가?
③ 도덕규범은 시대와 장소에 따라 달라지는가?
④ 선과 악은 유용성의 가치에 따라 결정되는가?
⑤ 세속적 가치를 추구하기보다 자신의 영혼을 돌보는 삶을 살아야 하는가?

05 고대 서양 사상가 갑, 을의 입장에 대한 옳은 설명만을 〈보기〉에서 고른 것은?

갑: 인간은 모든 것의 척도이다. 존재하는 것에 대해서는 그것이 존재한다는 척도이며, 존재하지 않는 것에 대해서는 그것이 존재하지 않는다는 척도이다.
을: 아무도 자발적으로 악한 행위를 하지 않는다. 아름다운 것과 좋은 것을 아는 사람은 결코 그 반대의 것을 택하지 않는다.

〈보기〉
ㄱ. 갑은 보편타당한 진리가 존재한다고 본다.
ㄴ. 갑은 개인의 경험이 도덕 판단의 기준이 될 수 있다고 본다.
ㄷ. 을은 비도덕적 행동이 무지로부터 비롯된다고 본다.
ㄹ. 을은 갑과 달리 현실 삶에서의 성공이 무엇보다 중요하다고 본다.

① ㄱ, ㄴ　　② ㄱ, ㄷ　　③ ㄴ, ㄷ
④ ㄴ, ㄹ　　⑤ ㄷ, ㄹ

06 소피스트에 대한 설명으로 옳은 것은?

① 참된 앎이 덕 그 자체라고 주장하였다.

② 세계의 본질과 보편성에 대한 탐구를 펼쳤다.

③ 객관적으로 선한 삶과 도덕적 가치를 추구하였다.

④ 개개인의 경험적 판단 자체가 진리라고 주장하였다.

⑤ 이성주의와 보편주의를 강조하는 서양 윤리 사상의 연원이 되었다.

07 다음을 주장한 고대 서양 사상가의 입장에서 긍정의 대답을 할 질문만을 〈보기〉에서 고른 것은?

> 지(知)와 덕(德)은 일치하는 것이다. 선을 아는 것은 선을 행하는 것이다. 악덕이나 죄는 지의 부재이다. 지가 덕인 것처럼 악덕은 무지이다. 아무도 알면서 악덕에 빠지거나 나쁜 짓을 저지르지는 않는다. 그릇된 행동은 항상 무지의 산물이다.

〈보기〉
ㄱ. 악행은 무지(無知)에서 나오는가?
ㄴ. 지식은 모든 덕과 행복의 원천인가?
ㄷ. 경험을 통해 보편적 윤리를 파악할 수 있는가?
ㄹ. 학문의 주요한 대상을 자연에서 찾아야 하는가?

① ㄱ, ㄴ ② ㄱ, ㄷ ③ ㄴ, ㄷ
④ ㄴ, ㄹ ⑤ ㄷ, ㄹ

08 ㉠~㉤ 중 옳지 <u>않은</u> 것은?

> 윤리적 보편주의는 모든 사람과 사회에 타당한 보편적이고 객관적인 도덕 원리들이 존재한다는 입장이다. 이러한 윤리관은 ㉠다양한 사회에서 발생할 수 있는 가치관의 혼란을 극복하는 데 도움을 줄 수 있다. 그러나 ㉡다양한 삶의 방식을 획일적으로 평가할 수 있다는 단점이 있다. 반면 윤리적 상대주의는 행위의 옳고 그름이 개인이나 사회에 따라 다양하며, ㉢보편적인 도덕 기준은 존재하지 않는다는 입장이다. 이러한 입장은 ㉣다양한 삶의 모습과 가치의 다양성을 인정하고 수용한다는 장점이 있다. 그러나 ㉤도덕의 예외를 인정하지 않아 독선적인 태도로 흐를 수 있다는 문제점이 있다.

① ㉠ ② ㉡ ③ ㉢ ④ ㉣ ⑤ ㉤

09 다음을 주장한 고대 서양 사상가의 관점에만 모두 '✓'를 표시한 학생은?

> 법률을 제정할 때 각 정권은 자신들의 이익을 목적으로 삼는다. 법 제정을 마친 다음에는 그것을 피치자에게 공표하고서 이를 위반하는 자를 범법자나 불의를 저지른 자로 처벌한다. 따라서 수립된 정권의 이익이 곧 정의이다.

번호	관점＼학생	갑	을	병	정	무
(1)	진리는 객관적으로 인식될 수 있다.	✓		✓	✓	✓
(2)	개인의 자각과 경험이 지식의 근원이다.		✓	✓		✓
(3)	정의는 강자의 이익을 위한 것에 불과하다.		✓	✓		✓
(4)	덕에 대한 지식을 갖춘 사람은 덕 있는 사람이 된다.	✓			✓	✓

① 갑 ② 을 ③ 병 ④ 정 ⑤ 무

서답형 문제

10 다음 글을 읽고 물음에 답하시오.

> 이 사상은 보편적이거나 영원한 가치성을 부정하는 것으로 바람직한 삶의 태도와 방식에 관해서는 사람마다 의견이 다르며, 공동체의 법과 관습 및 윤리적인 원칙 또한 사회나 시대마다 다르므로 모두 상대적일 뿐이라고 보는 사상이다.

(1) 밑줄 친 '이 사상'이 무엇인지 쓰시오.

(   )

(2) (1)에서 답한 사상의 장점과 한계를 서술하시오.

정답과 해설 34쪽

01 ㉠에 대한 설명으로 옳지 <u>않은</u> 것은?

> ☐ ㉠ ☐ 은/는 서양 윤리 사상의 뿌리가 된 사상 중 하나로, 인간 중심 윤리 사상의 전통을 확립하였다. ☐ ㉠ ☐ 은/는 기원전 5세기 무렵 그리스 아테네를 중심으로 활동한 소피스트와 소크라테스에 의해 전개되었다. 그들은 학문적 관심을 자연에서 인간으로 옮기고, 윤리적 문제를 본격적으로 제기하였다.

① 합리적인 사고와 논변을 중시하였다.

② 사물과 인간의 본질에 대한 관심을 표출하였다.

③ 윤리의 보편성 및 다양성을 둘러싼 논쟁이 펼쳐졌다.

④ 인간의 이성과 경험을 초월한 신화적 세계관을 지향하였다.

⑤ 행복과 같이 인간이 추구해야 할 가치가 무엇인지 탐구하였다.

기출 변형

02 (가)의 고대 서양 사상가 갑, 을의 입장을 (나) 그림으로 표현할 때, A~C에 들어갈 주장으로 가장 적절한 것은?

(가)	갑: 잘 아는 목수가 좋은 목수인 것처럼, 기능이 좋은 목수가 되기 위해서는 많이 알아야 한다. 이와 같이 잘함과 좋음이라는 두 가지 의미를 동시에 가지고 있는 말이 덕이다. 을: 사람들은 그러한 것에 관해서는 그러하다는 것의, 그렇지 않다는 것에 관해서는 그렇지 않다는 것의 기준이다. 달리 말해, 사물들이 나에게는 나에게 보이는 대로, 너에게는 너에게 보이는 대로이다.
(나)	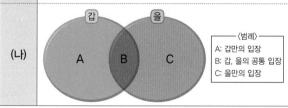

① A: 정의는 보편적 진리가 될 수 없다.

② A: 학문의 주 대상은 인간과 사회가 아닌 자연이다.

③ B: 구체적인 인간 삶의 문제에 관심을 가져야 한다.

④ C: 진리 판단의 근거를 이성적 사고에 두어야 한다.

⑤ C: 세속적 가치보다 자신의 영혼을 돌보는 것을 중시해야 한다.

03 갑에 비해 을의 입장이 가지는 상대적 특징을 그림의 ㉠~㉤ 중에서 고른 것은?

> 갑: 참되게 살려는 자는 욕구를 억제해서는 안 된다. 용기와 지혜로써 이를 충족시켜야 하는데 사람들은 무절제를 부끄러운 것이라고 주장하며 절제와 정의를 칭송한다. 사치, 무절제, 자유가 덕이자 행복이다.
>
> 을: 참되게 살려는 자는 덕이 참된 지혜에서 나온다는 것을 알아야 한다. 영혼의 모든 성찰들은 지혜를 동반하느냐 무지를 동반하느냐에 따라 유익하게도 해롭게도 되기 때문이다.

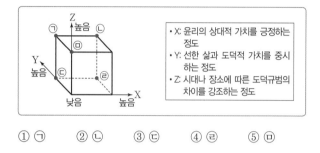

- X: 윤리의 상대적 가치를 긍정하는 정도
- Y: 선한 삶과 도덕적 가치를 중시하는 정도
- Z: 시대나 장소에 따른 도덕규범의 차이를 강조하는 정도

① ㉠   ② ㉡   ③ ㉢   ④ ㉣   ⑤ ㉤

기출 변형

04 고대 서양 사상가 갑, 을의 입장으로 옳은 것은?

> 갑: 아무것도 존재하지 않는다. 만일 어떤 것이 존재한다고 할지라도 우리는 그것을 알 수 없다. 설령 어떤 것을 알 수 있다고 할지라도 그것을 다른 사람에게 전달할 수 없다.
>
> 을: 가장 좋은 상태의 영혼으로서는 모든 일을 훌륭하게 해낼 것임이 필연적이다. 그러므로 올바름은 훌륭함이며 지혜이지만, 올바르지 못함은 나쁨이며 무지이다.

① 갑: 시대와 장소를 초월한 진리를 추구해야 한다.

② 갑: 보편적 진리를 추구하기 위해 자신의 무지를 자각해야 한다.

③ 을: 모든 덕은 참된 앎에서 나오고 모든 악은 무지에서 비롯된다.

④ 을: 인간과 사회보다 자연 현상의 원리를 밝혀내는 데 힘써야 한다.

⑤ 갑, 을: 보편적 이성을 행위의 선악을 판단하는 근거로 삼아야 한다.

02 ~ 덕

A 영혼의 정의와 행복: 플라톤의 윤리 사상

1. 플라톤 세계관의 특징

(1) 소크라테스 사상 계승: 소크라테스의 이성주의적 사상을 계승함 ❶

(2) 이원론적 세계관

① 세계를 현실 세계와 이데아 세계로 구분함

② 이데아(Idea)의 의미와 특징 [자료1]

의미	사물의 불변하는 본질이자 참된 실재로서 완전한 것
특징	• 각각의 사물에는 그것들의 이데아가 있음 ─ **예** 현실에는 수많은 사과가 있지만 그것들을 사과로 부를 수 있게 해 주는 사과의 이데아가 있음 • 최고의 이데아는 **선(善)의 이데아**임 • 인간은 이성으로 선의 이데아를 인식해 참된 진리에 도달할 수 있음

③ 현실 세계와 이데아 세계의 특징

현실 세계(현상계)	이데아 세계(이데아계)
• 끊임없이 변화하는 불완전한 세계 • 감각과 경험을 통해 파악되는 세계 → 가시계	• 완전하고 영원불변하는 세계 • 이성을 통해 파악되는 세계 → 가지계

2. 정의와 행복에 관한 플라톤의 사상

⭐(1) 정의로운 인간과 국가의 모습

① 정의로운 인간의 모습

• 플라톤은 인간의 영혼을 이성, 기개, 욕구로 구분함 → 영혼 삼분설 [자료2]
• 이성은 지혜, 기개는 용기, 욕구는 절제의 덕이 요구됨 ❷
• 이성이 욕구와 기개를 다스려 지혜, 용기, 절제의 세 가지 덕이 조화를 이룰 때 인간의 영혼에서 정의의 덕이 실현됨

② 정의로운 국가의 모습

• 플라톤은 국가의 구성원을 세 가지 계급으로 구분함 ❸

통치 계급	• 나라 전체의 운명을 좌우하는 정책을 결정하고 집행함 • 지혜의 덕이 요구됨
군인 계급(방위자)	• 나라를 지키기 위해 적들에 맞서 용감히 싸움 • 용기의 덕이 요구됨
생산 계급	• 노동을 통해 공동체의 물건을 생산하고 유통함 • 절제의 덕이 요구됨(세 계급에게 모두 필요함)

• 선의 이데아에 대한 지혜를 갖춘 철학자가 국가를 통치해야 한다고 주장함 → **철인(哲人) 통치론** [자료3]
• 철인이 통치하고 세 계급이 각자의 역할을 잘 수행해 조화를 이룬 국가를 정의롭고 이상적인 국가로 봄

(2) 행복한 삶을 이루기 위한 방법

① 보편적 진리를 탐구하고 이성으로 기개와 욕구를 다스려야 함

② 영혼의 각 부분이 각자의 역할을 하면서 조화를 이루고 국가 구성원이 각자 맡은 일에 최선을 다하고 조화를 이루어야 함

자료 1 플라톤의 이데아론

지하 동굴에는 어릴 적부터 팔과 다리, 목이 묶여 동굴 입구를 등진 채 살아가는 사람들이 있다. … 만약 그들 중 하나가 풀려나서 불빛을 쳐다본다면, 그 순간 눈이 아파 큰 고통을 느낄 것이다. 하지만 이내 그의 눈은 불빛에 적응할 것이고, 그리하여 동굴을 탈출한다면 그는 동굴 밖의 환한 세상을 보게 될 것이다. 동굴 밖의 세상을 본 그는 다시 동굴로 돌아와 사람들을 동굴 밖으로 인도하려 할 것이다.   – 플라톤, "국가"

| 자료 분석 | 플라톤은 이데아론을 동굴의 비유로 설명하였다. 이 비유에서 참된 세계는 동굴 밖의 세상이며, 세상을 비추는 태양이 선의 이데아이다. 한편 우리가 보는 세계는 태양에 의해 동굴 안에 생기는 그림자의 세계에 불과하다. 그림자는 이데아를 어느 정도 반영하지만, 이데아 자체는 아닌 것이다.

한줄 핵심 ▶ 플라톤은 그림자의 세계에서 벗어나 참된 실재인 이데아의 세계로 나아가야 한다고 보았다.

❶ 플라톤은 이데아론을 동굴의 비유를 통해 설명하였다. ☐○ ☐×

❷ 플라톤에 의하면 동굴 안의 그림자 세계가 참된 세계이다. ☐○ ☐×

자료 2 플라톤이 보는 영혼의 이상적인 상태

우리 인간의 영혼은 마차에 비유할 수 있다. 마차를 끄는 두 마리의 말이 있는데, 한 마리는 흰 말이고, 또 한 마리는 검은 말이다. 흰 말은 말을 잘 듣는 좋은 말이지만, 검은 말은 성질이 고약하여 채찍을 들어야만 겨우 말을 듣는 말이다. 마차가 힘차게 잘 달리기 위해서는 마부가 가야 할 방향을 잘 정해 두 마리 말 모두를 잘 다루어야 한다. 인간의 영혼 역시 이처럼 이성(마부)이 기개(흰 말)와 욕구(검은 말)를 잘 다스릴 때 이상적 상황이 된다.
– 플라톤, "파이드로스"

| 자료 분석 | 플라톤은 인간의 영혼을 흰 말(기개)과 검은 말(욕망)이 끄는 마차에 비유하였다. 그는 마부(이성)가 두 마리 말을 잘 부려야 목적지에 도달하는 것처럼 기개와 욕구가 이성의 다스림을 받아 조화를 이룰 때 인간의 영혼은 정의의 덕을 갖출 수 있으며 행복한 삶을 살 수 있다고 보았다.

한줄 핵심 ▶ 플라톤은 인간의 영혼이 이성의 다스림 아래 기개와 욕망이 서로 조화를 이루어야 이상적 상태가 된다고 주장하였다.

❸ 플라톤은 인간의 영혼은 이성의 다스림 아래 기개와 욕구가 조화를 이루어야 한다고 보았다. ☐○ ☐×

자료 3 플라톤의 철인 통치론

철학자들이 나라의 왕이 되지 않거나, 현재의 왕이나 다스리는 자가 참된 지혜를 사랑하지 않는 한, 모든 나라나 인류에게 나쁜 것들이 완전히 사라지는 일은 없다.   – 플라톤, "국가"

| 자료 분석 | 플라톤은 지혜, 용기, 절제, 정의의 덕을 모두 갖춘 가장 이상적 인간인 철학자를 모범으로 본받아야 한다고 말하면서, 지혜로운 철학자가 통치자가 되거나 통치자가 철학자가 되어 국가를 다스리는 철인 정치를 주장하였다.

한줄 핵심 ▶ 플라톤은 철인이 국가를 다스리는 철인 통치를 주장하였다.

❹ 플라톤은 지혜를 갖춘 철인이 국가를 다스릴 것을 주장하였다. ☐○ ☐×

○ ❹
○ ❸ (세계다 된참 이것 세계 는
지그림자)× ❷ ○ ❶ **정답**

❹ 목적론
모든 사물은 목적이 있고 목적을 실현하기 위해 존재한다는 이론이다.

❺ 최고선(最高善)
인간 행위의 최고 목적과 이상이 되며 행위의 근본 기준이 되는 선이다.

❻ 아리스토텔레스의 영혼 구분

– 아리스토텔레스, "니코마코스 윤리학"

⭐ **한눈에 정리**

아리스토텔레스의 지적인 덕과 품성적 덕

지적인 덕	이성을 탁월하게 발휘하여 얻는 탁월성 예 실천적 지혜
품성적 덕	감정이나 행위가 중용을 따르는 품성 상태 예 용기, 절제, 정의

❼ 실천적 지혜
자신에게 좋고 유익한 것을 잘 숙고하여 일상생활에서 중용을 판별하는 데 도움을 주는 도덕 판단 능력을 뜻한다. 실천적 지혜는 품성적 덕을 형성하는 데 직접적 영향을 미쳐 인간의 감정과 행위를 변화시킬 수 있다는 특징이 있다.

❽ 현대 덕 윤리
현대 덕 윤리는 '어떻게 행위 해야 하는가?'가 아니라 '어떤 인간이 되어야 하는가?'를 윤리학의 핵심 주제로 삼는 행위자 중심의 윤리이다. 또한 공동체주의를 강조해 개인의 선택보다 공동체의 역사와 전통을 중시한다.

B 이론과 실천의 탁월성과 행복: 아리스토텔레스의 윤리 사상

1. 아리스토텔레스 세계관의 특징

(1) **플라톤 사상 계승**: 소크라테스와 플라톤의 전통을 이어받아 인간의 이성을 중시하는 윤리 사상을 전개함

(2) **현실주의적 세계관**

① 플라톤에 비해 현실 중시 → 현실 세계와 이데아 세계를 구분하는 플라톤을 비판함

② 세계는 개별적인 실체들로 이루어진 하나의 세계이며, 선(善)은 현실 세계에 존재한다고 봄
　　　└─ 예 실재하는 것과 그것을 실재하도록 하는 것은 분리될 수 없다고 봄 ❹

(3) **목적론적 세계관**
　　　　　　　　　　　　　　　예 의술은 병의 예방이나 치료, 장사는 부의 증진이 목적임

① 세상의 모든 것에는 목적이 있으며, 인간의 모든 행위에도 목적이 있음

② 인간의 모든 행위는 선(善)을 목적으로 함 → 인간 행위의 궁극적 목적인 최고선은 ❺ 행복(eudaimonia)임

2. 행복과 덕에 관한 아리스토텔레스의 사상

(1) **행복론** 자료 4

① 행복의 의미: 덕(德)에 따른 영혼의 활동 ❻

② 진정한 행복: 탁월성으로서의 덕을 갖춘 삶을 통해 얻을 수 있음

(2) **덕(탁월성)론**

① 덕의 의미: 인간의 고유한 기능인 이성이 탁월하게 발휘되는 상태

② 덕의 구분 ┌─ 왜 아리스토텔레스는 인간의 영혼에 이성적 부분과 비이성적 부분이 있듯이 덕에도 지적인 덕과 품성적 덕이 있다고 봄

지적인 덕 (지성적 덕)	• 영혼의 이성적 부분과 관련된 덕 예 ❼ 실천적 지혜, 철학적 지혜 • 실천적 지혜: 각 상황에서 어떤 행동이 중용인지 알려 줌 → 품성적 덕을 갖추기 위한 필수 요소 • 지적인 덕은 주로 교육을 통해 길러지며, 품성적 덕의 형성에 영향을 미침
품성적 덕 (도덕적 덕)	• 영혼의 감각과 욕구의 기능이 이성에 귀를 기울이고 이성의 명령에 따를 때 얻을 수 있는 덕 예 용기, 절제, 정의 • 과도함과 부족함 사이의 적절한 상태인 중용을 특성으로 함 자료 5 • 품성적 덕을 쌓으려면 지속적인 도덕적 실천을 통해 도덕적 행동을 습관화해야 함

③ 덕의 실현 ┌─ 왜 의지가 나약하고 자제력이 결핍된 상태에서는 어떤 행위가 좋은 줄 알면서도 행하지 않거나 어떤 행위가 나쁜 줄 알면서도 저지를 수 있기 때문임

• 덕을 실현하려면 덕에 대한 앎과 함께 실천할 수 있는 의지가 필요함

• 덕을 실현하려면 공동체 구성원으로서 사회적 책무에 충실해야 함 → 사회적 측면 강조

(3) **영향**: 행위자의 품성을 중시하는 현대 덕 윤리로 계승됨 ❽ 자료 6

3. 플라톤과 아리스토텔레스의 윤리 사상 비교

구분	플라톤	아리스토텔레스
공통점	• 덕 있는 삶을 살 때 행복한 삶을 살 수 있다고 봄 • 이성이 욕망을 적절히 통제해야 덕 있는 인간이 될 수 있다고 봄 • 그리스도교 사상가들에게 수용됨	
차이점	이상주의적 세계관 → 참된 진리는 이데아 계에 있음	현실주의적 세계관 → 현실 세계에 진리가 존재함
영향	데카르트, 칸트 등 이성을 중시한 사상가들에게 영향을 미침	근대 경험주의와 현대 덕 윤리에 영향을 미침

자료4 아리스토텔레스의 행복론

행복은 모든 것 가운데 가장 바람직한 것이요, 이러한 선(善)들 중에서 최고의 선이다. 따라서 행복은 궁극적이고 자족적이며, 모든 행동의 목적이라고 할 수 있다. … 인간의 기능을 훌륭하게 수행하는 것은 바로 이성적 활동을 잘 수행하는 것이다. 어떠한 활동이 잘 수행되는 것은 그것에 알맞은 덕을 가지고 수행될 때이다. 그러므로 행복이란 덕과 일치하는 정신의 활동이라고 할 수 있다. – 아리스토텔레스, "니코마코스 윤리학"

| 자료 분석 | 아리스토텔레스는 진정한 행복에 도달하려면 덕 있는 삶을 살아야 한다고 주장하였다. 그에 따르면 덕은 인간의 고유한 기능을 탁월하게 발휘하는 것인데, 이 고유한 기능이 바로 이성이다. 따라서 인간이 행복해지기 위해서는 이성을 잘 발휘해야 한다고 말하였다.

한줄 핵심 아리스토텔레스는 인간이 행복해지려면 고유한 기능인 이성을 잘 발휘해야 한다고 보았다.

❺ 아리스토텔레스는 인간이 행복해지기 위해서는 감각적 경험에 의존해야 한다고 보았다. ○ ✕

자료5 아리스토텔레스의 중용

두려움과 대담함에 관련해서는 용기가 중용이다. 두려움이 전혀 없는 사람도 지나친 사람이고, 무모한 사람도 대담함이 지나친 사람이다. 반면 지나치게 두려워하며 대담함이 모자란 사람은 비겁한 사람이다. – 아리스토텔레스, "니코마코스 윤리학"

| 자료 분석 | 아리스토텔레스가 말하는 중용은 과도함과 부족함 사이의 중간으로, 양극단 사이의 산술적 중간이 아니라 그 상황에서 가장 적절한 선택을 뜻한다. 그래서 사람, 때, 장소, 목적 등 각자가 처한 상황에 따라 중용에 따른 행동은 다를 수 있다. 아리스토텔레스는 무엇이 중용에 따른 행동인지를 파악하는 과정에서 실천적 지혜가 필요하다고 주장하였다.

한줄 핵심 아리스토텔레스의 중용은 산술적 평균이 아니라 그 상황에서 가장 적절한 최선을 뜻한다.

❻ 아리스토텔레스가 말하는 중용은 산술적 중간점을 뜻한다. ○ ✕

자료6 아리스토텔레스와 현대 덕 윤리

삶 속에서 우리는 특정한 제한에 예속되어 있다. 우리는 우리가 스스로 설치하지 않은 무대 위에 나아간다. … 나는 이 도시 또는 저 도시의 시민이다. 나는 이 씨족에 속하고, 저 부족에 속하며, 이 민족에 속한다. 그렇기 때문에 나에게 좋은 것은 이러한 역할을 담당하는 누구에게나 좋아야 한다. 이러한 역할의 담지자로서, 나는 나의 가족, 나의 부족, 나의 민족으로부터 다양한 부채와 유산, 정당한 기대와 책무들을 물려받는다. 그것들은 나의 삶의 주어진 사실과 나의 도덕적 출발점을 구성한다. – 매킨타이어, "덕의 상실"

| 자료 분석 | 도덕적 실천과 품성을 강조한 아리스토텔레스의 윤리 사상은 현대 덕 윤리로 계승되었다. 현대 덕 윤리에 따르면 인간은 그가 속한 공동체가 발전시켜 온 도덕적 전통의 가치와 중요성으로부터 분리될 수 없다. 또한 공동체가 합의하고 공유하는 덕은 개인의 행동을 판단하는 기준이자 공동선을 실현하는 윤리적 방편이 된다.

한줄 핵심 현대 덕 윤리는 아리스토텔레스의 윤리 사상을 계승해 공동체의 가치와 중요성을 강조한다.

❼ 아리스토텔레스의 윤리 사상은 현대 덕 윤리로 계승되었다. ○ ✕

정답 ❺ ✕(이성의 발휘) ❻ ✕(상황에 따른 중용) ❼ ○

플라톤과 아리스토텔레스의
윤리 사상 비교하기

관련 문제 ▶ 119쪽 07번

수능풀 Guide

이 단원에서는 플라톤과 아리스토텔레스의 윤리 사상을 비교하는 문제가 출제된다. 두 사상가의 공통점과 차이점을 비교해서 알아 두자.

플라톤		아리스토텔레스
본질은 이데아 세계에 있음	**세계관**	본질은 각각의 현실 속에 내재함
지혜, 용기, 절제의 덕이 조화되면 정의의 덕이 실현됨	**덕**	지적인 덕: 교육을 통해 형성 품성적 덕: 도덕적 행동의 습관화로 형성

공통점
• 소크라테스의 이성 중심 사상 계승 → 이성의 발휘를 통한 덕의 추구를 강조함 • 행복과 덕이 밀접하게 연관되어 있다고 봄

기출 자료 익히기

윤사 공부법, 하나!
자료를 보고 어떤 사상가나 사상의 입장인지 유추하는 훈련하기

자료1 플라톤

• 모든 존재와 인식의 근거가 되는 초월적 실재인 이데아가 존재하며 이데아의 세계에 진리가 존재한다.
└ 이데아론 → 플라톤

• 덕 중에서 용기나 지혜는 국가의 한 부분에만 있어도 되지만, 절제는 나라 전체에 걸쳐 있어야 한다. 이 세 가지 덕이 모두 갖추어진 나라는 정의로운 국가이다.
용기, 지혜, 절제의 덕이 조화를 이룰 때 └ 정의의 덕이 실현됨 → 플라톤

자료2 아리스토텔레스

• 인간의 궁극적 목적은 최고선이며, 최고선은 행복이다. 행복은 덕과 일치하는 정신의 활동이다.
└ 인간의 최고선을 행복으로 봄 → 아리스토텔레스

• 덕은 마땅한 목적을 위해, 마땅한 때에, 마땅한 방식으로, 마땅한 일을 해야 하는 것으로 모자람과 지나침 사이에 있는 것이다.
└ 중용을 뜻함 → 아리스토텔레스

기출 선택지 익히기

윤사 공부법, 둘!
선택지가 어떤 사상가나 사상의 입장인지 파악하는 훈련하기

다음 내용이 플라톤에 해당하면 '플', 아리스토텔레스에 해당하면 '아', 둘다 해당하면 '플아'라고 쓰시오.

❶ 선의 이데아는 만물의 원인이다. (　　　)
❷ 도덕적 진리의 근원이 현실 세계에 존재한다. (　　　)
❸ 지혜의 덕을 갖춘 사람이 통치자가 되어야 한다. (　　　)
❹ 정의란 지혜, 용기, 절제가 조화를 이룬 상태이다. (　　　)
❺ 행복하게 살기 위해서 좋음에 대한 객관적 앎이 있어야 한다. (　　　)
❻ 도덕 판단의 기초인 실천적 지혜는 품성의 덕을 위한 필수조건이다. (　　　)

정답 ❶ 플 ❷ 아 ❸ 플 ❹ 플 ❺ 플아 ❻ 아

A 영혼의 정의와 행복

01 빈칸에 알맞은 말을 쓰시오.

> 플라톤이 주장한 (   )은/는 사물의 불변하는 본질이나 참된 실재로서 완전한 것을 의미하며, 모든 존재와() 인식의 근거가 되는 영원하며 초월적인 실재를 말한다.

02 플라톤이 구분한 영혼과 그에 요구되는 덕을 바르게 연결하시오.

(1) 기개 •　　　　　　　　　• ㉠ 용기
(2) 이성 •　　　　　　　　　• ㉡ 지혜

03 다음 내용이 맞으면 ○표, 틀리면 ×표를 하시오.

(1) 플라톤은 생산자가 국가를 다스려야 한다고 보았다. 　　　　　　　　(　　)
(2) 플라톤은 세계를 현실 세계와 이데아의 세계로 구분하였다. 　　　　　(　　)
(3) 플라톤은 이성을 통해 얻은 진리에 따라 살아갈 때 행복해진다고 보았다. (　　)
(4) 플라톤은 현실에 존재하는 것은 이데아를 모방한 불완전한 것으로 보았다. (　　)
(5) 플라톤은 소크라테스를 계승하여 덕 있는 삶을 살 때 행복을 누릴 수 있다고 보았다.
　　　　　　　　　　　　　　　　　　　　　　　　　　　　　　　　　　　(　　)

B 이론과 실천의 탁월성과 행복

04 빈칸에 알맞은 말을 쓰시오.

(1) 아리스토텔레스에 의하면 행복은 덕에 따른 □□의 활동이다.
(2) 아리스토텔레스는 선(善)은 이데아의 세계가 아닌 □□ 세계에 존재한다고 보았다.

05 아리스토텔레스가 구분한 덕과 그에 따른 설명을 바르게 연결하시오.

(1) 지적인 덕 •　　　　• ㉠ 중용을 특징으로 하며 지속적 실천을 통해 쌓을 수 있음
(2) 품성적 덕 •　　　　• ㉡ 영혼의 이성적 부분과 관련된 것으로 교육을 통해 길러짐

06 다음 내용이 맞으면 ○표, 틀리면 ×표를 하시오.

(1) 아리스토텔레스는 인간의 최고선을 행복이라고 보았다. 　　　　　　(　　)
(2) 아리스토텔레스에 의하면 품성적 덕은 선천적으로 타고나는 것이다. 　(　　)
(3) 아리스토텔레스는 실천적 지혜를 품성적 덕을 갖추기 위한 필수적인 요소로 보았다.
　　　　　　　　　　　　　　　　　　　　　　　　　　　　　　　　　　　(　　)
(4) 아리스토텔레스의 윤리 사상에 영향을 받은 현대 덕 윤리는 행위가 아닌 행위자 중심의 윤리를 개진한다. 　　　　　　　　　　　　　　　　　　　　　(　　)

A 영혼의 정의와 행복

01 플라톤의 입장으로 옳은 것은?

① 국가의 최고 권력이 국민에게 있어야 한다.

② 선의 이데아를 모방하는 삶을 살아야 한다.

③ 감각적 경험을 가치 판단의 기준으로 삼아야 한다.

④ 인간의 덕은 품성적 덕과 지적인 덕으로 구분된다.

⑤ 현실에 있는 참된 실재를 발견하고 선행을 실천해야 한다.

02 ㉠에 대한 옳은 설명만을 〈보기〉에서 고른 것은?

> 플라톤에 따르면, 세계는 감각적이고 불완전한 현상의 세계인 현상계와 현상계의 원형이라고 할 수 있는 영원하고 완전한 세계인 [㉠] 세계로 구분할 수 있다.

보기
ㄱ. 현실 세계의 사물을 뜻한다.
ㄴ. 오직 이성에 의해 파악될 수 있다.
ㄷ. 사물의 불변하는 본질이자 참된 실재이다.
ㄹ. 동굴의 비유에서 그림자에 해당되는 것이다.

① ㄱ, ㄴ   ② ㄱ, ㄷ   ③ ㄴ, ㄷ
④ ㄴ, ㄹ   ⑤ ㄷ, ㄹ

03 그림은 노트 필기의 일부이다. ㉠~㉤ 중 옳지 않은 것은?

> 〈플라톤이 제시한 인간관과 국가관〉
> **1. 인간관**
> • 인간의 영혼을 이성, 기개, 욕구로 구분하였음 ········· ㉠
> • 이성은 지혜, 기개는 용기, 욕구는 절제의 덕이 요구됨 ······· ㉡
> • 지혜, 용기, 절제의 덕이 조화를 이룰 때 정의의 덕이 실현될 수 있음 ········· ㉢
> **2. 국가관**
> • 국가의 구성원을 통치자, 군인, 생산자의 세 계급으로 구분함 ········· ㉣
> • 선의 이데아에 대한 지혜를 갖춘 일반 백성을 중심으로 민주주의 정치가 실현되는 국가를 지향함 ········· ㉤

① ㉠   ② ㉡   ③ ㉢   ④ ㉣   ⑤ ㉤

04 ㉠~㉣에 들어갈 내용을 바르게 연결한 것은?

> 플라톤은 국가 구성원을 통치자, 군인, 생산자의 세 계급으로 나누었다. 통치자는 [㉠]의 덕을, 군인은 [㉡]의 덕을, 생산자는 [㉢]의 덕을 갖추어야 한다고 보았다. 그리고 이들이 조화롭게 국가를 이룰 때, 국가는 [㉣]의 덕을 실현할 수 있다고 주장하였다.

	㉠	㉡	㉢	㉣
①	절제	정의	용기	정의
②	정의	용기	절제	지혜
③	정의	절제	지혜	용기
④	지혜	용기	절제	정의
⑤	지혜	용기	정의	절제

05 다음을 주장한 고대 서양 사상가의 입장에서 긍정의 대답을 할 질문으로 가장 적절한 것은?

> 모든 국가나 인류에게서 나쁜 것들이 완전히 사라지는 일은 없다. 철인들이 군주가 되거나, 아니면 현재의 군주 또는 지배자들이 참된 지혜를 사랑하지 않는 한 말이다. 그렇게 되기 전에는 이상 국가는 결코 햇빛을 보지 못할 것이다.

① 각자가 지각한 것이 진리와 지식의 척도인가?

② 도덕적 실천은 도덕적 앎이 없어도 가능한가?

③ 철학과 정치권력이 하나로 결합되어야 하는가?

④ 민주적 절차에 따라 정치권력을 부여해야 하는가?

⑤ 국가 구성원의 역할을 필요에 따라 바꿀 수 있는가?

B 이론과 실천의 탁월성과 행복

06 다음을 주장한 고대 서양 사상가의 입장에서 긍정의 대답을 할 질문만을 〈보기〉에서 고른 것은?

> 행복은 모든 것 가운데 가장 바람직한 것이요, 이러한 선(善)들 중 최고의 선이다. 따라서 행복은 궁극적이고 자족적이며, 모든 행동의 목적이라고 할 수 있다. 무엇이 행복인지를 알려면 인간의 기능에 대해서 생각해 보아야 한다. 인간만이 지닌 특별한 기능은 정신의 이성적 활동 능력이다.

> **보기**
> ㄱ. 유덕한 삶과 행복한 삶은 별개의 것인가?
> ㄴ. 덕의 실천을 위해 반드시 이성이 필요한가?
> ㄷ. 인간의 모든 행위는 궁극적 목적을 지향하는가?
> ㄹ. 모든 덕은 행위를 지속적으로 습관화해 형성되는가?

① ㄱ, ㄴ   ② ㄱ, ㄷ   ③ ㄴ, ㄷ
④ ㄴ, ㄹ   ⑤ ㄷ, ㄹ

07 다음을 주장한 고대 서양 사상가의 입장으로 가장 적절한 것은?

> 마땅히 그래야 할 때, 마땅히 그래야 할 사람들에 대해, 마땅히 그래야 할 목적을 위해서, 마땅히 그래야 할 방식으로 감정을 갖는 것은 중용이자 최선이며 바로 그런 덕에 속한다.

① 품성적 덕과 지적인 덕은 연관성이 없다.
② 사람은 공동체를 벗어날 때 비로소 자아실현을 할 수 있다.
③ 중용의 상태를 파악하기 위해서는 실천적 지혜가 필요하다.
④ 덕에 관한 지식을 갖춘 사람은 절대 비도덕적 행위를 할 수 없다.
⑤ 중용의 덕은 누구나 타고나는 성품으로서 지속적으로 실현되는 덕이다.

08 그림은 노트 필기의 일부이다. ㉠~㉤ 중 옳지 않은 것은?

> 〈아리스토텔레스의 덕의 구분〉
> **1. 지적인 덕**
> • 영혼의 이성적 부분과 관련됨 ·············· ㉠
> • 교육을 통해 얻어지고 길러짐 ·············· ㉡
> • 대표적 예로 용기, 절제, 정의 등이 있음 ········ ㉢
> **2. 품성적 덕**
> • 중용의 반복적 실천을 통해 형성됨 ·········· ㉣
> • 영혼의 감정이나 욕구 부분과 관련됨 ········· ㉤

① ㉠   ② ㉡   ③ ㉢   ④ ㉣   ⑤ ㉤

09 현대 덕 윤리에 대한 설명으로 옳은 것은?

① 소피스트의 윤리 사상을 계승한다.
② 공동체의 도덕적 전통과 가치를 중시한다.
③ '어떻게 행위 해야 하는가'에 초점을 둔다.
④ 개인의 품성과 습관화 사이의 연관성을 거부한다.
⑤ 현실 세계를 초월한 세계에서의 진리 추구를 강조한다.

서답형 문제

10 다음 글을 읽고 물음에 답하시오.

> 아리스토텔레스는 덕을 인간의 고유한 기능인 이성을 탁월하게 발휘하는 상태라고 보았다. 그는 인간의 영혼을 이성적 부분과 비이성적 부분으로 구분하고, 덕도 이성을 탁월하게 발휘해 얻을 수 있는 ㉠ 와/과 인간의 감정이나 행위가 중용을 따르는 품성적 상태인 ㉡ (으)로 구분하였다.

(1) ㉠과 ㉡에 들어갈 용어를 각각 쓰시오.

㉠: (   ), ㉡: (   )

(2) ㉠과 ㉡의 관계를 서술하시오.

01 다음을 주장한 고대 서양 사상가가 긍정의 대답을 할 질문으로 가장 적절한 것은?

> 꽃의 모습은 다양하지만, 우리가 꽃이라고 말할 수 있기 위해서는 영원히 변하지 않는 꽃의 실재를 전제해야만 하는 것과 마찬가지로, 시시각각 변하는 감각 세계와는 근본적으로 다른 본질적 세계가 존재한다.

① 행복한 삶과 덕은 별개인가?
② 계급 간의 역할 교환은 나라의 해악인가?
③ 참된 앎은 감각과 경험을 통해 파악되는가?
④ 각자가 지각(知覺)한 것이 지식의 척도인가?
⑤ 의지의 굳건함을 통해서만 도덕적 실천을 해 나갈 수 있는가?

02 다음을 주장한 고대 서양 사상가의 관점에만 모두 '✓'를 표시한 학생은?

> 국가의 수호자들은 사유 재산을 가져서는 안 된다. 이들은 공동 식사를 하면서 마치 야영하는 군인들처럼 공동으로 생활해야만 한다. 이들은 영혼 안에 신들이 준 금과 은을 지니고 있으므로 세속의 금과 은을 소유함으로써 그 신성한 소유물을 더럽혀서는 안 된다.

번호	관점＼학생	갑	을	병	정	무
(1)	이데아계에 사물의 참모습이 존재한다.	✓		✓	✓	✓
(2)	정의의 덕을 갖춘 사람은 행복할 수 있다.		✓	✓	✓	
(3)	옳고 그름은 객관적으로 판단할 수 없는 것이다.		✓		✓	✓
(4)	통치자, 군인, 생산자의 세 계급은 각자 맡은 역할을 다 해야 한다.	✓		✓		✓

① 갑　② 을　③ 병　④ 정　⑤ 무

03 밑줄 친 '그림자'에 대한 설명으로 옳은 것은?

> 동굴 속에는 동굴 벽만을 바라보도록 사슬로 묶인 죄수들이 있다. 그들 뒤에는 얕은 담장이 있고, 담장 너머로는 동굴을 가로지르는 길이 있으며, 그 길에서 동굴의 입구 쪽으로 조금 떨어진 곳에서는 불이 타오르고 있다. 사람들이 길을 지나다닐 때마다 동굴의 벽면에 갖가지 그림자가 나타나는데, 죄수들은 그 그림자가 진짜 사물들이라고 믿는다.

① 사물의 불변하는 본질이자 실체이다.
② 오직 이성을 통해서만 인식할 수 있는 세계이다.
③ 불변하고 완전한 진리를 담고 있는 세계를 의미한다.
④ 이데아를 어느 정도 반영하지만 이데아 자체는 아니다.
⑤ 모든 존재와 인식의 근거가 되는 초월적인 실재를 의미한다.

기출 변형

04 (가)의 고대 서양 사상가 갑, 을의 입장을 (나) 그림으로 표현할 때, A~C에 들어갈 주장으로 옳은 진술만을 〈보기〉에서 고른 것은?

(가)	갑: 덕은 탁월성으로 정의될 수 있으며, 영혼의 세 부분에 대응하는 각각의 덕은 그 부분들이 자신의 기능을 완전히 실현할 때 이루어진다. 을: 두려움과 대담함에 관련해서는 용기가 중용이다. 두려움이 전혀 없는 사람도 지나친 사람이고, 무모한 사람도 대담함이 지나친 사람이다. 반면 지나치게 두려워하며 대담함이 모자란 사람은 비겁한 사람이다.
(나)	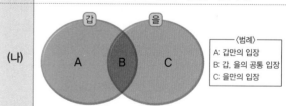 〈범례〉 A: 갑만의 입장 B: 갑, 을의 공통 입장 C: 을만의 입장

〈보기〉
ㄱ. A: 모든 계급의 재산 공유를 실시해야 한다.
ㄴ. B: 보편타당한 진리는 존재한다고 본다.
ㄷ. B: 덕 있는 삶을 살 때 행복을 누릴 수 있다.
ㄹ. C: 품성적인 덕은 타고나는 것이다.

① ㄱ, ㄴ　　② ㄱ, ㄷ　　③ ㄴ, ㄷ
④ ㄴ, ㄹ　　⑤ ㄷ, ㄹ

05 다음을 주장한 고대 서양 사상가의 입장으로 옳은 입장만을 〈보기〉에서 있는 대로 고른 것은?

> 인간적인 좋음은 탁월성에 따른 영혼의 활동일 것이다. 만약 탁월성이 여럿이라면 그중 최상이며 가장 완전한 탁월성에 따르는 영혼의 활동이 인간적인 좋음일 것이다. 더 나아가 그 좋음은 완전한 삶 안에 있을 것이다.

> 보기
> ㄱ. 중용을 유지하기 위해서 정념을 제거해야 한다.
> ㄴ. 악은 의지의 나약함에 의해서도 생겨날 수 있다.
> ㄷ. 공동체 구성원으로서 사회적 책무에 충실해야 한다.
> ㄹ. 마땅한 일에 마땅한 정도로 행동할 때 유덕한 사람이 될 수 있다.

① ㄱ, ㄴ ② ㄱ, ㄷ ③ ㄷ, ㄹ
④ ㄱ, ㄴ, ㄹ ⑤ ㄴ, ㄷ, ㄹ

06 (가)의 고대 서양 사상가 갑, 을의 입장을 (나) 그림으로 탐구할 때, A~C에 들어갈 질문으로 옳지 <u>않은</u> 것은?

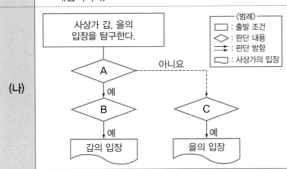

(가)
> 갑: 용기 있는 사람은 두려워해야 할 것과 두려워하지 말아야 할 것에 대한 이성의 지시를 언제나 간직한다. 이성이 기개를 지배하고, 기개는 이성에 복종하며 협력해야 한다.
> 을: 용기 있는 사람은 비겁한 사람에 비해 무모하고, 무모한 사람에 비해 비겁해 보인다. 양극단의 두 성향은 언제나 대립적이며, 중간의 성향은 양극단의 두 성향과 대립적이다.

(나)
> 사상가 갑, 을의 입장을 탐구한다.
> 〈범례〉
> ☐ : 출발 조건
> ◇ : 판단 내용
> → : 판단 방향
> ☐ : 사상가의 입장
> A → 아니요 → C → 예 → 을의 입장
> A → 예 → B → 예 → 갑의 입장

① A: 감각적 쾌락이 가치 판단의 근거가 될 수 있는가?
② B: 덕의 실천을 위해 이성의 역할이 필요한가?
③ B: 무엇이 옳은지 알면 반드시 실천할 수 있는가?
④ C: 의지의 나약함으로 인해 악한 행동을 할 수 있는가?
⑤ C: 품성적 덕은 지속적인 실천과 습관화를 통해 형성되는가?

07 고대 서양 사상가 갑, 을의 입장으로 옳지 <u>않은</u> 것은?

> 갑: 모든 존재와 인식의 근거가 되는 초월적 실재인 이데아가 존재하며 이데아의 세계에 진리가 존재한다.
> 을: 인간 행위의 궁극적 목적은 최고선이며, 최고선은 행복이다. 행복은 덕과 일치하는 정신의 활동이다.

① 갑: 참된 진리를 얻기 위해서는 이성이 중요하다.
② 갑: 선의 이데아에 대한 지식을 갖춘 철학자가 이상 국가를 통치해야 한다.
③ 을: 중용 상태를 파악하기 위해서는 실천적 지혜가 필요하다.
④ 을: 올바른 행위의 반복을 통한 유덕한 성품의 함양을 중시해야 한다.
⑤ 갑, 을: 참된 진리는 이상적인 세계가 아니라 우리가 사는 현실 세계에 존재한다.

08 그림은 고대 서양 사상가들의 가상 대화이다. ㉠에 들어갈 진술로 가장 적절한 것은?

① 세계는 현상계와 이데아계로 구분해야 함
② 이데아가 실재하는 모든 것의 본질이자 실체임
③ 진리는 경험과 감각에 따라 상대적으로 인식되는 것임
④ 선의 이데아를 모방하고 실현하는 삶이 가장 이상적인 삶임
⑤ 실재하는 것과 그것이 실재하도록 하는 것은 분리되어 존재할 수 없음

03 ~ 행복 추구의 방법

A 쾌락의 추구와 평정심: 에피쿠로스학파의 쾌락주의 윤리 사상

1. 헬레니즘 시대의 특징

> 똙 군주가 다스리는 국가에서 살아가는 관리나 백성을 이르는 말

시대적 상황	• 도시 국가(polis)의 해체와 제국의 출현: 사람들이 도시 국가의 시민이 아닌 제국의 신민(臣民)으로 살아가게 됨 → 도시 국가의 구성원이라는 소속감이 약화되면서 개인주의가 등장하였고, 제국의 일원으로서 동질성을 강조하는 세계 시민주의가 등장함 • 정복 전쟁과 정치적 혼란의 지속: 사람들이 안정되고 평온한 삶을 갈망하게 됨
주요 관심	• 행복에 이를 수 있는 방법을 주요 탐구 주제로 삼음 • 평온한 삶을 추구하는 것에 관심을 가짐
대표 학파	• 에피쿠로스학파: 평정심을 통해 행복에 이르고자 함 • 스토아학파: 부동심을 통해 행복에 이르고자 함

2. 에피쿠로스학파의 쾌락주의 윤리 사상

(1) 에피쿠로스학파의 윤리 사상의 특징

① **쾌락주의 입장 제시**
• 쾌락은 유일한 선이며 고통은 유일한 악이라고 전제함
• 쾌락은 행복한 삶의 시작이자 끝이라는 쾌락주의 입장을 제시함

② **지속적·정신적 쾌락 추구**
• 감각적이고 순간적인 쾌락을 추구하는 삶은 우리를 쾌락의 역설에 빠뜨려 오히려 고통을 초래할 수 있다고 경고함 ❷
• 욕망의 적극적인 충족에 따른 쾌락이 아니라 이성과 지혜로 고통을 제거할 때 얻어지는 쾌락을 추구함 → 소극적 쾌락주의
• 몸의 고통과 마음의 불안이 모두 소멸한 상태의 지속으로 주어지는 정신적 쾌락을 추구함 → 평정심, 아타락시아 ❸

(2) 에피쿠로스학파가 제시한 평정심에 이르는 방법

① **자연적이고 필수적인 욕망의 추구**
• 욕망을 자연적이고 필수적인 욕망, 자연적이나 필수적이지 않은 욕망, 자연적이지도 필수적이지도 않은 욕망으로 구분함 [자료 1] ┌ 예 호화로운 식사가 아니라 검소한 식사로 건강을 유지하는 소박한 삶
• 자연적이고 필수적인 욕망를 충족하는 소박한 삶을 살아야 한다고 주장함

② **잘못된 생각 제거**: 신, 운명, 죽음 등에 대한 잘못된 믿음을 제거하면 마음의 불안이 없어지고 평온함에 이를 수 있다고 봄 [자료 2]

③ **공적인 삶에서 벗어난 은둔 생활**
• 공적으로 맺은 인간관계가 고통과 불안을 일으킬 수 있다고 봄
• 사적인 공간에서 친구들과 우정을 나누며 사는 삶을 권장함

3. 에피쿠로스학파의 윤리 사상이 미친 영향

에피쿠로스학파의 윤리 사상의 특징	영향을 받은 윤리 사상
감각적 경험 중시	근대 경험론
쾌락을 행복으로 보는 관점	공리주의

자료1 에피쿠로스가 제시한 욕망의 세 가지 유형

욕망 중 어떤 것은 ㉠자연적인 동시에 필수적이며(고통을 제거하려는 욕망, 가령 목이 마를 경우 물을 마시려는 욕망), 다른 것은 ㉡자연적이기는 하지만 필수적이지는 않고(쾌락의 형태만 바꿀 뿐 고통을 없애 주지는 못하는 욕망), 또 다른 것은 ㉢자연적이지도 않고 필수적이지도 않으며, 다만 헛된 생각에 의해 생겨난다(가령 동상을 세우려는 욕망). 자연적이기는 하지만, 그것이 충족되지 않더라도 고통을 가져오지 않는 욕망을 충족하기 위해 애를 쓰는 경우를 생각해 보자. 이런 쾌락은 헛된 생각으로부터 생겨나며, 이런 쾌락을 몰아낼 수 없는 까닭은 그 쾌락의 본성 때문이 아니라 사람들의 헛된 생각 때문이다.

– 에피쿠로스, "쾌락"

❶ 에피쿠로스는 욕망을 두 가지로 구분하였다.
⃞○ ⃞×

❷ 에피쿠로스는 자연적이면서 필수적인 욕망을 최소한으로 추구해야 한다고 주장하였다.
⃞○ ⃞×

| **자료 분석** | 에피쿠로스는 욕망을 자연적인 동시에 필수적인 욕망, 자연적이지만 필수적이지는 않은 욕망, 자연적이지도 필수적이지도 않은 욕망의 세 유형으로 구분하였다. 그리고 필수적이지 않은 욕망들은 충족하지 않아도 고통을 일으키지 않으며 오히려 충족할수록 고통을 낳는다고 보고, 자연적이고 필수적인 욕망을 최소한으로 충족할 것을 주장하였다.

욕망	예	대처 방법
㉠ 자연적인 동시에 필수적인 욕망	음식이나 수면에 대한 욕구	최소한으로 충족해야 함
㉡ 자연적이지만 필수적이지 않은 욕망	성적 욕구	극복해야 함
㉢ 자연적이지도 필수적이지도 않은 욕망	부, 명예, 권력에 대한 욕구	

한줄 핵심 에피쿠로스는 참된 쾌락을 누리려면 자연적이고 필수적인 욕망을 최소한으로 충족할 것을 강조하였다.

자료2 죽음에 관한 에피쿠로스의 입장

┌ 인간은 살아서도 죽어서도 죽음을 경험할 수 없다는 뜻
죽음은 우리에게 아무것도 아니다. 왜냐하면 우리가 존재하는 한 죽음은 존재하지 않으며, 죽음이 존재하면 우리는 더 이상 존재하지 않는다. 따라서 죽음은 산 자에게도 죽은 자에게도 아무 상관이 없다. 산 자에게는 죽음이 없으며, 죽은 자는 더 이상 존재하지 않기 때문이다.

– 에피쿠로스, "쾌락"

❸ 에피쿠로스는 미리 죽음을 두려워해 고통을 느낄 필요가 없다고 보았다.
⃞○ ⃞×

| **자료 분석** | 에피쿠로스에 따르면 우리는 살아 있을 때에는 죽음을 경험할 수 없고, 죽었을 때에는 감각이 상실되므로 죽음을 경험할 수 없다. 따라서 미리 죽음을 두려워함으로써 고통을 느낄 필요가 없으며 죽음의 공포에서 벗어나야 한다고 강조하였다.

한줄 핵심 에피쿠로스는 인간은 죽음을 경험할 수 없기에 죽음을 두려워할 필요가 없다고 보았다.

○ **❸** ○ **❷** (룡수七 쿰)
|ᆽ|ᘮ ᅢᆽ 릉욤ᇰᆼ)× **❶** **넙ᇰᆹ**

❹ 이성(logos)
스토아학파에서 이성은 만물의 본질이자 만물의 생성과 변화를 이끌어 가는 힘으로, 신, 자연 등으로 표현되기도 한다.

B 금욕과 부동심: 스토아학파의 금욕주의 윤리 사상

1. 스토아학파 세계관 특징 자료3

이성주의	• 이 세계는 질서 있는 하나의 전체이고 신적인 이성이 이 세계 안에서 일어나는 모든 것을 지배함❹ • 신, 우주, 자연, 인간과 같은 세계의 모든 일은 이성으로 연결되어 있고, 이성의 법칙으로 구체화됨
결정론	• 세계의 모든 일은 이성의 인과 법칙에 따라 필연적으로 발생하며 그것은 우리에게 운명으로 다가옴 • 우리가 조절할 수 있는 것은 내면의 동기나 의지임

2. 스토아학파의 금욕주의 윤리 사상

★ 한눈에 정리

스토아학파의 금욕주의 윤리 사상

특징	• 정념에 초연한 태도 강조 • 부동심 추구
부동심에 이르는 방법	• 이성에 따르는 삶 • 운명에 순응하는 삶 • 자연법에 따르는 삶

(1) 스토아학파의 윤리 사상의 특징

① **금욕주의 입장 제시** ┌ **뜻** 욕구와 욕망을 억제하고 금함
• 욕망과 감정으로부터 벗어날 것을 강조하는 금욕주의의 입장을 제시함
• 행복한 삶을 위해 정념에 초연한 태도를 지닐 것을 강조함❺
② **부동심 추구**: 정념에서 해방되어 어떤 상황에서도 동요하지 않는 정신 상태를 추구함❻
→ 부동심, 아파테이아

(2) 스토아 학파가 제시한 부동심에 이르는 방법 자료4

① **이성에 따르는 삶**: 자연의 필연적 질서에 따르는 삶이자 신의 섭리와 예정에 따르는 삶을 살아야 함
② **운명에 순응하는 삶**: 자연의 모든 일은 신에 의해 운명지어짐 → 자신에게 주어진 상황과 조건을 변화시키기보다 운명으로 받아들여야 함
③ **자연법에 따르는 삶**: 자연법의 내용으로 가족, 친구, 동료 시민, 인류 전체에 대한 사랑 제시 → 각 개인은 사회적 역할과 인류의 공동선 실현 의무를 다해야 한다고 주장함❼

❺ 정념
스토아학파가 말하는 정념은 외부의 자극으로 일어나는 마음의 격렬한 움직임으로, 평온한 삶을 깨뜨리는 원인이다. 스토아학파는 비자연적 정념은 우리를 잘못된 행위로 이끈다고 보아 벗어날 것을 주장하였으나 자연적 정념은 인정하였다. 그러나 평온한 삶을 위해 자연적 정념에도 초연할 것을 강조하였다.

자연적 정념	부모를 사랑하는 마음 등 → 인정
비자연적 정념	욕망, 공포, 쾌감 등 → 부정

3. 스토아학파의 윤리 사상이 미친 영향

스토아학파의 윤리 사상의 특징	영향을 미친 윤리 사상
정념으로부터의 자유 강조	스피노자
이성에 부합하는 삶과 의무 강조	칸트
세계 시민주의를 기반으로 인류애 강조	로마의 만민법
자연법사상	중세 아퀴나스, 근대 자연법사상가

└ **왜** 자연법의 내용으로 인류 전체에 대한 사랑을 제시한 것에는 이성을 가진 모든 사람은 누구나 평등하다는 세계 시민주의 사상이 깔려 있기 때문임

❻ 아파테이아(apatheia)
'없다'를 뜻하는 'a'와 '감정'을 뜻하는 'pathos'가 합쳐진 단어로, 부동심(不動心) 혹은 무정념이라고도 한다.

4. 에피쿠로스학파와 스토아학파의 비교 자료5

구분	에피쿠로스학파	스토아학파
공통점	욕망의 절제를 통한 평온한 삶을 주장함	
차이점	쾌락을 추구하고 공적인 삶을 멀리함	금욕적 생활과 공동선의 실현을 중시함
한계	사적인 생활만을 중시함으로써 이타적 공공생활을 경시함	주어진 운명에 순응을 강조함으로써 인간의 의지와 정서의 역할을 간과함
의의	진정한 행복의 의미와 중요성을 성찰하게 함	

❼ 자연법
인간 본성에 기초하여 우주와 자연이나 인간과 사회를 지배하는 보편적이고 영구적인 정의(正義)의 법으로, 우주를 지배하는 이성의 명령이자 자연법칙을 말한다.

자료3 스토아학파의 세계관

인간사에서 중요한 것은 무엇인가? … 중요한 것은 운명의 위협을 극복하는 정신이며, 우리의 욕구를 충족하는 것은 아무 가치도 없다는 것을 깨닫는 것이다. 만일 네가 신의 결정에 따라 모든 것이 이루어진다는 것을 안다면 진정으로 자유로운 사람인 것이다.

– 세네카, "자연의 의문들"

| 자료 분석 | 스토아학파는 이 세상에 존재하는 모든 것은 신의 결정, 즉 이성의 법칙에 따라 움직인다고 보았다. 그들은 자연에서 일어나는 모든 일은 신적 이성에 의해 이미 결정된 것으로서 바꿀 수 없고, 또한 최선의 것이라고 여겼다.

한줄 핵심 ▶ 스토아학파는 자연의 모든 일이 신에 의해 이미 운명 지어져 있다고 보았다.

❹ 스토아학파는 자연의 모든 일은 신의 결정에 따라 이루어진다고 주장하였다.
O X

자료4 부동심에 이르는 방법

예 믿음이나 충동, 욕구를 가지는 일처럼 모든 상황에서 우리의 의지대로 할 수 있는 것
예 육체나 소유물, 평판, 지위와 같이 우리의 행위가 아닌 것

세상에는 우리의 의지대로 할 수 있는 것들이 있고, 그렇지 않은 것들이 있다. … 만약에 우리가 이러한 것들을 자신의 의지대로 할 수 있다고 생각한다면, 장애에 부딪치고 고통을 당할 것이며, 마음이 심란해지고 신들과 인간들을 비난하게 될 것이다.

– 에픽테토스, "엥케이리디온"

| 자료 분석 | 스토아학파 사상가인 에픽테토스는 세상에는 우리의 의지대로 할 수 있는 것과 우리의 의지대로 할 수 없는 것이 있다고 보았다. 그는 우리의 의지대로 할 수 없는 것을 우리의 의지대로 할 수 있다고 생각한다면, 고통을 당할 것이라고 경고하면서 바꿀 수 없는 일은 받아들일 때 행복과 자유를 얻을 수 있다고 주장하였다.

한줄 핵심 ▶ 스토아학파에서는 모든 것이 순리대로 되어 있음을 알고 운명에 따를 때 행복할 수 있다고 주장하였다.

❺ 스토아학파에서는 개인이 주어진 운명을 거슬러 개척해야 한다고 주장하였다.
O X

자료5 에피쿠로스학파와 스토아학파의 공통점

에피쿠로스학파
쾌락이란 몸의 고통이나 마음의 혼란으로부터의 자유를 의미한다. 그러므로 우리는 스스로를 일상의 예속과 정치의 예속으로부터 해방해야 한다.

– 에피쿠로스, "쾌락"

스토아학파
세상에서 일어나는 일들이 네가 바라는 대로 일어나기를 요구하지 말고, 오히려 일어나는 일들이 실제로 일어나는 대로 일어나기를 원해라 그러면 모든 것이 잘되어 갈 것이다.

– 에픽테토스, "엥케이리디온"

| 자료 분석 | 에피쿠로스학파의 평정심은 육체적 고통과 마음의 불안이 사라짐으로써 얻을 수 있는 마음의 평온함을 뜻한다. 한편 스토아학파의 부동심은 정념에서 해방됨으로써 얻을 수 있는 마음의 평온함을 말한다.

한줄 핵심 ▶ 에피쿠로스학파와 스토아학파는 인간이 추구해야할 궁극적 목적으로 마음의 평온함을 제시하였다.

❻ 에피쿠로스학파와 스토아학파 모두 부와 명예 같은 외적인 것이 아닌, 마음의 평온함을 추구하였다.
O X

○ ❻ (묵 ㅗ
ㅏ그걸 ㅑ어이류 릉帕 극約응공
ㅣ0읍공)× ❺ ○ ❹ 믑碞

에피쿠로스학파와 스토아학파의 윤리 사상 비교하기

관련 문제 ▶ 129쪽 06번

수능풀 Guide

이 단원에서는 에피쿠로스학파와 스토아학파의 윤리 사상을 비교하는 문제가 출제된다. 두 학파의 공통점과 차이점을 비교해서 알아 두자.

에피쿠로스학파		스토아학파
쾌락주의: 고통을 제거함으로써 주어지는 쾌락 추구	입장	금욕주의: 정념에서 벗어날 것을 강조
아타락시아, 평정심	이상적 상태	아파테이아, 부동심
• 자연적·필수적 욕구를 최소한으로 추구 • 은둔자적 삶 지향	실현 방법	• 이성과 운명에 따르는 삶 지향 • 사회에서 의무와 역할 수행 강조
공통점	마음의 평안을 위해 검약한 삶을 추구함	

기출 자료 익히기

윤사 공부법, 하나!
자료를 보고 어떤 사상가나 사상의 입장인지 유추하는 훈련하기

자료 1 에피쿠로스학파
• 욕망이 충족되지 않을 수 있지만 그것이 우리를 고통으로 이끌지 않는다면 필수적인 것은 아니다. 우리는 이 욕망이 헛된 생각에서 생긴 것임을 알고, 고통 없는 상태를 추구해야 한다.
└ 에피쿠로스학파에서 말하는 아타락시아
• 우리에게 해를 끼치지 않는 육체적 욕망은 충족시키지만, 우리에게 해를 끼치는 육체적 욕망은 완강하게 거부함으로써 자연에 복종해야 한다.
추구해야 할 욕망과 자제해야 할 욕망을 구분 → 에피쿠로스학파

자료 2 스토아학파
• 우리는 자연과 일치하지 않는 일은 결코 내게 일어나지 않는다는 것과, 나에게는 신과 나의 영혼에 어긋나는 일을 하지 않을 수 있는 능력이 있음을 명심해야 한다.
└ 자연과 신의 섭리에 따르는 삶 강조 → 스토아학파
• 욕망에 대한 태도는 우리의 뜻대로 조절할 수 있다. 우리는 신과 자연 그리고 인간을 하나로 연결해 주는 이성의 힘으로 욕망에 휩쓸리지 않는 평온한 마음에 이르러야 한다.
정념에 초연할 것을 강조 → 스토아학파

기출 선택지 익히기

윤사 공부법, 둘!
선택지가 어떤 사상가나 사상의 입장인지 파악하는 훈련하기

다음 내용이 에피쿠로스학파에 해당하면 '에', 스토아학파에 해당하면 '스'라고 쓰시오.

❶ 바람직한 삶은 은둔하여 사는 것이다. ( )
❷ 자연법칙에 순응하면 마음의 평정을 얻을 수 있다. ( )
❸ 보편적인 이성의 질서가 우주의 만물을 지배한다. ( )
❹ 참된 행복을 위해 필수적이지 않은 욕구 충족은 멀리해야 한다. ( )
❺ 정신적·육체적 고통이 제거된 상태가 곧 쾌락임을 알아야 한다. ( )

A 쾌락의 추구와 평정심

01 다음 내용이 옳으면 ○표, 틀리면 ×표를 하시오.

(1) 에피쿠로스는 쾌락은 유일한 선이며, 고통은 유일한 악이라고 보았다. ( )

(2) 에피쿠로스는 죽음에 대한 고통과 두려움을 가짐으로써 평온한 상태에 이를 수 있다고 보았다. ( )

02 에피쿠로스가 제시한 욕망과 그 사례를 바르게 연결하시오.

(1) 자연적·필수적 욕망 •   • ㉠ 성적 욕구

(2) 자연적·비필수적 욕망 •   • ㉡ 부, 명예, 권력에 대한 욕구

(3) 비자연적·비필수적 욕망 •   • ㉢ 음식이나 수면에 대한 욕구

03 빈칸에 알맞은 말을 쓰시오.

(1) 에피쿠로스는 몸의 고통과 마음의 불안이 모두 소멸한 상태인 평정심, 즉 □□□□□ 의 추구를 강조하였다.

(2) 에피쿠로스는 감각적이고 순간적인 쾌락을 추구하는 삶은 우리를 이른바 □□□ □□ 에 빠지게 하여 오히려 더 많은 고통을 안겨 준다고 보았다.

B 금욕과 부동심

04 빈칸에 알맞은 말을 쓰시오.

(1) 스토아학파의 사상은 평온한 삶을 위해 욕망과 감정으로부터 벗어날 것을 강조하기에 □□□□(이)라고 불린다.

(2) 스토아학파가 주장하는 □□은/는 만물의 본질이자 만물의 생성과 변화를 이끌어 가는 힘으로 신, 자연 등으로 표현되기도 한다.

(3) 스토아학파에서는 정념에서 해방되어 어떠한 외부 상황에도 동요하지 않는 마음의 상태 인 부동심, 즉 □□□□□에 이르도록 노력해야 한다고 주장하였다.

05 다음 내용이 맞으면 ○표, 틀리면 ×표를 하시오.

(1) 스토아학파는 외적 상황과 조건을 자기 의지로 개선해야 한다고 보았다. ( )

(2) 스토아학파가 주장한 이성에 따르는 삶이란 자연의 필연적 질서와 법칙에 순응하는 삶을 의미한다. ( )

(3) 스토아학파에서는 비자연적인 정념은 우리의 판단을 흐리게 하고 우리를 잘못된 행위로 이끈다고 보았다. ( )

(4) 에피쿠로스학파와 스토아학파 사상가들은 모두 마음의 평온함을 추구하였다. ( )

탄탄! 내신 다지기

A 쾌락의 추구와 평정심

01 그림은 노트 필기의 일부이다. ㉠~㉤ 중 옳지 <u>않은</u> 것은?

〈헬레니즘 시대의 특징〉

1. 시대적 배경
• 도시 국가의 해체 및 제국의 출현으로 사람들이 시민이 아닌
  신민으로 전락 ·· ㉠
• 정복 전쟁과 정치적 혼란이 지속됨 ···························· ㉡
2. 사상적 경향
• 부, 명예 등 세속적 가치를 중시함 ·························· ㉢
• 개인의 평온한 삶을 유지하는 데 관심을 보임 ·········· ㉣
3. 대표 사상
• 에피쿠로스학파와 스토아학파 ································· ㉤

① ㉠ ② ㉡ ③ ㉢ ④ ㉣ ⑤ ㉤

02 에피쿠로스가 추구하는 삶의 모습으로 옳은 것은?

① 부와 명예를 추구하며 쾌락에 집착하는 삶
② 필수적이지 않은 욕망도 적절하게 충족하는 삶
③ 자연적이지만 필수적이지 않은 욕망을 충족하는 삶
④ 음식과 수면에 대한 욕망을 최대한으로 충족하는 삶
⑤ 자연적이고 필수적인 욕망을 최소한으로 충족하는 삶

03 다음을 주장한 고대 서양 사상가에 대한 옳은 설명만을
〈보기〉에서 고른 것은?

> 쾌락 때문에 더 큰 불쾌가 초래될 경우 우리는 그 쾌락을
> 포기한다. 마찬가지로 고통의 시간 뒤에 더 큰 쾌락이 따
> 를 경우, 우리는 그 고통을 쾌락보다 낫다고 본다.

보기
ㄱ. 감각적이고 육체적인 쾌락을 추구하였다.
ㄴ. 몸의 고통과 마음의 불안이 없는 상태를 추구하였다.
ㄷ. 고통과 근심을 제거하는 소극적 쾌락주의를 지향하였다.
ㄹ. 필수적인 욕구까지 제거한 금욕주의적 삶을 지향하였다.

① ㄱ, ㄴ   ② ㄱ, ㄷ   ③ ㄴ, ㄷ
④ ㄴ, ㄹ   ⑤ ㄷ, ㄹ

04 다음을 주장한 고대 서양 사상가의 입장에서 긍정의 대
답을 할 질문으로 가장 적절한 것은?

> 쾌락은 행복한 삶의 근원이자 목표이다. 참된 쾌락과 행
> 복은 영혼의 고요한 평정에 있다. 두려움, 욕망, 고통 등
> 과 같은 영혼의 소용돌이를 잠재울 때 바람 한 점 없는 잠
> 잠함과 바다와 같은 고요함이 나타난다.

① 인간의 욕구를 구분하는 것은 불가능한가?
② 몸과 마음의 고통을 운명으로 받아들여야 하는가?
③ 참된 쾌락을 얻기 위해 욕구를 최대한 충족해야 하
   는가?
④ 인간은 쾌락에서 벗어날 때 진정한 행복을 누릴 수
   있는가?
⑤ 공적으로 맺은 인간관계가 고통과 불안을 일으킬 수
   있는가?

B 금욕과 부동심

05 다음을 주장한 고대 서양 사상가의 입장으로 가장 적절
한 것은?

> 너는 작가의 의지에 의해서 결정된 그러한 인물인 연극에
> 서의 배우라는 것을 기억하라. 만약 그가 짧기를 바란다
> 면 그 연극은 짧고, 만일 길기를 바란다면 그 연극은 길
> 다. … 너에게 주어진 그 역할을 잘 연기하는 것, 이것이
> 해야만 하는 너의 일이다.

① 정념을 통해 자연의 질서에 따르는 삶을 살아야 한다.
② 참된 행복을 위해 모든 종류의 쾌락을 추구해야 한다.
③ 감정적 동요가 없는 평온한 마음 상태를 유지해야
   한다.
④ 자신의 의지로 자신의 운명을 개척하는 삶을 살아야
   한다.
⑤ 진정한 행복 실현을 위해 모든 욕구를 완벽하게 제거
   해야 한다.

06 다음을 주장한 고대 서양 사상가의 입장에서 주장할 수 있는 삶의 태도로 옳은 것만을 〈보기〉에서 고른 것은?

> 자연은 살아 있는 전체이며 모든 것을 포괄하는 이성을 갖춘 생명체이다. 이성이 자연의 모든 부분을 속속들이 파고 들어가 있기에 자연 자체가 이성적이고 영혼적이며 이해 가능한 것이다. 즉 자연은 그 자체가 신적인 것이다.

> **보기**
> ㄱ. 이성적 관조를 통해 자연법칙에서 벗어나야 한다.
> ㄴ. 바람직한 삶을 위해 자연의 본성을 파악해야 한다.
> ㄷ. 육체적 쾌락을 억제하고 정신적 쾌락을 추구해야 한다.
> ㄹ. 우주의 필연적 질서에 순응하고 복종하는 삶을 살아야 한다.

① ㄱ, ㄴ ② ㄱ, ㄷ ③ ㄴ, ㄷ
④ ㄴ, ㄹ ⑤ ㄷ, ㄹ

07 그림은 서술형 평가와 학생 답안이다. 학생 답안의 ㉠~㉤ 중 옳지 <u>않은</u> 것은?

> **〈서술형 평가〉**
> ◎ **문제**: 스토아학파 윤리 사상의 특징을 서술하시오.
> ◎ **학생 답안**
> 스토아학파는 자연에 따르는 삶을 강조하였다. 즉 신과 우주, 자연과 같은 ㉠세계의 모든 일들은 이성으로 연결되어 있고, 이성의 법칙으로 구체화된다고 하였다. 따라서 세계 안의 모든 법칙은 이성의 인과 법칙에 따라 필연적으로 일어난다고 하였다. 또한 ㉡평온한 삶을 위해 온갖 욕망과 감정으로부터 벗어날 것을 강조하는 금욕주의적 특징을 지닌다. 이를 위해 ㉢정념에서 벗어난 상태인 부동심에 이르도록 노력해야 한다고 보았다. 그리고 스토아학파는 자연법사상을 강조하였는데, ㉣가족, 친구, 동료 시민, 인류 전체에 대한 사랑을 제시하였다. 이러한 스토아학파의 사상은 ㉤근대 경험론과 공리주의 사상으로 계승되었다.

① ㉠ ② ㉡ ③ ㉢ ④ ㉣ ⑤ ㉤

08 스토아학파의 입장에서 긍정의 대답을 할 질문으로 가장 적절한 것은?

① 인간은 인류 전체를 사랑해야 하는가?
② 이성보다 감각적 경험을 중시해야 하는가?
③ 사회적 쾌락이 도덕의 기준이 되어야 하는가?
④ 자연의 순리가 아닌 도덕 법칙을 준수해야 하는가?
⑤ 영혼의 수련을 통해 스스로 운명을 개척해야 하는가?

09 (가), (나) 사상에 대한 설명으로 옳은 것은?

> (가) 우리가 의미하는 쾌락은 몸의 고통과 마음의 근심이 없는 상태로, 이는 고통과 근심의 근원인 비자연적이고 필수적이지 않은 욕구를 제거함으로써 얻어진다.
> (나) 우리 주위에서 일어나는 모든 일과 사물에는 반드시 필연이 존재하며, 그것은 우주의 섭리와 연계되어 있다. 인간 또한 우주의 일부분이다.

① (가): 아파테이아를 지향한다.
② (가): 물질적 재화의 충족을 지향한다.
③ (나): 소극적 쾌락주의를 추구한다.
④ (나): 주어진 운명에 순응하는 삶을 강조한다.
⑤ (가), (나): 자연적이고 필수적인 욕구 충족을 부정한다.

서답형 문제

10 다음 글을 읽고 물음에 답하시오.

> 헬레니즘 시대 <u>이 학파</u>는 쾌락은 유일한 최고의 선(善)이며 고통은 유일한 악(惡)이라고 하였다. 또한 <u>이 학파</u>는 어떤 쾌락을 적극적으로 추구하기보다는 고통과 근심을 제거하여 평온한 상태에 이르는 것을 지향한 소극적 쾌락주의의 성격을 가지고 있었다.

(1) 밑줄 친 '이 학파'가 무엇인지 쓰시오.

(   )

(2) (1)에서 답한 학파가 제시한 참된 쾌락에 이르는 방법을 두 가지 이상 서술하시오.

기출 변형

01 다음을 주장한 고대 서양 사상가의 입장에만 모두 '∨'를 표시한 학생은?

> 죽음은 우리에게 아무것도 아니다. 우리가 존재하는 한 죽음은 우리와 함께 있지 않으며, 죽음이 존재하면 우리는 더 이상 존재하지 않기 때문이다.

번호	입장＼학생	갑	을	병	정	무
(1)	진정한 쾌락을 위해서는 이성과 지혜가 필요하다.	∨	∨			∨
(2)	공적인 일에 적극적으로 참여하는 삶이 최선의 삶이다.	∨		∨		
(3)	감각적이고 육체적인 쾌락을 정신적 쾌락보다 우선해야 한다.			∨	∨	∨
(4)	쾌락을 적극적으로 추구하기보다 고통과 불안을 제거하기 위해 노력해야 한다.	∨	∨		∨	

① 갑 ② 을 ③ 병 ④ 정 ⑤ 무

02 다음을 주장한 고대 서양 사상가의 입장에서 긍정의 대답을 할 질문만을 〈보기〉에서 고른 것은?

> 신과 같이 자유롭기 위해서는 행복이 우리의 의식 내면에 자리해야 하고 덕으로 구현되어야 한다. 덕은 우선 '평정'으로 나타나며, 보다 바람직한 덕은 쾌적하고, 단순하며, 온화한 모습으로 나타난다. 따라서 고상한 쾌락이나 정신적인 가치는 육체적 만족보다 우월한 것이다. 우리는 정신적인 쾌락에 의존할 때 현재의 불행을 극복할 수 있다.

보기
> ㄱ. 감각적 경험보다 이성을 중시해야 하는가?
> ㄴ. 죽음은 산 자와 죽은 자 모두에게 무관한 것인가?
> ㄷ. 쾌락의 유무를 통해 선악의 판단을 내려야 하는가?
> ㄹ. 쾌락과의 완전한 단절을 통해 삶의 궁극적 목적을 얻어야 하는가?

① ㄱ, ㄴ ② ㄱ, ㄷ ③ ㄴ, ㄷ
④ ㄴ, ㄹ ⑤ ㄷ, ㄹ

03 다음 가상 대화의 스승이 강조한 삶의 태도로 가장 적절한 것은?

> 제자: 스승님, 인생의 목적은 무엇인가요?
> 스승: 쾌락이 목적이라네. 쾌락이 행복한 인생의 시작이자 끝이지.
> 제자: 그렇다면 마음껏 먹고 마시고 자면서 인생을 즐기며 살아도 되나요?
> 스승: 그건 아니라네. 내가 말하는 쾌락은 몸의 고통이 없고 마음의 혼란으로부터 자유로운 상태이지.

① 성공적 삶을 위해 부와 권력을 추구해야 한다.
② 공적인 삶을 위해 지속적 쾌락을 추구해야 한다.
③ 참된 행복을 위해 필수적이지 않은 욕구 충족을 피해야 한다.
④ 세상사에 적극적인 관심을 가지고 진정한 쾌락을 추구해야 한다.
⑤ 정신적 동요나 혼란이 없는 아파테이아의 경지를 추구해야 한다.

04 (가)를 주장한 고대 서양 사상가의 입장에서 볼 때 (나) 퍼즐 속 세로 낱말 (A)에 대한 설명으로 옳은 것은?

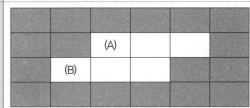

(가)	운명에 대해 버둥거릴수록 사태는 더 악화될 뿐이다. … 최상의 방법은 오직 신의 뜻에 순종하는 것이다.

(나)

〈가로 열쇠〉
(A): 플라톤이 주장한, 사물의 불변하는 본질
(B): 성선설, 성악설 등 인간 본성에 대한 다양한 이론
〈세로 열쇠〉
(A): …… 개념

① 유쾌하거나 즐거운 감각이나 느낌
② 어떠한 상황에서도 동요하지 않는 상태
③ 몸의 고통과 마음의 불안이 모두 소멸된 상태
④ 인간의 본성일 뿐만 아니라 신과 세계의 본성
⑤ 모든 행위의 궁극적 목적이자 덕이 있는 상태에서 누릴 수 있는 것

05 다음 고대 서양 사상가의 입장으로 옳은 설명만을 〈보기〉에서 있는 대로 고른 것은?

> 자연과 더불어 사는 생활은 이성과 일치한다. 왜냐하면 덕은 이성, 즉 자연의 법칙에 복종하는 것을 의미하기 때문이다. 정신적으로 균형을 잃고, 영혼이 병든 비합리적인 생활은 악인 것이다. 감정을 이성적으로 억제할 줄 아는 덕만이 우리에게 진정한 행복을 가져다준다.

〈보기〉
ㄱ. 덕이 있는 행위는 자연법과 일치한다.
ㄴ. 우주를 관통하는 보편적 질서를 따라야 한다.
ㄷ. 인간은 자연의 질서에서 벗어나는 삶을 살아야 한다.
ㄹ. 쾌락은 유일한 선이며, 인간이 추구해야 할 행복한 삶의 시작이자 끝이다.

① ㄱ, ㄴ   ② ㄱ, ㄷ   ③ ㄷ, ㄹ
④ ㄱ, ㄴ, ㄹ   ⑤ ㄴ, ㄷ, ㄹ

기출 변형
06 고대 서양 사상가 갑, 을의 입장으로 적절한 것은?

> 갑: 우리는 자연과 일치하지 않는 일은 결코 내게 일어나지 않는다는 것과 나에게는 신과 나의 영혼에 어긋나는 일을 하지 않을 수 있는 능력이 있다는 것을 명심해야 한다.
> 을: 우리에게 해를 끼치지 않는 육체적 욕망은 충족시키지만, 우리에게 해를 끼치는 육체적 욕망은 완강하게 거부함으로써 자연에 복종해야 한다.

① 갑: 덕을 갖추기 위해 자연의 질서를 극복해야 한다.
② 갑: 인간의 이성으로는 신의 섭리를 파악할 수 없다.
③ 을: 소수의 친한 사람들과의 우정은 인간을 불행하게 한다.
④ 을: 정신적·육체적 고통이 제거된 상태가 곧 쾌락임을 알아야 한다.
⑤ 갑, 을: 덕이 쾌락을 제공하지 못한다 해도 그 자체로 가치를 지닌다.

07 갑, 을은 고대 서양 사상가이다. 갑에 비해 을이 갖는 상대적 특징을 그림의 ㉠∼㉤ 중에서 고른 것은?

> 갑: 쾌락은 선(善)이지만 모든 쾌락을 추구해야 하는 것은 아니며, 고통은 악이지만 모든 고통을 회피해야 하는 것은 아니다.
> 을: 쾌락을 즐기고 나서 후회할 때와 멀리하고 나서 누릴 만족을 비교하여 경계한다면 어떤 정념의 자극에도 동요하지 않는 정신 상태를 가질 것이다.

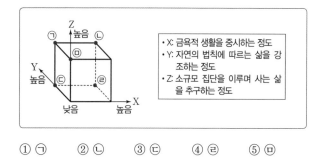

• X: 금욕적 생활을 중시하는 정도
• Y: 자연의 법칙에 따르는 삶을 강조하는 정도
• Z: 소규모 집단을 이루며 사는 삶을 추구하는 정도

① ㉠   ② ㉡   ③ ㉢   ④ ㉣   ⑤ ㉤

기출 변형
08 (가)의 고대 서양 사상가 갑, 을의 입장을 (나) 그림으로 탐구할 때, A∼C에 들어갈 질문으로 옳지 <u>않은</u> 것은?

(가)	갑: 우리가 쾌락이 목적이라고 할 때, 이 말은 방탕한 자들의 쾌락이나 육체적인 쾌락을 의미하는 것이 아니다. 내가 말하는 쾌락은 몸의 고통이나 마음의 혼란으로부터의 자유이다. 을: 세상에서 일어나는 일들이 네가 바라는 대로 일어나기를 요구하지 말고, 오히려 일어나는 일들이 실제로 일어나는 대로 일어나기를 원하라.

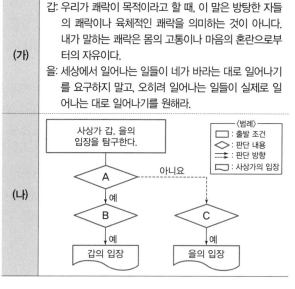

① A: 쾌락만이 선이고, 고통은 악인가?
② B: 모든 욕망과 정념으로부터 벗어나야 하는가?
③ B: 지속적인 쾌락을 얻으려면 절제하며 살아야 하는가?
④ C: 자연의 필연적 질서와 법칙에 따라야 하는가?
⑤ C: 인간에게 행위의 결과와 무관한 의무가 있는가?

04 신앙

A 그리스도교와 사랑의 윤리: 아우구스티누스의 사랑의 윤리

1. 그리스도교의 기원과 전개

(1) 기원

① 십계명을 통해 신과 인간에 대한 올바른 태도를 제시한 유대교❶에 뿌리를 둠

② 유대교의 배타적 선민주의와 형식적 율법주의를 비판한 예수의 가르침을 기초로 함

(2) 예수의 가르침 자료1

신과 이웃에 대한 사랑	• 절대적인 신의 사랑을 받은 인간은 이웃에 대한 차별 없는 사랑을 베풀어야 함 • "너희는 원수를 사랑하며, 너희를 박해하는 자를 위하여 기도하라."
보편 윤리로서 황금률 제시	• 율법적 의무보다 도덕적 의무를 우선시함 • "무엇이든지 남에게 대접받고자 하는 대로 당신도 남을 대접하라."

(3) 전개

① 초창기 그리스도교는 통일된 교리를 갖추지 못하였음

② 중세 이후에 아우구스티누스와 아퀴나스 등이 고대 그리스 사상을 수용하여 교리를 체계화함

2. 교부 철학과 아우구스티누스의 사랑의 윤리

(1) 교부 철학

> **똣** 교회의 아버지라는 뜻으로, 초기 교회에서 종교상의 교리나 이론을 수립한 신학자들을 말함

의미	중세 초기에 그리스도교의 교리 체계화에 공헌한 교부(敎父)들의 철학 및 사상
대표자	아우구스티누스

⭐ **(2) 아우구스티누스 윤리 사상의 특징**

① 플라톤의 사상 수용

• 플라톤의 이원론적 세계관을 수용해 영원한 천상의 나라❷와 유한한 지상의 나라로 구분함

• 플라톤의 이데아처럼 신을 인간이 추구해야 할 최고선으로 봄 자료2

• 플라톤의 사상을 수용하였으나, 신앙이 이성보다 우월함을 주장함

② 신에 대한 사랑 강조

• 신을 사랑하는 사람은 선을 실현하며 참된 행복에 이를 수 있음

• 믿음, 소망, 사랑이라는 종교적 덕 중 사랑을 최고의 덕으로 보았으며, 플라톤이 강조한 사주덕을 신에 대한 사랑으로 재해석함 자료3

③ 인간 이성과 의지의 한계 인정

• 원죄로 인해 모든 인간은 불완전한 상태로 태어남 → 오직 신의 은총에 의서해서만 구원받을 수 있음

• 신은 인간이 이성을 통해 인식할 수 있는 대상이 아니라, 실존을 통해 만나야 할 인격적 존재임 → 오직 신앙을 통해 신에게 귀의해야 함

> **예** 종교적 절대자나 종교적 진리를 깊이 믿고 의지하는 일

④ 악의 원인 규정❸

• 최고로 선한 신이 만든 세상에 죄와 악이 존재하고, 인간이 타락하는 까닭을 연구함

• 악은 실체가 아니라 선의 결핍이며, 신이 만든 것이 아니라 인간으로부터 비롯되는 것임

자료1 보편적인 사랑의 윤리를 강조한 예수의 가르침

유대교의 율법학자가 예수를 찾아왔다. … 예수는 강도를 만난 사람 곁을 지나가던 세 사람 이야기를 해 주었다. … 마지막으로 유대인이 무시하던 사마리아인이 모든 일을 제쳐 두고 강도를 만난 사람을 치료하고 끝까지 돌보아 주었다. 예수가 물었다. "이 세 사람 가운데 누가 강도를 만난 사람의 이웃이라고 생각합니까?" 율법학자는 "사마리아인입니다."라고 대답하였다. 그러자 예수는 "가서 똑같이 하십시오."라고 말하였다.   – "신약 성서"

| 자료 분석 | 예수는 유대인만이 신의 선택을 받았다는 유대교의 선민사상을 비판하면서 모든 사람은 신 앞에 평등하다고 주장하였다. 또한 형식적으로 규율을 준수하는데 치우친 유대교의 율법주의를 비판하면서, 율법의 참된 정신은 진정한 마음으로 신과 이웃을 사랑하는 것이라고 강조하였다.

한줄 핵심   예수는 유대교의 선민사상과 율법주의를 비판하면서 보편적인 사랑의 윤리를 제시하였다.

❶ 예수는 유대교의 배타적 선민사상과 형식적 율법주의를 비판하였다.   ◯ ☓

자료2 신을 최고선으로 본 아우구스티누스

행복이 더는 선할 수 없는, 가장 선한 것으로 구성된다면 우리는 이를 최고선이라고 부르는데, 최고선에 도달하지 못한 사람을 어떻게 행복하다고 말할 수 있는가? 우리가 지닌 모든 선한 것들의 완전함, 그리고 우리의 완전한 선은 바로 신이다. 이제 우리는 무엇을 얼마나 사랑해야 하는지 들었다. 우리는 반드시 이것을 추구해야만 할 것이며, 이것에 맞추어 우리의 모든 계획을 세워 나가야 한다.   – 아우구스티누스, "마니교와 도나투스파에 대한 반박"

| 자료 분석 | 아우구스티누스는 신이 최고선이며, 신을 사랑하는 사람은 악에 빠지지 않고 선을 실현하며 참된 행복에 이를 수 있다고 보았다.

한줄 핵심   아우구스티누스는 신이 인간이 추구해야 할 최고선이라고 보았다.

❷ 아우구스티누스는 이데아를 최고선이라고 보았다.   ◯ ☓

자료3 플라톤의 덕을 재해석한 아우구스티누스

┌─ 플라톤의 사주덕(절제, 용기, 정의, 지혜)

절제는 신을 위해 자신을 온전히 지키는 사랑이며, 용기는 모든 것을 신을 위해 쉽게 인내하는 사랑이며, 정의는 오직 신만을 섬기며 이것 때문에 인간에게 복속된 다른 모든 것을 잘 다스리는 사랑이며, 지혜는 신께 도움이 되는 것과 방해가 될 수 있는 것을 분간하는 사랑이다.   – 아우구스티누스, "가톨릭교회의 관습과 마니교도의 관습"

| 자료 분석 | 아우구스티누스는 플라톤의 사주덕인 절제, 용기, 정의, 지혜를 신에 대한 사랑의 다른 표현으로 해석하였다. 그러나 플라톤과는 달리 덕뿐만 아니라 신의 사랑과 은총이 있어야 구원받을 수 있다고 보았으며, 이러한 관점에서 믿음, 소망, 사랑이라는 종교적 덕 중에서 사랑을 최고의 덕으로 보았다.

한줄 핵심   아우구스티누스는 플라톤이 제시한 덕을 신에 대한 사랑의 다른 표현으로 해석하였다.

❸ 아우구스티누스는 플라톤의 사주덕을 신과의 관계에서 새롭게 해석하였다.   ◯ ☓

정답 ❶ ◯ ❷ ☓(이데아 →신) ❸ ◯

❹ 스콜라(schola)
중세 유럽, 수도원에 속한 학교에서 성직자들을 대상으로 교과 학습(scholastik)이 이루어졌는데, 여기에서 스콜라라는 이름이 유래하였다.

B 그리스도교와 자연법 윤리: 아퀴나스의 자연법 윤리

1. 스콜라 철학과 아퀴나스의 자연법 윤리

(1) 스콜라 철학

의미	교부 철학의 뒤를 이어 그리스도교의 교리를 철학적으로 논증하고 설명하려고 한 중세 후기의 사상
대표자	아퀴나스

(2) 아퀴나스의 윤리 사상의 특징

① **아리스토텔레스의 사상 수용**
- 아리스토텔레스와 마찬가지로 인간 행위의 궁극적인 목적을 행복으로 봄 → 최고의 행복은 궁극적으로 신과 하나가 될 때 누릴 수 있음
- 덕을 자연적 덕과 종교적 덕으로 구분 → 자연적 덕은 현세에서 올바른 삶을 살도록 하며, 종교적 덕은 내세의 진정한 행복에 이르게 함 _{자료 4}

② **이성을 통한 신의 존재 증명** _{자료 5}
- 이성의 고유한 역할을 인정하고 신앙과 이성이 상호 보완적인 역할을 한다고 봄
- 이성적인 논증을 통해 신의 존재를 증명하려고 함 ┈ **왜** 신앙과 이성 모두 신으로부터 주어진 것이며, 결국 하나의 진리로 귀결된다고 보았기 때문임

③ **자연법 제시** _{자료 6}
- 인간이 마땅히 지키고 따라야 할 도덕 법칙으로서 이성의 명령인 자연법을 제시함
- 영원법이 자연법의 기초가 되듯 인간이 제정한 실정법은 자연법에 기초해야 함

영원법	• 세계를 창조한 신의 영원한 법칙 • 모든 법은 신의 명령인 영원법에 근거를 둠 → 모든 도덕 원리와 법은 신에게서 나옴 • 영원법은 인간의 자연적 성향에 반영되어 있음
자연법	• 인간의 이성에 의해 인식된 영원법 • 우리는 이성에 의해 인식된 자연적 성향을 따름으로써 신이 원하는 것을 깨달아 행복을 누릴 수 있음 • 모든 인간에게 보편적으로 적용될 수 있음 • 자연법의 제1원리: "선을 행하고 악을 피하라."
실정법	• 인간이 제정한 법 • 자연법에 기초해야 함 → 자연법에 위배되는 실정법은 정당성을 상실함

2. 종교 개혁과 그리스도교의 현대적 의의

(1) 종교 개혁

┈ **예** 루터는 당시 가톨릭교회가 금전이나 재물을 바친 사람에게 죄를 면한다는 뜻으로 발행했던 면죄부의 판매를 비판했음

① **종교 개혁의 배경**: 루터가 <u>교회의 부패한 행태를 비판</u>하면서 촉발 → 이후 칼뱅이 예정설을 주장함으로써 기존 교회의 권위를 부정함

② **루터와 칼뱅의 사상**

루터	• 교회의 부패한 행태를 지적하며 **95개조의 반박문**을 발표함 • 교회와 성직자를 통하지 않고도 누구나 성서와 기도를 통해 신과 대화할 수 있음 → "오직 믿음, 오직 은총, 오직 성서"
칼뱅	• 예정설: 구원은 신에 의해 예정되어 있으며, 신에게 선택받은 사람만 구원받을 수 있음 • 직업 소명설: 직업은 신이 부여한 소명이며, 노동은 신의 영광을 실현하는 수단임

(2) 그리스도교의 현대적 의의

① 사랑에 기초한 윤리는 주변 사람들과 사회적 약자에 대한 관심을 이끌어 냄
② 자연법사상은 성별이나 빈부 등의 차이를 넘어 모든 사람의 인권을 보장하고 향상시키는 데 기여함

★ 한눈에 정리

아퀴나스의 윤리 사상

특징	• 아리스토텔레스 사상을 바탕으로 그리스도교의 교리를 철학적으로 논증하고자 함 • 인간 이성으로 인식할 수 있고, 모든 인간에게 보편적으로 적용할 수 있는 자연법을 제시함 • 이성적 논증을 통해 신의 존재를 증명하고 함
신앙과 이성	신앙이 이성보다 우선하나, 신앙과 이성의 조화를 추구함

❺ 아퀴나스의 덕 구분
아퀴나스는 덕을 자연적 덕과 종교적 덕으로 구분하였다. 자연적 덕은 아리스토텔레스의 지적인 덕과 품성적 덕을 말하며, 종교적 덕은 믿음, 소망, 사랑의 덕이다.

❻ 루터의 95개조 반박문 중 일부

> **제36조** 어떤 그리스도인이든 자기 죄에 대하여 참된 회계를 하는 사람은 면죄부 없이도 형벌과 죄에서 완전히 사함을 받는다.

루터는 면죄부 판매를 비판하면서 예수의 가르침과 사랑을 실천해야 구원에 이를 수 있다고 보았다.

자료4 아퀴나스의 덕론

지적인 덕과 도덕적 덕은 우리의 행위에 의해 획득되며, 우리 안에 미리 존재하고 있는 특정한 자연적 원리에 의해 발생한다. 이런 자연적 원리 대신에, 신은 종교적 덕을 우리에게 수여하였다. 우리가 말했던 것처럼 그 종교적 덕 덕분에 우리는 초자연적 목적을 향하게 된다.

– 아퀴나스, "신학 대전"

| **자료 분석** | 아리스토텔레스는 행복한 삶을 위해 지적인 덕과 도덕적 덕(품성적 덕)의 실천을 주장하였다. 그러나 아퀴나스에 따르면 품성적 덕과 지적인 덕은 현세적 행복만을 가져다줄 수 있다. 신과 하나되는 영원한 행복을 얻기 위해서는 믿음, 소망, 사랑이라는 종교적 덕을 실천해야 한다.

한줄 핵심 ▶ 아퀴나스는 영원한 행복을 얻기 위해서는 종교적 덕이 필요하다고 보았다.

❹ 아퀴나스는 지적인 덕과 품성적 덕만으로 행복을 얻을 수 있다고 보았다. ○ ╳

자료5 아퀴나스의 신 존재 증명

신이 존재한다는 것은 다섯 가지 길로 논증될 수 있다. 그중 첫째 길은 운동 변화에서 취해지는 길이다. 이 세계 안에는 어떤 것이 움직이고 있는 것이 확실하며, 또 그것은 감각적으로 확인되는 것이다. 그런데 움직여지는 모든 것은 다른 어떤 것한테서 움직여져야 한다. … 그러므로 우리는 다른 어떤 것한테도 움직여지지 않는 어떤 제1운동자에 필연적으로 도달하게 된다. 모든 사람은 이런 존재를 신으로 이해한다.

– 아퀴나스, "신학 대전"

| **자료 분석** | 아퀴나스는 신의 존재를 이성적 추론을 통해 증명하고자 하였다. 그는 세계 변화와 운동의 원인을 거슬러 올라가다보면 최초의 원인, 즉 그 어떤 것으로부터도 비롯되지 않은 제1의 운동 원인에 도달하며, 그것이 바로 신이라고 주장하였다.

한줄 핵심 ▶ 아퀴나스는 신의 존재를 이성적으로 증명할 수 있다고 보았다.

❺ 아퀴나스는 이성적인 논증을 통해 신의 존재를 증명하려고 하였다. ○ ╳

자료6 아퀴나스의 자연법

인간이 자연적 성향을 갖는 것은 자연법에 귀속된다. 이 가운데 인간이 이성에 따라 행위를 하려는 것은 올바르다. 선은 행하고 증진해야 하며, 악은 피해야 한다. 이것이 이 법의 첫 번째 계율이며 자연법의 다른 모든 계율의 기초가 된다.

– 아퀴나스, "신학 대전"

| **자료 분석** | 자연법의 기원은 법이 인간의 본성에 따라야 한다는 고대 그리스인의 사고에서 찾아볼 수 있다. 아퀴나스는 자연법이 자기 생명을 보존하려는 욕구, 종족을 지속시키려는 욕구, 신·인간·세상을 알고자 하는 욕구 등과 같은 인간의 자연적 성향에 바탕을 둔다고 보았다. 그래서 이성으로 인식한 인간의 자연적 성향을 추구해야 할 대상으로 여겼다.

한줄 핵심 ▶ 아퀴나스는 자연법이 인간 본성에 바탕을 둔다고 보았다.

❻ 아퀴나스는 자연법에 자기 생명 보존의 욕구, 종족 보존의 욕구 등이 포함된다고 보았다. ○ ╳

○ ❺ ○
❺ (룡꼰림 10닌 챦끄웅 극
├시배위낭 룰굱늄윸)╳ ❹ **림정**

아우구스티누스와 아퀴나스의 윤리 사상 비교하기

관련 문제 ▶ 139쪽 07번

수능풀 Guide

이 단원에서는 아우구스티누스와 아퀴나스 윤리 사상을 비교하는 문제가 출제된다. 두 사상가의 공통점과 차이점을 비교해서 알아 두자.

아우구스티누스		아퀴나스
플라톤 철학의 영향을 받음 → 천상의 나라와 지상의 나라로 구분	수용	아리스토텔레스 철학의 영향을 받음 → 궁극적 목적인 행복 위해 종교적 덕 필요
이성적 인식이 아닌 실존을 통해 만나야할 인격적 존재	신	신의 존재는 이성을 통해 논리적으로 증명 가능
공통점		
이성보다 신앙이 우위에 있으며, 완전한 행복은 신의 은총을 통해서만 얻을 수 있음		

기출 자료 익히기

윤사 공부법, 하나!
자료를 보고 어떤 사상가나 사상의 입장인지 유추하는 훈련하기

자료1 아우구스티누스

• 행복은 오직 신앙으로 가능하다. 행복의 필수 조건은 영원한 생명인데 원죄 때문에 인간은 죽을 수밖에 없는 운명을 가지고 태어났다. 인간은 신의 은총을 믿음으로써 <u>지상의 나라에서 벗어나 영원한 생명을 얻을 수 있는 신의 나라로 가야 한다.</u>
  └ 지상의 나라와 신의 나라로 구분 → 아우구스티누스

• 아담은 자유 의지를 갖고 있었으나 선악과를 먹은 후 타락하였고 그의 모든 후손들은 자기 힘으로는 죄를 벗어날 수 없게 되었다. 신의 나라와 지상의 나라는 서로 대립하며, <u>악은 선이 결여된 상태이다.</u>
  └ 악을 선이 결여된 상태로 봄 → 아우구스티누스

자료2 아퀴나스

• 신 안에 있는 법이 영원법이고, 영원법이 인간에게 분유(分有)되어 있는 것이 자연법이다. 인간에게는 자신의 본성을 포함하여 공동선을 위한 실천 원리를 파악하는 이성이 있다. 그러므로 <u>인간은 "선을 추구하고 악을 피하라."라는 자연법의 제1원리를 파악할 수 있다.</u>
  └ 자연법 제시 → 아퀴나스

• 신학의 목적은 영원한 행복이다. 모든 실천적 학문의 목적은 그것으로 질서 지워져 있다. 따라서 신학은 모든 학문보다 우위에 있다. 철학은 계시의 진리를 명료화하기 위해 필요하며, <u>신의 존재는 증명될 수 있다.</u>
  └ 신의 존재가 증명 가능하다고 봄 → 아퀴나스

기출 선택지 익히기

윤사 공부법, 둘!
선택지가 어떤 사상가나 사상의 입장인지 파악하는 훈련하기

다음 내용이 아우구스티누스에 해당하면 '우', 아퀴나스에 해당하면 '퀴', 두 사상가 모두에 해당하면 '아'라고 쓰시오.

❶ 신은 이성을 통하여 인식할 수 있는 대상이다. ( )

❷ 완전한 행복은 믿음, 소망, 사랑의 덕을 필요로 한다. ( )

❸ 인간은 스스로의 노력만으로는 완전한 행복을 얻을 수 없다. ( )

❹ 신은 이성적 인식의 대상을 넘어선 신앙적 체험의 대상이다. ( )

우 ❹ 10 ❸ 10 ❷ 퀴 ❶ **답정**

A 그리스도교와 사랑의 윤리

01 빈칸에 알맞은 말을 쓰시오.

(1) 그리스도교는 유대인만이 신에게 선택을 받았으며 신의 명령인 율법을 지킬 때 구원을 받는다고 믿는 종교인 □□□에 뿌리를 둔다.

(2) 예수의 가르침 중 □□□은/는 "무엇이든지 남에게 대접받고자 하는 대로 당신도 남에게 대접하라."라는 내용을 담고 있다.

02 알맞은 설명에 ○표를 하시오.

(1) 아우구스티누스는 (플라톤, 아리스토텔레스)의 사상을 받아들여 그리스도교의 교리를 체계화하였다.

(2) 아우구스티누스는 세계를 영원한 (천상의 / 지상의) 나라와 유한한 (천상의 / 지상의) 나라로 구분하였다.

03 아우구스티누스의 입장으로 맞으면 ○표, 틀리면 ×표를 하시오.

(1) 선과 악 모두 신이 창조한 것이다. ( )

(2) 영원하고 완전한 존재인 신을 사랑해야 한다. ( )

(3) 완전한 행복을 얻기 위해서는 덕뿐만이 아니라 신의 사랑과 은총이 필요하다. ( )

(4) 신은 이성을 통해 인식할 수 있는 대상이자 실존을 통해 만나야 할 인격적 존재이다.

( )

B 그리스도교와 자연법 윤리

04 빈칸에 알맞은 말을 쓰시오.

( )은/는 서양 중세 후기에 교부 철학의 뒤를 이어 그리스도교의 교리를 철학적으로 논증하고 설명하려 했던 사상 및 철학을 말한다.

05 아퀴나스의 입장으로 맞으면 ○표, 틀리면 ×표를 하시오.

(1) 품성적 덕과 지적인 덕만으로도 영원한 행복에 도달할 수 있다. ( )

(2) 신앙과 이성 모두 신이 준 것이며, 신앙과 이성은 상호 보완적인 역할을 한다. ( )

(3) 자연법은 인간의 자연적 성향을 포함하고, 인간의 이성으로 인식할 수 있다. ( )

(4) 영원법이 자연법의 기초가 되듯이 인간이 제정한 실정법은 자연법에 기초해야 한다.

( )

06 사상가와 그 주장을 바르게 연결하시오.

(1) 루터 •   • ㉠ 오직 믿음, 오직 은총, 오직 성서

(2) 칼뱅 •   • ㉡ 모든 직업은 신이 부여한 소명임

A 그리스도교와 사랑의 윤리

01 예수의 사상에 대한 옳은 설명만을 〈보기〉에서 고른 것은?

> 보기
> ㄱ. 신과 이웃을 사랑하라는 가르침을 제시하였다.
> ㄴ. 유대인만이 신으로부터 특별한 선택을 받았다는 선민 사상을 강조하였다.
> ㄷ. 신으로부터 받은 율법을 엄격히 지켜야 한다는 율법 주의를 중시하였다.
> ㄹ. 보편 윤리로서 "남에게 대접받고자 하는 대로 남을 대접하라."라는 황금률을 제시하였다.

① ㄱ, ㄴ   ② ㄱ, ㄹ   ③ ㄴ, ㄷ
④ ㄴ, ㄹ   ⑤ ㄷ, ㄹ

02 아우구스티누스의 사상에 대한 설명으로 옳지 <u>않은</u> 것은?

① 플라톤의 사상을 수용하였다.
② 그리스도교 신학의 기틀을 닦는 데 집중하였다.
③ 신을 실존을 통해 만나야 할 인격적 존재로 보았다.
④ 신이 부여한 이성을 통해서만 신을 인식하고 영원한 행복을 누릴 수 있다고 보았다.
⑤ 천상의 나라는 신을 사랑하는 사람들로, 지상의 나라는 자기만을 사랑하는 사람들로 이루어진다고 보았다.

03 다음을 주장한 중세 서양 사상가의 입장으로 가장 적절한 것은?

> 절제는 신을 위해 자신을 온전히 지키는 사랑이며, 용기는 모든 것을 신을 위해 쉽게 인내하는 사랑이며, 정의는 오직 신만을 섬기며 이것 때문에 인간에게 복속된 다른 모든 것을 잘 다스리는 사랑이며, 지혜는 신께 도움이 되는 것과 방해가 될 수 있는 것을 분간하는 사랑이다.

① 인간은 이데아를 궁극 목적으로 삼아야 한다.
② 인간은 신이 선으로 창조한 완벽한 존재이다.
③ 인간의 노력만으로 신을 온전히 사랑할 수 있다.
④ 완전한 신이 다스리는 단일의 세계만이 존재한다.
⑤ 덕뿐만 아니라 신의 사랑과 은총이 있어야만 완전한 행복을 얻을 수 있다.

04 다음을 주장한 중세 서양 사상가의 입장으로 적절한 것만을 〈보기〉에서 고른 것은?

> 행복이 더는 선할 수 없는, 가장 선한 것으로 구성된다면 우리는 이를 최고선이라고 부르는데, 최고선에 도달하지 못한 사람을 어떻게 행복하다고 말할 수 있는가? 우리가 지닌 모든 선한 것들의 완전함, 그리고 우리의 완전한 선은 바로 신이다.

> 보기
> ㄱ. 신은 이성을 통해 인식할 수 있는 현실적 존재이다.
> ㄴ. 악은 신이 만든 것이 아니라 인간의 자유 의지에서 비롯된 것이다.
> ㄷ. 세계는 신이 다스리는 천상의 나라와 인간이 사는 지상의 나라로 구분된다.
> ㄹ. 인간이 덕을 구현하고 행복해지려면 신의 은총이 아니라 이성적 노력이 필요하다.

① ㄱ, ㄴ   ② ㄱ, ㄷ   ③ ㄴ, ㄷ
④ ㄴ, ㄹ   ⑤ ㄷ, ㄹ

05 ㉠에 들어갈 진술로 가장 적절한 것은?

> 신은 최고의 선이며, 신에 대한 사랑은 최고의 덕이다. 신은 이성적 인식의 대상이 아니라, 종교적 체험을 통해 만나야 할 인격적 존재이다. 그런데 어느 고대 그리스의 사상가는 영원불변하는 진리는 이성에 의해서만 파악되며, 지혜, 용기, 절제의 세 가지 덕이 조화를 이루어야만 정의의 덕을 갖춘 이상적 인간이 된다고 주장하였다. 나는 이 사상가가 '㉠'라고 본다.

① 인간의 노력과 의지를 통해서만 참된 행복에 이를 수 있음을 모르고 있다.
② 참된 진리인 이데아에 도달하기 위해서는 이성을 갖추어야 함을 모르고 있다.
③ 인간의 이성을 통해서만 참된 선을 실현하고 신과 하나 될 수 있음을 모르고 있다.
④ 신에 대한 사랑을 통해 신과 하나가 될 때 참된 행복을 누릴 수 있음을 모르고 있다.
⑤ 지혜, 용기, 절제, 정의의 네 가지 덕을 갖출 때 최고선에 도달할 수 있음을 모르고 있다.

B 그리스도교와 자연법 윤리

06 다음을 주장한 중세 서양 사상가의 입장으로 가장 적절한 것은?

> 지성적인 덕과 품성적인 덕은 우리의 행위에 의해 획득되며, 우리 안에 미리 존재하고 있는 특정한 자연적 원리에 의해 발생한다. 이런 자연적 원리 대신에, 신은 종교적 덕을 우리에게 수여하였다. 우리가 말했던 것처럼 그 종교적 덕 덕분에 우리는 초자연적 목적을 향하게 된다.

① 최고의 행복은 신과 하나가 될 때 누릴 수 있다.
② 지혜, 용기, 절제가 가장 대표적인 종교적 덕이다.
③ 품성적 덕과 지성적 덕만으로 행복에 이를 수 있다.
④ 인간 행위의 궁극적 목적을 행복에 두어서는 안 된다.
⑤ 품성적 덕과 지성적 덕은 우리 본성에 본래 내재되어 있다.

07 루터의 사상에 대한 옳은 설명만을 〈보기〉에서 있는 대로 고른 것은?

> 보기
> ㄱ. 누구나 신과 직접 대화할 수 있다고 보았다.
> ㄴ. 참된 진리는 교회를 통해서만 얻을 수 있다고 보았다.
> ㄷ. 교황이 발행한 면죄부가 인간을 구원하지 못한다고 주장하였다.
> ㄹ. '오직 믿음, 오직 은총, 오직 성서'라는 주장을 바탕으로 종교 개혁을 진행하였다.

① ㄱ, ㄷ   ② ㄱ, ㄹ   ③ ㄴ, ㄷ
④ ㄱ, ㄷ, ㄹ   ⑤ ㄴ, ㄷ, ㄹ

08 칼뱅의 사상에 대한 설명으로 옳지 <u>않은</u> 것은?

① 기존 교회의 권위를 부정하였다.
② 노동은 신의 영광을 실현하는 수단이라고 주장하였다.
③ 직업은 신이 우리에게 내린 소명이라는 직업 소명설을 주장하였다.
④ 신에게 선택받은 사람만이 구원받을 수 있다는 예정설을 주장하였다.
⑤ 직업에서의 성공을 삶의 최종 목적으로 삼아 근면하고 성실하게 생활할 것을 주장하였다.

09 다음을 주장한 중세 서양 사상가의 입장으로 적절한 것만을 〈보기〉에서 있는 대로 고른 것은?

> 인간이 자연적 성향을 갖는 것은 자연법에 귀속된다. 이 가운데 인간이 이성에 따라 행위를 하려는 것은 올바르다. 선은 행하고 증진해야 하며, 악은 피해야 한다. 이것이 이 법의 첫 번째 계율이며 자연법의 또 다른 계율의 기초가 된다.

> 보기
> ㄱ. 모든 법은 신의 명령인 영원법에 근원을 둔다.
> ㄴ. 자연법은 인간의 이성으로 인식 가능한 도덕 법칙이다.
> ㄷ. 자기 생명을 보존하려는 욕구는 자연법에 포함되지 않는다.
> ㄹ. 인간 사회를 유지하는 실정법은 자연법에 기초를 두어야 한다.

① ㄱ, ㄴ   ② ㄴ, ㄷ   ③ ㄷ, ㄹ
④ ㄱ, ㄴ, ㄹ   ⑤ ㄱ, ㄷ, ㄹ

서답형 문제

10 다음 글을 읽고 물음에 답하시오.

> 갑: 만일 신이 인간의 최고선이라고 한다면, 그 최고선을 구하는 것이 잘 사는 일이다. 천상의 나라는 신을 사랑하는 사람들로 이루어진 나라이며, 지상의 나라는 자기만을 사랑하는 사람들로 이루어진 나라이다.
> 을: 지적인 덕과 도덕적인 덕은 우리의 행위에 의해 획득되며, 우리 안에 미리 존재하고 있는 특정한 자연적 원리에 의해 발생한다. 이런 자연적 원리 대신에, 신은 종교적 덕을 우리에게 수여하였다.

(1) 중세 서양 사상가인 갑, 을 사상가가 누구인지 쓰시오.
        갑: (   ), 을: (   )

(2) 신앙과 이성에 대한 갑과 을의 입장을 서술하시오.

_____

_____

도전! 실력 올리기

01 다음을 주장한 중세 서양 사상가의 입장만을 〈보기〉에서 있는 대로 고른 것은?

> 선한 신은 인간을 포함한 모든 것을 창조했다. 선하고 아름다운 신이 만든 만물은 아름답고 선하다. 신은 선으로 선한 것을 창조했기 때문이다. 신은 세상을 신의 국가와 인간의 국가로 나누었고, 인간 삶의 모든 역사는 신의 국가의 승리로 귀결된다.

〈보기〉
ㄱ. 신의 은총으로 인간은 구원을 얻을 수 있다.
ㄴ. 신의 피조물인 인간에게는 자유 의지가 없다.
ㄷ. 세계는 완전한 세계와 불완전한 세계로 구분된다.
ㄹ. 선악을 포함하여 모든 존재는 신이 창조한 것들이다.

① ㄱ, ㄷ   ② ㄱ, ㄹ   ③ ㄴ, ㄷ
④ ㄱ, ㄴ, ㄹ   ⑤ ㄴ, ㄷ, ㄹ

03 다음을 주장한 중세 서양 사상가가 부정의 대답을 할 질문으로 옳은 것은?

> 두 종류의 사랑에 의해 두 종류의 국가가 만들어진다. 사람들이 신을 무시하고 자신을 사랑함으로써 지상의 국가가 형성되고, 자신을 무시하고 신을 사랑함으로써 천상의 국가가 형성된다. 지상의 국가에서 사람들은 인간에게서 영광을 찾지만 천상의 국가에서 사람들은 신에게서 최고의 영광을 찾는다.

① 도덕적 덕이 종교적 덕보다 우위에 있는가?
② 악은 실체가 아니라 선이 결여된 상태인가?
③ 신은 실존적으로 만나야 할 인격적 존재인가?
④ 인간의 노력만으로는 참된 행복을 누릴 수 없는가?
⑤ 인간은 욕망에 따라 이 세상을 살아가는 불완전한 존재인가?

02 고대 서양 사상가 갑, 중세 서양 사상가 을의 입장에 대한 설명으로 가장 적절한 것은?

> 갑: 감각적 지각을 통해 얻은 것을 그 자체와 관련지으려면 무지의 동굴에서 벗어나 본질이 무엇인지 알아야 한다. 그래야 참된 실재 세계를 인식할 수 있다. 이렇게 실재를 인식한 자가 국가를 통치해야 한다.
> 을: 이데아는 무(無)에서 만물을 창조한 신의 정신 안에 있다. 궁극적 실재는 신이며, 신은 실존적으로 만나야 할 인격적 존재이다. 절제는 신을 위해 자신을 온전하게 지키는 사랑이다.

① 갑은 최고의 덕을 사랑이라고 본다.
② 을은 이데아를 인간이 추구해야 할 최고선으로 본다.
③ 갑은 을과 달리 세계를 두 개의 세계로 구분하여 본다.
④ 을은 갑과 달리 신과 하나가 될 때 완전한 행복에 이를 수 있다고 본다.
⑤ 갑, 을은 이성을 신·자연·인간의 공통된 본성으로 본다.

04 갑, 을은 중세 서양 사상가이다. 갑, 을의 입장만을 〈보기〉에서 있는 대로 고른 것은?

> 갑: 신에 대한 지식은 이성이 아니라 오직 신의 계시를 통해서 주어지는 것입니다. 신은 이성적 인식을 넘어서 실존적으로 만나야 할 인격적 존재입니다.
> 을: 신앙과 이성은 모두 신으로부터 나온 것이므로 모순되지 않고 조화를 이룰 수 있습니다. 신의 존재는 이성적으로 증명될 수 있습니다.

〈보기〉
ㄱ. 갑: 철학적 진리가 신학적 진리보다 우월하다.
ㄴ. 을: 신학에서 신앙보다 이성이 절대 우위에 있다.
ㄷ. 을: 철학과 신학은 서로 구분되지만 상호 보완이 가능하다.
ㄹ. 갑, 을: 참된 행복은 믿음, 소망, 사랑의 덕을 필요로 한다.

① ㄱ, ㄴ   ② ㄱ, ㄷ   ③ ㄷ, ㄹ
④ ㄱ, ㄴ, ㄹ   ⑤ ㄴ, ㄷ, ㄹ

05 다음을 주장한 중세 서양 사상가의 입장만을 〈보기〉에서 있는 대로 고른 것은?

영원법은 모든 운동과 행위를 지배하는 신의 지혜이다. 만물은 신으로부터 영원법을 통해 각자의 특정한 본성을 부여받았다. 인간은 특별한 방식으로 이러한 영원법을 따르는데, 여기서 이성적 존재인 인간이 영원법에 참여하는 것을 자연법이라고 부른다.

> 보기
> ㄱ. 자연법은 인간의 이성으로 인식 가능하다.
> ㄴ. 현실의 실정법은 자연법에 근거를 두어야 한다.
> ㄷ. 자연법의 제1원리는 선을 행하고 악을 피하는 것이다.
> ㄹ. 자연법은 영원법에 근거를 둔 것으로, 인간 본성을 초월한다.

① ㄱ, ㄷ　　　② ㄱ, ㄹ　　　③ ㄴ, ㄹ
④ ㄱ, ㄴ, ㄷ　　⑤ ㄴ, ㄷ, ㄹ

06 고대 서양 사상가 갑, 중세 서양 사상가 을의 입장에 대한 설명으로 가장 적절한 것은?

갑: 우주의 모든 존재는 고유한 목적을 향해 움직이며, 인간의 행위 역시 목적을 가지고 있다. 인간 행위의 궁극적인 목적은 행복이며, 행복이란 덕과 일치하는 영혼의 활동이다.
을: 행복은 이성에 따르는 삶에 있다. 이를 위해서는 본성적으로 내재하는 자연법의 명령에 따라 덕을 실천해야 한다. 그러나 이러한 행복은 현세의 행복일 뿐이고, 영원한 행복은 신과 하나가 될 때 가능하다.

① 갑은 인간 행위의 궁극적 목적인 최고선이 신이라고 주장한다.
② 갑은 지성적 덕은 선천적이고, 품성적 덕은 후천적이라고 본다.
③ 을은 도덕적 덕을 실천하여 완성함으로써 참된 행복에 이를 수 있다고 본다.
④ 을은 신을 따르고 믿음, 소망, 사랑의 덕을 실천함으로써 구원을 얻을 수 있다고 본다.
⑤ 갑, 을은 참된 행복이 현실 세계에만 존재하며 현실 세계에서 실현되어야 한다고 본다.

07 중세 서양 사상가 갑, 을의 입장으로 가장 적절한 것은?

갑: 행복은 오직 신앙으로 가능하다. 행복의 필수 조건은 영원한 생명인데 원죄 때문에 인간은 죽을 수밖에 없는 운명을 가지고 태어났다. 인간은 신의 은총을 믿음으로써 지상의 나라에서 벗어나 영원한 생명을 얻을 수 있는 신의 나라로 가야 한다.
을: 신학의 목적은 영원한 행복이다. 모든 실천적 학문의 목적은 그것에로 질서 지워져 있다. 따라서 신학은 모든 학문보다 우위에 있다. 철학은 계시의 진리를 명료화하기 위해 필요하며, 신의 존재는 증명될 수 있다.

① 갑: 인간은 신과 하나 될 수 있는 완전한 존재이다.
② 갑: 인간의 노력을 통해 신의 나라에 들어갈 수 있다.
③ 을: 여러 덕들 중 최고의 덕은 정의이다.
④ 을: 신앙과 이성 모두 신으로부터 주어진 것이다.
⑤ 갑, 을: 완전한 행복은 지성적 덕을 통해 달성된다.

08 중세 서양 사상가 갑, 을의 입장으로 가장 적절한 것은?

갑: 교황은 자신과 자기 교회가 만든 법을 범한 죄 외에는 어떠한 죄도 사면할 권한이 없다. 교황의 이름으로 된 면죄부를 사면 죄의 형벌을 면하고 구원에 이를 수 있다고 가르치는 것은 잘못이다.
을: 모든 사람은 같은 상태로 창조된 것이 아니다. 어떤 사람에게는 영원한 삶이, 또 어떤 사람에게는 영원한 벌이 예정되어 있다. 신은 누구를 구제하고 누구를 멸망시킬 것인가를 미리 정해 놓았다.

① 갑: 모든 신앙인이 성직자이자 사제이다.
② 갑: 개인의 신앙보다 교회의 권위가 더 중요하다.
③ 을: 노동은 오직 원죄에 대한 속죄의 수단일 뿐이다.
④ 을: 개인의 직업적 성공을 통해 구원을 얻을 수 있다.
⑤ 갑, 을: 인간의 노력을 통해 영원한 행복에 이를 수 있다.

05 ~ 도덕의 기초

A 도덕적인 삶과 이성: 합리론과 스피노자의 이성 중심 윤리 사상

1. 서양 근대 윤리 사상의 등장 배경과 특징

(1) 등장 배경 _통 16~17세기에 유럽에서 일어난 그리스도교 혁신 운동으로, 근대 자유주의와 개인주의 사상의 형성에 영향을 미침

르네상스	개성을 존중하고 합리적 사고와 경험을 중시하는 사고가 확산됨
종교 개혁	교회의 권위가 무너지고 개인이 신앙의 자유를 누리게됨
자연 과학 발달	중세의 자연관이 붕괴되고 과학적 세계관이 자리 잡음

(2) 특징
① 중세와 달리 진리와 도덕 판단의 근거를 신이 아닌 인간에서 찾음
② 객관적 지식의 성립 과정과 진리의 인식 문제를 다루는 인식론이 대두됨
└─ 예 합리론과 경험론

2. 합리론의 등장

(1) 합리론의 의미와 특징

의미	지식과 사유의 토대를 이성으로 보는 입장
특징	수학적 논리와 추론에 의해 얻은 지식을 중시하며 연역법을 중시함
선구자	데카르트

(2) 데카르트 사상의 특징 자료1
① 이성의 추론을 통해 얻은 지식만을 참된 지식으로 봄
② 이성적 추론의 토대가 되는 확실한 원리를 찾고자 방법적 회의를 통해 모든 것을 의심함
③ 모든 것을 의심해도 생각(의심)하는 나의 존재는 의심할 수 없음을 깨달음 → "나는 생각한다. 그러므로 나는 존재한다."라는 철학의 제 1원리를 얻음

3. 스피노자의 이성 중심 윤리 사상

(1) 특징
① 세계관 자료2

필연론적 세계관	· 자연은 수학적 질서에 따라 움직이는 하나의 거대한 기계임 · 자연의 모든 일은 원인과 결과인 필연적 관계로 연결됨
범신론적 세계관	· 신은 자연 바깥에 존재하는 자연을 창조한 인격적 신이 아니라 자연 그 자체임 · 신은 유일한 실체이고, 자연의 모든 개별 사물은 신의 양태임

② 인간관
· 인간은 자연의 필연성에서 벗어나 자유 의지를 지닐 수 없음
· 인간은 자연 법칙에 따라 살면서 자기 보존을 위해 노력함
· 인간은 자기 보존에 유익한 것은 선으로, 해로운 것은 악으로 여김
③ 행복관 자료3
· 정념에 속박된 사람은 외부 원인에 휘둘리며 수동적 삶을 살게 됨 → 정념의 예속에서 벗어나려면 이성을 온전히 사용하여 자연의 궁극적인 원인과 질서를 인식해야 함
· 이성적 관조를 통해 자연의 인과적 필연성을 인식할 때 행복(최고선)에 이를 수 있음

(2) 영향: 이성을 통한 지식 추구와 이성적 삶을 중시함 → 칸트 윤리 사상에 영향을 미침

자료1 데카르트의 방법적 회의

나는 이제부터 진리를 탐구하기 위해, 조금이라도 의심할 수 있는 것은 모두 거짓으로 보아 던져 버림으로써 전혀 의심할 수 없는 것이 내 생각 속에 남아 있는지를 살펴보기로 했다. … 이런 식으로 모든 거짓이라고 생각하고 있는 동안에도 이렇게 생각하는 나는 반드시 어떤 것이어야 한다는 것을 알게 되었다. "나는 생각한다. 그러므로 나는 존재한다."라는 이 진리는 아주 확실한 것이기 때문에 … 나는 이것을 내가 찾고 있던 철학의 제1원리로 기꺼이 받아들일 수 있다고 판단했다.
                                                        – 데카르트, "방법 서설"

| **자료 분석** | 합리론의 기초를 닦은 데카르트는 이성적 추론의 토대가 되는 자명한 원리를 찾기 위하여 모든 것을 의심해 보는 방법적 회의를 사용하였다. 그는 방법적 회의를 통해 결코 의심할 수 없는 한 가지 사실에 이르게 되는데, 그것은 바로 '생각하는 나'는 존재한다는 것이다.

한줄 핵심 데카르트는 모든 것을 의심해 보는 방법적 회의를 확실한 지식을 얻고자 하였다.

❶ 데카르트는 방법적 회의를 통해 생각하는 내가 존재한다는 것은 의심할 수 없음을 주장하였다.
◯ ✕

자료2 스피노자의 범신론적 세계관

┌─신
생산하는 자연은 그 자체 안에 존재하며 그 자신에 의해서 파악되는 것, 아니면 영원하고 무한한 본질을 표현하는 실체의 속성, 즉 자유 원인으로 고찰되는 신으로 이해되지 않으면 안 된다. 이에 비해 생산된 자연은 신의 본성이나 신의 각 속성의 필연성에서 생기는 모든 것, 즉 신 안에 존재하며 신┌없이는 존재할 수도 파악될 수도 없는 그러한 것으로 고찰되는 신의 속성의 모든 양태(樣態)로 이해되어야 한다. └─인간을 포함한 자연의 개별 사물들 – 스피노자, "에티카"

| **자료 분석** | 스피노자는 신을 자연을 창조한 인격신이 아니라 스스로가 존재 원인인 자연 그 자체로 인식하였다. 스피노자에 따르면, 신은 존재하는 유일한 실체이며, 자연의 개별 사물은 하나의 실체가 보여 주는 여러 가지 모습인 양태이다.

한줄 핵심 스피노자는 신을 자연 그 자체로 보았다.

❷ 스피노자는 신을 이 세상을 창조한 인격신으로 인식하였다.
◯ ✕

❸ 스피노자는 신을 존재하는 유일한 실체로 보았다.
◯ ✕

자료3 스피노자가 보는 최고의 행복에 이르는 방법

삶에서 무엇보다 유익한 것은 가능한 한 이성을 완전하게 하는 것이며, 오로지 이것에 인간의 최상의 행복, 즉 지복(至福)이 존재한다. 지복이란 신의 직관인 인식에서 생기는 정신의 만족에 불과하다. 그리고 이성을 완전하게 하는 것은 신, 신의 속성, 그리고 신의 본성의 필연성에서 생기는 활동을 파악하는 것이다.
                                                        – 스피노자, "에티카"

| **자료 분석** | 스피노자에 따르면 인간의 삶에서 무엇보다 유익한 것은 이성을 완전하게 하는 것이며, 이것만이 인간에게 최상의 행복을 안겨준다. 즉, 이성을 사용하여 자연의 필연적 인과 관계를 인식할 때 이를 수 있는 행복이 인간에게 가능한 최고의 선이다.

한줄 핵심 스피노자는 인간이 이성적 관조를 통해 최고의 행복에 이를 수 있다고 보았다.

❹ 스피노자는 이성적 관조를 통해 자연의 필연적 질서를 인식함으로써 최고의 행복에 이를 수 있다고 보았다.
◯ ✕

◯ ❹ ◯ ❸ (물 줄한 쇼이 나믜 라그꾸 ㄷ 싀뻐 뇌읽⑨ ◯ ❷ ✕(싄갹) ◯ ❶ **정답**

B 도덕적인 삶과 감정: 경험론과 흄의 감정 중심 윤리 사상

1. 경험론의 등장

(1) 경험론의 의미와 특징

의미	확실한 지식의 토대를 인간의 감각이나 경험에서 찾는 입장
특징	관찰이나 실험에서 얻은 지식을 중시하고 귀납법을 중시함
선구자	베이컨

(2) 베이컨 사상의 특징

① 자연을 있는 그대로 관찰할 때 올바른 지식을 얻을 수 있음

② 올바른 지식을 이용해 자연을 지배하고 생활 방식을 개선하여 사람들에게 행복을 가져다줄 수 있음 → "아는 것이 힘이다."

③ 자연에 대한 참된 인식을 방해하는 인간의 선입견과 편견을 우상이라 하고, 이를 타파할 것을 강조함 [자료 4]

종족의 우상	모든 것을 인간 중심의 관점에서 보는 편견
동굴의 우상	개인의 경험이나 자란 환경에 따라 생긴 편견
시장의 우상	잘못된 말과 소문으로 인해 생기는 편견
극장의 우상	전통이나 권위를 맹신하는 데서 오는 편견

2. 흄의 감정 중심 윤리 사상

(1) 특징

① **도덕적 행위의 동기로 감정 제시** [자료 5]

• 도덕적 행위와 판단에서 중요한 요인은 이성이 아니라 감정임

• 도덕에서 중요한 것은 실천인데, 도덕적 실천을 유발하는 동기가 될 수 있는 것은 감정임 [왜?] 이성은 참이나 거짓을 밝히거나 사물의 원인과 결과를 따질 수 있을 뿐이고, 어떤 의욕도 불러일으키지 않는다고 보았기 때문임

• 도덕적 실천에서 이성의 역할은 감정이 원하는 바를 실현하는 방법이나 절차 등을 알려 주는 것임 → "이성은 감정의 노예"

② **시인과 부인의 감정 제시**

• 도덕적 선악은 이성으로 판단하는 것이 아니라, 어떤 행위에 대한 시인(是認)과 부인(否認)의 감정을 표현한 것임

• 어떤 행위가 그것을 바라보는 사람에게 시인의 즐거운 감정을 가져다주면 좋은 것[善]이고, 부인의 불쾌한 감정을 가져다주면 나쁜 것[惡]임

③ **공감의 능력 중시** [자료 6]

• 시인과 부인의 감정이 도덕적 구별의 기준이 되려면 그것이 개인이 주관적으로 느끼는 감정이 아니라 사람들이 보편적으로 느끼는 감정이어야 함

• 우리가 사회적·보편성적으로 시인의 감정을 느낄 수 있는 까닭은 우리가 공감 능력을 지니고 있기 때문임

• 인간은 공감 능력으로 인해 사회적 차원의 감정, 보편적 인류애의 감정을 공유할 수 있음

• 도덕적 삶을 살기 위해서는 공감을 통해 사람들에게 쾌감을 불러 일으키는 행동을 실천해야 함

(2) 영향: 사회의 행복에 유용한 행위를 강조함 → 공리주의의 사상적 뿌리가 됨

자료4 우상의 타파를 강조한 베이컨

인간의 지성을 사로잡고 있는 우상은 우리의 정신을 혼미하게 만들 뿐만 아니라, 우리가 얻을 수 있는 진리조차도 얻지 못하게 만든다. … 우상들을 몰아내는 유일한 대책은 참된 귀납법으로 개념과 공리를 형성하는 것이다.
— 베이컨, "신기관"

| 자료 분석 | 베이컨은 우리가 참된 인식을 얻기 위해서는 자연을 있는 그대로 인식해야 한다고 보았다. 그래서 참된 인식을 방해하는 선입견과 편견이라는 우상을 제거할 것을 강조하였으며, 우상을 제거하는 방법으로 참된 귀납법으로 개념과 공리를 형성할 것을 제시하였다.

한줄 핵심 베이컨은 인간이 지닌 선입견과 편견이라는 우상의 제거를 강조하였다.

❺ 베이컨은 인간이 지닌 선입견과 편견을 우상이라고 불렀다. ○ ✕

자료5 흄이 말하는 감정과 이성의 역할

• 도덕이 행동과 감정에 영향을 미치기 때문에, 결과적으로 도덕은 이성에서 유래될 수 없다. 우리가 이미 입증했듯이 이성은 홀로 그와 같은 영향력을 전혀 가질 수 없기 때문이다. 도덕은 어떤 행동을 일으키거나 억제한다. 바로 이런 점에서 이성은 전혀 힘이 없다.

• 이성은 감정들을 충족할 수 있는, 그리고 우리가 고통과 좌절을 피할 수 있도록 인도하는 정보들을 우리에게 전해 줄 수 있을 뿐이다. 반면에 감정은 행위에 직접적인 영향을 미친다.
— 흄, "인간 본성에 관한 논고"

| 자료 분석 | 흄은 도덕적 행위의 동기가 되는 것은 이성이 아니라 감정이라고 보았다. 도덕에서 무엇보다 중요한 것은 실천인데, 감정은 도덕적 실천을 직접 유발하는 동기가 될 수 있지만 이성은 어떤 의욕도 불러일으키지 않는다고 보았기 때문이다.

한줄 핵심 흄은 도덕적 실천의 동기가 될 수 있는 것은 감정이며, 이성은 도덕적 실천의 동기를 수행하기 위한 수단을 가르쳐 줄 뿐이라고 보았다.

❻ 흄은 도덕적 행위의 동기가 되는 것은 인간의 이성적 능력이라고 보았다. ○ ✕

자료6 공감의 능력을 강조한 흄

내가 어떤 사람의 목소리와 몸짓에서 어떤 감정의 결과를 볼 때 나의 마음은 즉시 이런 결과로부터 이것의 원인으로 나아가 그 감정에 관한 생생한 관념을 형성하는데, 이것은 곧바로 감정 자체로 전환된다. 이와 마찬가지 방식으로, 내가 감정의 원인을 지각할 때 나의 마음은 그 결과로 나아가 그 결과와 비슷한 감정을 느끼게 된다. … 결국 타인이 느끼는 감정의 원인과 결과에 대한 우리의 관념이 공감을 일으키는 것이다.
— 흄, "인간 본성에 관한 논고"

| 자료 분석 | 흄은 도덕적 감정이 개인이 주관적 감정을 넘어 보편성을 지니는 까닭은 인간의 공감 능력 덕분이라고 보았다. 흄에 따르면, 공감은 우리의 경험과 상상력을 바탕으로 일어난다.

한줄 핵심 흄은 우리가 지닌 공감 능력이 도덕의 기초가 된다고 보았다.

❼ 흄은 도덕적 감정은 개인이 주관적으로 느끼는 감정이라고 보았다. ○ ✕

❽ 흄은 공감은 우리의 경험과 상상력을 바탕으로 일어난다고 보았다. ○ ✕

정답 ❺ ○ ❻ ×(감정 능력을 이성적 능력이 아닌 감정이라고 봄) ❼ ×(개인의 주관적 감정을 넘어 보편성을 지님) ❽ ○

스피노자와 흄의 윤리 사상 비교하기

관련 문제 ▶ 149쪽 07번

수능풀 Guide

이 단원에서는 스피노자와 흄의 윤리 사상의 특징을 묻는 문제가 출제된다. 두 사상가의 주요 주장을 비교해서 알아 두자.

스피노자	입장	흄
이성적 관조를 통해 자연의 질서를 인식해야 행복을 누림		도덕적 행위의 동기는 이성이 아니라 감정임
• 신=자연=유일한 실체 • 모든 일은 원인과 결과로 결정되어 있음 • 인간을 비롯한 자연의 개별 사물은 자기 보존을 위해 노력함	특징	• 도덕적 감정은 시인과 부인의 감정을 표현한 것임 • 인간은 공감의 능력이 있어 모든 사람에게 유용한 행위에 쾌감을 느낌

기출 자료 익히기

윤사 공부법, 하나!
자료를 보고 어떤 사상가나 사상의 입장인지 유추하는 훈련하기

자료 1 스피노자

• 완전한 행복은 신에 대한 사랑에서 찾을 수 있다. 이 사랑은 현존하는 것으로 표상되는 한에서의 신에 대한 사랑이 아니라, 신을 영원하다고 인식하는 한에서의 신에 대한 사랑이다. <u>신과 사물을 영원한 필연성에 의해 인식해야 한다.</u>
└ 신과 사물의 영원한 필연성 인식 강조 → 스피노자

• <u>존재하는 모든 것은 신 안에 있으며, 신 이외에는 어떠한 실체도 있을 수 없다.</u> 신은 우리의 정신이 인식할 수 있는 최고의 것이다.
└ 신은 곧 자연이며 유일한 실체임 → 스피노자

자료 2 흄

• 이성은 인간이 야수에 비해 우월하다는 주된 근거이고 참이나 거짓을 발견한다. 이와 달리 정념과 의욕 및 행위는 참이나 거짓이라고 단언될 수 없고 이성과 상반되거나 합치될 수도 없다. <u>이성은 어떤 행동이나 정념도 직접적으로 유발하지 않으며, 단지 정념에 봉사하고 복종할 뿐이다.</u>
└ 이성은 정념(감정)의 노예 → 흄

• 악덕과 덕은 단순히 관념들의 비교 혹은 이성에 의해 발견될 수 없다. <u>도덕적 선악은 판단되기보다는 오히려 느껴지는 것이다.</u>
└ 도덕적 선악은 감정의 표현임 → 흄

기출 선택지 익히기

윤사 공부법, 둘!
선택지가 어떤 사상가나 사상의 입장인지 파악하는 훈련하기

다음 내용이 스피노자에 해당하면 '스', 흄에 해당하면 '흄'이라고 쓰시오.

❶ 사회적 유용성이 행위의 정당성을 판단하는 기준이 된다. (　　)

❷ 인간과 사물은 무한한 실체가 다양한 모습으로 나타난 것이다. (　　)

❸ 인간은 이성에 의해 인도될 때 정념의 예속에서 벗어날 수 있다. (　　)

❹ 신을 이성적으로 관조하거나 지적으로 사랑하려고 힘써야 한다. (　　)

❺ 이성은 감정의 명령을 따르고 그것의 실현을 도와주는 능력이다. (　　)

❻ 도덕 감정은 인간의 정신 안에 생겨나는 인상이나 느낌에 기초한다. (　　)

A 도덕적인 삶과 이성

01 빈칸에 알맞은 말을 쓰시오.

(1) 서양 근대 윤리 사상은 중세의 □ 중심적 사고에서 벗어나 □□을/를 사고의 중심으로 삼았다.

(2) 지식과 사유의 토대가 인간의 이성에 있다고 보는 인식론적 입장을 □□□(이)라고 한다.

02 빈칸에 알맞은 말을 쓰시오.

> 데카르트는 이성적 추론의 토대가 되는 확실한 원리를 찾기 위하여 (   )을/를 통해 모든 것을 의심해 보았다. 그리고 모든 것을 의심해도 그것을 의심(생각)하는 자신이 존재한다는 사실은 의심할 수 없음을 깨달았다.

03 스피노자의 사상으로 맞으면 ○표, 틀리면 ×표를 하시오.

(1) 자연의 필연적 관계를 인식할 때 최고의 행복에 이를 수 있다. ( )

(2) 자연은 수학적 질서에 따라 움직이는 하나의 거대한 기계이다. ( )

(3) 이성에 따르는 삶을 살기 위해서는 모든 정념을 제거해야 한다. ( )

(4) 인간은 자신의 운명을 스스로 개척할 수 있는 자유 의지를 지니고 있다. ( )

B 도덕적인 삶과 감정

04 빈칸에 알맞은 말을 쓰시오.

(1) 사유와 지식의 원천을 감각적 경험에 두는 인식론적 입장을 □□□(이)라 한다.

(2) □□□은/는 개별적인 특수한 사실을 전제로 하여 일반적인 사실이나 원리로서의 결론을 이끌어 내는 연구 방법이다.

05 베이컨의 네 가지 우상과 그 설명을 바르게 연결하시오.

(1) 종족의 우상 • • ㉠ 개인의 경험에 따라 생긴 편견

(2) 동굴의 우상 • • ㉡ 잘못된 말과 소문으로 인한 편견

(3) 시장의 우상 • • ㉢ 전통, 권위에 대한 맹신으로 인한 편견

(4) 극장의 우상 • • ㉣ 모든 것을 인간의 관점에서 보는 편견

06 흄의 사상으로 맞으면 ○표, 틀리면 ×표를 하시오.

(1) 도덕적 행위와 판단에서 중요한 요인은 감정이 아니라 이성이다. ( )

(2) 도덕적 감정은 시인과 부인의 감정으로, 개인이 주관적으로 느끼는 감정이다. ( )

(3) 우리는 공감의 능력을 통해 사회의 행복에 유용한 행위에 대하여 사회적 시인의 감정을 가질 수 있다. ( )

A 도덕적인 삶과 이성

01 근대 서양 윤리의 특징에 대한 옳은 설명만을 〈보기〉에서 고른 것은?

> 보기
> ㄱ. 신을 통해 진리와 도덕적 삶을 설명하려고 하였다.
> ㄴ. 이성을 지닌 인간이 진리와 도덕의 주체로 등장하였다.
> ㄷ. 객관적 지식의 성립 과정과 진리의 인식 문제를 다루는 인식론이 대두되었다.
> ㄹ. 관찰과 실험을 통해 지식을 추구하는 합리론과 이성적 사고를 통해 지식을 추구하는 경험론이 등장하였다.

① ㄱ, ㄴ ② ㄱ, ㄷ ③ ㄴ, ㄷ
④ ㄴ, ㄹ ⑤ ㄷ, ㄹ

02 다음 근대 서양 사상가의 입장으로 가장 적절한 것은?

> 나는 이제부터 조금이라도 의심할 수 있는 것은 모두 거짓으로 보아 던져 버림으로써 전혀 의심할 수 없는 것이 내 생각 속에 남아 있는지를 살펴보기로 했다. 이런 과정을 거쳐 "나는 생각한다. 그러므로 나는 존재한다."라는 명제가 확실한 것임을 알았기 때문에 이것을 철학의 제1 원리로 기꺼이 받아들일 수 있다고 판단했다.

① 이성을 통해서는 새로운 지식을 얻을 수 없다.
② 귀납적 방법을 통하여 자명한 진리를 얻어야 한다.
③ 관찰과 실험을 통해서만 확고한 지식을 얻을 수 있다.
④ 방법적 회의를 통하여 확실한 지식을 연역할 수 있다.
⑤ 인간의 경험을 통한 지식이 의심할 여지없이 확실한 지식이다.

03 스피노자의 사상에 대한 설명으로 옳지 <u>않은</u> 것은?

① 이성 중심의 윤리 사상을 전개하였다.
② 자연을 유일한 실체이자 신으로 인식하였다.
③ 자연을 필연적 질서에 따라 움직이는 기계로 보았다.
④ 이성을 통해 만물의 원인인 신을 인식함으로써 영원한 행복을 누릴 수 있다고 보았다.
⑤ 인간에게는 자신의 운명을 스스로 선택할 자유 의지가 없고 자유를 누릴 수 없다고 보았다.

04 다음을 주장한 근대 서양 사상가의 입장만을 〈보기〉에서 고른 것은?

> 생산하는 자연은 그 자체 안에 존재하며 그 자신에 의해서 파악되는 것, 즉 자유 원인으로 고찰되는 신으로 이해되지 않으면 안 된다. 이에 비해 생산된 자연은 신의 본성이나 신의 각 속성의 필연성에서 생기는 모든 것으로, 신의 속성의 모든 양태(樣態)로 이해되어야 한다.

> 보기
> ㄱ. 신은 자연을 창조한 인격신이다.
> ㄴ. 신은 스스로가 존재 원인인 자연 그 자체이다.
> ㄷ. 신뿐만 아니라 자연의 개별 사물도 실체에 해당한다.
> ㄹ. 신에 대한 지적인 사랑을 통해 영원한 행복을 누릴 수 있다.

① ㄱ, ㄴ ② ㄱ, ㄷ ③ ㄴ, ㄷ
④ ㄴ, ㄹ ⑤ ㄷ, ㄹ

05 다음을 주장한 근대 서양 사상가가 긍정의 대답을 할 질문으로 옳은 것은?

> 삶에서 무엇보다 유익한 것은 가능한 한 이성을 완전하게 하는 것이며, 오로지 이것에 인간의 최상의 행복, 즉 지복(至福)이 존재한다. 지복이란 신의 직관적인 인식에서 생기는 정신의 만족에 불과하다. 그리고 이성을 완전하게 하는 것은 신, 신의 속성, 그리고 신의 본성의 필연성에서 생기는 활동을 파악하는 것이다.

① 신을 이성적으로 관조하기 위하여 노력해야 하는가?
② 이성적으로 살기 위하여 모든 정념을 수용해야 하는가?
③ 인격신의 은총을 받기 위하여 이웃을 사랑해야 하는가?
④ 자유 의지를 발휘하여 자신의 운명을 개척해 나가야 하는가?
⑤ 신은 이성적 인식의 대상을 넘어 실존적으로 만나야 할 인격적 존재인가?

B 도덕적인 삶과 감정

06 베이컨의 사상에 대한 설명으로 옳지 **않은** 것은?

① 과학적 지식의 유용성을 강조하였다.
② 참된 지식은 현실 생활에 도움을 준다고 보았다.
③ 참된 지식을 얻기 위해서는 자연을 있는 그대로 인식해야 한다고 보았다.
④ 연역적 방법을 사용하여 얻어 낸 지식만이 유용한 참된 지식이라고 보았다.
⑤ 관찰과 실험을 통하여 얻어 낸 지식이 우리에게 도움을 주는 지식이라고 보았다.

07 흄의 입장에 대한 옳은 설명만을 〈보기〉에서 있는 대로 고른 것은?

> 보기
> ㄱ. 감정만이 도덕적 행위의 동기가 될 수 있다고 보았다.
> ㄴ. 개인의 주관적 감정은 항상 보편적 감정에 해당한다고 보았다.
> ㄷ. 도덕적 선악은 어떤 것에 대한 시인의 감정과 부인의 감정에 의해서 결정된다고 보았다.
> ㄹ. 이성의 능력인 지성은 그 자체로 우리가 실천할 수 있게 만드는 힘을 지니고 있다고 보았다.

① ㄱ, ㄷ   ② ㄱ, ㄹ   ③ ㄴ, ㄷ
④ ㄱ, ㄴ, ㄹ   ⑤ ㄴ, ㄷ, ㄹ

08 다음을 주장한 근대 서양 사상가의 입장으로 가장 적절한 것은?

> 도덕이 행동과 감정에 영향을 미치기 때문에, 결과적으로 도덕은 이성에서 유래될 수 없다. 우리가 이미 입증했듯이 이성은 홀로 그와 같은 영향력을 전혀 가질 수 없기 때문이다. 도덕은 어떤 행동을 일으키거나 억제한다. 바로 이런 점에서 이성은 전혀 힘이 없다. 따라서 도덕성의 규칙은 결코 우리 이성의 산물이 아니다. 도덕성은 판단되기보다는 느껴진다는 것이 더욱 적절하다.

① 도덕적 선악은 이성적 판단에 의해 확정된다.
② 감정은 이성의 명령을 따르는 노예에 불과하다.
③ 이성은 도덕적 실천에 어떠한 도움도 제공하지 못한다.
④ 행위를 하게 된 이유가 도덕적 판단의 근거가 되어야 한다.
⑤ 도덕적 실천의 동기가 될 수 있는 것은 오직 어떤 대상에 대한 감정이다.

09 다음을 주장한 근대 서양 사상가의 입장만을 〈보기〉에서 있는 대로 고른 것은?

> 내가 어떤 사람의 목소리와 몸짓에서 어떤 감정의 결과를 볼 때 나의 마음은 이런 결과로부터 이것의 원인으로 나아가 그 감정에 관한 생생한 관념을 형성하는데, 이것은 감정 자체로 전환된다. 이와 마찬가지로, 내가 감정의 원인을 지각할 때 나의 마음은 그 결과로 나아가 그 결과와 비슷한 감정을 느끼게 된다. 결국 타인이 느끼는 감정의 원인과 결과에 대한 우리의 관념이 공감을 일으킨다.

> 보기
> ㄱ. 도덕적 가치는 객관적으로 실재한다.
> ㄴ. 도덕적 선악은 이성적이고 인지적인 판단의 대상이다.
> ㄷ. 사회의 행복에 기여하는 행동은 우리에게 시인의 감정을 가져다준다.
> ㄹ. 도덕적인 삶을 살기 위해서는 공감을 통해 사람들에게 쾌감을 불러일으키는 행동을 실천해야 한다.

① ㄱ, ㄴ   ② ㄴ, ㄷ   ③ ㄷ, ㄹ
④ ㄱ, ㄴ, ㄹ   ⑤ ㄱ, ㄷ, ㄹ

서답형 문제

10 다음 글을 읽고 물음에 답하시오.

> 갑: 자연의 진리를 발견하기 위해서는 인간의 지성을 고질적으로 사로잡고 있는 우상들을 제거해야 한다. 이러한 우상들을 없앨 수 있는 유일한 대책은 참된 귀납법으로 개념과 공리를 형성하는 것이다.
> 을: 이성은 누구에게나 공평하게 분배되어 있다. 그런데 그 이성도 착오를 범할 수 있기 때문에 모든 것을 의심해 보아야 한다. 그렇게 하여 얻은 진리는 생각하는 나는 필연적으로 존재한다는 것이다.

(1) 근대 서양 사상가인 갑, 을은 누구인지 쓰시오.

　　　갑: (　　　　　), 을: (　　　　　)

(2) 귀납법과 연역법 중 갑과 을이 진리를 인식하는 방법으로 제시한 것이 무엇인지 쓰고, 해당 방법론의 의미를 구체적으로 서술하시오.

01 다음을 주장한 근대 서양 사상가의 입장만을 〈보기〉에서 있는 대로 고른 것은?

기출 변형

> 신은 오직 자신의 본성의 필연성에 의해서만 존재한다. 인간의 최고선은 신을 인식하는 것이며, 인간의 최고 덕도 신을 인식하는 것이다. 정신의 가장 고상한 덕은 자연의 필연성을 이성적으로 인식하는 것이다.

보기
ㄱ. 자연의 필연성에 따라 살아야 한다.
ㄴ. 이성에 따른 삶을 위해 모든 정념을 제거해야 한다.
ㄷ. 신에게는 인과 법칙을 벗어날 수 있는 자유 의지가 없다.
ㄹ. 신을 이성적으로 인식함으로써 자연의 필연성을 초월할 수 있다.

① ㄱ, ㄷ   ② ㄱ, ㄹ   ③ ㄴ, ㄷ
④ ㄱ, ㄴ, ㄹ   ⑤ ㄴ, ㄷ, ㄹ

02 다음을 주장한 근대 서양 사상가가 부정의 대답을 할 질문으로 옳은 것은?

> 무지한 자는 외부 원인들에 의해 여러 가지 방식으로 시달림을 받아 참된 마음의 평화를 결코 갖지 못한다. 현자(賢者)는 거의 영혼이 흔들리지 않고, 어떤 영원한 필연성에 의해 자신과 신과 사물을 인식하며, 존재하기를 결코 멈추지 않고, 항상 참된 마음의 평화를 누린다.

① 신 즉 자연이 유일한 실체인가?
② 유한한 인간은 불충분한 지식밖에 가질 수 없는가?
③ 우리가 사는 세계에는 우연적인 요소가 존재하는가?
④ 이성적으로 자연을 인식하게 되면 마음의 참된 평화를 얻을 수 있는가?
⑤ 최고의 행복은 모든 존재자를 생산한 근원인 신에 대한 인식을 통해서만 성취될 수 있는가?

03 다음 근대 서양 사상가 갑, 을의 입장만을 〈보기〉에서 있는 대로 고른 것은?

> 갑: 나는 오직 진리 탐구에 전념하려고 한다. 그러므로 의심할 수 있는 것은 모두 거짓된 것으로 간주하여 내던져 버리고, 전혀 의심할 수 없는 것으로부터 출발하고자 한다.
> 을: 자연 안에는 어떤 것도 우연한 것은 없으며, 모든 것은 신적 본성의 필연성에 의해 어떤 방식으로 존재하고 적용하게끔 결정되어 있다. 사물은 산출된 것과 다른 어떤 방식에 의해서는 신으로부터 산출될 수 없다.

보기
ㄱ. 갑: 사유하는 '나'의 존재는 의심의 대상이 아니다.
ㄴ. 을: 인간은 이성에 따라 살아갈 때 덕스러워질 수 있다.
ㄷ. 을: 모든 감정을 제거하여 이성적인 존재가 되어야 한다.
ㄹ. 갑, 을: 인간은 이성을 통해 진리를 인식할 수 있다.

① ㄱ, ㄴ   ② ㄴ, ㄷ   ③ ㄷ, ㄹ
④ ㄱ, ㄴ, ㄹ   ⑤ ㄱ, ㄷ, ㄹ

04 그림은 서술형 평가와 학생 답안이다. 학생 답안의 ㉠~㉤ 중 옳지 <u>않은</u> 것은?

> **서술형 평가**
>
> ◎ 문제: 근대 서양 사상가 갑, 을의 입장을 서술하시오.
>
> 갑: 학문의 기초로서 모든 것에 대한 의심은 우리가 참이라고 발견한 것에 대해서는 더 이상 의심할 수 없게 해 준다.
> 을: 인간의 지성을 사로잡고 있는 우상들을 몰아낼 수 있는 유일한 대책은 참된 귀납법이다.
>
> ◎ 학생 답안
> 갑은 ㉠이성적 추론을 통해 얻은 지식만이 확실하고 참된 지식이라 보고, ㉡확실한 지식을 연역하기 위해서는 절대로 의심할 수 없는 명제를 그 출발점으로 삼아야 한다고 보았다. 을은 ㉢관찰과 경험을 통해 얻은 지식만이 확실하고 참된 지식이라고 보고, ㉣자연에 대한 참된 지식을 통해 인간과 자연이 조화를 이루면서 살아야 한다고 보았다. 한편 갑, 을은 모두 ㉤신학적인 세계관에서 벗어나 인간의 능력으로 진리를 발견하고자 하였다.

① ㉠   ② ㉡   ③ ㉢   ④ ㉣   ⑤ ㉤

기출 변형

05 다음을 주장한 근대 서양 사상가의 입장으로 가장 적절한 것은?

> 지금까지 학문에 종사하는 사람들은 자신의 경험에만 의존하거나 독단을 휘둘렀다. 경험에만 의존하는 사람들은 개미처럼 오로지 자료를 모아서 사용하고, 독단을 휘두르는 사람들은 거미처럼 자신의 속을 풀어내서 집을 짓는다. 그러나 꿀벌은 중용을 취한다. 즉 들에 핀 꽃에서 재료를 구해다가 자신의 힘으로 변화시켜 소화한다. 참된 학문은 경험이나 실험을 통해 얻은 재료를 지성의 힘으로 변화시켜 소화해야 하는 것이다.

① 경험과 관찰로는 확실한 지식을 얻을 수 없다.
② 도덕적 행위의 유일한 원천을 이성에 두어야 한다.
③ 방법적 회의를 통해 자명한 진리에 도달할 수 있다.
④ 삼단 논법식 연역 추리 방법을 통해서 진리를 추구해야 한다.
⑤ 학문의 당면 과제는 자연을 지배하고 있는 법칙을 설명하는 것이다.

기출 변형

06 다음을 주장한 근대 서양 사상가의 입장에서 긍정의 대답을 할 질문으로 옳은 것은?

> 사람의 품성과 행위에서 발생하는 쾌락 또는 고통의 모든 감정이 우리가 칭찬하거나 비난하게 되는 특별한 종류의 감정이 아니다. 적의 훌륭한 품성은 우리에게 해롭지만 우리의 존경심을 유발할 수 있다. 어떤 품성을 도덕적으로 선하다거나 악하다고 말할 수 있는 느낌이나 감정을 일으키는 경우는 오직 그 품성을 우리의 개별적 이익과 무관하게 일반적으로 고려할 때뿐이다.

① 이성은 도덕적 행위를 유발하는 동기가 될 수 있는가?
② 감정은 이성이 설정한 목적을 실현하는 데 기여해야 하는가?
③ 도덕 행위의 추동력은 감정이고 도덕 판단의 근거는 이성인가?
④ 자연적 성향인 공감을 통해 자기중심적 관점을 극복해야 하는가?
⑤ 사회적 유용성은 행위의 정당성을 판별하는 기준이 될 수 없는가?

기출 변형

07 근대 서양 사상가 갑, 을의 입장으로 가장 적절한 것은?

> 갑: 완전한 행복은 신에 대한 사랑에서 찾을 수 있다. 이 사랑은 신을 영원하다고 인식하는 한에서의 신에 대한 사랑이다. 신과 사물을 영원한 필연성에 의해 인식해야 한다.
> 을: 이성은 참이나 거짓을 발견한다. 이와 달리 정념과 의욕 및 행위는 참이나 거짓이라고 단언될 수 없고 이성과 상반되거나 합치될 수도 없다. 이성은 어떤 행동이나 정념도 직접적으로 유발하지 않으며, 단지 정념에 봉사하고 복종할 뿐이다.

① 갑: 신은 이 세계를 창조한 세계 외적 존재이다.
② 갑: 신의 은총이 있어야만 영원한 행복을 누릴 수 있다.
③ 을: 도덕성은 인간의 정신 안에 생겨나는 느낌에 기초한다.
④ 을: 인간의 이성은 도덕적으로 행동하는 데 기여할 수 없다.
⑤ 갑, 을: 경험과 관찰을 통해 참된 진리를 파악해야 한다.

08 근대 서양 사상가 갑은 긍정, 을은 부정의 대답을 할 질문으로 옳은 것은?

> 갑: 감정이 발생하는 인과 질서를 이해함으로써 감정의 영향을 덜 받게 된다. 모든 것은 신 또는 자연에서 필연적으로 산출되며 우리가 인식할 수 없는 감정은 없다.
> 을: 만약 유용성이 도덕적 감정의 근원이라면 그리고 이 유용성이 항상 자기 자신과 관련해서만 고려되는 것이 아니라면, 이로부터 사회 전체의 행복에 기여하는 모든 것은 그 자체로 곧바로 우리의 시인을 받으며 선한 의지가 그것을 추천한다는 사실이 도출된다.

① 감정 자체를 배제해야 행복에 이를 수 있는가?
② 정념의 속박에서 벗어나 이성에 따르는 삶을 살아야 하는가?
③ 도덕은 타인의 행복과 불행에 대한 공감 능력에 근거하는가?
④ 이성보다 감정이 도덕적 실천에서 중요한 역할을 수행하는가?
⑤ 자유 의지를 발휘하여 자연의 인과적 필연성에서 벗어나야 하는가?

06 옳고 그름의 기준

① 실천 이성
도덕 법칙을 정립하고 의지에 따른 행위를 규정하는 이성으로, 마땅히 행해야 할 바를 생각하고 그것을 스스로의 의지로 결단하는 능력이다.

A 의무론과 칸트주의

1. 의무론의 의미와 특징

의미	우리가 마땅히 지켜야 할 의무에 따라 행위의 옳고 그름을 판단해야 한다는 이론
특징	• 행위의 결과보다 행위의 동기를 중시함 • 행위의 가치가 본래 정해져 있다고 봄 • 목적이 수단을 정당화할 수 없다고 봄

★ 2. 칸트의 윤리 사상

(1) 특징

① **도덕 판단의 기준으로 선의지 제시** 자료 1
- 선의지는 행위를 오로지 그것이 옳다는 이유에서 실천하는 의지로, 그 자체로 선함
- 선의지에서 비롯된 행위만이 도덕적 가치를 지님 — **예** 이기적 의도나 동정심 등에서 비롯된 행위는 결과적으로 의무에 알맞은 것이라도 도덕적 가치가 없음

② **도덕 법칙 강조** 자료 2
- 도덕 법칙은 인간이 반드시 지키고 따라야 하는 보편타당한 법칙임
- 오직 인간만이 따를 수 있는 법칙으로, 실천 이성이 자율적으로 수립한 법칙임 **❶**

③ **도덕 법칙의 형식으로 정언 명령 제시** 자료 3
- 인간은 본능적 욕구를 지녀 선의지를 저절로 따를 수 없음
- 도덕 법칙은 가언 명령이 아닌 '무조건 ~하라'와 같은 절대적인 명령인 정언 명령의 형태로 주어짐 → 인간에게 도덕 법칙은 항상 당위나 의무로 다가옴
- 칸트가 제시한 정언 명령의 정식

② 가언 명령
'~한다면 ~하라'와 같이 조건이 붙은 명령이다. 칸트에 따르면 도덕 법칙이 무조건 선하려면 그 법칙은 다른 목적을 달성하기 위한 수단이 아니라 그 자체가 목적인 명령이어야 한다. 따라서 가언 명령은 도덕 법칙의 형식이 될 수 없다.

첫 번째 정식 (준칙의 보편화 가능성)	"네 의지의 준칙이 항상 동시에 보편적 입법의 원리가 될 수 있도록 행위하라." └ 각 개인이 나름대로 정립한 행위의 규칙
두 번째 정식 (인간 존엄성의 정신)	"너 자신과 다른 모든 사람의 인격을 단지 수단으로만 대우하지 말고 항상 동시에 목적으로 대우하도록 행위 하라."

④ **인간의 자율성 강조**: 인간은 욕구를 극복하고 실천 이성이 스스로에게 부과하는 명령을 따를 수 있는 자율적 존재로 봄

(2) 의의와 한계

의의	도덕의 중요성을 강조하고 우리의 일상적인 도덕의식에 부합함
한계	형식적이고 추상적이어서 실제 삶에 필요한 구체적 행위 규칙을 제공해 줄 수 없고, 행위의 결과와 행복을 도외시함

❸ 조건부 의무(prima facie duty)
한번 봐서 직관적으로 알 수 있는 옳고 명백한 의무이다. 예를 들어 약속 이행, 악행 금지 등이 조건부 의무에 속한다. 조건부 의무끼리 상충할 때는 절대적인 것으로 여겨지던 의무도 우리의 상식에 따라 유보될 수 있다. 예를 들어 진실을 말하면 무고한 사람이 죽게 될 경우, '거짓말을 하지 마라'는 의무는 '무고한 사람을 해치지 마라'라는 의무에 의해 미루어 질 수 있다.

3. 현대 칸트주의

예 도덕적 의무가 서로 충돌할 때 무엇을 우선으로 여겨야 할지 알기 힘듦

등장 배경	칸트의 윤리 사상을 계승하면서도 그 한계를 극복하고자 등장함
특징	• 로스는 도덕적 의무간 상충 문제를 해결하고자 조건부 의무를 제시함 **❸** • 조건부 의무는 무조건부 의무와 달리 예외가 인정됨 → 조건부 의무 사이에 갈등이 발생하면 어떤 의무는 실제적 의무로 드러나고 어떤 의무는 유보됨
의의	• 불확실성과 우연성에 흔들리지 않는 확고한 토대로서 의무를 강조함 • 인권 사상과 자유주의의 발전의 이론적 토대를 제공함

자료1 선의지를 강조한 칸트

이 세계에서 또는 이 세계 밖에서까지라도 아무런 제한 없이 선하다고 생각될 수 있는 것은 선의지뿐이다. … 정신적 재능들 또는 … 기질상의 여러 성질은 의심할 여지없이 많은 의도에서 선하고 바람직하다. 그러나 이러한 천부적 재능이나 기질조차 그것을 사용하는 의지가 선하지 않다면, 극도로 악하고 해가 될 수도 있다.　　－ 칸트, "윤리 형이상학 정초"

| 자료 분석 | 칸트는 행위의 결과가 수많은 변수와 우연에 의해 결정될 수 있기 때문에 옳고 그름의 판단 기준이 될 수 없다고 보았다. 그는 선의지에 따른 행위를 의무로부터 비롯되는 행위라고 하면서, 의무이기 때문에 행한 행위만이 도덕적 가치를 지닌다고 주장하였다.

한줄 핵심 ▶ 칸트는 행위의 옳고 그름이 행위자의 선의지에 따라 결정된다고 보았다.

❶ 칸트는 행위의 결과를 도덕의 근거로 삼았다.
◯ ✕

❷ 칸트는 선의지에서 비롯된 행위만이 도덕적 가치를 지닌다고 보았다.
◯ ✕

자료2 도덕 법칙을 강조한 칸트

내가 그것들을 자주, 더욱 진지하게 생각하면 할수록 항상 새롭고 더욱 높아지는 감탄과 경의로 나의 마음을 가득 채우는 것이 두 가지가 있다. 그것은 내 위에 있는 별이 빛나는 하늘과 내 안에 있는 도덕 법칙이다.　　－ 칸트, "실천 이성 비판"

| 자료 분석 | 칸트에 따르면 인간이 따라야 할 두 가지 법칙이 있다. 하나는 자연의 모든 사물에게 적용되는 자연법칙이고, 다른 하나는 도덕법칙이다. 인간은 자연법칙을 따를 수밖에 없어 욕구나 욕망 같은 자연적 경향성을 지니면서 동시에 자유 의지가 있어 자연적 경향성을 극복하고 도덕법칙을 따를 수 있다.

한줄 핵심 ▶ 칸트는 인간이 인간다운 존재가 될 수 있는 것은 욕구를 극복하고 도덕 법칙을 따를 수 있기 때문이라고 보았다.

❸ 칸트는 인간이 도덕 법칙을 따르는 과정에서 자연적 경향성을 극복해야 한다고 보았다.
◯ ✕

자료3 준칙의 보편화 가능성을 강조한 칸트

나는 과연 거짓 약속이 의무에 맞는가 어떤가 하는 이 과제에 대한 답을 아주 간략하게 그러면서도 속임수 없이 제시하기 위해 나 자신에게 물어본다. 나는 나의 준칙이 보편적 법칙으로 타당해야 한다는 것에 정말로 만족할 것인가? 그리고 나는 누구든 그가 거기에서 다른 방도로는 벗어날 수 없는 곤경에 처해 있다면 진실하지 못한 약속을 할 수도 있다고 정말로 나에게 말할 수 있는가?　　－ 칸트, "윤리 형이상학 정초"

| 자료 분석 | 칸트는 정언 명령의 핵심을 준칙의 보편화 가능성이라고 주장하였다. 칸트는 이를 위해서는 모든 사람이 내가 정한 규칙대로 행위 하기를 원하는지를 스스로에게 물어보아야 한다고 보았다. 그래서 칸트는 도덕 법칙으로서의 정언 명령을 "네 의지의 준칙이 항상 동시에 보편적 입법의 원리가 될 수 있도록 행위 하라."와 같은 정식으로 제시하였다.

한줄 핵심 ▶ 칸트는 준칙의 보편화 가능성을 정언 명령의 핵심으로 제시하였다.

❹ 칸트는 모든 준칙이 도덕 법칙으로 성립한다고 보았다.
◯ ✕

(칸트는 보편화 가능한 준칙만이 도덕 법칙이 될 수 있다고 봄.)
✕ ❹ ◯ ❸ ◯ ❷ (칸트는 결과가 아닌 선의지를 도덕의 근거로 삼음)✕ ❶ 정답

❹ 고전적 공리주의
고전적 공리주의는 개별 행위에 공리의 원리를 적용해 옳고 그름을 판단하므로 행위 공리주의라고도 한다.

B 결과론과 공리주의

1. 결과론의 의미와 특징

의미	어떤 행위의 옳고 그름이 그 행위를 수행함으로써 발생하는 **결과**에 의존하며, 올바른 행위란 최선의 결과를 가져오는 행위라고 주장하는 이론
특징	• 행위의 가치는 각 상황의 결과에 따라 결정된다고 봄 • 좋은 결과의 산출이라는 목적에 도움이 되는 수단은 **도덕적으로 정당화될 수 있다**고 봄

└ **예** 좋은 결과를 불러오는 거짓말은 정당함

2. 고전적 공리주의

(1) 벤담의 윤리 사상

① **쾌락 강조** [자료 4]
- 인간의 모든 행위는 고통과 쾌락에 의해 결정된다고 봄
- 우리 행위의 목적은 고통을 피하고 쾌락을 추구하는 것임

② **공리의 원리 제시**: '최대 다수의 최대 행복'이라는 공리의 원리를 옳고 그름의 기준으로 제시함 [자료 5]

③ **양적 공리주의 주장**
- 쾌락에는 질적인 차이가 없고 오직 **양적 차이**만 있다고 주장함
- 쾌락의 양을 계산하기 위한 쾌락의 계산법을 제시함

(2) 밀의 윤리 사상

① **벤담 사상 계승**: 벤담과 마찬가지로 '최대 다수의 최대 행복'이라는 공리의 원리를 강조함

② **질적 공리주의 주장** [자료 6]
- 쾌락에는 **질적 차이**가 있다고 봄 → 쾌락의 양뿐만 아니라 질도 고려해야 함
- 합리적인 인간은 쾌락의 질적 차이를 분별할 수 있고, 높은 수준의 쾌락을 추구함
- 타인의 행복에 대해 느끼는 쾌락도 높은 수준의 쾌락에 포함됨 → 타인의 쾌락도 함께 추구할 것을 강조함

(3) 고전적 공리주의의 의의와 한계

의의	• 사익과 공익의 조화라는 문제에 하나의 해법을 제시함 • 개인적 쾌락을 넘어 사회적 쾌락을 추구함
한계	• 인간의 내면적 동기나 과정을 소홀히 함 • 행위의 결과나 쾌락을 정확히 계산하고 예측하기 어려움 • 도덕적 상식에 어긋나는 행위가 있어도 공리의 원리에 의해 정당화될 가능성이 있음

3. 현대 공리주의

(1) 등장 배경: 고전적 공리주의의 원리를 계승하면서도 한계를 극복하려고 시도함

(2) 규칙 공리주의와 선호 공리주의

규칙 공리주의	• 입장: 좋은 결과를 가져다줄 가능성이 큰 **규칙을 따름으로써 공리를 극대화할 수 있다**고 봄 • 한계: 구체적 상황에서 좋지 않은 결과를 산출할 수 있고, 규칙 갈등 시 대처 기준이 없음
선호 공리주의	• 입장: 선택할 수 있는 행위 중 그 행위에 영향을 받을 모든 사람의 **선호를 가장 많이** 만족하게 해 주는 행위가 옳다고 봄 • 심어: 감각을 지닌 개체의 선호를 동등하게 고려해야 함 • 한계: 선호는 사람마다 다르므로 도덕의 보편적 기준으로 삼을 수 없음

└ **예** 욕구한 것, 바라는 것

⭐ 한눈에 정리

벤담과 밀의 공리주의

벤담	밀
양적 공리주의: 쾌락에는 오직 양적 차이만 있음	질적 공리주의: 쾌락에는 양뿐만 아니라 질적 차이가 있음
공통점: 공리의 원리를 받아들임	

❺ 공리의 원리
공리의 원리는 '유용성의 원리' 또는 '최대 다수의 최대 행복의 원리'로도 불린다. 벤담은 이것을 간단히 '최대 행복의 원리'라고 불렀다.

❻ 쾌락 계산의 기준
벤담은 쾌락과 고통을 양적으로 계산하기 위하여 강도, 지속성, 확실성, 신속성, 다산성, 순수성, 범위를 기준으로 제시하였다.

❼ 쾌락의 질적 차이
밀은 질적으로 높은 쾌락과 낮은 쾌락을 구분하고, 쾌락의 질적 차이를 구분할 때는 두 쾌락을 모두 경험한 사람의 판단을 존중해야 한다고 보았다.

높은 수준의 쾌락	지성, 상상력, 도덕적 정서 등을 통한 쾌락
낮은 수준의 쾌락	먹는 것, 성(性), 휴식 등을 통한 쾌락

자료4 쾌락을 강조한 벤담

자연은 인류를 고통과 쾌락이라는 두 주인에게서 지배받도록 만들었다. 우리가 무엇을 할까 결정하는 일은 물론이요, 무엇을 행해야 할까 짚어 내는 일은 오로지 이 두 주인을 위한 것이다. 따라서 옳음과 그름의 기준이 두 주인의 왕좌에 고정되어 있다.

– 벤담, "도덕과 입법의 원리 서설"

| 자료 분석 | 벤담은 모든 인간에게는 고통을 피하고 쾌락을 추구하는 경향이 있다고 보았다. 그는 고통과 쾌락은 우리가 무엇을 행위 해야 하는지를 알려주며, 인간의 행위의 목적은 고통을 멀리하고 쾌락을 늘리는 것이라고 주장하였다.

한줄 핵심 벤담은 인간의 모든 행위는 고통과 쾌락에 의해 결정된다고 보았다.

❺ 벤담은 인간의 모든 행위가 고통과 쾌락에 의해 결정된다고 보았다.

◯ ✕

자료5 공리의 원리

공리의 원리는 이해 당사자의 행복이 증가하거나 감소하는 것처럼 보이는, 혹은 달리 말해서 그의 행복을 증진하거나 방해하는 것처럼 보이는 경향에 따라서 각각의 행동을 승인하거나 부인하거나 거부하는 원칙을 의미한다.

– 벤담, "도덕과 입법의 원리 서설"

| 자료 분석 | 벤담은 사회는 개인들의 집합체이므로 개개인의 행복은 사회 전체의 행복과 연결되며, 더 많은 사람이 행복을 누리는 것은 그만큼 더 좋은 일이라고 보았다. 따라서 벤담에게 옳은 행위란 공리의 원리에 따르는 행위이자 행위의 영향을 받는 사람들의 행복을 최대한 증진시키는 행동을 뜻한다. 그래서 공리의 원리를 '최대 다수의 최대 행복'의 원리라고도 한다.

한줄 핵심 벤담은 도덕 판단의 기준으로 공리의 원리를 제시하였다.

❻ 벤담은 최대 다수의 최대 행복이라는 공리의 원리를 제시하였다.

◯ ✕

자료6 질적 공리주의를 주장한 밀

공리의 원리는 다음과 같은 사실, 즉 어떤 종류의 쾌락은 다른 종류의 쾌락보다 훨씬 더 바람직하고, 한층 더 가치 있다는 점을 인정한다. 다른 모든 것을 평가할 때는 양과 마찬가지로 질도 고려하는 것이 보통인데, 유독 쾌락을 평가할 때만 반드시 양에 의존하라는 것은 불합리하지 않은가?

– 밀, "공리주의"

| 자료 분석 | 밀은 양적 공리주의를 주장한 벤담과 달리 쾌락에는 질적인 차이가 있기 때문에 쾌락을 계산할 때는 양뿐만 아니라 질적인 차이도 고려해야 한다는 질적 공리주의를 주장하였다. 그는 높은 수준의 쾌락은 적은 양이라고 하더라도 질적으로 낮은 수준의 다량의 쾌락보다 훨씬 우월하다고 보았다.

한줄 핵심 밀은 쾌락의 질적인 차이도 고려해야 한다는 질적 공리주의를 주장하였다.

❼ 밀은 쾌락에는 오직 양적인 차이만 있다고 보았다.

◯ ✕

❽ 밀은 질적으로 높은 수준의 쾌락과 낮은 수준의 쾌락을 구분하였다.

◯ ✕

◯ ❽ (몸 남나양
하이초 한작을 극이년째)
✕ ❼ ◯ ❻ ◯ ❺ **정답**

칸트, 벤담, 밀의
윤리 사상 비교하기

관련 문제 ▶ 159쪽 07번

수능풀 Guide

이 단원에서는 칸트와 벤담, 밀의 윤리 사상을 비교하는 문제가 출제된다. 세 사상가의 공통점과 차이점을 비교해서 알아 두자.

기본 입장		특징
도덕적 선: 도덕 법칙(의무)에 따르고자 하는 행위	칸트	도덕 법칙은 정언 명령의 형태로 나타남
도덕적 선: 최선의 결과를 산출하는 행위 → 쾌락은 선, 고통은 악임 → 최대 다수의 최대 행복 강조	벤담	쾌락의 양적 차이만을 인정함
	밀	쾌락의 양과 함께 질적 차이도 인정함

기출 자료 익히기

윤사 공부법, 하나!
자료를 보고 어떤 사상가나 사상의 입장인지 유추하는 훈련하기

자료1 칸트
• 행복은 언제나 쾌적함과 관계된 것으로 자신에 대한 최고의 만족 상태이고, 도덕 법칙은 자유의 법칙으로서 자연과 자연적 경향성에 전적으로 독립해 있다. 도덕 법칙 안에서 도덕성과 인간의 행복 사이에 필연적인 연관은 없다.

┗ 자연적 경향성에 따른 행위는
도덕적 행위가 아님 → 칸트

• 유한한 이성적 존재자인 인간이 그것을 준수하기에는 너무 나약하다. 따라서 도덕 법칙은 의무이자 강제이다. 단지 '의무에 적합한' 행위가 아니라 '의무로부터 비롯된' 행위만이 도덕적 가치를 갖는다.

┗ 의무로부터 비롯된 행위만이 도덕적인 행위임
→ 칸트

자료2 벤담과 밀
• 우리는 쾌락과 고통의 지배를 받는다. 한 행위가 가져다주는 쾌락과 고통 각각의 총량은 계산될 수 있다. 이 둘을 비교하여 차감했을 때 쾌락 쪽이 남는다면 그 행위는 개인 또는 사회에 일반적으로 유용하다고 볼 수 있다.

┗ 쾌락과 고통의 양을 계산할 수 있음
→ 벤담

• 행복은 하나의 목적으로서 유일하게 바람직한 것이며 최대 행복의 원리는 도덕의 기초가 된다. 당사자에게 두 종류의 쾌락 가운데 어느 것이 더 질(質) 높은 가치가 있는지를 고려하는 것은 결코 최대 행복의 원리에 어긋나지 않는다.

┗ 쾌락의 질적인 차이를 고려함 → 밀

기출 선택지 익히기

윤사 공부법, 둘!
선택지가 어떤 사상가나 사상의 입장인지 파악하는 훈련하기

다음 내용이 칸트에 해당하면 '칸', 벤담에 해당하면 '벤', 밀에 해당하면 '밀'이라고 쓰시오.

❶ 모든 쾌락은 질적으로 동일하며 계산할 수 있다. ( )

❷ 정신적 쾌락이 감각적 쾌락보다 더 추구할 가치가 있다. ( )

❸ 이성적 존재자인 인간에게 도덕의 원리는 자율의 원리이다. ( )

❹ 쾌락을 추구하려는 자연적 경향성은 도덕의 기반이 될 수 없다. ( )

❺ 인간을 수단으로 대할 때에도 언제나 동시에 목적으로 대우해야 한다. ( )

A 의무론과 칸트주의

01 빈칸에 알맞은 말을 쓰시오.

(1) □□□(이)란 우리가 마땅히 지켜야 할 의무에 따라 행위의 옳고 그름을 판단해야 한다는 이론이다.

(2) 칸트는 어떤 행위를 오로지 그것이 옳다는 이유에서 실천하는 의지를 □□□(이)라고 하였다.

02 칸트의 사상으로 맞으면 ○표, 틀리면 ×표를 하시오.

(1) 자연적 경향성에 따른 행위는 도덕적 행위이다. ( )

(2) 도덕 법칙의 형식은 정언 명령의 형태로 나타난다. ( )

(3) 행위의 결과가 의무에 맞는 행위는 무조건 도덕적 가치를 지닌다. ( )

03 알맞은 설명에 ○표를 하시오.

(1) 현대 칸트주의 사상가 (로스, 싱어)는 칸트 의무론의 한계인 도덕적 의무끼리 충돌하는 문제를 해결하기 위해 느슨한 조건부 의무를 제시하였다.

(2) 조건부 의무론에서는 조건부 의무 사이에 갈등이 발생하면 그중 더 우선하는 의무가 (실제적, 형식적) 의무로 드러난다고 보았다.

B 결과론과 공리주의

04 빈칸에 알맞은 말을 쓰시오.

(1) 어떤 행위의 옳고 그름이 그 행위의 결과에 의존하며, 올바른 행위란 최선의 결과를 가져오는 행위라고 주장하는 이론을 □□□(이)라고 한다.

(2) □□□ □□은/는 '유용성의 원리' 또는 '최대 다수의 최대 행복의 원리'로도 불린다.

(3) 고전적 공리주의는 개별 행위에 공리의 원리를 적용해 옳고 그름을 판단하여 □□ 공리주의라고도 한다.

05 벤담과 밀의 사상에 대한 설명으로 맞으면 ○표, 틀리면 ×표를 하시오.

(1) 벤담은 인간의 모든 행위가 고통과 쾌락에 의해 결정된다고 보았다. ( )

(2) 벤담은 양적 차이와 질적 차이를 합쳐서 쾌락을 계산해야 한다고 보았다. ( )

(3) 밀은 소량의 질적으로 높은 수준의 쾌락보다 다량의 질적으로 낮은 수준의 쾌락이 우월하다고 보았다. ( )

06 규칙 공리주의와 선호 공리주의에 대한 설명을 바르게 연결하시오.

(1) 규칙 공리주의 •   • ㉠ 그 행위에 영향을 받은 모든 사람의 선호를 가장 많이 만족하게 해야한다고 봄

(2) 선호 공리주의 •   • ㉡ 좋은 결과를 가져다줄 가능성이 큰 규칙을 따름으로써 공리를 극대화할 수 있다고 봄

A 의무론과 칸트주의

01 의무론의 특징에 대한 옳은 설명만을 〈보기〉에서 고른 것은?

> ㄱ. 목적이 수단을 정당화할 수 없다고 본다.
> ㄴ. 행위의 결과보다 행위의 동기를 중시한다.
> ㄷ. 행위의 가치가 본래 정해져 있지 않다고 본다.
> ㄹ. 시대나 지역을 초월하여 보편적인 도덕 원칙은 존재하지 않는다고 본다.

① ㄱ, ㄴ   ② ㄱ, ㄷ   ③ ㄴ, ㄷ
④ ㄴ, ㄹ   ⑤ ㄷ, ㄹ

02 칸트 사상에 대한 설명으로 옳지 않은 것은?

① 도덕 법칙은 정언 명령의 형식을 지닌다고 본다.
② 도덕 법칙은 우리 안의 실천 이성에 의해 세워진 것이라고 본다.
③ 선의지에서 비롯된 의무에 따른 행위만이 도덕적 가치를 지닌다고 본다.
④ 이 세상에서 절대적이고 무조건적으로 선한 것은 선의지밖에 없다고 본다.
⑤ 도덕 법칙은 인간에게 명령으로 다가오기 때문에 인간은 타율적인 존재라고 본다.

03 다음 현대 서양 사상가의 입장으로 가장 적절한 것은?

> 조건부 의무는 절대적인 의무가 아니므로 더 우선적인 다른 의무에 의해서 무시될 수 있다. 만약 조건부 의무 사이에 갈등이 발생하게 되면 절대적인 것처럼 여겨지는 의무도 때로는 우리의 상식과 직관에 따라 유보된다.

① 단일한 최고의 도덕 법칙은 존재한다.
② 도덕적 의무 간의 상충 문제는 해결할 수 없다.
③ 조건부 의무는 직관적으로 알 수 있는 옳고 명백한 의무이다.
④ 조건부 의무는 특별한 상황이 발생할 경우 예외를 인정하지 않는다.
⑤ 의무들 사이의 갈등을 예방하기 위해서는 다양한 도덕 원리를 인정하지 말아야 한다.

04 다음을 주장한 근대 서양 사상가가 긍정의 대답을 할 질문으로 옳은 것은?

> 나는 진실하지 못한 약속을 통해 곤경에서 벗어난다는 나의 준칙이 나쁨만 아니라 다른 사람을 위한 보편적 법칙으로 타당해야 한다는 것에 정말로 만족할 것인가? 그리고 나는 누구든 그가 거기에서 다른 방도로는 벗어날 수 없는 곤경에 처해 있다면 진실하지 못한 약속을 할 수도 있다고 정말로 나에게 말할 수 있는가? 이렇게 보면 나는 곧 내가 거짓말을 할 수 없다는 점을 깨닫게 된다.

① 인간은 선의지를 저절로 따를 수 있는가?
② 개인의 준칙은 모두 도덕 법칙으로 성립하는가?
③ 도덕 법칙에는 자신을 위한 예외를 허용해도 되는가?
④ 무조건적인 정언 명령만이 도덕 법칙의 명령이 될 수 있는가?
⑤ 도덕 법칙은 어떤 다른 목적을 달성하기 위한 수단이 되어야 하는가?

05 다음 근대 서양 사상가의 입장만을 〈보기〉에서 고른 것은?

> 이 세계에서 또는 이 세계 밖에서까지라도 아무런 제한 없이 선하다고 생각될 수 있는 것은 선의지뿐이다. 지성, 기지, 판단력 같은 정신적 재능들 또는 용기, 결단성, 초지일관성 같은 기질상의 성질은 의심할 여지없이 많은 의도에서 선하고 바람직하다. 그러나 이러한 천부적 재능이나 기질조차 그것을 사용하는 의지가 선하지 않다면, 극도로 악하고 해가 될 수도 있다.

> ㄱ. 도덕 법칙은 이성적 인간이 자신에게 내리는 명령이다.
> ㄴ. 결과적으로 의무에 알맞은 행위가 선의지에 따른 행위이다.
> ㄷ. 동정심에 따라 어려운 사람을 도와준 행위는 도덕적 행위이다.
> ㄹ. 선의지는 자연적인 경향성을 초월하여 스스로 도덕 법칙을 따르려는 자율적 의지이다.

① ㄱ, ㄷ   ② ㄱ, ㄹ   ③ ㄴ, ㄷ
④ ㄴ, ㄹ   ⑤ ㄷ, ㄹ

B 결과론과 공리주의

06 결과론에 대한 옳은 설명만을 〈보기〉에서 고른 것은?

보기
ㄱ. 행위의 가치는 각 상황의 결과에 의해 결정된다.
ㄴ. 행복을 행위의 목적으로 삼는 것은 적절하지 않다.
ㄷ. 행위의 결과가 좋더라도 의도가 적절하지 않다면 그 행위는 옳지 않다.
ㄹ. 좋은 결과의 산출이라는 목적에 도움이 되는 수단은 도덕적으로 정당화된다.

① ㄱ, ㄷ ② ㄱ, ㄹ ③ ㄴ, ㄷ
④ ㄴ, ㄹ ⑤ ㄷ, ㄹ

07 벤담의 사상에 대한 설명으로 가장 적절한 것은?

① 인간과 동물의 쾌락은 질적으로 다르다고 본다.
② 의무 수행을 행위의 목적으로 삼아야 한다고 본다.
③ 개개인의 쾌락이 사회 전체의 쾌락으로 연결된다고 본다.
④ 쾌락과 고통의 양을 정확히 측정할 수 있는 기준은 없다고 본다.
⑤ 주위 사람과 상관없이 자신에게 좋은 결과를 가져오는 행위만을 추구해야 한다고 본다.

08 다음을 주장한 근대 서양 사상가의 입장으로 가장 적절한 것은?

공리의 원리는 어떤 종류의 쾌락은 다른 종류의 쾌락보다 훨씬 더 바람직하고, 한층 더 가치 있다는 점을 인정한다. 다른 모든 것을 평가할 때는 양과 마찬가지로 질도 고려하는 것이 보통인데, 유독 쾌락을 평가할 때만 반드시 양에 의존하라는 것은 불합리하지 않은가?

① 인간의 경험으로는 쾌락의 질적 차이를 구분할 수 없다.
② 삶의 궁극적인 목적을 쾌락이나 행복에 두어서는 안 된다.
③ 쾌락은 한 가지 종류밖에 없으며, 양적인 차이만 고려하면 된다.
④ 행위의 결과를 행위의 옳고 그름을 판단하는 기준으로 삼아서는 안 된다.
⑤ 쾌락을 질적으로 높은 수준의 쾌락과 낮은 수준의 쾌락으로 구분해야 한다.

09 (가), (나)의 입장에 대한 옳은 설명만을 〈보기〉에서 있는 대로 고른 것은?

(가) 어떤 행위가 도덕적으로 옳고 그른지를 그 행위나 행위의 결과에 영향을 받는 관련 당사자의 선호와 일치하는 정도에 따라 평가해야 한다.
(나) 좋은 결과를 가져다줄 가능성이 큰 규칙을 따름으로써 공리를 극대화할 수 있어야 한다.

보기
ㄱ. (가)는 좋은 결과를 개인이 욕구하는 것, 바라는 것의 실현으로 본다.
ㄴ. (나)는 보편적 도덕 규칙을 의무로서 준수해야 한다고 본다.
ㄷ. (나)는 공리의 원리에 부합하는 도덕 규칙을 마련하여 그 규칙을 따르는 행위를 옳은 것으로 본다.
ㄹ. (가), (나)는 좋은 결과를 가져오는 행위를 도덕적으로 옳은 행위라고 본다.

① ㄱ, ㄴ ② ㄴ, ㄷ ③ ㄷ, ㄹ
④ ㄱ, ㄴ, ㄹ ⑤ ㄱ, ㄷ, ㄹ

서답형 문제

10 다음 글을 읽고 물음에 답하시오.

갑: 네 의지의 준칙이 항상 동시에 보편적 입법의 원리가 될 수 있도록 행위 하라. 또한 너 자신과 다른 모든 사람의 인격을 단지 수단으로만 대우하지 말고 항상 동시에 목적으로 대우하도록 행위 하라.
을: 공리의 원리는 이해 당사자의 행복을 증진하거나 방해하는 것처럼 보이는 경향에 따라서 각각의 행동을 승인하거나 거부하는 원칙으로, 쾌락은 양적으로 계산해야 한다.

(1) 근대 서양 사상가인 갑, 을이 누구인지 쓰시오.
　　　　　갑: (　　　　　), 을: (　　　　　)

(2) 갑, 을 사상의 장단점을 구체적으로 서술하시오.

_____

_____

_____

01 다음을 주장한 근대 서양 사상가가 긍정의 대답을 할 질문으로 옳은 것은?

> 도덕 법칙은 가장 완전한 존재자의 의지에 대해서는 신성의 법칙이지만, 모든 유한한 이성적 존재자에 대해서는 의무의 법칙이며, 이 법칙에 대한 존경심에 의해서 그리고 자신의 의무에 대한 외경에서 행위를 규정하는 도덕적 강제의 법칙이다.

① 의무에 부합하는 행위는 전적으로 도덕적 행위인가?
② 도덕 원리가 개인의 행복과 항상 일치하는 것은 아닌가?
③ 준칙에 따르는 모든 명령은 무조건적 의무의 요구인가?
④ 다른 사람의 고통에 대한 공감에 따른 행위는 도덕적 행위인가?
⑤ 인간은 누구나 실천 이성을 지니므로 비도덕적인 행위를 하지 않는가?

기출 변형

02 근대 서양 사상가 갑, 을의 입장만을 〈보기〉에서 있는 대로 고른 것은?

> 갑: 행복은 이성의 이상(理想)이 아니라 경험에 근거한 상상력의 이상이다. 이성의 사명은 선의지를 낳는 것이며, 선의지는 행복을 누리기 위한 자격 조건이어야 한다.
> 을: 쾌락을 증진하거나 고통을 감소하는 것이 도덕의 원리가 되어야 한다. 그러므로 쾌락을 증진하는 경향을 부정하는 금욕의 원리는 도덕의 원리가 될 수 없다.

〈보기〉
ㄱ. 갑: 선의지는 행복한 삶을 추구하는 인간의 일반적인 성향이다.
ㄴ. 갑: 이성적 존재자인 인간에게 도덕의 원리는 자율의 원리이다.
ㄷ. 을: 쾌락을 추구하려는 자연적 경향성은 도덕의 기반이 될 수 있다.
ㄹ. 갑, 을: 좋은 결과를 가져오는 행위는 도덕적인 행위이다.

① ㄱ, ㄷ   ② ㄱ, ㄹ   ③ ㄴ, ㄷ
④ ㄱ, ㄴ, ㄹ   ⑤ ㄴ, ㄷ, ㄹ

03 그림은 서술형 평가와 학생 답안이다. 학생 답안의 ㉠~㉤ 중 옳지 않은 것은?

> ### 서술형 평가
> ◎ **문제**: 근대 서양 사상가 갑, 을의 입장을 설명하시오.
>
> > 갑: 이성은 참과 거짓을 발견하는 능력으로 관조적 능력이지 활동적인 능력이 아니다. 이성은 전적으로 비활동적인 능력이므로, 이성만으로는 어떤 행동도 유발할 수 없다. 따라서 이성은 정념을 이끄는 마부 노릇을 할 수 없다.
> > 을: 인간은 누구나 자신의 이성 안에서 의무의 이념을 발견할 수 있다. 이성이 정해 주는 도덕 법칙의 위엄이 그 이념을 거역하려는 모든 경향성을 압도할 수 있다.
>
> ◎ **학생 답안**
> 갑은 ㉠도덕적 가치가 객관적으로 실재하지 않는다고 보며, ㉡이성이 도덕적 실천의 동기가 될 수 없다고 보았다. 을은 ㉢선의지에서 비롯된 의무에 따른 행위만이 도덕적 가치를 지닌다고 보고, ㉣도덕적 실천을 요구하는 실천 이성을 인간의 본능적 욕구라고 보았다. 한편 갑, 을은 모두 ㉤이성이 도덕적 행위를 하는 데 도움을 준다고 보았다.

① ㉠   ② ㉡   ③ ㉢   ④ ㉣   ⑤ ㉤

04 다음을 주장한 현대 사상가의 입장만을 〈보기〉에서 있는 대로 고른 것은?

> 도덕적 의무는 증명될 수는 없지만 반성 능력이 있는 사람들에게는 자명하다. 직관적으로 자명한 조건부 의무들은 예를 들어 약속 지키기, 호의에 대한 감사, 정의, 해악 금지 등 여러 가지이므로 특정한 의무로 단일화될 수 없다. 또한 각각의 조건부 의무는 절대적인 것이 아니어서 특수한 상황에서 다른 조건부 의무에 의해 무시될 수 있다.

〈보기〉
ㄱ. 언제 어디서나 지켜야 할 절대적 의무는 없다.
ㄴ. 행위의 결과와 유용성보다 도덕적 의무를 우선해야 한다.
ㄷ. 어떤 조건부 의무도 다른 조건부 의무에 의해 유보될 수 없다.
ㄹ. 조건부 의무들이 서로 충돌하면 직관적으로 더 중요한 의무가 이행되어야 한다.

① ㄱ, ㄴ   ② ㄴ, ㄷ   ③ ㄷ, ㄹ
④ ㄱ, ㄴ, ㄹ   ⑤ ㄱ, ㄷ, ㄹ

05 (가)의 갑, 을 사상가의 입장을 (나) 그림으로 표현할 때, A~C에 들어갈 옳은 내용만을 〈보기〉에서 있는 대로 고른 것은?

(가)	갑: 쾌락은 행복한 삶의 시작이자 끝이며, 참된 쾌락은 육체적 쾌락이 아니라 마음에 불안과 고통이 없는 상태이다. 을: 모든 쾌락에 대해 평가할 때 양만 따져야 한다는 것은 설득력이 없다. 양의 많고 적음에 상관없이 질적으로 우월한 쾌락이 존재한다.
(나)	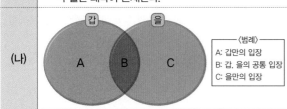

보기
ㄱ. A: 심신의 고통이 사라진 상태가 이상적인 상태이다.
ㄴ. B: 감각적 쾌락보다 정신적 쾌락을 추구해야 한다.
ㄷ. B: 행복 실현을 위해 공동체적 가치를 추구해야 한다.
ㄹ. C: 공리의 원리에 따라 행위 해야 한다.

① ㄱ, ㄴ 　　② ㄴ, ㄷ 　　③ ㄷ, ㄹ
④ ㄱ, ㄴ, ㄹ 　　⑤ ㄱ, ㄷ, ㄹ

06 근대 서양 사상가 갑, 을의 입장으로 가장 적절한 것은?

갑: 도덕 법칙은 자유의 법칙으로서 자연과 자연적 경향성에 전적으로 독립해 있다. 도덕 법칙 안에서 도덕성과 인간의 행복 사이에 필연적인 연관은 없다.
을: 최대 행복의 원리는 도덕의 기초가 된다. 당사자에게 두 종류의 쾌락 가운데 어느 것이 더 질(質) 높은 가치가 있는지를 고려하는 것은 결코 최대 행복의 원리에 어긋나지 않는다.

① 갑: 행위의 동기뿐만 아니라 결과도 도덕 판단의 기준이 될 수 있다.
② 갑: 행복은 다른 무엇을 실현하기 위한 수단이 아니라 목적 그 자체이다.
③ 을: 행복의 총량을 증가시키지 않는 희생은 무의미하다.
④ 을: 여러 가지 쾌락을 경험한 사람이 선호하는 쾌락을 바람직한 쾌락으로 보아서는 안 된다.
⑤ 갑, 을: 타인의 어려운 처지를 배려하는 동정심은 도덕의 기반이 될 수 있다.

07 근대 서양 사상가 갑은 긍정, 을은 부정의 대답을 할 질문으로 옳은 것은?

갑: 우리는 쾌락과 고통의 지배를 받는다. 한 행위가 가져다주는 쾌락과 고통 각각의 총량은 계산될 수 있다. 이 둘을 비교하여 차감했을 때 쾌락 쪽이 남는다면 그 행위는 개인 또는 사회에 일반적으로 유용하다고 볼 수 있다.
을: 두 가지 쾌락에 대해 그 둘을 똑같이 잘 알고, 똑같이 즐기고 음미할 수 있는 사람들이 보다 높은 능력이 요구되는 삶의 방식을 훨씬 더 선호한다는 것을 부인할 수 없다. 짐승이 누리는 쾌락을 마음껏 즐기게 해 준다고 해서 저급한 동물이 되겠다고 하는 사람은 없을 것이다.

① 인생의 궁극적인 목적은 행복인가?
② 모든 쾌락은 질적으로 차이가 없다고 보아야 하는가?
③ 인간은 누구나 쾌락을 추구하고 고통을 피하려 하는가?
④ 정상적인 인간은 누구나 정신적이고 고상한 쾌락을 추구하는가?
⑤ 행위자 자신만이 아니라 관련된 모든 사람의 행복 증진을 위해 노력해야 하는가?

08 ㉠에 들어갈 옳은 내용만을 〈보기〉에서 있는 대로 고른 것은?

행위 공리주의에서는 공리의 원리를 개별 행위에 직접 적용하여 더 많은 유용성을 산출하는 행위를 옳은 행위로 본다. 반면에 규칙 공리주의에서는 행위의 옳고 그름이 최대의 유용성을 산출하는 규칙과의 일치 여부에 따라 결정된다고 본다. 현대에 들어 규칙 공리주의가 대두된 이유는 기존의 행위 공리주의가 ㉠ 는 문제점을 지니고 있기 때문이다.

보기
ㄱ. 개별 행위의 유용성을 계산하기 어렵다
ㄴ. 도덕적 상식에 어긋나는 행위를 정당화할 수 있다
ㄷ. 구체적인 상황에서 좋지 않은 결과를 산출할 수 있다
ㄹ. 규칙이 서로 갈등하는 상황에서 분명한 기준을 제시하지 못한다

① ㄱ, ㄴ 　　② ㄴ, ㄷ 　　③ ㄷ, ㄹ
④ ㄱ, ㄴ, ㄹ 　　⑤ ㄱ, ㄷ, ㄹ

07 〜 현대의 윤리적 삶

A 주체적 결단과 실존: 실존주의

1. 실존주의의 등장 배경과 특징

등장 배경	• 근대 이성주의에 대한 반성: 근대 이성주의는 비인간화, 인간 소외를 초래하고 개인의 구체적 삶의 문제를 도외시함 • 두 차례의 세계 대전으로 인한 불안: 전쟁이 심각한 불안과 이성에 대한 불신을 초래함
특징	• 개인의 고유성과 처한 상황에 관심을 갖고, 개인의 자유를 강조함 • 개인이 불안과 고통을 극복하고 참된 실존을 회복하는 방법을 제시함

2. 실존주의 사상가들의 입장

한눈에 정리

실존주의 사상가들

키르케고르	신 앞에 선 단독자로서 참된 실존에 이를 수 있음
야스퍼스	한계 상황에서 주체적 결단을 통해 가능
하이데거	현존재가 자신이 죽음에 이르는 존재임을 자각할 때 가능
사르트르	주체적 결단으로 자신의 삶을 스스로 만들어나가고 책임질 때 가능

(1) 키르케고르

뜻 개인으로서 인간이 어떤 실천에 있어 나타내는 자유롭고 자주적인 성질

① 개인은 실존적 상황에서 '이것이냐, 저것이냐'를 선택해야 하는 구체적 상황에 놓임
② 이러한 상황에서는 오직 주체성만이 답을 줄 수 있음 → '주체성이 진리'
③ 그러나 개인은 선택에 대한 불안으로 주체적 결정을 회피하며 죽음에 이르는 병(절망)에 빠짐
④ 키르케고르는 절망에서 벗어나기 위해 **실존의 세 단계**를 제시함 자료1

(2) 야스퍼스

① 개인은 **한계 상황**에서 실존을 각성함
뜻 결정적인 판단을 하거나 단정을 내리는 것
② 자신의 유한성을 자각하는 순간 스스로 **결단**을 통해 초월자의 존재를 수용하고 참된 실존을 회복할 수 있음
③ 개인은 연대를 통해 다른 사람의 실존적 삶을 위해서도 노력해야 함

(3) 하이데거

① 지금, 여기에 있는 현실적 존재를 **현존재**라고 하고, 인간을 현존재로 규정함
② 현존재는 죽음에 대한 불안과 염려를 가지고 있음
③ 인간은 자신이 죽음을 향해 나아가고 있다는 사실을 자각할 때 진정한 실존을 회복할 수 있음

(4) 사르트르 자료2

뜻 인간의 본질을 정해줄 신이 존재하지 않으므로 인간은 미리 정해진 목적이나 본질 없이 미리 실존함

① 인간은 신에 의해 본질이나 목적이 창조된 존재가 아니라 세상에 우연히 내던져진 존재임 → "**실존은 본질에 앞선다.**"

왜 인간은 선택할 수 있는 자유가 있지만 자유 그 자체를 선택할 수 없는, 즉 자신이 원하든 원치 않든 자유로울 수밖에 없는 존재로 보았기 때문임

② 모든 인간에게는 자유가 주어지나 자유에 따른 책임을 피할 수 없는 실존적 상황은 불안을 일으킴 → 불안에 빠진 인간은 자유로운 선택에서 도망치는 **불성실**에 빠짐
③ 주체적 선택과 결단에 따라 불성실에서 벗어나 자신의 삶을 스스로 만들어 나가고 그 결과에 대하여 책임을 질 때 참된 실존을 회복함

3. 실존주의의 현대적 의의와 한계

의의	• 현대인에게 자기 삶의 가치를 회복할 것을 제안함 • 실존적 삶을 사는 현재의 자신이 존엄할 수 있다는 주장을 통해 인간의 존엄성에 대한 새로운 성찰의 계기를 제공함
한계	인간의 개별성을 강조해 자칫 보편적 도덕규범을 경시할 우려가 있음

자료1 키르케고르의 실존의 세 단계

⊙ 심미적 단계는 감각적 쾌락을 추구하는 단계인데, 이 단계의 인간은 향락적인 삶 속에서 허전함을 느끼고 절망하게 된다. 이러한 체험을 통해 ⓒ 윤리적 단계로 접어드는데 이 단계에서 인간은 보편적인 윤리 규범에 따라 살아가지만 자신의 유한성을 자각하게 되어 또다시 절망하게 된다. 결국 인간은 마지막 단계인 ⓒ 종교적 단계로 도약하게 되고 이때 비로소 인간은 신 앞에 홀로 서서 스스로 신에게 귀의하기로 결정하게 된다. 이처럼 신 앞에 선 단독자로서 주체적 결단을 내리는 존재가 진정한 실존인 것이다.

| 자료 분석 | 키르케고르는 실존에는 심미적 단계, 윤리적 단계, 종교적 단계가 있다고 보았다. 그는 인간은 종교적 단계에 이르러서야 참된 실존에 이르게 된다고 보고, 참된 실존에 이르기 위해 신에게 귀의해야 한다고 주장하였다.

심미적 단계	• 감각적 쾌락을 즐기고 추구하는 단계 • 허전함을 느끼고 절망에 이르게 됨
윤리적 단계	• 보편적 윤리 규범을 따르고 추구하는 단계 • 자신의 불완전성을 자각하고 또 한 번 절망하게 됨
종교적 단계	• 신 앞에서 선 단독자로서 참된 실존에 이르는 단계

한줄 핵심 ▶ 키르케고르는 개인이 모든 것을 신에게 맡기고 살아가고자 결단할 때 불안과 절망을 극복하고 참된 실존을 회복할 수 있다고 보았다.

❶ 키르케고르는 윤리적 단계에서 참된 실존을 회복한다고 보았다.　［O］［X］

❷ 키르케고르는 신 앞에 선 단독자로서 스스로 신에게 귀의할 때 진정한 실존에 이르게 된다고 보았다.　［O］［X］

자료2 실존이 본질에 앞선다고 주장한 사르트르

한 자루의 종이칼과 같은 사물은 그것을 만드는 제작자가 설정한 목적에 따라 만들어진 것이며, 한정된 쓰임새를 가진 것이다. 그러므로 종이칼과 같은 사물의 본질은 제작자의 구상에 따라 이미 결정되어 있다. 그러나 인간은 이런 사물과 달리 미리 결정된 보편 개념으로서의 인간성이라는 본질을 지니고 이 세계에 존재하는 것이 아니다. 인간은 먼저 존재하고 스스로 만들어 가는 것 이외에 아무것도 아니다.

 – 사르트르, "실존주의는 휴머니즘이다."

| 자료 분석 | 사르트르는 종이칼이나 책상과 같은 사물은 그것을 만든 제작자가 설정한 목적, 즉 본질이 이미 정해져 있다고 보았다. 그러나 인간의 경우에는 인간의 본질을 정해 줄 신이 존재하지 않기 때문에 인간에게는 미리 결정된 본질이 없다고 보았다. 이러한 관점에서 사르트르는 인간은 신에 의해 본질이 창조된 존재가 아니라 세상에 우연히 내던져진 존재이며, 따라서 인간은 본질에 앞서 먼저 실존한다고 보았다. 또한 인간은 자신의 삶을 스스로 만들어 나가야 한다고 주장하였다.

한줄 핵심 ▶ 사르트르는 인간의 실존이 본질에 앞선다고 보았다.

❸ 사르트르는 신이 인간을 창조하고 삶의 목적을 부여했다고 보았다.　［O］［X］

❹ 사르트르는 인간은 이 세상에 내던져진 존재로 실존이 본질에 앞선다고 보았다.　［O］［X］

정답 ❶ ×(윤리적 단계는 자신의 유한성을 자각하여 절망함) ❷ ○
❸ ×(인간의 본질을 정해 줄 신이 존재하지 않음) ❹ ○

❺ 실용주의(pragmatism)
'실제', '실천' 등의 그리스어 프라그마(pragma)에서 유래한 용어로, 인간의 지식이나 도덕의 유용성을 강조하는 사상이다.

❻ 다윈의 진화론
진화론은 생물들이 주변 환경에 적응하고, 이에 따라 변화한다는 학설이다. 이는 환경 변화에 적절히 대응하기 위한 지식의 유용성을 강조했던 실용주의에 영향을 주었다.

B 실용주의와 문제 해결의 유용성: 실용주의

1. 실용주의❺의 등장 배경과 특징

등장 배경	• 19세기 말 산업화와 도시화로 다양한 사회 문제와 갈등에 직면함 • 선악의 절대적 기준을 강조하는 기존 사상으로는 사회 혼란을 해결할 수 없다고 봄 → 영국 경험론 및 다윈의 진화론❻을 수용하여 실용주의를 전개함
특징	• 어떤 지식이 옳은지는 실제적 유용성에 따라 판단해야 한다고 주장함 • 경험적이고 과학적인 방법을 강조함 • 환경 변화하면 지식과 도덕도 변화해야 한다고 봄 → 고정되고 절대적인 지식이나 도덕 거부

⭐ 한눈에 정리

실용주의 사상가들

퍼스	어떤 것이 옳으려면 반드시 쓸모가 있어야 한다는 '실용주의 격률'을 제시함
제임스	'현금 가치'의 개념을 통해 지식과 신념의 유용성을 강조함
듀이	• 학문이나 지식은 인간이 환경에 적응하기 위한 도구임 • 지성적 탐구를 통해 문제 상황에 대한 해결책을 마련해야 함 • 도덕이나 윤리는 성장하고 변화함

2. 실용주의 사상가들의 입장

(1) 퍼스
① 어떤 것이 옳으려면 반드시 쓸모가 있어야 한다고 주장하며 실용주의의 격률❼을 제시함
② 과학적 탐구의 방법을 거친 지식의 중요성을 강조함

(2) 제임스 자료 3
뜻 현금처럼 우리가 실생활에서 유용하게 사용할 수 있는 가치
① 현금 가치라는 개념을 통해 지식과 신념의 유용성을 강조함
② 지식과 신념은 그 자체로서 가치를 가지는 것이 아니라 우리의 삶에 이롭고 유용할 때 비로소 현금 가치를 지님
③ 이로움과 옳음을 같은 맥락으로 여겨 진리의 고정성과 절대성을 부정함

(3) 듀이
① 도구주의 제시
• 문제 상황을 해결하는 과정에서 습득한 경험이 축적되어 이론, 학문 등의 지식이 형성됨
• 진화론적 관점에서 지식은 인간이 환경에 적응하기 위한 도구라고 봄
② 지성적 탐구 주장
• 문제 상황에 대한 답을 얻으려면 지성적 탐구가 필요함 → 지성적 탐구로 문제 상황을 개선하고 사회의 성장과 진보를 가져올 수 있음
• 지성적 탐구 방식의 문제 해결을 보장하는 정치 제도로 민주주의를 강조함
• 창조적 지성❽을 갖춘 민주 시민을 양성하는 것이 교육의 목표라고 봄
③ 도덕의 성장과 변화 강조 자료 4
• 도덕이나 윤리도 시대나 상황에 따라 변화하고 성장함 → 고정적이고 절대적인 가치나 원리는 존재하지 않음
• 도덕적 인간: 고정불변하는 최고선을 지닌 사람이 아니라 도덕적으로 성장하는 과정에 있는 사람이라고 봄
왜 사람들이 부닥치는 도덕 문제는 다양하고 변화하므로 고정된 도덕 원리를 적용해서는 최선의 결과를 산출할 수 없기 때문임

❼ 실용주의의 격률
어떤 것이 옳으려면 그것이 반드시 쓸모 있는 실제적 성과를 만들어 내야 한다는 원칙을 뜻한다.

❽ 창조적 지성
주어지지 않은 여러 가능성을 탐구하면서 미래를 전망하고 창조하는 지성을 말한다.

3. 실용주의의 현대적 의의와 한계

의의	• 지성적인 방식으로 우리 삶의 개선을 도움을 줌 • 가치의 다양성을 인정하는 관용적 태도와 연결되어 다원주의 사회의 정착을 도움
한계	• 도구적 가치만을 지나치게 강조하여 본래적 가치를 인정하지 않음 • 보편적인 도덕을 부정하여 윤리적 상대주의에 빠질 수 있음

자료3 **유용성을 기준으로 진리 여부를 판단한 제임스**

진리의 소유는 그 자체가 목표이기는커녕 다른 필수적인 만족을 위한 예비 수단일 뿐이다. 만일 내가 숲에서 길을 잃고 굶주리다가 소가 다니는 길처럼 보이는 것을 발견한다면, 가장 중요한 것은 내가 그 길 끝에 있는 집을 생각해야 한다는 것이다. 왜냐하면 내가 그렇게 해서 그 길을 따라간다면 살아날 수 있기 때문이다. 여기서 내 생각이 참인 이유는 그 대상인 집이 유용하기 때문이다. 따라서 참된 관념의 가치는 일차적으로 그 대상이 우리에게 실질적으로 중요하다는 데에서 나온다. … 그렇다면 여러분은 진리에 대해 "그것이 참이기 때문에 유용하다." 아니면 "그것이 유용하기 때문에 참이다."라고 말할 수 있을 것이다.

— 제임스, "실용주의"

| **자료 분석** | 제임스는 참된 관념의 가치는 그 대상이 우리에게 실질적으로 중요한데서 나온다고 말하면서, 어떤 지식이나 규범은 그것이 실천적 유용성을 지닐 때 가치가 있다고 보았다. 그는 이러한 자신의 생각을 '현금 가치'라는 용어를 사용하여 설명하였다. '현금 가치'란 현금처럼 우리가 실생활에서 사용할 수 있는 유용한 가치이며, '현금 가치를 지닌 지식'이란 우리가 직면한 현실 문제를 해결해주거나 실생활을 편하게 만들어 줌으로써 우리 삶에 유용한 것이다. 제임스는 어떤 지식이라도 현금 가치를 갖지 않으면 쓸모없는 것이라고 주장하였다.

한줄 핵심 ▶ 제임스는 지식이 우리의 삶에 유용할 때 가치를 지닌다고 보았다.

❺ 제임스는 지식과 신념이 우리 삶에 유용할 때 가치를 지닌다고 보았다.

◯ ☒

자료4 **성장을 유일한 도덕적 목적으로 본 듀이**

어떤 개인이나 집단도 그들이 어떤 고정된 결과에 접근하는지, 하지 못하는지에 따라 판단되면 안 되며, 그들이 어떤 방향으로 나아가고 있는지에 따라 판단되어야 한다. 예를 들어 지금까지 아무리 선했다 하더라도 현재 타락하기 시작하는 사람은 악한 사람이다. 반면 지금까지 아무리 도덕적으로 무가치했었다 하더라도 현재 더 선해지기 시작하는 사람은 선한 사람이다. 다른 것들도 마찬가지이다. 건강의 경우, 단번에 절대적이고 고정되어 버린 목적으로서의 건강이 선이 아니라 필요한 건강의 증진을 위한 계속적인 과정이 선이다. 목적이란 도달되어야 할 종착점이나 한계가 아니라 현재의 상황을 바꾸어 가는 능동적인 과정이다. 정직, 근면, 절제, 정의도 마찬가지이다. 그러므로 성장 그 자체만이 유일한 도덕적 목적이 된다.

— 듀이, "철학의 재건"

| **자료 분석** | 듀이는 지금까지 선했던 사람이라고 할지라도 현재 타락하기 시작한 사람은 악한 사람이며, 현재 더 선해지기 시작하는 사람은 선한 사람이라고 보았다. 이처럼 듀이는 도덕적으로 성장하는 과정에 있는 사람을 도덕적 인간이라고 주장하였다. 듀이는 도덕뿐만 아니라 건강, 정직, 근면, 정의 등의 경우에도 도달해야 할 절대적이고 고정된 목적이나 소유해야 할 선(善)이 아니라, 경험의 질에서의 변화의 방향이라고 보았다. 즉, 듀이는 계속해서 성장하고 있는 것이 선이라고 보았다.

한줄 핵심 ▶ 듀이는 성장 그 자체만이 유일한 도덕적 목적이 된다고 보았다.

❻ 듀이는 현재 도덕적으로 성장하고 있는 사람이 선한 사람이라고 보았다.

◯ ☒

❼ 듀이는 도덕이나 윤리는 시대와 장소를 초월하여 불변하는 법칙이라고 보았다.

◯ ☒

(유용성을 기준으로
진리여부를 판단한 제임스)
× ❼ ◯ ❻ ◯ ❺ 답정

A 주체적 결단과 실존

01 빈칸에 알맞은 말을 쓰시오.

(1) ☐☐(이)란 본질과 대비되는 개념으로, 지금 여기에 있는 구체적인 개인을 의미한다.

(2) 실존주의는 이성의 도구적 기능만을 강조한 근대 ☐☐☐☐에 대한 반성으로 등장하였다.

02 다음 내용이 맞으면 ○표, 틀리면 ×표를 하시오.

(1) 키르케고르는 절망에서 벗어나기 위한 단계 중 종교적 단계에서 참된 실존을 회복할 수 있다고 보았다. ( )

(2) 야스퍼스는 개인은 독립적 생활을 통해 다른 사람의 실존적 삶을 위해서도 노력해야 한다고 주장하였다. ( )

(3) 하이데거는 인간은 자신이 죽음을 초월할 수 있다는 믿음을 가질 때 참된 실존을 회복할 수 있다고 보았다. ( )

(4) 사르트르는 실존적 불안에 빠진 개인은 자유로운 선택에서 도망치는 불성실에 빠지게 된다고 보았다. ( )

03 실존주의 사상가와 그 주장을 바르게 연결하시오.

(1) 야스퍼스 •   • ㉠ 주체성이 진리이다.

(2) 하이데거 •   • ㉡ 실존은 본질에 앞선다.

(3) 사르트르 •   • ㉢ 현존재는 지금 여기에 있는 존재이다.

(4) 키르케고르 •   • ㉣ 개인은 한계 상황에서 결단을 통해 실존을 회복한다.

B 실용주의와 문제 해결의 유용성

04 빈칸에 알맞은 말을 쓰시오.

(1) 실제, 실천 등의 그리스어 '프라그마'에서 유래한 용어로, 인간의 지식이나 유용성을 강조하는 사상을 ☐☐☐☐(이)라고 한다.

(2) 제임스가 주장한 ☐☐ ☐☐은/는 현금처럼 우리 실생활에서 유용하게 사용할 수 있는 가치를 의미한다.

05 알맞은 설명에 ○표를 하시오.

(1) 제임스는 지식과 신념의 (유용성, 절대성)을 강조하였다.

(2) 제임스는 이로움과 옳음을 같은 맥락으로 여겨 진리의 (고정성, 변화성)을 부정하였다.

06 듀이의 사상에 대한 설명으로 맞으면 ○표, 틀리면 ×표를 하시오.

(1) 도덕이나 윤리는 시대나 장소를 초월하여 보편적이어야 한다. ( )

(2) 문제 상황에 대한 답을 얻기 위해서는 지성적 탐구가 이루어져야 한다. ( )

탄탄! 내신 다지기

A 주체적 결단과 실존

01 실존주의의 특징에 대한 옳은 설명만을 〈보기〉에서 고른 것은?

> **보기**
> ㄱ. 개인의 자유와 책임, 주체성을 강조하였다.
> ㄴ. 객관적이고 보편적인 도덕의 중요성을 강조하였다.
> ㄷ. 개인들이 주체적 결단을 통해 주체적 삶을 살아갈 것을 강조하였다.
> ㄹ. 인간의 이성에 대한 신뢰를 바탕으로 인간 소외 문제를 해결하려고 하였다.

① ㄱ, ㄴ ② ㄱ, ㄷ ③ ㄴ, ㄷ ④ ㄴ, ㄹ ⑤ ㄷ, ㄹ

02 야스퍼스의 주장으로 가장 적절한 것은?

① 자신이 죽음에 이르는 존재임을 자각해야 실존을 회복할 수 있다.
② 개인이 다른 사람의 실존적 삶을 위해 노력하려는 태도는 옳지 않다.
③ 개인이 초월자에 대한 의존에서 벗어날 때 참된 실존을 회복할 수 있다.
④ 개인이 자신의 유한성을 극복하고 무한함을 추구할 때 참된 실존을 회복할 수 있다.
⑤ 개인은 한계 상황에서 경험하는 절망을 발판 삼아 주체적 결단을 내려 참된 실존을 회복할 수 있다.

03 다음 현대 서양 사상가의 입장으로 가장 적절한 것은?

> 죽음을 향한 존재는 항상 현존재의 규정으로 파악되어야 한다. 이 점이 말하고자 하는 바는 이렇다. 현존재 자체는 죽음을 향한 존재를 자신 안에 포함하고 있고, 이러한 내포와 더불어 비로소 현존재는 완전한 존재가 된다.

① 현존재는 불안과 염려로부터 해방된 존재이다.
② 현존재는 보편적인 인간의 특성을 드러내는 존재이다.
③ 자연의 모든 존재는 자기 자신의 죽음을 예견할 수 있다.
④ 이성적인 사고를 바탕으로 주체적인 결단을 내릴 때 참된 실존을 회복할 수 있다.
⑤ 인간은 죽음에 이르는 존재임을 주체적으로 자각할 때 참된 실존을 회복할 수 있다.

04 다음을 주장한 현대 서양 사상가의 입장만을 〈보기〉에서 있는 대로 고른 것은?

> 삶에 있어서 중요한 것은 신이 진정으로 내가 행하기를 바라고 있는 것이 무엇인가를 아는 것이다. 이는 곧 진리를 발견하는 것인데, 나에게 진리란 개별적인 것이고 주관적인 것이다.

> **보기**
> ㄱ. 실존적 상황에서는 오직 주체성만이 답을 줄 수 있다.
> ㄴ. 인간은 윤리적 실존 단계에 이르러야 참된 실존을 회복할 수 있다.
> ㄷ. 인간은 주체적 결정을 회피하면서 죽음에 이르는 병에 걸리게 된다.
> ㄹ. 참된 실존을 회복하기 위해서는 신 앞에 선 단독자로서 생각하고 행동해야 한다.

① ㄱ, ㄴ ② ㄴ, ㄷ ③ ㄷ, ㄹ
④ ㄱ, ㄴ, ㄹ ⑤ ㄱ, ㄷ, ㄹ

05 다음을 주장한 현대 서양 사상가가 긍정의 대답을 할 질문으로 옳은 것은?

> 종이칼과 같은 사물의 본질은 제작자의 구상에 따라 이미 결정되어 있다. 그러나 인간은 이런 사물과 달리 미리 결정된 보편 개념으로서의 인간성이라는 본질을 지니고 이 세계에 존재하는 것이 아니다. 인간은 먼저 존재하고 스스로 만들어 가는 것 이외에 아무것도 아니다.

① 인간의 본질을 정해 줄 신은 존재하지 않는가?
② 인간은 태어날 때부터 인생의 목적을 부여받는가?
③ 인간에게는 마땅히 실행해야 할 미리 정해진 본질이 있는가?
④ 신에게 의지하는 삶을 살 때에만 참된 실존을 회복할 수 있는가?
⑤ 인간에게는 무언가를 선택할 수 있는 자유가 주어지지 않았는가?

B 실용주의와 문제 해결의 유용성

06 실용주의에 대한 옳은 설명만을 〈보기〉에서 고른 것은?

> ㄱ. 지식의 도구적 가치보다 본래적 가치를 중시해야 한다.
> ㄴ. 옳고 그름과 선악에 대한 절대적 기준을 마련해야 한다.
> ㄷ. 규범의 옳고 그름은 실제적 유용성을 기준으로 판단해야 한다.
> ㄹ. 경험적이고 과학적인 방법을 바탕으로 문제 해결을 위한 지식을 추구해야 한다.

① ㄱ, ㄷ ② ㄱ, ㄹ ③ ㄴ, ㄷ ④ ㄴ, ㄹ ⑤ ㄷ, ㄹ

07 듀이의 사상에 대한 설명으로 가장 적절한 것은?

① 학문적 지식은 그 자체로서 목적이 된다고 보았다.
② 진리는 변하는 것이 아니라 고정된 것이라고 보았다.
③ 도덕적 인간은 고정불변하는 최고선을 지닌 사람이라고 보았다.
④ 도덕이나 윤리는 시대와 장소를 초월하는 불변성을 지녀야 한다고 보았다.
⑤ 문제 상황에 대한 답을 얻기 위해서는 지성적 탐구가 이루어져야 한다고 보았다.

08 다음을 주장한 현대 서양 사상가의 입장으로 가장 적절한 것은?

> 진리의 소유는 다른 필수적인 만족을 위한 예비 수단일 뿐이다. 만일 내가 숲에서 길을 잃고 굶주리다가 소가 다니는 길처럼 보이는 것을 발견한다면, 가장 중요한 것은 내가 그 길 끝에 있는 집을 생각해야 한다는 것이다. 왜냐하면 내가 그렇게 해서 그 길을 따라간다면 살아날 수 있기 때문이다. 여기서 내 생각이 참인 이유는 그 대상인 집이 유용하기 때문이다. 따라서 참된 관념의 가치는 그 대상이 우리에게 실질적으로 중요하다는 데에서 나온다.

① 진리를 소유하는 것 자체가 목표이다.
② 실생활에 유용한 지식만이 가치를 지닌다.
③ 영원불변하는 절대적 가치를 추구해야 한다.
④ 행위의 결과에 비추어 도덕적 판단을 해서는 안 된다.
⑤ 지식이 지닌 현재적 가치보다 미래적 가치를 중시해야 한다.

09 다음 현대 서양 사상가의 입장에 대한 옳은 설명만을 〈보기〉에서 있는 대로 고른 것은?

> 지금까지 아무리 선했다 하더라도 현재 타락하기 시작하는 사람은 악한 사람이다. 반면 지금까지 아무리 도덕적으로 무가치했었다 하더라도 현재 더 선해지기 시작하는 사람은 선한 사람이다. 다른 것들도 마찬가지이다. 목적이란 도달되어야 할 종착점이나 한계가 아니라 현재의 상황을 바꾸어 가는 능동적인 과정이다.

> ㄱ. 어떤 행위의 도덕적 가치는 행위의 동기에서 비롯된다.
> ㄴ. 지식은 우리가 직면한 문제를 해결하는 하나의 도구이다.
> ㄷ. 고정된 도덕 원리를 적용해서는 최선의 결과를 산출할 수 없다.
> ㄹ. 인간은 환경과 상호 작용하는 과정에서 끊임없이 문제 상황에 직면한다.

① ㄱ, ㄴ ② ㄱ, ㄷ ③ ㄷ, ㄹ
④ ㄱ, ㄴ, ㄹ ⑤ ㄴ, ㄷ, ㄹ

서답형 문제

10 다음 글을 읽고 물음에 답하시오.

> 정적인 성과나 결과보다는 성장, 개선, 진보의 과정이 의미 있는 것이다. 개선론이란 어느 순간에 존재하는 특정한 조건이 상대적으로 악하든 선하든 간에 어떻게든 나아질 수 있다는 믿음이다. 행복은 성공 속에서만 발견된다. 그런데 성공은 성취, 앞으로 나아가는 것, 전진하는 것을 의미한다. 그것은 수동적인 결과가 아니라 능동적인 과정이다. 따라서 그것은 장애의 극복, 결함과 악의 근원을 제거하는 것을 포함한다.

(1) 위의 내용을 주장한 현대 서양 사상가와 그의 사상이 무엇인지 쓰시오.

　　사상가: (　　　　　), 사상: (　　　　　)

(2) (1)에서 답한 사상의 긍정적 측면과 부정적 측면을 각각 두 가지씩 서술하시오.

도전! 실력 올리기

01 (가)의 갑, 을 사상가의 입장을 (나) 그림으로 탐구할 때, A~C에 들어갈 옳은 질문만을 〈보기〉에서 있는 대로 고른 것은?

(가)	갑: 심미적 단계에서의 인간은 결단을 통해 윤리적 단계로 도약한다. 이 단계에서도 자신의 불완전성으로 절망하게 되어 결단을 통해 종교적 단계로 도약한다. 을: 인간의 본질은 존재하지 않는다. 왜냐하면 그 본질을 생각하는 신이 존재하지 않기 때문이다. 인간은 자유롭게 선택하고 결과에 대해 책임지는 주체적 존재이다.
(나)	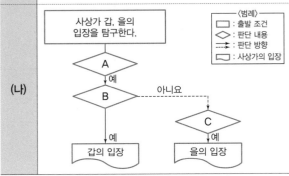

〈보기〉

ㄱ. A: 보편타당한 진리 인식을 통해 실존 회복이 가능한가?
ㄴ. B: 불안을 극복하기 위해서는 신에게 의지해야 하는가?
ㄷ. B: 참된 자신의 삶을 위해 주체적 결단을 내려야 하는가?
ㄹ. C: 인간은 자유롭지만 자유 자체는 선택할 수 없는가?

① ㄱ, ㄷ   ② ㄱ, ㄹ   ③ ㄴ, ㄹ
④ ㄱ, ㄴ, ㄷ   ⑤ ㄴ, ㄷ, ㄹ

02 다음을 주장한 현대 서양 사상가가 긍정의 대답을 할 질문으로 옳은 것은?

자연 과학에서 중시하는 탐구는 도덕에서도 중시되어야 한다. 도덕은 결과가 옳은 것으로 확정되기 전까지 가설로 여겨져야 한다. 실수는 도덕적 죄가 아니라 잘못된 방법에 대한 교훈이며 더 나은 미래에 대한 가르침이다. 도덕적 삶은 유연하고, 성장하는 것이다.

① 지식은 불변의 목적인 도덕의 도구가 되는가?
② 경험과 관찰보다 직관적 판단을 중시해야 하는가?
③ 과학적 발견을 통해 인류의 성장과 진보가 가능한가?
④ 지식은 세계를 개선하는 데 유용한 절대적 규범인가?
⑤ 오류 가능성이 완전히 제거된 것만을 지식으로 받아들여야 하는가?

03 근대 서양 사상가 갑, 현대 서양 사상가 을의 입장으로 옳은 것만을 〈보기〉에서 있는 대로 고른 것은?

갑: 신만이 유일한 실체이다. 신 이외의 모든 존재는 양태이며, 양태로서 인간은 신에 대한 이성적 인식을 통해 마음의 안정과 평화를 얻고 진정한 자유인이 될 수 있다.
을: 진리는 개인의 결단에 달려 있다. 나와 무관한 객관적인 것을 아는 것보다 나 자신을 아는 것이 중요하다. 개별자인 내가 신과 절대적인 관계에 있다는 역설적 진리를 깨달아야 한다.

〈보기〉

ㄱ. 갑: 인간과 사물은 무한한 실체가 다양한 모습으로 나타난 것이다.
ㄴ. 을: 도덕적인 삶만으로는 신과 하나가 될 수 없다.
ㄷ. 을: 인간의 보편적 본질에 대한 추구를 실존의 출발점으로 보아야 한다.
ㄹ. 갑, 을: 인격신의 은총에 의해서만 참된 행복을 얻을 수 있다.

① ㄱ, ㄴ   ② ㄴ, ㄷ   ③ ㄷ, ㄹ
④ ㄱ, ㄴ, ㄹ   ⑤ ㄱ, ㄷ, ㄹ

04 현대 서양 사상가 갑, 을의 입장으로 가장 적절한 것은?

갑: 죽음은 세계 안의 존재인 현존재에게 가장 확실한 가능성이며, 죽음에 내던져져 있다는 사실은 불안 속에서 철저하게 드러난다.
을: 인간은 죽음, 고통 등의 한계 상황을 경험한다. 한계 상황은 자신이 가진 능동성의 한계를 분명하게 경험하도록 만듦으로써 실존에로 비약할 수 있게 한다.

① 갑: 인간은 현실적인 존재가 아니라 추상적인 존재이다.
② 갑: 신에 대한 믿음을 통해 죽음을 극복할 때 참된 실존을 회복할 수 있다.
③ 을: 이성적 합리성을 추구함으로써 한계 상황을 극복할 수 있다.
④ 을: 한계 상황 속에서 좌절에 대한 경험이 실존을 각성하게 한다.
⑤ 갑, 을: 보편적 도덕규범을 따를 때 참된 자신을 발견할 수 있다.

01 사상의 연원

A 고대 그리스 사상과 헤브라이즘

고대 그리스 사상	• 배경: 자연 철학자의 등장과 민주주의의 발달 • 사물과 인간의 본질에 관심 • 이성적·합리적 사고와 논변 중시
헤브라이즘	• 의미: 유대교로부터 그리스도교까지의 사상 • 유일신에 대한 믿음 강조 • 보편적 윤리적 행동 지침을 신의 명령이자 인간 삶의 규율로 제시

B 규범의 다양성과 보편 도덕

구분	윤리적 상대주의	윤리적 보편주의
입장	보편타당한 절대적 진리는 없다고 봄	보편타당한 윤리의 존재를 인정함
장점	서로 다른 도덕규범을 이해하고 관용하는데 도움을 줌	다원화된 사회에서 발생하는 가치관의 혼란을 극복하는데 도움을 줌
한계	가치관의 혼란이나 윤리적 회의주의를 초래할 수 있음	개인이나 사회가 처한 특수한 상황을 고려하지 못할 수 있음
대표 사상가	소피스트	소크라테스

02 덕

A 영혼의 정의와 행복

(1) 플라톤의 세계관

소크라테스 계승	소크라테스의 이성주의 계승
이원론적 세계관	• 세계를 현실 세계와 이데아 세계로 구분 • 이데아: 사물의 불변하는 본질이자 참된 실재

(2) 정의와 행복에 관한 플라톤의 사상

정의로운 인간	지혜, 용기, 절제의 덕이 조화를 이룰 때 정의의 덕을 실현하고 행복한 삶을 살 수 있음
정의로운 국가	세 계급이 그들의 덕을 갖추고 조화롭게 국가를 이룰 때, 국가도 정의의 덕을 실현할 수 있음

B 이론과 실천의 탁월성과 행복

(1) 아리스토텔레스의 세계관

현실주의적 세계관	선은 이데아 세계가 아닌 현실 세계에 존재함
목적론적 세계관	인간의 궁극적 목적이자 최고선은 행복임

(2) 행복과 덕에 대한 아리스토텔레스의 사상

행복	진정한 행복은 덕을 갖춘 삶을 통해 얻을 수 있음
덕	• 지적인 덕과 품성적 덕으로 구분 • 중용: 과도함과 부족함 사이의 적절한 상태 • 의지의 중요성과 도덕적 습관화 강조

03 행복 추구의 방법

A 쾌락의 추구와 평정심

(1) 에피쿠로스학파의 윤리 사상

특징	몸의 고통과 마음의 불안이 모두 소멸된 상태인 평정심(아타락시아) 지향
평정심에 이르는 방법	• 욕망을 절제하고 검소한 삶을 살아야 함 • 잘못된 생각에서 벗어나야 함 • 은둔 생활을 해야 함

(2) 에피쿠로스학파의 윤리 사상이 미친 영향

• 감각적 경험을 중시했던 점 → 근대 경험론에 영향
• 쾌락을 최고선으로 보고 선악 판단 기준으로 삼은 점 → 벤담과 밀의 공리주의로 계승

B 금욕과 부동심

(1) 스토아학파의 윤리 사상

특징	어떠한 상황에서도 동요하지 않는 정념으로부터 해방된 상태인 부동심(아파테이아) 지향
부동심에 이르는 방법	• 이성과 운명에 순응하는 삶 추구 • 자연법에 따르는 삶 추구

(2) 스토아학파의 윤리 사상이 미친 영향

• 정념으로부터의 자유와 이성을 강조한 점 → 각각 스피노자와 칸트의 사상에 영향
• 세계 시민주의 → 로마의 만민법으로 계승
• 자연법사상 → 중세 아퀴나스와 근대의 자연법사상가들에게 영향

04 신앙

A 그리스도교와 사랑의 윤리

(1) 그리스도교의 기원

- 유대교에 뿌리를 둠
- 예수의 가르침을 기초로 함

(2) 아우구스티누스의 윤리 사상

- 플라톤 사상 수용
- 악은 선이 결여된 상태임
- 신의 사랑과 은총이 있어야만 구원을 얻을 수 있음

B 그리스도교와 자연법 윤리

(1) 아퀴나스의 윤리 사상

- 아리스토텔레스 사상 수용
- 이성적 논증을 통해 신의 존재를 증명하고자 함
- 인간이 지켜야할 도덕 법칙으로 자연법 제시

(2) 종교 개혁

루터	'오직 믿음, 오직 은총, 오직 성서'
칼뱅	예정설과 직업 소명설 주장

05 도덕의 기초

A 도덕적인 삶과 이성

데카르트	방법적 회의를 통해 철학의 제원리 제시
스피노자	• 신은 곧 자연으로 유일한 실체임 • 정념의 속박에서 벗어나 이성적 삶을 살아야 함 • 이성적 관조를 통해 자연의 필연적 질서를 인식할 때 지복이 가능함

B 도덕적인 삶과 감정

베이컨	우상을 극복해야 참된 지식을 얻을 수 있음
흄	• 도덕적 행위의 동기는 감정임 • 도덕적 감정은 시인과 부인의 감정임 • 인간이 공감의 능력을 지니므로 사회에 유용한 행위에 쾌감을 느낌

06 옳고 그름의 기준

A 의무론과 칸트주의

칸트	• 선의지에서 비롯된 행위만이 도덕적 가치를 지님 • 도덕 법칙은 정언 명령의 형태로 나타남
현대 칸트주의	로스: '조건부 의무'를 제시하여 도덕적 의무 사이의 충돌 문제를 해결하려 함

B 결과론과 공리주의

벤담	• 최대 다수의 최대 행복이라는 공리의 원리를 제시함 • 쾌락에는 질적인 차이는 없고 양적인 차이만 있음
밀	• 쾌락의 질적 차이도 고려해야 함 • 쾌락은 질적으로 높은 수준의 쾌락과 낮은 수준의 쾌락으로 구분됨
현대 공리주의	• 규칙 공리주의: 좋은 결과를 가져다줄 규칙을 따라야 함 • 선호 공리주의: 좋은 결과는 선호의 실현임

07 현대의 윤리적 삶

A 주체적 결단과 실존

키르케고르	• 주체성이 진리이며, 진리는 주관적임 • 신 앞에 선 단독자로서 결단할 때 참된 실존 회복
야스퍼스	한계 상황에서 주체적 결단을 통해 실존 회복
하이데거	현존재가 죽음을 자각할 때 참된 실존 회복
사르트르	• 주체적 선택과 결단으로 자기 삶을 만들어 나가야 함 • 인간은 세계에 내던져진 존재로, 실존이 본질에 앞섬

B 실용주의와 문제 해결의 유용성

퍼스	'실용주의의 격률'을 통해 유용성 강조
제임스	'현금 가치'의 개념을 통해 지식의 유용성을 강조
듀이	• 지식은 인간이 환경에 적응하기 위한 도구라는 도구주의 제시 • 지성적 탐구를 통해 문제 상황에 대한 해결책을 마련해야 함 • 도덕이나 윤리도 성장하고 변화함

01 다음을 주장한 고대 서양 사상가의 입장에서 긍정의 대답을 할 질문으로 가장 적절한 것은?

> 자신이 모르면서도 알고 있다고 믿는 것이 인간의 무지 중 가장 큰 무지이다.

① 개별적 인간이 만물의 척도인가?
② 행복한 삶은 덕에 대한 지식을 갖추었을 때 가능한가?
③ 인간과 사회보다 자연을 탐구 대상으로 삼아야 하는가?
④ 행위의 옳고 그름은 사회적인 합의에 의해 결정되는가?
⑤ 객관적 지식을 얻기 위해 이성보다 감각과 경험에 의존해야 하는가?

02 (가)의 고대 서양 사상가 갑, 을의 입장을 (나) 그림으로 표현할 때 A~C에 해당하는 옳은 진술만을 〈보기〉에서 있는 대로 고른 것은?

(가)	갑: 선이 무엇인지 아는 사람은 나쁜 행동을 할 수 없다. 나쁜 행동을 하는 사람은 자신에게 해를 끼치는 사람인데, 자발적으로 자신에게 해를 끼치는 사람은 없기 때문이다. 을: 어떤 것들이 나에게 나타나는 대로 그것들은 나에게는 그렇게 존재하며, 어떤 것들이 당신에게 나타나는 대로 그것들은 당신에게는 그렇게 존재한다.
(나)	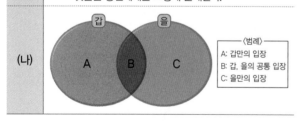 〈범례〉 A: 갑만의 입장 B: 갑, 을의 공통 입장 C: 을만의 입장

보기
ㄱ. A: 참된 앎이 덕 그 자체임을 깨달아야 한다.
ㄴ. B: 보편적 진리를 찾기 위해 노력해야 한다.
ㄷ. B: 개인의 비도덕적 행동은 무지에서 비롯됨을 알아야 한다.
ㄹ. C: 선악의 객관적인 기준은 존재하지 않는다.

① ㄱ, ㄴ   ② ㄱ, ㄷ   ③ ㄱ, ㄹ
④ ㄴ, ㄹ   ⑤ ㄷ, ㄹ

03 (가)의 고대 서양 사상가 갑, 을의 입장을 (나) 그림으로 탐구할 때, A~C에 들어갈 질문으로 옳은 것은?

(가)	갑: 같은 바람도 사람에 따라 다르게 느껴집니다. 무엇이든 절대적으로 옳거나 악한 것은 없습니다. 을: 모든 존재의 근원은 선의 이데아입니다. 수호자들 중 실무에서나 학식에서나 모든 면에서 가장 뛰어난 자들로 하여금 선의 이데아를 인식하게 해야 합니다.
(나)	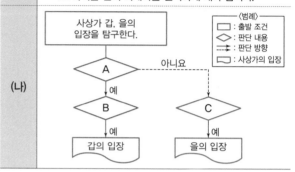

① A: 누구에게나 보편타당한 도덕규범은 존재하는가?
② B: 인간이 아니라 자연을 학문의 주제로 삼아야 하는가?
③ B: 모든 진리는 상대적인 것이 아니라 절대적인 것인가?
④ C: 이상적 사회는 제한적으로 공유제가 실현되는 사회인가?
⑤ C: 다양한 윤리적인 삶이 존재할 뿐 보편타당한 윤리는 존재하지 않는가?

04 다음을 주장한 고대 서양 사상가의 입장으로 옳지 <u>않은</u> 것은?

> 실무나 학식 등 모든 면에서 가장 훌륭하였던 사람으로 하여금 고개를 들어 영혼의 눈으로 모든 것에 빛을 주는 좋음[善] 자체를 보게 해야 합니다. … 그들은 여생의 대부분을 철학으로 소일하지만, 차례가 오면 나랏일로 수고하며 저마다 나라를 위해 통치자가 되어야 합니다.

① 민주주의는 어리석은 대중들의 정치이다.
② 덕을 알면서 고의로 행하지 않는 사람은 없다.
③ 현실 속에서는 이상적인 선이 존재할 수 없다.
④ 이상 사회는 각자가 자신의 역할을 수행하는 사회이다.
⑤ 옳은 행위는 의지를 바탕으로 한 지속적 실천이 전제된다.

05 다음을 주장한 고대 서양 사상가의 입장에서 긍정의 대답을 할 질문만을 〈보기〉에서 있는 대로 고른 것은?

> 품성적 덕은 감정과 행동에 관계하고, 이 감정과 행동 속에 지나침과 모자람, 그리고 중용이 있다. 감정과 행동을 마땅한 때에, 마땅한 일에 대해, 마땅한 사람들에 대해, 마땅히 추구해야 할 목적을 위해, 그리고 마땅한 방식으로 느끼거나 행하는 것이 바로 중용이자 최선이고, 이것이 덕의 특징이다.

보기
> ㄱ. 품성적 덕을 갖추는 것이 궁극적 목적인가?
> ㄴ. 품성적 덕을 갖추려면 실천적 지혜가 필요한가?
> ㄷ. 유덕한 행동을 한 사람은 모두 유덕한 사람인가?
> ㄹ. 자제력이 부족한 사람은 앎에 반하게 행동할 수 있는가?

① ㄱ, ㄴ   ② ㄱ, ㄷ   ③ ㄴ, ㄹ
④ ㄱ, ㄴ, ㄹ   ⑤ ㄴ, ㄷ, ㄹ

06 고대 서양 사상가 갑, 을의 입장을 〈보기〉에서 골라 바르게 짝지은 것은?

> 갑: 이데아에 대한 지식은 오직 이성을 통해서만 얻을 수 있다. 만물 각각의 이데아를 이데아이게 하는 것, 최고의 이데아가 선의 이데아이다.
> 을: 인간 영혼의 한 부분은 이성을 갖고 있고 다른 부분은 이성을 갖고 있지 않다. 지나침과 모자람이 잘못을 범하는 반면, 중간적인 것은 칭찬을 받고 또한 올곧게 성공한다. 인간이 행복해지기 위해서는 이와 같은 덕이 필요하다.

보기

	덕 있는 삶을 살 때 행복한 삶을 살 수 있는가?	
	예	아니요
현실 세계에 진리가 있다고 보는가? 예	㉠	㉡
아니요	㉢	㉣

	갑	을		갑	을
①	㉠	㉡	②	㉡	㉠
③	㉠	㉢	④	㉢	㉠
⑤	㉢	㉣			

07 (가)의 고대 서양 사상가 갑, 을의 입장을 (나)의 그림으로 표현할 때 A~C에 해당하는 옳은 진술만을 〈보기〉에서 고른 것은?

(가)	갑: 쾌락은 그 자체로 유쾌한 것이지만 모든 쾌락이 추구할 만한 가치를 지니지는 않는다. 우리의 과제는 참을 것과 못 참을 것을 구분해 항상 모든 것을 올바르게 평가하는 것이다. 을: 우리는 신과 자연 그리고 인간을 하나로 연결해 주는 이성의 힘으로 욕망에 휩쓸리지 않는 평온한 마음에 이르러야 한다.
(나)	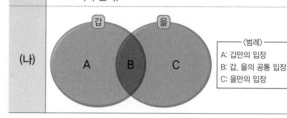 〈범례〉 A: 갑만의 입장 B: 갑, 을의 공통 입장 C: 을만의 입장

보기
> ㄱ. A: 모든 욕망과 감정에서 벗어나야 한다.
> ㄴ. B: 이성을 통해 만물을 관조하면서 평온을 얻어야 한다.
> ㄷ. B: 욕망의 절제를 통한 평온한 삶으로서의 행복을 추구해야 한다.
> ㄹ. C: 자연의 법칙과 이성에 따라 행위 하는 것이 인간의 의무이다.

① ㄱ, ㄴ   ② ㄱ, ㄷ   ③ ㄴ, ㄷ
④ ㄴ, ㄹ   ⑤ ㄷ, ㄹ

08 다음을 주장한 고대 서양 사상가가 추구한 바람직한 삶의 태도로 가장 적절한 것은?

> 죽음은 아무것도 아니라고 믿는 데 익숙해져야 한다. 그렇게 되면 우리는 불멸성에 대한 열망을 제거함으로써 유한한 삶을 충분히 즐길 수 있다. 진정한 즐거움은 몸의 고통과 마음의 혼란으로부터의 자유이다.

① 순간적이고 감각적인 쾌락을 추구한다.
② 필수적이지 않은 욕구를 충족하고자 힘쓴다.
③ 모든 감정이나 욕망으로부터 벗어나기 위해 노력한다.
④ 어떤 상황에서도 동요하지 않는 정신 상태를 지향한다.
⑤ 공적인 삶에서 벗어나 작은 공동체에서 우정을 나누려고 노력한다.

09 갑, 을은 고대 서양 사상가이다. 갑에 비해 을이 갖는 상대적 특징을 그림의 ㉠~㉤ 중에서 고른 것은?

> 갑: 정념에 흔들리지 않는 평정한 마음 상태를 유지해야 한다. 그리하여 문전 박대를 당할지라도 만나야 하는 것이 의무라면 가서 일어나는 일을 고스란히 받아들여라.
> 을: 감정적 동요나 혼란이 없는 평온한 마음 상태를 유지해야 한다. 살아 있을 때는 죽은 것이 아니며, 죽었을 때는 감각할 수 없으므로 죽음을 미리 근심하지 마라.

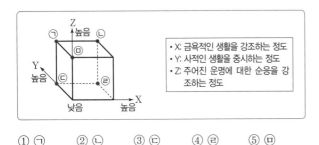

- X: 금욕적인 생활을 강조하는 정도
- Y: 사적인 생활을 중시하는 정도
- Z: 주어진 운명에 대한 순응을 강조하는 정도

① ㉠　　② ㉡　　③ ㉢　　④ ㉣　　⑤ ㉤

10 중세 서양 사상가 갑, 을의 입장으로 가장 적절한 것은?

> 갑: 그 누구도 진정한 경건 없이는, 즉 진정한 신에 대한 참된 경배 없이는 진정한 덕을 지닐 수 없다.
> 을: 우리는 믿기 위해 이해하는 것이지, 이해하기 위해 믿는 것이 아니다. 신의 존재는 다섯 가지 방식으로 증명될 수 있다.

① 갑: 신은 이성적으로 인식할 수 있는 대상이다.
② 갑: 신은 실재적 존재가 아니라 관념적 존재이다.
③ 을: 신학적 진리와 철학적 진리는 모순 관계에 있다.
④ 을: 종교적 덕을 실천함으로써 신과 하나가 되어야 한다.
⑤ 갑, 을: 영원한 행복은 인간 스스로의 노력을 통해 이루어진다.

11 (가)의 사상가 갑, 을, 병의 입장에서 서로에게 제기할 수 있는 비판을 (나) 그림으로 표현할 때, A~F에 해당하는 내용으로 가장 적절한 것은?

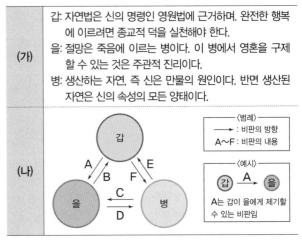

(가)
> 갑: 자연법은 신의 명령인 영원법에 근거하며, 완전한 행복에 이르려면 종교적 덕을 실천해야 한다.
> 을: 절망은 죽음에 이르는 병이다. 이 병에서 영혼을 구제할 수 있는 것은 주관적 진리이다.
> 병: 생산하는 자연, 즉 신은 만물의 원인이다. 반면 생산된 자연은 신의 속성의 모든 양태이다.

(나)

〈범례〉
→: 비판의 방향
A~F: 비판의 내용

〈예시〉
갑 ─A→ 을
A는 갑이 을에게 제기할 수 있는 비판임

① A: 신에게 귀의할 때만 참된 삶이 가능함을 간과한다.
② B: 인간의 본질을 정해 줄 신이 없음을 간과한다.
③ C: 신이 실존을 통해 만나야 할 인격적 존재임을 간과한다.
④ C, E: 신이 만물의 내재적 원인임을 간과한다.
⑤ D, F: 신을 포함한 만물에게는 자유 의지가 없음을 간과한다.

12 근대 서양 사상가 갑은 긍정, 을은 부정의 대답을 할 질문만을 〈보기〉에서 고른 것은?

> 갑: 우상은 인간의 정신을 혼미하게 하고 진리를 얻지 못하게 만든다. 우상들을 몰아내려면 참된 귀납법으로 개념과 공리를 형성해야 한다.
> 을: 우리는 감각이 때로 우리를 속인다는 것을 알고 있다. 우리를 속인 것에 대해서는 전적으로 신뢰하지 않는 편이 현명하며, 진리를 찾기 위해서는 일단 모든 것을 의심해 보아야 한다.

〈보기〉
ㄱ. 지식을 얻기 위해서는 이성적 추론이 필요 없는가?
ㄴ. 지식의 근원을 이성이 아니라 경험에 두어야 하는가?
ㄷ. 주로 관찰과 실험을 통해 얻은 원리를 바탕으로 새로운 지식을 얻어 내야 하는가?
ㄹ. 일반적인 원리로부터 논리적 추론을 통해 개별적인 이치를 알아내는 방법을 주로 사용해야 하는가?

① ㄱ, ㄴ　　② ㄱ, ㄷ　　③ ㄴ, ㄷ
④ ㄴ, ㄹ　　⑤ ㄷ, ㄹ

13 근대 서양 사상가 갑, 을의 입장에 대한 설명으로 옳지 <u>않은</u> 것은?

> 갑: 이성은 감정에 봉사하고 복종하는 것 말고 다른 어떤 임무도 요구할 수 없다.
> 을: 신은 절대적으로 무한한 존재이자 실체이다. 신 이외에는 어떠한 실체도 존재할 수 없다. 최고의 행복은 신에 대한 사랑에서 나온다.

① 갑은 선악은 이성적으로 판단되는 것이 아니라고 본다.
② 갑은 인간이 인과 관계의 실체를 인식해야만 참된 지식을 얻을 수 있다고 본다.
③ 을은 인간을 유일한 실체가 변한 양태(樣態)라고 본다.
④ 을은 자연적 필연성에서 벗어나 자유 의지를 가지는 것은 불가능하다고 본다.
⑤ 을은 갑과 달리 인간의 이성을 도덕의 기반으로 삼아야 한다고 본다.

14 (가), (나)의 입장에 대한 옳은 설명만을 〈보기〉에서 있는 대로 고른 것은?

> (가) 구체적 상황에서 하나의 행위가 한 관점에서 일견 옳다고 하더라도 더 중요한 다른 관점들에서는 그르다면 실제적 의무가 될 수 없다. 특정 상황에서 가장 옳은 행위 수행만이 실제적 의무가 된다.
> (나) 거짓말을 하는 것이 그렇지 않은 것보다 유용한 결과를 가져오는 경우가 종종 있지만, 길게 볼 경우 거짓말을 하지 않는 것이 더 많은 유용성을 지니므로 '거짓말해서는 안 된다.'라는 행위 규칙을 따르는 것이 바람직하다.

ㄱ. (가)는 도덕 원칙도 인간의 직관과 상식에 따라 유보될 수 있다고 본다.
ㄴ. (가)는 언제 어디서나 지켜야 하는 절대적 도덕 의무가 존재한다고 본다.
ㄷ. (나)는 공리의 원리를 행위의 규칙에 적용해야 한다고 본다.
ㄹ. (가), (나)는 행위의 동기가 아닌 결과를 도덕 판단의 기준으로 삼아야 한다고 본다.

① ㄱ, ㄷ   ② ㄴ, ㄷ   ③ ㄴ, ㄹ
④ ㄱ, ㄴ, ㄹ   ⑤ ㄱ, ㄷ, ㄹ

15 다음을 주장한 근대 서양 사상가의 입장으로 가장 적절한 것은?

> 유한한 이성적 존재자인 인간은 도덕 법칙을 준수하기에는 너무 나약하다. 따라서 도덕 법칙은 의무이자 강제로 작용한다. 단지 '의무에 적합한' 행위가 아니라 '의무로부터 비롯된' 행위만이 도덕적 가치를 지닌다.

① 도덕의 가치는 그것의 행복 실현 정도에 달려 있다.
② 선의지에 따른 행위가 항상 행복을 보장하지는 않는다.
③ 개인의 준칙은 어떠한 경우에도 도덕 법칙으로 성립할 수 없다.
④ 동정심에 근거한 행위가 의무에 맞을 경우 무조건적으로 선하다.
⑤ 보편적이고 자연스러운 경향성에 따라 행위 하는 것이 도덕적 행위이다.

16 (가)의 갑, 을, 병 사상가의 입장을 (나)의 그림으로 탐구할 때, A~D에 들어갈 옳은 질문만을 〈보기〉에서 있는 대로 고른 것은?

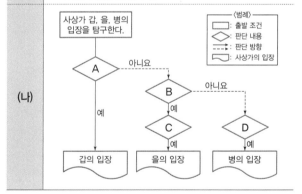

(가)	갑: 행위의 옳고 그름을 평가하는 유일한 기준은 행위에 의해 생겨날 쾌락과 고통의 양이다. 을: 고상한 사람은 쾌락의 양보다 질을 고려하여 더 높은 수준의 쾌락을 선호하게 될 것이다. 병: 참된 쾌락은 육체적 쾌락이 아니라 마음의 불안과 몸의 고통이 없는 상태이다.

ㄱ. A: 쾌락에는 질적인 차이는 없고 양적인 차이만 있는가?
ㄴ. B: 개인적 쾌락뿐만 아니라 사회적 쾌락도 함께 추구해야 하는가?
ㄷ. C: 도덕 판단의 기준이 되는 보편적 도덕 원칙은 없는가?
ㄹ. D: 적극적으로 쾌락을 추구하기보다는 고통의 제거에 힘써야 하는가?

① ㄱ, ㄴ   ② ㄴ, ㄷ   ③ ㄷ, ㄹ
④ ㄱ, ㄴ, ㄹ   ⑤ ㄱ, ㄷ, ㄹ

17 (가)의 갑, 을 사상가의 입장을 (나) 그림으로 표현할 때, A~C에 해당하는 옳은 내용만을 〈보기〉에서 있는 대로 고른 것은?

(가)	갑: 도덕 판단은 내적 감정의 결과이다. 어떤 행위가 시인이나 부인의 감정을 유발할 때, 우리는 그 행위를 '선하다'거나 '악하다'고 말한다. 을: 도덕의 원리와 행복의 원리를 구분하는 것은 이들 둘 사이의 대립을 의미하는 것이 아니다. 순수한 실천 이성은 우리가 행복에 대한 모든 요구를 포기할 것을 의욕하는 것이 아니다.
(나)	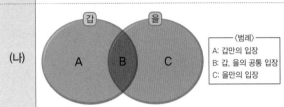 〈범례〉 A: 갑만의 입장 B: 갑, 을의 공통 입장 C: 을만의 입장

〈보기〉
ㄱ. A: 도덕에 있어서 이성은 감정의 보조자일 뿐이다.
ㄴ. B: 공감에 바탕을 둔 행위는 도덕적 행위이다.
ㄷ. B: 도덕적 행위와 행복의 추구는 양립 가능하다.
ㄹ. C: 의무로부터 비롯된 행위만이 도덕적 행위이다.

① ㄱ, ㄴ   ② ㄴ, ㄷ   ③ ㄷ, ㄹ
④ ㄱ, ㄴ, ㄹ   ⑤ ㄱ, ㄷ, ㄹ

18 현대 서양 사상가 갑, 을의 입장으로 옳지 <u>않은</u> 것은?

갑: 주체성이 진리이다. 객관적 진리는 모든 사람에게 타당할지 모르지만, 그렇게 때문에 지금 여기에 있는 나의 영혼을 구원하지 못한다.
을: 인간은 자신을 창조한 것이 아니기에 선고받은 것이고, 세상에 내던져지자마자 자신의 행동에 책임을 져야 하기에 자유로운 것이다.

① 갑: 진리는 개별적이고 주관적인 것이다.
② 갑: 참된 실존을 회복하기 위해서는 신 앞에 선 단독자로서 행동해야 한다.
③ 을: 인간의 본질을 정해 줄 신은 존재하지 않는다.
④ 을: 사회 문제에 관심과 책임 의식을 지녀야 한다.
⑤ 갑, 을: 인간의 보편적 특성인 본질의 파악을 중시해야 한다.

19 현대 서양 사상가 갑, 을의 입장에 대한 설명으로 가장 적절한 것은?

갑: "바늘 위에서 몇 명의 천사가 춤을 출 수 있는가?"에 대한 대답은 현금 가치 없는 지식이다. 이러한 지식은 우리 삶을 개선하는 데 유용하지 않다.
을: 이익 평등 고려의 원칙에 입각하여 쾌락과 고통을 느낄 수 있는 모든 개체의 선호를 동등하게 고려해야 한다.

① 갑은 현금이 최고의 가치를 지닌다고 본다.
② 갑은 지식이나 규범은 그 자체로서 가치를 지닌다고 본다.
③ 을은 인간과 동물의 선호를 동등하게 고려하는 것은 옳지 않다고 본다.
④ 을은 좋은 결과는 욕구하는 것의 실현이 아닌 쾌락의 증가로 보아야 한다고 본다.
⑤ 갑, 을은 행위의 결과를 도덕 판단의 기준으로 삼아야 한다고 본다.

20 다음을 주장한 현대 서양 사상가의 입장으로 가장 적절한 것은?

개념, 이론, 사고 체계 등이 아무리 정교하고 사리에 맞는다고 하더라도 가설로 여겨져야 한다. 그것들은 최종적인 것으로서가 아니라 그것들을 검사하는 행동의 토대로서 받아들여져야 한다. 그것들은 도구이다. 모든 도구가 그러하듯이 그것들의 가치는 그 자체에 있는 것이 아니라 그것들의 사용 결과에서 나온다.

① 도덕의 과제는 절대적 가치를 발견하는 데 있다.
② 행위의 도덕적 가치는 그 행위의 동기에서 비롯된다.
③ 어떤 관념의 진리 여부는 그것의 유용성 여부에 달려 있다.
④ 과학적인 검증으로 확실하고 고정된 진리를 발견해야 한다.
⑤ 지식을 삶을 개선하기 위한 도구로 보는 것은 적절하지 않다.

정답과 해설 58쪽

21 다음 글을 읽고 물음에 답하시오.

소크라테스는 덕에 대한 정확한 지식이 곧 덕을 실천하는 행동으로 이어진다고 주장하였다. 이처럼 참된 앎은 반드시 행위로 드러난다는 점에서 그의 사상을 주지주의(主知主義)라고 말한다. 그뿐만 아니라 그는 덕에 대한 정확한 지식을 바탕으로 덕을 실천하면 행복으로 나아갈 수 있다고 주장하였다. 이 점에서 그의 사상은 [㉠](이)라고 할 수 있다.

(1) ㉠에 들어갈 적절한 용어를 쓰시오.

(   )

(2) 윗글을 바탕으로 소크라테스의 입장에서 도덕적 행위를 실천하기 위한 전제 조건과 악행을 저지르는 이유를 서술하시오.

_____

_____

_____

_____

22 다음 글을 읽고 물음에 답하시오.

기억하라. 너는 작가가 원하는 대로 정해진 연극의 배우이다. 네가 거지의 배역을 맡을 것을 원한다면, 이 역시 성실히 수행하라. 오직 주어지는 배역을 훌륭하게 수행하는 것만이 너의 임무이다. 그러나 배역을 선택하는 것은 다른 이의 일이다.

(1) 윗글과 같이 주장한 헬레니즘 시대 학파의 이름을 쓰시오. (   )

(2) (1)에서 답한 학파가 제시한 운명을 대하는 바람직한 태도를 서술하시오.

_____

_____

_____

23 다음 글을 읽고 물음에 답하시오.

갑: 계시된 진리와 철학의 진리는 모순되지 않는다. 그러나 철학의 진리는 부분적이고 불완전하기 때문에 전체적이고 완전한 계시된 진리에 의해 보완되어야 한다. 우리는 믿기 위해 이해한다.

을: 삶에서 무엇보다 유익한 것은 지성을 완전하게 하는 것이다. 이것에 인간의 최고의 행복이 있다. 진실로 최고의 행복은 신에 대한 인식에서 나오는 정신의 만족이다. 그런데 지성을 완전하게 하는 것은 신과 신의 본성의 필연성에 따라 나오는 활동을 인식하는 것이다.

(1) 중세 서양 사상가 갑과 근대 서양 사상가 을이 누구인지 쓰시오.

갑: (   ), 을: (   )

(2) (1)에서 답한 갑과 을이 주장하는 신을 비교하여 서술하시오.

_____

_____

_____

24 다음 글을 읽고 물음에 답하시오.

갑: 행위가 덕스럽거나 사악한 까닭은 그것을 볼 때 쾌나 불쾌의 감정이 우리 안에 일어나기 때문이다. 사악한 것으로 인정되는 행위를 검토해 보라. 거기서 발견할 것은 오로지 정념, 동기, 의지, 사고들뿐이다.

을: 경험은 도덕 법칙의 근거가 될 수 없다. 만일 도덕 법칙의 근거가 인간의 자연적 경향성이나 우연적 환경이라면, 모든 이성적 존재자에게 도덕 법칙이 차별 없이 적용되어야 한다는 보편성과 도덕 법칙이 무조건적으로 실천되어야 한다는 필연성이 사라지기 때문이다.

(1) 근대 서양 사상가 갑과 을이 누구인지 쓰시오.

갑: (   ), 을: (   )

(2) (1)에서 답한 갑과 을이 주장하는 도덕적 행위를 비교하여 서술하시오.

_____

_____

_____

IV

사회사상

배울 내용 한눈에 보기

01 사회사상과 이상 사회

인간의 삶과 사회사상의 지향 → 사회사상과 이상 사회

동서양 이상 사회론의 현대적 의의
- 동양의 이상 사회
  → 공자: 대동 사회
  → 노자: 소국과민
- 서양의 이상 사회
  → 플라톤: 이상 국가
  → 베이컨: 뉴 아틀란티스
  → 모어: 유토피아
  → 마르크스: 공산 사회

02 국가

국가의 기원과 본질에 대한 관점
- 유교 → 가족의 질서가 확장된 공동체
- 아리스토텔레스 → 정치적 본성의 산물
- 공화주의 → 공동선 추구, 시민의 정치 참여
- 사회 계약론 → 계약의 산물
- 마르크스 → 계급 지배의 수단

국가의 역할과 정당성에 대한 동서양의 관점
- 유교 → 민본주의
- 아리스토텔레스 → 행복의 실현
- 공화주의 → 시민적 덕성을 위한 제도 마련
- 사회 계약론 → 개인의 생명과 자유 보호
- 마르크스 → 국가의 소멸 주장

03 시민

시민의 자유와 권리의 근거
- 자유주의 → 개체적 존재, 소극적 자유
- 공화주의 → 사회적 존재, 비지배로서의 자유

공동체와 공동선 및 시민적 덕성
- 자유주의 → 개인의 권리 보장, 헌법 애국주의
- 공화주의 → 공동선 추구, 대승적 사랑

04 민주주의

근대 민주주의의 지향과 자유 민주주의
- 민주주의
- 민주주의의 발전에 영향을 준 사상 → 사회 계약론, 밀의 자유론

도덕적 자율성과 책임 및 시민의 소통과 유대
- 현대 민주주의
  → 대의 민주주의
  → 참여 민주주의
  → 심의 민주주의
- 시민 불복종

05 자본주의

자본주의의 규범적 특징과 기여
- 전개 과정 → 고전적 자본주의 → 수정 자본주의 → 신자유주의
- 기여 → 물질적 풍요, 개인의 권리 신장 등

자본주의에 대한 비판과 대안
- 비판 → 사회의 양극화 심화, 물질 만능주의 등
- 대안
  → 롤스의 정의론
  → 마르크스주의
  → 민주 사회주의

06 평화

동서양의 다양한 평화 사상
- 동양의 평화 사상 → 유교, 묵가, 도가, 불교
- 서양의 평화 사상 → 에라스뮈스, 생피에르, 현실주의와 이상주의

세계 시민주의와 세계 시민 윤리의 구상
- 세계 시민주의
- 해외 원조에 대한 입장
  → 의무로 봄: 롤스, 싱어
  → 의무로 보지 않음: 노직

01 ~ 사회사상과 이상 사회

❶ 사회사상의 지향점
사회사상은 인류의 보편적 가치의 실현을 지향한다. 인류의 보편적 가치는 인권의 확대, 적극적 자유의 확대, 인간 존엄성의 실현 등을 들 수 있다.

A 인간의 삶과 사회사상의 지향

1. 사회사상의 의미와 기능
> 예 사회사상의 종류는 자유주의, 공화주의, 자본주의, 사회주의 등이 있으며, 성격상 보수주의, 진보주의로도 나눌 수 있음

(1) 의미: 인간의 사회적 삶에 대한 체계적 사유와 해석

(2) 기능과 특징

기능	• 현실 사회를 설명하고 이해하는 이론적 틀을 제공함 • 사회 현상을 평가하는 규범적 기준을 제시함 • 사회를 변화시키는 실천 지침을 제시함
특징	끊임없이 변화하며, 사회적 삶에 대해 다양한 관점을 제시함 → 변화 지향적이고 실천적임

2. 이상 사회의 의미와 역할

의미	인간이 사회를 구성하고 살아가면서 가장 바람직하다고 여기고, 그렇게 이루어지기를 바라는 사회
역할	• 미래 사회의 전망을 제시함 • 기존 현실을 개혁하고 비판하는 기준과 목표를 제시함 • 더 나은 사회를 추구하려는 신념과 실천 의지를 고취함

B 동서양 이상 사회론의 현대적 의의

1. 동서양의 이상 사회 [자료1] [자료2]

> 뜻 이상적인 성인(聖人)이 다스리는 사회로, 인(仁)이 모든 사람에게 확대된 도덕적 사회임

(1) 공자의 **대동 사회(大同社會)**

① 유능한 사람이 등용되는 신분적 차별이 없는 사회

② 사회적 재화가 고르게 분배되고 사회적 약자가 보호받는 사회

③ 가족 이기주의에서 벗어나 타인을 배려하는 도덕 공동체

> 왜 공자는 가까운 사람을 사랑하는 것으로부터 출발하여 그것을 확장해 나가 '자기 부모만을 부모로 여기지 않고' 사랑하는 하나 된 사회를 추구함

(2) 노자의 **소국과민(小國寡民)**

① 인위적인 분별과 차별에서 벗어나 소박한 삶을 사는 사회

② 문명의 이기(利器)에 무관심하고 인간의 자연스러운 본성에 따라 살아가는 사회

> 뜻 기술 문명에 의해 만들어진 생활을 편리하게 하는 수단, 기구, 기계 등

(3) **플라톤의 이상 국가**

① 오랜 교육과 훈련을 받은 철인(哲人)이 통치하는 국가

② 통치자, 군인, 생산자 계급이 각자의 역할을 잘 수행하여 조화를 이루는 정의로운 국가

(4) 베이컨의 **뉴 아틀란티스**: 과학 기술의 발달로 생활이 풍요로워지고 복지가 증진된 사회

(5) 모어의 **유토피아**: 누구나 똑같이 일하고 휴식하며, 사유 재산이 없는 평등한 사회

(6) **마르크스의 공산 사회**

① 생산 수단의 공유를 바탕으로 계급이 소멸하고 생산력이 고도로 발전한 사회

② 각자가 능력에 따라 일하고 필요에 따라 분배받는 사회

2. 이상 사회론의 공통점과 현대적 의의

공통점	• 인간다운 삶을 살고자 하는 보편적 희망을 반영함 • 정치적 자유와 경제적으로 평등한 사회, 도덕적인 사회를 지향함
현대적 의의	• 공평한 경제 제도에 바탕을 둔 분배 정의의 실현이 중요함을 일깨움 • 관용적이고 다원적인 사회를 실현하는 데 도움을 줌, 도덕적인 사회를 추구하게 함

★ 한눈에 정리

동서양의 다양한 이상 사회

공자의 대동 사회	인(仁)이 모든 사람에게 확대된, 더불어 잘 사는 사회
노자의 소국과민	인위적 분별·차별에서 벗어나 소박한 삶을 사는 사회
플라톤의 이상 국가	철인이 다스리며, 각 계급이 조화를 이룬 국가
베이컨의 뉴 아틀란티스	과학 기술의 발달로 생산이 풍부하고 생활이 편리한 사회
모어의 유토피아	경제적 풍요, 생산과 소유의 평등이 실현된 도덕적 사회
마르크스의 공산 사회	생산 수단의 공유, 계급이 없는 사회

❷ 유토피아(Utopia)
'좋은 곳, 아무 데도 없는 곳'이라는 뜻을 지닌 용어로, 토마스 모어의 저서명이기도 하다.

자료 확인 문제

자료1 동양의 이상 사회

> **대동 사회** 큰 도(道)가 행해지고 천하가 모두의 것이다. 현명하고 유능한 자를 뽑아 다스리게 하니, 사람들은 자기 부모만을 부모로 여기지 않고 자기 자식만을 자식으로 여기지 않는다. 노인은 여생을 잘 마치며, 장년은 일자리가 있으며, 어린이는 잘 양육되고, 홀로된 자와 병든 자도 모두 부양받으며 남녀가 따로 직분이 있다. 그러므로 음모가 생기지 않고 도적과 난적이 생기지 않기 때문에 바깥문을 닫을 필요가 없다. 이런 상태를 대동(大同)이라고 한다. — "예기"
> └ 소국과민 사회를 지향함
> **소국과민** 나라를 작게 하고 백성을 적게 하라. 비록 배와 수레가 있더라도 탈 일이 없고, 갑옷과 무기가 있어도 사용할 필요가 없다. 또, 이웃 나라가 서로 바라다보이고 닭 우는 소리와 개 짖는 소리가 서로 들려도 백성들은 늙어 죽을 때까지 서로 왕래하지 않는다. — 노자, "도덕경"

| 자료 분석 | 공자의 대동 사회는 능력에 따라 누구나 등용되어 신분적 차별이 없고, 가족 이기주의에서 벗어난 도덕 공동체이자, 사회적 약자를 배려하는 복지 국가의 모습을 띠었다. 노자의 소국과민은 작은 규모의 공동체를 이루어, 인간의 본성에 따라 소박하게 살아가는 삶을 추구한다.

한줄 핵심 공자는 인(仁)이 모든 사람에게 확대되어 모두가 다 함께 잘 사는 사회를 지향하였고, 노자는 자연적 본성에 따라 살아가는 작은 규모의 공동체를 지향하였다.

❶ 대동 사회는 오늘날 복지 국가의 모습을 지향한다. ◯ ✕

❷ 공자는 규모가 작고 백성이 적으며, 자연적 본성에 따르는 소박한 공동체를 꿈꾸었다. ◯ ✕

❸ 소국과민 사회는 백성들의 경제적 안정을 위한 국가의 적극적 역할을 중시한다. ◯ ✕

자료2 서양의 이상 사회

> **이상 국가** 한 국가가 올바른 나라로 여겨지는 것은 이 국가 안에 있는 성향이 다른 세 부류가 저마다 제 일을 하기 때문이며, 또한 이 국가가 절제 있고 용기 있으며, 지혜로운 나라인 것도 이들 세 부류가 처한 상태 때문이다. … 철인이 국가의 최고 지배자가 되어 올바른 것을 가장 중대한 것으로 여겨 이를 받들고 증대하여서 자신들의 나라가 질서를 이룰 때에만 정의가 가능하다. — 플라톤, "국가"
> **유토피아** 초승달 모양의 섬 유토피아에는 같은 말과 비슷한 풍습, 법률을 가진 54개의 마을이 있다. 그곳의 시민들에게는 빈곤도 없고 사치나 낭비도 없다. 이 섬의 성인들은 남녀를 가리지 않고 생산적 노동에 종사한다. 노동은 매일 6시간으로 제한되고 8시간 잠자고 남은 시간은 정신적 오락이나 연구에 사용된다. 집집마다 열쇠를 채우거나 빗장을 거는 일이 절대로 없다. 왜냐하면 집 안에 들어간들 어느 개인의 소유물이란 없기 때문이다. 그리고 그곳의 시민들은 10년마다 제비를 뽑아 집을 교환한다. — 모어, "유토피아"
> └ 사유 재산을 인정하지 않아 잉여 생산에 대한 욕망을 가질 필요가 없음

| 자료 분석 | 플라톤은 국가의 구성원 모두가 각자 자신의 역할에 충실하고, 현명한 철인이 통치하는 국가를 지향하였다. 모어는 생산과 소유의 평등이 실현되고 경제적으로 풍요롭고, 도덕적으로 타락하지 않은 사회를 꿈꾸었다.

한줄 핵심 플라톤은 세 계급이 조화를 이루며 철인이 통치하는 국가를, 모어는 생산과 소유가 평등한 사회를 지향하였다.

❹ 플라톤은 철인 정치가 이루어지는 국가를 이상 사회로 보았다. ◯ ✕

❺ 모어는 소유의 평등이 실현된 사회를 이상 사회로 제시하였다. ◯ ✕

정답 ❶ ◯ ❷ ✕(소국과민 사회에 대한 설명) ❸ ✕(소국과민 사회는 백성들의 경제적 안정을 위한 국가의 적극적 역할을 경계함) ❹ ◯ ❺ ◯

A 인간의 삶과 사회사상의 지향

01 빈칸에 알맞은 말을 쓰시오.

(1) □□□□은/는 인간의 삶에서 나타나는 사회 현상에 대한 체계적인 사유와 해석을 담고 있다.

(2) □□ 사회란 인간이 사회를 구성하고 살아가면서 가장 바람직하다고 여기는 모습의 사회이다.

02 다음 설명이 맞으면 ○표, 틀리면 ×표를 하시오.

(1) 사회사상은 실천 지향적인 것이 아니라 사회 현상을 분석하여 이론화하는 이론 지향적 성격을 띤다. ( )

(2) 바람직한 사회를 이루려는 사회사상의 지향점은 인간 존엄성, 자유, 평등과 같은 인류의 보편적 가치를 찾고 실현하려는 노력과 연관되어 있다. ( )

(3) 이상 사회를 추구함으로써 미래 사회의 전망을 제시할 수 있다. ( )

(4) 이상 사회는 더 나은 사회를 만들고자 하는 신념과 실천 의지를 고취시킨다. ( )

B 동서양 이상 사회론의 현대적 의의

03 다음 사상가와 그가 제시한 이상 사회의 모습을 바르게 연결하시오.

(1) 노자 • • ㉠ 지혜를 갖춘 철인이 다스리는 사회

(2) 공자 • • ㉡ 과학 기술의 발달로 풍요로움을 누리는 사회

(3) 플라톤 • • ㉢ 능력에 따라 일하고 필요에 따라 분배받는 사회

(4) 베이컨 • • ㉣ 이상적인 성인이 다스리는 도덕적 사회

(5) 마르크스 • • ㉤ 나라의 규모가 작고 백성이 적은 사회

04 빈칸에 들어갈 적절한 말을 쓰시오.

(1) 공자는 유능한 사람이 등용되는 신분적 □□이 없는 사회를 주장하였다.

(2) 플라톤은 선의 이데아에 관한 인식과 실현이 가능한 □□이/가 국가를 다스려야 한다고 보았다.

(3) 모어가 제시한 □□□□에서는 사유 재산을 인정하지 않아 잉여 생산에 대한 욕망을 가질 필요가 없다.

05 다음 설명이 맞으면 ○표, 틀리면 ×표를 하시오.

(1) 마르크스가 제시한 공산 사회는 생산 수단이 공유되어 계급이 소멸하고 생산력이 고도로 발전한 사회이다. ( )

(2) 베이컨은 각 계급의 사람들이 자신의 역할과 본분에 해당하는 덕을 잘 발휘하여 조화를 이룰 때 정의로운 국가가 실현된다고 보았다. ( )

(3) 노자는 인간의 자유로운 삶을 제약하는 인위를 거부하고, 구성원이 인간의 본래 자연성에 따라 살아가는 사회를 이상적으로 보았다. ( )

탄탄! 내신 다지기

A 인간의 삶과 사회사상의 지향

01 다음은 노트 필기의 내용이다. ㉠~㉤ 중 옳지 <u>않은</u> 것은?

〈사회사상의 이해〉

1. 사회사상의 정의
• 인간의 사회적 삶에서 나타나는 현상에 대한 체계적 사유와
  해석 ·· ㉠
2. 사회사상의 기능과 특징
• 사회적 삶에서 중요한 가치에 대해 다양한 관점을 제시함
  ·· ㉡
• 변화하는 사회를 설명하고 평가하는 기준을 제시함 ··· ㉢
• 사회 변화를 추구하지 않고 사회 현상의 해석만을 강조함 ㉣
• 이상 사회를 주요한 목표로 삼음 ····················· ㉤

① ㉠   ② ㉡   ③ ㉢   ④ ㉣   ⑤ ㉤

02 다음 가상 대담 속의 ㉠에 들어갈 말로 가장 적절한 것은?

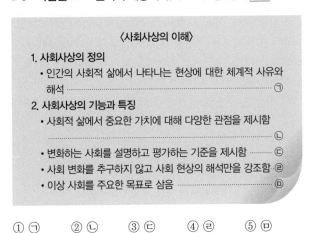

① 소유에 있어서 절대적 평등을 지향하고 있어요.
② 사회 발전을 위한 다양한 생각을 제시하고 있어요.
③ 개인의 자유 보장과 공동선의 추구를 국가의 역할로
   보고 있어요.
④ 국가가 복지 향상을 위해 적극적 역할을 담당해야 한
   다고 보고 있어요.
⑤ 업적에 따른 분배를 할 때 가장 이상적인 사회가 이
   룩된다고 보고 있어요.

03 그림의 교사가 제시한 질문에 옳게 대답한 학생만을 고른 것은?

① 갑, 을   ② 갑, 병   ③ 을, 병
④ 을, 정   ⑤ 병, 정

04 ㉠에 대한 옳은 설명만을 〈보기〉에서 있는 대로 고른 것은?

┌─────────────────────────────────────┐
│ ㉠ (이)란 인간이 사회를 구성하고 생활하면서 가장 바│
│람직하다고 여기고, 그렇게 이루어지기를 바라는 사회이다.│
└─────────────────────────────────────┘

보기
ㄱ. 바람직한 사회의 조건을 제시한다.
ㄴ. 현실을 개혁하는 데 필요한 대안을 제시한다.
ㄷ. 사회 발전에 대한 열망이 불가능함을 강조한다.
ㄹ. 더 나은 사회를 만들고자 하는 신념을 부여한다.

① ㄱ, ㄴ   ② ㄱ, ㄷ   ③ ㄷ, ㄹ
④ ㄱ, ㄴ, ㄹ   ⑤ ㄴ, ㄷ, ㄹ

05 밑줄 친 ㉠의 내용으로 옳지 <u>않은</u> 것은?

┌─────────────────────────────────────┐
│ 인간이 지향하는 행복한 삶은 ㉠<u>인류의 보편적 가치의 실현</u>│
│을 필요로 한다. 이것이 사회사상에서 다루는 내용이 된다.│
└─────────────────────────────────────┘

① 인권의 확대
② 적극적 자유의 확대
③ 인간 존엄성의 실현
④ 구성원으로서의 의무와 책임의 조화
⑤ 사회적 행복을 위한 개인의 희생과 봉사

B 동서양 이상 사회론의 현대적 의의

06 다음 동양 사상가 갑, 을의 주장에 대한 설명으로 옳지 <u>않은</u> 것은?

> 갑: 큰 도(道)가 행해지고 천하가 모두의 것이다. 현명하고 유능한 자를 뽑아 다스리게 하니, 사람들은 자기 부모만 부모로 여기지 않고 자기 자식만 자식으로 여기지 않는다. 재물이 길에 떨어져도 서로 줍지 않는다.
>
> 을: 나라를 작게 하고 백성의 수를 적게 하라. 배와 수레가 있더라도 탈 일이 없고, 갑옷과 무기가 있어도 사용할 필요가 없다. 이웃 나라가 서로 바라다보이고 닭 우는 소리와 개 짖는 소리가 들려도 서로 왕래하지 않는다.

① 갑은 성인이 다스리는 도덕적인 사회를 지향한다.
② 갑은 사회적 재화가 고르게 분배되는 사회를 지향한다.
③ 을은 자연에 따르는 소박한 삶을 지향한다.
④ 을은 인위적 규범에서 벗어나 인간 본연의 본성에 따를 것을 강조한다.
⑤ 갑, 을은 국가에 의해 복지가 실현된 사회를 지향한다.

07 플라톤의 이상 국가에 대한 설명으로 옳지 <u>않은</u> 것은?

① 지혜를 갖춘 철인이 통치자가 되어 다스린다.
② 어떤 계급이든 절제의 덕을 지녀야 한다고 본다.
③ 통치자가 생산자 계급보다 더 많은 재산을 갖는다.
④ 생산자, 군인, 통치자가 서로 다른 역할을 수행한다.
⑤ 사람들은 자신의 의사에 따라 자유롭게 직업을 선택할 수 없다.

08 ㉠, ㉡에 들어갈 알맞은 말을 바르게 연결한 것은?

> 공산 사회에서는 노동이 생활의 수단일 뿐만 아니라 삶의 기본적 욕구가 된다. 각자는 자신의 [㉠]에 따라 일하고, 자신의 [㉡]에 따라 분배받는다.

	㉠	㉡		㉠	㉡
①	능력	필요	②	능력	노력
③	노력	업적	④	노력	필요
⑤	노력	능력			

09 다음은 어느 서양 사상가가 주장한 이상 사회의 모습이다. 이 사회에 대한 옳은 설명만을 〈보기〉에서 고른 것은?

> 초승달 모양의 섬 유토피아(Utopia)에는 같은 말과 비슷한 풍습, 제도, 법률을 가진 54개의 마을이 있다. 그곳의 시민들에게는 빈곤도 없고 사치나 낭비도 없다. 이 섬의 성인들은 남녀를 가리지 않고 생산적 노동에 종사한다. 노동은 매일 6시간으로 제한되고 남은 시간은 정신적 오락이나 연구에 사용된다. 집집마다 열쇠를 채우거나 빗장을 거는 일이 절대로 없다. 왜냐하면 개인의 소유물이란 없기 때문이다.

<보기>
ㄱ. 소유물의 사유를 인정하지 않는다.
ㄴ. 도덕적으로 타락하지 않은 사회를 지향한다.
ㄷ. 노동에서 영원히 해방된 사회를 이상으로 본다.
ㄹ. 서로 다른 정치 체제를 지닌 국가들의 연합을 추구한다.

① ㄱ, ㄴ   ② ㄱ, ㄷ   ③ ㄴ, ㄷ
④ ㄴ, ㄹ   ⑤ ㄷ, ㄹ

서답형 문제

10 다음 글을 읽고 물음에 답하시오.

> 갑: 이 섬에는 집마다 문이 쉽게 열려서 누구나 들어갈 수 있으며 10년마다 제비를 뽑아서 집을 교환한다. … 이들은 모두가 열심히 생업에 종사한다. 그들은 하루에 6시간 일하고, 8시간 동안 잠을 잔다. 일하고, 잠자고, 밥 먹는 시간 외에는 누구나 자기 마음대로 시간을 쓸 수 있다.
>
> 을: 공산 사회에서는 노동 분업에 예속된 개인의 노예 상태가 사라지고, 노동이 생활을 위한 수단일 뿐 아니라 삶의 기본적 욕구가 된다. 생산력 또한 인간의 전면적 발전과 함께 증가되고, 집단적 부가 풍요로워진다. … 각자는 자신의 능력에 따라 일하고, 자신의 필요에 따라 분배받는다.

(1) 갑, 을 사상가가 누구인지 쓰시오.

갑: (   ), 을: (   )

(2) 갑, 을이 추구하는 이상 사회의 공통점을 두 가지 이상 서술하시오.

도전! 실력 올리기

01 ㉠에 들어갈 내용만을 〈보기〉에서 고른 것은?

오늘날의 사회사상은 국가의 본질과 역할 등에 대한 논의를 바탕으로 현대 국가의 지향점을 탐색하며, 공동체와 개인의 바람직한 관계를 정립하여 공동선과 개인의 선이 조화를 이루는 방안을 찾고자 노력한다. 오늘날 우리가 추구하는 사회사상은   ㉠

〈보기〉
ㄱ. 자유와 평등이 양립할 수 없음을 강조한다.
ㄴ. 자신이 속한 사회의 지속적 발전을 추구한다.
ㄷ. 인류가 이상 사회를 역사적으로 성취하여 왔음을 강조한다.
ㄹ. 인간의 존엄성과 같은 보편적 가치의 실현에 관심을 기울인다.

① ㄱ, ㄴ   ② ㄱ, ㄷ   ③ ㄴ, ㄷ
④ ㄴ, ㄹ   ⑤ ㄷ, ㄹ

02 다음 사상가가 제시한 이상 사회에 대한 설명으로 옳은 것은?

국가는 경제를 지배하는 계급의 국가이다. 이 계급은 국가의 힘을 활용하여 정치적 지배 계급이 된다. 다른 계급을 억압하고 착취하기 위한 새로운 도구를 획득한 것이다. … 그리고 근대의 대의제 국가는 자본이 임금 노동을 착취하기 위한 도구이다.

① 인격과 지혜를 갖춘 철학자의 통치를 강조한다.
② 구성원 각자가 필요에 따라 일할 것을 강조한다.
③ 계급 착취의 도구인 생산 수단의 공유를 강조한다.
④ 모든 사람이 가족 같은 관계를 맺을 것을 강조한다.
⑤ 인위적인 것에서 벗어나 소박하게 살아갈 것을 강조한다.

03 갑의 입장에 비해 을의 입장이 갖는 상대적인 특징을 그림의 ㉠~㉤ 중에서 고른 것은?

갑: 이상적인 사회에서는 큰 도(道)가 행해지고 천하가 모두의 것이 됩니다. 또한 어질고 능력 있는 사람이 지도자가 되어 신의와 화목을 가르칩니다. 노인도 편안하게 여생을 보낼 수 있고, 장년은 일할 곳이 있으며, 어린이는 잘 부양되고, 의지할 곳 없는 자와 병든 자도 모두 부양받습니다.

을: 백성으로 하여금 많은 도구가 있어도 사용할 필요가 없게 만들고, 죽음을 중요하게 여겨 먼 곳으로 이사를 다니지도 않게 하라. 사람들이 문자가 아닌 노끈을 묶어 의사소통하게 하라.

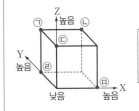

• X: 국가가 국민의 삶의 질 향상에 적극적 역할을 하는 정도
• Y: 소박한 삶을 강조하는 정도
• Z: 경제적 풍요로움을 지향하는 정도

① ㉠   ② ㉡   ③ ㉢   ④ ㉣   ⑤ ㉤

기출 변형

04 다음을 주장한 서양 사상가의 입장만을 〈보기〉에서 고른 것은?

철인이 국가의 최고 지배자가 되어 세속적인 명예들을 저속하며 아무런 가치도 없는 것들이라고 생각하는 한편, 올바른 것을 가장 중대하고 필요한 것으로 여겨 이를 받들고 증대하여서 자신들의 나라가 질서를 이룰 때만이 정의가 가능하다.

〈보기〉
ㄱ. 선의 이데아를 인식한 사람들이 국가를 운영해야 한다.
ㄴ. 사람들은 자신이 가장 잘할 수 있는 일에만 종사해야 한다.
ㄷ. 생산 수단의 공유가 이루어지는 평등 사회를 실현해야 한다.
ㄹ. 과학 기술의 발달을 배경으로 풍요로운 사회를 실현해야 한다.

① ㄱ, ㄴ   ② ㄱ, ㄷ   ③ ㄴ, ㄷ
④ ㄴ, ㄹ   ⑤ ㄷ, ㄹ

02 ~ 국가

★ 한눈에 정리

국가의 기원과 본질에 대한 관점

유교	가족 질서가 확장된 도덕 공동체
아리스토텔레스	인간의 본성에 따른 최상의 공동체
공화주의	공동선을 중시하는 공동체
사회 계약론	계약을 통해 만든 정치 조직체
마르크스	계급 지배의 수단

❶ 사회 계약론
자연 상태에서 국가의 발생을 도출하는 이론이다. 대표적인 사상가로는 홉스, 로크, 루소가 있다.

A 국가의 기원과 본질에 대한 관점

1. 유교의 관점

(1) **국가의 기원**: 가족의 질서가 확장된 공동체 `자료1`

> **왜** 유교에서 국가(國家)란 나라[國]와 가족[家]이 결합된 말로, 국가는 가족의 질서를 바탕으로 한다고 보기 때문임

(2) **국가의 본질**
① 백성들의 도덕적 삶을 위한 도덕 공동체
② 인의(仁義)를 중시하는 도덕 국가를 지향함

2. 아리스토텔레스의 관점 `자료2`

(1) **국가의 기원**: 인간의 사회적·정치적 본성에 의해 자연적으로 만들어짐

(2) **국가의 본질**
① 최고선인 행복의 실현을 추구하는 도덕 공동체
② 개인의 자아실현과 도덕적 능력 계발을 가능하도록 하는 최상의 공동체

3. 공화주의의 관점

(1) **국가의 기원**: 시민의 자유를 보장하기 위해 공동선을 지향하는 시민들이 만들어 낸 정치 공동체

> **뜻** 단순히 간섭이 없는 상태가 아니라, 권력자의 자의적 지배로부터 벗어날 수 있는 자유

(2) **국가의 본질**: 시민의 자유를 보장하기 위한 수단, 공동체의 공동선과 공적인 삶을 중시함

(3) **법치 강조**: 시민의 자유 보장을 위해 법에 의한 지배를 강조 → 시민의 정치 참여가 필수적임

❶ 4. 사회 계약론의 관점

(1) **국가의 기원**: 자연 상태에서 시민의 생명과 안전, 재산을 보장받기 위해 계약을 통해 만든 정치 조직체

> **뜻** 국가의 법이 존재하기 이전의 상태

(2) **국가의 본질**: 개인의 생명과 안전, 재산을 보장하기 위한 수단

(3) **사회 계약론에 대한 입장** `자료3`

> **왜** 국가는 개인에 선행하지 않으며 개인의 생명, 안전, 자유 보장을 위한 수단임

구분	홉스	로크	루소
자연 상태	만인에 대한 만인의 투쟁 상태(이기적 투쟁 상태)	비교적 평화로우며 개인이 이성과 양심을 지니고 살아가는 상태	자유롭고 평등한 상태 → 사유 재산의 형성에 따른 불평등 발생
군주에 대한 태도	군주(주권자)에게 절대 복종 → 정치적 저항권 행사 불가능	군주가 시민의 생명, 안전, 재산을 보호하지 못할 경우 → 저항권 인정	주권은 엄연히 국민에게 있음
사회 계약의 목적	평화 유지를 통한 개인의 생명 보존	개인의 생명권뿐만 아니라 재산, 자유 등의 보장	사유 재산의 발생에 따른 불평등을 바로잡고, 자유 회복
국가의 성격	개인의 생명, 안전, 자유를 보장하기 위해 만든 인위적 조직체		

5. 마르크스의 관점

> **뜻** 자본을 축적한 계급으로, '부르주아'라고도 함
> **뜻** 자본가에게 노동을 제공하고 임금을 받는 계급으로, '프롤레타리아'라고도 함

(1) **국가의 기원**: 국가는 지배 계급이 피지배 계급을 착취하고 억압하기 위한 수단

(2) **국가의 본질**: 계급 지배의 수단이자 지배 계급의 이익을 대변하는 도구

(3) **국가의 소멸**: 혁명을 통해 공산주의 사회가 완성되면 계급 갈등이 사라지고 소멸 → 각자의 자유로운 발전이 만인의 자유로운 발전을 위한 조건이 되는 연합체로 대체됨

★ 한눈에 정리

홉스, 로크, 루소의 사회 계약론

홉스	• 자연 상태: 만인에 대한 만인의 투쟁 상태 • 계약의 목적: 평화 유지를 통한 개인의 생명 보존
로크	• 자연 상태: 비교적 평화로운 상태 • 계약의 목적: 생명, 자유, 재산 등의 보장
루소	• 자연 상태: 자유롭고 평등한 상태 • 계약의 목적: 사유 재산의 발생에 따른 불평등을 바로 잡음, 자유 회복

자료1 공자의 정치관

어떤 사람이 공자에게 물었다. "선생님은 왜 정치에 참여하지 않습니까?" 선생님께서 말씀하셨다. "『서경(書經)』에서 '효도하라. 오직 효도하라. 형제간에 우애하여 (이러한 기풍이) 정치에까지 이르게 하라.'라고 하였다. 이것도 정치에 참여하는 것이니, 어찌 벼슬 자리에 앉아야만 정치하는 것이겠는가."

— 공자, "논어"

| **자료 분석** | 유교에서는 부모를 섬기는 도리와 나라를 다스리는 원리의 근본이 다르지 않다고 보았다. 즉, 유교의 국가는 가족의 질서가 확장된 공동체이다.

한줄 핵심 ▶ 유교에서는 가족 윤리를 국가를 다스리는 토대가 된다고 보았다.

❶ 유교의 국가는 가족의 질서를 바탕으로 한다. ○×

자료2 국가의 기원에 대한 아리스토텔레스의 관점

• 필요 충족을 위해 자연적으로 형성된 공동체가 국가이고, 여러 가정으로 구성된 최초의 공동체가 마을이다. 다시 말해 국가는 단순한 생존을 위해 형성되었지만 훌륭한 삶을 위해 존속하는 것이다.

— 아리스토텔레스, "정치학"

| **자료 분석** | 아리스토텔레스는 국가가 인간의 정치적 본성으로 인해 자연적으로 발생한다고 보았다. 국가는 단순한 생존뿐만 아니라, 구성원의 행복한 삶을 실현해 주는 도덕 공동체이다.

한줄 핵심 ▶ 아리스토텔레스에 따르면 국가는 인간의 본성에 따라 형성된 최상의 공동체이다.

❷ 아리스토텔레스는 국가를 인위적인 산물로 보았다. ○×

자료3 홉스, 로크, 루소의 사회 계약론

• 원래 자유를 사랑하고 타인을 지배하기 좋아하는 존재인 인간이 국가의 틀 안에서 살기로 한 궁극적 이유는 자기 보존과 그것에 따른 만족한 생활에 대한 전망이나 예상에 기인한다. 즉, 인간은 자연 상태의 비참한 전쟁 상황으로부터 빠져나오고 싶다고 생각했기 때문이다.

— 홉스, "리바이어던"

• 사람들은 사회에 들어갈 때 그들이 자연 상태에서 가졌던 평등, 자유 및 집행권을 사회의 선이 요구하는 바에 따라 입법부가 처리할 수 있도록 사회의 수중에 양도한다. 그러나 그것은 오직 모든 사람이 그 자신, 그의 자유 및 그의 재산을 더욱 잘 보존하려는 의도에서 행하는 것이다.

— 로크, "통치론"

• 인간은 자신의 자연 상태를 그대로 보존하고자 한다. 그러나 그것을 방해하는 힘이 너무 강해져서, 각 개인이 감당할 수 없는 지경에 이르렀다. … 개인과 개인이 연합하여 공동의 힘으로 각자의 생명과 재산을 보호하고 보존하는 일종의 연합 형태를 발견하고, 이에 따라 각 개인은 전체와 결합하는 연합 형태야말로 사회 계약으로 이루어야 할 근본적인 과제이다.

— 루소, "사회 계약론"

| **자료 분석** | 홉스, 로크, 루소는 공통적으로 자연 상태에서 개인들이 자신의 자유와 권리를 제대로 보장받지 못하는 상황을 벗어나고자 계약을 통해 국가를 형성하였다.

한줄 핵심 ▶ 사회 계약론에서 국가는 자연 상태에서 개개인의 권리를 보장하기 위해 계약을 통해 형성되었다.

❸ 사회 계약론에 의하면 국가는 동의와 계약을 통해 형성된 공동체이다. ○×

B 국가의 역할과 정당성에 대한 동서양의 관점

1. 국가의 역할과 정당성

(1) 유교

① 국가의 역할: 민본주의를 바탕으로 위민 정치를 실현하고, 국가를 인륜이 실현되는 도덕 공동체로 만드는 것 ┌ 뜻 백성을 위함

② 국가의 정당성 확보 방안: 군주는 백성들의 도덕적인 삶을 위해 경제적 안정을 이루어야 함 ❷

(2) 아리스토텔레스

┌ 왜 아리스토텔레스는 인간 삶의 궁극적 목적은 행복이며, 이는 덕을 갖춰 실현할 수 있다고 보았는데 이때 덕의 실현은 국가 안에서 가능함

① 국가의 역할: 시민이 행복한 삶을 실현하도록 이끄는 것

② 국가의 정당성 확보 방안: 시민이 정치에 참여할 수 있는 제도를 마련해 영혼의 탁월성을 발휘하여 행복한 삶을 실현할 수 있도록 해야 함

(3) 공화주의 [자료 4]

① 국가의 역할: 시민의 자유를 보장하고, 공동선의 실현을 위해 시민적 덕성을 갖출 수 있도록 돕는 것

┌ 예 공적인 일에 대한 관심과 지식, 공동체에 대한 소속감 등

② 국가의 정당성 확보 방안

• 국가 구성원이 시민적 덕성을 갖출 수 있는 제도를 마련해야 함

• 소수가 국가 권력을 독점하여 사적 이익을 추구하는 것을 경계해야 함

(4) 사회 계약론 [자료 5]

① 국가의 역할: 개인의 생명과 안전, 자유와 재산을 보호하는 것

② 국가의 정당성 확보 방안: 정치권력을 국가에 양도한 본래의 목적이 실현되도록 해야 함

홉스	• 투쟁 상태인 자연 상태에서 벗어나기 위해 계약을 맺음 • 국가는 개인의 안전을 보장할 때 정당성이 확보됨 • 자연권을 절대 군주에게 모두 양도하여 정치적 저항이 불가능함 → 개별적 반발은 가능함	왜 개인이 자신의 신체와 생명을 부당하게 위협당했기 때문
로크	• 자연 상태는 비교적 평화롭지만 분쟁의 조정자가 필요하여 계약을 통해 국가를 만듦 • 국가의 역할을 제대로 수행할 때 정당성이 확보됨 • 국가가 개인의 소유권을 침해하면 안 됨 → 정치적 저항권을 인정함	

(5) 마르크스 [자료 6]

① 국가의 역할: 자본주의 사회에서 자본가 계급을 보호하는 일에 한정 → 노동자에 대한 자본가의 착취를 방임함

② 국가의 정당성 확보 방안: 국가는 그 자체로 정당성을 지니지 못하므로, 역사 발전 단계에 따라 소멸할 것임 ❸

┌ 왜 국가는 계급 지배의 수단이므로 계급이 소멸하면 국가도 소멸함

2. 현대 국가의 역할과 정당성

(1) 현대 국가의 역할

국민의 생명, 재산, 자유 등의 보장	• 외적의 침입과 국내외 범죄, 테러로부터 국민의 안전과 생명을 보호함 • 국가가 기본적 역할을 제대로 수행하지 못하면 국가의 존속이 어려울 수 있음
국민의 복지와 행복을 위한 노력	• 사회 보험, 공적 부조 등을 통해 기본적인 생활 수준 및 국민 복지 향상 • 경제적 불평등을 해소하고 국민의 인간다운 삶과 자아실현에 기여함
국민의 도덕성과 시민성 함양을 위한 노력	• 국민의 높은 도덕성은 사회적 자본을 증진하여 국가 발전에 도움을 줌 • 좋은 시민성을 지닌 사람들이 많아짐 → 공적 영역에 대한 관심, 책임이 증가함

(2) 현대 국가의 정당성: 민주주의를 바탕으로 복지 국가를 실현할 때 정당성을 인정받을 수 있음

★ 한눈에 정리

국가의 역할과 정당성에 대한 관점

유교	백성을 위하는 삶(민본주의), 덕치
아리스토텔레스	행복한 삶의 실현을 위한 제도 마련
공화주의	시민의 자유 보장, 공동선을 실현하기 위한 시민의 정치 참여 활성화
사회 계약론	개인의 생명, 안전 보장
마르크스	지배 계급의 도구인 국가 소멸

❷ **경제적 안정을 위한 맹자의 주장**
맹자는 백성들이 경제적으로 안정(항산)되지 않으면 도덕성(항심)을 기대하기 어렵다고 보고, 통치자는 백성들의 경제적 안정을 위해 노력해야 함을 강조하였다.

❸ **마르크스의 역사 발전 단계**

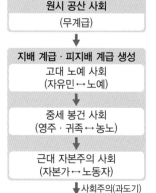

원시 공산 사회
(무계급)

↓

지배 계급 · 피지배 계급 생성
고대 노예 사회 (자유민 ↔ 노예)
중세 봉건 사회 (영주 · 귀족 ↔ 농노)
근대 자본주의 사회 (자본가 ↔ 노동자)

↓ 사회주의(과도기)

공산주의 사회
(계급 및 국가의 소멸)

자료 4 국가의 정당성에 대한 공화주의의 관점

┌ 국가는 자연 발생적으로 생겨난 것이 아니라 시민의 자유 보장을 위한 수단임

- 공화국은 인민의 일들이다. 그러나 <u>인민은 아무렇게나 모인 한 무리의 사람을 뜻하는 것이 아니라 법을 존중하고 공동의 이익을 인정하고 동의한 사람들의 모임이다.</u>

— 키케로, "국가론"

| **자료 분석** | 키케로에 따르면 공화주의는 공동선을 중시하고, <mark>시민이 정치의 주체가 되는 사회를 추구</mark>한다. 즉, 공화주의는 공적 이익과 시민의 적극적 참여를 특징으로 한다.

한줄 핵심 공화주의에서 국가는 공동선을 추구하는 시민들의 참여로 구성된 인위적 정치 조직체이다.

④ 키케로는 국가를 인간의 본성에 따라 만들어진 자연적 정치 조직체로 보았다.
○ ✕

자료 5 홉스와 로크의 저항권

홉스 일단 신민이 된 사람은 주권자에게 저항해서는 안 된다. 모든 사람을 하나의 인격으로 통일한 것이 국가인 만큼, 이론적으로 주권자의 행위는 곧 신민 자신의 행위이다. 또한 한번 계약을 맺으면 파기할 수 없다. 심지어 계약에 반대하는 사람도 복종해야 한다. 입법권과 사법권, 전쟁 선포권은 모두 주권자의 것이다. 주권은 분할할 수도 없고 견제받아서도 안 된다. ᴸ정치적 저항은 불가능하나 개인이 신체와 생명을 부당하게 위협당할 경우, 개별적 반발은 가능함

— 홉스, "리바이어던"

로크 최고 권력인 국가의 입법권을 장악한 사람은 널리 알려지고 항구적으로 확립된 법률에 근거해 통치해야 한다. 아울러 국가는 안에서는 법률 집행을 위해서만 힘을 행사해야 하고, 밖으로는 외적의 침략으로부터 공동 사회를 수호하기 위해 힘을 사용해야 한다. 국민의 평화와 안정, 공공의 복지 이외의 다른 목적을 위해 자신의 힘을 사용하지 못하도록 국가의 권력을 제한해야 한다. └ 정부가 개인의 권리를 침해하거나 공동선을 해칠 경우, 시민들은 정치적 저항권을 행사할 수 있음 — 로크, "통치론"

| **자료 분석** | 홉스는 국가의 주권자인 군주에게 절대적인 권한이 부여되며, 개인은 <mark>자신의 모든 권리를 절대 군주에게 양도했기 때문에 정치적 저항이 불가능</mark>하다고 보았다. 반면, 로크는 각 개인이 자신의 권리를 일부만 양도했으므로 정치적 저항권을 행사할 수 있다고 보았다.

한줄 핵심 부당한 국가 권력에 대해 홉스는 정치적 저항이 불가능함을, 로크는 정치적 저항권의 행사를 주장하였다.

⑤ 홉스는 계약 이후에 만들어진 국가 체제에서 군주에게 절대 복종해야 한다고 보았다.
○ ✕

⑥ 로크는 개인의 모든 권리를 정부에 양도하였다.
○ ✕

자료 6 마르크스의 국가관

국가가 계급 지배의 착취 도구에 불과하다면, 국가에 대한 귀속감이나 헌신하고 봉사하려는 애국심은, 적어도 프롤레타리아에게는 헛된 관념에 지나지 않는다.

— 마르크스·엥겔스, "공산당 선언"

| **자료 분석** | 마르크스는 국가는 중립적인 것이 아니라, 지배 계급인 부르주아의 이익을 대변하는 기구이며 지배의 도구가 된다고 보았다. 따라서 궁극적으로는 <mark>계급 지배의 도구인 국가는 소멸되어야 한다</mark>고 보았다.

한줄 핵심 마르크스는 자본주의 단계에서 국가를 지배 계급인 부르주아의 지배 도구로 보았다.

⑦ 마르크스는 자본주의 사회에서 국가는 지배 계급의 이익을 반영하는 도구라고 보았다.
○ ✕

정답 ❹ ✕(시민들의 참여로 만들어진 인위적 정치 조직체로 봄) ❺ ○ ❻ ✕(일부의 권리만 양도함) ❼ ○

수능 POOL
수능 자료로 개념 완성

홉스, 로크, 루소의 사회 계약론 비교하기

수능풀 Guide

이 단원에서는 사회 계약론의 대표 사상가들의 입장을 비교하는 문제가 자주 출제된다. 홉스와 로크, 루소의 입장이 갖는 공통점과 차이점을 비교해서 알아 두자.

자연 상태		사회 계약의 목적
만인에 대한 만인의 투쟁 상태 (이기적 투쟁 상태)	홉스	평화 유지를 통한 개인의 생명 보존
비교적 평화로우며 개인이 이성과 양심을 지니고 살아가는 상태	로크	개인의 생명권뿐 아니라 재산, 자유 등의 보장
자유롭고 평등한 상태 → 사유 재산의 발생으로 불평등 발생	루소	사유 재산의 발생에 따른 불평등을 바로 잡음

공통점
- '자연 상태'를 가정함
- 계약을 통해 국가 형성 → 국가는 인위적 조직체임
- 국가는 개인의 생명, 안전, 자유의 권리를 보호해야 함 → 국가는 수단임

기출 자료 익히기

윤사 공부법, 하나!
자료를 보고 어떤 사상가나 사상의 입장인지 유추하는 훈련하기

자료 1 홉스
국가란 하나의 인격으로서, 다수의 인간이 상호 계약에 의해 스스로가 그 인격이 하는 행위의 본인이 된다. 국가의 목적은 그 인격이 공동의 평화와 방어에 필요하다고 생각할 때 다수의 모든 힘과 수단을 적절히 이용할 수 있도록 하는 데 있다.
└ 개인이 자신의 권리를 통치자에게 전면 양도함 → 홉스

자료 2 로크
정치권력은 모든 사람이 자연 상태에서 가지고 있다가 사회의 수중에 넘긴 것이며, 사회는 권력을 구성원의 복지와 재산의 보존을 위해서 사용해야 한다는 명시적 또는 묵시적 신탁과 함께 스스로 선택한 통치자에게 넘긴 것이다.
└ 계약의 목적을 달성하지 못할 경우 국가 권력에 저항할 수 있음 → 로크

자료 3 루소
사회 계약으로 해결해야 할 과제는 두 가지이다. 첫째, 일반 의지의 힘으로 구성원의 신체와 재산을 보호해야 한다. 둘째, 각 개인은 전체와 결합되지만, 자신에게만 복종하고 이것과 마찬가지로 자유로울 수 있어야 한다.
└ 공동의 힘으로 각자의 생명과 재산을 보호하기 위한 연합 형태를 지향함 → 루소

기출 선택지 익히기

윤사 공부법, 둘!
선택지가 어떤 사상가나 사상의 입장인지 파악하는 훈련하기

다음 설명이 홉스에 해당하면 '홉', 로크에 해당하면 '로', 루소에 해당하면 '루'라고 쓰시오.

❶ 시민은 계약으로 국가를 만든 이후에 국가의 신민이 된다. ( )

❷ 시민의 재산권을 지키지 못한 군주에 대해 저항할 권리가 있다. ( )

❸ 군주의 권력은 계약의 목적에서 벗어나지 않도록 제한되어야 한다. ( )

❹ 사회 계약을 통해 사유 재산의 발생으로 인한 불평등을 바로잡아야 한다. ( )

정답 ❶홉 ❷로 ❸로 ❹루

A 국가의 기원과 본질에 대한 관점

01 국가의 기원과 본질에 대한 설명을 바르게 연결하시오.

(1) 유교　　　　　　　　•　　　　　　• ㉠ 가족의 질서가 확장된 공동체

(2) 아리스토텔레스 •　　　　　　• ㉡ 공동선을 추구하는 인위적 정치 공동체

(3) 공화주의　　　　　•　　　　　　• ㉢ 인간의 본성에 의해 생긴 최상의 공동체

(4) 사회 계약론　　　•　　　　　　• ㉣ 생명과 재산을 보장받기 위한 계약의 산물

(5) 마르크스　　　　　•　　　　　　• ㉤ 지배 계급이 피지배 계급을 착취하기 위한 수단

02 빈칸에 알맞은 말을 쓰시오.

(1) 유교에서는 백성들의 □□적인 삶을 실현하고자 한다.

(2) 아리스토텔레스에 따르면 국가는 모든 구성원이 □□한 삶을 살 수 있도록 해야 한다.

03 다음 내용이 맞으면 ○표, 틀리면 ×표를 하시오.

(1) 로크는 자연 상태를 만인의 만인에 대한 투쟁 상태로 보았다.　　　　　　(　　)

(2) 홉스는 군주에 대한 국민의 정치적 저항권 행사가 불가능하다고 보았다.　　(　　)

(3) 공화주의에서는 국가를 소수의 소유물이 아닌 공공의 것이라고 보았다.　　(　　)

B 국가의 역할과 정당성에 대한 동서양의 관점

04 빈칸에 알맞은 말을 쓰시오.

(1) 유교에서는 □□주의를 바탕으로 백성을 위하는 정치를 실현하고자 하였다.

(2) 아리스토텔레스는 시민이 □□에 참여할 수 있도록 제도를 마련해 각자가 탁월성을 발휘할 수 있을 때 국가의 정당성이 확보된다고 보았다.

(3) □□는 사회 계약을 통해 사유 재산이 생겨나면서부터 시작된 불평등을 바로잡고 자유를 회복하고자 하였다.

05 다음 설명이 맞으면 ○표, 틀리면 ×표를 하시오.

(1) 공화주의에서는 절대 군주만이 공동체의 공동선을 실현하기 위해 최선을 다해야 한다고 보았다.　　　　　　　　　　　　　　　　　　　　　　　　　　　　　(　　)

(2) 홉스는 자연 상태의 비참함을 벗어나기 위해 계약을 맺었고 이에 따라 국가가 발생하게 되었다고 보았다.　　　　　　　　　　　　　　　　　　　　　　　　　　(　　)

(3) 마르크스는 자본주의에서의 계급적 모순 때문에 국가가 없는 공산주의 사회로 나아가게 된다고 보았다.　　　　　　　　　　　　　　　　　　　　　　　　　　(　　)

(4) 현대 국가는 민주주의를 바탕으로 복지 국가를 실현할 때 정당성을 인정받을 수 있다.　　　　　　　　　　　　　　　　　　　　　　　　　　　　　　　　　(　　)

탄탄! 내신 다지기

A 국가의 기원과 본질에 대한 관점

01 유교에서 국가를 보는 관점으로 옳지 않은 것은?

① 가족 윤리와 사회 윤리를 독립적인 것으로 본다.
② 국가를 도덕적 삶을 위한 도덕 공동체로 인식한다.
③ 효제와 같은 가족 윤리가 국가 운영의 토대라고 본다.
④ 부모를 섬기는 것이 나라를 다스리는 기초가 된다고 본다.
⑤ 군주는 백성이 도덕적 삶을 살도록 노력해야 한다고 본다.

02 다음을 주장한 사상가의 국가에 대한 관점으로 옳은 것은?

국가는 좋은 삶을 위해 존재하는 것이지 단지 삶만을 위해 존재하는 것은 아니다. 만일 삶이 목적이라면 노예나 잔악한 동물들도 국가를 형성할 수 있을 것이나 그들은 행복이나 자발적 선택의 삶에 참여하는 것이 아니므로 국가를 형성하지 못한다. 국가는 부정의에 대한 동맹을 위해, 또는 교역과 상호 교류를 위해 존재하는 것도 아니다. 국가의 목적은 좋은 삶에 있다. 국가는 정치 공동체로서 단순한 공동생활이 아니라 고귀한 행동을 위하여 존재한다.

① 구성원의 삶의 질을 향상시키기 위한 도구이다.
② 인간의 정치적 본성에 의해 생겨난 것이다.
③ 강자의 정복에서 발생한 산물이다.
④ 사람들 간의 계약의 산물이다.
⑤ 지배 계급의 도구일 뿐이다.

03 ㉠에 들어갈 말로 가장 적절한 것은?

국가는 정치적으로 중립적인 것이 아니며, 계급적 이해관계가 반영되어 있다. 국가는 경제에서 우위를 차지하고 있는 지배 계급의 특수한 이익을 대변하고 있다. 따라서 계급이 없는 공산주의 사회의 단계에서 국가는 ㉠

① 계급과 함께 소멸할 것이다.
② 억압의 도구로 기능할 것이다.
③ 노동자 계급의 이익을 대변할 것이다.
④ 계급 지배의 새로운 도구가 될 것이다.
⑤ 복지 정책을 강화하는 역할을 하게 될 것이다.

04 서양 사상가 갑, 을의 입장으로 옳은 것을 〈보기〉에서 고른 것은?

갑: 국가는 자연의 창조물이며, 인간이 본래 정치적 동물이라는 것은 명백하다. 인간은 벌이나 다른 군생 동물보다 더 정치적 동물이다. 인간은 자연이 언어의 자질을 부여한 유일한 동물이다. 언어의 능력은 인간만이 갖는 것으로 선과 악, 정의와 부정의를 드러낼 수 있다. 이러한 능력을 가진 인간이 국가를 형성한다.

을: 사람들은 사회에 들어갈 때 그들이 자연 상태에서 가졌던 평등, 자유 및 집행권을 사회의 선이 요구하는 바에 따라 입법부가 처리할 수 있도록 사회의 수중에 양도한다. 그러나 그것은 오직 모든 사람이 그 자신, 그의 자유 및 그의 재산을 더욱 잘 보존하려는 의도에서 행하는 것이다.

보기

		국가는 자연적으로 발생하는 정치 공동체인가?	
		예	아니요
국가는 수단이 아니라 목적으로 인식되어야 하는가?	예	A	B
	아니요	C	D

	갑	을		갑	을
①	A	B	②	A	D
③	B	D	④	D	B
⑤	D	C			

05 다음 사상의 입장에 대한 설명으로 옳지 않은 것은?

국가는 인민의 것이다. 인민은 무작정 모인 사람들의 집합이 아니라 정의와 공동선을 위해 협력한다고 동의한 다수의 결사이다.

① 국가의 주권자는 시민이다.
② 국가는 공동선을 추구해야 한다.
③ 국가는 시민의 자유를 보장해야 한다.
④ 국가는 자연 발생적으로 만들어진 조직체이다.
⑤ 국가는 권력자의 자의적 지배로부터 벗어날 장치를 마련해야 한다.

B 국가의 역할과 정당성에 대한 동서양의 관점

06 다음 사상에 대한 설명으로 옳지 <u>않은</u> 것은?

> 백성의 뜻이 곧 하늘의 뜻이므로 백성을 위한 정치를 펴야 한다. 군주는 인의의 덕으로 다스려야 하며 백성의 생업을 제정해 주어야 한다.

① 민본주의 정치를 지향하였다.
② 백성들의 도덕적 교화를 중시하였다.
③ 백성들의 민생 안정이 중요함을 강조하였다.
④ 형벌보다는 인륜에 따라 다스려야 한다고 보았다.
⑤ 국가 권력의 정당성을 민주주의의 실현에서 찾았다.

07 홉스가 주장하는 국가의 역할로 옳지 <u>않은</u> 것은?

① 개인의 자유를 보장하는 것
② 시민의 생명을 보호하는 것
③ 민주주의 질서를 확립하는 것
④ 자연권을 위임받아 권력을 행사하는 것
⑤ 타인으로부터 시민 각자의 안전을 보호하는 것

08 다음을 주장한 서양 사상가의 입장에서 ㉠에 대한 정의만을 〈보기〉에서 있는 대로 고른 것은?

> 개인은 타인과의 공동 관계에서 비로소 그의 자질을 다방면으로 발전시킬 수 있는 수단을 갖게 된다. 그리고 공동 관계 속에서 비로소 인격적 자유가 가능해진다. 그러나 지금까지 형성된 ㉠국가라는 공상적 공동체는 언제나 다른 계급에 대립하는 한 계급의 결합이었으며, 피지배 계급에게는 하나의 새로운 족쇄였다. 각 개인들은 참되고 현실적인 공동체 속에서 지배 계급에 맞선 결사를 통해 자유를 획득할 수 있다.

> **보기**
> ㄱ. 계급 지배의 도구로서 발생한 조직체
> ㄴ. 공산주의 단계에서 확립되어야 할 조직체
> ㄷ. 사유 재산의 폐지로 인해 발생하는 조직체
> ㄹ. 지배 계급의 특권을 유지하기 위한 수단으로서의 조직체

① ㄱ, ㄴ
② ㄱ, ㄹ
③ ㄴ, ㄷ
④ ㄱ, ㄷ, ㄹ
⑤ ㄴ, ㄷ, ㄹ

09 그림의 교사가 제시한 질문 대해 옳게 대답한 학생만을 있는 대로 고른 것은?

① 갑, 을
② 병, 정
③ 갑, 을, 정
④ 갑, 병, 정
⑤ 을, 병, 정

서답형 문제

10 다음 글을 읽고 물음에 답하시오.

> 갑: ㉠ 자연 상태의 혼란을 극복하기 위해 시민은 자신의 자연권을 양도하는 계약을 통해 국가를 조직한다. 국가, 즉 군주는 주권을 가진 절대자가 된다.
> 을: ㉡ 자연 상태는 평화로운 상태이지만 제3의 중재자를 확보하기 위해 시민은 자신의 자연권을 양도하는 계약을 맺어 국가를 조직한다. 국가가 시민의 안전과 재산을 보호하지 못할 경우 시민은 이에 저항할 권리를 갖는다.

(1) 갑, 을 사상가가 누구인지 쓰시오.

   갑: (   ), 을: (   )

(2) ㉠, ㉡에 대해 각각 구체적으로 서술하시오.

기출 변형

01 다음을 주장한 사상가의 입장으로 가장 적절한 것은?

> 국가는 자연의 산물이며, 인간은 본성적으로 국가 공동체를 구성하는 동물임이 분명하다. 따라서 어떤 사고가 아니라 본성으로 인하여 국가가 없는 자는 인간 이하거나 인간 이상이다. 인간은 벌이나 그 밖의 군서 동물보다 더 국가 공동체를 추구하는 동물이다. … 인간과 다른 동물들의 차이점은 인간만이 선과 악, 옳고 그름 등등을 인식할 수 있다는 것이다. 그리고 이런 인식의 공유에서 가정과 국가가 생성되는 것이다.

① 국가는 최고선을 추구하는 도덕 공동체이다.
② 국가는 시민의 자유를 지키기 위한 수단이다.
③ 국가는 자연 발생적인 것이 아니라 인위적인 산물이다.
④ 국가는 자연 상태를 극복하기 위해 만들어진 공동체이다.
⑤ 국가는 공동의 이익을 인정하고 동의한 사람들에 의해 만들어진 것이다.

02 다음을 주장한 사상가에 대한 옳은 설명만을 〈보기〉에서 고른 것은?

> 인간은 자신에게 이로운 어떤 권리나 이익을 얻기 위해 권리를 양도하거나 포기한다. 전쟁 상태인 자연 상태를 벗어나 국가를 만든 목적은 자기 보존과 그로 인한 만족한 삶을 살기 위함이다.

보기
ㄱ. 권력 분립을 통해 왕권이 제한되어야 한다고 본다.
ㄴ. 계약을 통해 자신의 생명과 안전을 보장하고자 한다.
ㄷ. 자연 상태의 비참함으로부터 벗어날 수 있는 길을 제시한다.
ㄹ. 자연 상태에서 누리던 자유를 보장하기 위해 계약을 맺었다고 본다.

① ㄱ, ㄴ   ② ㄱ, ㄷ   ③ ㄴ, ㄷ
④ ㄴ, ㄹ   ⑤ ㄷ, ㄹ

03 다음을 주장한 사상가가 부정의 대답을 할 질문으로 가장 적절한 것은?

> 국가는 보통 경제를 지배하는 계급의 국가이다. 이 계급은 국가의 힘을 활용하여 정치적 지배 계급이 된다. 다른 계급을 억압하고 착취하기 위한 새로운 도구를 획득한 것이다. … 그리고 근대의 대의제 국가는 자본이 임금 노동을 착취하기 위한 도구이다.

① 평등한 사회를 만들기 위해 노력해야 하는가?
② 생산력이 고도로 발전한 사회를 지향해야 하는가?
③ 국가는 노동자 계급의 이해를 반영하는 조직체인가?
④ 계급 간의 대립이 사라지면 계급 지배의 도구인 국가도 사라지는가?
⑤ 자본주의 사회에서 사유 재산제가 철폐되고 생산 수단이 공유되어야 하는가?

04 다음을 주장한 서양 사상가의 입장으로 가장 적절한 것은?

> 공화국은 법을 존중하고 공동의 이익을 인정하고 동의한 사람들 모두의 것이다.

① 국가는 가족이 확대되어 나타난 자연적 조직체이다.
② 국가는 인간의 정치적 본성에 따라 발생한 자연적 조직체이다.
③ 국가는 지배 계급의 특권을 유지하기 위해 나타난 인위적 조직체이다.
④ 국가는 공동선을 실현하고 시민의 자유를 지키기 위한 인위적 조직체이다.
⑤ 국가는 각 개인들의 이해관계를 조정하기 위해 나타난 자연적 조직체이다.

기출 변형

05 갑, 을은 서양 사상가들이다. 갑의 입장에 비해 을의 입장이 갖는 상대적인 특징을 그림의 ㉠~㉢ 중에서 고른 것은?

> 갑: 필요 충족을 위해 자연적으로 형성된 공동체가 국가이고, 여러 가정으로 구성된 최초의 공동체가 마을이다. 여러 부락으로 구성되는 완전한 공동체가 국가인데, 국가는 완전한 자급자족이라는 최고 단계에 도달해 있다. 다시 말해 국가는 단순한 생존을 위해 형성되었지만 훌륭한 삶을 위해 존속하는 것이다.
> 을: 계약에 의해 탄생한 국가는 안에서는 법률 집행을 위해서만, 밖으로는 외적의 침략으로부터 공동 사회를 수호하기 위해 힘을 사용해야 한다. 국민의 평화와 안정, 공공의 복지 이외의 다른 목적을 위해 자신의 힘을 사용하지 못하도록 국가 권력을 제한해야 한다.

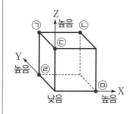

> • X: 국가를 최고선을 실현하기 위한 자연적 조직체로 보는 정도
> • Y: 국가에 대한 시민들의 저항권을 인정하는 정도
> • Z: 국가를 수단으로 보는 정도

① ㉠   ② ㉡   ③ ㉢   ④ ㉣   ⑤ ㉤

06 다음을 주장한 사상가의 입장으로 옳은 것만을 〈보기〉에서 있는 대로 고른 것은?

> • 현명한 군주는 백성의 생업을 제정해 주되 반드시 위로는 부모를 섬길 만하고, 아래로는 족히 처자를 부양할 만하여 풍년에는 1년 내내 배부르고 흉년에는 사망에서 면하게 하나니 그런 뒤에야 백성들을 선(善)으로 나아가게 한다. 그러므로 백성들이 명령을 따르기가 쉬운 것이다.
> • 백성은 귀하고 군주는 가볍다. 군주가 백성의 삶을 안정시키지 못하면 바꿀 수 있다.

> 보기
> ㄱ. 인의의 덕으로 나라를 다스려야 한다.
> ㄴ. 군주는 상과 벌로 사람들을 다스려야 한다.
> ㄷ. 국가는 백성의 경제적 안정에 힘써야 한다.
> ㄹ. 백성들을 사람답게 살 수 있도록 해야 한다.

① ㄱ, ㄴ   ② ㄱ, ㄹ   ③ ㄴ, ㄷ
④ ㄱ, ㄷ, ㄹ   ⑤ ㄴ, ㄷ, ㄹ

07 ㉠에 들어갈 진술로 가장 적절한 것은?

> 나는 공화국이 인민의 일들이라고 본다. 여기서 인민은 법을 존중하고 공동의 이익을 인정하고 동의한 사람들의 모임이다. 그런데 어떤 사상가는 자연 상태를 가정하고 그 상태의 비참함을 벗어나기 위해 국가를 만들었다고 주장한다. 나는 이 사상가가 ㉠ 고 생각한다.

① 국가가 필요에 따른 분배의 주체임을 간과한다
② 국가가 합의에 따른 인위적인 산물임을 간과한다
③ 국가가 시민들의 안전을 보장해야 함을 간과한다
④ 국가가 인간의 본성에서 비롯되는 것임을 간과한다
⑤ 공동선의 실현을 위해서는 시민의 자발적 참여가 중요함을 간과한다

기출 변형

08 (가)의 갑, 을 사상가들의 입장을 (나)의 그림으로 탐구할 때, A~C에 해당하는 옳은 질문만을 고른 것은?

(가)	갑: 국가는 상호 계약에 의해 스스로가 그 인격이 하는 행위의 본인이 된다. 국가는 인격을 담당한 주권자와 그 외의 신민(臣民)으로 구성된다. 을: 국가란 개인의 생명, 자유, 재산 등을 지키기 위한 수단이다. 만약 국가가 국민의 기본권을 침해한다면, 국민은 저항권을 행사할 수 있다.
(나)	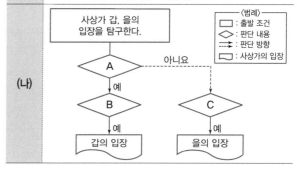

① A: 국가는 계약에 의해 발생한 인위적 산물인가?
② A: 국가의 정당성은 시민의 자유와 생명을 보장하는 데 있는가?
③ B: 주권은 계약을 맺은 시민들에게 있는가?
④ B: 국가가 개인의 재산권을 보장하지 못하면 저항할 수 있는가?
⑤ C: 국가는 시민의 이익을 증진하기 위한 수단적 가치를 지니는가?

03 ~ 시민

① 소극적 자유와 적극적 자유

소극적 자유	• ~로부터의 자유 • 외부의 부당한 압력이나 강제로부터 벗어난 상태
적극적 자유	• ~를 향한 자유 • 자신에 의지에 따라 스스로가 원하는 삶을 실현할 수 있는 상태

② 명시적 동의와 묵시적 동의

자유주의자인 로크는 의무를 명시적 의무와 묵시적 의무로 구분하고, 어떤 나라에 거주한다는 사실 그 자체로 묵시적 동의가 성립할 수 있다고 보았다. 하지만 명시적이건 묵시적이건 간에, 모든 의무는 동의에 기초해야 한다고 주장하였다.

③ 비지배로서의 자유

자의적 권력과 타인의 지배에 예속되지 않는 상태를 의미한다. 즉, 자유주의에서 말하는 간섭이 없는 상태에서 그치는 것이 아니라 타인에게 종속되지 않는 상태를 뜻한다.

A 시민의 자유와 권리의 근거

1. 자유주의의 관점에서 본 시민적 자유와 권리

(1) 자연권 | **왜** 근대 이후 자연권 사상이 확립되면서 모든 사람에게 시민의 자유와 권리를 보장해야 한다는 의식이 확산되었음

① 의미: 인간이 태어날 때 하늘로부터 부여받은 권리로서, 천부 인권이라고도 함

② 홉스, 로크 등 근대 사회 계약론자에 의해 계승 및 발전됨

(2) 자유주의

① 의미: 무엇보다도 개인의 자유와 권리를 중시하는 사상

② 특징 | **왜** 국가를 비롯한 공동체가 개인의 생활에 간섭하여 자유를 제한하는 것이 바람직하지 않다고 봄

자유관	타인이나 국가가 침해하거나 강제로 박탈할 수 없는 인간의 기본적 권리를 의미함 → 소극적 자유를 강조함 `자료1`
국가관	개인의 권리를 보장하고자 계약에 의해 구성된 것이므로, 개인에게 특정 가치관을 강제할 수 없음
시민의 자유와 권리	• 개인의 권리와 시민의 정치적 의무가 충돌할 때 → 개인의 권리를 중시함 • 불가피하게 개인의 권리를 제약할 때 → 반드시 시민의 자발적 동의를 얻어야 함
법에 의한 간섭 최소화	다른 시민의 자유와 권리를 침해하는 경우 외에는 법이 개인의 행동을 제약할 수 없음

2. 공화주의의 관점에서 본 시민적 자유와 권리

(1) 공화주의 `자료2`

① 의미: 인간의 상호 의존성을 중시하며, 시민을 개체적 존재가 아니라 사회적 존재로 보는 사상

② 등장 배경: 자유주의가 지닌 문제점을 보완할 수 있는 사상으로 새롭게 조명됨

③ 특징 | **예** 개인의 자유를 극대화함으로써 공동체적 삶을 소홀히 할 수 있다는 비판을 받기도 함

자유관	권력자의 자의적 지배가 없는 상태를 의미함
이상적 인간상	공익을 중시하고 자신이 속한 공동체에서 맡은 역할을 책임 있게 수행하며, 공동선에 관심을 지니는 사람
시민의 자유와 권리	천부적으로 주어지는 것이 아니라 공동체 내의 시민이 만들어 내고 향유하는 정치적·사회적 권리임
법에 의한 지배	권력의 타락을 방지하고 개인의 자유와 권리를 증진함 → 시민의 참여가 뒷받침되어야 함

왜 사람이 지배하는 상황에서 소수는 다수의 횡포에 종속될 수 있으므로, 법에 의한 지배만이 정당함

(2) 공화주의의 두 흐름

시민적 공화주의	• 아리스토텔레스의 영향을 받은 아테네 전통 → 인간의 자연적 사회성을 강조함 • 정치 참여: 시민의 책무이자 자유를 행사하는 것 → 정치 참여 그 자체가 목적임 • 개인의 권리나 이익보다 정치적 의무를 더 우선시함 ─ **왜** 덕성을 함양하는 일이자 윤리적 자기 실현이기 때문임 • 시민적 공화주의는 '공동체주의'라고 불리기도 함
신로마 공화주의	• 마키아벨리의 영향을 받은 로마 전통 • 정치 참여: 외세와 폭정으로부터 시민의 자유를 지키기 위한 수단임 • 비지배로서의 자유 제시: 타인의 자의적 지배에서 벗어나는 것, 타인에게 종속되지 않는 상태 → 법으로써 실현 가능함 `자료3` • 자유의 근거: 시민들 스스로 심의하고 제정한 헌법 → 법은 시민의 자유를 보장하는 수단임

자료1 벌린의 소극적 자유

> 내 활동에 어느 누구도 간섭하지 않는 상태를 자유라고 일컫는다. 이러한 의미에서 자유란 그저 한 사람이 타인에게 방해받지 않고 행동할 수 있는 영역을 의미한다. 그리고 타인 때문에 그 영역이 일정한 한도 이상으로 축소될 때, 나는 강제당하거나, 혹은 노예 상태에 처한 것이다.
> └ 자유주의 관점에서 자유는 천부 인권임
>
> — 벌린, '자유의 두 개념'

| **자료 분석** | 자유주의자인 벌린은 외부의 부당한 압력이나 강제로부터 벗어나 간섭받지 않는 상태인 소극적 자유를 진정한 자유라고 보았다. 이러한 소극적 자유는 국가와 타인에게 구속당하지 않고 행동할 수 있는 사적 영역을 보장함으로써 실현될 수 있다.

한줄 핵심 자유주의자들은 간섭이 없는 상태인 소극적 자유를 중시하고 이를 진정한 자유로 이해한다.

❶ 소극적 자유는 부당한 압력이나 강제에서 벗어나 간섭받지 않을 때 실현된다.
〔○〕〔×〕

❷ 자유주의자들은 시민의 권리가 자연적으로 주어진 것이 아니라 형성되는 것으로 이해하였다.
〔○〕〔×〕

자료2 시민적 자유와 권리에 대한 공화주의의 관점

> 공화국을 외세, 폭군, 부패로부터 보호하기 위해서는 법률만이 아니라 개인의 이익이 공공선의 일부라는 것을 시민들에게 이해시키는 지혜, 관대한 정신, 공적 삶에 참여하려는 정당한 욕구, 억압자에게 저항하려는 의지가 요구된다.
> └ 공화국(republic)은 '공공의(publica) 것(res)'을 뜻하는 라틴어에서 유래된 표현으로, 이는 그 자체에 이미 인민이 국가의 한 주체라는 의미를 내포함
>
> — 비롤리, "공화주의"

| **자료 분석** | 공화주의에 따르면 시민의 권리는 자연적으로 주어진 것이 아니라 시민들의 능동적이고 자발적인 참여로서 성취되는 정치적 결과물이다. 따라서 공화주의에서는 공적인 삶을 중시하고, 공동선에 관심을 가지는 삶을 이상적으로 여긴다.

한줄 핵심 공화주의는 정치 참여를 통해 공공선에 관심을 가지는 사람을 이상적인 시민으로 여긴다.

❸ 공화주의는 시민의 권리가 자연적으로 주어졌다고 보았다.
〔○〕〔×〕

❹ 공화주의에서는 공적인 일에 관심을 가지고 정치에 참여하는 사람을 이상적 시민으로 본다.
〔○〕〔×〕

자료3 비지배로서의 자유

> 공화적 자유, 즉 비지배(non-domination)로서의 자유는 자의적인 통치나 폭정으로부터 시민을 보호한다는 의미와, 시민들이 공적이고 정치적인 삶에 적극적으로 참여한다는 의미를 조합한 것이다. 공화주의 사상가들은 이러한 자유의 개념을 도덕적 규범이나 헌법 구조와 관련하여 토론해 왔다. 공화주의의 도덕적 관심은 투철한 공공 정신과 명예, 그리고 애국심을 포함하는 시민적 덕성에 대한 믿음을 반영한다.
>
> — 헤이우드, "정치 이론"

| **자료 분석** | 공화주의가 제시한 비지배로서의 자유의 핵심은 타인의 자의적인 통치와 지배에서 벗어나는 것이다. 공화주의자들은 자유의 근거를 시민들 스스로가 심의하고 제정한 헌법에서 찾으며, 공화국의 시민은 누구도 지배받지 않는 자유를 누리며 공동선에 관심을 두고 이를 실현하는 데 적극적으로 참여할 것을 시민적 덕성으로 강조한다.

한줄 핵심 공화주의는 자의적인 통치나 폭정으로부터 벗어나는 비지배로서의 자유를 진정한 자유로 본다.

❺ 비지배로서의 자유는 타인에게 사적으로 종속되지 않는 상태를 의미한다.
〔○〕〔×〕

❺ ○
❹ ○ (공화주의는 능동적으로 참여하는 시민을 이상적이라고 봄) ❸ ×(시민의 권리를 능동적 참여로 봄) ❷ ○ ❶ ×(자유주의)

B 공동체와 공동선 및 시민적 덕성

1. 공동체와 공동선
(1) 공동체와 공동선에 대한 두 관점

구분	자유주의	공화주의
공동체	개인의 자유와 권리를 보장하기 위해 존재함	개인적 자유와 권리를 실현하는 데 필수적인 존재임
공동선	• 공동선보다는 개인의 사적인 삶과 개인선을 중시함 • 개인의 자유와 권리를 보장하는 것이 곧 공동선임	• 개인선뿐만 아니라 공동선도 중시함 • 공동선을 자기 삶의 이념으로 수용한 개인으로 공동체가 구성됨
문제점	지나친 개인선의 강조는 의무와 공동선에 대한 무관심으로 이어질 수 있음 자료4	지나친 공동선의 강조는 개인의 자유와 권리를 방해할 수 있음

(2) 자유주의와 공화주의의 조화

① **개인선과 공동선의 조화**
- 자유주의도 개인의 자율적인 선택에 따라 공동선을 추구해야 함
- 공화주의도 개인선의 가치를 인정하고 배려하고자 노력해야 함

② **지향점**: 개인선과 공동선의 조화를 이루기 위한 노력의 일환으로 관용, 애국심 등과 같은 시민적 덕성의 함양을 공통적으로 강조함

③ **조화를 위한 노력**: 제도적 개선에 힘씀과 동시에 자기 삶의 주체이자 공동체에 대한 책임감이 있는 성숙한 시민으로서의 자세를 지녀야 함

2. 자유주의와 공화주의의 시민적 덕성
(1) 관용에 대한 관점

① **자유주의**
- 자신과 다른 견해나 행동을 승인하며, 자신의 견해나 행동을 다른 사람에게 강요하지 않는 태도를 의미함
- 타인의 인권과 자유를 침해하는 일까지 관용하는 것은 아님 → 관용의 역설을 경계해야 함 자료5

② **공화주의**
- 서로의 차이를 단순히 허용하는 것을 넘어 비지배의 조건을 보장하기 위해 타인의 자율성을 존중하는 것을 의미함
- 비지배의 자유를 보장하기 위해 구성원 간 평등을 존중하는 적극적인 시민 의식임

(2) 애국심에 대한 관점

자유주의	• 헌법 애국주의: 국가의 정치 체제를 규정하는 헌법의 기본 이념에 대한 국민적 동의와 충성을 의미함 • 보편적인 정치 원리, 즉 자유, 민주주의, 인권 등에 헌신하고자 하는 마음으로 표현됨
공화주의 자료6	• 대승적·자발적 사랑(카리타스): 시민의 자유를 지켜주는 정치 공동체와 동료 시민에 대한 사랑을 의미함 • 권력자나 외부 세력으로부터 정치 공동체의 자유를 수호함으로써 시민의 자유를 확보하는 것을 의미함 → 민족주의적 애국심과 구분됨
민족주의	• 자신이 태어난 나라와 소속된 민족에 대한 사랑을 의미함 • 혈연, 지연, 전통에 기초한 선천적 애착을 강조함

★ 한눈에 정리

공동체에 대한 자유주의와 공화주의의 관점

자유주의	공화주의
• 공동체: 개인의 자유와 권리를 보장하기 위해 존재함 • 지나친 개인선의 강조는 의무와 공동선에 대한 무관심으로 이어질 수 있음	• 공동체: 개인적 자유와 권리를 실현하는 데 필수적인 존재임 • 지나친 공동선의 강조는 개인의 자유와 권리를 방해할 수 있음

- 자유주의도 개인의 자율적인 선택에 따라 공동선을 추구해야 함
- 공화주의도 개인선의 가치를 인정하고 배려하고자 노력해야 함

❹ 공동선
개인을 포함한 공동체를 위한 선(善), 즉 공동체 전체에 이익이 되는 공익성으로 '공공선(公共善)'이라고도 한다.

❺ 개인선
개개인에게 좋거나 훌륭한 것을 뜻한다. 개인선은 사람마다 다양한 방식으로 나타난다.

❻ 관용의 역설
자유주의에서 관용은 나와 타인의 차이를 인정하고, 타인의 일에 지나친 관심을 두거나 간섭하지 않는 태도이다. 다만 관용은 양심, 사상, 표현의 자유를 인정하는 것이므로 양심, 사상, 표현의 자유를 침해하는 행위 자체는 관용할 수 없다.

❼ 애국심
자신이 소속되어 있는 나라를 사랑하고 그 사랑을 바탕으로 국가에 헌신하려는 의식과 신념을 의미한다.

왜 자유주의가 강조한 관용의 의미는 "나는 당신의 말을 용납할 수 없지만, 당신이 그 말을 할 권리만큼은 죽음으로써 지키겠다."라는 볼테르의 말을 통해 이해할 수 있음

뜻 관용을 무제한으로 허용한 결과 인권이 침해되고, 사회 질서가 무너지는 현상

왜 자유주의는 애국심을 구별하고 판단하기 위한 보편적인 기준이 필요하다고 보았고, 이에 대한 기준이 바로 헌법 정신임

뜻 작은 일에 얽매이지 않고 전체적인 관점에서 판단하고 행동하는 것

교과서 자료 모아 보기

자료 확인 문제

자료4 공유지의 비극

소를 키워 생계를 꾸려 나가던 마을이 있었다. 마을 사람들은 소에게 풀을 먹일 때 뒷동산에 있는 목초지를 이용했다. 목초지는 마을 사람들이 아무런 비용을 지불하지 않고도 사용할 수 있는 공유지였다. 마을 사람들은 목초지를 마음대로 사용할 수 있었기 때문에 좀 더 많은 금전적 이익을 얻기 위해 키우는 소의 숫자를 점차 늘려 나갔다. 그 결과 소들이 먹는 풀이 더 많이 필요하게 되었고, 무성하던 목초지의 풀이 어느 날부터인가 조금씩 사라져 가더니 결국 완전히 메말라 버렸다. 너무 많은 소를 목초지에 방목한 결과 더 이상 풀들이 남아 있지 않아 아무도 소를 키울 수 없게 되어 버린 것이다. — 하딘, "공유지의 비극"

│자료 분석│ 위 자료는 개인선과 공동선이 조화를 이루지 못했을 때 나타날 수 있는 결과를 보여 준다. 하딘은 개인적인 이익만을 우선시하다 보면 결국 공동체 전체를 파국으로 몰아갈 수 있다고 주장하였다.

한줄 핵심 개인선을 지나치게 강조할 경우, 시민의 의무와 공동선에 대한 무관심으로 이어질 수 있다.

❻ 개인선만을 지나치게 강조하다 보면 공동선에 대한 무관심으로 이어질 수 있다.
O X

자료5 자유에 대한 밀의 관점

그 이름값을 하는 유일한 자유는, 우리가 타인들로부터 그들의 노력을 방해하려고 하지 않는 한, 우리 자신의 이익을 우리 나름의 방식으로 추구할 자유이다. … 어떤 종류의 행동이든 정당한 이유 없이 다른 사람에게 해를 끼치는 것은 강압적인 통제를 받을 수 있으며, 사안이 심각하다면 반드시 통제해야 한다. 나아가 필요하다면 사회 전체가 적극적으로 간섭해야 한다. — 밀, "자유론"

│자료 분석│ 밀은 개인의 자유가 자신을 제외한 어떤 사람의 이익과도 관련되지 않는 한 사회적으로 제재받지 않아야 한다고 보았다. 하지만 개인의 자유로운 행위가 타인에게 해를 끼친다면 사회적·법률적으로 처벌을 가할 수 있다고 주장하였다.

한줄 핵심 밀은 개인의 자유가 타인에게 해를 끼친다면 사회적·법적 처벌을 통해 제약할 수 있다고 보았다.

❼ 밀은 어떠한 것도 개인의 자유를 제약할 수 없다고 보았다.
O X

자료6 공화주의의 애국심

공화국은 기억과 기념이 무척이나 필요하다. 기억은 시민적 덕성을 키우는 강력한 수단이다. 우리는 독재에 항거한 역사나 자유를 향해 투쟁한 역사를 기념함으로써, 우리가 모두 함께 고통받았던 역사의 한 페이지를 회고함으로써, 이러한 이야기를 듣는 모든 이들에게 자신들도 그러한 업적을 만들어야 한다는 도덕적 의무감을 가슴 깊이 일깨울 수 있다. — 비롤리, "공화주의"

│자료 분석│ 공화주의의 애국심은 독재나 지배로부터 벗어난 자유로운 정치 체제에 대한 애정을 의미한다. 공화주의의 애국심은 자유를 수호해 온 공동체의 역사적 기억을 기반으로 생겨나며, 이는 시민의 자유를 지켜 주는 공동체의 공유된 역사에 대한 시민들의 자발적 사랑을 의미한다.

한줄 핵심 공화주의의 애국심은 시민적 자유를 지켜주는 정치 공동체와 동료 시민에 대한 대승적 사랑이다.

❽ 공화주의의 애국심은 자기 자신만을 향한 애정을 넘어선 대승적 사랑이다.
O X

정답 ❻ ○ ❼ ×(밀은 개인의 자유가 타인에게 해를 끼치는 경우 사회적·법률적으로 제약할 수 있다고 보았다.) ❽ ○

자유주의와 공화주의의 입장 비교하기

관련 문제 ▶ 202쪽 03번

수능풀 Guide

이 단원에서는 자유주의와 공화주의의 관점에서 시민적 자유와 권리, 공동체와 공동선, 관용, 애국심 등에 대한 입장의 차이를 묻는 문항이 자주 출제된다. 두 관점의 입장을 비교하여 알아 두자.

자유주의		공화주의
개인의 자유와 권리의 근거를 자연권 사상에 둠	시민적 자유와 권리	개인의 자유와 권리는 공동체의 법과 제도적 노력에 의해 실현된다고 봄
공동체는 개인의 행복과 자아실현 등 개인선의 추구를 중시함	공동체와 공동선	공동체는 공동체 전체에 이익이 되는 공동선의 실현을 중시함
자신과 다른 견해나 행동을 승인하며, 자신의 견해와 행동을 다른 사람에게 강요하지 않는 태도임	관용	서로의 차이를 단순히 허용하는 것을 넘어 비지배의 조건을 보장하기 위해 타인의 자율성을 존중하는 것
헌법의 기본 이념에 대한 국민적 동의와 충성을 의미하는 헌법 애국주의를 가리킴	애국심	시민의 자유를 지켜주는 정치 공동체와 동료 시민에 대한 대승적 사랑을 의미함

기출 자료 익히기

윤사 공부법, 하나!
자료를 보고 어떤 사상가나 사상의 입장인지 유추하는 훈련하기

자료 1 자유주의

• 사람들이 스스로 자기 결정을 하도록 허용하는 것만이 그들을 완전히 도덕적인 존재로서 존중하는 것이다. 국가의 역할은 개인들이 좋은 삶에 대해 스스로 가치 판단을 할 수 있는 능력을 보호하는 데 있다. _{개인의 자유를 최대한 보장하기 위해 국가의 중립적 입장을 강조함 → 자유주의}

• 진정한 자유는 가치를 스스로 선택하는 것이다. 개인은 불가침적인 권리를 지니므로 공동선을 위한다는 명목으로 누구도 타인을 강제할 수 없다. _{타인이나 국가의 간섭 없이 자신의 생각과 행동을 선택할 권리를 자유로 이해함 → 자유주의}

자료 2 공화주의

• 사람들은 사익을 추구하는 개체적 존재가 아니라 공익을 추구하는 사회적 존재이다. 국가의 역할은 예속되지 않을 자유를 모든 시민들이 누릴 수 있도록 하는 데 있다. _{국가를 특권층의 소유물이 아닌 공공의 것으로 만들 때 정당성을 얻게 된다고 봄 → 공화주의}

• 진정한 자유는 한 사람이나 여러 사람의 자의에 종속되지 않는 것이다. 자유로운 시민은 오직 법에만 종속하며, 타인에게 예속하여 복종하도록 강제될 수 없다. _{비지배로서의 자유를 강조함 → 공화주의}

기출 선택지 익히기

윤사 공부법, 둘!
선택지가 어떤 사상가나 사상의 입장인지 파악하는 훈련하기

다음 설명이 맞으면 ○표, 틀리면 ×표를 하시오.

❶ 자유주의는 개인의 자유를 위협하는 모든 체제와 제도에 반대한다. (　　　)

❷ 자유주의는 자유를 자의적 권력 또는 지배와 그 가능성의 부재로 본다. (　　　)

❸ 공화주의는 자유주의와 달리 정치 참여를 시민의 의무로 강조하지는 않는다. (　　　)

❹ 공화주의는 공동체 전체에 지배적 영향력을 행사하는 개인이나 집단이 없어져야 한다고 본다.
(　　　)

A 시민의 자유와 권리의 근거

01 빈칸에 알맞은 말을 쓰시오.

(1) □□□(이)란 인간이 태어날 때 하늘로부터 부여받은 권리로서, 천부 인권이라고도 한다.

(2) 자유주의에서는 국가를 비롯한 공동체가 개인의 생활에 간섭하여 □□을/를 제한하는 것은 바람직하지 않다고 본다.

(3) 공화주의는 인간의 상호 의존성을 중시하며 사람들을 개체적 존재가 아닌 □□□ 존재로 보는 사상이다.

02 다음 설명이 맞으면 ○표, 틀리면 ×표를 하시오.

(1) 자유주의자들은 무엇보다도 소극적 자유를 중시한다. (　　)

(2) 비지배로서의 자유는 타인에게 종속되지 않는 상태로, 법에 의해 실현될 수 있다. (　　)

(3) 공화주의는 법이 자의적 권력의 지배로부터 시민들을 보호해 주는 역할을 한다고 본다.

(　　)

B 공동체와 공동선 및 시민적 덕성

03 빈칸에 알맞은 말을 쓰시오.

(1) 자유주의에서는 공동체가 개인의 자유와 □□를 보장해 주기 위해 존재한다고 본다.

(2) 공화주의에서는 공동체가 □□□을/를 자기 삶의 이념으로 수용한 개인으로 구성되었다고 본다.

(3) 관용의 □□은/는 관용을 무제한적으로 허용한 결과 인권이 침해되고 사회 질서가 무너지는 현상을 의미한다.

04 다음 설명이 맞으면 ○표, 틀리면 ×표를 하시오.

(1) 자유주의는 공동체 구성원 모두의 이익을 위해서라면 개인의 사익 추구를 제한하거나 포기하는 것이 옳다고 본다. (　　)

(2) 자유주의는 자신의 이익이나 자아실현을 이유로 타인의 자유와 권리를 부당하게 침해하는 것을 반대한다. (　　)

(3) 공화주의는 누구도 지배받지 않을 자유를 누리면서 공동선의 실현에 적극적으로 참여하는 것을 시민적 덕성으로 강조한다. (　　)

(4) 공화주의에서는 관용을 개인의 다양한 가치관에서 비롯되는 서로 간의 차이를 단순히 묵인하고 허용하는 태도로 규정한다. (　　)

05 각 사회사상과 관련된 애국심의 의미를 바르게 연결하시오.

(1) 자유주의 •　　• ㉠ 시민의 자유를 지켜주는 정치 공동체와 동료 시민에 대한 사랑

(2) 공화주의 •　　• ㉡ 보편적인 정치 원리, 즉 자유, 민주주의, 인권 등에 헌신하고자 하는 마음

A 시민의 자유와 권리의 근거

01 자유주의의 입장으로 옳지 않은 것은?

① 자기 자신에 대해서는 각자가 주권자이다.
② 개인의 선택보다 여론과 관습이 우선한다.
③ 개인은 스스로의 삶을 선택하는 자율적 존재이다.
④ 자신의 선택대로 살아가는 삶이 바람직한 삶이다.
⑤ 개인은 자신이 원하는 삶을 자유롭게 살 권리가 있다.

02 자유주의의 입장만을 〈보기〉에서 있는 대로 고른 것은?

보기
ㄱ. 개인은 독립적인 주체로서의 존재 가치를 지닌다.
ㄴ. 개인의 좋은 삶은 언제나 공동체가 추구하는 좋은 삶과 일치한다.
ㄷ. 공동체는 개인의 바람직한 가치관 형성에 영향력을 행사해야 한다.
ㄹ. 공동체는 중립적 입장에서 개인의 자유로운 삶을 최대한 보장해야 한다.

① ㄱ, ㄴ
② ㄱ, ㄹ
③ ㄷ, ㄹ
④ ㄱ, ㄴ, ㄷ
⑤ ㄴ, ㄷ, ㄹ

03 ㉠에 들어갈 내용만을 〈보기〉에서 고른 것은?

학생: 공화주의에서 말하는 자유는 무엇인가요?
선생님: 공화주의에서 강조하는 자유는 ㉠ 입니다.

보기
ㄱ. 권력자의 자의적인 지배가 없는 상태
ㄴ. 타인에게 사적으로 종속되지 않는 상태
ㄷ. 외부의 부당한 압력이나 간섭이 부재한 상태
ㄹ. 자신이 설정한 목적을 실현하고자 노력하고 있는 상태

① ㄱ, ㄴ
② ㄱ, ㄷ
③ ㄴ, ㄷ
④ ㄴ, ㄹ
⑤ ㄷ, ㄹ

04 다음 사회사상의 관점에만 모두 '✓'를 표시한 학생은?

모든 시민은 사익을 추구하는 개체적 존재가 아니라 공익을 추구하는 사회적 존재이다. 국가는 시민들이 시민적 덕성을 갖추고 공동체에 헌신할 수 있도록 지도해야 한다. 이러한 공화국에서 시민들은 공동의 일을 결정하는 데 참여하고 법 앞에 평등한 권리를 행사하며 자유롭게 살아갈 수 있다.

번호	입장 \ 학생	갑	을	병	정	무
(1)	시민의 권리는 자연적으로 주어진 것이다.	✓			✓	✓
(2)	시민이 자유롭게 살아가려면 법의 지배에서 벗어나야 한다.		✓		✓	✓
(3)	시민은 사적인 이익을 추구하기보다 공적인 의무 이행을 우선해야 한다.	✓		✓	✓	
(4)	시민은 자신이 속한 공동체에서 맡은 역할을 책임 있게 수행해야 한다.		✓	✓		✓

① 갑
② 을
③ 병
④ 정
⑤ 무

05 사회사상 (가), (나)의 입장으로 옳지 않은 것은?

(가) 개인의 권리는 타인이나 국가에 의해 간섭받지 않는 천부 인권이다. 따라서 자신의 삶의 방식대로 살 권리를 침해당해서는 안 된다. 국가는 한 사람의 삶의 방식이 다른 사람의 삶의 방식보다 더 바람직하다고 전제해서는 안 된다.
(나) 시민의 권리는 자연적으로 주어지는 천부 인권이 아니라 공동체 내의 시민이 만들어 내고 향유하는 정치적·사회적 권리이다. 이러한 권리는 공동체의 구성원 사이의 심의를 통해 구성되고 법에 의해 보장받는다.

① (가): 개인의 자유는 출생과 더불어 자연적으로 형성되는 것이다.
② (가): 국가는 '~로부터의 자유'를 실현하기 위해 노력해야 한다.
③ (나): 시민의 자유는 국가의 번영에 해를 끼치지 않는 한도 내에서만 허용된다.
④ (나): 개인은 정치 공동체의 일에 참여함으로써 자유를 실현할 수 있다.
⑤ (가), (나): 공동체가 추구해야 할 좋은 삶을 규정하고 권장해야 한다.

B 공동체와 공동선 및 시민적 덕성

06 자유주의와 공화주의에 대한 설명으로 옳은 것은?

① 자유주의는 개인선보다 공동선을 중시한다.
② 자유주의는 사익 추구를 위해 타인의 자유를 동의 없이 침해할 수 있다고 본다.
③ 공화주의는 공동체를 개인의 자유 보장을 위한 수단으로 본다.
④ 공화주의는 특정인의 지배로 개인의 자유가 침해되는 공동체는 진정한 공동체가 아니라고 본다.
⑤ 자유주의와 공화주의는 법에 의한 지배에서 벗어나야 한다고 주장한다.

07 다음을 주장한 사상가가 긍정의 대답을 할 질문만을 〈보기〉에서 있는 대로 고른 것은?

> 유일한 자유는, 우리가 타인으로부터 그들의 노력을 방해하려고 하지 않는 한, 우리 자신의 이익을 우리 나름의 방식으로 추구할 자유이다. 어떤 종류의 행동이든 정당한 이유 없이 다른 사람에게 해를 끼치는 것은 강압적인 통제를 받을 수 있으며 사안이 심각하다면 반드시 통제해야 한다.

<보기>
ㄱ. 개인은 스스로 삶을 선택하고 만들어 가는 존재인가?
ㄴ. 타인에게 해를 끼치는 행위는 사회적으로 통제 가능한가?
ㄷ. 정치 공동체는 개인의 자유와 권리를 최대한 보장하기 위해 존재하는가?
ㄹ. 개인의 행복과 자아실현 등 개인선의 추구보다 공동선을 중시해야 하는가?

① ㄱ, ㄴ
② ㄱ, ㄹ
③ ㄷ, ㄹ
④ ㄱ, ㄴ, ㄷ
⑤ ㄴ, ㄷ, ㄹ

08 공화주의적 애국심에 대한 설명으로 옳지 <u>않은</u> 것은?

① 정치 공동체와 시민 동료들을 향한 대승적 사랑이다.
② 자유와 정의가 확립된 조국을 대하는 인위적 열정이다.
③ 혈연, 지연, 전통에 기초한 민족에의 선천적인 애착이다.
④ 주종적 지배 관계가 없는 자유로운 정치 체제를 지향하는 애정이다.
⑤ 타인이 겪고 있는 억압과 차별의 해결을 위해 함께 동참하려는 자발적 사랑이다.

09 사회사상 (가), (나)의 입장으로 옳은 것은?

> (가) 애국심이란 자신이 속한 공화국의 제도와 생활 방식, 동료 시민에 대한 대승적 사랑이다. 대승적 사랑으로서 애국심이란 다른 사람에게 가해지는 억압과 폭력, 불의와 차별에 대해 내가 당한 것처럼 분노를 느끼는 감정이 국민 전체로 확대된 것이다.
> (나) 애국심이란 보편적 가치를 담고 있는 헌법에 대한 충성이다. 헌법적 가치를 위반하지 않는 한 다양한 삶의 방식을 인정해야 하며, 다수자뿐만 아니라 소수자들까지도 공동체의 구성원으로 수용해야 한다.

① (가): 애국심의 대상인 조국은 민족이 바탕이 된다.
② (가): 애국심은 국가 자체를 맹목적으로 사랑하는 것이다.
③ (나): 애국심은 시민이 정치와 공적인 일에 참여할 때만 생기는 열정이다.
④ (나): 애국심은 문화, 역사와 무관한 중립적 정치 원리들에 충성하는 것이다.
⑤ (가), (나): 애국심은 특정 공화국의 법과 정치 체제에 충성하는 것이다.

서답형 문제

10 다음 글을 읽고 물음에 답하시오.

> ⬚ ㉠ ⬚은/는 본래 특정한 종교나 신앙을 절대시하지 않고 믿음의 자유를 인정하는 것을 지칭하였다. 이후 정치, 경제, 사회, 문화 등 여러 영역에서 자기와는 다른 타인의 이질성을 용인하는 것으로 의미가 확대되었다.

(1) ㉠에 들어갈 시민적 덕성을 쓰시오. ( )

(2) 자유주의와 공화주의의 관점에서 보는 ㉠의 의미를 비교하여 서술하시오.

기출 변형

01 다음을 주장한 사상가가 부정의 대답을 할 질문으로 가장 적절한 것은?

> 인간은 자연 상태에서 완전한 자유와 자연법상의 권리 및 특권을 간섭받지 않고 누릴 수 있는 자격을 다른 사람과 더불어 평등하게 가지고 태어난다. 그리고 인간은 본래 타인의 침해로부터 자신의 생명, 자유, 재산을 보존할 권리도 가지고 있다. 그러나 개인들은 분쟁이나 갈등이 생길 경우에 자신들의 재산권을 보호하기 위하여 정부의 수립에 동의하게 된다.

① 개인의 합의와 계약을 통해 국가가 성립되는가?
② 개인의 자유 보장을 위해 법률을 제정해야 하는가?
③ 국가의 주된 역할은 개인의 기본권을 보호하는 것인가?
④ 개인의 권리 보호를 위해 권력은 분립되어서는 안 되는가?
⑤ 국가 권력을 없애거나 바꾸는 최고 권력은 국민에게 있는가?

기출 변형

02 (가)의 입장에 비해 (나)의 입장이 갖는 상대적 특징을 그림의 ㉠~㉤ 중에서 고른 것은?

> (가) 바람직한 시민성은 개인의 자유와 권리를 주장하고 이를 제한하려는 부당한 억압과 강제에 맞설 수 있는 능력과 의지를 강조해야 한다.
> (나) 바람직한 시민성은 공동선에 개인이 기여하고 헌신하려는 참여의 태도와 비지배로서의 자유를 주장하되 법치에 복종하는 덕 있는 모습을 지향해야 한다.

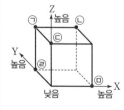

- X: 시민의 권리를 자연적으로 주어지는 천부 인권으로 보는 정도
- Y: 진정한 자유를 권력자의 자의적 지배가 없는 상태로 보는 정도
- Z: 시민들을 개체적 존재가 아니라 사회적 존재로 보는 정도

① ㉠　② ㉡　③ ㉢　④ ㉣　⑤ ㉤

기출 변형

03 사회사상 (가), (나)의 입장으로 옳은 것만을 〈보기〉에서 있는 대로 고른 것은?

> (가) 진정한 자유는 외부의 부당한 압력이나 강제로부터 벗어나는 것이다. 자유로운 시민은 국가와 타인에게 구속당하지 않고 오로지 스스로만이 자신의 삶을 선택할 수 있다.
> (나) 진정한 자유는 한 사람이나 여러 사람의 자의에 종속되지 않는 것이다. 자유로운 시민은 오직 법에만 종속하며, 타인에게 예속하여 복종하도록 강제될 수 없다.

〈보기〉

ㄱ. (가): 개인에 대한 공권력과 법의 간섭은 최소화되어야 한다.
ㄴ. (나): 법은 자의적 권력의 지배로부터 시민들을 보호해 준다.
ㄷ. (나): 주인의 간섭이 없는 노예는 자유로운 상태라고 볼 수 있다.
ㄹ. (가), (나): 개인이 공동체의 구성원임을 인정한다.

① ㄱ, ㄷ　　② ㄱ, ㄹ　　③ ㄴ, ㄷ
④ ㄱ, ㄴ, ㄹ　　⑤ ㄴ, ㄷ, ㄹ

기출 변형

04 다음 글의 입장에서 지지하는 관점만에 모두 '✓'를 표시한 학생은?

> 아무런 제약 없는 관용은 반드시 관용의 소멸을 불러온다. 우리가 관용을 위협받는 자들에게까지 무제한의 관용을 베푼다면, 그리고 불관용의 공격으로부터 관용적인 사회를 보호할 준비가 되어 있지 않다면, 관용적인 사회와 관용 정신 그 자체가 파괴당하고 말 것이다. 그러므로 우리는 관용의 이름으로 불관용을 관용하지 않을 권리를 천명해야 한다.

번호	관점 \ 학생	갑	을	병	정	무
(1)	관용의 대상에는 한계가 없음을 인식해야 한다.	✓	✓		✓	
(2)	관용과 불관용의 경계에 대한 설정이 필요함을 알아야 한다.			✓	✓	✓
(3)	관용은 공동선이 유지될 수 있는 범위 내에서 이루어져야 한다.	✓			✓	✓
(4)	공동체의 근간이 되는 가치를 침해하는 행위에 관용하지 않아야 한다.		✓	✓		✓

① 갑　② 을　③ 병　④ 정　⑤ 무

05 ⊙에 들어갈 내용만을 〈보기〉에서 고른 것은?

> 갑: 공화주의에서 말하는 참된 공동체란 모두의 뜻과 의지가 반영된 법에 의해 개인의 자유와 권리가 보호되는 공동체입니다.
> 을: 그렇다면 공화주의에서 시민적 덕성을 갖춘 훌륭한 시민이란 어떤 사람을 의미하나요?
> 갑: [⊙   ]

〈보기〉
ㄱ. 자율성을 함양하고 스스로의 삶을 결정할 능력을 갖춘 사람입니다.
ㄴ. 지배나 예속에 반대하고 서로를 평등한 시민으로 존중하는 사람입니다.
ㄷ. 공동체의 구성원으로서 사회적 책무와 공동선에 관심을 가지는 사람입니다.
ㄹ. 다른 사람들이 선택한 삶을 존중하고 그들의 삶에 함부로 간섭하지 않는 사람입니다.

① ㄱ, ㄴ ② ㄱ, ㄷ ③ ㄴ, ㄷ ④ ㄴ, ㄹ ⑤ ㄷ, ㄹ

06 다음을 주장한 사상가의 입장으로 옳지 않은 것은?

> 진정한 자유는 '타인에게 예속되지 않는 자유인의 자유' 즉 '비지배로서의 자유'일 뿐이다. 이러한 비지배로서의 자유가 중요한 이유는 현실적인 관계 때문이다. 강자들의 비위를 맞추려 하지 않아도 시민들은 누구도 타인의 선택에 자의적으로 간섭할 수 없다면, 약자들이 누리는 자유는 축소되지 않기 때문이다. 시민의 삶을 간섭할 수 있는 것은 법 또는 법에 의해 운영되는 정부뿐이며, 이때의 간섭도 자의적이지 않으며 강자가 시민의 삶을 자의적으로 간섭하지 못하도록 막는 법의 지배이다.

① 오직 자유로운 공화국 안에서만 자유를 누릴 수 있다.
② 예속과 지배의 부재가 진정한 자유의 핵심이 되어야 한다.
③ 자의적 지배가 존재하는 나라에서는 어느 누구도 자유로울 수 없다.
④ 법에 의한 지배는 개인의 자유와 권리를 침해하는 것이 아니라 오히려 증진한다.
⑤ 공동체 전체에 지배적 영향력을 행사하는 존재가 있어야만 자유를 누릴 수 있다.

07 갑, 을의 입장으로 옳은 것만을 〈보기〉에서 있는 대로 고른 것은?

> 인간은 합리적 이성으로 스스로 삶의 목적을 선택하는 자율적 존재입니다. 국가와 사회는 개인의 자유를 보호하고 증진하는 수단으로서만 가치가 있습니다.

> 인간은 서로 배려하며 공동선을 추구하는 사회적 존재입니다. 국가는 공동선을 구현하기 위한 '공공의 것'으로, 공동체가 함께 추구해야 할 좋은 삶을 권장해야 합니다.

갑 / 을

〈보기〉
ㄱ. 갑: 개인은 특정한 역사적·문화적 맥락으로부터 독립된 존재이다.
ㄴ. 갑: 공동체의 이익을 위해 개인의 권리를 침해하는 것은 바람직하지 않다.
ㄷ. 을: 공동선의 실현을 위해 개인이 스스로 참여할 때 삶은 더욱 풍요로워진다.
ㄹ. 갑, 을: 개인의 정체성은 공동체의 전통과 가치를 토대로 형성된다.

① ㄱ, ㄷ ② ㄱ, ㄹ ③ ㄴ, ㄹ
④ ㄱ, ㄴ, ㄷ ⑤ ㄴ, ㄷ, ㄹ

08 (가)를 주장한 사상가의 입장에서 (나)의 ⊙에 들어갈 내용으로 적절하지 않은 것은?

(가)	・누구든지 웬만한 정도의 상식과 경험만 있다면 자신의 삶을 자기 방식대로 살아가는 것이 가장 바람직하다. 그 방식 자체가 최선의 것이기 때문이 아니라 자기 방식대로 사는 것이기 때문에 바람직하다고 하는 것이다. ・관습의 전제가 곳곳에서 인간의 진보를 가로막는 심각한 장애물이 되고 있다. 개선과 진보를 가능하게 만드는 절대적이며 영원하고 유일한 요소는 자유이다.
(나)	진정한 자유를 실현하기 위해 [⊙]

① 각자가 개별성을 최대한 발휘하도록 허용해야 한다.
② 개인에게 전통이나 관습에 따르도록 강제하면 안 된다.
③ 개인이 결정한 자유로운 선택에 대해 최대한 존중해야 한다.
④ 다수의 여론에 따르는 삶보다 사상의 자유를 중시해야 한다.
⑤ 어떠한 경우에도 개인의 행동의 자유를 제한해서는 안 된다.

04 ~ 민주주의

❶ 민주주의(民主主義, democracy)
민주주의(democracy)는 그리스어로 인민을 뜻하는 '데모스(demos)'와 통치를 뜻하는 '크라토스(kratos)'가 합쳐진 말로, 군주제나 귀족제와 달리 인민이 지배하는 통치 형태를 의미한다.

❷ 로크의 법치주의와 권력 분립

법치주의	법에 따라 통치하고 그에 따라 살아가야 함
권력 분립	권력을 독점하지 못하게 법을 제정하는 권력(입법권)과 제정된 법을 집행하는 권력(집행권)을 분리해야 함

A 근대 민주주의의 지향과 자유 민주주의

1. 민주주의의 기원과 근본 원리

(1) 민주주의의 의미와 기원

┌ **똥** 국가나 사회를 구성하고 있는 일반 사람들

의미	정치 공동체의 주권이 <u>인민</u>에게 있고 인민을 위하여 정치를 행하는 제도 또는 그러한 정치를 지향하는 사상 → <u>인민이 지배하는 통치 형태</u>
기원	• 고대 그리스 아테네에서 처음 등장함 • 아테네 민주주의는 자격을 갖춘 시민이라면 누구나 민회에 모여 정치에 참여할 수 있는 직접 민주주의의 형태였음 ┌ **예** 당시에는 자유민인 성인 남성만을 시민으로 규정하여 여성, 노예, 외국인 등은 정치에 참여하지 못했음

(2) 민주주의의 근본 원리와 기본 원칙 [자료1]

근본 원리	인민 주권의 원리: 지배하는 자와 지배받는 자가 같음
기본 원칙	• 모든 시민의 참여 권한과 기회의 원칙: 모든 시민에게 공공의 일에 참여할 동등한 권한과 기회를 부여함 • 권력 구성과 집행에 대한 시민의 통제 원칙: 시민은 정치 지도자를 선출할 뿐만 아니라 선출된 지도자를 감시하고 결과에 대해 책임을 물을 수 있음

2. 근대 자유 민주주의의 지향

(1) 민주주의의 발전에 영향을 준 사상

① 사회 계약론

• 절대 왕정 시대의 억압적 정치 질서와 불평등한 사회 구조를 개혁하고 자유와 평등의 가치를 보장하는 계기가 됨
• 로크와 루소의 사회 계약론

★ **한눈에 정리**

민주주의의 발전에 영향을 준 사상가

로크	정치 공동체의 올바른 운영을 위해 법치주의와 권력 분립을 강조함
루소	정치 공동체는 일반 의지에 근거하여 운영되어야 한다고 주장함
밀	개인의 자유를 최대한 보장하는 정부를 좋은 정부로 봄

로크	• 자연 상태에서는 개인의 생명과 자유, 재산에 대한 권리가 확실히 보장될 수 없음 → 개인은 계약을 맺어 자신의 권리를 보장해 줄 수 있는 정치 공동체의 구성원이 됨 • 정치 공동체는 견제와 균형의 원리에 입각하여 운영되어야 함 → 법치주의와 권력 분립 주장 • 정부가 개인의 생명, 자유, 재산에 대한 권리를 침해한다면 국민은 양도했던 권리를 되찾을 수 있음 → 저항권 주장
루소	• 사유 재산의 발생과 함께 인간은 불평등한 상황에 처하게 되었으며 자유가 속박됨 → 개인은 주권자의 일원으로서 입법자가 되는 계약을 통해 시민적 자유를 회복함 • 정치 공동체는 일반 의지에 근거하여 운영되어야 함 [자료2]

❸ 로크의 저항권
법치 국가에서 기본 질서를 침해하는 국가의 공권력 행사에 대하여 주권자인 국민이 최후의 비상 수단으로 행할 수 있는 권리를 뜻한다.

② 밀의 자유론 [자료3]

• 개인의 자유를 최대한 보장하는 정부를 좋은 정부로 여김
• 지성과 덕성이 뛰어난 사람이 더 큰 영향력을 행사하는 **대의제**를 이상적인 정치 체제로 생각함 → <u>복수 투표제 주장</u> ── **왜** 대의제를 실현하기 위해 현명하고 재능 있는 사람에게 선거의 투표권을 더 주는 복수 투표제가 필요하다고 보았기 때문임

(2) 근대 자유 민주주의의 발전과 지향

❹ 루소의 일반 의지
각 개인의 사적 이익을 초월하여 오로지 공공의 이익만을 지향하는 보편적인 의지를 말한다.

발전	근대 자유 민주주의는 자유의 보장을 최고의 가치로 삼는 자유주의 이상과 민주주의의 통치 방식이 결합한 사상이라고 볼 수 있음
지향	• 인민 주권을 제도화하는 정치 체제를 구현하고자 함 • 인간의 존엄, 자유, 평등을 지향하며 이를 보장하기 위한 정치 원리와 제도를 강조함

교과서 자료
모아 보기 ◦←◦

자료1 페리클레스의 장례식 연설

> 우리의 정치 체제 민주주의라고 불립니다. 왜냐하면 권력이 소수의 손에 있는 것이 아니라 전체 인민의 손에 있기 때문입니다. 사적인 분쟁을 수습해야 하는 문제가 있을 때 모든 사람은 법 앞에 평등합니다. 국가에 기여할 수 있는 능력을 가지고 있는 한 어느 누구도 빈곤하다는 이유로 정치적으로 무시되지 않습니다.
> – 투키디데스, "펠로폰네소스 전쟁사"

| **자료 분석** | 고대 그리스 정치가인 페리클레스는 펠로폰네소스 전쟁에서 죽은 아테네 시민들을 애도하는 연설을 하였다. 그는 연설에서 모든 시민은 법 앞에 평등하며, 누구나 아테네 정치 공동체에 참여할 수 있다는 것을 민주주의의 특징으로 꼽았다.

한줄 핵심 민주주의는 모든 국민이 동등한 자유와 평등한 권리를 지닌다고 본다.

❶ 민주주의는 공공의 일에 참여할 권한과 기회를 모든 시민에게 동등하게 부여한다.
　　　　　　○ | ×

자료2 루소의 일반 의지

> "공동의 힘을 다해 각자의 몸과 재산을 지켜 보호해 주고, 저마다가 모든 사람과 결합하면서도 자기 자신에게만 복종해 전과 다름없이 자유롭도록 해 주는 그러한 형식을 찾아낼 것." 사회 계약이 그 해답을 주는 근본 문제란 이런 것이다. … 우리는 각자 자기 몸과 모든 힘을 공동의 것으로 일반 의지의 지도 아래 둔다. … 이는 인간이 자유로워지도록 강요당할 것 말고는 다른 것을 뜻하지 않는다. 왜냐하면 그것이야말로 각 시민을 조국에 바침으로써 그를 개인적 종속으로부터 보호해 주는 조건이기 때문이다.
> – 루소, "사회 계약론"

| **자료 분석** | 루소는 정치적 공동체는 오로지 공공의 이익만을 지향하는 보편적 의지인 일반 의지에 근거해 운영되어야 한다고 보았다. 그는 국가는 국민으로부터 일반 의지를 위임받아 공동선을 추구하며, 따라서 주권은 국민에게 있다고 주장하였다.

한줄 핵심 루소는 국가가 공동선을 추구하는 일반 의지를 대행하며, 주권은 국민에게 있다고 보았다.

❷ 루소는 국가가 공공의 이익을 추구하는 일반 의지를 대행하는 것이라고 보았다.
　　　　　　○ | ×

❸ 루소는 주권은 국가에게 있다고 보았다.
　　　　　　○ | ×

자료3 자유에 대한 밀의 견해

> 자유의 기본 영역으로 다음의 세 가지를 생각할 수 있다. 첫째, 모든 주제에 대해 양심의 자유, 생각과 감정의 자유, 의견과 주장의 자유를 누려야 한다. 둘째, 자신의 기호를 즐기고 희망하는 것을 추구할 자유를 지녀야 한다. 셋째, 타인에게 해가 되지 않는 한 어떤 목적의 모임이든 자유롭게 결성할 수 있어야 한다. 어떤 정부 형태이든 이 세 가지 자유가 존중되지 않는다면 결코 자유로운 사회라 할 수 없다.
> 단, 개인의 자유로운 행위가 정당한 근거 없이 타인에게 해를 끼친다면 사회적·법률적으로 처벌을 가할 수 있다고 주장함
> – 밀, "자유론"

| **자료 분석** | 밀은 자신의 행동에 스스로 책임질 수 있다면 각자 생각대로 행동할 자유가 있다고 보아 사회나 국가가 개인의 자유를 존중할 것을 강조하였다.

한줄 핵심 밀은 개인의 자유를 최대한 보장하는 정부를 좋은 정부로 보았다.

❹ 밀은 개인의 자유를 최대한 보장하는 정부를 좋은 정부로 보았다.
　　　　　　○ | ×

○ ❹ (몸
끄다양 떼이끄논 끈끈놓)
× ❸ ○ ❷ ○ ❶ 냡장

B 도덕적 자율성과 책임 및 시민의 소통과 유대

1. 현대 민주주의의 규범적 특징 ❻

(1) 대의 민주주의 ❺

왜 현실적으로 모든 시민이 정치적 의사 결정에 직접 참여하기 어렵기 때문임

의미	선거를 통해 선출된 대표자가 시민의 의사를 반영하고 실현하는 형태의 민주주의
특징	• 근대 이후 민주주의의 기본적 형태로 자리 잡음 • 인민의 지배가 선출된 대표자를 통해 간접적으로 이루어짐
한계	• 엘리트 민주주의의 성격을 지님 자료 4 • 선출된 대표자들이 시민들의 다양한 의사를 얼마나 잘 대표했는지 파악하기 어려움 • 시민의 정치 참여 욕구를 제한한다는 비판을 받음

(2) 참여 민주주의

의미	다수의 시민이 의사 결정 과정에 자발적으로 참여하는 형태의 민주주의
특징	• 국민의 지배라는 민주주의의 이상 실현이 가능함 • 시민은 정부의 정책 결정과 집행 과정에 직접적으로 영향력을 행사함
한계	• 참여가 늘어난다고 민주주의가 반드시 성공하는 것은 아님 • 참여한 시민이 이기적인 태도를 보인다면 시민 전체의 의사가 왜곡될 수 있음

왜 자신이나 자신이 속한 집단의 이해관계만을 우선시 할 수 있기 때문임

(3) 심의 민주주의 자료 5

뜻 심사하고 토의함

의미	시민이 직접 공적 심의 과정에 참여해 정책을 결정하는 형태의 민주주의
특징	• 공론의 장에서 시민이 사회적 쟁점을 깊이 토론·심의하는 과정을 중시함 • 서로 다른 이해관계를 가진 시민·전문가·대표자가 함께 참여하여 민주적 심의를 진행함
한계	심의 과정에 참여한 시민의 합리적 의사소통이 결여된 경우 심의 결과의 정당성에 문제가 발생할 수 있음

❺ **대의 민주주의에 대한 루소의 입장**
루소는 주권은 일반의지에 의해 성립하며 이 의지는 다른 사람에 의해 대표될 수 없다고 보았다. 그래서 대의 민주주의에서 대의원은 국민의 심부름꾼에 불과하며 어떤 것도 결정지을 수 없다고 비판하였다.

❻ **엘리트 민주주의**
시민의 역할은 지도자를 선출하는 투표자에 한정되며, 정치적 지배는 선출된 정치 엘리트인 지도자에게 맡겨야 한다는 민주주의의 형태이다.

2. 민주 시민의 자세와 시민 불복종

(1) 바람직한 민주 시민의 자세

① 공동의 가치와 공동선을 증진하기 위해 노력해야 함
② 도덕성, 자율성과 책임성을 바탕으로 정치에 적극적으로 참여해야 함
③ 인간이 사회적 존재임을 자각해 동료 시민과 유대감을 바탕으로 소통해야 함
④ 구성원의 기본권을 침해하는 법이나 정책을 시정하기 위해 노력해야 함 예 **시민 불복종**

(2) 시민 불복종

① **의미**: 정의롭지 못한 법이나 정책을 변화시키려는 목적으로 법을 의도적으로 위반하는 행위

② ★ **시민 불복종에 대한 입장**

왜 소로는 헌법을 넘어선 개인의 양심을 시민 불복종의 판단 기준으로 삼았기 때문임

소로	개인의 양심에 근거하여 불의한 법이나 정책에 복종하지 않을 수 있음
❼ 롤스	• 시민 불복종은 법이나 정부의 정책에 변혁을 가져올 목적으로 행해지는 공공적이고 비폭력적이며 양심적이긴 하지만 법에 반하는 정치적 행위임 • 시민 불복종은 사회 다수의 정의관에 어긋나는 것에 대한 저항임 • 시민 불복종의 정당화 조건 제시 → 공개성, 공익성, 비폭력성, 처벌 감수, 최후의 수단
하버마스 자료 6	• 시민 불복종은 시민들이 합리적인 의사소통을 통해 합의한 원칙에 어긋나는 법이나 정책에 대한 저항임 • 시민 불복종은 정당하지 않은 규정을 수정하거나 개혁할 수 있는 마지막 가능성임 • 롤스의 입장 일부 수용 → 시민 불복종은 비폭력적이어야 하며, 규범을 위반한 것에 대한 처벌을 감수해야 한다고 봄

❼ **롤스의 시민 불복종**
롤스는 시민 불복종이 정당화되기 위해서는 다음과 같은 조건이 충족되어야 한다고 본다. 첫째, 법에 상당한 부정의가 있어야 하며, 그러한 부정의의 시정이 고의로 거부되어야 한다. 둘째, 정의에 반하는 실질적이고 명확한 침해가 있어야 한다. 셋째, 다른 사람도 같은 정도로 부정의한 상태에 있을 때, 유사한 방식으로 저항할 수 있는 권리가 있다고 인정해야 한다.

자료4 엘리트 민주주의

민주주의란 인민의 표를 얻는 데 성공한 결과로서, 모든 문제에 대한 결정권을 특정 개인들에게 부여하는 방식을 통해 정치적 결정에 도달하려는 제도적 장치이다. … '인민'과 '지배'라는 용어의 분명한 의미가 무엇이건 간에, ㉠ 민주주의는 인민이 실제로 지배하는 것을 의미하지 않으며 … 다만 인민이 그들을 지배할 예정인 사람들을 승인하거나 부인할 기회를 가지고 있음을 의미할 따름이다.　　　　　　　　　　　　　　 – 슘페터, "자본주의, 사회주의, 민주주의"

| 자료 분석 | 슘페터는 일반 시민들은 정치적 사안을 파악하기 위한 정보가 부족하거나, 정치에 대한 관심이 없어 조작당하기 쉽다고 보았다. 그래서 ㉠과 같이 민주주의를 인민의 지배로 보지 않고 엘리트가 대중의 승인을 얻고자 자유롭게 경쟁하는 제도적 장치로 이해하였다. 이러한 관점에서 슘페터는 정치적 지배는 정치 엘리트인 지도자에게 맡겨야 하고, 시민의 역할은 지도자를 선출하는 투표자에 한정해야 한다는 엘리트 민주주의를 지지하였다.

한줄 핵심　슘페터는 시민의 역할을 지도자를 선출하는 투표자의 역할에 한정해야 한다고 보았다.

❺ 슘페터는 민주주의의 실현을 위해 시민들의 직접적인 정치 참여가 필요하다고 보았다.　□○ □×

자료5 심의 민주주의에 대한 롤스의 입장

심의 민주주의를 규정하는 것은 심의 개념 자체이다. 시민이 정치적 문제들을 심의할 때, 그들은 의견을 교환하고 자신들이 지지하는 근거들을 토론한다. 이들은 자신들의 정치적 의견이 다른 시민들과 토론하면서 수정될 수 있음을 가정한다. … 이 지점에서 공적 이성(public reason)은 아주 결정적이다.　　　　　　　　　　　　　　 – 롤스, "만민법"

| 자료 분석 | 심의 민주주의는 시민들이 서로 소통하면서 집단의 의사를 형성해 가는 민주적 과정을 강조하는 방식이다. 롤스는 이에 대해 공적 이성을 지닌 시민은 공공의 문제에 대해 토론하고 심의하는 과정에 참여함으로써 집단의 의사를 형성한다고 보았다.

한줄 핵심　심의 민주주의는 모든 사람이 사회적 쟁점을 토론하고 심의하는 과정을 중시한다.

❻ 심의 민주주의는 심의 주체들이 서로 평등한 관계에서 의견을 개진해야 함을 강조한다.　□○ □×

자료6 하버마스의 시민 불복종

진정한 법치 국가는 단순한 합법성을 토대로 정당성을 내세워서는 안 되며, 시민들에게는 법에 대한 절대적 복종이 아닌 조건부의 복종을 요구해야 한다. 시민 불복종은 저항의 논증이 더 강한 반향을 얻기 위해 사용할 수 있는 마지막 수단이며, 시민의 비판적 판단에 호소해야 한다.　　　　　　　　　　　　　　 – 하버마스, "새로운 불투명성"

| 자료 분석 | 하버마스는 민주적인 법치 국가에서는 합법성이 곧 정당성을 보장하는 것은 아니므로 시민에게 법에 대한 절대적 복종을 요구할 수 없다고 보았다. 그는 시민 불복종이 정당하지 않은 규정을 수정하거나 개혁할 수 있는 마지막 수단이라고 보고, 시민들의 비판적 판단을 거칠 때 불복종을 정당화할 수 있다고 보았다.

한줄 핵심　하버마스는 법에 대한 조건부적 복종을 근거로 하여 시민 공중의 비판적 판단을 거칠 때 불복종을 정당화할 수 있다고 하였다.

❼ 하버마스는 민주적 절차를 거치지 않은 어떤 법이나 정책에 대해 불복종할 수 있다고 보았다.　□○ □×

○ **❼**
○ **❻** (롤스는 공적 이성을 강조함)
❺ ×(시민의 역할을 투표자의 역할로 한정함)

시민 불복종에 대한 소로, 롤스, 하버마스의 입장 비교하기

관련 문제 ▶ 213쪽 07번

수능풀 Guide

이 단원에서는 시민 불복종에 관한 소로, 롤스, 하버마스의 입장을 비교하는 문제가 출제된다. 세 사상가의 주장을 비교하여 알아 두자.

시민 불복종의 일반적 정의		불복종의 근거
정의롭지 못한 법이나 정책을 변화시킬 목적으로 시민들이 의도적으로 법을 위반하는 행위	소로	헌법을 넘어선 개인의 양심
	롤스	사회적 다수의 정의관
	하버마스	합리적 의사소통을 통해 합의한 원칙 (헌법을 정당화하는 원칙)

기출 자료 익히기

윤사 공부법, 하나!
자료를 보고 어떤 사상가나 사상의 입장인지 유추하는 훈련하기

자료1 소로

시민은 한순간이라도 자신의 양심을 입법자에게 맡겨야 하는가? 우리는 먼저 인간이어야 하고 그 다음에 국민이어야 한다. 단 한 명의 사람이라도 부당하게 가두는 정부 밑에서 의로운 사람이 진정 있을 곳은 감옥이다.
└ 양심에 입각한 불복종을 정당화함
→ 소로

자료2 롤스

시민 불복종은 법이나 정부의 정책에 변혁을 가져올 목적으로 행해지는, 공공적이고 비폭력적이며 양심적이긴 하지만 법에 반하는 정치적 행위이다. 이러한 행위를 통해서 우리는 공동 사회의 다수자가 갖고 있는 정의감을 드러낸다.
  사회적 다수의 정의관에 근거해야 함 ─┘
  → 롤스

자료3 하버마스

시민 불복종은 그 자체로서 합법화될 수는 없지만 사람들은 민주적 법치 국가의 정당성을 수호하기 위해 위험을 무릅쓰고 시민 불복종을 행합니다. 그런데 검사나 판사가 시민 불복종의 가치를 존중하지 않고 이들을 범죄자로 보고 통상적인 처벌을 내린다면 권위주의적 합법주의에 빠지고 맙니다.
└ 합법적인 규정이라도 정당성의 판단 기준인 헌법 원칙에 어긋날 때 시민 불복종이 발생
  → 하버마스

기출 선택지 익히기

윤사 공부법, 둘!
선택지가 어떤 사상가나 사상의 입장인지 파악하는 훈련하기

다음 내용이 맞으면 ○표, 틀리면 ×표를 하시오.

❶ 소로는 개인이 법에 우선하여 양심과 정의에 따라 행동해야 한다고 본다. ( )
❷ 롤스는 시민 불복종의 대상은 일부의 부정의한 법이나 정책들에 한정된다고 본다. ( )
❸ 롤스는 다수의 정의감에 호소하는 시민 불복종이 비폭력적일 필요는 없다고 본다. ( )
❹ 하버마스는 시민들의 의사소통에 의해 합의된 결론에 의해서만 권력의 정당성이 획득된다고 본다. ( )

정답 ❶○ ❷○ ❸×(롤스는 비폭력적이며 양심적인 불복종을 주장함) ❹○

정답과 해설 73쪽

A 근대 민주주의의 지향과 자유 민주주의

01 빈칸에 알맞은 말을 쓰시오.

(1) 민주주의는 지배하는 자와 지배받는 자가 같다는 □□ □□의 원리를 근본 원리로 한다.

(2) 민주주의는 정치 공동체의 주권이 □□에게 있고, □□을/를 위하여 정치를 행하는 제도 또는 그러한 정치를 지향하는 사상을 의미한다.

(3) 고대 그리스 아테네의 □□ 민주주의는 성인 남성인 시민으로 구성된 민회에서 중요한 사항을 토론하고 결정하였다.

02 알맞은 설명에 ○표를 하시오.

(1) 로크는 정치 공동체는 견제나 균형의 원리에 입각하여 운영되어야 한다고 보아 (권력 분립, 권력 융합)을 주장하였다.

(2) 로크는 정부가 개인의 권리를 침해한다면 국민은 양도했던 권리를 되찾는 저항권을 행사할 수 (있다, 없다)고 보았다.

(3) 루소는 개인이 주권자의 일원으로서 입법자가 되는 계약을 통해 시민적 자유를 (회복해야, 포기해야) 한다고 보았다.

(4) 루소는 정치 공동체가 오로지 공공의 이익만을 지향하는 (일반 의지, 특수 의지)에 근거하여 운영되어야 한다고 보았다.

B 도덕적 자율성과 책임 및 시민의 소통과 유대

03 현대 민주주의의 종류와 그 의미를 바르게 연결하시오.

(1) 대의 민주주의 •
• ㉠ 시민이 직접 공적 심의 과정에 참여해 정책을 결정하는 형태

(2) 참여 민주주의 •
• ㉡ 다수의 시민이 의사 결정 과정에서 자발적으로 참여하는 형태

(3) 심의 민주주의 •
• ㉢ 유권자인 시민이 적절한 대표자를 선출하여 국정을 위임하는 형태

04 다음 설명이 맞으면 ○표, 틀리면 ×표를 하시오.

(1) 엘리트 민주주의는 유권자의 투표가 선출된 대표자의 정치적 행위에 정당성을 부여한다고 본다. ( )

(2) 소로는 개인의 양심이 아닌 시민 다수의 정의감을 불복종의 최종 근거라고 보았다. ( )

(3) 하버마스는 합법적인 규정이더라도 헌법 정신에 어긋나는 법에 대해서는 불복종이 가능하다고 보았다. ( )

A 근대 민주주의의 지향과 자유 민주주의

01 고대 그리스의 아테네에서 시행된 민주주의에 대한 설명으로 옳지 <u>않은</u> 것은?

① 시민은 누구나 정치에 참여할 수 있었다.
② 시민이 아닌 외국인은 정치적 주체가 될 수 없었다.
③ 시민들은 민회에 모여 자유롭게 의견을 교환하였다.
④ 법원의 배심원을 포함한 공직은 철학자가 담당하였다.
⑤ 시민들은 토론을 통해 국가의 중요한 사항을 직접 결정하였다.

02 정치 형태 ㉠의 특징으로 옳은 것만을 〈보기〉에서 있는 대로 고른 것은?

> 우리의 정치 체제는 소수가 아닌 다수를 위한 것이기 때문에 ㉠ (이)라 불립니다. 사적인 분쟁들에 관해서는 법률에 따라 모두가 평등합니다. 그리고 누군가가 도시를 위해 좋은 일을 할 능력이 있다면, 가난에 따른 신분의 미미함으로 제약받는 일도 없습니다.

보기
ㄱ. 지배하는 자와 지배받는 자가 동일하다.
ㄴ. 정치 공동체 구성원 사이의 정치적 평등을 주장한다.
ㄷ. 국민이 정부와 국회의 운영에 대한 책임을 물을 수 있다.
ㄹ. 정치 공동체의 주권은 정치를 담당하는 통치자에게 있다.

① ㄱ, ㄴ ② ㄱ, ㄹ ③ ㄷ, ㄹ
④ ㄱ, ㄴ, ㄷ ⑤ ㄴ, ㄷ, ㄹ

03 로크의 입장으로 옳은 것만을 〈보기〉에서 있는 대로 고른 것은?

보기
ㄱ. 특정 세력에게 권력이 집중되는 것은 옳지 않다.
ㄴ. 정치권력의 정당성은 구성원들의 동의에 기초한다.
ㄷ. 계약 위반을 처벌할 절대 군주의 통치력이 중요하다.
ㄹ. 개인의 자연권을 침해하는 정치권력에 저항할 수 있다.

① ㄱ, ㄴ ② ㄱ, ㄷ ③ ㄷ, ㄹ
④ ㄱ, ㄴ, ㄹ ⑤ ㄴ, ㄷ, ㄹ

04 루소의 입장에만 모두 '✓'를 표시한 학생은?

번호	입장	갑	을	병	정	무
(1)	국민이 직접 인정하지 않은 법은 무효이다.	✓			✓	✓
(2)	주권은 시민이 선출한 대의원을 통해 대표되어야 한다.		✓		✓	✓
(3)	인간의 불평등한 상황은 사유 재산의 발생에서 비롯된다.	✓	✓	✓		
(4)	일반 의지에 복종하는 행위는 개인의 소유물을 필연적으로 침해한다.		✓	✓		✓

① 갑 ② 을 ③ 병 ④ 정 ⑤ 무

05 갑, 을 사상가들의 입장으로 옳은 것만을 〈보기〉에서 있는 대로 고른 것은?

> 갑: 정부가 가진 모든 권력은 오직 사회의 선을 위한 것이므로 자의적이고 제멋대로 행사되어서는 안 되며, 확립되고 선포된 법률에 따라 행사되어야 한다. 왜냐하면 한편으로는 국민이 그들의 의무를 알 수 있고 법률의 한도 내에서 안심할 수 있기 때문이며, 다른 한편으로는 통치자가 적절한 한계 내에서 권력을 함부로 행사하는 일이 없도록 방지할 수 있기 때문이다.
> 을: 주권은 양도될 수 없으며 같은 이유로 다른 사람에 의해 대표될 수 없다. 주권은 일반 의지에 의해 성립하며 이 의지는 다른 사람에 의해 대표될 수 없다. 대의원은 국민의 심부름꾼에 불과하며 어떤 것도 결정할 수 없다.

보기
ㄱ. 갑은 인간이 자연법상의 모든 권리를 간섭받지 않고 누려야 한다고 본다.
ㄴ. 을은 일반 의지에 대한 복종은 자기 자신에 대한 복종이라고 본다.
ㄷ. 을은 주권은 구성원의 동의하에 군주에게 양도되어야 한다고 본다.
ㄹ. 갑과 을은 사회 계약은 시민적 자유와 양립 가능하다고 본다.

① ㄱ, ㄴ ② ㄱ, ㄷ ③ ㄷ, ㄹ
④ ㄱ, ㄴ, ㄹ ⑤ ㄴ, ㄷ, ㄹ

B 도덕적 자율성과 책임 및 시민의 소통과 유대

06 대의 민주주의의 한계에 대한 설명만을 〈보기〉에서 고른 것은?

> 보기
> ㄱ. 시민이 정치에 무관심해질 수 있다.
> ㄴ. 대표자가 전문성과 자율성을 발휘하기 어렵다.
> ㄷ. 대표자가 다수의 의사를 온전히 대표하기 어렵다.
> ㄹ. 인민의 지배가 그들이 선출한 대표자를 통해 간접적으로 이루어진다.

① ㄱ, ㄴ　② ㄱ, ㄷ　③ ㄴ, ㄷ　④ ㄴ, ㄹ　⑤ ㄷ, ㄹ

07 슘페터가 긍정의 대답을 할 옳은 질문만을 〈보기〉에서 있는 대로 고른 것은?

> 보기
> ㄱ. 유권자의 투표가 대표자의 정치적 행위에 정당성을 부여하는가?
> ㄴ. 시민과 달리 정치가들은 정치적 문제에 대한 책임 의식을 지니기 어려운가?
> ㄷ. 시민의 역할은 지도자를 선출하는 투표자의 역할에 한정하지 말아야 하는가?
> ㄹ. 선거에서 표를 획득하기 위하여 지도자들이 자유롭게 경쟁할 수 있어야 하는가?

① ㄱ, ㄴ　　② ㄱ, ㄹ　　③ ㄷ, ㄹ
④ ㄱ, ㄴ, ㄷ　　⑤ ㄴ, ㄷ, ㄹ

08 다음 글에서 설명하는 민주주의의 입장으로 가장 적절한 것은?

> 민주주의의 질은 공적 심의에 달려 있습니다. 시민들은 정책 결정 과정에서 정치적 사안에 대한 의견을 교환하고 토론할 수 있으며, 이 과정에서 시민들 사이의 유대는 강화될 수 있습니다.

① 합의 도출을 위해 시민 참여를 최대한 배제해야 한다.
② 민주주의의 본질은 표를 얻기 위한 엘리트들의 경쟁이다.
③ 토론과 숙고를 통해 정책 결정의 공공성을 강화해야 한다.
④ 심의 과정에서 기회나 지위는 차등적으로 부여되어야 한다.
⑤ 투표로 선출된 대표만이 정책을 심의하고 결정하는 주체이다.

09 갑, 을의 입장으로 옳은 것만을 〈보기〉에서 있는 대로 고른 것은?

> 갑: 어떤 법이나 정책이 민주적 절차를 거치지 않았다면 의사소통적 합리성이 없기 때문에 이에 대해 불복종을 할 수 있다. 시민 불복종은 개별 법규를 위반하기는 하지만, 법 질서 전체를 거부하는 것은 아니다.
> 을: 시민 불복종은 거의 정의로운 국가에서 체제의 합법성을 인정하는 시민들에 의해서만 생겨난다. 시민 불복종은 법이나 정책이 정의의 원칙을 현저하게 위반할 때 다수의 정의관에 호소하는 정치적 행위이다.

> 보기
> ㄱ. 갑: 시민 불복종은 헌법을 정당화하는 원칙에 근거하여 이루어져야 한다.
> ㄴ. 을: 시민은 정의의 원칙을 훼손한 법에 대해 비폭력적으로 저항해야 한다.
> ㄷ. 을: 행위의 정당성을 판단하는 최종 근거는 개인의 양심이다.
> ㄹ. 갑, 을: 불복종을 행한 사람은 자신의 행위에 대한 법적인 결과를 책임져야 한다.

① ㄱ, ㄴ　　　② ㄱ, ㄷ　　　③ ㄷ, ㄹ
④ ㄱ, ㄴ, ㄹ　　⑤ ㄴ, ㄷ, ㄹ

서답형 문제

10 다음 글을 읽고 물음에 답하시오.

> 민주주의의 질은 대표 선출을 위해 투표하는 단순한 정치 참여만으로는 높아질 수 없다. 진정한 민주주의를 실현하기 위해서는 시민들이 정책 결정 과정에 직접 참여하여 강한 영향력을 행사해야 한다.

(1) 위의 주장에서 지지하는 민주주의의 형태를 쓰시오.
　　　　　　　　　　　　　　（　　　　　　　）

(2) (1)에서 답한 민주주의의 의의와 한계를 쓰시오.

01 다음 사상가가 부정의 대답을 할 질문으로 가장 적절한 것은?

> 군주나 입법부가 신탁에 반해서 행동하는지를 판단하는 재판관이 누구인가? 바로 인민이다. 수탁자가 신탁에 따라 잘 처신하고 있는지를 위임한 사람, 곧 위임하였기에 그가 신탁에 반해 행동한다면 그를 해임할 권력을 가지고 있는 사람이 아니라면 누가 판단하겠는가?

① 국민을 통치의 주체로 인정해야 하는가?
② 민의에 반하는 통치자는 교체될 수 있는가?
③ 통치 권력은 국민으로부터 위임받은 것인가?
④ 국가의 주권은 국민에게 있다고 보아야 하는가?
⑤ 통치자는 권력을 자의적으로 행사할 수 있는가?

02 근대 서양 사상가 갑, 을의 입장에 대한 옳은 설명만을 〈보기〉에서 있는 대로 고른 것은?

> 갑: 입법권은 개인의 소유권을 보장하기 위해 위임된 권력이다. 절대 군주가 모든 권력을 독점하는 것보다 입법권과 행정권으로 국가 권력을 분할하는 것이 낫다.
> 을: 입법권은 주권의 파생물에 불과한 것이므로 이 권력을 주권의 일부분으로 보아서도 안 된다. 또한 주권은 일반 의지의 행사이므로 결코 양도될 수도 없다.

> 〈보기〉
> ㄱ. 갑은 권력 집중보다 권력 분립이 필요하다고 본다.
> ㄴ. 갑은 국가의 목적이 국민의 재산을 보호하는 데 있다고 본다.
> ㄷ. 을은 국가 권력에 대해서 저항권을 행사할 수 있다고 본다.
> ㄹ. 갑, 을은 상호 투쟁 상태인 자연 상태에서 벗어나야 한다고 본다.

① ㄱ, ㄴ   ② ㄱ, ㄹ   ③ ㄷ, ㄹ
④ ㄱ, ㄴ, ㄷ   ⑤ ㄴ, ㄷ, ㄹ

03 다음을 주장한 사상가의 입장으로 옳지 <u>않은</u> 것은?

> 자유의 영역으로 다음의 세 가지를 생각할 수 있다. 첫째, 모든 주제에 대해 양심의 자유, 생각과 감정의 자유, 의견과 주장의 자유를 누려야 한다. 둘째, 자신의 기호를 즐기고 희망하는 것을 추구할 자유를 지녀야 한다. 셋째, 타인에게 해가 되지 않는 한 어떤 목적의 모임이든 자유롭게 결성할 수 있어야 한다. 어떤 정부 형태이든 이 세 가지 자유가 존중되지 않는다면 결코 자유로운 사회라고 할 수 없다.

① 개인의 자유를 최대한 보장하는 정부가 바람직하다.
② 자유의 실현을 위해 개인의 권리 보호를 중시해야 한다.
③ 국가는 개인의 자유와 권리를 보호하기 위한 조직에 불과하다.
④ 국가는 개인들의 다양한 가치관에 대해 가능한 중립을 유지해야 한다.
⑤ 개인의 행동을 제약하는 국가와 사회의 모든 통제는 정당하지 않다.

04 (가), (나)의 옳은 입장만을 〈보기〉에서 있는 대로 고른 것은?

> (가) 민주주의는 선거에서 표를 획득하기 위해 자유롭게 경쟁하는 과정에서 선출된 정치가에 의한 통치이다. 정치적 전문성을 갖춘 엘리트 지도자에게 정치를 맡겨야 한다.
> (나) 민주주의는 공론의 장에서 시민들이 사회적 쟁점에 대해 깊이 있게 토론하고 심의하는 과정이 중심이 되어야 한다. 모든 시민이 심의 과정에 동등하게 참여할 수 있어야 한다.

> 〈보기〉
> ㄱ. (가)는 국가의 모든 정책에 시민들이 참여하는 절차의 마련을 강조한다.
> ㄴ. (가)는 정책적 전문성을 갖춘 직업인으로서의 정치가에게 정치를 맡겨야 한다고 본다.
> ㄷ. (나)는 소통 과정을 통해 시민들의 집단 의사를 형성해가는 심의를 필수적이라고 본다.
> ㄹ. (가)와 (나)는 시민들의 정치 참여가 대표자를 선출하는 투표만으로 충분하다고 본다.

① ㄱ, ㄷ   ② ㄱ, ㄹ   ③ ㄴ, ㄷ
④ ㄱ, ㄴ, ㄹ   ⑤ ㄴ, ㄷ, ㄹ

기출 변형

05 시민 불복종에 대한 갑, 을의 입장만을 〈보기〉에서 고른 것은?

> 갑: 시민들의 부정의한 법에 대한 불복종은 거의 공유된 정의관에 의해 정당화된다. 이러한 불복종은 거의 정의로운 국가에서 체제의 합법성을 인정하는 시민들에 의해서만 생긴다.
> 을: 우리의 법질서는 보편적인 원칙들에 토대를 두고 있다. 기본권, 소송권의 보장, 국민 주권 원칙, 법 앞에서의 평등, 권력 분립 등과 같은 원칙은 언제나 같은 방식으로 모든 사람에게 모든 사안에 똑같이 적용된다.

보기
> ㄱ. 갑: 정치 체제의 변혁은 시민 불복종의 최종 목적이다.
> ㄴ. 갑: 시민 불복종은 합법적인 방법이 수용되지 않았을 때 비로소 이루어져야 한다.
> ㄷ. 을: 오류의 소지가 있는 법과 정책은 의사소통 과정에서 교정되어야 한다.
> ㄹ. 갑, 을: 시민 불복종은 합리적인 의사소통을 통해 합의한 원칙에 어긋난 법이나 정책에 대한 저항이다.

① ㄱ, ㄴ ② ㄱ, ㄷ ③ ㄴ, ㄷ ④ ㄴ, ㄹ ⑤ ㄷ, ㄹ

06 (가), (나)에 대한 옳은 설명만을 〈보기〉에서 있는 대로 고른 것은?

> (가) 시민 개개인의 정치적 무관심을 부추기는 민주주의를 극복하는 유일한 방안은 참여에 있다. 이제 시민들은 정치인들의 억압과 시민들의 수동성이라는 악순환을 깨기 위해 공공 현안에 직접 참여해야 한다.
> (나) 일반 시민은 정치적 사안을 파악하기 위한 정보가 부족하거나 관심이 없어 조작당하기 쉽다. 따라서 투표를 통하여 선출된 지배 엘리트가 정책 결정을 해야 한다.

보기
> ㄱ. (가)는 선출된 대표가 각계각층의 입장을 충분히 대표한다고 주장한다.
> ㄴ. (가)는 다수의 시민이 적극적으로 정치에 참여해야 한다고 주장한다.
> ㄷ. (나)는 시민들이 정부 정책과 집행 과정에 영향력을 행사하여 참여의 질을 높여야 한다고 주장한다.
> ㄹ. (나)는 (가)와 달리 정책 결정에 필요한 지식을 갖춘 전문가에게 정치를 맡겨야 한다고 주장한다.

① ㄱ, ㄷ   ② ㄱ, ㄹ   ③ ㄴ, ㄹ
④ ㄱ, ㄴ, ㄷ   ⑤ ㄴ, ㄷ, ㄹ

기출 변형

07 (가)의 갑, 을 사상가들의 입장을 (나) 그림으로 탐구할 때, A~C에 들어갈 질문으로 가장 적절한 것은?

(가)	갑: 법에 대한 존경심 때문에 선량한 사람이 불의의 하수인이 되어서는 안 된다. 내가 떠맡아야 할 유일한 책무는 내가 옳다고 생각하는 일을 행하는 것이다. 을: 시민 불복종의 근거가 개인이나 집단의 이익에 기초해서는 안 된다. 시민 불복종은 정의로운 사회에서 공유되고 있는 정의관에 의거하여 이루어지는 것이다.
(나)	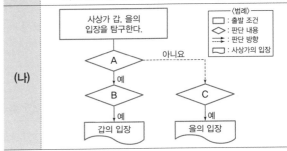

① A: 시민 불복종은 정의롭지 못한 법을 의도적으로 위반하는 행위인가?
② A: 시민 불복종은 합법적인 청원이 수용되지 않을 때 이루어져야 하는 최후의 수단인가?
③ B: 시민 불복종은 정치 체제를 변혁하기 위한 비공개적인 행위인가?
④ C: 공동체의 정의감이 시민 불복종의 정당화 근거가 되어야 하는가?
⑤ C: 양심에 어긋나는 모든 법에 대해 시민 불복종을 즉시 전개해야 하는가?

기출 변형

08 다음 제시문의 입장으로 옳지 않은 것은?

> 심의 민주주의가 성공하기 위해서는 세 가지 조건이 필요하다. 첫째, 심의 능력을 갖춘 심의 참가자가 심의 과정에서 동등한 지위를 보장받아야 한다. 둘째, 심의 참가자는 이성적인 사유에 근거하여 자신의 의사를 자유롭게 표현할 수 있다. 셋째, 심의 참가자는 제도나 정책을 옹호하거나 비판할 때 동료 시민들이 수용할 수 있는 이유를 제시함으로써 서로 간의 이해에 도달해야 한다.

① 관련 정보 공유로 시민들의 이해력을 증진해야 한다.
② 심의 주체들은 평등한 관계에서 의견을 개진해야 한다.
③ 심의 참가자는 자유롭게 의사 표현을 할 수 있어야 한다.
④ 심의의 효율성을 위해 의사 표현의 기회는 제한되어야 한다.
⑤ 공공 문제를 토론하는 데 있어 상호 이해와 소통이 필요하다.

05 ~ 자본주의

❶ 보이지 않는 손
개인이 오직 자신의 이익만을 위해 경쟁하는 과정에서 누가 의도하거나 계획하지 않아도 사회 구성원 모두에게 유익한 결과를 가져오게 된다는 시장 경제의 자율 작동 원리이다.

❷ 자유방임주의
개인의 경제 활동의 자유를 최대한으로 보장하고, 이에 대한 국가의 간섭을 최대한 배제하려는 것을 말한다.

A 자본주의의 규범적 특징과 기여

1. 자본주의의 규범적 특징과 전개 과정

(1) 자본주의의 의미: 사유 재산 제도를 바탕으로 시장에서의 자유 교환을 중심으로 하는 경제 체제
└ **통** 생산 수단을 개인이 소유할 수 있고 자유롭게 처분할 수 있도록 법으로 보장하는 제도

(2) 자본주의의 발전 배경

자유주의	개인의 자유를 존중하고 봉건적 체제의 구속과 국가의 부당한 간섭을 거부하는 자유주의의 영향으로 사유 재산과 경제적 자유를 보장하는 토대가 마련됨
프로테스탄티즘 ^{자료1}	칼뱅 사상의 영향을 받아 근면, 검소, 성실을 강조하며 합리적인 이윤 추구를 긍정하는 프로테스탄티즘은 자본주의 성장 및 발전에 있어 종교적 기반을 제공함

(3) 자본주의의 규범적 특징

① 개인의 경제적 자율성과 사적 소유권을 최대한 보장함
② 이윤 추구를 위해 시장에서의 자유 경쟁을 허용함

(4) 자본주의의 전개 과정

⭐ 한눈에 정리

자본주의의 전개 과정

고전적 자본주의	국가의 간섭을 최대한 배제	시장 실패
수정 자본주의	정부의 적극적 시장 개입 주장	정부 실패
신자유주의	정부의 시장 개입 반대	시장 실패

고전적 자본주의 ^{자료2}	• 대표 사상가: 애덤 스미스 • 자유로운 경제 활동을 통해 상품을 생산·판매하면 국가의 부가 증대된다고 봄 • 각 개인의 경제적 자율성을 최대한 보장하기 위해 '보이지 않는 손'❶의 역할을 강조함 → 국가의 간섭을 최대한 배제하려는 자유방임주의❷를 도덕적으로 정당화함 • 국가의 역할은 국방, 치안, 공공사업 등 최소한의 영역에 국한해야 한다고 봄 • 문제점: 시장 실패가 나타날 수 있음
수정 자본주의	• 대표 사상가: 케인스 ┌ **예** 케인스는 정부가 공공사업을 벌여 실업률을 낮추고 가계 소비와 생산을 증가시켜야 한다고 주장함 • 시장 실패 문제가 발생하자 정부가 경제 활동에 적극적으로 개입해야 한다고 주장하며 등장함 • 정부의 적극적인 시장 개입을 통해 불황과 실업을 극복하고 복지를 확대해야 한다고 봄 • 문제점: 정부 실패❹가 나타날 수 있음
신자유주의 ^{자료3}	• 대표 사상가: 하이에크 • 정부의 거대화, 무능과 부패와 같은 정부 실패를 해결하기 위해 정부의 기능을 축소하고 개인의 자유와 시장 경제를 확대해야 함 • 공기업의 민영화, 복지 정책의 감축, 노동 시장의 유연화 등의 정책을 추구함 • 문제점: 시장 실패가 다시 나타날 수 있음

❸ 시장 실패
시장 경제에서 '보이지 않는 손'이 제대로 작동하지 않아 자원이 효율적으로 배분되지 못하는 상태를 말한다.

2. 자본주의의 윤리적 기여

(1) 경제적 효율성 증진과 물질적 풍요
• 자유 경쟁하에서 사람들이 더 많은 이윤을 얻고자 경제 활동에 집중하여 재화의 대량 생산과 소비가 가능해짐
• 경제적 효율성 증진에 따라 물질적 풍요를 이룸

(2) 개인의 자유와 권리 신장: 개인의 자유로운 경제 활동과 사적 소유권을 보호하고 증진함으로써 개인의 자유와 권리를 신장함

(3) 개인의 자율성과 창의성 증대

❹ 정부 실패
정부의 시장 개입이 시장의 문제를 충분히 해결하지 못하거나 오히려 악화시키는 현상을 가리킨다.

• 경제 활동에서 개인이 자율적으로 판단하고 선택하는 주체가 됨
• 더 많은 이윤을 얻기 위해 서로 경쟁하는 과정에서 창의성이 증대됨

자료1 프로테스탄티즘과 자본주의

> 현세적인 프로테스탄트의 금욕은 전력을 다해 재산을 낭비하는 향락에 반대해 왔고 소비, 특히 사치재 소비를 봉쇄해 버렸다. 반면에 이 금욕은 재화 획득을 전통주의적인 윤리의 장애에서 해방하는 심리적 결과를 낳았으며, 이익 추구를 합법화했을 뿐만 아니라 직접 신의 뜻이라고 간주함으로써 이익 추구에 대한 질곡을 뚫고 나왔다.
>
> – 베버, "프로테스탄트 윤리와 자본주의 정신"

| 자료 분석 | 칼뱅은 직업을 신의 소명으로 보아 직업적 성공에 따른 부의 축적을 도덕적·종교적으로 정당화하였다. 이러한 칼뱅의 사상에 영향을 받은 프로테스탄티즘은 금욕주의적 삶의 태도뿐만 아니라 근면, 검소, 성실을 강조하며 합리적인 이윤 추구를 긍정하였다. 또한 이익 추구를 신의 뜻이라고 간주하며 이를 정당화하는 계기를 마련하였다.

한줄 핵심 ▶ 프로테스탄티즘은 근대 자본주의의 성장에 있어 종교적 기반을 제공하였다.

❶ 금욕과 근면을 강조한 프로테스탄트의 윤리는 자본주의 정신의 토대가 되었다. ○ ✕

자료2 애덤 스미스의 고전적 자본주의

> 개인은 오로지 이익을 추구할 뿐이며 이러한 이익 추구는 개인의 의도와 상관없이 목적을 달성하기 위한 '보이지 않는 손'의 영향을 받는다. 그러나 개인의 이익을 추구하다 보면 저절로 사회의 이익도 추구하게 되는데, 이 경우 처음부터 의도적으로 사회의 이익을 추구하려 노력할 때보다 오히려 더 큰 효과를 낼 수 있다.
>
> – 애덤 스미스, "국부론"

| 자료 분석 | 애덤 스미스는 개인의 이기심은 죄악이 아니라 사회 전체의 부를 증가 시키는 원동력으로 보았다. 그래서 경제적 자율성을 최대한 보장하여 개인이 자신의 이익을 자유롭게 추구하도록 내버려둠으로써 사회의 이익을 증진시킬 수 있다고 주장하였다.

한줄 핵심 ▶ 애덤 스미스는 개인이 자기 이익을 자유롭게 추구하면 사회 전체의 부가 증진된다고 보았다.

❷ 애덤 스미스는 수요와 공급은 시장에서 '보이지 않는 손'을 통해 자연스럽게 조절된다고 보았다. ○ ✕

자료3 하이에크가 본 경쟁의 의미

> 경쟁은 알려진 방법 중 가장 효율적일 뿐만 아니라 권력의 강제적이고 자의적인 간섭 없이도 우리의 행위가 조정될 수 있는 유일한 방법이기 때문에 우월한 방법이라고 할 수 있다. 경쟁은 의식적인 사회적 통제를 필요로 하지 않는다. 어떤 일이 그 일과 연관된 불리한 점과 위험 요소를 상쇄하고도 남을 만큼 전망이 있는지 아닌지를 결정하는 것은 각자에 달려 있다.
>
> – 하이에크, "노예의 길"

| 자료 분석 | 신자유주의를 대표하는 사상가인 하이에크는 인간의 노력을 조정하는 수단으로서의 경쟁의 힘을 가능한 최대로 활용해야 한다고 보았다. 그는 국가가 경제 계획을 통해 시장에 개입하면 경쟁을 통해 행위가 조정되는 시장의 자율성을 훼손한다고 주장하였다.

한줄 핵심 ▶ 하이에크는 개인의 경제 활동의 목적은 오직 자유 경쟁 체제에서만 실현 가능하다고 보면서 시장의 자율성을 강조하였다.

❸ 하이에크는 정부가 적극적으로 개입하여 경쟁으로 인한 문제를 해결해야 한다고 보았다. ○ ✕

(정답이 가장 먼 것이 가장 바른 답입니다)

정답 ❶ ○ ❷ ○ ❸ ✕

❺ 천민자본주의
베버가 사용한 용어로, 돈에 집착한 나머지 공정성을 상실하고 독점, 투기, 불로 소득에 대한 집착, 정경 유착 등을 추구하는 타락한 자본주의를 의미한다.

❻ 물신 숭배
인간 노동력의 산물인 상품, 화폐, 자본 등이 오히려 신앙 또는 숭배의 대상이 된다는 뜻이다. 마르크스는 자본주의가 이윤을 극대화해야 한다는 목적을 위해 인간을 물질에 종속된 존재로 전락시켜 버렸다고 본다.

❼ 롤스의 정의의 원칙
롤스는 정의로운 사회를 실현하기 위한 조건으로 제1원칙인 평등한 자유의 원칙과 제2원칙인 차등의 원칙, 동등한 기회균등의 원칙을 제시하였다.

B 자본주의에 대한 비판과 대안

1. 자본주의에 대한 비판적 시각

(1) 빈부 격차 심화
　　　　　　　　　　　　　┌ 똟 태어날때부터 지니고 있는 것
① 경쟁에 참여하는 개인들의 <u>선천적</u> 능력, 물려받은 재산, 교육 정도 등의 차이로 인해 기회나 소득 격차 발생 → 빈부 격차가 심화됨
② 빈부 격차 심화는 계층 간 갈등으로 이어져 사회 발전과 통합을 가로막는 원인이 됨

(2) 물질 만능주의
① 자본과 같은 물질적 가치가 삶을 평가하는 절대적인 기준이자 만능 도구라는 인식이 확산됨
② 물질 만능주의가 팽배하면서 **천민자본주의**적 풍조가 만연해지고, **물신 숭배 현상**이 발생함

(3) 인간 소외 현상 〔자료 4〕
① 자본주의 경제 체제에서 이윤의 극대화만을 추구한 나머지 상품을 인간보다 중요하게 여기게 됨
② 인간이 만들어 낸 물질에 의해 인간이 지배당하거나 물질적 가치만을 좇으며 인간성을 상실하는 현상이 발생함

2. 자본주의에 대한 대안적 시도

(1) 롤스의 정의론
① 정의론을 바탕으로 국가가 시장에 개입하는 것을 도덕적으로 정당화함
② 자연적이고 사회적인 조건의 우연성이 개인의 자유 실현과 삶의 전망에 미칠 영향을 최소화하는 정의로운 사회를 주장함
　　　　　　　　　　└ 예 실업, 빈곤, 재해, 질병, 선천적 능력의 차이 등

(2) 사회주의

마르크스와 민주 사회주의 비교

마르크스	• 모든 사적 소유 부정 • 폭력 혁명인 프롤레타리아 혁명 주장
민주 사회주의	• 부분적으로 사적 소유 허용 • 평화적이고 민주적인 방법으로 사회주의 이상을 추구할 것을 주장

❽ 계획 경제
한 나라의 경제 전체 부문이 국가의 의사에 따라 통일적·계획적으로 움직이는 구조를 뜻한다.

마르크스 주의 〔자료 5〕	• 자본주의의 근본 문제는 생산 수단의 사적 소유와 자유 시장 경제에 있다고 봄 • <u>프롤레타리아 혁명</u>을 통해 프롤레타리아에 의한 **생산 수단의 공유와 계획 경제**를 주장함 └ 똟 부르주아와 달리 생산 수단을 소유하지 못해 노동력을 제공하여 살아가는 빈곤한 노동자 계급 • 궁극적으로 사유 재산, 계급, 국가가 소멸하고 모두가 평등하게 살아가는 공산 사회를 지향함 • 의의: 자본주의의 건전한 발전을 위한 윤리적 시사점을 제공함
민주 사회주의 〔자료 6〕	• 자본주가 인간으로서의 권리보다 소유 권리를 우선하여 인간의 기본적 필요를 만족시키지 못했다고 봄 → 사익보다 공익을 우선할 것을 강조함 • 공유제를 바탕으로 하되, 농업, 수공업, 소매업, 중소 공업 등 중요한 부문의 **사적 소유를 인정**함 • 의회를 통한 점진적 개혁으로 사회주의를 실현할 것을 주장함 • 의의: 사회 보장 제도의 확대를 주장하여 서구 복지 자본주의 발전에 이바지함

3. 바람직한 자본주의 사회의 실현을 위한 노력

개인적 차원	• 인간의 가치를 경제적으로만 평가하고 판단하는 태도를 극복해야 함 • 공정한 경쟁을 통해 합리적으로 이윤을 추구하려는 자세를 지녀야 함
사회적 차원	• 공동체 의식을 함양하고 상생의 문화를 확립해야 함 • 경제적 불평등을 완화하기 위한 정책과 제도를 실시해야 함
국제적 차원	• 국가 간 빈부 격차를 완화하려는 노력이 필요함 • 국가 간 협력과 국제기구의 노력을 통해 국제 정의를 실현해야 함

자료4 인간 소외 현상을 비판한 마르크스

> ┌ 巫 산업 자본가가 임금 노동자들을 고용하여 생산 수단을 제공하고
> └ 그들의 수공 기술을 이용하여 상품을 생산하게 한 제도
> 공장제 수공업은 이전에는 독립적이었던 노동자를 자본의 지휘와 규율에 복종시킬 뿐만 아
> 니라 노동자 자신들 사이의 등급적 계층을 만들어 낸다. 단순 협업은 개개인들의 노동 방식
> 을 대체로 변경시키지 않지만, 공장제 수공업은 그것을 철저히 변혁시키며 개별 노동력을
> 완전히 장악한다. 공장제 수공업은 노동자의 모든 생산적인 능력과 소질을 억압하면서 특수
> 한 기능만을 촉진함으로써 노동자를 소외시킨다.   – 마르크스, "자본론"

| 자료 분석 | 마르크스는 공장제 수공업을 전제한 자본주의적 생산 방식이 자유롭고 의식적인 노동을 왜
곡하여 노동을 통한 자아실현을 가로막게 된다고 비판하였다. 그는 자본주의적 생산 방식은
노동자의 노동을 왜곡하고 파편화함으로써 노동자가 그 자신의 노동으로부터 소외된다고
보았다.

한줄 핵심 마르크스는 자본주의적 생산 양식에서 비롯된 인간 소외 현상을 비판하였다.

❹ 마르크스는 자본주의 사회에서 노동자는 노동 과정에서 주체가 될 수 없다고 보았다.
○ ╳

자료5 마르크스와 "공산당 선언"

> 공산주의자들이 당면한 목적은 프롤레타리아 계급의 형성, 부르주아 계급 지배의 전복, 프롤
> 레타리아 계급에 의한 정치권력 획득이다. … 공산주의를 잘 설명하는 것은 일반적 의미의 소
> 유 철폐가 아니라 부르주아적 소유의 철폐이다. 이러한 의미에서 공산주의자들은 그들의 이
> 론을 하나의 표현으로 집약할 수 있는데, 생산 수단의 사적 소유 폐지가 그것이다.
>   – 마르크스·엥겔스, "공산당 선언"

| 자료 분석 | 마르크스는 부르주아적 소유를 철폐하기 위해서는 프롤레타리아 계급을 형성하여 부르주
아 계급의 지배에서 벗어나야 한다고 주장하였다. 그는 프롤레타리아 계급이 중심이 되어
혁명을 일으켜 생산 수단의 사적 소유를 폐지하고 경제적 평등을 실현할 것을 주장하였다.

한줄 핵심 마르크스는 프롤레타리아에 의한 생산 수단의 공유와 계획 경제를 주장하였다.

❺ 마르크스는 자본가와 노동자가 연대하여 빈부 격차의 심화 문제를 해결할 수 있다고 보았다.
○ ╳

자료6 민주 사회주의와 '프랑크푸르트 선언'

> • 사회주의는 ㉠ 공공의 이익이 사적 이윤보다 우선하는 체제로 자본주의를 대치하려고 노력
>   한다. 사회주의 정책이 당면한 경제적 목표는 완전 고용, 보다 높은 생산, 생산 수준의 향
>   상, 사회 보장 및 소득과 재산의 공평한 분배이다.
> • 사회주의적 계획화는 ㉡ 모든 생산 수단의 공유화를 전제하지 않는다. 그것은 중요한 부
>   문, 예컨대 농업, 수공업, 중소 공업 등에서의 ㉢ 사적 소유와 양립할 수 있다.
>   – '프랑크푸르트 선언'

| 자료 분석 | '프랑크푸르트 선언'은 민주 사회주의가 추구하는 이념을 잘 보여준다. 민주 사회주의자들은
㉠과 같이 사회주의가 사익보다 공익을 우선하는 체제임을 말하면서도, ㉡에 나타난 것처럼
모든 생산 수단의 공유화를 주장하지 않음으로써 ㉢과 같이 부분적으로는 사적 소유를 허용
하였다.

한줄 핵심 민주 사회주의는 부분적으로 사적 소유를 허용하였다.

❻ 민주 사회주의는 부분적으로 사적 소유를 허용한다.
○ ╳

○ ❻ (됨 나없 수 될 킬
바급 가자롱노 한여기자 는
╳ ❺ ○ ❹ **답정** ×(스크르마)

A 자본주의의 규범적 특징과 기여

01 빈칸에 알맞은 말을 쓰시오.

(1) 자본주의는 □□ □□ 제도를 바탕으로 □□에서의 자유 교환을 중심으로 하는 경제 체제를 의미한다.

(2) 칼뱅 사상에 영향을 받은 □□□□□□은/는 근면, 검소, 성실을 강조하며 합리적 이윤 추구를 긍정하였다.

(3) 자본주의는 재화의 대량 생산과 소비가 가능해짐으로써 경제적 효율성이 증대되어 □□적 풍요를 이루는데 기여하였다.

02 알맞은 설명에 ○표를 하시오.

(1) 애덤 스미스는 시장에 대한 국가의 간섭을 최대한 (허용, 배제)하려는 자유방임주의를 도덕적으로 정당화하였다.

(2) 케인스는 시장에 대한 정부의 개입을 통해 불황과 실업을 극복하고 복지를 (축소, 확대)해야 한다고 보았다.

(3) 하이에크는 정부의 시장 개입을 반대하며 정부의 기능을 (확대, 축소)할 것을 주장하였다.

03 자본주의의 전개 과정과 대표 사상가를 바르게 연결하시오.

(1) 신자유주의 •　　　　　　　　　　• ㉠ 애덤 스미스

(2) 수정 자본주의 •　　　　　　　　　• ㉡ 케인스

(3) 고전적 자본주의 •　　　　　　　　• ㉢ 하이에크

B 자본주의에 대한 비판과 대안

04 빈칸에 알맞은 말을 쓰시오.

(1) 자본주의 체제하에서 □□ □□의 심화는 계층 간의 갈등으로 이어질 수 있다.

(2) □□ □□ 현상이란 물질에 의해 인간이 지배당하거나 물질적 가치만을 좇으면서 인간성을 상실하는 현상이다.

(3) □□ □□□□은/는 물질을 중시하는 현상이 심화되어 물질적 가치를 절대적인 기준으로 여기는 문제를 의미한다.

05 다음 설명이 맞으면 ○표, 틀리면 ×표를 하시오.

(1) 마르크스는 생산 수단의 공유를 주장하였다. （　　）

(2) 민주 사회주의는 자본주의와 달리 사익보다 공익을 우선시해야 한다고 본다. （　　）

(3) 민주 사회주의는 의회를 통한 점진적 개혁을 통해 사회주의의 이상 실현을 강조한다.

（　　）

(4) 마르크스와 민주 사회주의는 프롤레타리아 혁명을 통해 자본주의를 무너뜨리고 생산 수단을 공유화해야 한다고 주장하였다. （　　）

탄탄! 내신 다지기

A 자본주의의 규범적 특징과 기여

01 ㉠에 들어갈 내용으로 가장 적절한 것은?

> 자본주의는 프로테스탄티즘 등의 영향을 받아 성립하고 발전하였다. 칼뱅의 사상에 영향을 받은 프로테스탄티즘 은 [㉠   ].

① 근면, 검소, 성실을 강조하였다
② 합리적인 이윤 추구를 부정하였다
③ 직업에 대한 소명 의식을 부정하였다
④ 부의 축적은 신의 뜻에 어긋난다고 보았다
⑤ 개인의 자유를 존중하고 국가의 부당한 간섭을 거부하였다

02 케인스의 주장으로 옳은 것은?

① 공익의 증진을 위해 사익 추구를 금지해야 한다.
② 시장에 대한 정부 개입은 시장 실패를 야기한다.
③ 공공선 실현을 위해 정부의 시장 개입이 필요하다.
④ 사유 재산 제도를 폐지하고 국유제를 실시해야 한다.
⑤ 시장의 가격 자동 조절 기능을 언제나 신뢰할 수 있다.

03 다음을 주장한 사상가의 옳은 주장만을 〈보기〉에서 있는 대로 고른 것은?

> 우리가 저녁 식사를 기대할 수 있는 건 푸줏간 주인, 양조장 주인, 빵집 주인의 자비심 덕분이 아니라, 그들이 자기 이익을 챙기려는 생각 덕분이다. 각 개인은 보이지 않는 손에 의하여 인도되어 자기가 전혀 의도하지 않았던 목적을 촉진하게 된다. 그는 자신의 이익을 추구함으로써 오히려 더 효과적으로 사회의 이익을 촉진한다.

> **보기**
> ㄱ. 시장 실패의 해결을 위한 정부의 개입이 필요하다.
> ㄴ. 국가는 경제 불평등의 해소를 위해 노력해야 한다.
> ㄷ. 국부의 증진과 개인의 사익 추구가 양립할 수 있다.
> ㄹ. 인간의 이기심은 경제 발전의 원동력이 될 수 있다.

① ㄱ, ㄴ   ② ㄱ, ㄷ   ③ ㄷ, ㄹ
④ ㄱ, ㄴ, ㄹ   ⑤ ㄴ, ㄷ, ㄹ

04 갑, 을 사상가의 옳은 입장만을 〈보기〉에서 있는 대로 고른 것은?

> 갑: 정부의 규제로 시장의 문제를 해결할 수 있다고 믿는 것은 치명적인 자만에 불과하다. 경쟁에 의해 효율성은 증진되고 시장의 자생적 질서는 저절로 형성될 것이다.
> 을: 정부가 몇 개의 낡은 병에 지폐를 채워 묻고 탄갱을 지면까지 쓰레기로 채운 후, 개인 기업으로 하여금 그 지폐를 다시 파내게 한다면, 실업은 사라질 것이다. 또한 그 파급 효과로 한 사회의 실질 소득과 그 자본의 부도 크게 늘어날 것이다.

> **보기**
> ㄱ. 갑: 정부는 경제 계획을 통해 시장을 통제해야 한다.
> ㄴ. 갑: 양극화를 해소하기 위해 복지 정책을 적극적으로 시행해야 한다.
> ㄷ. 을: 정부의 적극적인 시장 개입이 필요하다 .
> ㄹ. 갑, 을: 시장의 경쟁 원리와 사유 재산제를 존중해야 한다.

① ㄱ, ㄴ   ② ㄱ, ㄹ   ③ ㄷ, ㄹ
④ ㄱ, ㄴ, ㄷ   ⑤ ㄴ, ㄷ, ㄹ

05 다음을 주장한 사상가의 관점에만 모두 '✓'를 표시한 학생은?

> 경쟁은 권력의 강제적이고 자의적인 간섭 없이도 사람들의 행위들이 서로 조정될 수 있는 유일한 방법이다. 또한 경쟁은 특정한 직업이 그 직업과 연관된 불리한 점과 위험 요소들을 상쇄하고도 남을 만큼 전망이 있는지 개인이 스스로 결정할 기회를 각자에게 부여한다. 이를 위해 정부는 가급적 시장에 개입하지 말아야 한다.

번호	관점＼학생	갑	을	병	정	무
(1)	사익보다 공익을 우선 추구하는 체제가 되어야 한다.	✓			✓	✓
(2)	경제적 효율성을 위해 정부 권한은 축소되어야 한다.		✓		✓	✓
(3)	자유 경쟁 체제를 계획 경제 체제로 대체해야 한다.	✓		✓	✓	
(4)	국가는 자유 경쟁이 효율적으로 작동하도록 하는 역할만을 해야 한다.		✓	✓		✓

① 갑   ② 을   ③ 병   ④ 정   ⑤ 무

B 자본주의에 대한 비판과 대안

06 자본주의에 대한 비판으로 옳지 <u>않은</u> 것은?

① 인간을 생산을 위한 수단으로만 여길 수 있다.
② 과도한 경쟁으로 공동체의 통합을 저해할 수 있다.
③ 빈부 격차가 심화되어 사회 양극화로 이어질 수 있다.
④ 정신적 가치를 물질적 가치보다 중요하게 여길 수 있다.
⑤ 지나친 이윤 추구로 인간성의 상실을 야기할 수 있다.

07 다음 사상의 입장에서 긍정의 대답을 할 질문만을 〈보기〉에서 고른 것은?

> 사회주의는 공공의 이익이 사적 이윤보다 우선하는 체제로 자본주의를 대치하려고 노력한다. 사회주의 정책이 당면한 경제적 목표는 완전 고용, 보다 높은 생산, 생활 수준의 향상, 사회 보장 및 소득과 재산의 공평한 분배이다.

> 〈보기〉
> ㄱ. 사회 문제의 근원이 공유제에 있다고 보는가?
> ㄴ. 의회를 통한 점진적 사회 개혁을 추구해야 하는가?
> ㄷ. 국가에 의한 사회 보장 제도는 축소되어야 하는가?
> ㄹ. 분배에 있어 필요는 우선적으로 고려되어야 하는가?

① ㄱ, ㄴ ② ㄱ, ㄷ ③ ㄴ, ㄷ ④ ㄴ, ㄹ ⑤ ㄷ, ㄹ

08 다음을 주장한 사상가의 입장으로 옳은 것은?

> 자본가와 노동자의 이해관계는 융화할 수 없는 적대적 관계이다. 자본가는 더 많은 잉여 가치를 얻기 위해 노동자에 대한 착취를 강화한다. 자본가는 노동자에게 자기 노동력의 가치보다 더 많은 노동을 하도록 요구한다. 자본주의적 생산 양식에서는 생산 수단에 포함된 죽은 노동이 노동자의 살아 있는 노동을 지배하는 왜곡이 발생한다.

① 경제적 평등의 실현을 위해 노동의 분업을 확대해야 한다.
② 공산주의 사회는 노동을 통한 사유 재산 축적을 중시한다.
③ 자본가와 노동자의 협력으로 노동 소외를 극복해야 한다.
④ 자본주의 사회에서 노동자는 노동 과정에서 주체가 될 수 없다.
⑤ 자본가가 노동자의 복지 향상을 위해 적극적으로 노력하면 노동 소외 문제를 해결할 수 있다.

09 (가)의 갑, 을 사상가들의 입장을 (나) 그림으로 탐구할 때, A~C에 들어갈 질문으로 가장 적절한 것은?

(가)	갑: 프롤레타리아가 부르주아에 대항하는 투쟁에서 반드시 계급으로서 한데 뭉쳐 혁명을 통해 스스로 지배 계급이 되고 낡은 생산관계를 폭력적으로 폐지하게 된다면, 그들은 이 생산관계와 아울러 계급도 폐지하게 될 것이며, 자기 자신의 계급적 지배까지도 폐지하게 될 것이다. 을: 사회주의적 계획화는 모든 생산 수단의 공유화를 전제하지 않는다. 그것은 중요한 부문, 예컨대 농업, 수공업, 중소기업 등에서의 사적 소유와 양립할 수 있다.
(나)	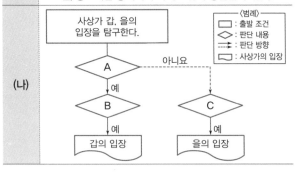

① A: 생산 수단의 사유와 공유가 모두 인정되어야 하는가?
② B: 공산 사회는 자본가와 노동자의 연대로 완성되는가?
③ B: 생산 성과는 모두 업적에 비례하여 분배되어야 하는가?
④ C: 프롤레타리아 혁명을 거쳐야 평등 사회가 실현되는가?
⑤ C: 국가는 사람들의 복지 증진을 위해 노력해야 하는가?

서답형 문제

10 다음 글을 읽고 물음에 답하시오.

> 16세기 무렵 유럽 사회는 신대륙의 발견과 새로운 항로 개척을 계기로 상업이 발달하기 시작했으며 국가 간의 교역이 활발해졌다. 이때 사유 재산 제도를 바탕으로 시장에서 자유 교환을 중심으로 하는 ⊙새로운 경제 체제가 등장했다.

(1) ⊙에 해당하는 사회사상의 명칭을 쓰시오.

( )

(2) (1)에서 답한 사회사상의 규범적 특징을 두 가지만 서술하시오.

도전! 실력 올리기

01 ㉠에 들어갈 진술로 가장 적절한 것은?

> 나는 국가가 경제 계획을 통해 시장을 통제할 수 있다는 생각은 잘못이라고 생각한다. 시장의 자율성을 훼손하는 국가의 시장 개입은 전체주의로 향하는 길이 될 뿐이다. 그런데 어떤 사상가는 "국가는 시민이 기본적인 구매력을 잃지 않도록 기본적인 복지를 책임져야 한다. 기업이 투자를 줄이고 국민들의 소비력이 감소하면 공황이나 실업과 같은 문제가 발생하기 때문에 정부가 다양한 공공 정책을 펼쳐 유효 수요를 창출해야 한다."라고 주장한다. 나는 이러한 주장이 [㉠]고 생각한다.

① 복지 정책이 시장의 자율성을 침해함을 간과한다
② 국가의 적극적인 시장 개입이 필요함을 간과한다
③ 생산의 효율성보다 분배의 형평성이 중요함을 간과한다
④ 국가의 공공선을 위해 시장 규제를 확대해야 함을 간과한다
⑤ 국가가 시민의 기본적인 구매력을 잃지 않도록 해야함을 간과한다

02 (가), (나)의 사회사상 중 적어도 한 사상의 입장에서 긍정의 대답을 할 질문으로 옳은 것만을 〈보기〉에서 있는 대로 고른 것은?

> (가) 국가는 계획 경제를 통해 사적 소유자가 그 권력을 남용하는 것을 방지하고, 생산과 복지에 공헌하도록 해야 한다. 또한 점진적이고 민주적인 방법으로 사회주의의 이상을 추구해야 한다.
>
> (나) 국가의 공공 지출은 빈부 격차를 완화하고 사회 통합에도 기여할 수 있다. 따라서 국가는 고용을 창출하고 이자율을 조정하는 정책을 통해 유효 수요를 창출해야 한다.

〈보기〉
ㄱ. 경제 문제 해결을 위해 국가의 시장 개입을 주장하는가?
ㄴ. 효율적 자원 배분을 위한 복지 제도 축소를 강조하는가?
ㄷ. 자유로운 의회 활동을 통한 사회주의 이념의 실현을 강조하는가?
ㄹ. 국가는 자유 경쟁 체제가 효율적으로 작동하는 데 어떠한 역할도 할 수 없는가?

① ㄱ, ㄷ ② ㄱ, ㄹ ③ ㄷ, ㄹ
④ ㄱ, ㄴ, ㄷ ⑤ ㄴ, ㄷ, ㄹ

03 그림의 강연자의 입장으로 적절한 것만을 〈보기〉에서 고른 것은?

> 개인은 오직 자신의 이익만을 추구할 뿐이지만 이를 통해 전혀 의도하지 않은 사회의 이익이 증진됩니다. 따라서 자신의 자본을 어떤 산업 분야에 투자할 것인가를 가장 잘 판단하는 주체는 바로 각 개인입니다.

〈보기〉
ㄱ. 필요에 따른 분배를 실현해야 한다.
ㄴ. 시장에 대해 국가는 가급적 간섭하지 않아야 한다.
ㄷ. 보이지 않는 손의 자동 조절 기능을 신뢰해야 한다.
ㄹ. 실업과 불황은 정부의 공공 투자 확대로 해결해야 한다.

① ㄱ, ㄴ ② ㄱ, ㄷ ③ ㄴ, ㄷ
④ ㄴ, ㄹ ⑤ ㄷ, ㄹ

기출 변형

04 사회사상 (가), (나)의 공통된 입장으로 가장 적절한 것은?

> (가) 노동자들은 부르주아 계급, 부르주아 국가의 노예일 뿐만 아니라 매일 매시간 기계와 감독, 무엇보다 개별적인 부르주아 공장주에 의해 노예화된다. 노동자들에게는 보호해야 할 자기 것이라고는 아무것도 없다. 그들은 지금까지 사적 소유를 보호하고 보장해 온 일체의 것을 없애지 않으면 안 된다.
>
> (나) 사회주의적 계획화는 모든 경제적 결정이 정부 또는 중앙 기관의 수중에 일임되는 것을 의미하지 않는다. 경제 권력은 그것이 계획의 목표와 양립할 수 있는 곳이면 어디서나 분권화되어야 한다. 우리는 경제적·사회적 보장과 번영을 기초로 하여 개인의 자유를 확대하는 것을 추구한다.

① 계획 경제의 실현을 위해 모든 생산 수단을 공유해야 한다.
② 일당 독재 체제를 통해 불평등한 사회 구조를 극복해야 한다.
③ 노동의 소외 문제를 해결하기 위해 노동자의 혁명이 필요하다.
④ 공공의 이익이 사적 이익보다 우선되는 사회를 실현해야 한다.
⑤ 복지 정책을 강화하기 위해 정부의 시장 개입을 최소화해야 한다.

06 ~ 평화

❶ 갈퉁의 폭력 구분

직접적 폭력	폭행, 전쟁, 테러 등 직접적이고 의도적인 폭력
구조적 폭력	사회 제도나 관습 등의 사회 구조가 폭력을 용인하거나 정당화하는 형태의 폭력
문화적 폭력	종교, 사상, 예술 등의 문화적 영역이 직접적 폭력·구조적 폭력을 정당화하는 데 이용되는 것

❷ 수기이안백성(修己以安百姓)과 수제치평(修齊治平)

수기이안 백성	정치에 대한 공자의 기본 사상으로, 자신을 수양하고 덕행을 베풀어 모든 사람의 삶을 안정되고 평온하게 해 주어야 함을 뜻함
수제치평	자기 수양을 시작으로 가정, 사회, 국가로 윤리적 실천 단계를 확대한다는 '수신제가 치국평천하'를 뜻함

❸ 존비친소

신분이나 지위의 높고 낮음과 어떤 사람과의 친함과 그렇지 않음을 고려하여 분별적으로 대하는 것을 말한다.

❹ 전쟁에 대한 에라스뮈스와 아퀴나스의 관점

에라 스뮈스	전쟁 자체는 평화를 추구하는 종교 정신에 위배되므로 부당함
아퀴나스	선을 증진하거나 악을 회피하기 위해 대의에 따르며 제한된 범위 내에서 무력을 사용하는 정의로운 전쟁을 용인함

A 동서양의 다양한 평화 사상

1. 평화의 의미

(1) 평화의 일반적 의미

① 전쟁이나 분쟁, 갈등이 없는 상태

② 물리적 폭력의 부재뿐만 아니라 인간의 기본적인 욕구가 충족되는 상태
  └ 예 복지, 평등, 자유 등

(2) ❶ 갈퉁의 평화론 [자료 1]

소극적 평화	전쟁, 테러, 범죄와 같은 직접적이고 물리적인 폭력이 없는 상태
적극적 평화	• 물리적 폭력뿐만 아니라 구조적 폭력과 문화적 폭력까지 제거된 상태 • 평화의 개념을 인간의 생명과 존엄을 중시하는 차원까지 확장함

⭐ 2. 동양의 평화 사상 [자료 2]

(1) 유교

갈등의 원인	인간의 도덕적 타락을 불화와 갈등의 원인으로 봄
평화의 실현	• 인간의 도덕성 회복을 통한 인의(仁義)의 실현을 강조함 • 통치자가 덕치와 인정(仁政)을 펼치면 화합과 평화가 이루어진다고 봄 • ❷수기이안백성, 수제치평과 같은 도덕적 수양을 바탕으로 화평한 세계를 이루고자 함

└ 예 대동 사회를 화평이 실현된 사회로 봄

(2) 묵자

갈등의 원인	유교의 인(仁)을 ❸존비친소를 분별하는 사랑이라 말하며 갈등의 원인으로 봄
평화의 실현	• 서로 차별 없이 사랑하고 이익을 나누는 겸애교리(兼愛交利)를 강조함 • 전쟁으로 인해 백성들이 겪는 고통과 피해를 없애기 위해 침략 전쟁을 반대하는 비공(非攻)을 주장함

와 침략 전쟁은 소수의 큰 나라에는 이익이 된다 해도 천하에 이익이 되지 않는다소 보았기 때문임

(3) 불교

갈등의 원인	마음속의 탐욕·화냄·어리석음[貪瞋癡]을 갈등의 원인으로 봄
평화의 실현	• 수양을 통해 탐욕·화냄·어리석음을 제거할 것을 강조함 • 연기에 대한 깨달음에 이를 것을 주장함 → 무차별적 사랑인 자비(慈悲)로 이어짐 • 생명을 지닌 존재를 죽이지 않는 불살생(不殺生)을 제시함 → 비폭력의 실천 강조

(4) 도가

갈등의 원인	인간의 그릇된 가치관과 인위적인 사회 제도를 갈등의 원인으로 봄
평화의 실현	• 소박하고 순수한 본성의 덕에 따라 자연과 조화하며 사는 것이 평화라고 봄 • 무위(無爲)의 다스림이 이루어지며 나라의 규모가 작고 백성이 자급자족할 때 평화를 이룰 수 있음

└ 예 소국과민 사회를 이상 사회로 봄

⭐ 3. 서양의 평화 사상

(1) ❹에라스뮈스 [자료 3]

갈등의 원인	권세, 명예, 부와 보복을 이루고자 하는 탐욕과 야망이 불화와 전쟁의 원인임
평화의 실현	• 종교적·도덕적·경제적인 측면에서 전쟁은 본성상 선보다 악을 초래한다고 주장함 • 분쟁을 피하는 방법으로 성직자 등이 분쟁 당사자 간 화해를 돕는 중재 제도를 제안함

└ 와 전쟁은 평화를 추구하는 종교 정신에 위배되고, 무관한 사람들이 피해를 겪기에 도덕적으로 옳지 않고, 전쟁으로 인해 많은 경제적 손실이 발생한다고 보았기 때문임

교과서 자료 모아 보기

자료 확인 문제

자료1 갈퉁의 평화론

폭력에는 물리적·언어적 폭력으로 대변되는 직접적 폭력과 법률과 제도에 의한 억압을 의미하는 구조적 폭력, 직접적·구조적 폭력을 정당화하는 사회 기저의 문화적 폭력이 있다. 진정한 평화의 실현을 위해서는 직접적 폭력이 제거된 소극적 평화를 넘어 구조적·문화적 폭력까지 제거된 적극적 평화가 중요하다. — 갈퉁, "평화적 수단에 의한 평화"

| **자료 분석** | 갈퉁이 주장한 진정한 평화란 물리적 폭력은 물론 문화적·구조적 폭력까지 모두 사라진 적극적 평화를 말한다. 나아가 갈퉁은 진정한 평화를 실현하기 위해 갈등을 비폭력적 방식으로 풀어갈 수 있는 평화의 구조와 문화를 구축해야 한다고 보았다.

한줄 핵심 갈퉁은 소극적 평화의 개념에서 벗어나 적극적 평화를 진정한 평화로 보았다.

❶ 갈퉁은 평화의 실현을 위한 폭력적 수단의 사용은 정당하다고 보았다. ○ ✕

❷ 갈퉁은 전쟁의 종식은 진정한 평화의 실현을 보장한다고 보았다. ○ ✕

자료2 유교와 묵자 평화 사상

유교 전쟁을 잘하는 자는 가장 최고 형벌을 받아야 한다. 제후를 연합하여 전쟁하게 만드는 자는 그 다음 형벌을 받아야 하며, 황무지를 개간하고 토지를 마음대로 하여 전쟁을 돕는 자는 그 다음 형벌을 받아야 한다. — 맹자, "맹자"

묵자 전쟁이란 국가와 백성에게 이롭지 않다. 전쟁으로 말미암아 국가는 제 본분을 잃고 백성은 생업을 잃는다. 천하 민중이 전쟁을 반대하고 화목하여 단결함으로써 생산에 힘쓰고, 이로써 생산이 증대되면 백성에게 얼마나 이로울 것인가. — 묵자, "묵자"

┌ 나라를 부유하게 만들고 군대를 강하게 함

| **자료 분석** | 유교에서는 통치자가 무력을 앞세워 전쟁을 일삼고 부국강병만을 추구하는 것을 경계해야 한다고 주장한다. 묵자는 다른 나라를 해치고 자기 나라를 이롭게 하는 태도는 의롭지 않으며, 전쟁에서 승리하더라도 정치적 혼란과 경제적 손실을 일으키는 것이고, 무수한 인명 피해로 국가가 쇠망할 수 있다는 점을 들어 침략 전쟁을 반대하였다.

한줄 핵심 유교에서는 무력으로 전쟁을 일삼는 것을 경계하고, 묵자는 국가와 백성에게 이롭지 않다는 점을 들어 침략 전쟁을 반대하였다.

❸ 유교는 무력을 앞세워 전쟁을 일삼고 부국강병만을 추구하는 것에 반대한다. ○ ✕

❹ 묵자가 전쟁을 반대하는 이유는 국가와 백성에게 이롭지 않다고 생각했기 때문이다. ○ ✕

자료3 전쟁에 대한 에라스뮈스의 입장

주교관과 전투 헬멧, 목자의 지팡이와 군인의 창, 복음서와 방패가 도대체 어떻게 조화될 수 있단 말인가? 온 세상을 피비린내 나는 전장으로 몰고 가면서 어떻게 동시에 아무렇지도 않게 "평화가 당신과 함께하기를!"하며 인사할 수 있단 말인가? 입으로 평화를 말하면서도, 어떻게 손과 행동으로는 파괴를 일삼을 수 있단 말인가? — 에라스뮈스, "평화의 탄식"

| **자료 분석** | 에라스뮈스는 그리스도교의 사랑과 비폭력의 평화 사상을 계승하였다. 그는 전쟁이 비폭력과 평화를 추구하는 종교 정신에 위배되는 것이라고 보고, 무력 사용을 정당화하지 않았다.

한줄 핵심 에라스뮈스는 전쟁은 선보다 악을 초래하므로 반드시 피해야 할 대상으로 본다.

❺ 에라스뮈스는 전쟁은 평화를 추구하는 종교 정신에 위배되기 때문에 도덕적으로 옳지 않다고 보았다. ○ ✕

○ ❺ ○ ❹
○ ❸ (무력으로 전쟁을 일삼고 부국강병만을 추구하는 것을 반대함) ✕ ❷ (전쟁의 종식은 소극적 평화로 진정한 평화를 실현하는 것이 아님) ✕ ❶ **정답**

06. 평화 223

❺ 안보 딜레마
자국의 안보를 위해 군사력을 증강하면 다른 국가들도 군사력을 증강하는 군비 경쟁으로 그 전보다 오히려 안전하지 못한 결과에 이를 수 있음을 뜻하는 말이다.

❻ 국제주의
개인을 단위로 하는 세계 시민주의와는 달리 국가나 민족 등을 전제로 하여 국가 간의 상호 협력을 바탕으로 세계 평화를 실현하고자 하는 관점을 뜻한다.

❼ 고통받는 사회와 질서 정연한 사회

고통받는 사회	인권 보장이나 민주적 의사 결정 과정이 정착되어 있지 않으며 다른 국가에 대해 공격적이지 않은 사회
질서 정연한 사회	구성원들의 선(善)을 증진해주고, 구성원이 동의한 정의의 원칙에 의해 효율적으로 규제되며, 인권이 보장되고 민주적 의사 결정이 이루어지는 사회

⭐ 한눈에 정리

해외 원조에 대한 롤스, 싱어, 노직의 입장 비교

롤스	싱어	노직
원조는 도덕적 의무임		
원조 목적: 고통 받는 사회를 질서 정연한 사회로 만드는 것	원조 목적: 전 인류의 고통을 줄이고 복지를 향상하는 것	원조는 의무가 아닌 자선임

(2) 생피에르

갈등의 원인	인간의 이기심의 대립으로 전쟁이 인해 일어난다고 봄
평화의 실현	• 평화 실현을 위해 종교나 도덕성에 호소하는 대신 <u>인간의 이기심과 합리적 이성에 따를 것을 주장함</u> • 공리적 관점을 바탕으로 <u>군주들의 연합</u>을 만들면 항구적 평화를 실현할 수 있다고 봄

> **왜** 군주에게 전쟁으로 인한 불이익과 평화에 따른 이익을 제시해 평화가 유리하다는 것을 증명하면, 군주 스스로 평화를 지향할 것이라고 생각했기 때문임

(3) 현실주의와 이상주의

구분	현실주의	이상주의
대표 사상가	마키아벨리, 홉스	칸트 _{자료 4}
입장	• 평화: 경쟁 국가와 대등한 힘을 보유하거나 군사 동맹을 통해 세력 균형을 맞춘 상태임 • 주권 국가보다 상위 권위를 지니는 국제기구나 국제법은 존재하지 않거나, 존재하더라도 <u>실효적인 권위가 없음</u>	• 평화: 국제적 갈등을 이성에 근거한 보편적 도덕 원리에 따라 해결해 나갈 때 실현할 수 있음 • <u>국제기구나 국제법</u> 등을 통해 잘못된 제도를 바로잡아야 하고, <u>국제 연맹</u>을 결성해 세계 평화를 실현해야 함
한계	• ^❺안보 딜레마가 발생하고 국제 사회의 유동성으로 확실한 평화를 보장하지 못함 • 국제기구가 세계 평화에 기여하고 있다는 점을 설명하기 어려움	• 인간의 본성과 국가적 대립에 대해 지나치게 낙관적임 • 국가 간의 이익이 충돌할 때 국제법이 실질적 구속력과 효력을 발휘하기 어려움

B 세계 시민주의와 세계 시민 윤리의 구상

1. 세계 시민주의의 의미와 특징 _{자료 5}

의미	헬레니즘 시대의 스토아학파에서 발전해 온 사상으로, <u>특정 민족이나 국가를 넘어서 인류를 하나라고 보는 입장</u>
특징	• 보편적 인류애를 강조함 • 갈등을 평화롭게 해결하기 위해 노력함 • 다양성을 인정하고 관용을 베풀 것을 강조함 • 전 지구적인 문제의 해결과 발전에 관심을 지님

> **예** 기아와 난민, 인권 침해, 생태계 파괴 문제 등

2. 지구적 협력과 해외 원조에 대한 입장

롤스	• <u>국제주의</u>의 입장에서 해외 원조가 도덕적 <u>의무</u>라고 주장함 • 원조의 목적: 불리한 여건으로 '^❼고통받는 사회'를 '질서 정연한 사회'로 만드는 데 있음 → 물질적 도움이 아니라 사회 구조와 개선이 원조의 목적임 • 기아와 빈곤과 같은 문제는 국내 정치·사회 제도의 부정의함에서 비롯됨 • 각 사회마다 고유한 문화와 역사에 따라 필요한 부의 수준이 다르기에 물질적으로 평준화 할 필요는 없음 → 차등의 원칙을 국제 사회에 적용하는 것에 반대함
싱어	• 세계 시민주의의 입장에서 해외 원조가 의무라고 주장함 • 원조의 목적: 인류의 고통을 줄이고 복지를 향상시키는 것 • 공리주의적 관점에서 세계의 모든 가난한 사람을 원조의 대상으로 삼음 • 이익 평등 고려의 원칙에 따라 고통을 느낄 수 있는 모든 존재를 도와야 함 → 원조는 물리적 거리를 넘어 절대 빈곤에 처한 인류를 돕기 위한 의무임
노직 _{자료 6}	• 자유지상주의 입장에서 해외 원조는 의무가 아니라고 주장함 • 재산의 소유권은 전적으로 개인에게 있음 → 원조는 의무가 아니라 개인의 자율적 선택에 맡겨야 함 • 원조는 선한 행위로 평가할 수 있지만 의무가 아니므로 원조를 하지 않는다고 해서 도덕적으로 비난받아야 할 이유는 없음

자료4 칸트의 "영구 평화론"의 확정 조항

영구 평화를 위한 확정 조항	제1항	모든 국가의 시민적 정치 체제는 공화정이어야 한다.
	제2항	국제법은 자유로운 국가들의 연방 체제에 기초해야 한다.
	제3항	세계 시민법은 보편적 우호의 추구를 목표로 삼아야 한다.

– 칸트, "영구 평화론"

| 자료 분석 | 칸트는 전쟁은 인간을 국가적인 이해관계를 실현하기 위한 수단으로만 대우하는 것이므로 도덕적으로 정당화될 수 없다고 보았다. 그리고 전쟁이 일시적으로 중단된 상태가 아닌, 이성에 근거한 보편적 도덕 원리에 따르는 영구적인 평화를 주장하였다. 그는 "영구 평화론"을 통해 국가 간의 영구 평화를 이루려면 국내적으로는 공화제를 도입해야 하며, 국제적으로는 보편적인 우호 관계를 바탕으로 하는 국제법을 제정하고, 그것을 실행할 수 있는 권력 기구를 수립해야 한다고 말하였다.

한줄 핵심 칸트는 영구 평화를 위한 확정 조항을 제시하였다.

❻ 칸트는 자유 국가들 간의 연방 단계에서 세계 정부를 수립해야 한다고 보았다. ◯|✕

❼ 칸트는 세계 평화의 정착을 위해 개별 국가의 주권이 폐지되어야 한다고 보았다. ◯|✕

❽ 칸트는 국제 사회의 갈등을 해결하기 위해 국제기구를 창설해야 한다고 주장하였다. ◯|✕

자료5 세계 시민 윤리의 구체적인 모습

우리는 어린이, 노인, 가난한 사람, 고통받는 사람, 장애인, 난민, 그리고 외로운 사람들을 잊어서는 안 된다. 어떤 사람도 이류(二流) 시민으로 취급되어서는 안 되며, 또 어떤 방식으로도 착취되어서는 안 된다. 그리고 우리는 어떠한 형태의 지배와 남용도 배격해야 한다.

– 한스 큉, "세계 윤리 구상"

| 자료 분석 | 평화학자 한스 큉은 세계 윤리의 두 가지 기본 원리를 제시하였다. 그것은 '모든 사람은 인간적으로 취급받아야 한다.'와 '사람들이 너에게 해 주기를 바라는 것을 너도 다른 사람에게 해 주어라.'라는 것이다.

한줄 핵심 세계 시민 윤리는 특정 국가나 민족, 인종을 넘어 인류를 하나로 여겨야 한다고 말한다.

❾ 세계 시민주의는 인류를 하나의 가족으로 본다. ◯|✕

자료6 해외 원조에 대한 노직의 입장

개인들은 권리를 갖고 있으며, 세상에는 어느 인간이나 집단도 이 권리들에 대해 어떤 영향도 미쳐서는 안 된다. … 첫째, 강압이나 절도, 사기로부터 개인의 보호, 계약 집행과 같은 협소한 기능만을 수행하는 최소 국가는 정당하다. 둘째, 이에 비해 확장된 국가는 개인의 권리를 침해함으로 정당하지 않다. 국가는 가난한 사람들을 돕기 위해 소득 재분배 정책과 같은 강제적인 수단을 사용해서는 안 된다.

– 노직, "아나키, 국가, 유토피아"

| 자료 분석 | 노직은 재산의 소유권은 전적으로 개인에게 있다고 보아 해외 원조에 대한 강제는 개인의 재산권을 침해하는 것이라고 주장하였다. 이러한 관점에서 그는 해외 원조를 하지 않는다고 해서 도덕적으로 비난받아야 할 이유는 없다고 보았다.

한줄 핵심 노직은 해외 원조를 의무가 아닌 개인의 자율적인 선택에 맡겨야 한다고 보았다.

❿ 노직은 해외 원조에 대해 국가가 강제적인 수단을 사용할 수 있다고 보았다. ◯|✕

수능 POOL

수능 자료로
개념 완성

해외 원조에 대한
롤스와 싱어의 입장 비교하기

수능풀 Guide

이 단원에서는 해외 원조에 대한 롤스의 국제주의적 입장과 싱어의 세계 시민주의적 입장을 비교하는 문제가 출제된다. 두 사상가의 입장을 비교하여 알아 두자.

롤스		싱어
사회 구조와 제도의 개선 (고통받는 사회의 질서 정연한 사회로의 이행)	원조의 목적	개인의 복지와 전 지구인의 복지 향상
개인이 아닌 '고통받는 사회'	원조의 대상	제도보다 '고통받는 개인들'

공통점
• 원조를 자선이 아니라 의무의 차원에서 다룸   • 국가 간 경제적 불평등을 해소하거나 균등한 복지를 지향하는 것을 목표로 두지 않음

기출 자료 익히기

윤사 공부법, 하나!
자료를 보고 어떤 사상가나 사상의 입장인지 유추하는 훈련하기

자료 1 롤스
• 고통받는 사회의 정치 체제를 '질서 정연한 사회'로 만들기 위해 해외 원조를 해야 한다. 빈곤의 문제는 주로 정치 체제의 결함에서 기인하기 때문이다. 각 사회의 고유한 문화나 역사에 따라 필요한 부의 수준은 다르다. └ 사회 구조와 제도의 개선에 초점을 둠 → 롤스

• 만약 국제 사회에서 어떤 사회가 불리한 여건 때문에 고통을 겪고 있다면, 그 사회가 적정 수준의 문화를 형성하여 질서 정연한 사회가 될 수 있도록 도와야 한다. └ 원조 목적은 질서 정연한 사회로의 이행임 → 롤스

자료 2 싱어
• '이익 평등 고려의 원칙'을 바탕으로 인류의 고통 감소와 이익 증진을 위해 전 세계의 가난한 사람들에게 해외 원조를 해야 한다. 가난한 사람들이 어느 국가의 사람인지는 중요하지 않다. └ 원조의 목적은 지구적 차원의 인류 복지 증진임 → 싱어

• 내가 돕는 사람이 나에게서 10야드 떨어진 곳에 사는 이웃의 어린아이인지, 아니면 이름도 알지 못하는 1만 마일 떨어져 있는 뱅골인인지가 나에게는 도덕적으로 아무런 차이가 없다. └ 국적과 무관하게 모든 사람을 평등하게 고려 → 싱어

기출 선택지 익히기

윤사 공부법, 둘!
선택지가 어떤 사상가나 사상의 입장인지 파악하는 훈련하기

다음 내용이 롤스에 해당하면 '롤', 싱어에 해당하면 '싱'이라고 쓰시오.

❶ 국제주의 입장에서 해외 원조가 도덕적 의무라고 본다. ( )

❷ 국가보다 개개인에 초점을 맞춰 해외 원조를 해야 한다. ( )

❸ 인류 전체의 이익을 최대화하기 위해 해외 원조를 해야 한다. ( )

❹ 빈곤 문제의 해결에서 사회 제도의 개선이 중시되어야 한다. ( )

❺ 원조의 목적은 고통받는 사회가 질서 정연한 사회가 되도록 하는 것이다. ( )

정답 ❶ 롤 ❷ 싱 ❸ 싱 ❹ 롤 ❺ 롤

A 동서양의 다양한 평화 사상

01 빈칸에 알맞은 말을 쓰시오.

> (   )은/는 갈퉁이 제시한 진정한 평화의 개념으로, 직접적 폭력뿐만 아니라 간접적 폭력까지 제거된 상태를 뜻한다.

02 빈칸에 알맞은 말을 쓰시오.

(1) 유교는 평화를 실현하기 위해 자신을 수양하고 덕행을 베풀어 모든 이의 삶을 평온하게 해주는 □□□□□와/과 같은 도덕적 수양을 강조한다.

(2) 묵자는 유교의 인(仁)을 □□□□을/를 분별하는 사랑으로 사회 혼란을 초래한다고 보고, 서로 차별없이 사랑하는 □□을/를 제시하였다.

03 알맞은 설명에 ○표를 하시오.

(1) 에라스뮈스는 전쟁은 본성상 (선, 악)보다 (선, 악)을 초래한다고 주장하였다.

(2) 생피에르는 인간의 (이타심, 이기심)을 이용하여 평화를 실현할 수 있다고 보았다.

(3) 칸트는 전쟁을 방지하기 위해 국제법을 (제정, 폐지)해야 한다고 주장하였다.

04 평화에 대한 두 관점의 입장을 바르게 연결하시오.

(1) 현실주의 •
(2) 이상주의 •

• ㉠ 군사 동맹 등을 통해 세력 균형을 맞출 때 실현됨
• ㉡ 국제적 갈등을 이성에 근거한 보편적 도덕 원리에 따라 해결할 때 실현됨

B 세계 시민주의와 세계 시민 윤리의 구상

05 빈칸에 알맞은 말을 쓰시오.

(1) □□ □□□□은/는 특정 민족이나 국가를 넘어서 인류를 하나로 보는 입장이다.

(2) □□은/는 해외 원조는 의무가 아니므로 개별적 선택에 맡겨야 한다고 주장하였다.

06 다음 설명이 맞으면 ○표, 틀리면 ×표를 하시오.

(1) 롤스는 원조의 과제로 사회 제도의 개선을 강조하였다. ( )

(2) 롤스는 원조가 일정한 목표를 넘어서면 중단될 필요가 있다고 보았다. ( )

(3) 롤스는 원조를 통해 모든 국가의 복지 및 부의 수준을 일치시켜야 한다고 보았다. ( )

(4) 싱어는 원조의 근거로 이익 평등 고려의 원칙을 강조하였다. ( )

(5) 싱어는 사회 내 부조와 해외 원조 사이에 본질적인 차이가 존재한다고 보았다. ( )

(6) 싱어는 원조 대상의 선정에 있어 풍요로운 사회의 시민들은 모두 제외되어야 한다고 주장하였다. ( )

A 동서양의 다양한 평화 사상

01 불교의 입장으로 옳지 **않은** 것은?

① 모든 생명체는 밀접한 관계를 맺고 있다.
② 생명체들의 가치는 위계적인 질서를 지닌다.
③ 고통과 폭력이 되풀이되는 것을 막아야 한다.
④ 연기에 대한 자각을 통해 자비를 베풀어야 한다.
⑤ 불살생(不殺生)의 계율에 따라 살생을 금지해야 한다.

02 갑, 을 사상가의 옳은 입장만을 〈보기〉에서 있는 대로 고른 것은?

> 갑: 사회 혼란의 원인은 인간의 인간다움의 상실 때문이다. 모든 사람이 인간다움[仁]을 회복하고 예의를 중시한다면 혼란을 극복할 수 있다.
> 을: 사회 혼란의 원인은 인간의 이기심과 차별적인 사랑 때문이다. 서로 사랑하고 서로 이익을 나누어야 혼란을 극복할 수 있다.

> 〈보기〉
> ㄱ. 갑: 평화 실현을 위해 연기(緣起)를 깨달아야 한다.
> ㄴ. 을: 모든 사람을 차별 없이 사랑[兼愛]해야 한다.
> ㄷ. 을: 전쟁을 막기 위해 국가 간 신뢰를 쌓아야 한다.
> ㄹ. 갑, 을: 타국 정복을 위한 침략 전쟁을 해서는 안 된다.

① ㄱ, ㄴ　　② ㄱ, ㄷ　　③ ㄷ, ㄹ
④ ㄱ, ㄴ, ㄹ　　⑤ ㄴ, ㄷ, ㄹ

03 다음 사상가가 학생의 질문에 대해 제시할 대답만을 〈보기〉에서 고른 것은?

> 사상가: 평화 실현을 위해서는 무위(無爲)의 다스림이 이루어지는 사회가 되어야 합니다.
> 학 생: 평화를 유지하려면 어떤 노력을 해야 합니까?

> 〈보기〉
> ㄱ. 주변국과의 무역과 교류를 활성화해야 합니다.
> ㄴ. 나라의 부유함과 강력한 군사력을 추구해야 합니다.
> ㄷ. 백성이 본래의 자연성에 따라 살아가게 해야 합니다.
> ㄹ. 백성이 자급자족할 규모가 작은 사회를 지향해야 합니다.

① ㄱ, ㄴ　② ㄱ, ㄷ　③ ㄴ, ㄷ　④ ㄴ, ㄹ　⑤ ㄷ, ㄹ

04 다음을 주장한 사상가의 관점에만 모두 '✓'를 표시한 학생은?

> 국제법의 최종 목표인 영구 평화는 표현 불가능한 하나의 이념이다. 그렇지만 영구 평화를 지향하는 정치적인 모든 원칙은 표현 불가능한 것이 아니라 인간과 국가의 권리에 기초하여 설정된 과제이므로 확실히 표현 가능하다.

번호	관점 \ 학생	갑	을	병	정	무
(1)	개별 국가의 시민적 정치 체제는 공화정체를 갖추어야 한다.	✓			✓	✓
(2)	국가들은 평화 연맹을 형성하여 국제적 갈등을 조정해야 한다.		✓		✓	✓
(3)	공적인 인권과 영원한 평화를 위해 세계 시민법을 만들어야 한다.	✓		✓	✓	
(4)	영구 평화를 실현하기 위해 개별 국가의 주권은 폐지되어야 한다.		✓	✓		✓

① 갑　　② 을　　③ 병　　④ 정　　⑤ 무

05 갑, 을 사상가의 옳은 입장만을 〈보기〉에서 있는 대로 고른 것은?

> 갑: 주교관과 전투 헬멧, 목자의 지팡이와 군인의 창, 복음서와 방패가 도대체 어떻게 조화될 수 있단 말인가? 온 세상을 피비린내 나는 전장으로 몰고 가면서 어떻게 동시에 아무렇지도 않게 "평화가 당신과 함께하기를!"하며 인사할 수 있단 말인가?
> 을: 정의로운 전쟁은 전쟁 수행자들이 올바른 의도를 갖는 것이 요구된다. 즉, 선을 증진하거나 악을 회피하도록 해야 한다. 부당한 보복이나 악한 경향들을 미연에 방지하기 위해서는 전쟁 수행자들에게 관용과 온유함과 같은 절제의 덕이 필요하다.

> 〈보기〉
> ㄱ. 갑: 전쟁은 본성상 선보다 악을 초래한다.
> ㄴ. 갑: 평화를 달성하는 것이 전쟁보다 훨씬 적은 비용이 든다.
> ㄷ. 을: 정당한 요건을 갖춘 전쟁은 정의로울 수 있다.
> ㄹ. 갑, 을: 무력은 평화와 정의를 지키는 정당한 수단이 될 수 있다.

① ㄱ, ㄷ　　② ㄱ, ㄹ　　③ ㄴ, ㄹ
④ ㄱ, ㄴ, ㄷ　　⑤ ㄴ, ㄷ, ㄹ

B 세계 시민주의와 세계 시민 윤리의 구상

06 세계 시민으로서 지녀야 할 태도로 옳지 <u>않은</u> 것은?

① 인류를 하나의 운명 공동체로 인식한다.

② 다양성을 존중하는 관용의 덕목을 중시한다.

③ 갈등이 발생하면 대화와 협력을 통해 해결한다.

④ 난민과 기아 문제는 해당 국가가 해결할 것을 촉구한다.

⑤ 지구촌에서 발생하는 문제는 인류 모두의 문제로 인식한다.

07 다음을 주장한 사상가가 긍정의 대답을 할 질문만을 〈보기〉에서 고른 것은?

> 원조는 개인의 자유로운 선택의 영역이므로, 원조의 문제는 의무가 아닌 자선으로 이해해야 한다. 타인의 삶과 행복을 명목으로 개인이 정당하게 취득한 재산의 배타적 소유권을 침해해서는 안 된다.

보기
ㄱ. 원조는 국경을 초월한 세계 시민적 의무인가?
ㄴ. 원조 의무를 실행하기 위한 과세는 강제 노동과 같은가?
ㄷ. 원조는 의무가 아닌 개인이 자율적으로 선택할 영역인가?
ㄹ. 원조는 인류의 복지를 증진하기 위해 이행되어야 하는가?

① ㄱ, ㄴ　　② ㄱ, ㄷ　　③ ㄴ, ㄷ
④ ㄴ, ㄹ　　⑤ ㄷ, ㄹ

08 다음을 주장한 사상가의 입장으로 옳은 것은?

> 원조는 고통받는 사회의 사람들이 국제 사회의 완전한 구성원이 될 수 있도록 돕는 것이다. 따라서 원조의 의무는 모든 사회가 자유적이거나 적정 수준의 기본 제도를 가질 때까지 유효하다.

① 원조는 국익의 극대화를 위해 행해져야 한다.

② 빈곤하지만 질서 정연한 사회는 원조 대상이다.

③ 빈곤 국가의 복지 수준의 조정이 원조의 목적이다.

④ 원조는 자선이 아닌 당위적 차원에서 실시해야 한다.

⑤ 원조는 인류의 고통 감소와 쾌락 증진을 위한 것이다.

09 (가)의 갑, 을 사상가들의 입장을 (나) 그림으로 탐구할 때, A~C에 들어갈 질문으로 가장 적절한 것은?

(가)	갑: 원조는 고통받는 사회를 대상으로 하며, 차등의 원칙의 실현이 아닌 정치 문화의 개선을 지향하는 것이다. 질서 정연한 사회의 만민은 고통받는 사회들을 원조해야 할 의무가 있다. 을: 원조 단체에 기부함으로써 우리 자신에게 도덕적으로 마찬가지로 중요한 어떤 것을 희생하지 않고서도 아주 나쁜 일들이 생기는 것을 우리가 중지시킬 수 있는 한, 그러한 단체에 기부하는 것은 우리가 마땅히 해야 하는 일이다.
(나)	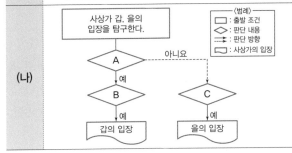

① A: 가난한 국가들은 모두 원조의 대상인가?

② A: 차등의 원칙을 적용하여 원조해야 하는가?

③ B: 원조의 목적은 자유와 평등의 확립에 있는가?

④ C: 경제적 불평등 해소가 원조의 궁극적 목적인가?

⑤ C: 원조 여부 결정에서 대상자의 국적이 중요한가?

서답형 문제

10 다음 글을 읽고 물음에 답하시오.

> 전쟁을 피하는 평화는 소극적 평화에 불과하다. 국가들이 평화 구축 방법을 합의하고 전쟁을 없애가는 적극적인 평화를 달성하는 것이 진정한 평화이다.

(1) 위의 주장을 한 현대 사상가를 쓰시오.

(　　　　　　)

(2) (1)에서 답한 사상가가 말하는 적극적 평화의 의의를 소극적 평화와 구별하여 서술하시오.

01 (가)를 주장한 사상가의 입장에서 볼 때, (나)의 ㉠에 들어갈 내용으로 가장 적절한 것은?

기출 변형

(가)	제 고장의 음식을 달게 먹고, 제 고장의 옷을 아름답게 여기고, 제 고장의 집에 편안해하고, 제 고장의 풍속을 즐긴다. 이웃한 나라가 서로 바라다보이고 개 짖고 닭 우는 소리가 서로 들리더라도 백성은 늙어 죽을 때까지 서로 오가지 않는다.
(나)	평화를 이루기 위해서는 [㉠]

① 인의(仁義)와 같은 도덕규범을 실천해야 한다.
② 인위적으로 악한 본성을 선하게 변화시켜야 한다.
③ 남과 나를 차별하지 않는 사랑[兼愛]를 실천해야 한다.
④ 국가 간 교역을 활성화하여 신뢰를 두텁게 해야 한다.
⑤ 겸허(謙虛)와 부쟁(不諍)의 덕에 따라 살아가야 한다.

02 (가)를 주장한 사상가의 입장에서 (나)의 질문에 대해 제시할 답변만을 〈보기〉에서 고른 것은?

(가)	모든 천하의 재난과 찬탈과 원한이 일어나는 까닭은 서로 사랑하지 않는 데서 생겨나는 것이다. 모두가 두루 아울러 서로 사랑하고 모두가 서로 이롭게 하는 방법으로 이를 대신해야 한다.
(나)	침략 전쟁이 옳지 않은 이유는 무엇입니까?

〈보기〉
ㄱ. 다른 나라를 해치고 자기 나라를 이롭게 하는 태도는 의롭기 때문이다.
ㄴ. 침략하는 나라와 침략 당하는 나라 모두에 경제적 손실을 일으키기 때문이다.
ㄷ. 생명을 지닌 존재를 죽임으로써 불살생(不殺生)의 원칙을 위배하기 때문이다.
ㄹ. 전쟁으로 말미암아 무수한 인명 피해가 발생하여 한 나라가 쇠망할 수 있기 때문이다.

① ㄱ, ㄴ   ② ㄱ, ㄷ   ③ ㄴ, ㄷ
④ ㄴ, ㄹ   ⑤ ㄷ, ㄹ

03 그림의 강연자의 입장만을 〈보기〉에서 고른 것은?

전쟁이란 전투 행위만을 의미하는 것이 아니라 인간 사회의 생활 전반에서 발생하는 각종 불화를 의미합니다. 전 세계의 불화와 갈등의 근본적인 원인은 탐욕과 야망입니다. 전쟁과 무관한 죄 없는 다수가 전쟁에 휘말리는 것은 도덕적으로 옳지 않습니다. 따라서 전쟁은 부당합니다.

〈보기〉
ㄱ. 전쟁은 평화를 추구하는 종교 정신에 위배된다.
ㄴ. 전쟁에 의한 비용보다 평화 유지 비용이 더 크다.
ㄷ. 지도자는 이성과 신앙에 따라 평화를 지켜야 한다.
ㄹ. 군주들 간의 연합을 만들어 항구적인 평화를 실현해야 한다.

① ㄱ, ㄴ   ② ㄱ, ㄷ   ③ ㄴ, ㄷ
④ ㄴ, ㄹ   ⑤ ㄷ, ㄹ

04 다음을 주장한 사상가의 입장으로 가장 적절한 것은?

기출 변형

폭력은 직접적이고 물리적인 행위만이 아니라, 비의도적이고 간접적인 구조 또한 포함한다. 언어, 예술, 종교, 이념 등의 문화적 폭력은 살인, 빈곤, 억압 등 구조적 폭력을 정당화하는 폭력을 은폐하는 폭력의 유형이다. 이러한 폭력은 육체적, 정신적, 의도가 있는 것과 없는 것, 드러난 것과 감춰진 것 등 다양한 차원과 구별을 포괄하게 된다.

① 빈곤에 의한 폭력이 제거된 적극적 평화를 실현해야 한다.
② 국가 간 전쟁이 없는 상태는 적극적 평화의 실현을 보장한다.
③ 적극적 평화를 위해 물리적인 폭력 사용도 정당화될 수 있다.
④ 인간 삶의 질을 보장하지 못하는 제도는 폭력에 속하지 않는다.
⑤ 평화의 대상을 정치·군사적 차원으로 한정하여 이해해야 한다.

05 다음 원칙을 주장한 사상가의 입장으로 가장 적절한 것은?

> **국가 간의 영구 평화를 위한 확정 조항**
>
> **제1항** 모든 국가의 시민적 정치 체제는 공화정이어 야 한다.
>
> **제2항** 국제법은 자유로운 국가들의 연방 체제에 기초해야 한다.
>
> **제3항** 세계 시민법은 보편적 우호의 추구를 목표 로 삼아야 한다.

① 평화 실현을 위해 다른 국가의 내정에 간섭할 수 있다.

② 국제법이 적용되는 단일한 세계 국가를 만들어야 한다.

③ 영구 평화는 국가 간의 세력 균형으로 실현되어야 한다.

④ 평화 조약이란 국가 간 적대 행위의 일시적 중지에 불과하다.

⑤ 어떤 국가도 다른 국가의 통치에 폭력적으로 개입해 서는 안 된다.

기출 변형

06 갑, 을 사상가의 입장에 대한 옳은 설명만을 〈보기〉에서 있는 대로 고른 것은?

> 갑: 고통받는 사회의 정치 체제를 '질서 정연한 사회'로 만들 기 위해 해외 원조를 해야 한다. 빈곤의 문제는 주로 정 치 체제의 결함에서 기인하기 때문이다. 각 사회의 고유 한 문화나 역사에 따라 필요한 부의 수준은 다르다.
>
> 을: '이익 평등 고려의 원칙'을 바탕으로 인류의 고통 감소 와 이익 증진을 위해 전 세계의 가난한 사람들에게 해 외 원조를 해야 한다. 가난한 사람들이 어느 국가의 사람인지는 중요하지 않다.

> **보기**
> ㄱ. 갑: 원조의 목적은 모든 인류의 복지 수준을 향상시키 는 데 있지 않다.
> ㄴ. 갑: 고통을 겪는 사회가 스스로의 문제를 합리적으로 관리할 수 있도록 원조해야 한다.
> ㄷ. 을: 원조의 주체는 개인이 아니라 국가여야 한다.
> ㄹ. 갑, 을: 가난한 사람을 돕는 일에 국경은 중요한 의미 를 지니지 않는다.

① ㄱ, ㄴ   ② ㄱ, ㄷ   ③ ㄷ, ㄹ
④ ㄱ, ㄴ, ㄹ   ⑤ ㄴ, ㄷ, ㄹ

기출 변형

07 갑, 을의 입장만을 〈보기〉에서 고른 것은?

> 갑: 전쟁이 끝난 후 잠시 평화가 찾아와도 국가들은 더욱 강 화된 재무장과 적대 정책을 세운다. 이런 악순환을 막기 위해서 국가 간의 항구적인 평화 조약이 요구된다.
>
> 을: 국제 정치는 힘을 둘러싼 권력 투쟁이다. 전쟁은 자국 의 안보와 이익 실현을 위한 수단의 하나이며, 국제적 수준에서는 도덕성이 적용될 수 없다.

> **보기**
> ㄱ. 갑: 세계 시민법은 보편적 우호의 추구를 목표로 해야 한다.
> ㄴ. 갑: 개별 국가의 자유를 보장하는 국제 연맹을 통해 평화 실현이 가능하다.
> ㄷ. 을: 인명의 살상을 동원하는 전쟁은 그 자체로 옳지 않다.
> ㄹ. 갑, 을: 자국의 이익을 극대화하기 위한 전쟁은 허용 해야 한다.

① ㄱ, ㄴ   ② ㄱ, ㄷ   ③ ㄴ, ㄷ
④ ㄴ, ㄹ   ⑤ ㄷ, ㄹ

08 밑줄 친 'A'에 대한 설명으로 가장 적절한 것은?

> A에 따르는 삶이란 모든 인간을 동등한 이성을 지닌 평등 한 존재로 생각해 동료 시민이자 이웃으로 간주하는 것이 다. 또한 A에 따르는 삶이란 각자가 가지고 태어난 우연 한 요소에 따라 동료들 간 경계를 짓지 않고 살아가는 것 이다.

① 혈연적 유대감을 바탕으로 민족 공동체에 헌신하는 태도를 강조한다.

② 보편적 도덕 법칙을 토대로 인류에 대한 의무 의식을 지닐 것을 강조한다.

③ 특정한 사회적 정체성과 전통을 기반으로 도덕성을 형성할 것을 강조한다.

④ 다른 나라와 민족에 대해 배타적이거나 우월적인 태 도를 지닐 것을 강조한다.

⑤ 어떤 공동체에 속한 구성원으로서의 특수한 가치를 보편적 가치보다 우선시한다.

한눈에 보는
대단원 정리

01 사회사상과 이상 사회

A 인간의 삶과 사회사상의 지향

사회사상	사회 현상에 대한 체계적인 사유와 해석
이상 사회	인간이 가장 바람직하다고 여기는 사회

B 동서양 이상 사회론의 현대적 의의

대동 사회	인(仁)이 모든 사람에게 확대된, 더불어 잘 사는 사회
소국과민	규모가 작고 인위적인 규범을 거부하며, 소박한 삶을 살아가는 사회
플라톤의 이상 국가	통치자, 군인, 생산자 계급이 각자의 역할을 수행하여 조화를 이룬 국가
뉴 아틀란티스	과학 기술의 발달로 풍요로운 사회
유토피아	누구나 똑같이 일하고 휴식하며, 사유 재산이 없는 사회
공산 사회	계급이 소멸하고 생산력이 고도로 발전한 사회

02 국가

A 국가의 기원과 본질에 대한 관점

유교	백성의 도덕적인 삶을 위한 도덕 공동체
아리스토텔레스	• 인간의 정치적 본성에 따라 형성됨 • 구성원들의 행복 실현을 추구하는 도덕 공동체
공화주의	공동선을 추구하는 시민들이 만들어 낸 공동체
사회계약론	시민의 생명과 안전을 보장하기 위해 계약을 통해 만든 정치 공동체
마르크스	지배 계급이 피지배 계급을 착취·억압하기 위한 수단

B 국가의 역할과 정당성에 대한 동서양의 관점

유교	민본주의를 바탕으로 백성을 위한 정치를 실현해야 함
아리스토텔레스	정치 참여 제도를 마련하고, 구성원들이 덕 있는 삶을 실현할 수 있도록 해야 함
공화주의	시민적 덕성을 기를 수 있도록 도와야 함
사회계약론	계약을 통해 권력을 국가에 양도한 본래의 목적을 제대로 실현해야 함
마르크스	국가는 정당성을 지니지 못하므로 소멸할 것임

03 시민

A 시민의 자유와 권리의 근거

(1) 자유주의의 의미와 특징

의미	무엇보다도 개인의 자유와 권리를 중시하는 사상
특징	• 자유: 타인이나 국가가 침해하거나 강제로 박탈할 수 없는 인간의 기본적 권리를 의미함 → 소극적 자유 • 국가: 개인의 권리를 보장하기 위해 요청되며, 개인에게 특정 가치관을 강제할 수 없음

(2) 공화주의의 의미와 특징

의미	시민을 개체적 존재가 아니라 사회적 존재로 보는 사상
특징	• 자유: 권력자의 자의적 지배가 없는 상태를 의미함 → 비지배로서의 자유 • 국가: 공동선을 실현하기 위한 자유로운 공화국 안에서만 사람들이 자유를 누릴 수 있음

B 공동체와 공동선 및 시민적 덕성

자유주의	• 사익보다 중요한 공익은 없음 • 관용: 자신과 다른 견해나 행동을 승인하며, 자신의 견해나 행동을 다른 사람에게 강요하지 않은 태도 • 애국심: 국가의 정치 체제를 규정하는 헌법의 기본 이념에 대한 국민적 동의와 충성을 의미함
공화주의	• 공익은 사익에 우선함 • 관용: 서로의 차이를 허용하는 것을 넘어 비지배의 조건을 보장하기 위해 타인의 자율성을 존중하는 태도 • 애국심: 시민의 자유를 지켜 주는 정치 공동체와 동료 시민에 대한 사랑

04 민주주의

A 근대 민주주의의 지향과 자유 민주주의

(1) 민주주의의 의미와 기본 원칙

의미	정치 공동체의 주권이 인민에게 있고 인민을 위하여 정치를 행하는 제도
근본 원리	인민주권의 원리: 지배하는 자와 지배받는 자가 같음
기본 원칙	• 모든 시민의 동등한 참여 권한과 기회의 원칙 • 권력 구성과 집행에 대한 시민의 통제 원칙

(2) 민주주의 발전에 영향을 준 사상

사회 계약론	• 로크: 법치주의, 권력 분립, 저항권 주장 • 루소: 국가는 공공의 이익만을 지향하는 일반 의지에 근거하여 운영되어야 함
밀	개인의 자유를 최대한 보장하는 정부가 좋은 정부임

B 도덕적 자율성과 책임 및 시민의 소통과 유대

(1) 현대 민주주의의 특징

대의 민주주의	투표를 통해 선출된 대표자가 시민의 의사를 반영하여 정치 활동을 하는 민주주의
참여 민주주의	다수의 시민이 의사 결정 과정에 자발적으로 참여하는 형태의 민주주의
심의 민주주의	시민이 직접 공적 심의 과정에 참여해 정책을 결정하는 형태의 민주주의

(2) 시민 불복종에 대한 입장

소로	개인의 양심에 근거하여 불복종을 정당화함
롤스	시민 다수의 정의감에 근거하여 불복종을 정당화함
하버마스	합리적 의사소통을 통해 합의한 원칙에 근거하여 불복종을 정당화함

05 자본주의

A 자본주의의 규범적 특징과 기여

(1) 자본주의의 의미와 규범적 특징

의미	사유 재산 제도를 바탕으로 시장에서의 자유 교환을 중심으로 하는 경제 체제
규범적 특징	• 개인의 경제적 자율성과 사적 소유권을 최대한 보장함 • 이윤 추구를 위해 시장에서의 자유 경쟁을 허용함

(2) 자본주의의 전개 과정

고전적 자본주의	각 개인의 경제적 자율성을 최대한 보장하기 위해 '보이지 않는 손'의 역할을 강조함(대표 사상가: 애덤 스미스)
수정 자본주의	시장 실패를 해결하기 위해 경제 활동에 정부의 적극적 개입을 강조함(대표 사상가: 케인스)
신자유주의	정부 실패를 해결하기 위해 정부의 기능을 축소하고 시장의 자율성 확대를 강조함(대표 사상가: 하이에크)

(3) 자본주의의 윤리적 기여

경제적 효율성 증진과 물질적 풍요, 개인의 자유와 권리 신장, 개인의 자율성과 창의성 증대

B 자본주의에 대한 비판과 대안

(1) 자본주의에 대한 비판적 시각

빈부 격차 심화, 물질 만능주의, 인간 소외 현상

(2) 자본주의에 대한 대안적 시도

마르크스	프롤레타리아에 의한 생산 수단의 공유와 계획 경제를 주장함
민주 사회주의	의회를 통한 점진적 개혁으로 민주적 방법을 통한 사회주의 실현을 강조함

06 평화

A 동서양의 다양한 평화 사상

(1) 갈퉁의 평화론

소극적 평화	물리적 폭력이 없는 상태
적극적 평화	물리적 폭력뿐만 아니라 구조적 폭력과 문화적 폭력까지 사라진 상태

(2) 동서양의 평화 사상

동양의 평화 사상	• 유교: 도덕적 수양을 바탕으로 인의의 실현을 강조함 • 묵자: 침략 전쟁을 반대하고 겸애교리를 강조함 • 불교: 생명 존중과 자비의 실천을 강조함 • 도가: 무위의 다스림의 실현을 강조함
서양의 평화 사상	• 에라스뮈스: 전쟁은 악을 초래한다는 관점에서 반대함 • 생피에르: 이기심과 합리적 이성에 따를 것을 강조함 • 현실주의: 평화는 세력 균형을 맞출 때 실현 가능함 • 칸트: 영구 평화를 주장함

B 세계 시민주의와 세계 시민 윤리의 구상

롤스	원조는 도덕적 의무임 → 불리한 여건으로 고통받는 사회를 질서 정연한 사회가 되도록 원조해야 함
싱어	원조는 도덕적 의무임 → 복지 증진을 위해 전 지구적 차원에서 원조해야 함
노직	원조는 도덕적 의무가 아닌 자선임

한번에 끝내는 대단원 문제

정답과 해설 84쪽

01 (가)의 갑, 을의 입장을 (나) 그림으로 표현할 때, A~C에 들어갈 내용으로 옳은 것은?

(가)	갑: 큰 도(大道)가 행해지는 천하는 공공의 것이다. 어질고 능한 인물을 선택하여 천하를 다스리게 하고 신의를 가르치며 화목하게 지낸다. 젊은이는 쓰일 곳이 있으며, 홀아비와 과부와 고아와 자식 없는 늙은이와 질병에 걸린 사람들은 모두 부양을 받을 수 있다. 을: 학술원에서는 사물의 숨겨진 원인과 작용을 탐구하여 인간의 목적에 맞게 사물을 변화시키려고 한다. 발달한 과학 기술을 통해 농작물이나 축산물이 아주 풍부하게 생산되며, 생활은 아주 편리하다.
(나)	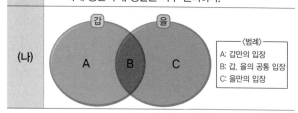 〈범례〉 A: 갑만의 입장 B: 갑, 을의 공통 입장 C: 을만의 입장

① A: 소외 계층이 없는 민주주의의 실현을 강조하였다.
② A: 인위적 질서를 거부하고 소규모의 소박한 공동체를 지향하였다.
③ B: 경제적으로 안정되고 풍요로운 사회를 지향하였다.
④ B: 인공적인 질서에 바탕을 둔 이상 사회를 지향하였다.
⑤ C: 자연과의 공생을 기초로 한 이상 사회를 지향하였다.

02 다음을 주장한 서양 사상가의 입장으로 가장 적절한 것은?

> 생산자를 비롯한 국가를 구성하는 세 계급에게는 타고난 성향에 따른 고유한 역할이 주어져 있기 때문에 각자가 자신이 속한 계급에 맞는 자신의 역할에 충실해야 한다. 생산자는 통치자나 군인의 일에 간섭해서는 안 된다.

① 유능한 사람이 등용되는 신분적 차별이 없는 사회를 지향한다.
② 오랜 교육과 훈련을 받은 생산자가 통치하는 사회를 지향한다.
③ 생산 수단의 공유를 바탕으로 계급이 소멸한 사회를 지향한다.
④ 과학 기술의 발전에 따라 생산이 풍부하고 생활이 편리한 사회를 지향한다.
⑤ 통치자, 군인, 생산자 세 계급이 각자 역할을 잘 수행하여 조화를 이루는 사회를 지향한다.

03 다음을 주장한 사상가의 입장에 대한 옳은 설명만을 〈보기〉에서 있는 대로 고른 것은?

> 유토피아에서는 덕 있는 사람이 보상을 받으면서도, 모든 것을 평등하게 나누어 가지며 누구나 풍족하게 산다. … 사회 구성원들은 공동체에 필요한 임무를 수행하고, 나머지 시간은 각자 정신의 자유와 수양을 위해 사용한다.

〈보기〉
ㄱ. 경제적으로 안정된 사회를 지향한다.
ㄴ. 고통을 주는 노동 자체가 배제된 사회를 꿈꾼다.
ㄷ. 사유 재산이 없고 모두가 평등한 사회를 지향한다.
ㄹ. 누구나 똑같이 일하고 휴식하는 사회를 이상적으로 본다.

① ㄱ, ㄴ　　　② ㄱ, ㄷ　　　③ ㄴ, ㄹ
④ ㄱ, ㄷ, ㄹ　　　⑤ ㄴ, ㄷ, ㄹ

04 (가)의 갑, 을 사상가들의 입장을 (나) 그림으로 탐구할 때, A~C에 해당하는 옳은 질문만을 〈보기〉에서 고른 것은?

(가)	갑: 노동 분업에 예속된 노예 상태가 사라지고, 노동이 생활을 위한 수단일 뿐 아니라 삶의 기본적 욕구가 된다. 각자는 자신의 능력에 따라 일하고, 자신의 필요에 따라 분배받는다. 을: 인구가 적은 작은 나라, 열 가지 백 가지 기계가 있으나 쓰지 않도록 하고, 배와 수레가 있어도 타는 일이 없고, 갑옷과 무기가 있어도 내보일 일이 없다.
(나)	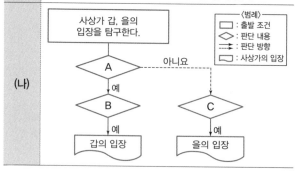

〈보기〉
ㄱ. A: 경제적으로 풍요로운 사회를 지향하는가?
ㄴ. A: 국가는 계급적인 이해관계를 무시하는가?
ㄷ. B: 국가가 소멸된 상태를 이상으로 보는가?
ㄹ. C: 문명의 혜택을 고루 누리는 사회를 지향하는가?

① ㄱ, ㄴ　　　② ㄱ, ㄷ　　　③ ㄴ, ㄷ
④ ㄴ, ㄹ　　　⑤ ㄷ, ㄹ

234 Ⅳ. 사회사상

05 다음을 주장한 사상가의 관점에만 모두 '✓'를 표시한 학생은?

> 모든 국가는 분명 일종의 공동체이며, 모든 공동체는 어떤 선을 실현하기 위해 구성된다. 모든 공동체 중에서도 으뜸되며 다른 공동체를 모두 포괄하는 공동체가 국가이다.

번호	관점 \ 학생	갑	을	병	정	무
(1)	국가는 시민의 자유를 지키기 위한 수단이다.	✓			✓	✓
(2)	국가는 최고선을 추구하는 도덕 공동체이다.	✓	✓		✓	
(3)	국가는 인간의 자연적 본성에서 유래한 공동체이다.		✓	✓		✓
(4)	국가는 국민의 동의에 의해 정당성을 확보하는 공동체이다.			✓	✓	✓

① 갑　　② 을　　③ 병　　④ 정　　⑤ 무

06 다음을 주장한 사상가가 부정의 대답을 할 질문으로 가장 적절한 것은?

> 인간은 본래 모두 자유롭고 평등하며 독립된 존재이므로 어떤 인간도 자신의 동의 없이 이러한 상태를 떠나서 다른 사람의 정치권력에 복종할 수 없다. 어떤 사람이 자신의 자연적 자유를 포기하고 시민 사회의 구속을 받아들이는 유일한 방도는 재산을 안전하게 누리고 공동체에 속하지 않은 사람들로부터 좀 더 많은 안전을 확보하면서, 상호 간에 편안하고 안전하며 평화스러운 삶을 영위하기 위해 다른 사람들과 함께 공동체를 결성하기로 합의하는 것이다.

① 국가는 자연 발생적으로 나타난 정치 공동체인가?
② 자연 상태는 서로에 대한 투쟁 상태로 보면 안 되는가?
③ 시민은 국가에게 양도한 자연권을 회수할 수 있는가?
④ 국가가 개인의 재산권을 보장하지 않을 때 저항할 수 있는가?
⑤ 국가는 인간의 이성을 통한 합리적 사고에 따른 계약의 산물인가?

07 갑, 을의 입장으로 가장 적절한 것은?

> 갑: 공화국은 인민의 것이다. 그러나 인민은 아무렇게나 모인 한 무리의 사람을 뜻하는 것이 아니라 정의와 공동의 이익을 인정하고 동의한 사람의 모임이다.
> 을: 개인은 자연법에 따른 권리의 주체로서 자신의 자유를 정당하게 행사할 수 있으며, 계약을 통해 성립한 국가는 개인의 생명과 자유, 재산을 보호할 의무가 있다.

① 갑은 정치적 저항권을 행사할 수 있다고 본다.
② 갑은 국가를 자연 발생적으로 나타난 정치 공동체로 본다.
③ 을은 국가는 강자의 정복에 의해 발생한 인위적 산물이라고 본다.
④ 을은 스스로 주권자이고 입법자인 공동체에서 시민적 자유를 누릴 수 있다고 본다.
⑤ 갑, 을은 국가를 목적이 아닌 수단으로 본다.

08 그림은 서술형 평가 문제와 학생 답안이다. 학생 답안의 ㉠~㉤ 중 옳지 않은 것은?

> **〈서술형 평가〉**
> ◎ 문제: 갑, 을의 입장을 비교하여 서술하시오.
>
> 갑: 인간은 정치적 본성에 따른 산물이며 훌륭한 삶을 위해 존속한다. 인간은 본성적으로 국가 공동체를 구성하는 동물이다.
> 을: 인간은 전쟁 상태라는 자연 상태에서 벗어나기 위해 자신의 권리를 한 사람 또는 하나의 합의체에 양도한다.
>
> ◎ 학생 답안
> 갑, 을의 입장을 비교해 보면, 갑은 ㉠국가는 행복을 실현하는 도덕 공동체라고 보며, ㉡국가의 목적은 덕의 실천을 통해 구성원들이 도덕적 삶을 살아가도록 하는 데 있다고 본다. 을은 ㉢공통의 법률이 없는 상태에서는 도덕이 존재하지 않는다고 보며, ㉣계약적 관점을 도입하여 군주의 절대권을 확립하는 데 관심을 기울였다. 한편 갑, 을은 공통적으로 ㉤국가를 시민의 경제적 안정을 위한 수단으로 본다.

① ㉠　　② ㉡　　③ ㉢　　④ ㉣　　⑤ ㉤

09 다음 사회사상에서 긍정의 대답을 할 질문만을 〈보기〉에서 고른 것은?

> 자유는 가치를 스스로 선택하는 능력에 달려 있다. 개인은 불가침의 권리를 지니므로 공동선을 위한다는 명목으로 누구도 타인을 강제할 수 없다. 도덕과 정치를 결합하려는 시도는 강제되지 않을 개인의 권리를 침해하므로 부당하다.

> **보기**
> ㄱ. 공동체는 개인들의 계약에 의해 형성되는가?
> ㄴ. 개인의 정체성은 공동체적 관계 속에서 형성되는가?
> ㄷ. 개인의 이익이 공동체의 목적보다 언제나 우선하는가?
> ㄹ. 개인은 자신이 선택하지 않은 의무를 이행해야 하는가?

① ㄱ, ㄴ　　② ㄱ, ㄷ　　③ ㄴ, ㄷ
④ ㄴ, ㄹ　　⑤ ㄷ, ㄹ

10 다음 글의 입장에서 지지할 주장으로 옳은 것만을 〈보기〉에서 있는 대로 고른 것은?

> 훌륭한 국가는 우연과 행운이 아니라 지혜와 윤리적 결단의 산물이다. 국가가 훌륭해지려면 국정에 참여하는 시민이 훌륭해져야 한다. 따라서 시민 각자가 어떻게 해야 스스로가 훌륭해질 수 있는지 고민해야 한다. 시민 각자가 훌륭하지 않아도 전체가 훌륭할 수 있겠지만, 시민 각자가 훌륭하면 더 바람직하다. 각자가 훌륭하면 전체도 훌륭할 것이기 때문이다.

> **보기**
> ㄱ. 훌륭한 국가의 실현을 위해서 시민들은 덕성을 갖추어야 한다.
> ㄴ. 훌륭한 국정 운영을 위해서는 지혜로운 시민들의 참여가 필요하다.
> ㄷ. 훌륭한 국가의 실현과 훌륭한 시민의 교육은 별개로 이루어져야 한다.
> ㄹ. 훌륭한 국가로 발전하기 위해서는 시민들의 윤리적 숙고가 필수적이다.

① ㄱ, ㄴ　　② ㄱ, ㄷ　　③ ㄷ, ㄹ
④ ㄱ, ㄴ, ㄹ　　⑤ ㄴ, ㄷ, ㄹ

11 밑줄 친 'A 사상'의 입장에 대한 설명으로 옳지 <u>않은</u> 것은?

> <u>A 사상</u>에서 규정하는 진정한 자유는 한 사람이나 여러 사람의 자의에 종속되지 않는 것이다. <u>A 사상</u>에 따르면 자유로운 시민은 오직 법에만 복종하며, 타인에게 예속하여 복종하도록 강제될 수 없다.

① 시민적 자유와 권리는 천부적으로 주어지는 것이 아니다.
② 법치를 통해서만이 비지배로서의 자유를 보장할 수 있다.
③ 시민은 사익 추구보다 공적인 의무 이행을 우선시해야 한다.
④ 자유롭게 살아가기 위해 법에 의한 지배에서 벗어나야 한다.
⑤ 개인은 정치 공동체의 일에 참여하는 시민이 됨으로써 자유를 실현할 수 있다.

12 다음을 주장한 사상가가 긍정의 대답을 할 질문만을 〈보기〉에서 고른 것은?

> 인간은 자연 상태에서 가졌던 평등, 자유, 집행권을 사회에 양도해 사회의 이익을 필요로 할 때 입법 기구가 이용할 수 있도록 해야 한다. 하지만 그 의도는 단지 모든 구성원의 자유와 재산을 보호하는 데 있을 뿐이다. 사회의 권력이나 구성원들이 확립한 입법 기구의 역할은 결코 공익의 범위를 넘지 못한다.

> **보기**
> ㄱ. 국가는 자연적으로 형성된 산물인가?
> ㄴ. 정치적 의무는 명시적 동의에 의한 계약으로만 발생하는가?
> ㄷ. 법률을 제정한 자가 그 법률을 집행하도록 하는 것은 잘못인가?
> ㄹ. 시민들은 제 역할을 하지 못하는 국가에 복종하지 않아도 되는가?

① ㄱ, ㄴ　　② ㄱ, ㄷ　　③ ㄴ, ㄷ
④ ㄴ, ㄹ　　⑤ ㄷ, ㄹ

13 다음의 현대 민주주의의 입장으로 옳은 것만을 〈보기〉에서 있는 대로 고른 것은?

민주주의 체제에서 시민들의 수동성과 정치인들의 억압이라는 악순환을 깨기 위해서는 시민들이 공공 현안에 직접 참여해야 한다. 시민들이 선거를 통해 정당이나 정치인을 통제하지 못한다고 비난하기보다는 참여하지 않음으로써 문제가 발생한다고 보아야 한다. 의회 민주주의는 시민 개개인의 탈정치화를 조장하여 정치적 무관심을 부추기는데, 이를 극복할 유일한 방안은 참여이다.

〈보기〉
ㄱ. 시민들이 정책 결정 과정에 참여하는 것은 바람직하지 않다.
ㄴ. 적극적인 시민 참여를 통해 행정의 일탈 행위들을 감시해야 한다.
ㄷ. 시민의 역할은 지도자를 선출하는 투표자의 역할에 한정해야 한다.
ㄹ. 시민은 자신이 속한 공동체의 규율을 형성하는 것에 관여해야 한다.

① ㄱ, ㄷ   ② ㄴ, ㄷ   ③ ㄴ, ㄹ
④ ㄱ, ㄴ, ㄹ   ⑤ ㄱ, ㄷ, ㄹ

14 갑, 을의 입장에 대한 설명으로 옳은 것은?

갑: 시민 불복종은 공유된 정의관이라는 틀 안에서 행해져야 할 최후의 정치적 행위이다. 이를 통해 우리는 공동 사회의 다수자가 갖는 정의감을 나타내게 되고, 자유롭고 평등한 인간들 간에 사회 협동체의 원칙이 존중되지 않고 있음을 선언하게 된다.
을: 진정한 법치 국가는 단순한 합법성을 토대로 정당성을 내세워서는 안 되며, 법에 대한 조건부의 복종을 요구해야 한다. 시민 불복종은 정당하지 않은 규정을 수정하거나 개혁할 수 있는 마지막 가능성이다.

① 갑은 시민 불복종의 목표가 사회 체제의 근본적 변화라고 본다.
② 갑은 시민 불복종이 법에 대한 충실성의 한계를 벗어나야 한다고 본다.
③ 을은 시민 불복종은 시민 공중의 비판적 판단을 거칠 때 정당화될 수 있다고 본다.
④ 을은 시민 불복종이 폭력적인 방법으로 이루어지더라도 정당화될 수 있다고 본다.
⑤ 갑, 을은 시민 불복종의 최종 근거를 개인의 양심에서 찾아야 한다고 본다.

15 ㉠에 들어갈 진술로 가장 적절한 것은?

나는 국가가 시장의 자생적 질서를 계획을 통해 인위적으로 바꾸려고 하면 애초의 의도와 달리 사태를 악화시킬 뿐이라고 본다. 시장은 자생적 질서이며, 이러한 질서에서의 분배는 개인의 능력이나 운에 따라 이루어지는 것이므로, 경제적 불평등을 완화하기 위한 국가의 간섭은 정의롭지 못하다. 그런데 어떤 사상가는 "국가는 조세 체계, 금융 정책 등의 여러 경로를 통해 소비 성향에 주요한 영향력을 행사해야 한다. 국가의 포괄적인 공공 지출은 빈부 격차를 완화하고 사회 통합에 기여할 것이다."라고 주장한다. 나는 이러한 주장이 [㉠]고 생각한다.

① 분배의 형평성이 생산의 효율성보다 중요함을 간과한다
② 복지를 위한 정책이 시장의 자율성을 침해함을 간과한다
③ 정부의 시장에 대한 적극적인 개입이 필요함을 간과한다
④ 공공선을 위해 정부의 시장 규제를 확대해야 함을 간과한다
⑤ 국가가 재정 지출을 늘려 유효 수요를 창출해야 함을 간과한다

16 다음을 주장한 사상가가 긍정의 대답을 할 옳은 질문만을 〈보기〉에서 있는 대로 고른 것은?

부르주아는 인간의 인격적 가치를 교환 가치로 해체시켰으며, 투쟁을 통해 얻어진 자유 대신에 파렴치한 상거래의 자유만을 내세웠다. 인격적 가치와 진정한 자유는 프롤레타리아의 단결을 통해서 쟁취될 수 있다.

〈보기〉
ㄱ. 의회를 통해 사회를 점진적으로 개혁해야 하는가?
ㄴ. 시장 내 공정한 경쟁이 마련되는 정책이 필요한가?
ㄷ. 능력에 따라 일하고 필요에 따라 분배해야 하는가?
ㄹ. 경제적 평등의 실현을 위해 생산 수단을 공유해야 하는가?

① ㄱ, ㄴ   ② ㄴ, ㄷ   ③ ㄷ, ㄹ
④ ㄱ, ㄴ, ㄹ   ⑤ ㄱ, ㄷ, ㄹ

17 (가), (나)의 사회사상에 대한 설명으로 옳은 것은?

(가)	• 시장의 기능에 전적으로 의존할 경우 유효 수요가 부족해질 수 있다. • 완전 고용 수준에 도달하기 위해서는 정부가 정책을 통해 시장의 기능을 보완해야 한다.
(나)	• 사회주의는 민주주의를 통해서만 달성될 수 있다. • 국가는 사적 소유자들이 계획 경제의 틀 속에서 생산과 복지의 증진에 공헌할 수 있도록 도와주어야 한다.

① (가)는 모든 생산 수단의 국유화를 주장한다.
② (나)는 정부가 시장에 개입하는 것을 반대한다.
③ (가)는 (나)와 달리 계급 없는 사회를 이상적으로 본다.
④ (나)는 (가)와 달리 국가의 복지 정책의 축소를 주장한다.
⑤ (가), (나)는 국가의 적극적 시장 개입으로 경제적 불평등을 개선해야 한다고 본다.

18 학생들이 모두 적절한 대답을 했다고 할 때, 밑줄 친 'A 사상가'의 주장으로 옳은 것만을 〈보기〉에서 있는 대로 고른 것은?

선생님: 춘추 전국시대 A 사상가에 대해 발표해 봅시다.
학생 1: 모두에게 이익을 주는 것이 의(義)라고 하였습니다.
학생 2: 차별 없는 사랑[兼愛]을 통해 사람들에게 이익을 주어야 한다고 하였습니다.

〈보기〉
ㄱ. 타국을 정복하거나 침략하기 위한 전쟁을 해서는 안 된다.
ㄴ. 강대국으로부터 약소국을 지키기 위한 방어 전쟁은 정당하다.
ㄷ. 천하의 이익을 일으키고 해를 제거하기 위해 전쟁을 피해야 한다.
ㄹ. 사회적 지위나 친분을 고려하여 사람들을 분별적으로 대해야 한다.

① ㄱ, ㄴ   ② ㄱ, ㄹ   ③ ㄴ, ㄹ
④ ㄱ, ㄴ, ㄷ   ⑤ ㄴ, ㄷ, ㄹ

19 다음을 주장한 사상가의 입장만을 〈보기〉에서 고른 것은?

갈등의 일시적 중지를 직접적 폭력과 거대 갈등을 평화로 종식하는 것과 동일시해서는 안 된다. 그런 태도는 갈등의 뿌리가 되는 갈등을 은닉할 수 있다. 평화 과정은 갈등들이 미래에 비폭력적으로 다루어지도록 모든 종류의 폭력을 줄이는 것이다. 폭력은 직접적이고 물리적인 행위만이 아니라 간접적인 요소를 포함한다.

〈보기〉
ㄱ. 개인의 선의지 함양만으로 평화를 실현할 수 있다.
ㄴ. 모든 전쟁의 종식은 적극적 평화 실현을 보장한다.
ㄷ. 모든 종류의 폭력은 평화적 수단으로 해소해야 한다.
ㄹ. 폭력은 인간의 기본적 욕구를 모독하는 모든 것이다.

① ㄱ, ㄴ   ② ㄱ, ㄷ   ③ ㄴ, ㄷ
④ ㄴ, ㄹ   ⑤ ㄷ, ㄹ

20 갑, 을 사상가들의 입장으로 옳지 <u>않은</u> 것은?

갑: 만민에게 원조는 공정하게 부담해야 할 전 지구적 의무이다. 기본적 욕구를 충족하고 남는 소득이 있으면 소득의 일부를 기부하여 세계의 빈민을 도와야 한다. 내가 돕는 사람이 나에게서 내 이웃의 아이인지, 다른 나라에 사는 사람인지는 도덕적으로 아무런 차이가 없다.
을: 만민에게는 정의롭거나 적정 수준의 정치 체제와 사회 체제의 유지를 저해하는 불리한 조건에 처한 다른 만민을 원조할 의무가 있다. 국제 원조는 고통을 겪고 있는 사회가 어려움에서 벗어나 스스로의 일을 적절하고 합리적으로 처리할 수 있도록 하는 것을 목표로 삼아야 한다.

① 갑: 굶주림과 죽음에 대한 방치는 인류 전체의 고통을 증가시키는 것이다.
② 갑: 원조에서 사용하는 비용이 원조를 통해 얻는 이익보다 작을 경우 원조를 해야 한다.
③ 을: 원조의 최종 목적은 고통을 겪고 있는 사회의 구조 개선이다.
④ 을: 원조를 할 때 차등의 원칙을 적용하여 분배 정의를 실현해야 한다.
⑤ 갑, 을: 원조는 자선이 아닌 당위의 차원에서 실시해야 한다.

21 다음 글을 읽고 물음에 답하시오.

> 갑: 만일 프롤레타리아가 부르주아에 대항하는 투쟁에서 반드시 계급으로 한데 뭉쳐 혁명을 통해 스스로 지배 계급이 되고, 또 지배 계급으로서 낡은 생산관계를 폭력적으로 폐지하게 된다면 그들은 계급적 대립의 존재 조건과 모든 계급을 폐지하게 될 것이다.
>
> 을: 인간은 자신의 자연 상태를 그대로 보존하고자 하지만, 그것을 방해하는 힘이 강해져 감당할 수 없는 지경에 이르면 개인과 개인이 연합하여 공동의 힘인 일반 의지에 따라 각자의 생명과 재산을 보호하고 보존하며 자유를 잃지 않는 연합에 이른다.

(1) 갑, 을 사상가를 각각 쓰시오.

갑: (   ), 을: (   )

(2) 불평등의 원인에 대한 갑, 을의 입장을 서술하시오.

_____

_____

22 다음 글을 읽고 물음에 답하시오.

> 갑: 큰 도(大道)가 행해지는 천하는 공공의 것이다. 어질고 능한 인물을 선택하여 천하를 다스리게 하고 홀아비, 과부, 고아, 질병에 걸린 사람들은 모두 부양을 받을 수 있다.
>
> 을: 한 국가가 올바른 나라로 여겨지는 것은 이 국가 안에 있는 성향이 다른 세 부류가 저마다 제 일을 하기 때문이다. 철인이 국가의 최고 지배자가 되어 질서를 이룰 때만이 정의가 가능하다.

(1) 갑, 을 사상가를 각각 쓰시오.

갑: (   ), 을: (   )

(2) 갑, 을 사상가가 지향하는 이상 사회의 특징을 서술하시오.

_____

_____

_____

23 다음 글을 읽고 물음에 답하시오.

> A 사상은 이윤 획득을 위한 개인의 자유로운 생산 활동을 보장하는 제도인 동시에 사유 재산제에 바탕을 둔 시장 체제를 의미한다. A 사상은 개인의 자유와 권리를 신장하였으며, 창의성을 증진하여 경제적 효율성을 높여 주었고, 민주주의의 정착과 발전에 기여하는 등 긍정적인 영향을 주었다. 하지만 동시에 A 사상은 ㉠여러 가지 윤리적 문제점을 낳기도 하였다.

(1) 밑줄 친 'A 사상'에 해당하는 사회사상을 쓰시오.

(   )

(2) ㉠에 해당하는 점을 두 가지 이상 서술하시오.

_____

_____

_____

24 다음 글을 읽고 물음에 답하시오.

> 갑: 질서 정연한 사회에 살고 있는 만민은 불리한 여건으로 인해 고통받는 사회에 대해 원조해야 할 의무가 있으며, 상대적으로 가난한 나라라고 하더라도 질서 정연한 사회는 원조할 필요가 없다.
>
> 을: 한 사회나 국가를 넘어 세계의 모든 가난한 사람들을 원조의 대상으로 삼아야 하며, 원조의 수준에서도 인류 전체의 행복이나 이익 증진이라는 관점에서 양을 늘려야 한다.

(1) 갑, 을 사상가를 각각 쓰시오

갑: (   ), 을: (   )

(2) 원조의 목적에 대한 갑과 을의 주장을 비교하여 서술하시오.

_____

_____

너의 꿈은
무니?

꿈을 찾는 법

꿈을 찾았나요? 꿈을 찾고 있나요?

아직 꿈을 찾기 못했다면 많이 막막하고 고민이 될 것 같아요.
꿈을 찾았다 해도 이것이 진정 나에게 맞는 꿈인지 고민이 되
기도 하구요.

꿈을 찾기 위해 어떻게 해야할까요?

꿈을 찾기 위해서는
내가 흥미를 느끼고 있는 분야는 무엇인지,
어떤 일이 나의 적성에 맞는지,
나는 어떤 것을 좀 더 잘하는지 먼저 살펴보아야 해요.
하지만 무엇보다 가장 중요한 것은
어떤 일을 해야 내가 행복할 것 같은지 생각해 보는 것이에요.

꿈을 찾는 과정에서

가족이나 친구에게 조언을 듣는것도 좋은 방법이랍니다.
내가 잘하는 것과 어떤일이 어울릴 것 같은지 물어보고 참고해
보아요.
그리고 서두르지 말고 찬찬히 꿈을 찾으세요.

내 꿈은
'한식왕' 챔피언!

지학사

개념 학습과 정리가 한번에 끝나는 기본서

개념풀

윤리와 사상

정답과 해설

개념과 정리가 한번에 끝나는 기본서

개념풀

— 윤리와 사상 —

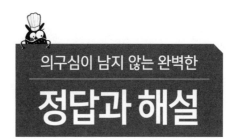

의구심이 남지 않는 완벽한

정답과 해설

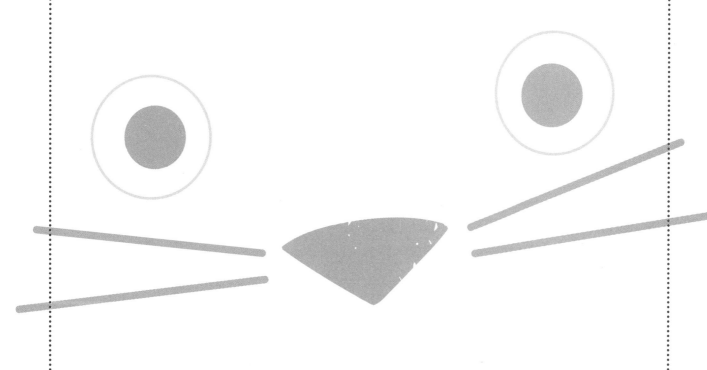

I »» 인간과 윤리 사상

01 ~ 윤리 사상과 사회사상

콕콕! 개념 확인하기   17쪽

01 (1) ⓒ (2) ㉠ (3) ㉡
02 (1) 선천적으로 (2) 이익 (3) 결정되어 있지 않다
03 (1) 윤리 사상 (2) 사회사상
04 (1) × (2) ◯ (3) ◯
05 (1) × (2) ◯ (3) ◯
06 (1) ㉡ (2) ㉢ (3) ㉠

04 (1) 도가 사상에서는 인의의 가치를 중시하지 않는다.

05 (1) 헬레니즘 윤리 사상은 대체로 정신적 쾌락 추구나 금욕을 통해 행복을 실현하고자 하였다.

탄탄! 내신 다지기   18~19쪽

01 ⑤   **02** ⑤   **03** ④   **04** ①   **05** ④   **06** ⑤   **07** ⑤
08 ①   **09** ③   **10** 해설 참조

01 윤리적 존재로서의 인간

[선택지 분석]
① 인간은 필요한 도구를 만들어 사용하는 존재이다.
               → 도구적 존재
② 인간은 삶의 재미와 즐거움을 추구하는 존재이다.
               → 유희적 존재
③ 인간은 초월적이고 무한한 것을 추구하는 존재이다.
               → 종교적 존재
④ 인간은 다양한 예술 활동으로 아름다움을 추구하는 존재이다. → 예술적 존재
☑ 인간은 스스로 옳고 그름을 판단하고 선(善)을 추구하는 존재이다.

02 사회적·정치적 존재로서의 인간

자료 분석 | 인간이 타인과 더불어 살며, 공동체에 소속될 때 완전한 인간이 된다고 보므로 사회적·정치적 존재에 대한 설명임을 알 수 있다.
[선택지 분석]
① 윤리적 존재
② 유희적 존재
③ 도구적 존재
④ 종교적 존재
    → 초월적이고 무한한 것을 추구하는 인간의 특성을 말한다.
☑ 사회적·정치적 존재

03 순자의 성악설

자료 분석 | 제시문은 본성을 그대로 따르면 혼란스러워지고, 예를 실천한 결과 선해진다는 점을 통해 성악설을 주장한 순자의 주장임을 알 수 있다.
[선택지 분석]
✗ 타고난 본성에 따라 소박하게 살아가야 한다.
㉡ 교육과 제도로 인간의 욕망을 교화시켜야 한다.
    ➡ 순자는 인간의 타고난 악한 본성을 그대로 두면 혼란이 발생하기 때문에 인위적 예를 통해 교화하고 이끌어야 사회를 바르게 다스릴 수 있다고 보았다.
✗ 본성을 잘 유지하고 확충하기 위해 노력해야 한다.
    ➡ 순자는 인간의 악한 본성을 예로써 변화시켜야 도덕적 행동을 할 수 있다고 주장하였다.
㉣ 성인과 일반 백성들은 동일한 본성을 갖고 태어난다.
    ➡ 순자는 성인이든 일반 백성이든 이에 상관없이 모든 인간은 악한 본성을 갖고 태어난다고 보았다.

04 윤리 사상의 중요성

자료 분석 | ㉠에는 윤리 사상이 우리 삶에서 중요한 이유가 들어가야 한다.
[선택지 분석]
㉠ 도덕적 행동의 판단 근거를 제시하기 때문
㉡ 자아를 탐색할 수 있는 기회를 제공하기 때문
✗ 현실에서 이상 사회를 이룰 수 없음을 일깨우기 때문
    ➡ 이상 사회에 대한 논의는 윤리 사상이 아닌 사회사상과 관련된다. 사회사상은 이상 사회의 모습을 설계하고 실현 방안을 모색하는 데 도움을 준다.
✗ 소속된 사회의 문제에 대한 비판이 최우선 과제이기 때문
    ➡ 현 사회를 진단하고 평가하는 기준을 제시하고 현실의 윤리 문제 해결에 도움을 주는 것은 사회사상이다.

05 사회사상의 중요성

자료 분석 | ㉠은 사회의 현상을 해석하고, 사회 제도의 바람직한 모습에 대한 체계적인 사유인 사회사상이다.
[선택지 분석]
✗ 타인에게 진실만을 말하는 것은 옳은 일인가? → 윤리 사상
㉡ 국가는 국민에게 좋은 삶에 대해 안내해야 하는가?
✗ 친구의 잘못을 일일이 지적하는 것은 옳은 일인가?
                          → 윤리 사상
㉣ 국가의 입법·행정·사법권은 분리되어 있는 것이 바람직한가?

06 동양 윤리 사상의 특징

[선택지 분석]
① ㉠ 자연과 인간을 분리하여 파악하지 않는 관점을 지니고 있다.
② ㉡ 인간과 자연을 통일된 전체로 보는 유기체적 세계관을 지니고 있다.

③ ⓒ 개인보다 공동체를 강조하며,

④ ② 공동체 구성원 간의 관계를 중시한다.

✓ⓜ 인간이 이성적 존재자로서 모두가 평등하고, 수단이 아닌 목적으로 대해야 함을 강조하는 사상으로 이어지게 되었다.

07 유교 윤리 사상의 역할

자료 분석 | 제시문의 '이 사상'은 인의예지의 본성을 바탕으로 자기 수양을 통해 이상적 인간과 사회를 만들어야 한다고 보는 점을 통해 유교 사상임을 알 수 있다.

[선택지 분석]

① 인간과 인간의 도덕적 관계를 중시한다.

② 현실에서의 도덕적 실천이 소중함을 일깨운다.

③ 건전한 인격을 갖추기 위한 노력의 중요성을 일깨운다.

④ 사람들과의 관계를 중시하는 도덕 공동체의 확립을 강조한다.

✓ 인위적인 것을 버리고 자연 그대로의 소박한 삶을 살 것을 강조한다. → 도가 사상

08 자유주의 사상의 특징

자료 분석 | 개인의 자유와 권리에 대한 보장, 이를 확보할 수 있는 제도 마련 등을 강조한다는 점에서 ㉠이 자유주의임을 알 수 있다.

[선택지 분석]

✓ 자유주의

② 사회주의

③ 공화주의
  ➡ 공공성과 공적인 삶을 중시하는 사상이다.

④ 자본주의
  ➡ 사유 재산과 경제 활동의 자유를 중시한다.

⑤ 세계 시민주의
  ➡ 인류를 국적 등과 무관하게 보편적 권리를 지닌 시민으로 본다.

09 윤리 사상과 사회사상의 관계

[선택지 분석]

① 윤리 사상과 사회사상은 상호 ~~배타적~~ 관계에 있다.
  의존적·보완적

② 윤리 사상과 사회사상 모두 인간의 행복 실현과는 무관하다.
  ➡ 윤리 사상과 사회사상은 모두 궁극적으로 인간다움과 행복을 실현하고자 한다.

✓ 윤리 사상에서 추구하는 인간상은 바람직한 사회 속에서 구현될 수 있다.
  ➡ 개인의 삶은 사회·국가 구성원으로서의 삶과 분리해서 생각할 수 없다.

④ ~~윤리 사상과~~ 사회사상 모두 공동체가 갖추어야 할 집단
  사회사상은
  의 규범만을 탐구한다.

⑤ ~~윤리 사상~~은 바람직한 사회의 모습을, ~~사회사상~~은 바람
  사회사상   윤리 사상
  직한 인간의 모습을 탐구한다.

10 고자의 성무선악설과 맹자의 성선설 비교

자료 분석 | 제시문의 갑은 사람의 본성에 선함과 선하지 않음의 구분이 없다고 보는 점을 통해 성무선악설을 제시한 고자임을 알 수 있다. 을은 사람의 본성이 선한 것은 물이 아래로 흐르는 것과 같다고 보는 점을 통해 성선설을 제시한 맹자임을 알 수 있다.

(1) 갑: 고자, 을: 맹자

(2) [예시 답안] 갑은 인간의 본성이 선이나 악으로 미리 정해져 있지 않다고 본 반면, 을은 인간은 선한 본성을 타고난다고 보았다.

채점기준		
상	성무선악설의 입장과 성선설의 입장을 모두 정확하게 서술한 경우	
중	성무선악설의 입장과 성선설의 입장 중 하나만을 정확하게 서술한 경우	
하	성무선악설의 입장과 성선설의 입장을 모두 서술하지 못한 경우	

도전! 실력 올리기

20~21쪽

01 ① **02** ⑤ **03** ④ **04** ③ **05** ① **06** ④ **07** ⑤
08 ①

01 윤리적 존재로서의 인간

자료 분석 | 제시문은 논어에 등장하는 일일삼성(一日三省)에 대한 것으로, 이를 통해 인간이 반성과 성찰을 하는 윤리적 존재임을 알 수 있다.

[선택지 분석]

✓ 자기 행위에 대해 스스로 성찰하는 존재이다.

② 유한성을 넘어 초월적인 것을 추구하는 존재이다.
  → 종교적 존재

③ 본능보다 이성을 통해 판단하고 행동하는 존재이다.
  → 이성적 존재

④ 다양한 사람들과 관계를 맺으며 살아가는 존재이다.
  → 사회적·정치적 존재

⑤ 필요에 따라 유형·무형의 도구를 만들어 사용하는 존재이다. → 도구적 존재

02 고자의 성무선악설과 순자의 성악설 비교

자료 분석 | 갑은 인간 본성은 선과 악으로 정해진 것이 아니라고 보는 점을 통해 성무선악설을 주장한 고자임을 알 수 있다. 을은 본성을 변화시켜야 인간이 선해질 수 있다고 보며, 본성을 그대로 두면 혼란스러워진다고 본 점을 통해 성악설을 주장한 순자임을 알 수 있다.

[선택지 분석]

① 갑은 본성이 선과 악으로 정해져 있지 않다고 보았다.

② 갑은 식욕과 성욕이 인간 본성의 전부라고 주장하였다.
  ➡ 고자는 인간이 타고나는 것은 성욕과 식욕일 뿐, 인간의 본성은 선과 악으로 정해지지 않았다고 주장하였다.

③ 을은 타고난 본성이 존재한다는 점을 강조하였다.
➡ 순자는 왕이든 백성이든 모든 인간은 선천적으로 악한 본성을
타고난다고 보았다.
④ 을은 인간의 선한 측면은 인위(人爲)의 결과라고 주장
하였다.
✔ 을은 갑과 달리 인간다움을 실현하기 위해서는 교육 등
          갑과 을 모두
과 같은 후천적 노력이 필요하다고 보았다.

03 맹자의 성선설과 순자의 성악설 비교

자료 분석 | 갑은 모든 사람이 타인의 고통을 보지 못하는 선한 마음을 가진다고 본 점에서 성선설을 주장한 맹자, 을은 인간이 이익을 좋아하고, 예로 혼란을 극복해야 한다고 본 점에서 성악설을 주장한 순자임을 알 수 있다.

[선택지 분석]

① A: 모든 사람에게는 타고난 본성이 있다.
➡ 본성을 타고났다고 보는 것은 성선설, 성악설의 공통점이므로
B에 해당한다.
② A: 선과 악은 모두 인간 마음의 본성이다.
➡ 맹자는 인간은 선한 본성을 타고난다고 보았다.
③ B: 도덕성은 인위적인 노력의 산물이다.
➡ 맹자는 인간이 선한 도덕심을 갖고 태어난다고 보아 인위적으
로 노력하지 않아도 도덕적 행위를 할 수 있다고 보았다. 반면
순자는 인간의 본성은 악하지만 인위적인 노력을 통해 도덕적
행위를 할 수 있다고 보았다.
✔ C: 타고난 본성을 억제하며 살아가야 한다.
➡ 순자는 맹자와 달리 인간의 본성은 악하므로 이를 억제하고
선하게 변화시켜야 한다고 보았다.
⑤ C: 인간의 자연스러운 욕구의 충족을 확대해야 한다.
➡ 순자는 인간이 본성을 그대로 따르면 사회가 혼란스러워질 것
이라고 보아 예로 교화할 것을 주장하였다.

04 윤리 사상과 사회사상의 특징

자료 분석 | (가)는 인간의 도덕적 삶과 행위에 대한 생각을 체계화한 사상인 윤리 사상, (나)는 인간 삶과 사회의 관계 등을 체계화한 사상인 사회사상이다.

[선택지 분석]

① (가): 주로 사회 현상을 분석하고 평가하려고 한다.
                         ➡ 사회사상
② (가): '바람직한 삶은 무엇인가'보다 '바람직한 사회의
모습은 어떤 것인가'에 초점을 둔다. ➡ 사회사상
✔ (나): 바람직한 사회의 이상을 제시하는 데 관심을 둔다.
④ (나): 개인의 바람직한 삶의 목적과 방향을 설정하는 것
을 주목적으로 한다. ➡ 윤리 사상
⑤ (나): 일상생활 속 다양한 딜레마를 해결하여 자아를 발
견하는 데 초점을 둔다. ➡ 윤리 사상

05 한국과 동양 윤리 사상의 특징

자료 분석 | 제시문은 한국과 동양 사상이 세계를 유기적으로 맺어진 통합된 전체로 이해하는 유기체적 세계관을 공유하고 있음을 말하고 있다.

[선택지 분석]

✔ 인간과 자연 사이의 조화를 중시한다.
② 인간과 세계를 독립된 실체의 결합으로 파악한다.
➡ 제시문에서 세계를 개체의 단순한 집합으로 보지 않는다는 점,
세계에는 독립된 존재가 있을 수 없다고 본 점을 통해 틀린 내
용임을 알 수 있다.
③ 자유와 평등의 가치를 강조하여 인권의 확장에 기여한다.
➡ 제시문과 관련 없는 내용이다. 자유주의와 관련된다.
④ 인간이 자연을 지배하고 정복할 수 있다는 점을 강조
한다.
➡ 유기체적 세계관은 자연을 정복의 대상으로 여기지 않는다.
⑤ 인간과 자연을 이원론적으로 구분하는 분석적 사고를
중시한다.
➡ 유기체적 세계관은 인간과 자연을 이원론적으로 구분하기보다
조화적 관점에서 이해한다.

06 동양 윤리 사상의 특징

자료 분석 | 갑은 개인의 인격 완성에서 출발하여 가족, 국가, 천하를 평안하게 해야 한다고 보는 점을 통해 유교 사상가, 을은 자연과 같이 자기 본모습 그대로 살아가야 한다고 본 점을 통해 도가 사상가, 병은 누구나 부처의 마음을 가지고 있다고 보는 점을 통해 불교 사상가임을 알 수 있다.

[선택지 분석]

① 갑은 인간관계 속에서 사람의 도리를 중시한다.
② 을은 인간의 과도한 욕망을 절제할 것을 강조한다.
③ 병은 타인과의 공존과 생명 존중의 정신을 강조한다.
✔ 갑과 병은 개인의 수양을 넘어 정치 공동체의 도덕성
실현에 주된 관심을 갖는다.
➡ 불교 사상은 정치 공동체의 도덕성 실현에 주된 관심을 두지
않는다.
⑤ 을과 병은 인간과 자연을 조화적 관점에서 본다.
➡ 도가, 불교 사상 모두 유기체적 세계관을 지향하므로 인간과
자연을 분리하지 않고 조화를 추구한다.

07 서양 윤리 사상의 역할

[선택지 분석]

① ㉠ 행복을 삶의 궁극적인 목적으로 보고 그 실현 방안
으로 덕 있는 삶을 제시하였고,
② ㉡ 중세 윤리는 사랑을 익명의 이웃에게까지 확장해야
한다는 가르침을 주었다.
③ ㉢ 근대 윤리 사상에는 도덕적 판단과 행동의 근거로서
보편적 도덕 법칙의 중요성을 강조하는 사상이 있다.
④ ㉣ 다수의 행복을 중시하는 사상도 있는데, 이를 통해
사회 정책이나 제도의 기준을 제시하였다.
✔ ㉤ 현대에 와서는 덕있는 사람이 되기 위해서라면 어떤
욕망도 배제해야 한다고 주장하는 사상이 주목받고 있다.
➡ 현대 서양 윤리 사상에서는 주체성을 강조하는 입장과 유용성
을 강조하는 입장이 주목받고 있다.

08 민주주의 사상의 특징

자료 분석 | 을은 정치권력이 국민으로부터 나오며 국민은 선거를 통해 정치권력을 획득할 수 있다고 말하는 점을 통해 민주주의를 지지하는 입장임을 알 수 있다.

[선택지 분석]

☑ 국민에 의한 정치의 중요성을 강조하는

② 정치권력의 정당성을 계급 갈등에서 찾는
  → 제시문에서 정치권력의 정당성은 계급 갈등이 아닌 국민으로부터 나온다고 말하고 있으므로 틀린 내용이다.

③ 사유 재산과 자유 시장 경제를 보장해야 한다는
  → 자본주의의 입장

④ 생산 수단의 공동 소유를 통해 정치권력을 유지해야 한다는

⑤ 인류를 국적과 인종에 상관 없이 보편적 가치와 권리를 지닌 시민으로 보아야 한다는 → 세계 시민주의의 입장

> **한번에 끝내는 대단원 문제** 　　　23~25쪽
>
> **01** ②　**02** ②　**03** ④　**04** ①　**05** ②　**06** ③　**07** ②
> **08** ③　**09 ~ 12** 해설 참조

---

01 윤리적 존재로서의 인간

자료 분석 | 제시문에서 인간이 도덕적 주체로서 스스로 판단하여 행위하고, 이에 책임을 지며, 스스로 반성하고 성찰할 수 있다고 본 점을 통해 인간의 윤리적 존재로서의 특성을 설명하고 있음을 알 수 있다.

[선택지 분석]

① 놀이를 통해 삶의 즐거움을 추구하는 존재이다.
  → 유희적 존재

☑ 선을 추구하고 인간다운 삶을 지향하는 존재이다.

③ 타인과 더불어 사회를 이루고 살아가는 존재이다.
  → 사회적 존재

④ 삶의 유한성을 깨닫고 초월자에게 귀의하는 존재이다.
  → 종교적 존재

⑤ 합리적 선택을 통해 자기 이익을 극대화하는 존재이다.
  → 인간을 경제 활동을 통해 자기 이익을 극대화하는 경제적 존재로 보는 관점에 대한 설명이다.

02 이성적 존재로서의 인간

자료 분석 | 제시문은 파스칼의 "팡세"의 일부이다. 생각이 인간을 위대하게 만든다고 본 점, 생각 없는 인간을 떠올릴 수 없다고 본 점, 인간의 존엄성은 오직 생각한다는 데 있다는 점 등 인간의 사유 능력을 강조한 점을 통해 인간의 이성적 존재로서의 특성을 말하고 있음을 알 수 있다.

[선택지 분석]

㉠ 사유하는 능력은 인간을 인간답게 만든다.
  → 인간이 사유 능력을 가졌다는 것은 곧 이성적 존재임을 뜻한다.

✕ 인간은 믿음을 통해 신과 하나가 될 수 있다.
  → 종교적 존재와 연관되는 내용이다.

㉢ 인간은 이성을 발휘함으로써 자연계의 다른 존재들을 능가한다.
  → 파스칼은 인간이 이성을 통해 자연계의 다른 존재보다 고귀해진다고 보았다.

✕ 인간의 고귀함은 인간이 언제나 윤리적으로 행동한다는 점에 있다.
  → 윤리적 존재와 연관되는 내용이다.

03 인간 본성에 대한 맹자, 순자, 고자의 입장 비교

자료 분석 | 갑은 누구나 타인의 고통을 외면하지 못하는 마음(불인인지심)을 가졌다고 보는 점을 통해 성선설을 주장한 맹자, 을은 인간의 본성은 악하며 이를 교화해야 한다고 보는 점을 통해 성악설을 주장한 순자, 을은 인간의 본성은 선이나 악으로 구분되지 않는다고 본 점을 통해 성무선악설을 주장한 고자임을 알 수 있다.

[선택지 분석]

① 갑: 인간은 선한 본성을 확충해야 한다.

② 을: 악한 본성을 극복하려는 노력이 중요하다.

③ 을: 인간이 본성에 따라 살면 사회적 혼란이 만연해진다.

☑ 병: 도덕성의 실현은 후천적 요인과 무관하다.
  → 고자는 인간다움을 실현하기 위해서는 주변의 환경과 교육 등 후천적 요인이 중요하다고 보았다.

⑤ 병: 인간의 본성은 선이나 악으로 결정되어 있지 않다.

04 윤리 사상과 사회사상의 관계

자료 분석 | 제시문은 국가의 훌륭함은 그 정치에 참여하는 시민의 훌륭함 때문이라고 보는 아리스토텔레스의 주장이다. 이를 통해 윤리 사상과 사회사상이 서로 밀접한 관련이 있음을 파악할 수 있다.

[선택지 분석]

㉠ 훌륭한 시민이 훌륭한 국가를 만든다.
  → 제시문에 따르면 국가의 출중함은 시민이 출중하기 때문이다.

㉡ 개인의 도덕성이 국가의 도덕성에 영향을 준다.
  → 제시문에 따르면 개인의 훌륭함, 즉 개인의 도덕성이 국가의 도덕성에 영향을 준다.

✕ 윤리 사상과 사회사상은 서로 배타적인 관계에 있다.
  밀접한

✕ 개인의 도덕성과 집단의 도덕성은 전적으로 독립적이다.
  → 제시문에 따르면 개인의 도덕성은 집단(국가)의 도덕성과 밀접하게 연결되어 있다.

05 서양 윤리 사상의 역할

[선택지 분석]

① 갑: 고대 그리스 윤리 사상은 덕 있는 삶을 통한 행복을 추구하면서 현대인에게 앎과 행복의 관계를 알려 주었어.

☑ 을: 헬레니즘 시대의 모든 윤리 사상가들은 육체적 쾌락만을 최대한으로 추구하면 행복할 수 있음을 강조하였어.
  → 헬레니즘 윤리 사상은 대체로 육체적 쾌락이 아니라 정신적 쾌락이나 금욕이 개인의 행복에서 중요함을 강조하였다.

③ 병: 서양 중세 윤리 사상은 사랑과 배려를 확장할 것을 강조하면서 종교적 가르침과 더불어 윤리적 실천의 중요성도 알려 주었어.

④ 정: 서양 근대 윤리 사상 중에는 다수의 행복을 중시하는 사상이 있었어. 이는 다수를 고려하는 사회 정책의 입안 기준을 생각해 보는 데 기여하였어.

⑤ 무: 서양 현대 윤리 사상 중에는 스스로 결단하는 주체적 삶을 강조한 사상이 있었어. 이는 현대의 인간 소외 현상을 해결하는 데 도움을 줄 수 있어.

06 도가 윤리 사상의 역할

자료 분석 | 제시문의 동양 윤리 사상은 인간이 자연스러운 본성에 따라 살아갈 것을 강조한다는 점을 통해 도가 윤리 사상임을 알 수 있다.

[선택지 분석]

① 개인의 자유와 권리를 강조하여 공동체보다 개인이 우선함을 알려 준다. → 자유주의

② 만물의 상호 의존성을 강조하여 모든 생명을 소중하게 여기는 마음을 일깨워 준다. → 불교 사상

❸ 자연의 순리에 따르는 삶을 강조하여 인간을 억압하는 사회 구조를 비판하는 기준을 제공해 준다.

④ 개인의 도덕적 인격 수양을 강조하여 현대의 과도한 개인주의로 인한 문제 해결에 도움을 준다. → 유교 사상

⑤ 육체적 쾌락보다 정신적 쾌락을 우선하여 진정한 쾌락이 무엇인지 생각해 보는 계기를 마련해 준다.
→ 헬레니즘 사상

07 자유주의 사상의 역할

자료 분석 | A에 들어갈 내용은 '자유주의'이다. 자유주의는 개인의 권리와 자유를 중시하는 사상으로, 사상과 종교의 자유를 보장하는 사상적 근거를 제공하기도 하였다.

[선택지 분석]

ㄱ 개인의 자유와 권리가 신장되었다.

✗ 개인의 자유보다 공공성을 강조함으로써 공동체 의식을 함양하였다.

ㄷ 사상과 종교의 자유를 보장함으로써 다양한 삶의 방식을 존중하는 태도를 강조하였다.

✗ 육체적 쾌락이 아니라 정신적 쾌락이나 금욕을 추구하는 것이 개인의 행복에 있어 중요함을 알려 주었다.

08 사회주의와 자본주의 사상의 역할

자료 분석 | (가)는 생산 수단의 공동 소유와 계획 경제를 통해 경제적 평등을 지향하는 점을 통해 사회주의임을, (나)는 자유 경쟁과 사적 소유, 자유로운 경제 활동 등을 지향하는 점을 통해 자본주의임을 알 수 있다.

[선택지 분석]

① (가): 보통 선거의 확립으로 정치 참여의 기회가 확대되었다. → 민주주의

② (가): 자유로운 경제 활동을 지향함으로써 개인의 노력에 따른 소득을 정당화하는 데 기여하였다. → 자본주의

❸ (나): 사유 재산의 축적을 긍정하여 물질적 부가 증대되었다.

④ (나): 필요에 따른 분배를 긍정하여 소유의 평등을 강조하였다. → 사회주의

⑤ (카), (나): 물질적 부의 편중으로 인한 부익부 빈익빈
(나)
문제가 발생하였다.

09 인간 본성에 대한 맹자와 순자의 입장 비교

자료 분석 | 갑은 인의의 덕으로 통치해야 한다는 점, 사람은 배우지 않고도 도덕적 선을 행할 수 있는 능력을 지니고 있다고 본 점을 통해 맹자임을 알 수 있다. 을은 인간의 타고난 본성이 이익을 좋아한다는 점, 그로 인한 혼란을 막고자 성인이 예를 제정하였다는 점을 통해 순자임을 알 수 있다.

(1) 갑: 맹자, 을: 순자

(2) [예시 답안] 맹자는 인간이 선한 본성을 타고났으며 이를 유지 및 확충하기 위해 노력해야 한다고 주장하였다. 순자는 인간의 본성은 악하며 교육이나 제도 등 인위적 방법으로 악한 본성을 교화해야 한다고 주장하였다. 이처럼 맹자와 순자 모두 후천적 노력의 중요성을 강조하였다.

채점기준		
상	갑과 을의 주장 간 공통점을 사상적 근거와 함께 정확하게 서술한 경우	
중	갑, 을의 주장 간 공통점을 서술하되 사상적 근거를 제시하지 못한 경우	
하	갑, 을의 주장 간 공통점을 서술하지 못한 경우	

10 사회사상의 의미와 중요성

(1) 사회사상

(2) [예시 답안] 사회를 바라보는 일정한 관점을 형성해 준다. / 현실의 모습을 정당화하거나 비판하는 기준을 제시한다. / 사회를 반성적으로 성찰하는 기준을 제시한다. / 우리 사회가 나아갈 방향을 제시해 준다. / 이상 사회를 구현할 수 있는 대안을 마련해 준다.

채점기준		
상	사회사상의 중요성 두 가지를 정확하게 서술한 경우	
중	사회사상의 중요성을 한 가지만 정확하게 서술한 경우	
하	사회사상의 중요성을 서술하지 못한 경우	

11 유기체적 세계관

자료 분석 | 갑은 자연의 모든 존재가 구성 형식이나 구조에 의존하며 부분보다 전체가 중요하다고 본 점을 통해 유기체적 세계관을 주장하고 있음을 알 수 있다. 을은 자연은 그 자체로 생명력이 있는 것이 아니며 자연의 사건들은 인과 관계로만 존재한다고 본 점을 통해 기계론적 세계관을 주장하고 있음을 알 수 있다.

(1) 유기체적

(2) [예시 답안] 유기체적 세계관은 자연을 부분들의 합이 아닌 전체로서 의미를 지니며 스스로 순환하는 거대한 유기체적 질서를 지닌 것으로 이해한다. 이러한 입장에서 볼 때, 자연을 기계적인 것으로 이해하는 것은 자연을 지배와 정복의 대상으로 파악하는 문제가 생길 수 있다고 비판할 수 있다.

채점기준		
상	갑의 입장에서 을의 세계관에 대해 제기할 비판 내용을 근거와 함께 정확하게 서술한 경우
중	갑의 입장에서 을의 세계관에 대해 제기할 비판 내용을 서술하되 근거를 제시하지 못한 경우
하	갑의 입장에서 을의 세계관에 대해 제기할 비판 내용을 서술하지 못한 경우

12 윤리 사상과 사회사상의 관계

(1) 사회사상

(2) [예시 답안] 개인의 문제는 사회의 문제와 연결되어 있으므로 윤리 사상과 사회사상은 서로 영향을 주고받으며 상호 의존적이고 보완적인 관계를 이루고 있다.

채점기준	
상	윤리 사상과 사회사상의 관계를 정확하게 서술한 경우
중	윤리 사상과 사회사상의 관계를 부정확하게 서술한 경우
하	윤리 사상과 사회사상의 관계를 서술하지 못한 경우

II ≫ 동양과 한국 윤리 사상

01 ~ 사상의 연원

콕콕! 개념 확인하기
30쪽

01 (1) 농경 (2) 인 (3) 자비 (4) 무위자연
02 (1) 도가 (2) 불교
03 (1) × (2) ○
04 ㄱ, ㄴ, ㅂ
05 (1) 홍익인간 (2) 무속
06 (1) 인본주의 (2) 조화 정신

03 (1) 죽음을 기가 모이고 흩어지는 과정으로 보는 것은 도가에서 본 삶과 죽음에 대한 관점이다. 불교에서는 삶과 죽음을 생사가 끊임없이 반복되는 윤회의 과정으로 이해한다.

04 동양 윤리 사상은 모든 존재를 하나의 유기체로 보는 유기체적 세계관을 지닌다. 또한 개인의 인격 도야를 강조하며, 인간을 타인과 만물과 더불어 살아가는 공존과 공생의 사회관을 지닌다.

탄탄! 내신 다지기

31~32쪽

01 ① **02** ① **03** ⑤ **04** ⑤ **05** ① **06** ③ **07** ④
08 ② **09** ④ **10** 해설 참조

01 유교 사상의 특징

[선택지 분석]

✔ 인(仁)
➡ 유교에서는 인을 최고의 덕목으로 여기며, 유교 사상가인 공자는 인과 예(禮)의 덕목을 강조하였다.

② 자비(慈悲) → 불교에서 강조하는 덕목
③ 소요(逍遙) → 도가에서 강조하는 덕목
④ 무위(無爲) → 도가에서 강조하는 덕목
⑤ 무지(無知) → 도가에서 강조하는 덕목

02 유교 사상의 이상적 인간상

자료 분석 | 제시문은 유교의 이상적 인간상인 군자를 설명하고 있다. 개인의 인격 수양을 강조한다는 점을 통해 유교 사상을 다루고 있음을 알 수 있다.

✅ 개인의 인격 수양을 강조한다.

② 연기에 따른 상호 의존성을 강조한다. → 불교

③ 내세가 현세의 삶보다 가치 있다고 본다.

➡ 유교 사상은 내세보다 현세에서 도덕적 수양을 실천하는 삶을
　 강조한다.

④ 인위적인 규범과 제도를 거부하고 소박한 삶을 추구한다.
　　　　　　　　　　　　　　　　　　　　　　 → 도가

⑤ 사회적 규범의 준수보다 개인의 자유 실현을 강조한다.

➡ 유교 사상은 사회적 규범의 준수도 강조한다.

03 불교에서 강조하는 삶의 자세

[선택지 분석]

✘ 하늘이 부여한 이치를 실현해야 한다.

➡ 유교 사상에서 강조하는 삶의 자세이다.

✘ 자연에 따라 사는 소박한 삶을 살아야 한다.

➡ 도가 사상에서 강조하는 삶의 자세이다.

ⓒ 현실의 고통에서 벗어나 참된 행복에 이르러야 한다.

ⓔ 내가 소중하듯 모든 존재가 소중함을 깨달아야 한다.

04 도가 사상의 특징

자료 분석 | 제시문은 천지 만물이 나와 하나이며, 삶과 죽음을 즐
거워하지도 슬퍼하지도 않는다고 보는 점을 통해 도가 사상임을
알 수 있다.

[선택지 분석]

✘ 인(仁)을 실천하는 삶을 살아야 한다. → 유교

✘ 자비(慈悲)를 실천하는 삶을 살아야 한다. → 불교

ⓒ 자연의 질서에 순응하는 삶을 살아야 한다.

➡ 도가 사상에서는 자연의 질서에 순응하는 무위자연(無爲自然)
　 의 삶을 살 것을 강조한다.

ⓔ 인위(人爲)적인 것을 배격하는 삶을 살아야 한다.

➡ 도가 사상에서는 인위적이고 세속적인 가치에서 벗어나 자연
　 그대로의 질서에 따라 살아야 한다고 강조한다.

05 불교 사상과 도가 사상의 특징

자료 분석 | 불교는 연기를 깨달아 고통에서 벗어나 해탈에 이를 수
있다고 보았다. 도가는 인위적으로 무엇을 하려 하지 않고 스스로
그러한 대로 사는 것, 즉 자연에 따라 사는 무위자연의 삶을 강조하
였다.

[선택지 분석]

　　　　　 ㉠　　　　　　　　　　 ㉡

✅ 연기(緣起)　　　　　　 무위자연(無爲自然)

➡ 불교는 '연기'를 깨달아 고통에 벗어나 해탈에 이를 수 있다고
　 보았고, 도가는 자연에 따라 살아가는 '무위자연'의 삶을 추구
　 하였다. 따라서 ㉠은 '연기', ㉡은 '무위자연'에 해당한다.

06 유·불·도 사상의 공통점

[선택지 분석]

① 인간을 만물과 더불어 살아가는 존재로 본다.

② 인간의 행복과 사회 질서의 실현 원리를 제시한다.

➡ 유교, 불교, 도가 사상은 자연과 인간에 대한 근원적인 성찰을
　 바탕으로 다양한 각도에서 인간의 행복과 사회 질서의 실현
　 원리 및 방법을 제시한다.

✅ 규범과 가치에 얽매이기보다 개인의 자유를 추구한다.

➡ 유교 사상의 경우 개인적 자유의 추구보다 공동체의 규범과
　 도덕적 가치를 중시한다.

④ 스스로의 수양과 노력으로 이상적 인격에 도달하고자
　 한다.

⑤ 모든 존재를 상호 의존적으로 살아가는 하나의 유기체
　 로 본다.

07 유·불·도 사상의 특징

[선택지 분석]

① ㉠ 유교 사상: 인간 간의 도리를 지키며 도덕적으로
　 살아야 함

② ㉡ 불교 사상: 고통의 원인을 깨달아 모든 고통에서 벗
　 어난 경지에 이르러야 함

③ ㉢ 도가 사상: 인위적·세속적 가치에서 벗어나 살아가
　 야 함

✅ ㉣ 유교, 도가 사상: 사회의 윤리적 규범을 확립해야 함

➡ 유교에만 해당되는 특징이다. 도가는 인간 사회의 인위적인 규
　 범과 제도가 인간 본성을 해친다고 보았다.

⑤ ㉤ 유교, 불교, 도가 사상: 모든 존재의 상호 연관성 중시

08 단군 신화의 특징

자료 분석 | 제시문은 고조선 건국 신화인 단군 신화이다. 단군 신
화는 민족정신의 원형이자 윤리 의식의 바탕으로, 인본주의, 현세
지향적 가치관, 조화 지향, 경천사상, 자연 친화, 생명 존중, 평화 애
호, 자주적 주체 의식 등을 담고 있다.

[선택지 분석]

㉠ 인간을 중시하는 인본주의 정신을 추구한다.

➡ 환웅이 인간 세상을 다스리고자 한 점, 곰과 호랑이가 인간이
　 되고자 한 점을 통해 인본주의 정신을 찾을 수 있다.

✘ 자연을 정복하여 인간의 삶을 개선하려고 한다.

➡ 동양은 유기체적 세계관에 근거하여 자연과 인간의 조화를 추
　 구하였다. 자연을 정복하고 이용하는 것은 서양의 자연관에 가
　 깝다.

✘ 중재자인 무당의 힘을 빌려 하늘에 복을 기원한다.

➡ 무속 신앙에 대한 내용이다.

㉣ 하늘을 성스럽게 여겨 하늘과 인간을 연결하고자 한다.

➡ 단군 신화에서 찾아볼 수 있는 경천사상에 대한 내용이다.

09 무속 신앙의 특징

[선택지 분석]

㉠ 인간의 소망을 신령에게 전달해 준다.

➡ 무당은 인간의 소망을 신령에게 전달해 주는 매개자의 역할을
　 한다.

ⓛ 길흉화복을 예언하고 안녕을 기원한다.
  ➡ 무당은 앞날을 예언하고 병을 물리치는 역할을 한다.
✘ 내세에서 영생하기를 유일신에게 요청한다.
  ➡ 무속 신앙에서는 오직 하나의 신령만이 존재한다고 보지 않음
ⓛ 산 자와 죽은 자의 한을 풀어 주는 역할을 한다.

10 한국 윤리 사상의 특징과 근거

(1) 인본주의 정신, 현세 지향적인 가치관, 화합과 조화의 정신

(2) [예시 답안] 환웅이 인간 세상에 내려와 살기를 원한 점, 곰과 호랑이가 인간이 되기를 원한 점을 통해 인본주의 정신을 발견할 수 있다. 그리고 사람을 널리 이롭게 한다는 홍익인간의 정신을 통해 현세 지향적인 가치관을 찾아볼 수 있다. 마지막으로 하늘의 환웅과 땅의 웅녀가 결합한 점을 통해 화합과 조화의 정신을 파악할 수 있다.

채점기준		
상	한국 윤리 사상의 특징에 대한 근거를 모두 정확하게 서술한 경우	
중	한국 윤리 사상의 특징에 대한 근거를 부분적으로 서술한 경우	
하	한국 윤리 사상의 특징에 대한 근거를 전혀 서술하지 못한 경우	

도전! 실력 올리기
33쪽

01 ①　**02** ④　**03** ②　**04** ③

01 도가 사상에서 강조하는 삶의 태도

자료 분석 | 제시문은 얽매임 없이 마음을 자유로이 노닐게 하며 예의 규범을 몸을 얽매는 것으로 여기는 점 등을 통해 도가 사상임을 알 수 있다.

[선택지 분석]

✔ 물아일체(物我一體)의 삶을 살아야 한다.
② 인(仁)을 실천하는 도덕적 삶을 살아야 한다. →유교
③ 예(禮)를 실천하여 인간다운 삶을 살아야 한다. →유교
④ 분별적 앎을 쌓아 소요(逍遙)하는 삶을 살아야 한다.
   　잊어서
⑤ 중생을 구제하고 자비를 실천하는 삶을 살아야 한다. →불교

02 유교와 불교의 입장

자료 분석 | (가)는 사욕을 이겨 예를 회복해야 한다는 극기복례를 말하는 점을 통해 유교 사상임을 알 수 있다. (나)는 현실을 고통으로 여기고 그 고통의 원인을 깨닫고 끊어 냄으로써 열반에 이를 수 있다고 보는 점을 통해 불교 사상임을 알 수 있다.

[선택지 분석]

ⓛ (가)는 수양을 통한 개인의 인격 완성을 중시한다.
ⓛ (나)는 인간을 어리석음으로 인해 고통 속에서 살아가는 존재로 본다.
ⓛ (가), (나)는 타인에 대한 연민과 동정을 중시한다.
✘ (가), (나)는 공동체가 요구하는 도덕적 가치에 얽매이기보다 개인의 자유를 추구한다.
  ➡ 유교 사상은 개인의 자유보다 공동체가 요구하는 도덕적 가치의 준수를 중요하게 여긴다.

03 단군 신화의 특징

자료 분석 | (가)는 고조선의 건국 신화인 단군 신화이다. 단군 신화는 인본주의, 자연 친화와 생명 존중, 평화 애호 등의 특징을 담고 있다. (나)의 A에는 부정의 대답을 할 질문, B에는 긍정의 대답을 할 질문이 들어가야 한다.

[선택지 분석]

✘ A: 홍익인간의 정신을 실현하고자 하는가?
  ➡ (가)가 긍정의 대답을 할 질문이므로 B에 적절하다.
ⓛ A: 현세보다 내세에서의 행복을 중시하는가?
  ➡ 단군 신화는 현세 지향적 가치관을 지니므로 (가)가 부정의 대답을 할 질문이다.
ⓛ B: 하늘[天]과 인간[人]의 합일을 지향하는가?
  ➡ (가)가 긍정의 대답을 할 질문이다.
✘ B: 신을 배제한 인간 중심주의를 실현하고자 하는가?
  ➡ 단군 신화는 하늘과 인간의 조화를 추구하므로 부정의 대답을 할 질문이다. 따라서 A에 적절하다.

04 풍류도의 특징

자료 분석 | 제시문은 풍류도에 대한 설명이다. 풍류도는 유교, 불교, 도가 사상이 전래되기 이전부터 우리 조상의 생활 지침이 되었으며, 화합과 조화의 정신을 찾아볼 수 있다.

[선택지 분석]

① 유·불·도가 조화를 이룬 외래 사상이다.
  ➡ 풍류도는 우리 고유 사상이다.
② 유·불·도가 전래된 이후에 형성된 사상이다.
  ➡ 풍류도는 유교, 불교, 도가 사상이 전래되기 이전부터 존재했던 사상이다.
✔ 유·불·도의 모든 요소가 포함되어 있는 사상이다.
④ 화랑도의 정신으로부터 유래되어 형성된 사상이다.
  ➡ 풍류도 사상이 화랑도의 정신에 영향을 주었다.
⑤ 유·불·도의 가르침과 통할 수 없는 내용이 사상의 중심이다.
  ➡ 제시문을 통해 풍류도에 유·불·도의 가르침이 포함되어 있음을 알 수 있다. 따라서 풍류도의 주장이 삼교의 가르침과 통하는 내용임을 알 수 있다.

01 (1) 충서 (2) 호연지기 (3) 화성기위
02 (1) 정명 (2) 사단 (3) 자연 현상
03 (1) ㉠ (2) ㉢ (3) ㉡
04 (1) ○ (2) ○ (3) × (4) ×
05 (1) 기질지성, 본연지성 (2) 심즉리
06 (1) ㉡ (2) ㉠

04 (3) 모든 현상을 이와 기의 결합으로 보는 것은 성리학의 이기론에 대한 설명이다.
(4) '존천리거인욕'은 성리학, 양명학 모두 제시하는 수양 방법이다.

01 ② 　**02** ② 　**03** ① 　**04** ③ 　**05** ① 　**06** ⑤ 　**07** ⑤
08 ① 　**09** ② 　**10** 해설 참조

01 충서의 의미

[선택지 분석]

　　㉠　　　㉡
✔️충　　　서
➡️ '충'은 조금의 속임이나 허식 없이 자신의 마음을 성실하게 하는 것이고, '서'는 자신을 미루어 다른 사람의 마음을 헤아리는 것이다. 따라서 ㉠은 '충', ㉡은 '서'에 해당한다.

02 극기복례의 의미

자료 분석 | 사회가 혼란해진 원인이 도덕적 타락 때문이며, 극기복례(克己復禮)를 통해 인을 실현함으로써 혼란을 해결할 수 있다고 보는 점을 통해 제시된 그림의 스승이 공자임을 알 수 있다.

[선택지 분석]

① 의로운 일을 꾸준히 실천하여 쌓는 것이다.
➡️ 맹자가 제시한 집의(集義)의 의미이다.
✔️자기의 사욕을 극복하고 예를 회복하는 것이다.
③ 인위가 아니라 스스로 그러한 대로 사는 것이다.
➡️ 도가 사상이 제시한 무위자연(無爲自然)의 의미이다.
④ 도덕과 예의로 백성을 교화하는 정치하는 것이다.
➡️ 맹자가 제시한 덕치(德治)의 의미이다.
⑤ 각자 자기 신분과 직책에 맞는 역할을 수행하는 것이다.
➡️ 공자가 제시한 정명(正名)의 의미이다.

03 맹자의 사상

[선택지 분석]

✔️호연지기(浩然之氣)를 길러야 한다.

➡️ 맹자는 이상적 인간으로 대장부를 제시하였는데, 이는 의로운 일을 꾸준히 실천하여 의를 쌓는 집의를 통해 호연지기를 기를 때 이를 수 있다.
② 무지(無知)와 무욕(無欲)한 삶을 살아야 한다.
➡️ 도가 사상이 제시한 이상적 삶의 자세이다.
③ 옳고 그름의 분별에서 벗어난 삶을 추구해야 한다.
➡️ 맹자는 옳고 그름을 분별해야 한다고 보았다.
④ 사덕(四德)을 실천하여 악한 본성을 억제해야 한다.
➡️ 맹자는 인간 본성이 선하다고 보았다.
⑤ 옳은 일을 반복적으로 실천하여 사덕을 형성해야 한다.
➡️ 맹자에 따르면, 인간은 선천적으로 사덕을 지닌다.

04 순자의 사상 이해

자료 분석 | 인간의 본성을 변화시켜야 한다고 보며, 예치를 주장한 질문의 내용을 통해 순자의 관점임을 알 수 있다.

[선택지 분석]

❌ ㉠: 성인(聖人)은 도덕성을 지니고 태어나는가?
➡️ 성악설을 주장한 순자가 부정의 대답을 할 질문이므로 ㉡에 적절하다.
⭕ ㉠: 인간의 본성을 예(禮)로 교화해야 하는가?
➡️ 순자가 긍정의 대답을 할 질문이다.
⭕ ㉡: 인간의 본성을 확충하면 사회 혼란이 사라지는가?
➡️ 순자는 인간의 본성이 악하므로 그것을 확충하면 사회가 혼란스러워진다고 보았다. 따라서 부정의 대답을 할 질문이다.
❌ ㉡: 이상 사회를 실현하려면 예치(禮治)가 필수적인가?
➡️ 순자가 긍정의 대답을 할 질문이므로 ㉠에 적절하다.

05 맹자와 순자의 사상

자료 분석 | 갑은 인간에게 사단이 주어져 있는 것은 팔다리가 있는 것과 같은 것이라고 본 점을 통해 맹자임을, 을은 인간이 선천적으로 욕망을 지닌 이기적 존재라고 본 점, 그 욕망 추구에 기준과 제한이 필요하다고 본 점을 통해 순자임을 알 수 있다.

[선택지 분석]

✔️하늘은 인간에게 덕성을 부여하는 존재인가?
➡️ 맹자는 하늘을 인간에게 덕성을 부여하는 도덕적 존재로 여겼다. 반면, 순자는 하늘을 도덕적 존재가 아닌 자연 현상에 불과하다고 보았다. 따라서 맹자는 긍정, 순자는 부정의 대답을 할 질문이다.
② 욕망을 절제하기 위한 후천적 노력이 필요한가?
➡️ 맹자, 순자 모두 긍정의 대답을 할 질문이다.
③ 인간의 본성을 선이나 악으로 규정할 수 있는가?
➡️ 맹자는 인간 본성을 선으로, 순자는 악으로 규정하였다. 따라서 맹자, 순자 모두 긍정의 대답을 할 질문이다.
④ 누구나 노력을 통해 이상적 인간이 될 수 있는가?
➡️ 맹자, 순자 모두 긍정의 대답을 할 질문이다.
⑤ 예법(禮法)으로 내면의 본성을 변화시켜야 하는가?
➡️ 맹자는 인간의 본성이 선하므로 유지 및 확충하기 위해 노력해야 한다고 보았다. 반면 순자는 인간의 본성이 악하므로 예법을 통해 본성을 선하게 변화시켜야 한다고 보았다. 따라서 맹자는 부정, 순자는 긍정의 대답을 할 질문이다.

06 주희의 사상

[선택지 분석]

① 기질지성은 선과 악이 섞여 있다.

② 본연지성은 하늘이 부여한 이치[理]이다.

③ 본연지성은 기질지성 속에 내포되어 있다.

④ 기질지성은 사람의 타고난 기질에 따라 차이가 생긴다.

☑ 본연지성과 기질지성은 서로 분리되는 다른 두 측면이다.

➡ 본연지성과 기질지성은 성의 다른 두 측면일 뿐 분리되는 것은 아니다.

07 주희와 왕수인의 입장

[선택지 분석]

① ㉠ 성즉리: 인간의 본성이 곧 이치임

② ㉡ 격물치지: 사물에 나아가 그 이치를 끝까지 탐구함

③ ㉢ 심즉리: 인간의 마음이 곧 이치임

④ ㉣ 격물치지: 마음을 바르게 하여 천리인 양지를 실현함

☑ ㉤ 먼저 올바른 지식을 갖추어야 참된 실천을 할 수 있음

➡ 선지후행을 뜻하므로 주희의 입장에만 해당한다. 왕수인은 지행합일을 주장하였다.

08 주희와 왕수인의 사상

[선택지 분석]

☑ ㉠

➡ 주희의 입장에 비해 왕수인의 입장은 각 사물의 이치 탐구를 강조하는 정도가 낮고, 지행합일을 주장하였으므로 앎과 행함에 선후가 없음을 강조하는 정도는 높으며, 심즉리를 주장하였으므로 마음을 떠나서 이치가 따로 없음을 강조하는 정도는 높다. 따라서 X는 낮고 Y와 Z는 높다.

09 왕수인의 사상

자료 분석 | 제시문은 마음이 곧 이치라는 심즉리를 제시한 점을 통해 왕수인임을 알 수 있다.

[선택지 분석]

㉠ 지(知)와 행(行)은 본래 하나이다. → 지행합일

✗ 각 사물의 이치를 끝까지 탐구해야 한다. → 주희의 '격물'

㉢ 마음 밖에 이치가 없고 마음 밖에 사물이 없다.

➡ 왕수인은 마음이 곧 이치라는 심즉리를 제시하였다.

✗ 도덕적 실천을 통해 양지(良知)를 형성해야 한다.

➡ 왕수인에 따르면, 양지는 선천적으로 타고나는 것이다.

10 주희와 왕수인의 사상

자료 분석 | 갑은 격물을 바르지 못한 마음을 바로잡는 것으로 해석한 점을 통해 왕수인임을, 을은 격물을 사물에 나아가 이치를 궁구하는 것이라고 해석한 점을 통해 주희임을 알 수 있다.

(1) 갑: 왕수인, 을: 주희

(2) [예시 답안] 왕수인은 마음에 모든 이치가 존재한다고 보아 마음의 사욕을 없애 마음을 바르게 함으로써 마음속

의 천리인 양지를 실현해야 한다는 '격물치지'를 주장하였다. 반면 주희는 각 사물의 이치가 각 사물에 존재한다고 보아 먼저 사물에 나아가 그 이치를 끝까지 탐구해야 한다는 '격물치지'를 주장하였다.

채점 기준		
상	격물치지에 대한 갑, 을의 주장과 그 근거를 정확하게 비교하여 서술한 경우	
중	격물치지에 대한 갑, 을의 주장을 근거 없이 서술하거나, 갑, 을 중 한쪽의 주장과 근거만을 정확하게 서술한 경우	
하	격물치지에 대한 갑, 을 중 한쪽의 주장만을 근거 없이 서술한 경우	

도전! 실력 올리기   42~43쪽

01 ④ **02** ④ **03** ⑤ **04** ② **05** ① **06** ③ **07** ①
08 ①

01 공자 윤리 사상의 특징

자료 분석 | 제시문은 이름이 바르지 않으면, 즉 정명(正名)이 이루어지지 않으면 그 이후의 일들이 바로서지 않음을 지적하고 있다. 따라서 공자의 주장임을 알 수 있다.

[선택지 분석]

㉠ 천명(天命)을 모르면 군자라고 말할 수 없다.

㉡ 자신의 욕망을 극복하여 예(禮)를 회복해야 한다.
→ 극기복례

㉢ 통치자는 도덕적 모범을 보임으로써 백성들을 교화해야 한다. → 덕치

✗ 존비친소(尊卑親疏)의 차별을 두지 않고 인(仁)을 행해야 한다.

➡ 공자는 부모와 형제에게 효제를 실천하고 그것이 타인에게 확대될 때 사회 질서를 바로잡을 수 있다고 보았다. 이는 존비친소를 구별하여 인을 행해야 한다는 뜻이다.

02 맹자 윤리 사상의 특징

자료 분석 | 제시문은 측은지심, 수오지심 등의 사단과 사덕에 대해 설명하고, 태어날 때부터 팔과 다리를 가졌듯이 사단 역시 태어날 때부터 지니고 있음을 설명하는 점을 통해 맹자의 주장임을 알 수 있다.

[선택지 분석]

① 인의(仁義)를 실천하여 덕을 형성해야 한다.

➡ 맹자에 따르면 인의의 덕은 선천적으로 타고난다.

② 본성을 변화시켜 도덕적인 삶을 살아야 한다.

➡ 맹자는 인간이 선한 본성을 타고나므로 이를 유지 및 확충하기 위해 노력해야 한다고 보았다.

③ 사덕의 지속적 실천으로 사단을 생성해야 한다.

➡ 맹자에 따르면 사단, 사덕은 선천적으로 타고난다.

✔ 본성에 내재한 사단을 보존하고 확장해야 한다.
➡ 맹자는 본성에 내재한 사단을 보존하고 확충하여 성인(聖人)이 되기 위해 노력해야 한다고 주장하였다.
⑤ 집의(集義)로써 타고난 호연지기를 발휘해야 한다.
➡ 맹자에 따르면, 호연지기는 타고나는 것이 아니라 후천적인 노력으로 발휘할 수 있다.

03 순자의 사상

자료 분석 | 제시문은 예(禮)의 중요성을 강조하며, 성정을 바로잡아 그 지혜가 예를 바르게 하는 자인 스승과 같아지면 성인이라고 보는 점을 통해 순자임을 알 수 있다.

[선택지 분석]

① 본성에는 선, 악의 요소가 함께 존재하는가?
➡ 순자는 인간의 본성이 악하다고 보았으므로 부정의 대답을 할 질문이다.

② 본성에 내재한 선의 실마리를 보존해야 하는가?
➡ 순자는 인간의 본성이 악하다고 보았으므로 부정의 대답을 할 질문이다.

③ 예법(禮法)을 통해 타고난 본성을 유지해야 하는가?
➡ 순자는 예법을 통해 타고난 악한 본성을 선하게 교화하려고 노력해야 한다고 주장하였으므로 부정의 대답을 할 질문이다.

④ 욕구를 억제하기 위해 내면의 덕을 발휘해야 하는가?
➡ 순자는 내면의 덕이 아니라 예를 통해 이기적 욕구를 억제하고 교화해야 한다고 보았으므로 부정의 대답을 할 질문이다.

✔⑤ 타고난 이기적 본성을 인위적으로 변화시켜야 하는가?
➡ 순자는 인간의 본성이 악하므로 옛 성인이 제정한 예법을 통해 인위적으로 선하게 변화시켜야 한다고 주장하였으므로 긍정의 대답을 할 질문이다.

04 순자와 공자의 사상

자료 분석 | 갑은 어른을 위해 배고픔을 참고 양보하는 행위는 타고난 성에 어긋난다고 한 점을 통해 타고난 성이 악하다고 보는 입장임을 알 수 있다. 따라서 갑은 순자이다. 을은 덕으로써 정치를 해야 함을 강조하므로 공자임을 알 수 있다.

[선택지 분석]

✗ A: 본성을 실현하기 위해 예(禮)에 따라야 한다.
➡ 순자는 악한 본성을 선하게 교화시키기 위해 예에 따라야 한다고 보았다. 따라서 A에 적절한 내용이 아니다.

ㄴ B: 개인의 인격 함양을 위해 예에 의한 교화가 필요하다.

ㄷ B: 백성들의 편안한 삶을 위해서는 통치자가 먼저 수양해야 한다.

✗ C: 인의를 해치는 군주는 정명(正名)에 입각해 교체해야 한다.
➡ 민본주의에 근거한 군주 교체, 즉 역성혁명을 주장한 것은 맹자이다. 따라서 C에 적절한 내용이 아니다.

05 주희의 사상

자료 분석 | 제시문은 하나의 사물에 하나의 이가 있으며 이를 탐구하여 밝히는 것이 격물이라고 본 점을 통해 주희의 주장임을 알 수 있다.

[선택지 분석]

ㄱ 사물에 나아가 그 이치를 깊이 있게 탐구해야 한다.
➡ 주희가 제시한 격물치지에 대한 뜻이다.

ㄴ 앎[知]과 실천[行]을 병진하여 천리를 보존해야 한다.
➡ 주희가 제시한 지행병진에 대한 뜻이다.

✗ 앎에 대해서만 말해도 실천은 저절로 그 안에 있게 된다.
➡ 왕수인이 제시한 지행합일에 대한 뜻이다. 주희는 선지후행, 지행병진을 주장하였다.

✗ 마음을 바르게 하는[正] 격물을 통해 앎을 실현해야 한다.
➡ 왕수인이 제시한 격물치지에 대한 뜻이다.

06 주희와 왕수인의 사상

자료 분석 | 갑은 성이 곧 이라고 본 점을 통해 성즉리(性卽理)를 주장한 주희임을, 을은 마음이 곧 이치라고 본 점을 통해 심즉리(心卽理)를 주장한 왕수인임을 알 수 있다.

[선택지 분석]

① 갑은 본연지성은 선하고 기질지성은 악하다고 본다.
➡ 주희에 따르면 기질지성은 선과 악이 섞여 있다.

② 갑은 지행(知行)의 경중(輕重)을 논하면 지가 행보다 중요하다고 본다.
➡ 주희에 따르면 지행에 대해 선후를 논하면 지가 우선이고, 경중을 논하면 행이 중요하다.

✔③ 을은 이론적 지식을 쌓는 것보다 양지(良知)의 적극적 실천을 중시한다.
➡ 왕수인은 이론적인 지식을 쌓는 것보다는 양지를 적극적으로 실천하는 것[치양지(致良知)]을 중시하였다.

④ 갑은 을과 달리 참된 앎인 양지를 천리(天理)로 본다.
➡ 양지를 천리로 보는 것은 왕수인이다.

⑤ 을은 갑과 달리 양지는 누구나 본래 갖추고 있다고 본다.
➡ 누구나 본래 양지를 갖추고 있다고 보는 것은 주희와 왕수인의 공통적 입장이다.

07 왕수인의 사상

자료 분석 | 제시문에서 마음이 곧 천리이자 양지라고 한 점을 통해 왕수인의 주장임을 알 수 있다.

[선택지 분석]

✔① 마음 밖에는 어떠한 이치도 존재하지 않는다.

② 지행(知行)의 선후를 논하면 지가 행보다 앞선다. → 주희
➡ 왕수인은 지행이 하나라는 지행합일을 주장하였다.

③ 사물의 이치를 탐구하여 지(知)를 늘려 가야 한다.
→ 주희가 주장한 격물(格物)

④ 양지(良知)를 습득하여 타고난 덕을 발휘해야 한다.
➡ 왕수인은 선천적으로 양지를 부여받았다고 보았다.

⑤ 격물(格物)은 이치를 탐구하여 지극한 앎을 이루어 나가는 것이다.
➡ 왕수인에 따르면 '격물'은 내 마음의 양지를 적극적으로 발휘하는 것이다.

08 왕수인과 주희의 사상

자료 분석 | (가)의 갑은 마음이 곧 이치라고 본 점을 통해 왕수인임을, 을은 성이 이치이며 마음이 성과 정을 통괄한다[心統性情]고 본 점을 통해 주희임을 알 수 있다. (나)의 A에는 갑, 을이 긍정의 대답을 할 질문이, B에는 갑은 긍정, 을은 부정의 대답을 할 질문이, C에는 을이 긍정의 대답을 할 질문이 들어가야 한다.

[선택지 분석]

㉠ A: 사욕을 제거하고 천리(天理)를 보전해야 하는가?
➡ 왕수인, 주희 모두 존천리거인욕의 수양법을 주장하므로 A에 적절하다.

㉡ A: 인간은 선천적으로 양지(良知)를 지니고 있는가?
➡ 왕수인, 주희 모두 인간이라면 누구나 선천적으로 양지를 지닌다고 주장하므로 A에 적절하다.

✘ B: 앎[知]과 행함[行]은 본래 하나가 아닌 별개인가?
➡ 왕수인은 앎과 행함은 별개가 아닌 본래 하나라고 보았다. 따라서 갑이 부정의 대답을 할 질문이므로 B에 적절하지 않다.

✘ C: 격물(格物) 공부는 그릇된 마음을 바로잡는 것인가?
➡ 왕수인은 긍정, 주희는 부정의 대답을 할 질문이므로 B에 적절하다.

---

03 ~ 도덕적 심성

콕콕! 개념 확인하기
49쪽

01 (1) 이기호발설 (2) 사단, 칠정 (3) 기발이승일도설
(4) 이통기국
02 (1) 경 (2) 기질
03 (1) ㉡ (2) ㉠
04 (1) ○ (2) × (3) ○
05 (1) 영지 (2) 사덕, 사단
06 (1) ㉠ (2) ㉡

04 (2) 정약용은 인간의 욕구를 생존과 더불어 도덕적 삶을 위해 필요한 요소이므로 긍정해야 한다고 주장하였다.

05 (1) 정약용은 인간만이 도덕적 기호를 지녔기 때문에 선을 좋아하고 악을 미워한다고 보았다.

탄탄! 내신 다지기
50~51쪽

01 ② **02** ④ **03** ③ **04** ③ **05** ⑤ **06** ④ **07** ①
08 ② **09** ② **10** 해설 참조

---

01 이황의 사상

자료 분석 | 제시문에서 사단의 연원은 이, 칠정의 연원은 기라고 구분하여 말한 점을 통해 이기호발설을 주장한 이황임을 알 수 있다.

[선택지 분석]

㉠ 기(氣)는 천하고 이(理)는 귀하다. → 이귀기천

✘ 칠정(七情)은 본연자성이 발한 것이다.
　　　　　　　　　　　　 기

㉢ 사단(四端)은 이가 발하여 드러난 순선한 감정이다.

✘ 칠정은 기가 발하여 드러나므로 악의 가능성만 있다.
➡ 이황에 따르면, 칠정은 선과 악의 가능성을 모두 지닌다.

02 이황의 수양론

자료 분석 | 제시문은 경(敬) 공부의 중요성을 강조하고, 경을 위주로 존양성찰해야 한다고 말하는 점을 통해 이황임을 알 수 있다.

[선택지 분석]

㉠ 항시 또렷이 깨어 있어야 한다. → 상성성

㉡ 의식을 집중시켜 마음이 흐트러지지 않게 해야 한다.
　　　　　　　　　　　　　　　　 → 주일무적

㉢ 몸가짐을 단정히 하고 엄숙한 태도를 유지해야 한다.
　　　　　　　　　　　　　　　　 → 정제엄숙

✘ 시비를 분별하지 않는 도(道)의 경지에 도달해야 한다.
➡ 도가 사상의 관점에 해당한다.

03 이이의 사상

자료 분석 | 제시문은 칠정이 사단을 겸할 수 있다고 보는 점을 통해 이이임을 알 수 있다.

[선택지 분석]

① 사단과 칠정은 부분과 전체의 관계이다.
➡ 이이는 사단이 칠정에 포함되며 사단은 칠정 중 선한 부분을 가리킨다고 주장하였다.

② 이는 운동성이 없고 기만 운동성을 지닌다.
➡ 이이에 따르면, 이는 발하는 까닭일 뿐 운동성이 없으며 기만이 운동성을 지닌다.

✔③ 기는 만물에 통하고 이는 형체에 국한된다.
➡ 이이는 이는 만물에 통하고 기는 형체에 국한된다는 '이통기국'을 주장하였다.

④ 발하는 것은 기이고, 발하는 까닭은 이이다.

⑤ 사단과 칠정은 모두 기가 발하여 드러난 감정이다.

04 이이 사상의 특징

[선택지 분석]

① 사단과 칠정의 연원은 각기 다른가?
➡ 이이는 사단과 칠정의 연원이 모두 기로 같다고 보았다. 따라서 부정의 대답을 할 질문이다.

② 이는 형체가 없으나 운동성을 지니는가?
➡ 이이에 따르면, 이는 발하는 까닭일 뿐 운동성을 지니지 않는다. 따라서 부정의 대답을 할 질문이다.

✔③ 이와 기는 서로 떨어져 존재할 수 없는가?
➡ 이이는 이와 기는 하나이면서 둘이고 둘이면서 하나인 묘합의 관계[이기지묘]에 있다고 보아 서로 떨어져 존재할 수 없다고 주장하였다. 따라서 긍정의 대답을 할 질문이다.

④ 타고난 기질은 수양을 해도 교정할 수 없는가?
> 이이는 기의 특수성으로 인해 기질의 차이가 발생하는데, 좋지 못한 기질이더라도 수양을 통해 교정할 수 있다고 보았다. 따라서 부정의 대답을 할 질문이다.
⑤ 칠정은 사단 가운데 선한 부분을 가리키는가?
> 이이는 칠정 가운데 선한 부분을 가리켜 사단이라고 하였으므로 부정의 대답을 할 질문이다.

05 이황과 이이의 입장

자료 분석 | 갑은 이가 움직이면 기가 이를 따르고 기가 움직이면 이가 기를 올라탄다고 본 점을 통해 **이기호발설을 주장한 이황**, 을은 기가 아니면 발할 수 없고 이가 아니면 발할 근거가 없다고 본 점을 통해 **기발이승일도설을 주장한 이이**임을 알 수 있다.

[선택지 분석]
① ㉠ 사단(四端)은 이가 발한 것이고, 칠정(七情)은 기가 발한 것이라고 주장하였다.
② ㉡ 이와 기 모두 능동적 운동성을 갖는다고 본 것이다.
③ ㉢ 사단과 칠정 모두 기가 발한 것이라고 주장하였다.
④ ㉣ 기만 능동적 운동성을 갖는다고 본 것이다.
✔⑤ ㉤ 갑, 을 모두 사단과 칠정은 부분과 전체의 관계로 칠정이 사단을 포함한다고 주장하였다.
> 칠정이 사단을 포함한다고 주장한 것은 이이에만 해당한다.

06 정약용의 사상

[선택지 분석]
① ㉠ 인간의 본성은 선을 좋아하고 악을 싫어하는 기호임
② ㉡ 영지의 기호: 인간만이 지니고 있는 기호임
③ ㉢ 형구의 기호: 인간과 동물 모두 지니고 있는 기호임
✔④ ㉣ 사단과 사덕: 사단은 본성에 내재하지 않고 사덕의 확충을 통해 형성됨
> 정약용은 사덕은 본성에 내재하지 않고 사단의 확충을 통해 형성된다고 보았다.
⑤ ㉤ 인간의 욕구: 도덕적 삶을 위해 필요한 삶의 추동력이므로 긍정되어야 함

07 정약용 사상의 특징

자료 분석 | 제시문은 사덕이 어떤 행위를 한 후에 이루어진다고 한 점, **사덕이 사람 마음에 원래 존재하는 것이 아니라고 본 점**을 통해 **정약용**임을 알 수 있다.

[선택지 분석]
㉠ 욕구는 도덕적인 삶을 위한 추동력이다. → 욕구의 긍정
㉡ 사덕(四德)은 선택과 실천을 통해 형성된다.
　　　　　　　　　　　　　　　　　→ 사덕의 후천성 주장
✗ 인간의 성(性)은 선과 악을 좋아하는 기호이다.
> 정약용에 의하면 인간의 성은 선을 좋아하고 악을 싫어하는 마음의 기호이다.
✗ 자유 의지는 사단(四端)의 확충을 통해 형성된다.
> 정약용에 의하면 자유 의지는 하늘이 인간에게 부여한 것으로 선천적으로 지니고 있는 것이다.

08 정약용의 사상

[선택지 분석]
㉠ 사단은 선한 마음으로 사덕의 시작인가?
> 정약용은 사덕의 시작이 곧 사단으로, 사단을 확충하여 사덕을 형성할 수 있다고 보았다. 따라서 긍정의 대답을 할 질문이다.
✗ 악한 본성으로 인해 부도덕한 행위를 하는가?
> 정약용에 의하면, 하늘은 인간에게 자주지권을 부여하여 스스로 행위를 선택하여 실천하고 그에 책임지게 하였다. 따라서 부도덕한 행위는 그 스스로의 선택에 의한 것이라고 보았다. 따라서 부정의 대답을 할 질문이다.
㉢ 하늘은 인간에게 자유 의지를 부여한 존재인가?
> 정약용에 의하면, 인간은 하늘로부터 자유 의지, 곧 자주지권을 부여받은 존재이다. 따라서 긍정의 대답을 할 질문이다.
✗ 사덕은 사단을 통해서 파악되는 선천적인 것인가?
> 정약용은 사덕이 선천적인 것이라는 성리학자들의 주장을 비판하고 사단의 확충을 통해 사덕이 후천적으로 형성된다고 주장하였다. 따라서 부정의 대답을 할 질문이다.

09 정약용 사상의 특징

자료 분석 | 제시문은 어떤 행위에 의해서만 덕이 형성된다고 보는 점을 통해 **사단의 확충을 통해 사덕이 형성된다**고 주장한 **정약용**임을 알 수 있다.

[선택지 분석]
㉠ 인간만이 영지(靈知)의 기호를 가진다.
> 정약용에 의하면 인간만이 도덕적 기호를 지닌다.
✗ 사단(四端)을 인간의 본성으로 보아야 한다.
> 정약용에 의하면 인간의 본성은 기호이다.
㉢ 인(仁)은 사랑하는 행위에 의해 형성되는 덕이다.
✗ 도덕적 행위를 통해 자주지권을 형성할 수 있다.
> 정약용에 의하면 자주지권은 하늘이 인간에게 부여한 것으로 선천적으로 지니는 것이다.

10 이황과 이이의 사상

(1) 갑: 이황, 을: 이이
(2) [예시 답안] 이황은 사단은 이가 발하고 기가 이를 따른 것이며, 칠정은 기가 발하고 이가 기를 탄 것이라고 보아 사단과 칠정의 연원이 다르다고 보았다. 반면 이이는 사단과 칠정 모두 기가 발하고 이가 기를 탄 것이라고 보아 사단과 칠정의 연원을 같게 보았다.

채점기준		
	상	이황의 이기호발설, 이이의 기발이승일도설에 근거하여 사단과 칠정에 대한 입장을 정확하게 비교하여 서술한 경우
	중	사단과 칠정에 대한 이황과 이이의 입장 중 한 가지만을 정확하게 서술한 경우
	하	사단과 칠정에 대한 이황과 이이의 입장을 전혀 서술하지 못한 경우

01 이황의 사상

자료 분석 | 제시문은 사단의 정이 이가 발하는 것으로 순선무악하다고 본 점을 통해 이황임을 알 수 있다.

[선택지 분석]

① 사물에서 이와 기는 서로 떨어져서 존재한다.

➡ 이황은 주희의 '이기불상잡'에 더 주목하였다. 하지만 '이기불상리'를 부정한 것은 아니다. 따라서 사물에서 이와 기가 서로 떨어져 존재한다고 보았다고 말할 수 없다.

② 사단과 칠정은 성(性)이 발하지 않은 상태이다.

➡ 이황에 의하면 사단과 칠정은 감정이므로 성이 이미 발한 상태이다.

③ 사단과 칠정은 그 근원이 서로 다른 정(情)이다.

➡ 이황은 사단은 이(理)에 근원하여 순선하고, 칠정은 기(氣)에 근원하여 드러나는 선악이 혼재된 감정으로 서로 다른 감정이라고 주장하였다.

④ 발하는 것은 오직 기이고, 이는 발하는 까닭이다.

➡ 이황에 의하면 이와 기 모두 운동성을 지녀 발할 수 있다.

⑤ 사욕을 제거하여 칠정을 사단으로 변화시켜야 한다.

➡ 이황에 의하면 사욕을 제거한다고 하여 칠정이 사단으로 변화되지 않는다.

02 이이의 사상

자료 분석 | 제시문은 사단은 칠정을 겸할 수 없지만 칠정은 사단을 겸할 수 있다고 보는 점을 통해 이이임을 알 수 있다.

[선택지 분석]

㉠ 사단과 칠정은 모두 기가 발한 것이다. → 기발이승일도설

㉡ 나쁜 기질은 수양을 통해 교정될 수 있다. → 교기질

㉢ 사단은 기가 발하고 이가 그것을 탄 것이다.

✗ 칠정의 선함과 사단의 선함을 다르게 보아야 한다.

➡ 이이에 의하면, 칠정 중 선한 감정만을 표출한 것이 사단이다. 따라서 칠정의 선함과 사단의 선함은 같다.

03 이이와 이황의 사상

자료 분석 | 갑은 오직 기가 발하여 이가 기를 탄다는 기발이승일도설과 이통기국을 설명한 점을 통해 이이임을, 을은 이가 발하면 기가 따르고 기가 발하면 이가 탄다는 이기호발설을 제시한 점을 통해 이황임을 알 수 있다.

[선택지 분석]

㉢

➡ 이황은 이이에 비해 이의 능동성을 강조하는 정도(X)는 높고, 이기불상리를 상대적으로 강조하는 정도(Y)는 낮고, 이귀기천을 강조하는 정도(Z)는 높다. 따라서 그림의 ㉢에 해당한다.

04 이황과 이이 사상의 특징

자료 분석 | 갑은 칠정과 사단 모두 기가 발하여 이가 기를 타는 것이라고 보는 점을 통해 이이임을 알 수 있다. 을은 사단은 이가 발하여 기가 이를 따르는 것이고 칠정은 기가 발하여 이가 기를 타는 것이라고 보는 점을 통해 이황임을 알 수 있다.

[선택지 분석]

㉠ 칠정은 기가 발한 감정인가?

➡ 이이는 사단과 칠정 모두를 기가 발한 감정으로, 이황은 사단과 달리 칠정은 기가 발한 감정이라고 보므로 모두 긍정의 대답을 할 질문이다.

✗ 칠정이 사단을 포괄할 수 있는가?

➡ 이이는 긍정, 이황은 부정의 대답을 할 질문이다.

㉢ 사단의 정(情)은 순선하여 악이 없는가?

㉣ 사단과 칠정은 성(性)이 이미 발한 상태인가?

➡ 이황과 이이는 사단과 칠정은 감정이므로 성이 이미 발한 상태라고 보았다.

05 정약용의 사상

자료 분석 | 제시문은 인간이 자주지권을 가지고 있다고 본 점, 선악 중 어떤 것을 행하든 그것은 스스로의 책임이라고 본 점을 통해 정약용임을 알 수 있다.

[선택지 분석]

㉠ 인의예지는 사단의 확충을 통해 형성된다.

㉡ 인간의 자주지권은 하늘이 부여한 것이다.

✗ 인간의 욕구는 도덕적 삶을 위해 제거되어야 한다.

➡ 정약용에 의하면 인간의 욕구는 생존과 도덕적 삶의 추동력으로 작용될 수 있으므로 긍정되어야 한다.

㉣ 하늘은 인간의 마음을 살펴 잘못을 경고하는 존재이다.

06 정약용과 이이의 사상

자료 분석 | 갑은 사단을 확충하지 못하면 사덕을 이룰 수 없다고 본 점을 통해 정약용임을, 을은 사단과 칠정이 모두 기가 발하여 이가 기를 타는 것이라고 본 점을 통해 이이임을 알 수 있다.

[선택지 분석]

㉠ A: 사단을 확충해야 바람직한 인간이 되는가?

✗ B: 사덕은 모든 사람에게 선천적으로 부여되는가?

➡ 정약용은 사단의 확충을 통해 사덕이 후천적으로 형성된다고 본 반면, 이이는 사덕이 선천적으로 내재되어 있다고 보았다. 따라서 갑은 부정, 을은 긍정의 대답을 할 질문이다.

✗ B: 사덕은 모든 욕구를 제거해야 형성될 수 있는가?

➡ 정약용은 성리학자와 달리 인간 욕구의 긍정적 역할을 강조하였으므로 욕구의 제거를 주장했다고 볼 수 없다. 이이는 사덕이 선천적으로 내재되어 있다고 보았으므로 사덕의 후천적 형성을 주장했다고 볼 수 없다. 따라서 갑, 을 모두 부정의 대답을 할 질문이다.

㉢ C: 사단을 통해 사덕이 마음에 내재함을 알 수 있는가?

➡ 이이를 비롯한 성리학자는 사단을 사덕의 내재를 알 수 있는 실마리로 보았다.

07 이이, 이황, 정약용의 사상

자료 분석 | 갑은 정이 칠정뿐이라고 보는 점을 통해 이이임을, 을은 사단과 칠정의 연원을 각각 이와 기로 나눌 수 있다고 보는 점을 통해 이황임을, 병은 인간의 성이 선을 즐거워하고 악을 부끄러워하는 경향성이라고 보며 자주지권을 제시한 점을 통해 정약용임을 알 수 있다.

[선택지 분석]

㉠ 사덕은 인간의 도덕적 본성인가?
➡ 이이, 이황은 긍정의 대답을 할 질문이다. 정약용은 사단의 실천을 통해 후천적으로 사덕을 형성할 수 있다고 보았다.

✗ 사단을 사덕의 형성 근거로 보아야 하는가?
➡ 정약용만 긍정의 대답을 할 질문이다.

㉢ 엄격한 금욕주의적 수양을 추구해야 하는가?
➡ 이이와 이황은 성리학자로서 욕구를 절제하는 수양을 강조하므로 이이와 이황이 긍정의 대답을 할 질문이다.

㉣ 사단을 적극적으로 발휘하는 삶을 살아야 하는가?
➡ 이이, 이황, 정약용 모두 긍정의 대답을 할 질문이다.

08 정약용과 이황의 사상

자료 분석 | 갑은 성이 이가 아닌 기호라고 본 점을 통해 정약용임을 알 수 있다. 을은 성을 본연지성과 기질지성으로 나누듯 정도 사단과 칠정으로 구별할 수 있다고 본 점을 통해 이황임을 알 수 있다.

[선택지 분석]

㉠ A: 악을 부끄럽게 여기는 성향은 인간의 본성이다.
➡ 정약용은 선을 좋아하고 악을 싫어하는 성향, 즉 기호를 인간의 본성으로 본 반면, 이황은 인간의 성이 곧 리(理)라고 보았다. 따라서 정약용의 주장만으로 적절하다.

✗ A: 사덕은 마음의 이치로서 실천에 의해 만들어진다.
➡ 정약용은 사덕이 본래 갖고 있던 마음의 이치가 아니라 실천에 의해 형성된다고 보았다. 반면 이황은 사덕은 실천과 무관하게 선천적으로 타고난 것으로 보았다. 따라서 정약용, 이황 모두에게 부적절한 진술이다.

㉢ B: 사단은 선행의 행사 여부와 관계없이 내재한다.

✗ C: 사덕은 사단의 확충을 통해서 획득된다.
➡ 정약용만의 주장에 해당하므로 A에 적절하다.

04 ~ 자비의 윤리

콕콕! 개념 확인하기   59쪽

01 (1) 연기설 (2) 팔정도 (3) 제법무아 (4) 유식
02 (1) ㉣ (2) ㉢ (3) ㉡ (4) ㉠
03 (1) × (2) × (3) ○
04 (1) 교종 (2) 돈오
05 ㄴ, ㄷ, ㄹ, ㅁ, ㅂ

---

03 (1) 대승 불교는 중생과 함께하는 대중적 측면을 강조하였다. 사회와 분리된 엄격한 종교성을 추구한 것은 부파 불교이다.
(2) 대승 불교는 일부 부파 불교가 주장한 자성(自性)의 존재를 부정한다.

탄탄! 내신 다지기   60~61쪽

01 ⑤   02 ②   03 ②   04 ⑤   05 ⑤   06 ①   07 ③
08 ④   09 해설 참조

01 석가모니의 사상

자료 분석 | 제시문의 갑 사상가는 과거 태자였다는 점, 성문 밖에서 생로병사의 고통을 접하고 이를 벗어나기 위한 수행을 마음먹었다는 점을 통해 석가모니임을 알 수 있다.

[선택지 분석]

① 계율에서 벗어난 자유로운 삶을 추구하였다.
➡ 부처는 깨달음을 위해 계(계율), 정, 혜의 삼학을 제시하였으므로 계율을 벗어난 삶을 추구하였다고 볼 수 없다.

② 윤회의 반복된 흐름에 순응하는 삶을 강조하였다.
➡ 부처는 깨달음을 얻어 윤회의 흐름을 끊고 고통에서 벗어나 해탈해야 한다고 강조하였다.

③ 인간이 해탈에 이를 수 있다는 것을 최초로 제시하였다.
➡ 업, 윤회, 해탈 등의 개념은 인도의 전통 사상에 이미 있었다.

④ 생로병사의 고통에서 벗어날 수 있는 방법이 없음을 깨달았다.
➡ 부처에 의하면, 수행하면 번뇌에서 벗어난 경지인 열반에 이를 수 있다.

✅ 인간이 진리를 제대로 파악하지 못하여 고통을 겪는다고 보았다.

02 불교 사상의 특징

자료 분석 | 제시문은 불교의 연기설을 나타내는 대표적인 자료로서, 모든 것은 원인과 조건에 의해 생멸한다는 것이다.

[선택지 분석]

㉠ 어떤 존재와 현상도 독립적일 수 없다.

✗ 모든 존재는 우연히 홀로 생겨나고 사라진다.
➡ 불교에서는 모든 존재와 현상은 원인과 조건에 의해 생겨나므로 상호 의존적이라고 본다. 따라서 우연히 홀로 생멸한다고 볼 수 없다.

㉢ 개개의 존재들은 보이지 않는 불가분의 끈으로 맺어졌다.

✗ 만물의 진정한 실체는 원인과 조건 없이 영원히 존재하는 것이다.
➡ 불교는 모든 존재와 현상이 원인과 조건에 의해 생겨난다고 본다. 또한 고정불변의 실체가 없다고 본다.

03 석가모니 사상의 특징

자료 분석 | 제시문의 ㉠은 인간이 겪는 괴로움들의 원인이 들어가야 하므로 사성제 중 집성제이며, ㉡은 괴로움을 소멸한 상태에 이르기 위한 방법이 들어가야 하므로 도성제임을 알 수 있다.

[선택지 분석]

⃝ ㉠: 탐욕, 분노, 무지의 번뇌입니다.

✕ ㉠: 사람들이 불변의 자아를 깨닫지 못하는 것입니다.
➡ 불교에서는 불변의 자아는 없다고 본다.

⃝ ㉡: 삼학(三學)과 팔정도(八正道)가 있습니다.

✕ ㉡: 고통의 극한을 통해 수행하는 방법이 있습니다.
➡ 석가모니는 중도의 수행 방법을 제시하였다.

04 대승 불교의 특징

자료 분석 | 제시문은 자신뿐만 아니라 모든 중생을 열반으로 인도할 것이라고 하는 점, '보살'이라는 이상적 인간상을 제시한 점을 통해 대승 불교의 주장임을 알 수 있다.

[선택지 분석]

✕ 출가한 자만이 깨달음을 얻을 수 있다고 본다.
➡ 대승 불교는 출가자와 재가자의 엄격한 구분을 두지 않는다.

✕ 교리 공부와 자기 해탈에 치중하여 세속과 거리를 둔다.
➡ 부파 불교의 모습이다. 대승 불교는 이를 비판하면서 대중적 측면을 강조한다.

ⓒ 불변의 고유한 본질인 자성(自性)의 존재에 대한 주장을 비판한다.

ⓔ 수행자 개인의 해탈뿐만 아니라 중생의 구제를 실천하는 삶을 강조한다.

05 중관 사상과 유식 사상의 특징

자료 분석 | 갑은 모든 것은 독자적 실체가 아니며, 사물이 실체로서 존재한다는 무지에서 벗어나야 한다고 보는 점을 통해 중관 사상가임을, 을은 현상 세계는 허상에 불과하지만 그것을 만들어 낸 마음은 존재한다고 보는 점을 통해 유식 사상가임을 알 수 있다.

[선택지 분석]

✕ 갑은 진리를 깨달은 청정한 마음의 존재를 긍정한다.
➡ 중관 사상은 모든 존재는 실체가 없는 공이라고 본다. 따라서 진리를 깨달은 청정한 마음의 존재도 인정하지 않는다.

✕ 갑은 모든 현상은 오직 마음의 작용으로만 존재한다고을 본다.

ⓒ 을은 마음을 비우는 수행 방법으로 요가를 강조한다.

ⓔ 갑과 을은 공 사상에 뿌리를 두고 자아에 대한 집착에서 벗어날 것을 강조한다.

06 교종의 특징

자료 분석 | 제시문에서 특정 경전의 이론에 입각한 여러 종파가 생겼다고 하였는데, 이를 교종이라 한다.

[선택지 분석]

✓ 경전의 해석과 계율의 실천을 강조한다.

② 마음에서 마음으로 주고받는 것을 강조한다. → 선종의 이심전심

③ 사회와 분리된 엄격한 종교성의 추구를 강조한다.
→ 부파 불교

④ 불성을 깨달으면 누구나 바로 부처가 될 수 있음을 강조한다. → 선종의 견성성불

⑤ 내면의 자각을 중시하여 외적인 형식으로부터 자유로운 수행을 강조한다.
➡ 내면의 자각을 중시하는 것은 선종이다.

07 정토종의 특징

[선택지 분석]

① 천태종 → 교종의 한 종파

② 화엄종 → 교종의 한 종파

✓ 정토종

④ 법상종 → 교종의 한 종파

⑤ 선종
➡ 교종을 비판하고 마음의 직관을 중시하는 종파이다.

08 선종의 특징

자료 분석 | 제시문은 부처가 자기 본성 속에서 이루어진다고 본 점, 단박에 깨치고 단박에 닦는다는 돈오돈수를 주장한 점을 통해 선종 사상가 혜능의 주장임을 알 수 있다.

[선택지 분석]

① 이심전심(以心傳心) → 마음에서 마음으로 통하는 가르침

② 불립문자(不立文字) → 언어로 전달될 수 없는 가르침

③ 교외별전(敎外別傳) → 경전 외에 전해지는 가르침

✓ 교관이문(敎觀二門)
➡ 깨달음을 얻으려면 이론에 해당하는 교(敎)와 실천에 해당하는 관(觀)이 모두 어우러져야 한다는 뜻으로, 천태종의 주장이다.

⑤ 견성성불(見性成佛) → 자기 본성에 대한 직관

09 교종과 선종의 특징

(1) ㉠: 교종, ㉡: 선종

(2) [예시 답안] 불교에서는 모든 존재가 둘이 아니라 하나로 연결되어 있다는 연기설을 바탕으로 자신만을 생각하는 이기적 관점에서 벗어나 모든 존재에 대한 연민, 자비심을 가질 것을 강조한다. 이러한 연기와 자비를 통해 이기주의 때문에 일어나는 현대 사회의 갈등과 대립을 해소할 수 있다.

채점기준		
상	불교가 궁극적으로 지향하는 점을 언급하고 이를 현대 사회의 문제점을 해결하는 방법과 연결하여 정확하게 진술한 경우
중	불교가 궁극적으로 지향하는 특징을 언급했지만 이를 현대 사회의 문제점을 해결하는 방법과 연결하지 못한 경우
하	불교가 궁극적으로 지향하는 특징과 현대 사회의 문제점 중 하나만 서술한 경우

01 석가모니의 사상

자료 분석 | 제시문은 연기를 보는 자가 곧 진리를 보는 것이라고 한 점을 통해 석가모니의 주장임을 알 수 있다.

[선택지 분석]

✗ 만물은 불변하며 변하는 것은 오직 인간의 정신뿐이다.
　➡ 석가모니는 인간을 포함한 만물이 끊임없이 변화한다고 보았다.

ⓛ 현세의 삶에서 쌓은 업(業)에 의해 내세의 삶이 결정된다.

ⓒ 우주의 모든 사물과 현상은 원인과 결과로 연결되어 있다.

✗ 일체의 모든 것은 고통이며 인간은 고통에서 벗어날 수 없다.
　➡ 석가모니에 의하면, 일체의 모든 것이 고통이지만, 애욕과 업, 어리석음, 집착 등이 완전히 제거되면 고통에서 벗어나 열반에 이르게 된다.

02 석가모니 사상의 특징

자료 분석 | 제시문은 수행하여 지혜를 가진 자만이 피안에 이를 수 있다고 본 점을 통해 석가모니의 사상임을 알 수 있다. 이때 피안은 저쪽 언덕이라는 뜻으로, 현세를 가리키는 차안의 반대말이며 이상적 경지를 지칭한다.

[선택지 분석]

ⓠ 고통은 인간 세계의 현상적인 삶의 모습이다.

ⓛ 모든 사람은 마음속에 불성(佛性)을 가지고 있다.

ⓒ 번뇌에서 벗어나지 못하면 생사의 세계를 그치지 않고 돌게 된다.

✗ 무명(無明) 상태에서는 상호 의존 관계에 들지 못하고 홀로 있게 된다.
　➡ 석가모니는 무명(無明), 즉 어리석음에서 벗어나지 못하면 상호 의존 관계(연기에 의해 움직이는 현실 세계)를 결코 벗어날 수 없다고 보았다.

03 불교 사상의 특징

자료 분석 | 제시문은 세상의 모든 것이 원인과 조건에 의해 생겨나고 사라진다는 점을 비유하여 다루고 있다. 따라서 불교의 연기설에 대한 설명임을 알 수 있다.

[선택지 분석]

① 영원불변하고 절대적이다.
　➡ 연기설에 따르면 만물은 끊임없이 변화한다.

② 고정된 실체로서 존재한다.
　➡ 연기설에 따르면 고정된 실체는 없다.

③ 서로 독립적으로 존재한다.
　➡ 연기설에 따르면 만물은 상호 의존적이다.

✔ 의존적 관계로서 끊임없이 변화한다.

⑤ 연기에 따라 형성되어 변화하지 않는다.
　➡ 연기설에 의하면 만물은 끊임없이 변화한다.

04 석가모니 사상의 특징

자료 분석 | 제시문은 고통을 끊으려면 탐욕을 떠나야 한다고 보는 점을 통해 고대 불교 사상가인 석가모니임을 알 수 있다.

[선택지 분석]

✗ 쾌락을 인간 세계의 현상적인 삶의 모습으로 보았으며,
　　　고통

ⓛ 애욕(愛慾)을 없애 열반의 상태에 이를 것을 강조하였다.

✗ 모든 것을 불변하는 실체로 보았고,
　➡ 석가모니는 모든 것을 고정됨 없이 끊임없이 생멸, 변화하는 것으로 보았다.

ⓔ 수행 방법으로 삼학과 팔정도를 제시하였다.

05 부파(소승) 불교와 대승 불교

자료 분석 | 제시문의 갑은 사회와 분리된 엄격한 종교성, 수행자 개인의 깨달음을 추구하는 점을 통해 부파 불교 사상가임을 알 수 있다. 을은 갑의 사상을 개인주의적이라고 비판하는 점을 통해 대승 불교 사상가임을 알 수 있다.

[선택지 분석]

① 중생의 본성은 악한가?
　➡ 불교에서는 모든 인간은 청정한 본성을 가지고 있고, 불성을 지니고 있다고 보므로 갑, 을 모두 부정의 대답을 할 질문이다.

✔ 보살이 이상적 인간상인가?

③ 사성제를 참된 진리로 볼 수 있는가?
　➡ 석가모니가 제시한 사성제는 불교에서 참된 진리로 삼는 것이므로 갑, 을 모두 긍정의 대답을 할 질문이다.

④ 삶이 주는 참된 즐거움을 누릴 수 있는가?
　➡ 불교에서는 삶을 고통이라고 보므로 갑, 을 모두 부정의 대답을 할 질문이다.

⑤ 수행을 위해서는 반드시 출가해야 하는가?
　➡ 대승 불교는 부파 불교에 비해 출가자와 재가자의 구분을 엄격하게 두지 않는다. 따라서 갑은 긍정, 을은 부정의 대답을 할 질문이다.

06 중관 사상과 유식 사상

자료 분석 | 제시문의 갑은 모든 존재는 실체가 없는 공이며 중도가 진리라고 보는 점을 통해 중관 사상가임을, 을은 세상은 의식의 장난에 불과하다고 본 점을 통해 유식 사상가임을 알 수 있다.

[선택지 분석]

① A: 진리를 깨달은 청정한 마음은 존재한다. → 유식 사상
　　　　　　　　　　　　　　　　　　　　　　ⓒ

② A: 사회와 분리된 엄격한 종교성을 추구해야 한다.
　　　　　　　　　　　　　　　　　　➡ 부파 불교

③ B: 출가 수행자가 아니면 깨달음을 성취하기 어렵다.
　➡ 중관 사상과 유식 사상은 대승 불교의 하나로서, 출가자와 재가자를 엄격히 구분하지 않으므로 적절하지 않은 내용이다.

✔ B: 연기를 바탕으로 자아에 대한 집착에서 벗어나야 한다.

➡ 중관 사상과 유식 사상은 모두 연기설에 근거하며, 공 사상에 뿌리를 두므로 자아에 대한 집착에서 벗어날 것을 강조한다.

⑤ ㉢: 깨달음을 통해 인식되는 공성(空性) 또한 실체가 아
　　　A
니다. ➡ 중관 사상

07 선종의 특징

자료 분석 | 제시문은 자성을 스스로 깨달음은 단박에 깨닫고 단박에 닦는 것이라는 돈오돈수를 제시한 점을 통해 선종 사상가 혜능임을 알 수 있다.

[선택지 분석]

㉠ 자신의 마음을 직관하여 단박에 깨달아야[頓悟] 한다.

✘ 단박에 깨닫기 위해 선(禪) 수행과 경전 공부에 매진해야 한다.

　➡ 선종에서는 경전의 언어 이외의 가르침을 더 중시한다.

✘ 참선(參禪) 수행으로 본성을 자각하기 위해 계율을 엄격하게 따라야 한다.

　➡ 선종에서는 계율보다 본성의 직관을 강조한다. 계율을 더 중시하는 것은 교종이다.

㉣ 누구든 자신의 본성을 보면 외부의 도움 없이도 즉각 깨달음에 이를 수 있다.

08 교종과 선종의 입장

자료 분석 | 제시된 그림에서 '불성의 직관을 강조하는가?'에 긍정의 대답을 한 (가)는 선종, 부정의 대답을 한 (나)는 교종이다.

[선택지 분석]

① A: 점진적 수행을 통한 깨달음을 강조하는가?
　　　B

② A: 문자로써 참다운 진리를 나타낼 수 있는가?
　　　B

✔ A: 경전의 바깥에서 참된 진리를 찾을 수 있는가?

④ B: 교리로부터 해방된 자유를 중시하는가?

　➡ 교종은 경전의 교리를 통해 진리를 깨닫고자 하므로 B에 적절하지 않다.

⑤ B: 이론에 집착하는 수행 방법에서 벗어났는가?
　　　A

---

05 ~ 분쟁과 화합

콕콕! 개념 확인하기 　　　　　69쪽

01 (1) 일심　(2) 교종, 선종　(3) 선교일원
02 (1) ㉢　(2) ㉠　(3) ㉡
03 (1) ○　(2) ✕
04 (1) 정혜쌍수　(2) 교관겸수
05 ㄱ, ㄴ, ㄷ, ㅁ
06 (1) ✕　(2) ○　(3) ○　(4) ○

---

03 (2) 의천은 교종을 중심으로 하되 선종을 압도시키는 것이 아니라 조화를 이루어 대립을 해소하고자 하였다.

06 (1) 한국 불교는 도교나 민간 신앙 등의 타 종교와 조화를 이루며 성장하였다.

탄탄! 내신 다지기 　　　　　70~71쪽

01 ⑤　**02** ①　**03** ①　**04** ③　**05** ①　**06** ①　**07** ④
08 ②　**09** ③　**10** 해설 참조

01 한국의 불교 수용 배경

[선택지 분석]

① 조선 시대에 본격적으로 수용되었다.
　삼국

② 고유의 민간 신앙과 조화되지 못하였다.

　➡ 한국 불교는 도교뿐 아니라 고유의 민간 신앙과도 융화하였다.

③ 민간의 불교는 국가로부터 탄압을 받았다.

　➡ 국가가 민간의 불교를 탄압하지는 않았다.

④ 수용 당시 중앙 집권적 국가 구조 수립을 방해하였다.

　➡ 불교를 수용할 당시 삼국은 중앙 집권적 국가 구조를 수립하는 과정이었는데, 이때 불교는 체제 정비, 민심 안정 등에 기여하였다.

✔ 수용 초기에는 왕실과 지배층 중심의 불교를 형성하였다.

02 원효의 일심 사상

자료 분석 | 제시문에서 모든 것이 일심 안에 들어가며, 지혜와 일심은 같아서 둘이 없다고 본 점을 통해 원효의 사상임을 알 수 있다.

[선택지 분석]

✔ 일체 만물과 현상은 모두 마음이 만들어 낸다.

　➡ 원효에 의하면, 연기에 의해 변화하는 현실과 변화하지 않는 진리는 실상 다르지 않으며 모든 것은 마음에 달려 있다.

② 일심(一心)은 때 묻은 마음의 현실적 측면이다.

　➡ 일심은 현실의 마음(생멸문)과 청정한 마음(진여문)의 두 측면을 모두 포함한다.

③ 출가 수행자만이 진정한 깨달음을 얻을 수 있다.

　➡ 원효는 대승 불교 사상가 중 한명으로 출가 수행과 재가 수행을 엄격히 구별하지 않았다. 또한, 출가 여부, 경전 암송의 여부와 상관없이 염불하면 누구나 깨달음을 얻을 수 있다고 주장하기도 하였다.

④ 자신에게 불변하는 모습이 있음을 믿어야 한다.

　➡ 불교에서는 불변의 자아가 없음을 깨달아야 한다고 강조한다.

⑤ 일부 중생만이 부처와 같은 마음을 갖고 태어난다.

　➡ 불교에서는 모든 사람이 불성을 지니고 태어난다고 본다.

03 원효의 사상 분석

자료 분석 | 제시문은 진여와 생멸 모두 일심이라고 보는 점을 통해 원효의 주장임을 알 수 있다.

㉠ 자기 안의 일심을 알지 못하여 윤회를 한다.

㉡ 본래의 마음과 현실의 마음의 근원은 하나이다.

✘ 모든 사람의 마음이 다르듯 일심의 근원도 다르다.

　➡ 원효에 의하면 일심은 보편적이고 초월적인 것으로 사람마다 다르지 않다.

✘ 자기 마음을 초월한 일심을 찾기 위해 수행해야 한다.

　➡ 원효에 의하면 자기 마음 안에 있는 일심을 찾아야 한다.

04 의천의 사상

자료 분석 | 제시문은 경전 공부만 하는 것과 명상 수행만 하는 것은 옳지 않다고 보는 점을 통해 교관겸수를 주장한 의천임을 알 수 있다.

[선택지 분석]

✘ 진정한 깨달음은 단박에 깨치는 것이다.

　➡ 단박에 깨치는 것, 즉 돈오를 진정한 깨달음으로 보는 것은 선종이다. 의천은 돈오를 강조하지 않았다.

㉡ 교와 선을 조화하여 갈등을 해소해야 한다.

㉢ 깨달음을 얻기 위해 교와 관을 함께 닦아야 한다.　➡ 교관겸수

✘ 교와 선 중에서 자신에게 적합한 것을 선택하여 수행해야 한다.

　➡ 의천은 교와 선을 함께 닦아야 한다고 주장하였다.

05 지눌의 사상

자료 분석 | 제시문은 부처와 조사의 마음과 입이 둘이 아니라고 본 점을 통해 지눌의 주장임을 알 수 있다.

[선택지 분석]

㉠ 선종과 교종은 본래 하나이다.　➡ 선교일원

㉡ 단박에 깨친 이후에도 수행은 필요하다.　➡ 돈오점수

✘ 교리 공부에 치중하여 깨달음을 추구해야 한다.

　➡ 지눌은 교리 공부를 통한 깨달음이 아닌 단박에 얻는 깨달음을 강조하였다.

✘ 중생에 대한 관심보다 수행자 개인의 해탈에 집중해야 한다.

　➡ 지눌은 대승 불교 사상가로 중생의 구제에도 관심을 두었다.

06 지눌 사상의 특징

자료 분석 | 제시문은 단박에 깨친 이후에도 수행이 필요하며, 그 수행의 구체적 방법을 제시하고 있다. 따라서 지눌의 돈오점수와 정혜쌍수를 다루고 있음을 알 수 있다.

[선택지 분석]

㉠ ㉠은 마음을 한곳에 집중하여 혼란함이 없도록 하는 것이다.

㉡ ㉡은 사물을 사물 그대로 보아 마음에 어리석음이 없도록 하는 것이다.

✘ ㉠은 마음의 인식 작용이고 ㉡은 마음의 본체이다.

✘ ㉠, ㉡은 각각 장단점이 명확하여 둘로 분리된다.

　➡ 지눌은 정과 혜는 둘로 분리되지 않는다고 보았다.

07 원효와 지눌 사상

자료 분석 | 갑은 일심의 일은 진여문과 생멸문이 다르지 않음을 뜻한다고 보는 점을 통해 원효임을 알 수 있다. 을은 본성을 깨친 이후에도 점진적인 수행, 즉 점수가 필요하다고 보는 점을 통해 지눌임을 알 수 있다.

[선택지 분석]

㉠ 갑은 일심의 차원에서 갈등이 해소될 수 있다고 보았다.

㉡ 갑은 염불하면 누구나 부처가 될 수 있다고 주장하였다.

✘ 을은 교리 공부를 우선 수행해야 한다고 보았다.

　➡ 지눌은 단박에 깨친 후에 점진적으로 수행을 해야 한다는 돈오점수를 주장하였다. 이때 돈오는 '내 마음이 부처'임을 한순간에 자각하는 것으로 교리 공부와 관련되지 않는다.

㉣ 갑과 을은 종파 간 대립의 해소와 화합을 중시하였다.

　➡ 원효 당시에는 교종 내의 종파들 간의 대립이 있었으며, 지눌 당시에는 교종과 선종 간의 대립이 있었다. 원효와 지눌은 대립과 다툼을 해소하고 서로 화합하기 위한 주장을 제시하였다.

08 한국 불교의 특징

[선택지 분석]

① 위기로부터 국가를 지키려고 노력한다.　➡ 호국 불교적 성격

✔출가 수행하여 깨달음을 얻는 데만 힘쓴다.

　➡ 한국 불교가 출가 수행만을 강조한 것은 아니다. 오히려 보살행을 강조하는 등 대승 불교와 맥락이 닿아 있다.

③ 인과응보를 통해 생활 규범의 지침을 제시한다.

　➡ 한국 불교는 인과응보설을 통한 선행과 자비의 중요성을 강조하였는데 이는 생활 규범의 지침이 되었다.

④ 다양한 논쟁을 해소하고 조화하기 위해 노력한다.　➡ 조화 정신 강조

⑤ 자신의 깨달음과 함께 다른 사람의 구제에 힘쓴다.　➡ 보살행의 강조

09 한국 불교의 사상적 특징

자료 분석 | 제시문에서 원효의 원융회통은 온갖 대립과 갈등을 해소하여 더 높은 차원에서 하나로 통합하는 것을 의미한다. 의천의 교관겸수는 경전 읽기와 참선을 함께 수행하는 것이고, 지눌의 돈오점수는 단번에 진리를 깨친 뒤 번뇌를 차차 소멸시켜 가는 수행이다. 모두 대립하는 것을 조화하려는 가르침을 담고 있다.

[선택지 분석]

① 생명 존중의 정신을 강조한다.

② 국가의 수호를 중요하게 여긴다.

✔조화와 화합을 중요하게 생각한다.

　➡ 원효, 의천, 지눌은 종파 간 대립을 극복하기 위해 노력하였다.

④ 일상 속에서 깨달음을 찾는 것을 강조한다.

⑤ 중생에게 깨달음을 전해야 하는 것을 강조한다.

10 원효의 일심 사상

자료 분석 | 제시문은 중생의 마음에는 두 측면이 있지만 별개의 것이 아니라 근원이 하나라고 보는 점을 통해 원효의 일심 사상임을 알 수 있다.

(1) ㉠: 진여문(심진여문, 진여), ㉡: 생멸문(심생멸문, 생멸)

(2) [예시 답안] 현대 사회에서는 세대 갈등, 이념 갈등, 노사 갈등 등 다양한 갈등이 존재한다. 원효의 일심 사상이 강조하는 통합과 조화의 정신은 이러한 갈등을 원만히 해결하고 화해할 수 있는 방법과 자세를 제시할 수 있다. 예를 들어 서로 자신의 주장만이 옳다고 주장하지만 더 높은 차원에서 보면 모든 주장은 소속 공동체의 발전을 위한 주장이다. 따라서 대립만 할 것이 아니라 전체의 이익을 위해 크게 화합할 수 있을 것이다.

채점기준	
상	원효의 사상이 현대 사회의 문제를 해결하는 데 조화와 통합의 정신을 시사할 수 있음을 제시하고 구체적인 예를 제시하여 정확하게 경우
중	원효의 사상이 현대 사회의 문제를 해결하는 데 도움을 줄 수 있다고 파악하였으나 조화와 통합의 정신을 도출하지 못한 경우
하	원효의 사상과 그것이 현대 사회의 문제를 해결하는 데 어떤 도움을 줄 수 있는지 연결하여 서술하지 못한 경우

도전! 실력 올리기

72~73쪽

01 ① **02** ③ **03** ① **04** ② **05** ③ **06** ③ **07** ⑤
08 ①

01 원효 사상의 특징

자료 분석 | 제시문은 부처의 모든 가르침은 일심으로 귀결된다고 보는 점을 통해 원효의 사상임을 알 수 있다.

[선택지 분석]

✅ 모든 중생은 깨달음을 얻을 수 있다.
➡ 원효는 모든 사람이 불성을 지니고 있으므로 깨달음에 이를 수 있다고 보았다.

② 종파 간의 경쟁을 통해 발전을 도모해야 한다.
➡ 원효는 종파 간 대립을 화해시키려 노력하였다.

③ 모든 것은 초월자로부터 비롯됨을 깨달아야 한다.
➡ 불교에서는 자신의 불성(佛性)을 자각하는 깨달음을 구한다.

④ 대립의 해소를 위해서 특정 경전을 해석해야 한다.
➡ 원효는 특정 경전의 해석에 집중하기보다는 다양한 경전과 부처의 사상을 통합적으로 해석하고 이해하여 다양한 종파 간의 대립을 해소하고자 하였다.

⑤ 일체의 쟁론은 일심의 관점에서 존재 가치가 없다.
➡ 원효는 논쟁하는 다양한 의견들은 모두 부처의 말씀을 서로 다른 측면에서 말하고 있는 것일 뿐이라고 보아 그 대립을 화해시키려고 노력하였다. 따라서 그러한 쟁론들이 존재 가치가 없다고 보았다고 할 수 없다.

02 원효의 정토 사상

자료 분석 | 제시문의 스님은 표주박에 무애를 새기고 다닌다는 점, 글을 모르는 백성들도 깨달음을 얻을 수 있는 방법을 알려 준다는 점을 통해 원효임을 알 수 있다.

[선택지 분석]

① 각자 맡은 역할에 충실히 살아가면 됩니다. → 공자의 정명

② 만물이 불변한다는 진리를 깨우치면 됩니다.
➡ 불교에서는 만물이 끊임없이 변화한다고 본다.

③ 나무아미타불(南無阿彌陀佛)을 염불하면 됩니다.

④ 세속에서 벗어나 계율에 따르는 수행을 하면 됩니다.
➡ 원효가 제시한 수행법으로 적절하지 않다.

⑤ 초월자(超越者)의 존재를 믿고 용서를 구하면 됩니다.
➡ 불교의 관점과 무관하다.

03 의천의 사상

자료 분석 | 제시문은 교와 선의 극단에 치우치지 말고 둘을 함께 수행해야 한다고 보는 점을 통해 의천의 주장임을 알 수 있다.

[선택지 분석]

㉠ 경전 읽기와 참선을 함께 수행해야 한다.

✗ 교리를 통해서는 진정한 진리를 찾을 수 없다.
➡ 의천은 경전, 교리 공부가 필요하다고 보았다.

㉢ 교종을 주(主)로 하고 선종을 종(從)으로 봐야 한다.

✗ 언어에 의존하지 않고 수행해야 진정한 깨달음에 이를 수 있다.
➡ 언어에 의존하지 않고 수행하는 것은 선종의 기본 가르침이다. 의천은 언어, 즉 경전 공부를 하여 깨달음을 얻을 수 있다고 보았다.

04 지눌의 사상

자료 분석 | 제시문에 나타난 선정과 지혜를 함께 닦는 결사[정혜결사]를 통해 수행에 정진해야 한다고 보는 정혜쌍수를 주장한 지눌임을 알 수 있다.

[선택지 분석]

✗ 교종을 중심으로 선종을 통합해야 한다.
➡ 의천의 주장이다. 지눌은 선종을 중심으로 교종을 통합하고자 하였다.

② 화두를 들고 참선하는 수행을 해야 한다. → 간화선

✗ 깨달음을 얻기 위해서는 경전 공부를 우선해야 한다.
➡ 지눌은 단박에 깨달은 후에 지속적인 수행을 하는 돈오점수를 주장하였다.

④ 돈오의 바탕 위에 정과 혜를 병행하여 수행해야 한다.
→ 정혜쌍수

05 지눌 사상의 특징

자료 분석 | 제시문은 선과 교는 분리될 수 없으며 정과 혜를 함께 닦아야 한다고 본 점을 통해 지눌의 주장임을 알 수 있다.

[선택지 분석]

✗ 우주 만물이 고정된 실체이며 곧 진리인가?

➡ 불교에서는 우주 만물이 끊임없이 변하며 고정된 실체가 없다고 보므로 부정의 대답을 할 질문이다.

ⓛ 선종과 교종은 근본적인 측면에서 일치하는가?
➡ 지눌은 선종과 교종이 제시하는 궁극적 진리는 다르지 않으며 본래 하나라는 '선교일원'을 주장하였다.

ⓒ 자신의 마음을 직관하여 단박에 깨달아야 하는가?
➡ 지눌은 자신의 마음이 곧 부처라는 것을 단박에 깨닫는 돈오를 주장하였다.

✗ 불성을 깨달으면 나쁜 습기(習氣)가 곧바로 사라지는가?
➡ 지눌은 돈오하여도 오래된 나쁜 습관과 기운(습기)이 사라지지 않고 남아 있으므로 점진적인 수행, 즉 점수가 필요하다고 보았으므로 부정의 대답을 할 질문이다.

06 의천과 지눌의 입장

자료 분석 | 제시문의 갑은 교와 관을 함께 수행해야 한다는 **교관겸수**를 제시한 점을 통해 의천임을 알 수 있다. 을은 **정과 혜를 통해** **수행해야 한다**는 점을 통해 지눌임을 알 수 있다.

[선택지 분석]

✗ 갑은 단박에 깨달은 후에는 수행이 필요 없다고 본다.
➡ 돈오돈수의 뜻으로, 선종 사상가인 혜능의 입장이다.

✗ 갑은 관을 우선하고, 교(敎)를 그 후에 해야 한다고 본다.
➡ 의천은 경전 공부인 교(敎)와 불성을 직관하는 수행인 관(觀)을 겸해야 한다고 보았으나 그 선후를 강조하지는 않았다.

ⓒ 을은 선(禪)을 부처의 마음으로, 교를 부처의 말씀으로 본다.

ⓔ 갑과 을은 깨달음을 위해 참선 수행이 필요하다고 본다.

07 원효와 지눌 사상의 특징

자료 분석 | 제시문의 갑은 일심의 법을 세워 진여문과 생멸문에 들어가야 한다고 보는 점을 통해 원효임을, 을은 돈오와 점수는 하나만 있으면 안 되고 함께 수행되어야 한다고 보는 점을 통해 지눌임을 알 수 있다.

[선택지 분석]

✗ 종파 간의 우열을 가려야 하는가?
➡ 원효와 지눌은 종파 간 우열을 가리기보다 서로 화합시키려고 노력하였으므로 모두 부정의 대답을 할 질문이다.

✗ 선종을 중심으로 교종을 통합해야 하는가?
➡ 지눌만 긍정할 질문이다.

ⓒ 모든 인간은 해탈할 수 있는 가능성이 있는가?
➡ 불교의 기본적 입장으로, 원효, 지눌 모두 긍정할 질문이다.

ⓔ 진리에 대한 깨달음을 얻기 위해 수행이 필요한가?

08 한국 불교의 특징

[선택지 분석]

ⓐ 조화와 통합을 중시함을 알 수 있다.

ⓑ 수행자 자신의 깨달음과 함께 다른 사람을 구제하는 보살행(菩薩行)을 강조한다.

✗ 민족과 국가의 문제에 초연(超然)하였으며,

➡ 한국 불교는 민족과 국가를 지키기 위해 노력한 호국 불교의 특징을 가지고 있다.

✗ 다른 민간 신앙들과 섞이지 않고 불교의 순수함을 유지하기 위해 노력하였다.
➡ 한국 불교는 고유의 민간 신앙과 융합되며 전개되기도 하였다.

---

06 ~ 무위자연의 윤리

콕콕! 개념 확인하기
79쪽

01 (1) 무위자연 (2) 허정 (3) 제물 (4) 상대적
02 (1) ⓒ (2) ⓔ (3) ⓖ (4) ⓛ
03 (1) ○ (2) ✗ (3) ✗
04 (1) 도교 (2) 황로학파 (3) 죽림칠현
05 ㄴ, ㄷ, ㅁ, ㅂ

03 (2) 노자는 사회 혼란의 원인을 인간의 그릇된 가치관과 인위적인 사회 제도 등으로 보고 도를 따라야 혼란을 해결할 수 있다고 주장하였다.
(3) 노자가 아닌 장자의 주장이다.

탄탄! 내신 다지기
80~81쪽

01 ① **02** ① **03** ④ **04** ② **05** ③ **06** ② **07** ⑤
08 ④ **09** ④ **10** 해설 참조

01 도가의 도(道)

[선택지 분석]

✔ 인간의 경험과 상식으로 파악하기 힘들다.
➡ 도가는 도를 인간의 경험과 상식으로는 파악할 수 없는 절대적·근원적인 것으로 본다.

② 성현(聖賢)들의 책을 공부하여 파악할 수 있다.
➡ 도가에서는 성현을 숭상하거나 책을 통한 공부를 인위적인 것으로 보아 추구하지 않는다.

③ 인간의 언어로 한정할 수 있는 객관적인 것이다.
➡ 도가의 도는 인간의 언어로 한정할 수 없지만 억지로 이름 붙여 '도'라고 한다.

④ 미추(美醜), 선악(善惡) 등과 같은 가치의 기준이 된다.
➡ 도의 관점에서 보면 미추, 선악 등의 분별은 상대적일 뿐이다. 따라서 도가 가치 기준이 된다고 볼 수 없다.

⑤ 인간의 도덕적 도리(道理)로서 마땅히 따라야 하는 것이다. ➡ 유교 사상

02 노자의 사상

자료 분석 | 제시문은 사회 혼란의 원인을 인간의 그릇된 인식과 가치관, 인위적 사회 제도로 본 점을 통해 노자임을 알 수 있다.

[선택지 분석]

㉠ 도(道)의 관점에서 만물을 인식해야 한다.

㉡ 사람들의 무지(無知)와 무욕(無欲)을 실현해야 한다.

✗ 현명한 지도자가 체계적인 사회 제도를 만들어야 한다.

➡ 노자는 현자를 숭상할 필요 없이 타고난 자연의 본성대로 소박하게 살 것을 주장하였다. 또 인위적인 사회 제도를 사회 혼란의 원인으로 보았다.

✗ 일상생활 속의 문제도 해결할 세부적인 법을 제정해야 한다.

➡ 노자는 법을 인위적인 것으로 보고, 사람들이 자연의 본성대로 살 수 있게 해야 한다고 주장한다.

03 노자 사상의 특징

자료 분석 | 제시문은 절대적인 도의 관점에서 보면 미추, 선악은 상대적인 것에 불과하다고 보고 이러한 이원론적 분별을 초월해야 한다고 주장하는 점에서 노자의 주장임을 알 수 있다.

[선택지 분석]

① 마음에서 무위적인 것을 비워 내야 한다.

➡ 노자는 무위의 덕을 따라야 한다고 보았다. 이를 위해 마음을 비우는 허정에 힘써야 한다고 주장하였다.

② 인과 예를 바탕으로 도(道)를 공부해야 한다.

➡ 노자는 인과 예를 인위적인 것으로 보았다.

③ 문물을 발전시켜 자연 재난을 극복해야 한다.

➡ 노자는 자연의 흐름대로 소박하게 살 것을 주장하고 문물을 인위적인 것으로 보았다.

✔ 물과 같은 겸허와 부쟁의 덕을 갖추어야 한다.

⑤ 자신의 능력을 드러내 사회에 이바지해야 한다.

➡ 노자는 자연의 흐름대로 소박하게 살아야 한다고 주장하였다.

04 노자 사상의 특징

자료 분석 | 제시문은 뛰어난 덕은 무위하며 이것으로 무엇을 하려고 하지 않는다고 말하는 점을 통해 무위의 통치를 주장한 노자임을 알 수 있다.

[선택지 분석]

① 지도자는 백성들을 인과 의로 교화해야 한다.

➡ 유교 사상에 대한 설명이다. 노자는 인과 의를 인위(人爲)로 보았다.

✔ 지도자는 백성들의 무지와 무욕을 실현해야 한다.

③ 지도자는 교류를 통해 다양한 문화를 받아들여야 한다.

➡ 노자는 작은 나라의 적은 백성으로 이루어진 소국과민을 이상적 국가로 제시한다. 또한 소국과민에서는 이웃 나라의 개 짖는 소리가 들릴 정도지만 서로 왕래가 없다고 한다.

④ 지도자는 문명을 발달시켜 백성을 편안하게 해야 한다.

➡ 도가에서는 문명 발달이 아니라 타고난 본성대로 소박하게 사는 삶을 추구한다.

⑤ 지도자는 강력한 힘으로 나라를 부강하게 만들어야 한다.

➡ 법가 사상에 대한 설명에 가깝다.

05 장자의 사상

[선택지 분석]

㉠	㉡
✔ 제물	소요

➡ 세속의 차별 의식에서 벗어나 도의 관점에서 만물을 평등하게 인식하는 것(㉠)은 제물이며, 도를 깨달아 인위적인 기준이나 외적인 제약에 얽매이지 않는 정신적 자유의 경지(㉡)는 소요이다.

06 장자의 사상의 특징

자료 분석 | 제시문의 을은 도가 없는 곳은 없으며, 똥강아지와 개미, 벽돌 등에도 도가 있다고 말하는 점을 통해 장자임을 알 수 있다.

[선택지 분석]

㉠ 도의 관점에서 만물은 상대적 가치를 지닌다.

✗ 도를 통해 윤회의 고통으로부터 해탈해야 한다.

➡ 수도(수행)를 통해 진리[法]를 깨우쳐 열반의 경지에 오를 것을 주장한 사상은 불교이다.

✗ 도는 인간에게 없고 자연 만물에 내재하는 것이다.

➡ 도가의 도는 인간을 포함한 우주의 천지 만물 어디에나 깃들어 있다.

㉣ 외적 제약에 얽매이지 않는 자유의 삶이 이상적이다.

➡ 장자는 외물에 얽매이지 않는 자유인 소요의 경지를 추구하였다.

07 도가와 도교의 특징

[선택지 분석]

① 도가는 교단과 교리 체계를 갖추었다.
  도교

② 도가는 현세의 길과 복을 추구하였다.
  도교

③ 도교는 민중들의 삶과 떨어진 채로 발전하였다.

➡ 도교는 대체로 도덕적 삶을 권장하면서 민간에 뿌리 내린 종교이다.

④ 도교는 세속적 가치를 초월할 것을 강조하였다.
  도가

✔ 도가와 도교는 도(道)에 따르는 삶을 추구하였다.

➡ 도교와 도가는 모두 도(道)에 따르는 삶을 추구하였다.

08 오두미교의 특징

[선택지 분석]

㉠ 도덕적 선행을 권장함

➡ 오두미교는 교리를 믿고 규율과 의식을 따르면, 즉 도덕적 선행을 하면 반드시 병이 낫고 신선이 될 수 있다고 주장하였다.

㉡ "도덕경"을 경전으로 삼음

㉢ 노자를 신격화하여 교조로 받아들임

✗ 세속과 거리를 두고 정신적 자유를 추구함

➡ 오두미교는 민간의 호응을 얻은 종교로, 세속과 거리를 두었다고 볼 수 없다.

09 위진 시대의 현학

자료 분석 | 제시문의 ㉠은 정치권력을 등지고 죽림에 모여 청담을 주고받은 7명의 선비라는 점을 통해 죽림칠현이 들어가야 함을 알 수 있다.

[선택지 분석]

① 인간의 생활에 유용한 지식을 강조하였다. → 실학

② 인의의 실현을 학문의 궁극적 목표로 삼았다. → 유교

③ 국가 차원에서 제사를 지내 풍요를 기원하였다.
  ➡ 죽림칠현은 세속과 거리를 두었다.

☑ 세속적 가치를 떠난 예술적 사유를 중시하였다.

⑤ 행위를 선과 악으로 나누고 수량화하여 계산하였다.
  ➡ 도교에서 선행을 권장하는 "권선서"에 대한 설명이다.

10 노자의 사상

(1) 상선약수(上善若水)

(2) [예시 답안] 물은 먼저 가려고 다투지 않는 부쟁의 덕, 여러 사람이 싫어하는 낮은 위치에 처하는 겸허의 덕을 갖추었다. 현대 사회에서 인간은 서로 성공하기 위해 경쟁하면서 다른 사람을 밟고 올라서려고 노력하는데, 물의 겸허와 부쟁의 덕을 통해 서로 상생할 수 있는 길을 도모해야 함을 깨달을 수 있다.

채점기준		
상	노자가 제시한 물의 덕을 두 가지 서술하고 그것의 의의를 정확하게 서술한 경우	
중	노자가 제시한 물의 덕을 두 가지 서술하였으나 그 의의를 서술하지 못한 경우	
하	노자가 제시한 물의 덕을 한 가지만 서술한 경우	

도전! 실력 올리기
82~83쪽

01 ① **02** ① **03** ② **04** ③ **05** ② **06** ⑤ **07** ④
08 ①

01 도가의 도(道)

자료 분석 | 제시문은 우주의 어미가 될 만한 것이 있으며 그것에 이름을 억지로 붙여 '도'라고 한다는 점을 통해 도가 사상의 관점임을 알 수 있다.

[선택지 분석]

㉠ 천지 만물을 발생하게 하고 변화시키는 것이다.

㉡ 억지로 하지 않지만 성취되지 않는 바가 없는 것이다.
  ➡ 도가의 도는 억지로 하지 않지만[무위(無爲)] 되지 않는 것이 없는 것[무불위(無不爲)]이다.

✘ 현상적 실체를 가져 다른 것과 비교할 수 있는 것이다.
  ➡ 도가의 도는 형상이 없어 다른 것과 비교할 수 없는 것이기 때문에 인간의 경험과 상식으로는 파악할 수 없다.

✘ 사람의 감각 작용으로 인지하고 공부할 수 있는 것이다.
  ➡ 도가의 도는 사람의 감각을 초월한 절대적인 것이다.

02 노자의 사상

자료 분석 | 제시문은 예를 충성과 신의가 옅어진 것으로 보는 점, 도를 잃은 후 인위적인 덕목들이 생겨난 점 등을 지적하므로 노자의 주장임을 알 수 있다.

[선택지 분석]

㉠ 만물의 근원이자 변화 법칙인 도(道)를 따라야 하는가?

✘ 깨달음을 얻어 고통받는 중생(衆生)을 구제해야 하는가?
  ➡ 불교 사상이 긍정할 질문이다.

㉢ 무위자연의 경지에 이르기 위해 허정(虛靜)에 힘써야 하는가?

✘ 혼란을 바로잡기 위해 인의(仁義)의 도덕을 바로 세워야 하는가?
  ➡ 도가에서는 유교에서 중시하는 인의의 도덕이 오히려 혼란의 원인이라고 보고 무위자연의 삶을 추구해야 한다고 주장한다.

03 노자의 이상적 정치

자료 분석 | 제시문은 작은 나라의 적은 백성을 추구하는 점을 보아 노자가 제시한 이상 사회인 소국과민임을 알 수 있다.

[선택지 분석]

① 예와 법으로 백성을 다스려야 한다.
  무위로써

☑ 백성들이 무지(無知)하게 살도록 한다.
  ➡ 노자는 통치자가 억지로 무엇을 하지 않고 백성들이 무위의 삶을 살 수 있도록 해야 하는데, 이를 위해서 백성들이 무지, 무욕해야 한다고 주장하였다.

③ 선과 악의 기준을 분명하게 세워야 한다.
  ➡ 노자는 도의 관점에서 보면 선악, 시비, 미추 등은 상대적인 가치에 불과하다고 보았다.

④ 하늘의 명을 통치의 근본으로 삼아야 한다.
  ➡ 노자에 의하면 하늘은 무위의 자연일 뿐 통치의 근본이 되는 도덕성을 제시하는 대상은 아니다.

⑤ 백성들이 속세와의 인연을 끊을 수 있게 돕는다.
  ➡ 노자는 자연의 흐름에 따라 소박하게 살아야 한다고 보았다. 이것이 속세와의 연을 끊으라고 말하는 것이라고 볼 수 없다.

04 장자의 사상

자료 분석 | 제시문은 만물이 각각 도에 따르는 적합한 본성을 부여받았으므로 타고난 자연스러운 본성대로 살 때 가장 행복하다고 보는 점을 통해 장자임을 알 수 있다.

[선택지 분석]

✘ 인간은 동물보다 높은 가치의 덕을 지닌다.
  ➡ 장자에 의하면 도의 관점에서는 인간과 동물은 다를 바 없다.

② 이상적 경지에 오르기 위해 수양해야 한다.
  ➡ 장자는 외물에 얽매이지 않는 정신적 자유인 소요와 만물을 평등하게 인식하는 제물의 이상적 경지에 오르기 위해 좌망과 심재 등의 수양이 필요하다고 보았다.

③ 도의 관점에서 만물은 상대적 가치를 지닌다.

✗ 도를 기준으로 만물의 선악을 분별해야 한다.
➡ 장자에 의하면 도의 관점에서는 시비, 선악, 미추 등의 분별이 의미가 없다.

05 장자 사상의 특징

자료 분석 | 제시문에서 '사상가'는 지인이라는 이상적 인간상을 제시한 점을 통해 장자임을 알 수 있다. 따라서 ㉠에는 장자의 수양론이 들어가야 한다.

[선택지 분석]

㉠ 잡념을 없애고 마음을 비워 깨끗이 해야 합니다. →심재

✗ 절대적인 도를 통해 타고난 본성을 변화시켜야 합니다.
➡ 도가에서는 사람의 본성을 자연으로 보고 본성대로 살아가야 한다고 한다.

㉢ 조용히 앉아 현재를 잊고 무아의 경지에 들어가야 합니다. →좌망

✗ 옛 성현의 말씀을 통해 인간의 도리를 바로 세워야 합니다.
➡ 도가에서는 옛 성현의 말씀 또한 인위적인 공부이므로 하지 않아야 한다고 본다.

06 노자와 장자의 사상

자료 분석 | 제시문의 갑은 최고의 선은 물과 같다고 보는 점을 통해 노자임을, 을은 심재를 제시한 점을 통해 장자임을 알 수 있다.

[선택지 분석]

✗ 무위의 경지에 이르면 불로장생을 얻을 수 있다.
➡ 불로장생은 도가 사상을 바탕으로 한 종교인 도교의 입장에서 믿은 것이다. 노자와 장자는 도가 사상가이므로 적절하지 않은 내용이다.

✗ 분별적 지식으로서의 도의 흐름에 자신을 내맡겨야 한다.
➡ 도의 관점에서는 분별적 지식이 사라진다.

㉢ 도의 관점에서 보면 만물은 상대적인 가치를 지닐 뿐이다.

㉣ 도는 만물의 변화 법칙으로 인간의 경험을 넘어서는 것이다.

07 도교의 사상

자료 분석 | 제시문은 우주의 근원으로서의 도를 중심으로 이론과 실천 방법을 전개했다는 점에서 도가와 도교에 관한 설명임을 알 수 있는데, 교단과 교리를 갖춘 종교라는 점에서 도가가 아닌 도교임을 파악할 수 있다.

[선택지 분석]

㉠ 황로학파는 무위의 통치 방법을 강조했다.

㉡ 태평도는 복을 추구하고 질병을 치료한다고 하여 민간을 중심으로 교세를 크게 확장하였고,

㉢ 오두미교는 선행을 하면 병이 낫고 신선이 될 수 있다고 하였다.

✗ 위진 시대의 현학자들은 백성과 더불어 사는 평안한 삶을 추구하였다.
➡ 위진 시대의 현학자들은 세속적인 주제와 거리를 두고 형이상학적이고 예술적인 논의를 중시했다.

08 도교 사상의 영향

자료 분석 | 제시문은 유·불·도 삼교가 우리나라에 전해지기 전부터 고유의 풍류 사상에 삼교의 가르침이 포함되어 있었다고 보는 점을 통해 최치원의 '난랑비서문'임을 알 수 있다.

[선택지 분석]

㉠ 무위로써 일을 처리하는 것

㉡ 말 없는 가르침을 행하는 것

✗ 집에 들어와서는 효도하는 것 →유교 사상

✗ 나라에 나아가서는 충성하는 것 →유교 사상

---

07 ~ 한국과 동양 윤리 사상의 의의

콕콕! 개념 확인하기
88쪽

01 (1) 실학 (2) 강화학파 (3) 위정척사, 동도서기론
(4) 보국안민

02 (1) ✕ (2) ○ (3) ✕ (4) ○

03 (1) ㉣ (2) ㉢ (3) ㉡ (4) ㉠

04 (1) 군자 (2) 보살 (3) 평등

05 ㄱ, ㄴ, ㄷ, ㄹ

02 (1) 실학은 성리학을 공리공론(空理空論)이라고 비판했지만 유교적 신분 질서의 폐지를 주장한 것은 아니다.
(3) 정제두는 심즉리설을 바탕으로 선한 삶의 근거를 '양지'에서 찾았다.

탄탄! 내신 다지기
89~90쪽

01 ③ **02** ② **03** ④ **04** ② **05** ③ **06** ① **07** ①
08 ⑤ **09** ⑤ **10** ④ **11** 해설 참조

01 실학의 특징

[선택지 분석]

① 경세치용(經世致用)
➡ 세상을 다스리는 데 실익을 증진해야 한다는 실학의 특징이다.

② 이용후생(利用厚生)
➡ 생활의 이로움과 경제적 풍요를 추구해야 한다는 실학의 특징이다.

✓③ 실사구시(實事求是)
➡ 사실에 근거하여 진리를 탐구해야 한다는 실학의 특징이다.

④ 해원상생(解冤相生)
  ➡ 원한을 풀고, 다른 사람과 더불어 살자는 증산교의 주장이다.
⑤ 이사병행(理事並行)
  ➡ 영적인 수도의 삶과 건전한 현실의 삶을 온전히 완성해 가자는 원불교의 주장이다.

02 실학의 특징

자료 분석 | 제시문은 성리학자들의 학문이 현실 사회와 삶의 실제적 문제를 해결하는 것과는 무관한 공리공론이라고 비판하는 점을 통해 실학 사상가임을 알 수 있다. 제시된 자료는 실학 사상가 박지원의 글이다.

[선택지 분석]

① 우리보다 중국을 중심으로 학문을 탐구하였다.
  ➡ 실학은 우리의 역사, 지리, 문화, 군사, 언어, 풍속 등에 대한 독자적 탐구를 전개하여 자주적인 학문을 개척하였다.
②✔ 현실 사회와 삶의 실제적 문제를 해결하고자 노력하였다.
③ 인간의 욕구를 부정적인 것으로 보고 천리(天理)를 강조하였다.
  ➡ 대표적인 실학자인 정약용은 인간의 욕구를 긍정하였다. 천리를 강조한 것은 성리학이다.
④ 서양의 과학 및 종교 사상을 배척하고 옳은 정신을 지키려고 하였다. → 위정척사
⑤ 유교적 전통 질서를 부정하고 만민이 평등한 세상을 만들고자 하였다. → 동학, 증산교, 원불교의 주장

03 강화학파의 특징

자료 분석 | 제시문은 마음이 이를 갖추고 있다는 심즉리설을 바탕으로, 양지를 밝히면 모든 이치가 저절로 밝아진다고 본 점을 통해 정제두의 주장임을 알 수 있다.

[선택지 분석]

① 천지 만물의 이치에 대한 탐구를 강조한다. → 성리학
② 도덕 판단의 기준을 초월적 존재에서 찾는다.
  ➡ 양명학을 계승한 강화학파는 도덕 판단의 기준을 인식 주체로서의 '나'에서 찾는다.
③ 양명학을 배척하고 성리학적 전통을 계승한다.
  ➡ 정제두의 강화학파는 양명학을 계승하였다.
④✔ 주체로서의 참된 자아에 대한 각성을 중시한다.
⑤ 육체적 욕구를 긍정하여 상공업 발달을 강조한다.
  ➡ 강화학파는 양명학의 심즉리설을 바탕으로 선한 삶의 근거를 자신의 내면, 즉 양지에서 찾는다. 특히, 육체적 욕구에서 생기는 사사로운 욕심을 없애기 위한 노력을 강조한다.

04 위정척사의 특징

자료 분석 | 제시문은 서양과의 교류, 서양 기술의 수용 등이 우리의 삶을 위태롭게 만들 것이라고 보는 점을 통해 위정척사의 주장임을 알 수 있다. 위정척사는 유교적 전통을 지키고 서양의 것을 배척해야 한다는 입장이다.

[선택지 분석]

㉠ 유교적 인륜과 의리 정신을 고수해야 한다.
✗ 유교적 질서를 유지하면서 서양 기술을 수용해야 한다.
  ➡ 동도서기론의 입장이다. 위정척사는 서양의 기술도 반대한다.
㉢ 서양의 문물이 들어오면 인간들은 금수(禽獸)가 된다.
✗ 서양의 문물과 제도를 바탕으로 합리적인 국가를 만들어야 한다.
  ➡ 위정척사 사상은 서양의 문물과 제도, 사상을 모두 반대한다.

05 개화사상의 특징

[선택지 분석]

① ㉠ 모든 사람의 생명 보전과 자유·행복 추구 강조
② ㉡ 백성의 권리 보장, 군주의 권한 축소 주장
③✔ ㉢ 조선의 유교적 질서의 근본적 변혁 주장
  ➡ 동도서기론은 조선의 유교적 질서를 지키면서 서양 과학 기술을 수용할 것을 주장하였다.
④ ㉣ 서양 과학 기술의 수용을 통한 부국강병 강조
⑤ ㉤ 공통점: 서구 문명의 능동적 수용을 통한 사회 개혁 도모

06 동도서기론의 특징

자료 분석 | 제시문은 우리의 도와 서양의 기술을 병행하는 것을 긍정적으로 파악하고 있으므로 온건적 개화론인 동도서기론에 해당함을 알 수 있다.

[선택지 분석]

①✔ 유교의 정신을 바탕으로 서양의 문물을 받아들이자.
② 서양의 새로운 사상을 받아들여 나라를 발전시키자.
  ➡ 동도서기론은 유교적 질서를 유지하는 것을 바탕으로 서양의 과학 기술을 수용하자는 입장이다. 따라서 사상은 정신적 측면에 해당하므로 서양 사상의 수용을 주장했다고 볼 수 없다.
③ 마음을 비우고 속세를 떠나 깨달음의 나라를 세우자.
  ➡ 동도서기론과 관계 없는 내용이다.
④ 유교적 신분질서를 타파하여 평등한 세상을 이룩하자.
  ➡ 동학, 증산교, 원불교의 입장이다.
⑤ 우리의 정신을 지키기 위해 서양의 모든 것을 배척하자.
  ➡ 위정척사 사상의 입장이다.

07 동학의 특징

자료 분석 | 제시문은 동학의 기본적인 가르침으로, 사람이 곧 하늘이라는 '인내천', 내 마음이 곧 네 마음이라는 '오심즉여심'을 담고 있다.

[선택지 분석]

㉠ 만민 평등사상을 지향해야 한다.
㉡ 민족 주체 의식을 고양해야 한다.
✗ 서양의 문물을 받아들여야 한다.
  ➡ 동학은 서학에 대항하였으므로 서양 문물 수용에 부정적이다.
✗ 기존의 신분 질서를 유지해야 한다.
  ➡ 동학은 기존의 유교적 신분 질서를 낡은 것으로 보아 비판하였으며, 만인이 차별 없이 평등한 세상이 도래한다는 후천 개벽을 주장하였다.

08 후천 개벽 사상의 특징

자료 분석 | 제시문은 **후천 개벽 사상**을 다루고 있는데, 이는 불평등의 낡고 어두운 선천(先天)이 끝나고 평등과 정의가 구현된 후천(後天)이 현세에 도래하여 새로운 세상이 열린다는 주장이다. 후천 개벽 사상은 동학뿐만 아니라 증산교, 원불교에서도 주장하였다.

[선택지 분석]

✘ ⊙은 전설 속의 태평성대를 의미한다.

　➡ 선천은 신분의 차별이 있는 부조리하고 낡은 세계이다.

✘ ⓒ은 현세가 아닌 내세를 의미한다.

　➡ 동학은 후천이 현세에 도래할 것이라고 주장한다.

Ⓒ ⓒ에서는 사람의 귀천(貴賤)이 사라진다.

Ⓔ ⊙을 부정적으로 보고 ⓒ을 이상적으로 본다.

09 증산교와 원불교의 입장

[선택지 분석]

　⊙　　　　ⓒ

✓증산교　　　원불교

　➡ 제시문의 ⊙은 강일순이 만든 종교라는 점, 해원, 상생, 보은을 강조하는 점을 통해 증산교임을 알 수 있다. ⓒ은 박중빈이 만든 종교라는 점, 일원상을 신앙의 대상으로 삼고 영육쌍전과 이사병행을 강조한 점을 통해 원불교임을 알 수 있다.

10 동양의 이상적 인간상

[선택지 분석]

① 진인은 일원상을 수행의 표본으로 삼는다.

　➡ 진인은 도가 사상의 이상적 인간상이다. 일원상을 수행의 표본으로 삼는 것은 신흥 민족 종교 중 하나인 원불교이다.

② 진인은 백성들이 무지로부터 벗어나도록 돕는다.

　➡ 진인은 도가 사상의 이상적 인간상이다. 도가는 사람들이 무지, 무욕하여 소박한 삶을 살 수 있게 해야 한다고 본다.

③ 군자는 인생의 고통에서 벗어나기 위해 진리를 찾는다.

　➡ 군자는 유교 사상의 이상적 인간상이다. 인생을 고통으로 보는 것은 불교 사상이다.

✓보살은 깨달음을 구하는 동시에 중생 구제에 힘쓴다.

⑤ 보살은 인식 주체로서의 '나'를 도덕 문제의 판단 기준으로 본다.

　➡ 보살은 불교 사상의 이상적 인간상이다. 인식 주체로서의 '나'를 도덕 문제의 판단 기준으로 여기는 것은 양명학을 계승한 강화학파의 정제두이다.

11 동양의 이상적 인간상이 주는 현대적 의의

(1) ⊙: 군자, ⓒ: 보살

(2) [예시 답안] 자기 수양의 필요성을 강조하여 현대인들에게 부단한 자기 수양과 성찰을 통해 더 바람직한 삶을 살게 한다. / 정신적·윤리적 가치의 추구를 강조하여 물질 만능주의, 이기주의 등을 극복하게 하고 경제적 가치보다 인격적 가치에 중점을 두고 도덕적 이상을 추구하게 한다. / 생명의 소중함을 일깨워 인권과 생명의

가치가 실현된 사회를 추구하게 한다. / 조화로운 삶을 강조하여 이는 사회 갈등을 극복하고 구성원이 조화롭게 살아갈 수 있는 사회를 추구하게 하며, 지나친 경쟁만을 추구하기보다 서로 공존하는 이상적 공동체를 추구하게 한다.

채점 기준		
	상	동양의 이상적 인간상이 가지는 현대적 의의를 두 가지 이상 정확하게 서술한 경우
	중	동양의 이상적 인간상이 가지는 현대적 의의를 한 가지만 서술한 경우
	하	동양의 이상적 인간상이 가지는 특징만 쓰고 현대적 의의와 연결하지 못한 경우

도전! 실력 올리기

91쪽

01 ②　**02** ②　**03** ②　**04** ③

01 강화학파의 특징

자료 분석 | 제시문은 마음 밖에서 이치를 구하면 안 된다고 말하는 점을 통해 강화학파의 정제두임을 알 수 있다.

[선택지 분석]

① 도덕 문제의 판단 기준은 하늘이 정한 바른 이치이다.

　➡ 강화학파는 인식 주체로서의 '나'를 도덕 문제의 판단 기준이라고 주장한다.

✓참된 자아에 대한 각성과 생활 속의 실천을 중시해야 한다.

③ 성리학을 중심으로 사물의 이치를 철저하게 탐구해야 한다.

　➡ 강화학파는 양명학을 뿌리로 한다.

④ 낡은 시대가 가고 새로운 시대가 현세에 온다고 믿어야 한다.

　➡ 후천 개벽 사상으로, 동학, 원불교, 증산교 등이 주장하였다.

⑤ 세상이 혼란스러워진 이유는 박해받은 사람들의 원한 때문이다. ➡ 증산교

02 동학과 위정척사의 입장

자료 분석 | 제시문의 갑은 서학을 배척하는 점, 보국안민을 강조하는 점을 통해 동학의 입장임을 알 수 있다. 을은 올바른 것을 지키고 그릇된 것을 배척해야 한다고 보는 점을 통해 위정척사의 입장임을 알 수 있다.

[선택지 분석]

① 외세로부터 국가를 지키기 위해 노력해야 하는가?

　➡ 동학과 위정척사 사상 모두 긍정의 대답을 할 질문이다.

✔ 신분 차별을 철폐하고 새로운 세상을 만들어야 하는가?

➡ 동학은 신분 차별이 사라진 자유롭고 평등한 사회를 지향하였다. 반면 위정척사는 신분제 등을 포함한 유교적 질서를 유지해야 한다고 보았다. 따라서 동학은 긍정, 위정척사는 부정의 대답을 할 질문이다.

③ 성리학적 가치를 바탕으로 한 전통을 유지해야 하는가?

➡ 동학은 부정, 위정척사는 긍정할 질문이다.

④ 민족의 정체성을 지키면서 서양의 문물을 수용해야 하는가?

➡ 동학과 위정척사 사상 모두 부정할 질문이다.

⑤ 서양의 종교와 문물을 수용하여 부국강병을 이루어야 하는가?

➡ 동학과 위정척사 사상 모두 부정할 질문이다.

03 동도서기론의 특징

자료 분석 | 제시문은 동양의 도로써 서양의 기를 행해야 한다고 보는 점을 통해 온건적 개화론인 동도서기론임을 알 수 있다.

[선택지 분석]

① 외세의 인위적인 문물을 배척하고 전통을 지켜야 한다.

➡ 동도서기론은 서양의 과학 기술을 수용하자는 입장이다.

✔ 유교적 질서를 지키면서 서양의 문물을 수용해야 한다.

③ 서구식 정부를 수립하여 군주의 권한을 축소해야 한다.

➡ 전통적 정치 체제 혁파, 서구식 정부 수립, 군주의 권한 축소 등은 급진적 개화론의 입장이다.

④ 하늘이 곧 인간이라는 점을 깨달아 인간 평등을 실현해야 한다. ➡ 동학

⑤ 서양의 종교, 정치, 과학을 수용하여 부강한 나라를 만들어야 한다.

➡ 동도서기론은 서양의 종교, 정치 등이 아니라 과학 기술에 한해 수용하자고 주장하였다.

04 증산교와 원불교의 입장

자료 분석 | 제시문의 (가)는 원한을 풀고 은혜를 갚아야 한다고 보는 점을 통해 증산교임을, (나)는 만물이 하나의 원 안에 있는 것이라고 보는 점, 즉 일원상을 주장하는 점을 통해 원불교임을 알 수 있다.

[선택지 분석]

① (가)는 지상 낙원을 이루기 위해 반성과 수행을 강조한다.

② (가)는 유·불·도에 기독교 사상과 무속 신앙을 조화시킨 사상이다.

✔ (나)는 물질이 개벽되는 시대를 비판하고 전통 정신의 보존을 주장한다.

➡ 원불교는 "물질이 개벽하니 정신을 개벽하자"라고 하여 물질 개벽 시대를 이끌어 갈 동양의 정신 개벽을 추구하였다.

④ (나)는 수도의 삶과 현실의 삶을 온전히 함께 완성해 가는 것을 추구한다.

⑤ (가), (나)는 집권 관료층이 아닌 백성의 요구를 들어 혼란을 극복하고자 하였다.

한번에 끝내는 대단원 문제	94~99쪽 ▶

01 ①	02 ③	03 ②	04 ①	05 ④	06 ②	07 ③
08 ④	09 ⑤	10 ①	11 ③	12 ④	13 ③	14 ⑤
15 ②	16 ⑤	17 ③	18 ③	19 ①	20 ②	
21 ~ 24 해설 참조						

01 한국 윤리 사상의 특징

자료 분석 | 제시문의 첫 번째 자료는 단군 신화의 내용이며, 두 번째 자료는 풍류도의 내용이다.

[선택지 분석]

㉠ 갈등과 대립보다 조화의 정신을 추구한다.

㉡ 자연에 대한 지배보다 자연 친화를 추구한다.

✘ 현세의 행복보다 사후의 영원한 삶을 중시한다.

➡ 단군 신화에 의하면 환웅은 곡식, 생명, 질병, 형벌, 선악 등 360여 가지를 다스렸는데, 이를 통해 현실적인 삶이 중시되었음을 알 수 있다. 풍류도는 일상과 관련된 가르침이 담겨 있다. 따라서 사후 세계보다 현세의 행복을 중시하였음을 알 수 있다.

✘ 초월적 유일신에 대한 절대적 신앙을 중시한다.

➡ 풍류도는 유·불·도의 가르침을 포함한 생활 지침으로서 유일신에 대한 절대적 신앙과 무관하다.

02 동양 윤리 사상의 특징

자료 분석 | 제시문은 서로 대립하면서도 의존하는 관계를 뜻하는 '대대'를 제시하고 있다. 이는 동양 윤리 사상이 유기체적 세계관을 지니고 있음을 나타내는 자료이다.

[선택지 분석]

① 인간과 자연은 이분법적으로 나눌 수 있다.

➡ 동양 윤리 사상은 인간과 자연을 이분법적으로 나누기보다 자연이라는 큰 틀에서 조화하고자 한다.

② 모든 존재는 독립적이고 개별적으로 존재한다.

➡ 동양 윤리 사상은 유기체적 세계관에 근거하므로 모든 존재가 상호 연관되어 있다고 여긴다.

✔ 세상은 상호 의존하여 살아가는 하나의 유기체이다.

➡ 동양 윤리 사상은 세상을 상호 의존적이고 상보적인 관계로 이루어진 하나의 유기체로 보는 유기체적 세계관에 근거한다.

④ 자연은 인간의 행복 추구를 위해 사용되는 도구이다.

➡ 동양 윤리 사상은 자연과 조화하고자 하며 도구로 여기지 않는다.

⑤ 인간은 자연을 지배할 권리를 가진 자연의 주재자이다.

➡ 동양 윤리 사상은 자연을 지배하기보다 조화하고자 하며, 인간을 자연의 일부로 여긴다.

03 맹자와 순자의 사상

자료 분석 | 제시문의 갑은 양지와 양능을 선천적으로 가지고 태어남을 강조한 점을 통해 성선설을 주장한 맹자임을 알 수 있다. 을은 성은 타고난 것이며, 욕구나 이익에 반해 도덕적 행위를 하는 것은 성에 어긋나는 것이라고 본 점을 통해 성악설을 주장한 순자임을 알 수 있다.

[선택지 분석]

✕① 예(禮)를 통한 교화(敎化)의 필요성을 간과한다.

➡ 순자의 주장이므로, 순자에게 제기할 비판으로 적절하지 않다.

②하늘을 인륜의 모범으로 삼아 도덕을 실현해야 함을 간과한다.

➡ 맹자는 하늘을 도덕적 존재로 보는 반면, 순자는 하늘을 자연 현상으로 보았다. 따라서 순자에게 제기할 비판으로 적절하다.

✕③ 성인과 일반 백성들은 동일한 본성을 갖고 태어남을 간과한다.

➡ 순자는 성인과 일반 백성 모두 동일하게 악한 본성을 갖고 태어난다고 보았다. 따라서 순자에게 제기할 비판으로 적절하지 않다.

④아우가 형에게 양보하는 것은 성에 부합하는 것임을 간과한다.

➡ 맹자는 성선설을 주장한 반면, 순자는 성악설을 주장하였다. 따라서 순자에게 제기할 비판으로 적절하다.

04 공자와 맹자의 사상

자료 분석 | 제시문의 갑은 정사를 펴려면 명분을 바로잡아야 한다고 하는 점을 통해 **정명을 주장한 공자**임을 알 수 있다. 을은 인의를 해친 군주는 내쫓는 것이 옳다고 하는 점을 통해 **역성혁명을 주장한 맹자**임을 알 수 있다.

[선택지 분석]

㉠군주와 신하는 각각 이름에 걸맞는 역할을 해야 하는가?

㉡군주는 먼저 자신을 수양한 뒤 다스림을 행해야 하는가?

✕ 백성을 돌아보지 않는 군주는 혁명을 통해 교체 가능한가?

➡ 맹자만 긍정의 대답을 할 질문이다.

✕ 도덕 교육이 백성의 생업[恒産] 보장보다 우선해야 하는가?

➡ 맹자가 부정의 대답을 할 질문이다. 맹자는 생업[恒産]의 보장을 왕도(王道)의 시작으로 보았다.

05 주희의 사상

자료 분석 | 제시문은 이(理)와 기(氣)에 대해 설명하고, 사람이나 사물은 이를 부여받아 성을 얻을 수 있다고 한 점을 통해 주희의 주장임을 알 수 있다.

[선택지 분석]

✕ 이와 기는 현실에서 서로 분리된다.

➡ 주희에 따르면 이와 기는 현실에서 서로 분리될 수 없다.

㉡기는 이가 현상으로 드러나기 위한 재료이다.

➡ 이는 우주 만물의 근본 원리이자 도덕 법칙, 기는 이가 현상으로 드러나기 위한 재료이자 힘이다.

✕ 이와 기는 역할이 다르나 서로 뒤섞일 수 있다.
                                              없다

㉣모든 존재와 현상은 이와 기의 결합으로 되어 있다.

06 왕수인, 이황, 이이의 입장

자료 분석 | (가)의 갑은 효의 마음이 있기에 그 이치가 존재한다고 보는 점을 통해 왕수인임을, 을은 사단은 이가, 칠정은 기가 발하여 드러난 감정이라고 하는 점을 통해 이황임을, 병은 칠정이 사단을 겸한다고 말하는 점을 통해 이이임을 알 수 있다. (나)의 A에는 왕수인은 긍정, 이황과 이이는 부정의 대답을 할 질문이 들어가야 한다. B에는 이황은 긍정, 이이는 부정의 대답을 할 질문이 들어가야 한다. C에는 이황이 긍정의 대답을 할 질문이, D에는 이이가 긍정의 대답을 할 질문이 들어가야 한다.

[선택지 분석]

㉠A: 격물(格物)이란 마음을 바로잡는[正] 것인가?

➡ 왕수인은 격물을 마음을 바로잡는 것이라고 보았다. 반면, 주희는 도덕 법칙이 내재된 사물의 이치를 탐구하는 것을 격물로 이해하였다. 성리학자인 이황과 이이는 주희의 해석을 따랐으므로 왕수인은 긍정, 이황과 이이는 부정의 대답을 할 질문이다.

✕ B: 마음에는 기뿐만 아니라 이도 존재하는가?

➡ 이황과 이이 모두 긍정의 대답을 할 질문이므로 B에 적절하지 않다.

✕ C: 사단은 칠정 중 선한 감정을 의미하는가?

➡ 이이의 주장에 해당한다. 이황은 사단을 본연지성이 발한 것, 칠정은 기질지성이 발한 것으로 구분하여 이해하였다. 따라서 이황이 부정의 대답을 할 질문이므로 C에 적절하지 않다.

㉣D: 모든 감정은 기가 발하여 이가 기를 탄 것인가?

➡ 이이는 사단과 칠정 모두 기가 발하여 이가 기를 타는 것으로 이해하였다. 따라서 D에 적절하다.

07 이황과 이이의 입장

자료 분석 | 갑은 사단은 이발, 칠정은 기발이라고 구분한 점을 통해 이황임을 알 수 있다. 을은 칠정이 사단을 포함하며 이기가 서로 발한다는 주장이 틀리다고 보는 점을 통해 이이임을 알 수 있다.

[선택지 분석]

① 사단과 칠정은 부분과 전체의 관계인가?

➡ 칠정이 사단을 포함한다고 보아 사단과 칠정을 부분과 전체의 관계로 파악하는 것은 이이의 주장이다.

② 이와 기는 자발적으로 동정(動靜)하는가?

➡ 이와 기 모두 발한다고 보는 것은 이황의 주장이다.

③사단과 칠정은 모두 선악의 가능성을 갖는가?

➡ 이황과 이이 모두 부정의 대답을 할 질문이다. 이황과 이이는 모두 사단은 순선하며, 칠정은 선악이 혼재(선악의 가능성이 모두 있음)되어 있다고 보았다.

④ 칠정은 기가 발하고 이가 기를 탈 때 드러나는 정인가?

➡ 이기호발설을 주장한 이황도, 기발이승일도설을 주장한 이이도 칠정은 기가 발하고 이가 기를 탈 때 드러나는 감정이라는 점에 동의한다.

⑤ 칠정은 기가 발하는 것이 절도에 맞지 않으면 악이 되는가?

➡ 이황은 사단은 순선하여 기에 가리면 불선하게 되며, 칠정은 기가 발하는 것이 절도에 맞지 않으면 악이 된다고 보았다.

08 정약용, 이황, 이이의 입장

자료 분석 | 제시문은 사람을 사랑한 다음에야 사랑이라고 할 수 있다고 하는 점을 통해 정약용임을 알 수 있다.

[선택지 분석]

ㄱ 사덕은 인간의 본성이 아님을 모르고 있다.
→ 이황, 이이는 사덕이 인간의 본성에 해당한다고 주장한 반면, 정약용은 사덕이 사단의 확충을 통해 후천적으로 형성된다고 보았다. 따라서 정약용이 제기할 비판으로 적절하다.

ㄴ 욕구는 도덕적 삶을 위해 필요함을 모르고 있다.
→ 이황과 이이는 성리학자로서 엄격한 금욕주의를 강조한 데 비해 정약용은 이를 비판하고 욕구를 긍정하였으므로 정약용이 제기할 비판으로 적절하다.

✗ 사단이 사덕의 존재를 알게 해 주는 단서임을 모르고 있다.
→ 이황과 이이는 사단이 사덕의 존재를 알게 해 주는 단서라고 보았다. 따라서 이황과 이이가 받을 비판으로 적절하지 않다.

ㄹ 사덕은 실천을 통해 사단을 확충함으로써 형성됨을 모르고 있다.
→ 이황, 이이와 달리 정약용은 사덕을 후천적으로 형성되는 덕목으로 보았다. 따라서 정약용이 제기할 비판으로 적절하다.

09 이이와 이황의 입장

자료 분석 | 제시문의 갑은 칠정 가운데 사단이 있다고 보는 점을 통해 칠정포사단을 제시한 이이임을, 을은 사단을 이가 발하고 기가 이를 따르는 것으로 이해한 점을 통해 이황임을 알 수 있다.

[선택지 분석]

ㄱ 갑: 사람마다 기질은 다르나 그것을 변화시킬 수 있다.
→ 이이는 기의 특수성으로 인해 사람마다 기질이 다르며, 기질을 변화시키기 위한 노력을 해야 한다고 주장하였다.

✗ 을: 칠정은 기가 발하여 밖으로 드러나는 성(性)이다.
          정(情)

ㄷ 갑, 을: 천리(天理)를 보존하고 인욕을 제거해야 한다.
→ 이황과 이이 모두 존천리거인욕의 수행법을 강조하였다.

ㄹ 갑, 을: 이와 기는 한순간도 서로 떨어져 있을 수 없다.

10 석가모니의 사상

자료 분석 | 제시문의 첫 번째 자료는 연기설의 대표적인 문구를 다루고 있으며, 두 번째 자료는 고통을 끊으려면 탐욕을 떠나야 한다고 보는 점을 통해 석가모니의 사상임을 알 수 있다.

[선택지 분석]

ㄱ 생로병사로 이어지는 모든 인생은 그 자체로 고통이다.

✗ 모든 현상은 독립적으로 존재하므로 다양성을 인정해야 한다.
→ 모든 것은 연기에 의해 일어나므로 상호 의존적이다.

ㄷ 진리를 깨닫지 못하면 번뇌로 업을 짓고 윤회를 계속해야 한다.

✗ 자아는 물질, 느낌, 분별 의식, 의지, 인식의 불변하는 결합이다.

→ 석가모니에 의하면, 자아는 오온(색, 수, 상, 행, 식 = 물질, 느낌, 분별 의식, 의지, 인식)의 일시적 결합에 불과하고 불변의 자아는 없다.

11 대승 불교와 부파 불교

자료 분석 | 그림의 (가)는 보살이 열반에 이르기 위한 수행인 바라밀의 실천을 강조하므로 대승 불교, (나)는 바라밀의 실천을 강조하지 않으므로 부파 불교에 해당한다. 따라서 A에는 대승 불교가 긍정의 대답을 할 질문이, B에는 부파 불교가 긍정의 대답을 할 질문이 들어가야 한다.

[선택지 분석]

① A: 이상적 인간상을 아라한으로 보는가? → B

② A: 사회와 분리된 엄격한 종교성을 강조하는가? → B

✓③ A: 자신의 깨달음과 더불어 중생 구제도 강조하는가?
→ 대승 불교의 이상적 인간상인 보살은 자신의 깨달음뿐만 아니라 죄의 업보 속에서 고통스러워하는 중생의 구제를 위해 노력하는 자이다.

④ B: 재가자와 출가자의 구분을 중시하지 않는가? → A

⑤ B: 교리 연구에서 벗어나 불성의 직관을 강조하는가?
→ 대승 불교의 선종에 대한 설명이다.

12 선종의 특징

자료 분석 | 제시문은 내면의 본성을 인식하여 단박에 깨달으면 곧장 부처의 경지에 이른다고 보는 점을 통해 혜능의 주장임을 알 수 있다.

[선택지 분석]

① 불성을 자각하기 위해 반드시 경전 공부를 해야 한다.
→ 선종에서는 경전 공부가 아니라 마음을 가다듬고 정신을 통일하여 깨달음의 경지에 도달하는 선(禪)을 중요하게 여긴다.

② 불성을 자각한 후에도 점진적으로 수행해 나가야 한다. → 지눌

③ 불성을 깨달은 후에도 그릇된 습성은 완전히 사라지지 않는다. → 지눌

✓④ 자기 본성을 자각하면 경전 공부 없이도 깨달음에 이를 수 있다.

⑤ 선종[禪]을 중심으로 교종[敎]을 조화시켜 화합을 이루어야 한다. → 지눌

13 원효의 일심 사상

자료 분석 | 제시문 (가)는 서로 달리 보이는 것들도 보다 높은 차원에서 보면 같은 것이라고 보는 점을 통해 원효의 화쟁 사상을 다루고 있음을 알 수 있다. (나)의 (A)는 '지행합일', (B)는 '오심즉여심'이므로 (C)는 '일심'이다.

[선택지 분석]

① 선(善)을 좋아하고 악(惡)을 미워하는 마음을 가리킨다.
→ 정약용의 영지(靈知)의 기호에 대한 설명이다.

② 모든 이치와 사물이 존재하는 도덕적 마음을 가리킨다.
→ 왕수인의 심즉리에 대한 설명이다.

✓③ 차이를 넘어서는 보편적이고 초월적인 마음을 가리킨다.

④ 선악이 뒤섞여 분별을 일으키는 현실의 마음을 가리킨다.
→ 생멸문
⑤ 선천적으로 옳고 그름을 분별할 수 있는 마음을 가리킨다.
➡ 맹자의 사단 중 시비지심에 대한 설명이다.

14 지눌의 사상

자료 분석 | 제시문은 본래의 품성이 부처와 다름없음을 깨닫기는 했지만 오랫동안 쌓인 습기도 제거해야 하므로 점수해야 한다고 보는 점을 통해 돈오점수를 주장한 지눌임을 알 수 있다.

[선택지 분석]

① 경전 공부를 통해 돈오해야 한다고 보았다.
➡ 지눌은 선(禪)을 통해 단박에 깨달은 후에 점진적 수행을 해야 한다고 보았다.

② 중생의 악한 본성을 교화하기 위해 노력하였다.
➡ 불교에서는 중생의 본성을 청정한 것으로 보고 누구나 불성(佛性)을 가진 것으로 본다.

③ 정을 마음의 작용, 혜를 마음의 본체로 보았다.
➡ 지눌은 정(定)을 마음의 본체, 혜(慧)를 마음의 작용으로 보았다.

④ 교종의 입장을 중심에 두고 선종을 조화시켰다.
➡ 의천의 입장이다. 지눌은 선종의 입장에서 교종을 조화시키려 노력하였다.

☑ 화두를 근거로 깨달음을 찾는 간화선을 중시하였다.

15 노자의 사상

자료 분석 | 제시문은 억지로 예를 하게 하면 도를 잃게 된다고 보는 점, 즉 인위적 가치에 반대하고 도를 강조하는 점을 통해 노자의 입장임을 알 수 있다.

[선택지 분석]

① 하늘의 이치를 도덕의 기준으로 삼았다.
➡ 노자에 따르면, 하늘도 도를 본받아 인간적 덕목을 통해 조작하려고 하지 않는다. 따라서 하늘의 이치를 도덕의 기준으로 삼는다고 말할 수 없다.

☑ 인간의 자연스러운 본질인 생명을 중시하였다.
➡ 노자는 어떤 문화적 가치보다 인간의 자연스러운 본질인 생명이 중요하다고 보았다. 그래서 물질보다 자신의 생명을 중히 여기면 욕심내지 않고 소박하게 살아갈 것이라고 주장하였다.

③ 수행을 통해 본성을 변화시킬 것을 강조하였다.
➡ 노자는 인간의 타고난 본성을 자연으로 보고, 자연의 본성대로 살 것을 강조하였다.

④ 학문을 연마해 국가에 이바지할 것을 강조하였다.
➡ 노자는 소박하게 자연에 따르는 삶을 살 것을 강조하였다.

⑤ 현자(賢者)를 숭상하고 본받아야 한다고 강조하였다.
➡ 노자는 현자를 숭상하지 않고 무지하고 무욕하게 자연의 흐름대로 살 것을 주장하였다.

16 장자의 사상

자료 분석 | 제시문은 인간의 관점에서는 미인이라고 칭하는 대상도 동물들의 관점에서는 위협적일 뿐이라는 내용이다. 이를 통해 장자는 도의 관점에서 만물을 평등하게 볼 것을 강조하였다.

[선택지 분석]
✗ 도를 기준으로 선악을 분별할 줄 알아야 한다.
➡ 도의 관점에서 보면 선악, 미추 등은 모두 상대적인 가치일 뿐이다. 따라서 장자는 도의 관점에서 만물을 평등하게 봐야 한다고 주장하였다.

✗ 인간의 마음을 통해서 참된 지식을 구해야 한다.
➡ 장자에 의하면, 끊임없이 변하는 인간의 감각이나 마음을 통해서는 참된 지식을 구할 수 없다.

ⓒ 대자연의 섭리에 자신을 내맡기는 삶을 살아야 한다.
➡ 장자는 대자연의 섭리에 따라 사는 물아일체의 삶을 이상적인 삶으로 주장하였다.

ⓔ 차별 의식에서 벗어나 만물을 평등하게 인식해야 한다.
➡ 장자는 세속의 차별 의식에서 벗어나 도의 관점에서 만물을 절대 평등하게 인식하는 제물을 주장하였다.

17 위진 시대의 현학

[선택지 분석]
✗ 노자를 신격화하여 교조(教祖)로 섬김 → 오두미교
ⓛ 노장 사상을 철학적으로 계승함
ⓒ 세속적 가치를 초월한 담론을 즐김
➡ 죽림칠현은 정치적 혼란 속에서 세속적 주제와 거리를 두고 형이상학적이고 예술적인 논의를 중시하는 청담(淸談) 사상을 제시하였다.

✗ 선행을 하면 병이 낫는다고 주장함 → 오두미교

18 위정척사와 동도서기론의 입장

자료 분석 | 제시문의 갑은 지극히 올바른 도, 즉 유교적 질서로 백성을 교화해야 한다고 본 점, 우리 쪽이 성대해지면 저들이 사라질 것이라고 말하는 점을 통해 위정척사임을 알 수 있다. 을은 동양의 도로써 서양의 기를 행해야 한다고 보는 점을 통해 동도서기론임을 알 수 있다.

[선택지 분석]

① A: 백성의 생업 보장을 전제로 서학을 수용해야 한다.
➡ 갑, 을 모두에 해당하지 않는다.

② A: 동양의 도와 서양의 기가 둘이 아님을 알아야 한다.
   C

☑ B: 전통적인 유교적 질서를 지켜 나가야 한다.

④ B: 신분의 차별이 사라진 평등 사회를 만들어야 한다.
➡ 갑, 을 모두에 해당되지 않는다. 이는 동학, 원불교, 증산교의 입장이다.

⑤ C: 서양의 기술이 들어오지 못하게 막아야 한다.
   A

19 동학과 위정척사의 특징

자료 분석 | 제시문의 갑은 사람을 공경하는 것이 곧 한울님을 공경하는 것과 같다고 보는 점을 통해 동학 사상가임을, 을은 옛것을 보존해야 함과 동시에 서양과의 화친을 반대하는 점을 통해 위정척사 사상가임을 알 수 있다.

[선택지 분석]

☑ 모든 사람이 자유롭고 평등한 사회가 현세에 도래하는가?

➡ 동학은 후천 개벽 사상을 통해 불평등이 사라지고 정의와 평등이 구현된 후천이 현세에 도래할 것이라고 주장하였다. 위정척사는 전통적인 유교적 질서를 지켜야 한다고 주장하였다. 따라서 갑은 긍정, 을은 부정의 대답을 할 질문이다.

② 국제 사회의 현실을 직시하고 서구 문명을 수용해야 하는가? → 개화 사상

③ 유교적 질서를 지키고 서양 종교와 문물을 배척해야 하는가?

➡ 을이 긍정의 대답을 할 질문이다.

④ 성리학은 바른 것이고 서양의 사상과 기술은 사악한 것인가?

➡ 을이 긍정의 대답을 할 질문이다.

⑤ 전통 질서를 보존하고 서양의 과학 기술을 받아들여야 하는가?

➡ 갑, 을 모두 부정의 대답을 할 질문이다. 이는 동도서기론의 입장이다.

20 증산교와 원불교

자료 분석 | 제시문의 (가)는 과거로부터 쌓인 원한들로 인해 세상이 참혹해졌다고 보는 점을 통해 증산교임을, (나)는 일원상을 신앙의 대상과 수행의 표본으로 삼아야 한다고 보는 점을 통해 원불교임을 알 수 있다.

[선택지 분석]

㉠ (가)는 작은 은혜에도 보답하는 보은을 강조한다.

✕ (나)는 물질의 개벽(開闢)을 부정해야 한다고 본다.

➡ 원불교는 '물질이 개벽하니 정신을 개벽하자'라고 주장한다.

✕ (나)는 현실의 삶에 대한 집착을 버릴 것을 강조한다.

➡ 원불교의 이사병행은 수도의 삶과 현실의 삶을 온전히 완성해 가자는 뜻이다.

㉣ (가), (나)는 선천이 가고, 후천이 온다고 주장한다.

➡ 증산교와 원불교는 후천 개벽 사상을 통해 불평등의 낡고 어두운 선천이 끝나고 평등, 정의가 구현된 후천이 현세에 도래하여 새로운 세상이 열릴 것이라고 주장하였다.

21 맹자의 사상

(1) ㉠: 따뜻하고 포용적인 사랑, ㉡: 옳고 그름을 구분하는 도덕적 정당성

(2) [예시 답안] ㉢은 사단이다. 사단은 날 때부터 가지고 있는 네 가지 마음으로, 구체적으로 남을 불쌍히 여기는 마음인 '측은지심', 자신의 잘못을 부끄러워하고 다른 사람의 옳지 못함을 미워하는 마음인 '수오지심', 겸손하고 양보하는 마음인 '사양지심', 옳고 그른 것을 가릴 줄 아는 마음인 '시비지심'이 있다.

채점기준		
상	㉢이 사단임을 밝히고, 사단의 각 명칭과 그 의미를 정확하게 네 가지 모두 서술한 경우	
중	㉢이 사단임을 밝히고, 사단의 각 명칭과 그 의미를 두 가지 이하로 서술한 경우	
하	㉢이 사단임을 밝히지 못하였거나, 사단의 각 명칭과 그 의미를 한 가지만 서술한 경우	

22 정약용의 성기호설

(1) 정약용

(2) [예시 답안] 정약용은 성(性)을 이(理)로 규정하는 성리학의 성즉리(性卽理)설은 현실적 인간의 모습을 파악하기 어렵다고 비판하였다. 그리고 하늘로부터 부여받은 성은 이법적 실체가 아니라 선을 좋아하고 악을 미워하는 경향이라는 성기호설을 주장하였다.

채점기준		
상	정약용의 관점에서 성즉리설의 문제점을 지적하고 성기호설을 정확하게 제시한 경우	
중	정약용의 관점에서 성즉리설의 문제점을 지적하였으나 성기호설을 제시하지 못한 경우	
하	정약용의 관점에서 성즉리설의 문제점을 지적하지 못한 경우	

23 지눌의 선교 조화

(1) ㉠: 깨달음, ㉡: 경전(교리)

(2) [예시 답안] 갑은 교종 사상가, 을은 선종 사상가, 병은 지눌이다. 지눌의 입장에서 교종은 자기 본성에 대한 관찰 수행 없이 경전의 말만 파고들고 있고, 선종은 진리에 대한 통찰 없이 단순히 고요함만을 추구하고 있으므로 적절하지 못하다. 따라서 지눌은 경전의 가르침도 중시하였으며, 돈오점수를 제시하였다.

채점기준		
상	지눌의 입장에서 교종과 선종을 비판하고, 대안을 정확하게 제시한 경우	
중	지눌의 입장에서 교종 비판, 선종 비판, 대안 제시 중 두 가지만 서술한 경우	
하	지눌의 입장에서 교종 비판, 선종 비판, 대안 제시 중 한 가지만 서술한 경우	

24 도가의 이상적 인간상과 수양 방법

(1) 성인(聖人), 지인(至人), 진인(眞人), 천인(天人)

(2) [예시 답안] 도가에서 제시하는 수양 방법으로 좌망과 심재가 있다. 좌망은 조용히 앉아 자신을 구속하는 일체의 욕망과 차별적인 지식을 버리는 것이다. 심재는 마음을 깨끗하게 비우는 것이다.

채점기준		
상	수양 방법으로서 좌망과 심재에 대해 그 명칭과 의미를 정확하게 서술한 경우	
중	수양 방법으로서 좌망과 심재 중 한 가지의 명칭과 그 의미만을 정확하게 서술한 경우	
하	수양 방법은 서술하였으나 명칭을 밝히지 못한 경우 혹은 명칭을 틀린 경우	

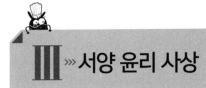

III》 서양 윤리 사상

01~ 사상의 연원

콕콕! 개념 확인하기   106쪽

01 헤브라이즘
02 (1) × (2) ○
03 (1) 보편 (2) 상대
04 (1) 소크라테스 (2) 소피스트 (3) 무지 (4) 이성
05 (1) ⓒ (2) ⓛ (3) ⑤
06 (1) ○ (2) × (3) ○

02 (1) 고대 그리스 사상은 신에 대한 언급 없이 세상의 기원을 설명하였다. 신 중심의 윤리 사상을 전개한 것은 헤브라이즘이다.

06 (2) 소피스트의 윤리 사상은 서양 윤리 사상에서 경험주의, 쾌락주의, 실용주의, 상대주의 윤리 사상의 등장에 선구적인 역할을 하였다.

탄탄! 내신 다지기   107~108쪽

01 ④ **02** ⑤ **03** ⑤ **04** ⑤ **05** ③ **06** ④ **07** ①
08 ⑤ **09** ② **10** 해설 참조

01 고대 그리스 자연 철학의 특징

자료 분석 | 제시문은 서양 윤리 사상의 두 가지 연원에 대한 내용이다. 고대 그리스의 자연 철학은 신화적 세계관에서 벗어나 자연의 변화를 논리적으로 설명하였다.

[선택지 분석]

① 유대교를 비판적으로 계승하였다. → 그리스도교
② 선민사상과 율법주의를 주장하였다. → 유대교
③ 유일무이한 신에 대한 믿음을 중시하였다. → 헤브라이즘
✔ 보편적 원리로 자연의 다양한 현상을 설명하였다.
⑤ 신에 대한 절대적 믿음을 누구나 지켜야 할 규율로 제시하였다. → 헤브라이즘

02 헤브라이즘의 의미와 특징

[선택지 분석]

① 서양 윤리 사상의 뿌리가 되었다.
② 절대자로서 신에 대한 믿음을 강조하였다.
③ 인간이 따라야 할 절대적 규칙에 대한 탐구에 영향을 주었다.

④ 신과 인간의 관계에 대한 탐구가 이루어지는 데 영향을 주었다.
✔ 현실 삶에서의 성공을 위한 수사학과 변론술, 처세술을 강조하였다.
➡ 고대 그리스 소피스트에 대한 설명이다.

03 헤브라이즘의 특징과 영향

[선택지 분석]

① ㉠ 고대 유대 민족의 유대교로부터 이후 전개된 그리스도교에 이르기까지의 사상
➡ 헤브라이즘은 고대 유대 민족의 유대교로부터 이후 전개된 그리스도교에 이르기까지의 사상과 문화 및 전통을 의미한다.
② ㉡ 유일무이한 신(神)을 믿음
➡ 헤브라이즘은 신에 대한 믿음을 강조하였다.
③ ㉢ 보편적인 윤리적 행동 지침을 인간 삶의 규율로 제시함
➡ 헤브라이즘은 여러 규율을 신의 명령이자 보편적인 윤리적 행동 지침으로 받아들였다.
④ ㉣ 인간과 세계의 근원으로서 신, 신과 인간의 관계에 대한 탐구가 주요 주제가 됨
➡ 헤브라이즘은 신과 인간의 관계, 인간 존재의 존엄성과 근거 및 절대적 규칙에 대한 탐구가 이루어지는 데 큰 영향을 주었다.
✔ ㉤ 인간으로서 따라야 할 다양한 상대적(절대적) 규칙에 대한 깊이 있는 탐구가 이루어짐

04 소크라테스의 윤리 사상

자료 분석 | 그림의 사상가는 고대 그리스 철학자 소크라테스이다. 소크라테스는 참된 앎을 얻기 위해서 무지(無知)의 자각이 필요하다고 강조하였다. 소크라테스는 윤리적 상대주의를 주장하는 소피스트에 맞서 보편적이고 절대적 진리의 존재를 주장하였고, 영혼을 돌보는 일을 중시하였다.

[선택지 분석]

① 진리의 판단 기준은 개개인인가? → 소피스트
② 인간의 경험과 감각이 도덕의 근거인가? → 소피스트
③ 도덕규범은 시대와 장소에 따라 달라지는가? → 소피스트
④ 선과 악은 유용성의 가치에 따라 결정되는가? → 소피스트
✔ 세속적 가치를 추구하기보다 자신의 영혼을 돌보는 삶을 살아야 하는가? → 소크라테스

05 소피스트와 소크라테스의 윤리 사상 비교

자료 분석 | 갑은 소피스트 사상가인 프로타고라스이고, 을은 소크라테스이다. 프로타고라스는 윤리적 상대주의를 주장하였고, 소크라테스는 소피스트의 윤리적 상대주의를 비판하면서 윤리적 보편주의와 주지주의를 주장하였다.

[선택지 분석]

✘ 갑은(을) 보편타당한 진리가 존재한다고 본다.
ⓛ 갑은 개인의 경험이 도덕 판단의 기준이 될 수 있다고 본다. → 소피스트의 입장

ⓒ 을은 비도덕적 행동이 무지로부터 비롯된다고 본다.

➡ 소크라테스는 악행의 원인이 무지라고 주장하였다.

✗ 을은 갑과 달리 현실 삶에서의 성공이 무엇보다 중요
　　　　갑은
하다고 본다.

➡ 현실 삶에서의 성공을 위한 처세술을 강조한 것은 소피스트의
입장이다.

06 소피스트의 윤리 사상

[선택지 분석]

① 참된 앎이 덕 그 자체라고 주장하였다. → 소크라테스

② 세계의 본질과 보편성에 대한 탐구를 펼쳤다. → 소크라테스

③ 객관적으로 선한 삶과 도덕적 가치를 추구하였다.
→ 소크라테스

✔ 개개인의 경험적 판단 자체가 진리라고 주장하였다.

➡ 소피스트는 개인의 경험적 판단이 진리의 근거라고 보고, 절대
적·보편적 진리를 부정하는 윤리적 상대주의를 주장하였다.

⑤ 이성주의와 보편주의를 강조하는 서양 윤리 사상의 연
원이 되었다. → 소크라테스

07 소크라테스의 윤리 사상

자료 분석 | 제시문에는 소크라테스의 주장이 나타나 있다. 소크라
테스는 참된 앎을 얻기 위해 무지의 자각이 필요하다고 주장하였
고, 악행은 무지에서 비롯된다고 강조하였다. 또한 참된 앎은 모든
덕과 행복의 원천이라고 보는 주지주의를 주장하였다.

[선택지 분석]

ⓒ 악행은 무지(無知)에서 나오는가?

ⓒ 지식은 모든 덕과 행복의 원천인가?

✗ 경험을 통해 보편적 윤리를 파악할 수 있는가? → 소피스트

✗ 학문의 주요한 대상을 자연에서 찾아야 하는가?
→ 고대 자연 철학자

08 윤리적 보편주의와 윤리적 상대주의의 장점과 한계

자료 분석 | 제시문에는 윤리적 보편주의와 윤리적 상대주의의 장
단점이 제시되어 있다. 윤리적 보편주의는 다양한 사회에서 발생할
수 있는 가치관의 혼란을 극복하는 데 도움을 줄 수 있으나, 가치의
획일화를 불러올 수 있다는 한계가 있다. 반면 윤리적 상대주의는
다양한 가치를 수용하고 인정하나, 가치관의 혼란을 줄 수 있다는
한계가 있다.

[선택지 분석]

① ㉠ 다양한 사회에서 발생할 수 있는 가치관의 혼란을
극복하는 데 도움을 줄 수 있다.

② ㉡ 다양한 삶의 방식을 획일적으로 평가할 수 있다는
단점이 있다.

③ ㉢ 보편적인 도덕 기준은 존재하지 않는다는 입장이다.

④ ㉣ 다양한 삶의 모습과 가치의 다양성을 인정하고 수용
한다는 장점이 있다.

✔ ㉤ 도덕의 예외를 인정하지 않아 독선적인 태도로 흐를
　　　　　　　　　　　모두 긍정하여 가치관의 혼란을 불러올
수 있다는 문제점이 있다.

09 트라시마코스의 윤리 사상

자료 분석 | 제시문은 윤리적 상대주의의 입장에서 정의는 강자를
위한 이익에 불과하다고 주장했던 소피스트 트라시마코스의 주장
이다.

[선택지 분석]

✗ 진리는 객관적으로 인식될 수 있다. → 소크라테스

② 개인의 자각과 경험이 지식의 근원이다.

③ 정의는 강자의 이익을 위한 것에 불과하다.

✗ 덕에 대한 지식을 갖춘 사람은 덕 있는 사람이 된다.
→ 소크라테스

10 윤리적 상대주의의 장단점

자료 분석 | 보편적이거나 영원한 가치성을 부정하고 윤리적 원칙
을 상대적인 것으로 본다는 점에서 '이 사상'이 윤리적 상대주의임
을 알 수 있다.

(1) 윤리적 상대주의

(2) [예시 답안] 윤리적 상대주의는 서로 다른 개인과 사회의
상이한 도덕 규범을 이해하고 관용하는 데 도움을 주고,
삶의 다양성을 폭넓게 허용하며, 서로 다른 가치관을
존중하고 다양한 삶의 방식을 포용한다는 장점이 있다.
그러나 가치관의 혼란을 가져올 수 있고, 윤리적 회의
주의에 빠질 수 있다는 한계도 지닌다.

채점기준		
상	윤리적 상대주의의 장점과 한계를 모두 정확하게 서술한 경우	
중	윤리적 상대주의의 장점과 한계 중에서 하나의 경우만 정확하게 서술한 경우	
하	윤리적 상대주의의 장점과 한계를 모두 서술하지 못한 경우	

도전! 실력 올리기　　　　　　　　　109쪽

01 ④　　02 ③　　03 ③　　04 ③

01 고대 그리스 사상의 특징

자료 분석 | 제시문의 ㉠은 고대 '그리스 사상'이다. 고대 그리스 사
상은 이성과 경험을 바탕으로 하여 바람직한 삶이 무엇인지 탐구하
였다.

[선택지 분석]

① 합리적인 사고와 논변을 중시하였다.

② 사물과 인간의 본질에 대한 관심을 표출하였다.

③ 윤리의 보편성 및 다양성을 둘러싼 논쟁이 펼쳐졌다.

➡ 고대 그리스의 대표 사상가인 소피스트와 소크라테스는 서로
다른 관점에서 '행복한 삶'이나 '선한 삶'이 무엇인지를 탐구하
였다.

✔ 인간의 이성과 경험을 초월한 신화적 세계관을 지향하
였다.

➡ 고대 그리스 사상은 이성과 경험을 토대로 한 사상을 전개하
였다.

⑤ 행복과 같이 인간이 추구해야 할 가치가 무엇인지 탐구하였다.

02 소크라테스와 소피스트의 윤리 사상 비교

자료 분석 | (가)의 갑은 참된 앎을 강조한 소크라테스이고, 을은 윤리적 상대주의를 주장한 소피스트 프로타고라스이다. 소크라테스는 진리 판단의 근거를 이성에 두고 객관적이며 보편적인 진리의 존재를 주장하였고, 프로타고라스는 '인간 척도설'을 통해 보편적 진리의 존재를 부정하였다.

[선택지 분석]

① A: 정의는 보편적 진리가 될 수 없다.
  C
② A: 학문의 주 대상은 인간과 사회가 아닌 자연이다.
  ➡ 소크라테스와 소피스트 모두 인간과 사회를 학문의 주 대상으로 삼았다.
③ B: 구체적인 인간 삶의 문제에 관심을 가져야 한다.
  ➡ 소크라테스와 소피스트의 공통점이다.
④ C: 진리 판단의 근거를 이성적 사고에 두어야 한다.
  A
⑤ C: 세속적 가치보다 자신의 영혼을 돌보는 것을 중시해야 한다.
  A

03 소피스트와 소크라테스의 윤리 사상 비교

자료 분석 | 제시된 자료에서 갑은 세속적 가치와 쾌락을 강조한 소피스트, 을은 참된 앎과 영혼의 추구를 강조한 소크라테스이다.

[선택지 분석]

☑ ㄷ
  ➡ 갑의 입장에 비해 을의 입장은 윤리의 상대적 가치를 긍정하는 정도는 낮고, 선한 삶과 도덕적 가치를 중시하는 정도는 높으며, 시대나 장소에 따른 도덕규범의 차이를 강조하는 정도는 낮다. 따라서 X와 Z는 낮고, Y는 높다.

04 소피스트와 소크라테스의 윤리 사상 비교

자료 분석 | 제시문의 갑은 소피스트인 고르기아이며, 을은 소크라테스이다. 고르기아스는 감각적 경험을 토대로 절대적 진리는 존재하지 않는다는 윤리적 상대주의의 입장을 주장하였다. 소크라테스는 이성을 토대로 절대적 진리의 존재를 주장하였고, 참된 앎을 위한 무지의 자각을 역설하는 주지주의적 입장을 나타냈다.

[선택지 분석]

① 갑: 시대와 장소를 초월한 진리를 추구해야 한다.
  을
② 갑: 보편적 진리를 추구하기 위해 자신의 무지를 자각해야 한다.
  을
③ 을: 모든 덕은 참된 앎에서 나오고 모든 악은 무지에서 비롯된다.
④ 을: 인간과 사회보다 자연 현상의 원리를 밝혀내는데 힘써야 한다. ➡ 고대 자연 철학자
⑤ 갑, 을: 보편적 이성을 행위의 선악을 판단하는 근거로 삼아야 한다.

---

02 ~ 덕

콕콕! 개념 확인하기   115쪽

01 이데아
02 (1) ㉠ (2) ㉡
03 (1) × (2) ○ (3) ○ (4) ○ (5) ○
04 (1) 영혼 (2) 현실
05 (1) ㉡ (2) ㉠
06 (1) ○ (2) × (3) ○ (4) ○

03 (1) 플라톤은 철인에 의한 통치를 주장하였다.

06 (2) 아리스토텔레스는 품성적 덕은 타고나는 것이 아니라 도덕적 행동을 습관화하여 길러지는 것이라고 보았다.

탄탄! 내신 다지기   116~117쪽

01 ② **02** ③ **03** ⑤ **04** ④ **05** ③ **06** ③ **07** ③
08 ③ **09** ② **10** 해설 참조

01 플라톤 윤리 사상의 특징

[선택지 분석]

① 국가의 최고 권력이 국민에게 있어야 한다.
  철인
☑ 선의 이데아를 모방하는 삶을 살아야 한다.
③ 감각적 경험을 가치 판단의 기준으로 삼아야 한다.
  이성
④ 인간의 덕은 품성적 덕과 지적인 덕으로 구분된다.
  ➡ 아리스토텔레스
⑤ 현실에 있는 참된 실재를 발견하고 선행을 실천해야 한다.
  ➡ 플라톤은 현실이 아닌 이데아 세계에서 참된 실재를 발견할 수 있다는 이상주의적 세계관을 제시하였다.

02 플라톤의 세계관의 특징

자료 분석 | 플라톤은 불완전한 현상의 세계인 현상계와 완전하고 불변한 참된 세계인 이데아계로 세계를 구분할 수 있다고 보았으므로 ㉠에 들어갈 말은 이데아이다.

[선택지 분석]

✕ 현실 세계의 사물을 뜻한다.
  ➡ 이데아는 현실 세계와 구분되는 이데아계에 있다.
㉡ 오직 이성에 의해 파악될 수 있다.
  ➡ 플라톤은 이데아는 사물의 불변하는 본질로서 오직 이성에 의해서만 파악될 수 있다고 보았다.
㉢ 사물의 불변하는 본질이자 참된 실재이다.
✕ 동굴의 비유에서 그림자에 해당되는 것이다.
  ➡ 동굴의 비유에서 태양(빛)이 선의 이데아를 의미한다.

03 플라톤의 이상적 인간관과 국가관

[선택지 분석]

① ㉠ 인간의 영혼을 이성, 기개, 욕구로 구분하였음

② ㉡ 이성은 지혜, 기개는 용기, 욕구는 절제의 덕이 요구됨

③ ㉢ 지혜, 용기, 절제의 덕이 조화를 이룰 때 정의의 덕이 실현될 수 있음

➡ 플라톤에 의하면 지혜, 용기, 절제의 덕이 조화를 이룰 때 정의의 덕이 실현되며, 행복한 삶을 살 수 있다.

④ ㉣ 국가의 구성원을 통치자, 군인, 생산자의 세 계급으로 구분함

➡ 플라톤은 통치자, 군인, 생산자의 세 계급이 그들의 덕목을 잘 갖추고 조화를 이룰 때 정의로운 국가가 이루어질 수 있다고 보았다.

☑️㉤ 선의 이데아에 대한 지혜를 갖춘 일반 백성을 중심으로 민주주의 정치가 실현되는 국가를 지향함

➡ 플라톤은 지혜를 갖춘 철학자가 통치하는 국가를 이상적 국가로 보았으며, 백성들이 다스리는 민주 정치를 어리석은 중우 정치라고 비판하였다.

04 플라톤의 이상적 인간관과 국가관

자료 분석 | 플라톤은 인간의 영혼을 이성, 기개, 욕구로 구분하며 영혼의 각 부분이 자기의 맡은 일을 잘 수행해야 한다고 보았는데, 이성은 지혜, 기개는 용기, 욕구는 절제의 덕을 갖추어야 한다고 하였다.

[선택지 분석]

	㉠	㉡	㉢	㉣
☑️	지혜	용기	절제	정의

➡ 플라톤은 통치자는 지혜, 군인은 용기, 생산자는 절제의 덕을 갖추고, 각자의 역할에 관여하지 않을 때 정의로운 국가가 이루어진다고 보았다.

05 플라톤의 윤리 사상

자료 분석 | 제시문의 사상가는 플라톤이다. 플라톤은 지혜를 갖춘 철학자가 나라를 다스리는 철인(哲人) 정치를 통해 철학과 정치권력의 결합을 주장하였다.

[선택지 분석]

① 각자가 지각한 것이 진리와 지식의 척도인가?

➡ 소피스트가 긍정의 대답을 할 질문이다.

② 도덕적 실천은 도덕적 앎이 없어도 가능한가?

➡ 플라톤은 주지주의의 입장에서 선에 관한 지식만 있으면 유덕한 행위를 할 수 있다고 본다.

☑️철학과 정치권력이 하나로 결합되어야 하는가?

④ 민주적 절차에 따라 정치권력을 부여해야 하는가?

➡ 플라톤은 민주 정치를 비판하고, 정치는 지혜를 갖춘 철학자가 전담해야 한다고 보았다.

⑤ 국가 구성원의 역할을 필요에 따라 바꿀 수 있는가?

➡ 플라톤은 국가 구성원 간의 역할 교환을 부정하였다.

06 아리스토텔레스의 윤리 사상

자료 분석 | 제시문은 고대 그리스 사상가 아리스토텔레스의 주장이다. 아리스토텔레스는 현실에서도 행복을 찾을 수 있다고 주장하면서 인간 행위의 궁극적 목적인 최고선이 행복이라고 보았다. 또한 행복을 실현하기 위해서는 이성을 탁월하게 발휘하여 지속적으로 도덕적 실천을 해 나가야 한다고 주장하였다.

[선택지 분석]

✗ 유덕한 삶과 행복한 삶은 별개의 것인가?

➡ 아리스토텔레스는 덕의 실천을 통해서만 행복할 수 있다고 보았다.

㉡ 덕의 실천을 위해 반드시 이성이 필요한가?

㉢ 인간의 모든 행위는 궁극적 목적을 지향하는가?

✗ 모든 덕은 행위를 지속적으로 습관화해 형성되는가?

➡ 아리스토텔레스는 품성적 덕은 도덕적 행위의 지속적 실천을 통해 형성되지만, 지적인 덕은 교육을 통해서 형성될 수 있다고 보았다.

07 아리스토텔레스의 덕론

자료 분석 | 제시문은 아리스토텔레스의 덕론이다. 아리스토텔레스는 탁월성으로서의 덕을 품성적 덕과 지적인 덕으로 구분하였다. 또한, 지적인 덕인 실천적 지혜를 통해 중용을 알고 실천할 수 있다고 보았다.

[선택지 분석]

① 품성적 덕과 지적인 덕은 연관성이 없다.

➡ 아리스토텔레스는 지적인 덕인 실천적 지혜가 품성적 덕의 형성에 영향을 끼친다고 보았다.

② 사람은 공동체를 벗어날 때 비로소 자아실현을 할 수 있다.

➡ 아리스토텔레스는 공동체 구성원으로서 사회적 책무를 강조하였다.

☑️중용의 상태를 파악하기 위해서는 실천적 지혜가 필요하다.

④ 덕에 관한 지식을 갖춘 사람은 절대 비도덕적 행위를 할 수 없다.

➡ 아리스토텔레스는 덕에 관한 지식을 갖추고 있어도 의지의 나약함으로 악한 행동을 할 수 있다고 보았다.

⑤ 중용의 덕은 누구나 타고나는 성품으로서 지속적으로 실현되는 덕이다.

➡ 아리스토텔레스는 중용은 품성적 덕의 특징으로서 품성적 덕은 올바른 행위의 지속적 실천과 습관화를 통해 형성된다고 보았다.

08 아리스토텔레스의 덕론

자료 분석 | 아리스토텔레스에 의하면 덕은 지적인 덕과 품성적 덕으로 구분할 수 있다. 지적인 덕은 영혼의 순수한 이성적 기능이 탁월하게 작용할 때 얻을 수 있는 덕으로, 교육을 통해 얻어지고, 실천적 지혜, 철학적 지혜 등이 있다. 품성적 덕은 영혼의 감각과 욕구의 기능이 이성에 귀를 기울이고 이성의 명령을 따를 때 얻을 수 있는 덕으로, 중용의 반복적 실천을 통해 형성되고, 용기, 절제, 정의 등이 있다.

[선택지 분석]

① ㉠ 영혼의 이성적 부분과 관련됨 → 지적인 덕

② ㉡ 교육을 통해 얻어지고 길러짐 → 지적인 덕

✔③ ㉢ 대표적 예로 용기, 절제, 정의 등이 있음
   실천적 지혜

④ ㉣ 중용의 반복적 실천을 통해 형성됨 → 품성적 덕

⑤ ㉤ 영혼의 감정이나 욕구 부분과 관련됨 → 품성적 덕

09 현대 덕 윤리의 특징

자료 분석 | 아리스토텔레스의 덕 윤리를 계승한 현대 덕 윤리는 공동체의 전통과 가치를 중시하며, 행위자 중심의 윤리를 강조하였다. 즉, '나는 어떻게 행위 해야 하는가'가 아니라 '나는 어떤 인간이 되어야 하는가'를 윤리학의 핵심 주제로 삼았다.

[선택지 분석]

① 소피스트의 윤리 사상을 계승한다.
   아리스토텔레스

✔② 공동체의 도덕적 전통과 가치를 중시한다.
   ➡ 현대 덕 윤리학자인 매킨타이어는 개인의 행위를 그 행위가 이루어진 공동체의 구체적인 맥락 안에서 평가해야 한다고 강조하였다.

③ '어떻게 행위 해야 하는가'에 초점을 둔다.
   '어떤 인간이 되어야 하는가'

④ 개인의 품성과 습관화 사이의 연관성을 거부한다.
   ➡ 현대 덕 윤리는 개인의 품성과 습관화 사이의 연관성을 강조한다.

⑤ 현실 세계를 초월한 세계에서의 진리 추구를 강조한다.

10 아리스토텔레스의 덕론

자료 분석 | 아리스토텔레스는 덕을 이성을 탁월하게 발휘해 얻을 수 있는 덕인 지적인 덕과 인간의 감정이나 행위가 중용을 따르는 품성적 상태인 품성적 덕으로 구분하였다.

(1) ㉠: 지적인 덕, ㉡: 품성적 덕

(2) [예시 답안] 지적인 덕은 품성적 덕의 형성에 영향을 끼친다. 지적인 덕 중 실천적 지혜는 무엇이 중용에 따른 행동인지를 파악하는 과정에 필요하므로 품성적 덕을 갖추기 위해 반드시 필요하다.

채점기준		
상	지적인 덕과 품성적 덕의 관계를 중용과 실천적 지혜의 관계를 언급하면서 서술한 경우	
중	지적인 덕과 품성적 덕이 관련이 있음만을 서술한 경우	
하	지적인 덕과 품성적 덕의 관계를 전혀 서술하지 못한 경우	

도전! 실력 올리기
118~119쪽

01 ② **02** ③ **03** ④ **04** ③ **05** ⑤ **06** ① **07** ⑤
08 ⑤

01 플라톤의 윤리 사상

자료 분석 | 제시문의 사상가는 플라톤이다. 플라톤은 통치자, 군인, 생산자 각 계급이 각각의 덕을 발휘할 때 정의로운 이상 국가가 실현될 수 있다고 보았으며, 계급 간 역할 교환을 비판하였다.

[선택지 분석]

① 행복한 삶과 덕은 별개인가?
   ➡ 플라톤은 유덕한 삶을 살아야만 행복할 수 있다고 보았다.

✔② 계급 간의 역할 교환은 나라의 해악인가?

③ 참된 앎은 감각과 경험을 통해 파악되는가?
   ➡ 플라톤은 이성주의적 입장에서 참된 앎은 이성에 의해 파악될 수 있다고 본다.

④ 각자가 지각(知覺)한 것이 지식의 척도인가?
   ➡ 소피스트가 긍정의 대답을 할 질문이다.

⑤ 의지의 군건함을 통해서만 도덕적 실천을 해 나갈 수 있는가?
   ➡ 플라톤은 주지주의적 입장으로, 도덕적 실천의 전제 조건은 도덕적 앎이라고 본다.

02 플라톤의 윤리 사상

자료 분석 | 수호자는 사유 재산을 가져서는 안된다고 주장한 점을 통해 제시문의 사상가는 플라톤임을 알 수 있다. 플라톤은 정의의 덕을 갖춘 사람이 행복할 수 있다고 하였다. 또한 옳고 그름에 대한 객관적 판단이 가능하다고 보았다.

[선택지 분석]

①○ 이데아계에 사물의 참모습이 존재한다.
   ➡ 플라톤은 현상계가 아닌 이데아계에 사물의 참모습이 존재한다고 본 이상주의적 세계관을 주장하였다.

②○ 정의의 덕을 갖춘 사람은 행복할 수 있다.

✗③ 옳고 그름은 객관적으로 판단할 수 없는 것이다.
   ➡ 플라톤은 소크라테스의 사상을 계승하여, 보편적 진리의 존재를 이성을 통해 객관적으로 판단할 수 있다고 보았다.

④○ 통치자, 군인, 생산자의 세 계급은 각자 맡은 역할을 다해야 한다.

03 플라톤의 이데아론

자료 분석 | 제시문은 플라톤이 이데아론을 설명한 동굴의 비유이다. 동굴의 비유에서 그림자는 이데아를 어느 정도 반영하나 이데아 그 자체는 아니다. 태양(빛)은 이데아를 이데아이게끔 하는 선의 이데아를 의미한다.

[선택지 분석]

① 사물의 불변하는 본질이자 실체이다.
   ➡ 이데아에 대한 설명이다.

② 오직 이성을 통해서만 인식할 수 있는 세계이다.
   ➡ 이데아 세계에 대한 설명이다. 반면 현실 세계는 감각과 경험으로 인식되는 세계이다.

③ 불변하고 완전한 진리를 담고 있는 세계를 의미한다.
   ➡ 이데아 세계에 대한 설명이다.

✔④ 이데아를 어느 정도 반영하지만 이데아 자체는 아니다.

⑤ 모든 존재와 인식의 근거가 되는 초월적인 실재를 의미한다.
➡ 이데아에 대한 설명이다.

04 플라톤과 아리스토텔레스의 윤리 사상 비교

자료 분석 | (가)의 갑은 플라톤이고, 을은 아리스토텔레스이다. 플라톤과 아리스토텔레스는 공통적으로 보편타당한 진리가 존재하며 덕 있는 삶을 살 때 행복을 누릴 수 있다고 보았다.

[선택지 분석]

✕ A: 모든 계급의 재산 공유를 실시해야 한다.
➡ 플라톤은 수호자의 재산 공유를 주장하였다.

Ⓛ B: 보편타당한 진리는 존재한다고 본다.

Ⓒ B: 덕 있는 삶을 살 때 행복을 누릴 수 있다.

✕ C: 품성적인 덕은 타고나는 것이다.
➡ 아리스토텔레스는 품성적 덕은 도덕적 행동의 습관화를 통해 후천적으로 형성된다고 보았다.

05 아리스토텔레스의 윤리 사상

자료 분석 | 제시문의 사상가는 아리스토텔레스이다. 아리스토텔레스는 주지주의(主知主義)와 주의주의(主意主義)를 함께 강조한 입장으로, 악행은 무지에 의해서도 생기지만, 의지의 나약함으로도 생길 수 있다고 하였다. 또한 공동체 구성원으로서 사회적 책무를 강조하였다.

[선택지 분석]

✕ 중용을 유지하기 위해서 정념을 제거해야 한다.
➡ 아리스토텔레스는 중용을 유지하기 위해 정념을 제거해야 한다고 주장하지 않았다.

Ⓛ 악은 의지의 나약함에 의해서도 생겨날 수 있다.

Ⓒ 공동체 구성원으로서 사회적 책무에 충실해야 한다.

Ⓔ 마땅한 일에 마땅한 정도로 행동할 때 유덕한 사람이 될 수 있다.

06 플라톤과 아리스토텔레스의 윤리 사상 비교

자료 분석 | (가)의 갑은 이성은 지혜, 기개는 용기, 욕구는 절제의 덕이 요구된다고 주장한 플라톤, 을은 과도함과 부족함 사이의 적절한 상태인 중용을 강조한 아리스토텔레스이다. 두 사상가 모두 덕의 실천에서 이성의 역할을 강조하였다.

[선택지 분석]

☑ A: 감각적 쾌락이 가치 판단의 근거가 될 수 있는가?
➡ 플라톤과 아리스토텔레스 모두 부정의 대답을 할 입장이다.

② B: 덕의 실천을 위해 이성의 역할이 필요한가?
➡ 플라톤과 아리스토텔레스 모두 긍정의 대답을 할 질문이다.

③ B: 무엇이 옳은지 알면 반드시 실천할 수 있는가?
➡ 플라톤이 긍정의 대답을 할 질문이다.

④ C: 의지의 나약함으로 인해 악한 행동을 할 수 있는가?
➡ 아리스토텔레스가 긍정의 대답을 할 질문이다.

⑤ C: 품성적 덕은 지속적인 실천과 습관화를 통해 형성되는가?
➡ 아리스토텔레스가 긍정의 대답을 할 질문이다.

07 플라톤과 아리스토텔레스의 윤리 사상 비교

자료 분석 | 갑은 진리가 이데아의 세계에 있다고 본 플라톤, 을은 진리가 현실 세계에 있다고 본 아리스토텔레스이다.

[선택지 분석]

① 갑: 참된 진리를 얻기 위해서는 이성이 중요하다.

② 갑: 선의 이데아에 대한 지식을 갖춘 철학자가 이상 국가를 통치해야 한다.

③ 을: 중용 상태를 파악하기 위해서는 실천적 지혜가 필요하다.

④ 을: 올바른 행위의 반복을 통한 유덕한 성품의 함양을 중시해야 한다.

☑ 갑, 을: 참된 진리는 이상적인 세계가 아니라 우리가 사는 현실 세계에 존재한다.
➡ 플라톤은 참된 진리는 현실 세계가 아닌 이데아의 세계에 있다고 주장하였다. 반면 아리스토텔레스는 선은 현실에 존재한다고 주장하였다.

08 플라톤과 아리스토텔레스의 윤리 사상 비교

자료 분석 | 그림에서 왼쪽은 이데아와 현실 세계를 분리한 플라톤, 오른쪽은 아리스토텔레스이다. 아리스토텔레스는 플라톤이 주장한 이원론적 세계관을 비판하면서 실체와 이데아는 서로 분리되어 존재할 수 없다고 주장하였다.

[선택지 분석]

① 세계는 현상계와 이데아계로 구분해야 함 → 플라톤

② 이데아가 실재하는 모든 것의 본질이자 실체임 → 플라톤

③ 진리는 경험과 감각에 따라 상대적으로 인식되는 것임
→ 소피스트

④ 선의 이데아를 모방하고 실현하는 삶이 가장 이상적인 삶임 → 플라톤

☑ 실재하는 것과 그것이 실재하도록 하는 것은 분리되어 존재할 수 없음 → 아리스토텔레스

---

03 ~ 행복 추구의 방법

콕콕! 개념 확인하기   125쪽

01 (1) ◯ (2) ✕
02 (1) Ⓒ (2) ⊙ (3) Ⓛ
03 (1) 아타락시아 (2) 쾌락의 역설
04 (1) 금욕주의 (2) 이성 (3) 아파테이아
05 (1) ✕ (2) ◯ (3) ◯ (4) ◯

01 (2) 에피쿠로스는 인간은 살아서도 죽어서도 죽음을 경험할 수 없으므로 죽음을 두려워할 필요가 없다고 보았다.

05 (1) 스토아학파는 자연의 필연적 질서와 법칙에 순응하는 삶을 이상적인 삶이라고 보았다.

탄탄! 내신 다지기　　　　　　126~127쪽

| 01 ③ | 02 ⑤ | 03 ③ | 04 ⑤ | 05 ③ | 06 ④ | 07 ⑤ |
| 08 ① | 09 ④ | 10 해설 참조 |

01 헬레니즘 시대의 특징

[선택지 분석]

① ㉠ 도시 국가의 해체 및 제국의 출현으로 사람들이 시민이 아닌 신민으로 전락
➡ 기원전 4세기경 알렉산드로스 대왕의 대제국 건설로 나타난 시대적 배경이다.

② ㉡ 정복 전쟁과 정치적 혼란이 지속됨

✓③ ㉢ 부, 명예 등 세속적 가치를 중시함

④ ㉣ 개인의 평온한 삶을 유지하는 데 관심을 보임
➡ 헬레니즘 시대에는 행복에 이를 수 있는 방법을 주요한 탐구 과제로 삼았으며, 평온한 삶으로서의 행복을 추구하는 사상적 경향을 보였다.

⑤ ㉤ 에피쿠로스학파와 스토아학파
➡ 헬레니즘 시대의 대표적 학파로는 에피쿠로스학파와 스토아학파가 있다.

02 에피쿠로스학파가 추구하는 삶의 모습

[선택지 분석]

① 부와 명예를 추구하며 쾌락에 집착하는 삶
➡ 에피쿠로스는 쾌락에 집착하지 않는 소극적 쾌락주의를 주장하였다.

② 필수적이지 않은 욕망도 적절하게 충족하는 삶
➡ 에피쿠로스는 필수적이지 않은 욕망을 절제해야 한다고 보았다.

③ 자연적이지만 필수적이지 않은 욕망을 충족하는 삶
➡ 에피쿠로스는 성적 욕망과 같이 자연적이더라도 필수적이지 않은 욕망은 절제해야 한다고 보았다.

④ 음식과 수면에 대한 욕망을 최대한으로 충족하는 삶
➡ 음식과 수면에 대한 욕망은 자연적이면서 필수적인 욕망이다. 에피쿠로스는 자연적이고 필수적인 욕망은 최소한으로 추구해야 한다고 보았다.

✓⑤ 자연적이고 필수적인 욕망을 최소한으로 충족하는 삶

03 에피쿠로스학파의 윤리 사상

자료 분석 | 제시문의 사상가는 에피쿠로스이다. 에피쿠로스는 어떤 쾌락을 적극적으로 추구하기보다는 고통과 근심을 제거함으로써 주어지는 쾌락을 추구하는 소극적 쾌락주의를 지향하였다.

[선택지 분석]

✗ 감각적이고 육체적인 쾌락을 추구하였다.
　　정신적이고 지속적인 쾌락

㉡ 몸의 고통과 마음의 불안이 없는 상태를 추구하였다.

㉢ 고통과 근심을 제거하는 소극적 쾌락주의를 지향하였다.

✗ 필수적인 욕구까지 제거한 금욕주의적 삶을 지향하였다.
➡ 에피쿠로스는 필수적인 욕구는 최소한으로 추구해야 한다고 보았다.

04 에피쿠로스학파의 윤리 사상

자료 분석 | 제시문은 쾌락은 행복한 삶의 시작이자 끝으로 보는 쾌락주의의 입장을 지닌 에피쿠로스의 주장이다.

[선택지 분석]

① 인간의 욕구를 구분하는 것은 불가능한가?
➡ 에피쿠로스는 욕구를 세 가지로 구분하였다.

② 몸과 마음의 고통을 운명으로 받아들여야 하는가?
➡ 에피쿠로스에 의하면 고통은 악이며, 피해야 할 대상이다.

③ 참된 쾌락을 얻기 위해 욕구를 최대한 충족해야 하는가?
➡ 에피쿠로스는 적극적으로 쾌락을 추구하기보다는 고통을 제거함으로써 주어지는 쾌락을 추구하였다.

④ 인간은 쾌락에서 벗어날 때 진정한 행복을 누릴 수 있는가?
➡ 에피쿠로스는 쾌락을 유일한 선이라고 보는 쾌락주의적 입장을 지녔다.

✓⑤ 공적으로 맺은 인간관계가 고통과 불안을 일으킬 수 있는가?
➡ 에피쿠로스학파는 공적으로 맺은 인간관계가 집착과 다툼 등 고통과 불안을 일으킬 수 있다고 보았기 때문에 공적인 삶을 멀리하고 사적인 공간에서 친구들과 우정을 나누며 정의롭게 사는 삶, 즉 은둔 생활을 권장하였다.

05 스토아학파의 윤리 사상

자료 분석 | 제시문은 스토아학파 사상가인 에픽테토스의 주장이다. 스토아학파는 에피쿠로스와는 달리 금욕주의적 입장을 보였으며, 감정적 동요가 없는 평온한 마음 상태인 아파테이아에 이를 것을 강조하였다.

[선택지 분석]

① 정념을 통해 자연의 질서에 따르는 삶을 살아야 한다.
　　이성
➡ 스토아학파에 의하면 정념은 평온한 삶을 깨뜨리는 원인으로, 극복의 대상이다.

② 참된 행복을 위해 모든 종류의 쾌락을 추구해야 한다.
➡ 스토아학파는 금욕주의적 입장을 취하였다.

✓③ 감정적 동요가 없는 평온한 마음 상태를 유지해야 한다.

④ 자신의 의지로 자신의 운명을 개척하는 삶을 살아야 한다.
➡ 스토아학파는 운명에 순응하는 삶을 강조하였다.

⑤ 진정한 행복 실현을 위해 모든 욕구를 완벽하게 제거해야 한다.
➡ 스토아학파는 모든 욕구를 완전히 제거하라고 주장하지는 않았다.

06 스토아학파가 주장하는 삶의 태도

자료 분석 | 제시문은 스토아학파 사상가인 에픽테토스의 주장이다. 스토아학파는 자연에 따른 삶을 살아야 하며, 그러기 위해서는 자연의 본성, 즉 이성을 파악해야 한다고 보았다. 또한 세계의 모든 일은 이성의 인과 법칙에 따라 필연적으로 일어난다고 하며 우주의 필연적 질서에 순응하는 삶을 살아야 한다고 보았다.

[선택지 분석]

✗ 이성적 관조를 통해 자연법칙에서 벗어나야 한다.

➡ 스토아학파는 자연법칙에 순응하는 삶을 강조하였다.

ⓛ 바람직한 삶을 위해 자연의 본성을 파악해야 한다.

✗ 육체적 쾌락을 억제하고 정신적 쾌락을 추구해야 한다.

➡ 스토아학파는 금욕주의적 입장이다.

ⓔ 우주의 필연적 질서에 순응하고 복종하는 삶을 살아야 한다.

07 스토아학파 윤리 사상의 특징

[선택지 분석]

① ㉠ 세계의 모든 일들은 이성으로 연결되어 있고, 이성의 법칙으로 구체화된다고 하였다.

② ㉡ 평온한 삶을 위해 온갖 욕망과 감정으로부터 벗어날 것을 강조하는 금욕주의적 특징을 지닌다.

③ ㉢ 정념에서 벗어난 상태인 부동심에 이르도록 노력해야 한다고 보았다.

④ ㉣ 가족, 친구, 동료 시민, 인류 전체에 대한 사랑을 제시하였다.

✓ ㉤ 근대 경험론과 공리주의 사상으로 계승되었다.

➡ 스토아학파의 윤리 사상은 스피노자, 칸트, 로마의 만민법, 중세 아퀴나스, 근대의 자연법사상 등 다양한 사상에 영향을 주었다. 경험론과 공리주의 사상에 영향을 준 학파는 에피쿠로스학파이다.

08 스토아학파의 윤리 사상

[선택지 분석]

✓ 인간은 인류 전체를 사랑해야 하는가?

② 이성보다 감각적 경험을 중시해야 하는가?

➡ 스토아학파는 감각적 경험보다 이성을 중시하였다.

③ 사회적 쾌락이 도덕의 기준이 되어야 하는가?

➡ 스토아학파는 이성과 자연에 따르는 삶이 도덕적 삶이라고 보았다.

④ 자연의 순리가 아닌 도덕 법칙을 준수해야 하는가?

➡ 스토아학파는 자연의 순리에 따르는 삶을 주장하였다.

⑤ 영혼의 수련을 통해 스스로 운명을 개척해야 하는가?

➡ 스토아학파는 운명의 개척이 아닌 운명에 순응하는 삶을 강조하였다.

09 에피쿠로스학파와 스토아학파의 윤리 사상 비교

자료 분석 | (가)는 에피쿠로스학파, (나)는 스토아학파이다. 스토아학파는 이성과 자연법에 따라 주어진 운명에 순응하는 삶을 지향하였다.

[선택지 분석]

① (가): 아파테이아를 지향한다.
　　　　아타락시아

② (가): 물질적 재화의 충족을 지향한다.

➡ 에피쿠로스학파는 절제된 쾌락을 통해 검소한 삶을 추구하였다.

③ (나): 소극적 쾌락주의를 추구한다.
　　(가)

✓ (나): 주어진 운명에 순응하는 삶을 강조한다.

⑤ (가), (나): 자연적이고 필수적인 욕구 충족을 부정한다.

➡ 두 학파 모두 자연적이고 필수적인 욕구의 충족을 부정하지 않았다.

10 에피쿠로스학파가 제시한 참된 쾌락에 이르는 방법

자료 분석 | '쾌락이 유일한 선이며 고통이 유일한 악'이라고 한 점, 소극적 쾌락주의 등의 내용에서 '이 학파'가 에피쿠로스학파임을 알 수 있다.

(1) 에피쿠로스학파

(2) [예시 답안] 참된 쾌락을 누리기 위해서는 자연적이고 필수적인 욕구를 최소한으로 충족하는 소박한 삶을 살아야 하고, 죽음 등에 관한 잘못된 생각을 제거해 고통을 줄이고, 공적인 삶을 멀리해야 한다.

채점기준		
상	참된 쾌락에 이르는 방법을 두 가지 이상 정확하게 서술한 경우	
중	참된 쾌락에 이르는 방법을 한 가지만 서술한 경우	
하	참된 쾌락에 이르는 방법을 서술하지 못한 경우	

도전! 실력 올리기　　　　128~129쪽

01 ②　**02** ③　**03** ③　**04** ④　**05** ①　**06** ④　**07** ④
08 ②

01 에피쿠로스학파의 윤리 사상

자료 분석 | 제시문의 사상가는 죽음은 경험할 수 없으므로 두려워할 필요가 없다고 주장한 점을 통해 에피쿠로스임을 알 수 있다. 에피쿠로스는 진정한 쾌락에는 이성과 지혜가 필요하다고 보았고, 적극적 쾌락의 추구보다 소극적 쾌락주의의 입장을 보였다.

[선택지 분석]

① 진정한 쾌락을 위해서는 이성과 지혜가 필요하다.

✗ 공적인 일에 적극적으로 참여하는 삶이 최선의 삶이다.

➡ 에피쿠로스학파는 공적인 삶을 멀리해야 한다고 보았다.

✗ 감각적이고 육체적인 쾌락을 정신적 쾌락보다 우선해야 한다.

➡ 에피쿠로스학파는 정신적 쾌락을 강조하였다.

④ 쾌락을 적극적으로 추구하기보다 고통과 불안을 제거하기 위해 노력해야 한다. ➡ 에피쿠로스학파의 소극적 쾌락주의

02 에피쿠로스학파의 윤리 사상

자료 분석 | 제시문은 지속적이고 정신적인 쾌락의 추구를 강조한 점을 통해 에피쿠로스의 입장임을 알 수 있다.

[선택지 분석]

✘ 감각적 경험보다 이성을 중시해야 하는가?
　➡ 스토아학파에서 긍정의 대답을 할 질문이다.

ⓛ 죽음은 산 자와 죽은 자 모두에게 무관한 것인가?
　➡ 에피쿠로스는 죽음은 산 자와 죽은 자 모두에게 무관하므로 죽음에 대한 공포와 두려움에서 벗어나야 한다고 보았다.

ⓒ 쾌락의 유무를 통해 선악의 판단을 내려야 하는가?
　➡ 에피쿠로스는 쾌락만이 유일한 선이라고 주장하였다.

✘ 쾌락과의 완전한 단절을 통해 삶의 궁극적 목적을 얻어야 하는가?
　➡ 에피쿠로스는 쾌락의 완전한 단절이 아닌 절제된 정신적 쾌락을 추구하는 입장을 보였다.

03 에피쿠로스학파가 제시하는 바람직한 삶

자료 분석 | 가상 대화의 스승은 육체적·정신적 고통이 없는 상태를 쾌락으로 본다는 점을 통해 에피쿠로스임을 알 수 있다.

[선택지 분석]

① 성공적 삶을 위해 부와 권력을 추구해야 한다.
　➡ 에피쿠로스는 욕구를 절제하고 검소한 삶을 살아야 한다고 보았다.

② 공적인 삶을 위해 지속적 쾌락을 추구해야 한다.
　➡ 에피쿠로스는 공적인 삶을 멀리해야 한다고 보았다.

✔참된 행복을 위해 필수적이지 않은 욕구 충족을 피해야 한다.
　➡ 에피쿠로스는 참된 행복을 위해 필수적이지 않은 욕구 충족을 멀리해야 한다고 주장하였다.

④ 세상사에 적극적인 관심을 가지고 진정한 쾌락을 추구해야 한다.
　➡ 에피쿠로스는 공적인 삶과 관련되는 세상사를 멀리해야 한다고 보았다.

⑤ 정신적 동요나 혼란이 없는 아파테이아의 경지를 추구해야 한다.
　➡ 에피쿠로스는 몸과 마음에 고통이 없는 아타락시아를 추구하였다.

04 스토아학파가 바라본 이성의 의미

자료 분석 | (가)는 스토아학파 사상가인 세네카의 주장이다. (나)의 가로 낱말 (A)는 '이데아', (B)는 '본성론'이므로, 세로 낱말 (A)는 '이성'이다. 스토아학파에 의하면, 이성이란 만물의 본질이자 만물의 생성과 변화를 이끌어 가는 힘으로 신, 자연 등으로 표현될 수 있다.

[선택지 분석]

① 유쾌하거나 즐거운 감각이나 느낌
　➡ 스토아학파의 이성은 감각이 아니다.

② 어떠한 상황에서도 동요하지 않는 상태
　➡ 스토아학파가 주장한 아파테이아(부동심)의 상태이다.

③ 몸의 고통과 마음의 불안이 모두 소멸된 상태
　➡ 에피쿠로스학파가 주장한 아타락시아(평정심)의 상태이다.

✔인간의 본성일 뿐만 아니라 신과 세계의 본성
　➡ 스토아학파는 세상의 모든 일이 이성으로 연결되어 있다고 보았다.

⑤ 모든 행위의 궁극적 목적이자 덕이 있는 상태에서 누릴 수 있는 것
　➡ 아리스토텔레스가 주장한 행복의 의미이다.

05 스토아학파의 윤리 사상

자료 분석 | 제시문은 스토아학파 사상가의 입장이다. 스토아학파는 자연에 따르는 삶과 자연법을 강조한 학파로, 덕이 있는 행위는 자연법과 일치한다고 하였으며, 우주를 관통하는 보편적 질서이자 신의 법칙인 자연의 필연적 질서를 따를 것을 강조하였다.

[선택지 분석]

ⓖ 덕이 있는 행위는 자연법과 일치한다.

ⓛ 우주를 관통하는 보편적 질서를 따라야 한다.

✘ 인간은 자연의 질서에서 벗어나는 삶을 살아야 한다.
　➡ 스토아학파는 자연의 질서에 순응하는 삶을 강조하였다.

✘ 쾌락은 유일한 선이며, 인간이 추구해야 할 행복한 삶의 시작이자 끝이다.
　➡ 에피쿠로스학파의 쾌락주의 입장에 대한 설명이다.

06 에피쿠로스학파와 스토아학파의 윤리 사상 비교

자료 분석 | 갑은 스토아학파, 을은 에피쿠로스학파의 사상가이다. 스토아학파는 어떠한 외부 상황에도 흔들리지 않는 정신의 의연함인 아파테이아(부동심)를 지향하였고, 에피쿠로스학파는 정신적·육체적 고통이 없는 평온함인 아타락시아(평정심)를 지향하였다.

[선택지 분석]

① 갑: 덕을 갖추기 위해 자연의 질서를 극복해야 한다.
　➡ 스토아학파는 자연의 질서에 순응하는 삶이 덕 있는 삶이라고 강조하였다.

② 갑: 인간의 이성으로는 신의 섭리를 파악할 수 없다.
　➡ 스토아학파는 이성으로 세계의 질서와 신의 섭리, 자연의 법칙을 파악할 수 있다고 보았다.

③ 을: 소수의 친한 사람들과의 우정은 인간을 불행하게 한다.
　➡ 에피쿠로스학파는 집착과 다툼 등 고통을 불러올 수 있는 공적인 삶을 멀리하고 사적인 공간에서 친구들과 우정을 나누며 사는 삶을 권장하였다.

✔을: 정신적·육체적 고통이 제거된 상태가 곧 쾌락임을 알아야 한다.

⑤ 갑, 을: 덕이 쾌락을 제공하지 못한다 해도 그 자체로 가치를 지닌다.
　➡ 에피쿠로스학파는 아름다움과 덕은 쾌락을 제공할 때 가치를 지닌다고 보았다.

07 에피쿠로스학파와 스토아학파의 윤리 사상 비교

자료 분석 | 갑은 <mark>쾌락을 선으로 보고 지속적·정신적 쾌락을 추구할 것을 강조한 에피쿠로스</mark>이며, 을은 <mark>정념에 초연할 것을 강조한 스토아학파</mark> 사상가이다.

[선택지 분석]

✔️ ㄹ

➡️ 갑의 입장에 비해 을의 입장은 금욕적 생활을 중시하는 정도는 높고, 자연의 법칙에 따르는 삶을 강조하는 정도는 높으며, 소규모 집단을 이루며 사는 삶을 추구하는 정도는 낮다. 따라서 X와 Y는 높고, Z는 낮다.

08 에피쿠로스학파와 스토아학파의 윤리 사상 비교

자료 분석 | 제시문의 갑은 에피쿠로스, 을은 스토아학파 사상가이다. 에피쿠로스는 소극적 쾌락주의의 입장이고, 스토아학파는 이성적 금욕주의의 입장이지만, <mark>두 사상 모두 모든 감정과 정념을 부정하지 않고, 욕망의 절제를 통한 평온한 삶을 중시하였다.</mark>

[선택지 분석]

① A: 쾌락만이 선이고, 고통은 악인가?

➡️ 에피쿠로스학파는 쾌락이 유일한 선이고, 고통이 유일한 악이라고 보았다.

✔️ B: 모든 욕망과 정념으로부터 벗어나야 하는가?

➡️ 에피쿠로스학파와 스토아학파 모두 욕망의 절제를 강조한 것이지, 모든 욕망과 정념 자체를 부정한 것은 아니다.

③ B: 지속적인 쾌락을 얻으려면 절제하며 살아야 하는가?

➡️ 에피쿠로스학파는 소극적 쾌락주의의 입장에서 욕망의 절제를 강조하였다.

④ C: 자연의 필연적 질서와 법칙에 따라야 하는가?

➡️ 스토아학파는 이성에 따르는 삶을 강조하며 부동심에 이르기 위해 자연의 필연적 질서에 따라야 한다고 보았다.

⑤ C: 인간에게 행위의 결과와 무관한 의무가 있는가?

04 ~ 신앙

콕콕! 개념 확인하기   135쪽

01 (1) 유대교 (2) 황금률
02 (1) 플라톤 (2) 천상의, 지상의
03 (1) ✕ (2) ◯ (3) ◯ (4) ✕
04 스콜라철학
05 (1) ✕ (2) ◯ (3) ◯ (4) ◯
06 (1) ㉠ (2) ㉡

03 (1) 아우구스티누스는 악을 실체가 아니라 선이 결여된 상태로 보면서, 악을 신이 만든 것이 아니라 인간에게서 비롯되는 것이라고 보았다.

(4) 아우구스티누스는 신을 이성을 통해 인식할 수 있는 대상을 초월한 존재라고 보았다.

05 (1) 아퀴나스는 영원한 행복에 이르기 위해서는 믿음, 소망, 사랑의 종교적 덕이 필요하다고 보았다.

탄탄! 내신 다지기   136~137쪽

01 ②   **02** ④   **03** ⑤   **04** ③   **05** ④   **06** ①   **07** ④
08 ⑤   **09** ④   **10** 해설 참조

01 예수의 사상의 특징

[선택지 분석]

㉠ 신과 이웃을 사랑하라는 가르침을 제시하였다.

➡️ 예수는 인간이 본성을 회복하고 신에게 다가가려면 율법보다는 사랑과 믿음이 더 중요하다고 보았다. 예수는 신과 다른 사람을 사랑하는 사랑의 윤리를 제시하였다.

✖️ 유대인만이 신으로부터 특별한 선택을 받았다는 선민사상을 강조하였다.

➡️ 예수는 유대교의 선민의식을 비판하고 모든 인간이 신이 창조한 동등한 존재라고 보았다.

✖️ 신으로부터 받은 율법을 엄격히 지켜야 한다는 율법주의를 중시하였다.

➡️ 예수는 신과 이웃에 대한 사랑을 소홀하게 하는 율법주의를 비판하였다.

㉣ 보편 윤리로서 "남에게 대접받고자 하는 대로 남을 대접하라."라는 황금률을 제시하였다.

➡️ 예수 이후 그리스도교는 이러한 보편 윤리를 바탕으로 서양 윤리 사상의 한 축을 이루게 되었다.

02 아우구스티누스의 윤리 사상

[선택지 분석]

① 플라톤의 사상을 수용하였다.

➡️ 아우구스티누스는 플라톤 사상을 수용하여 플라톤의 이데아론과 덕론을 재해석하여 그리스도교의 교리에 적용하였다.

② 그리스도교 신학의 기틀을 닦는 데 집중하였다.

➡️ 아우구스티누스는 교부 철학의 대표자로서 그리스도교 신학의 기틀을 닦는 데 집중하였다.

③ 신을 실존을 통해 만나야 할 인격적 존재로 보았다.

➡️ 아우구스티누스는 신은 이성을 통해 인식할 수 있는 대상을 초월한 존재이며, 실존을 통해 만나야 할 인격적 존재라고 주장하였다.

✔️ 신이 부여한 이성을 통해서만 신을 인식하고 영원한 행복을 누릴 수 있다고 보았다.

➡️ 아우구스티누스는 인간 이성의 한계를 지적하면서 신의 사랑과 은총이 있어야만 구원받을 수 있다고 보았다.

⑤ 천상의 나라는 신을 사랑하는 사람들로, 지상의 나라는 자기만을 사랑하는 사람들로 이루어진다고 보았다.
　→ 아우구스티누스는 세계를 완전한 신이 다스리는 천상의 나라와 불완전한 인간이 사는 지상의 나라로 구분하였다.

03 아우구스티누스의 덕론

자료 분석 | 제시된 자료는 아우구스티누스가 플라톤의 사주덕을 재해석한 내용이다. 아우구스티누스는 고대 그리스 사상을 받아들여 그리스도교 교리를 체계화하면서 플라톤의 사주덕을 신에 대한 사랑이라는 관점에서 해석하였다.

[선택지 분석]

① 인간은 이데아를 궁극 목적으로 삼아야 한다.
　→ 아우구스티누스는 신을 최고의 선이라고 하였다.

② 인간은 신이 선으로 창조한 완벽한 존재이다.
　→ 아우구스티누스에 따르면 인간은 신의 모습대로 창조되었지만 육체를 지니고 욕망에 따라 이 세상에서 살아가는 불완전한 존재이다.

③ 인간의 노력만으로 신을 온전히 사랑할 수 있다.
　→ 아우구스티누스는 인간의 노력만으로는 신을 온전히 사랑할 수 없고 구원을 받을 수 없다고 보았다.

④ 완전한 신이 다스리는 단일의 세계만이 존재한다.
　→ 아우구스티누스는 세계를 영원한 천상의 나라와 유한한 지상의 나라로 구분하였다.

☑ 덕뿐만 아니라 신의 사랑과 은총이 있어야만 완전한 행복을 얻을 수 있다.
　→ 아우구스티누스는 플라톤과 달리 덕뿐만 아니라 신의 사랑과 은총이 있어야만 인간이 정의로워지고 행복해질 수 있으며 구원을 받을 수 있다고 보았다.

04 아우구스티누스의 신에 대한 입장

자료 분석 | 제시된 자료는 아우구스티누스가 주장하는 최고선에 대한 내용이다. 아우구스티누스는 모든 선한 것들의 완전함인 신을 최고선이라고 보았다.

[선택지 분석]

✘ 신은 이성을 통해 인식할 수 있는 현실적 존재이다.
　→ 아우구스티누스는 신을 이성적 인식의 대상이 아니라 실존적으로 만나야 할 인격적 존재로 보았다.

ㄴ. 악은 신이 만든 것이 아니라 인간의 자유 의지에서 비롯된 것이다.
　→ 아우구스티누스는 악은 실체가 아니라 선이 결여된 상태로, 신이 만든 것이 아니라 인간의 자유 의지에서 비롯된 것이라고 보았다.

ㄷ. 세계는 신이 다스리는 천상의 나라와 인간이 사는 지상의 나라로 구분된다.
　→ 아우구스티누스는 세계를 영원한 천상의 나라와 유한한 지상의 나라로 구분하였다.

✘ 인간이 덕을 구현하고 행복해지려면 신의 은총이 아니라 이성적 노력이 필요하다.
　→ 아우구스티누스는 인간의 완전한 행복은 신의 은총에 의해서만 가능하다고 보았다.

05 플라톤과 아우구스티누스의 덕론

자료 분석 | 제시문의 '나'는 아우구스티누스이고, '어느 고대 그리스의 사상가'는 플라톤이다. 플라톤은 지혜, 용기, 절제의 세 가지 덕을 갖추어야 정의로운 이상적 인간이 된다고 보았다. 하지만 아우구스티누스는 참된 행복을 얻기 위해서는 이러한 덕 외에도 종교적 덕이 필요하다고 보았다. 따라서 ㉠에 들어갈 내용은 아우구스티누스의 입장에서 플라톤의 사상을 평가하는 내용이 들어가야 한다.

[선택지 분석]

① 인간의 노력과 의지를 통해서만 참된 행복에 이를 수 있음을 모르고 있다.
　→ 아우구스티누스는 인간의 노력과 의지만으로는 참된 행복에 이를 수 없고, 신의 은총과 사랑을 통해서만 참된 행복에 이를 수 있다고 보았다.

② 참된 진리인 이데아에 도달하기 위해서는 이성을 갖추어야 함을 모르고 있다.

③ 인간의 이성을 통해서만 참된 선을 실현하고 신과 하나 될 수 있음을 모르고 있다.
　→ 아우구스티누스는 인간의 이성만을 통해서는 신과 하나가 될 수 없고, 오직 신앙을 통해서만 신과 하나가 될 수 있다고 보았다.

☑ 신에 대한 사랑을 통해 신과 하나가 될 때 참된 행복을 누릴 수 있음을 모르고 있다.
　→ 아우구스티누스는 지혜, 용기, 절제, 정의의 덕을 갖출 때 참된 행복에 이를 수 있다고 본 플라톤과 달리 신에 대한 사랑을 통해 신과 하나가 될 때 참된 행복에 이를 수 있다고 보았다.

⑤ 지혜, 용기, 절제, 정의의 네 가지 덕을 갖출 때 최고선에 도달할 수 있음을 모르고 있다.
　→ 아우구스티누스는 플라톤이 제시한 사주덕 외에 믿음, 소망, 사랑이라는 종교적 덕이 필요하다고 보았다.

06 아퀴나스의 덕론

자료 분석 | 제시문의 사상가는 아리스토텔레스가 제시한 품성적 덕과 지성적 덕만으로는 행복에 이를 수 없고, 종교적 덕이 필요하다고 본 점을 통해 아퀴나스임을 알 수 있다.

[선택지 분석]

☑ 최고의 행복은 신과 하나가 될 때 누릴 수 있다.
　→ 아퀴나스는 최고의 행복은 현세에서 누릴 수 있는 것이 아니라 내세에서 신과 하나가 될 때 누릴 수 있다고 보았다.

② 지혜, 용기, 절제가 가장 대표적인 종교적 덕이다.
　믿음, 소망, 사랑이

③ 품성적 덕과 지성적 덕만으로 행복에 이를 수 있다.
　→ 아퀴나스는 품성적 덕과 지성적 덕만으로는 행복에 이를 수 없다고 보았다.

④ 인간 행위의 궁극적 목적을 행복에 두어서는 안 된다.
　→ 아퀴나스는 인간 행위의 궁극적 목적을 행복에 두었다.

⑤ 품성적 덕과 지성적 덕은 우리 본성에 본래 내재되어 있다.
　→ 아퀴나스는 아리스토텔레스와 마찬가지로 품성적 덕과 지성적 덕은 우리의 행위에 의해 획득된다고 보았다.

07 루터의 윤리 사상

[선택지 분석]

ㄱ 누구나 신과 직접 대화할 수 있다고 보았다.

➡ 루터는 누구나 신과 직접 대화할 수 있다는 만인 사제주의를 주장하였다.

✗ 참된 진리는 교회를 통해서만 얻을 수 있다고 보았다.

➡ 루터는 참된 진리는 교회나 교황이 아니라 오직 성서에 있다는 성서 중심주의를 주장하였다.

ㄷ 교황이 발행한 면죄부가 인간을 구원하지 못한다고 주장하였다.

➡ 루터는 당시 성행했던 교회의 면죄부 판매를 비판하였다.

ㄹ '오직 믿음, 오직 은총, 오직 성서'라는 주장을 바탕으로 종교 개혁을 진행하였다.

➡ 루터는 인간은 오직 믿음으로 구원받을 수 있으며, 누구나 신과 직접 대화할 수 있다고 주장하였다.

08 칼뱅의 윤리 사상

[선택지 분석]

① 기존 교회의 권위를 부정하였다.

➡ 칼뱅은 기존 교회의 권위를 부정하면서 종교 개혁을 진행하였다.

② 노동은 신의 영광을 실현하는 수단이라고 주장하였다.

➡ 칼뱅은 인간이 세속에서 행하는 노동이 신의 영광을 실현하는 수단이라고 보았다.

③ 직업은 신이 우리에게 내린 소명이라는 직업 소명설을 주장하였다.

➡ 칼뱅은 모든 직업을 신이 인간에게 부여한 소명이라고 주장하였다.

④ 신에게 선택받은 사람만이 구원받을 수 있다는 예정설을 주장하였다.

➡ 칼뱅은 신의 절대적 권위를 주장하면서 신에게 선택받은 사람만이 구원받을 수 있다고 주장하였다.

⑤ 직업에서의 성공을 삶의 최종 목적으로 삼아 근면하고 성실하게 생활할 것을 주장하였다.

➡ 칼뱅은 직업에서의 성공은 신에 의해 선택받았음을 보여 주는 징표이지 삶의 최종 목적이 될 수는 없다고 보았다.

09 아퀴나스의 자연법 윤리

자료 분석 | 제시된 자료는 아퀴나스의 자연법 윤리에 대한 내용이다. 아퀴나스는 자연법을 인간의 이성으로 인식할 수 있고, 모든 인간에게 보편적으로 적용 가능한 도덕 법칙이라고 주장하였다.

[선택지 분석]

ㄱ 모든 법은 신의 명령인 영원법에 근원을 둔다.

➡ 아퀴나스는 이 세계가 신의 영원한 법칙인 영원법에 의해 다스려지며, 모든 법은 영원법에 근원을 둔다고 보았다.

ㄴ 자연법은 인간의 이성으로 인식 가능한 도덕 법칙이다.

➡ 아퀴나스는 자연법은 이성으로 인식할 수 있다고 보았다.

✗ 자기 생명을 보존하려는 욕구는 자연법에 포함되지 않는다.

➡ 아퀴나스는 자연법이 자기 생명 보존 욕구, 종족 보존 욕구 등과 같은 인간의 본성에 바탕을 둔다고 보았다.

ㄹ 인간 사회를 유지하는 실정법은 자연법에 기초를 두어야 한다.

➡ 아퀴나스는 우리 사회에서 실제로 적용되는 실정법은 자연법에 기초를 두어야 한다고 보았다.

10 아우구스티누스와 아퀴나스의 신앙과 이성의 관계

자료 분석 | 갑은 천상의 나라와 지상의 나라를 구분하는 점을 통해 아우구스티누스임을 알 수 있고, 을은 지적인 덕, 도덕적인 덕, 종교적 덕이라는 용어에서 아퀴나스임을 알 수 있다.

(1) 갑: 아우구스티누스, 을: 아퀴나스

(2) [예시 답안] 아우구스티누스는 인간 이성의 한계를 지적하면서 이성보다 신앙이 우월함을 주장하였다. 아퀴나스는 아우구스티누스와 마찬가지로 이성보다 신앙의 우위를 주장하면서도, 신앙과 이성 모두 신으로부터 주어진 것이므로 상호 보완적인 역할을 할 수 있다고 보았다.

채점 기준		
상	신앙과 이성에 대한 갑과 을의 입장을 모두 정확히 서술한 경우	
중	신앙과 이성에 대한 갑과 을의 입장 중 하나만을 정확하게 서술한 경우	
하	신앙과 이성에 대한 갑과 을의 입장을 모두 서술하지 못한 경우	

도전! 실력 올리기
138~139쪽

01 ① **02** ④ **03** ① **04** ③ **05** ④ **06** ④ **07** ④
08 ①

01 아우구스티누스의 윤리 사상

자료 분석 | 제시문은 아우구스티누스의 입장이다. 아우구스티누스는 신이 인간을 창조했으며, 신이 만든 만물은 아름답고 선하다고 주장하였다.

[선택지 분석]

ㄱ 신의 은총으로 인간은 구원을 얻을 수 있다.

➡ 아우구스티누스는 인간의 능력으로는 구원을 얻을 수 없고 신의 은총을 통해 구원을 얻을 수 있다고 보았다.

✗ 신의 피조물인 인간에게는 자유 의지가 없다.

➡ 아우구스티누스는 신이 인간에게 자유 의지를 부여했다고 보았다.

ㄷ 세계는 완전한 세계와 불완전한 세계로 구분된다.

➡ 아우구스티누스는 세계를 완전한 신이 다스리는 천상의 나라와 불완전한 인간이 사는 지상의 나라로 구분하였다.

✗ 선악을 포함하여 모든 존재는 신이 창조한 것들이다.

➡ 아우구스티누스는 악은 신이 만든 것이 아니라 인간으로부터 비롯된 것이라고 보았다.

02 플라톤과 아우구스티누스의 윤리 사상 비교

자료 분석 | 갑은 플라톤, 을은 아우구스티누스이다. 플라톤은 이 세계를 현상계와 이데아계로 구분하였다. 아우구스티누스는 궁극적 실재는 신이며 이데아는 신의 정신 안에 있다고 보았다.

[선택지 분석]

① 갑은 최고의 덕을 사랑이라고 본다.
　　　　　　을
② 을은 <s>아레아</s>를 인간이 추구해야 할 최고선으로 본다.
　　　　신
③ <s>갑</s>은 <s>을과 달리</s> 세계를 두 개의 세계로 구분하여 본다.
　　갑과 을은
✔ 을은 갑과 달리 신과 하나가 될 때 완전한 행복에 이를 수 있다고 본다.
⑤ 갑, 을은 이성을 신·자연·인간의 공통된 본성으로 본다. → 스토아학파의 입장

03 아우구스티누스의 윤리 사상

자료 분석 | 제시문은 세계를 완전한 신이 다스리는 천상의 나라와 불완전한 인간이 사는 지상의 나라로 구분한 아우구스티누스의 입장이다. 아우구스티누스는 천상의 나라는 신을 사랑하는 사람들로 이루어진 나라인 반면, 지상의 나라는 자신을 사랑하는 사람들로 이루어진 나라로 보았다.

[선택지 분석]

✔ 도덕적 덕이 종교적 덕보다 우위에 있는가?
　➡ 아우구스티누스는 종교적 덕이 도덕적 덕보다 우위에 있다고 보았다.
② 악은 실체가 아니라 선이 결여된 상태인가?
　➡ 아우구스티누스는 악은 선이 결여된 상태로 보았다.
③ 신은 실존적으로 만나야 할 인격적 존재인가?
　➡ 아우구스티누스는 신은 이성적 인식의 대상이 아니라 실존적으로 만나야 할 인격적 존재라고 주장하였다.
④ 인간의 노력만으로는 참된 행복을 누릴 수 없는가?
　➡ 아우구스티누스는 신의 은총을 통해서만 참된 행복을 누릴 수 있다고 보았다.
⑤ 인간은 욕망에 따라 이 세상을 살아가는 불완전한 존재인가?
　➡ 아우구스티누스는 신이 인간을 창조하였지만 인간은 육체를 지니고 욕망에 따라 살아가는 불완전한 존재라고 보았다.

04 아우구스티누스와 아퀴나스의 윤리 사상 비교

자료 분석 | 갑은 신을 이성적 인식을 넘어서 실존적으로 만나야 할 인격적 존재라고 주장한 아우구스티누스, 을은 신의 존재를 이성적으로 증명할 수 있다고 본 아퀴나스이다. 아우구스티누스는 신앙이 언제나 이성보다 우위에 있다고 보았고, 아퀴나스는 신앙이 이성보다 우위에 있지만 신앙과 이성은 서로 조화를 이룰 수 있다고 보았다.

[선택지 분석]

✗ 갑: 철학적 진리가 신학적 진리보다 우월하다.
　➡ 아우구스티누스는 신학적 진리가 철학적 진리보다 우월하다고 보았다.

✗ 을: 신학에서 신앙보다 이성이 절대 우위에 있다.
　➡ 아퀴나스는 신앙과 이성의 조화를 주장하면서도 신앙이 이성보다 절대 우위에 있다고 보았다.
ⓒ 을: 철학과 신학은 서로 구분되지만 상호 보완이 가능하다.
　➡ 아퀴나스는 철학과 신학은 서로 구분되지만 조화를 통해 상호 보완이 가능하다고 보았다.
ⓔ 갑, 을: 참된 행복은 믿음, 소망, 사랑의 덕을 필요로 한다.
　➡ 아우구스티누스와 아퀴나스는 모두 참된 행복을 위해서는 믿음, 소망, 사랑의 종교적 덕이 필요하다고 보았다.

05 아퀴나스의 자연법 윤리

자료 분석 | 제시문은 아퀴나스의 자연법 윤리에 대한 내용이다. 아퀴나스는 자연법은 신의 영원한 법칙인 영원법에 근거를 두며, 인간의 이성으로 파악할 수 있다고 보았다.

[선택지 분석]

㉠ 자연법은 인간의 이성으로 인식 가능하다.
　➡ 아퀴나스는 자연법을 인간의 이성으로 인식할 수 있다고 보았다.
㉡ 현실의 실정법은 자연법에 근거를 두어야 한다.
　➡ 아퀴나스는 실정법은 자연법에 기초해야 한다고 보았다.
㉢ 자연법의 제1원리는 선을 행하고 악을 피하는 것이다.
　➡ 아퀴나스는 자연법의 제1원리로 "선을 행하고 악을 피하라."를 제시하였다.
✗ 자연법은 영원법에 근거를 둔 것으로, 인간 본성을 초월한다.
　➡ 아퀴나스는 자연법이 자기 생명 보존 욕구, 종족 보존 욕구, 신과 사회를 알고자 하는 욕구 등과 같은 인간 본성에 바탕을 둔다고 보았다.

06 아리스토텔레스와 아퀴나스의 윤리 사상 비교

자료 분석 | 갑은 인간 행위의 궁극적 목적, 즉 최고선은 행복이며, 행복이란 덕과 일치하는 정신의 활동이라고 본 아리스토텔레스, 을은 지적인 덕과 품성적 덕만으로는 현세적 행복만을 누릴 수 있고, 참된 행복은 믿음, 소망, 사랑이라는 종교적 덕을 실천할 때 얻을 수 있다고 주장한 아퀴나스이다.

[선택지 분석]

① 갑은 인간 행위의 궁극적 목적인 최고선이 신이라고 주장한다.
　➡ 아리스토텔레스는 인간 행위의 궁극적 목적은 행복이라고 주장하였다.
② 갑은 지성적 덕은 선천적이고, 품성적 덕은 후천적이라고 본다.
　➡ 아리스토텔레스는 지성적 덕과 품성적 덕 모두 후천적 노력을 통해 얻을 수 있다고 보았다.
③ 을은 도덕적 덕을 실천하여 완성함으로써 참된 행복에 이를 수 있다고 본다.
　➡ 아퀴나스는 종교적 덕을 실천함으로써 참된 행복에 이를 수 있다고 보았다.

✔ 을은 신을 따르고 믿음, 소망, 사랑의 덕을 실천함으로
써 구원을 얻을 수 있다고 본다.
➡ 아퀴나스는 믿음, 소망, 사랑이라는 종교적 덕을 실천하여 신
과 하나가 될 때 구원을 얻을 수 있다고 보았다.

⑤ 갑, 을은 참된 행복이 현실 세계에만 존재하며 현실 세
계에서 실현되어야 한다고 본다.
➡ 아리스토텔레스만의 입장이다. 아리스토텔레스는 현실주의적
세계관을 주장하며 이 세상은 하나의 세계이고, 선은 현실 세
계에 존재한다고 주장하였다.

07 아우구스티누스와 아퀴나스의 윤리 사상 비교

자료 분석 | 갑은 세계를 천상의 나라와 지상의 나라로 구분한 점을
통해 아우구스티누스, 을은 신학과 철학이 구분된다는 점을 명시하
면서 동시에 이성적인 논증을 통해 신의 존재를 증명할 수 있다고
봄 점을 통해 아퀴나스임을 알 수 있다.

[선택지 분석]

① 갑: 인간은 신과 하나 될 수 있는 완전한 존재이다.
➡ 아우구스티누스는 인간은 신의 모습대로 창조되었지만 육체를
지니고 욕망에 따라 이 세상에서 살아가는 불완전한 존재라고
보았다.

② 갑: 인간의 노력을 통해 신의 나라에 들어갈 수 있다.
➡ 아우구스티누스는 불완전한 인간은 노력을 해도 신을 온전히
사랑하거나 구원을 받을 수 없으므로 신의 은총이 있어야만
신의 나라에 들어갈 수 있다고 보았다.

③ 을: 여러 덕들 중 최고의 덕은 정의이다.

✔ 을: 신앙과 이성 모두 신으로부터 주어진 것이다.
➡ 아퀴나스는 신앙과 이성 모두 신으로부터 주어진 것으로 결국
하나의 진리로 귀결된다고 보았다.

⑤ 갑, 을: 완전한 행복은 ~~자성적 덕~~을 통해 달성된다.
　　　　　　　　　　　　　　　종교적 덕

08 루터와 칼뱅의 윤리 사상

자료 분석 | 갑은 당시 교회의 면죄부 판매의 부당성을 지적한 루
터, 을은 인간의 구원은 신에 의해 미리 결정되어 있다는 예정설을
주장한 칼뱅이다.

[선택지 분석]

✔ 갑: 모든 신앙인이 성직자이자 사제이다.
➡ 루터는 모든 신앙인이 성직자이자 사제라는 만인 사제주의를
주장하였다.

② 갑: 개인의 신앙보다 교회의 권위가 더 중요하다.
➡ 루터는 교회의 권위보다 개인의 신앙이 중요하다고 보았다.

③ 을: 노동은 오직 원죄에 대한 속죄의 수단일 뿐이다.
➡ 칼뱅은 노동이 지상에서 신의 영광을 실현하기 위한 수단이라
고 보았다.

④ 을: 개인의 직업적 성공을 통해 구원을 얻을 수 있다.
➡ 칼뱅은 인간의 구원은 신에 의해 미리 정해져 있다고 보았다.

⑤ 갑, 을: 인간의 노력을 통해 영원한 행복에 이를 수 있다.
➡ 루터와 칼뱅과 같은 그리스도교 사상가들은 인간의 노력을 통
해서 영원한 행복에 이를 수 있다고 보지 않는다.

---

05 ~ 도덕의 기초

콕콕! 개념 확인하기　　　　　　　　　　145쪽

01 (1) 신, 인간　(2) 합리론
02 방법적 회의
03 (1) ○　(2) ○　(3) ×　(4) ×
04 (1) 경험론　(2) 귀납법
05 (1) ㉣　(2) ㉠　(3) ㉢　(4) ㉡
06 (1) ×　(2) ×　(3) ○

03 (3) 스피노자는 모든 정념을 제거할 것이 아니라 정념의 예
속에서 벗어나야 한다고 보았다.
(4) 스피노자는 인간에게는 자유 의지가 없다고 보았다.

06 (1) 흄은 도덕적 행위와 판단에 중요한 요인은 감정이라고
보았다.
(2) 흄은 도덕적 감정은 개인이 주관적으로 느끼는 감정이
아니라 사회적 차원의 감정이라고 보았다.

탄탄! 내신 다지기　　　　　　　　146~147쪽

01 ③　02 ④　03 ⑤　04 ④　05 ①　06 ④　07 ①
08 ⑤　09 ③　10 해설 참조

01 근대 서양 윤리의 특징

[선택지 분석]

✘ 신을 통해 진리와 도덕적 삶을 설명하려고 하였다.
　　　　　　　　　　　　　　➡ 서양 중세 윤리의 특징

㉡ 이성을 지닌 인간이 진리와 도덕의 주체로 등장하였다.
➡ 서양 근대 윤리에서는 신이 아닌 인간이 진리와 도덕의 주체
로 등장하였다.

㉢ 객관적 지식의 성립 과정과 진리의 인식 문제를 다루
는 인식론이 대두되었다.

✘ 관찰과 실험을 통해 지식을 추구하는 ~~합리론~~과 이성적
　　　　　　　　　　　　　　　　　　경험론
사고를 통해 지식을 추구하는 ~~경험론~~이 등장하였다.
　　　　　　　　　　　　　　합리론

02 데카르트의 윤리 사상

자료 분석 | 제시문의 사상가는 확실한 지식을 확보하기 위해 불확
실한 모든 것을 의심해 보는 방법적 회의를 사용한 데카르트이다.

[선택지 분석]

① 이성을 통해서는 새로운 지식을 얻을 수 ~~없다~~.
　　　　　　　　　　　　　　　　　　있다

② 귀납적 방법을 통하여 자명한 진리를 얻어야 한다.

➡ 데카르트는 연역적 방법을 통하여 자명한 진리를 얻으려 하였다.

③ 관찰과 실험을 통해서만 확고한 지식을 얻을 수 있다.

➡ 데카르트는 수학적 논리와 연역적 추론을 통해서 확고한 지식을 얻을 수 있다고 보았다.

✔ 방법적 회의를 통하여 확실한 지식을 연역할 수 있다.

➡ 데카르트는 확실한 지식을 얻기 위하여 불확실한 모든 것을 의심해 보는 방법적 회의를 사용하였다.

⑤ 인간의 경험을 통한 지식이 의심할 여지없이 확실한 지식이다.

➡ 데카르트는 경험을 통한 지식은 불완전한 지식이라고 보았다.

03 스피노자의 윤리 사상

[선택지 분석]

① 이성 중심의 윤리 사상을 전개하였다.

➡ 스피노자는 데카르트의 뒤를 이어 이성주의 윤리 사상을 전개하였다.

② 자연을 유일한 실체이자 신으로 인식하였다.

➡ 스피노자는 신을 곧 자연으로 인식하였다.

③ 자연을 필연적 질서에 따라 움직이는 기계로 보았다.

➡ 스피노자는 자연을 필연적 질서와 인과 법칙에 따라 움직이는 하나의 거대한 자동 기계로 간주하였다.

④ 이성을 통해 만물의 원인인 신을 인식함으로써 영원한 행복을 누릴 수 있다고 보았다.

➡ 스피노자는 인간이 이성을 통해 신을 인식함으로써 신을 사랑하게 되고, 이러한 상태에 이를 때 영원한 행복을 누릴 수 있다고 보았다.

✔ 인간에게는 자신의 운명을 스스로 선택할 자유 의지가 없고 자유를 누릴 수 없다고 보았다.

➡ 스피노자는 인간은 자유를 누릴 수 있다고 보았는데, 스피노자가 말하는 자유란 정념의 예속에서 벗어나 자연의 필연성에 따르는 것이다.

04 스피노자의 신 개념

자료 분석 | 제시된 자료는 스피노자의 주장이다. 스피노자는 생산하는 자연을 신이라고 보았고, 생산된 자연은 신의 속성의 필연성에서 생기는 양태라고 보았다.

[선택지 분석]

✘ 신은 자연을 창조한 인격신이다.

➡ 스피노자는 신을 세계 내에 존재하는 자연 그 자체로 보았다.

ㄴ 신은 스스로가 존재 원인인 자연 그 자체이다.

➡ 스피노자는 신을 자연 바깥에 존재하는 창조자가 아니라 자연 그 자체로 보았다.

✘ 신뿐만 아니라 자연의 개별 사물도 실체에 해당한다.

➡ 스피노자는 신만이 유일한 실체이며, 자연의 개별 사물은 신이라는 실체가 보여 주는 양태라고 주장하였다.

ㄹ 신에 대한 지적인 사랑을 통해 영원한 행복을 누릴 수 있다.

➡ 스피노자는 모든 것에 대한 이성적인 관조, 즉 신에 대한 지적인 사랑을 통해 영원한 행복을 누릴 수 있다고 보았다.

05 스피노자의 윤리 사상

자료 분석 | 제시된 자료는 스피노자의 주장이다. 스피노자는 신을 영원한 필연성에 의해 이성적으로 인식할 때 최상의 행복을 누릴 수 있다고 보았다.

[선택지 분석]

✔ 신을 이성적으로 관조하기 위하여 노력해야 하는가?

➡ 스피노자는 신을 이성적으로 관조하거나 지적으로 사랑하려는 노력을 통해 영원한 행복을 얻을 수 있다고 보았다.

② 이성적으로 살기 위하여 모든 정념을 수용해야 하는가?

➡ 스피노자는 모든 정념의 수용이 아니라 정념의 예속에서 벗어날 것을 주장하였다.

③ 인격신의 은총을 받기 위하여 이웃을 사랑해야 하는가?

➡ 스피노자는 신을 인격신이 아니라 자연 그 자체로 보았다.

④ 자유 의지를 발휘하여 자신의 운명을 개척해 나가야 하는가?

➡ 스피노자는 인간에게는 자유 의지가 없다고 보았다.

⑤ 신은 이성적 인식의 대상을 넘어 실존적으로 만나야 할 인격적 존재인가? ➡ 아우구스티누스의 입장

06 베이컨의 윤리 사상

[선택지 분석]

① 과학적 지식의 유용성을 강조하였다.

➡ 베이컨은 '아는 것이 힘'이라고 말하며 과학적 지식의 유용성을 강조하였다.

② 참된 지식은 현실 생활에 도움을 준다고 보았다.

➡ 베이컨은 참된 지식은 현실 생활에 도움을 주는 지식이며, 이러한 지식은 경험을 통해서만 얻을 수 있다고 보았다.

③ 참된 지식을 얻기 위해서는 자연을 있는 그대로 인식해야 한다고 보았다.

➡ 베이컨은 참된 지식을 얻기 위해서는 자연을 있는 그대로 인식해야 하는데, 이러한 인식을 방해하는 선입견과 편견을 타파해야 한다고 주장하였다.

✔ 연역적 방법을 사용하여 얻어 낸 지식만이 유용한 참된 지식이라고 보았다.

➡ 베이컨은 귀납적 방법을 사용하여 얻어 낸 지식만이 유용한 참된 지식이라고 보았다.

⑤ 관찰과 실험을 통하여 얻어 낸 지식이 우리에게 도움을 주는 지식이라고 보았다.

➡ 경험론은 관찰과 실험을 통해 얻어 낸 지식을 중시하였다.

07 흄의 윤리 사상

[선택지 분석]

ㄱ 감정만이 도덕적 행위의 동기가 될 수 있다고 보았다.

✘ 개인의 주관적 감정은 항상 보편적 감정에 해당한다고 보았다.

➡ 흄은 도덕적 감정은 사회적 감정이라고 보았으나 개인의 주관적 감정이 항상 보편적 감정이라고 주장하지는 않았다.

© 도덕적 선악은 어떤 것에 대한 시인의 감정과 부인의 감정에 의해서 결정된다고 보았다.
➡ 흄은 도덕적 선악은 지적 판단에 의해서가 아니라 어떤 것에 대한 시인이나 부인의 감정에 의해서 결정된다고 보았다.

✗ 이성의 능력인 지성은 그 자체로 우리가 실천할 수 있게 만드는 힘을 지니고 있다고 보았다.
➡ 흄은 이성적 능력은 바람직한 행위의 방향만을 제시할 뿐 그 자체로는 실천할 수 있게 하는 힘을 가지고 있지 않다고 보았다.

08 흄의 윤리 사상

자료 분석 | 제시의 사상가는 도덕은 이성적으로 판단되는 것이 아니라 감정적으로 느껴지는 것이라고 주장한 흄이다.

[선택지 분석]

① 도덕적 선악은 이성적 판단에 의해 확정된다.
➡ 흄은 도덕적 선악이 시인과 부인의 감정에 의해 확정된다고 보았다.

② 감정은 이성의 명령을 따르는 노예에 불과하다.
➡ 흄은 이성을 감정의 노예라고 주장하였다.

③ 이성은 도덕적 실천에 어떠한 도움도 제공하지 못한다.
➡ 흄은 이성이 인간의 행동을 이끄는 감정을 위한 도구적인 역할을 수행한다고 보았다.

④ 행위를 하게 된 이유가 도덕적 판단의 근거가 되어야 한다.
➡ 흄은 사회에 도움이 되는 유용한 행위를 강조했기 때문에 행위의 결과인 측면을 중시하였다.

⑤ 도덕적 실천의 동기가 될 수 있는 것은 오직 어떤 대상에 대한 감정이다.
➡ 흄은 도덕에서 무엇보다 중요한 것은 실천인데, 도덕적 실천의 동기는 오직 어떤 대상에 대한 감정이라고 보았다.

09 흄의 윤리 사상

자료 분석 | 제시된 자료는 흄의 주장이다. 흄은 타인의 행복이나 불행을 자신의 마음으로 느끼는 능력인 공감 능력을 우리가 지니고 있어 사회에 이익이 되거나 행복을 주는 행동에 대해 시인의 감정을 느끼게 된다고 보았다.

[선택지 분석]

✗ 도덕적 가치는 객관적으로 실재한다.
➡ 흄은 도덕적 가치는 주관적인 느낌의 문제라고 보았다.

✗ 도덕적 선악은 이성적이고 인지적인 판단의 대상이다.
➡ 흄은 도덕적 선악은 우리가 어떤 행위에 대해 표현하는 시인과 부인의 감정이라고 보았다.

© 사회의 행복에 기여하는 행동은 우리에게 시인의 감정을 가져다준다.
➡ 흄은 우리가 공감의 능력을 지니고 있어 사회의 행복에 기여하는 행동에 대해 시인의 감정을 느끼게 된다고 주장하였다.

② 도덕적인 삶을 살기 위해서는 공감을 통해 사람들에게 쾌감을 불러일으키는 행동을 실천해야 한다.
➡ 흄은 우리가 지닌 공감 능력을 바탕으로 사람들에게 즐거운 감정(쾌감)을 불러일으키는 행동을 실천해야 한다고 보았다.

10 베이컨과 데카르트의 윤리 사상

자료 분석 | '우상의 제거'에서 갑이 베이컨임을 알 수 있고, '모든 것을 의심해 보아야 한다는 것'에서 을이 데카르트임을 알 수 있다.

(1) 갑: 베이컨, 을: 데카르트

(2) [예시 답안] 베이컨은 귀납법을 사용하여 진리를 인식하려고 하였다. 귀납법은 개별적인 경험으로부터 일반적인 사실이나 원리를 이끌어 내는 방법이다. 데카르트는 연역법을 사용하여 진리를 인식하려고 하였다. 연역법은 확실한 원리로부터 이성적 추론을 통해 지식을 도출해 내는 방법이다.

채점 기준	
상	갑이 귀납법, 을이 연역법을 제시했음을 밝히고, 두 방법의 의미를 모두 정확히 서술한 경우
중	갑이 귀납법, 을이 연역법을 제시했음을 밝히고, 두 방법 중 하나만 그 의미를 서술한 경우
하	갑과 을이 어떤 방법을 서술하였는지 서술하지 못한 경우

도전! 실력 올리기   148~149쪽

01 ①   **02** ③   **03** ④   **04** ④   **05** ⑤   **06** ④   **07** ③
08 ②

01 스피노자의 윤리 사상

자료 분석 | 제시문의 사상가는 스피노자이다. 스피노자는 인간의 최고선은 신을 인식하는 것이며 정신의 가장 고상한 덕은 자연의 필연성을 이성적으로 인식하는 것이라고 보았다.

[선택지 분석]

⊙ 자연의 필연성에 따라 살아야 한다.
➡ 스피노자는 인간은 필연성을 인식함으로써 정념의 예속에서 벗어나 마음의 평화를 얻을 수 있다고 본다.

✗ 이성에 따른 삶을 위해 모든 정념을 제거해야 한다.
➡ 스피노자는 정념의 예속에서 벗어나는 삶을 주장하였지 모든 정념의 제거를 주장하지는 않았다.

© 신에게는 인과 법칙을 벗어날 수 있는 자유 의지가 없다.
➡ 스피노자는 자연이 인과 법칙에 따라 움직이기 때문에 자연 그 자체인 신도 인과 법칙에서 벗어날 수 없다고 보았다.

✗ 신을 이성적으로 인식함으로써 자연의 필연성을 초월할 수 있다.
➡ 스피노자는 우리는 자연의 인과 법칙의 지배를 받는 존재이기 때문에 자연의 필연성을 초월할 수 없다고 보았다.

02 스피노자의 윤리 사상

자료 분석 | 제시문은 스피노자의 주장이다. 스피노자는 무지한 자는 외부 원인들, 즉 정념에 지배를 받아 참된 마음의 평화를 얻지 못하는 반면, 현명한 자는 영원한 필연성에 의해 신과 사물을 인식하여 마음의 평화를 누린다고 주장하였다.

[선택지 분석]

① 신 즉 자연이 유일한 실체인가? → 긍정

② 유한한 인간은 불충분한 지식밖에 가질 수 없는가?

➡ 스피노자는 유한한 인간은 불충분한 지식밖에 가질 수 없기 때문에 늘 불안하다고 보았다.

✔우리가 사는 세계에는 우연적인 요소가 존재하는가?

➡ 스피노자는 세계는 필연적 질서에 따라 움직이기 때문에 우연성과 자유 의지가 들어설 곳이 없다고 보았다.

④ 이성적으로 자연을 인식하게 되면 마음의 참된 평화를 얻을 수 있는가?

➡ 스피노자는 우리가 진정으로 이성적이 되어 신 또는 자연을 인식하게 되면 마음의 평화를 얻을 수 있다고 보았다.

⑤ 최고의 행복은 모든 존재자를 생산한 근원인 신에 대한 인식을 통해서만 성취될 수 있는가?

➡ 스피노자는 모든 존재자를 생산한 근원인 신을 이성적으로 인식할 때에만 참된 행복을 누릴 수가 있다고 보았다.

03 데카르트와 스피노자의 윤리 사상 비교

자료 분석 | 갑은 이성적 추론의 토대가 되는 확실한 원리를 찾고자 한 점을 통해 데카르트, 을은 이 세계의 모든 일은 원인과 결과의 관계로 필연적으로 연결되어 있다고 본 점을 통해 스피노자임을 알 수 있다.

[선택지 분석]

㉠ 갑: 사유하는 '나'의 존재는 의심의 대상이 아니다.

➡ 데카르트는 모든 것을 의심해도 그것을 의심하는 내가 존재한다는 명제는 의심할 수 없다고 보았다.

㉡ 을: 인간은 이성에 따라 살아갈 때 덕스러워질 수 있다.

➡ 스피노자는 인간이 이성에 따라 살아갈 때 덕스러워질 수 있으며, 이성을 통해 신 또는 자연을 인식할 수 있다고 보았다.

✘ 을: 모든 감정을 제거하여 이성적인 존재가 되어야 한다.

➡ 스피노자는 모든 감정을 제거할 필요는 없다고 보았다.

㉣ 갑, 을: 인간은 이성을 통해 진리를 인식할 수 있다.

➡ 두 사상가는 모두 합리론자로서 지식과 사유의 토대를 이성으로 보았다.

04 데카르트와 베이컨의 윤리 사상 비교

자료 분석 | 갑은 데카르트, 을은 베이컨이다. 데카르트는 불확실한 모든 것을 의심해 보는 방법적 회의를 통해 자명한 진리를 추론할 수 있다고 보았다. 베이컨은 자연에 대한 참된 지식을 얻기 위해서는 우상을 몰아내야 한다고 주장하였다.

[선택지 분석]

① ㉠ 이성적 추론을 통해 얻은 지식만이 확실하고 참된 지식이라 보고,

➡ 데카르트는 감각적 경험을 통해 얻은 지식은 믿을 수 없고, 이성적 추론을 통해 얻은 지식만이 참된 지식이라고 보았다.

② ㉡ 확실한 지식을 연역하기 위해서는 절대로 의심할 수 없는 명제를 그 출발점으로 삼아야 한다고 보았다.

➡ 데카르트는 절대로 의심할 수 없는 명제를 얻기 위하여 방법적 회의를 사용하였다.

③ ㉢ 관찰과 경험을 통해 얻은 지식만이 확실하고 참된 지식이라고 보고,

➡ 베이컨은 관찰과 경험을 중시하는 귀납법을 제시하였다.

✔㉣ 자연에 대한 참된 지식을 통해 인간과 자연이 조화를 이루면서 살아야 한다고 보았다.

➡ 베이컨은 자연 과학적 지식을 통해 자연을 지배함으로써 인간이 행복한 삶을 누릴 수 있다고 보았다.

⑤ ㉤ 신학적인 세계관에서 벗어나 인간의 능력으로 진리를 발견하고자 하였다.

➡ 데카르트와 베이컨은 중세 시대의 신학적인 세계관에서 벗어나 인간의 능력을 통해 진리를 발견하려고 하였다.

05 베이컨의 윤리 사상

자료 분석 | 제시문은 베이컨의 주장이다. 베이컨은 전통적인 연역적 방법(거미의 방법)이나 단순한 경험적 방법(개미의 방법)으로는 유용한 지식을 얻을 수 없다고 보고 체계적인 관찰과 실험을 통해 얻은 원리(꿀벌의 방법)로 새로운 지식을 얻어야 한다고 보았다.

[선택지 분석]

① 경험과 관찰로는 확실한 지식을 얻을 수 없다.
                                           있다

② 도덕적 행위의 유일한 원천을 이성에 두어야 한다.

➡ 베이컨은 합리론이 아니라 경험론의 입장이다.

③ 방법적 회의를 통해 자명한 진리에 도달할 수 있다.
                                       → 데카르트

④ 삼단 논법식 연역 추리 방법을 통해서 진리를 추구해야 한다.

➡ 베이컨은 아리스토텔레스의 삼단 논법식 연역 추리 방법을 거부하고 관찰과 경험을 중시하는 귀납법을 제시하였다.

✔학문의 당면 과제는 자연을 지배하고 있는 법칙을 설명하는 것이다.

➡ 베이컨은 자연 과학적 지식을 참된 지식으로 보고 자연을 지배하고 있는 법칙을 발견하는 것을 학문의 목적으로 삼아야 한다고 보았다.

06 흄의 윤리 사상

자료 분석 | 제시문은 흄의 주장이다. 흄은 모든 감정이 도덕적 감정이 되는 것이 아니고 사람들이 보편적으로 느끼는 감정만이 도덕적 감정이 될 수 있다고 보았다.

[선택지 분석]

① 이성은 도덕적 행위를 유발하는 동기가 될 수 있는가?

➡ 흄은 감정이 도덕적 행위를 유발하는 동기라고 보았다.

② 감정은 이성이 설정한 목적을 실현하는 데 기여해야 하는가?

➡ 흄은 이성은 감정이 설정한 목적을 실현하는 데 기여해야 한다고 보았다.

③ 도덕 행위의 추동력은 감정이고 도덕 판단의 근거는 이성인가?

➡ 흄은 도덕 행위의 추동력과 도덕 판단의 근거 모두 감정이라고 보았다.

✅ 자연적 성향인 공감을 통해 자기중심적 관점을 극복해야 하는가?

➡ 흄은 우리가 지닌 공감 능력을 통해 개인의 주관성을 넘어 사회의 행복에 유용한 행위를 해야 한다고 보았다.

⑤ 사회적 유용성은 행위의 정당성을 판별하는 기준이 될 수 없는가?

➡ 흄은 사회적 유용성은 행위의 정당성을 판별하는 기준이 될 수 있다고 보았다.

07 스피노자와 흄의 윤리 사상 비교

자료 분석 | 갑은 스피노자, 을은 흄이다. 스피노자는 영원한 행복을 얻기 위해서는 신과 사물을 영원한 필연성에 의해 인식해야 한다고 보았다. 흄은 도덕적 행위와 판단에 중요한 요인은 이성이 아니라 정념(감정)이라고 주장하였다.

[선택지 분석]

① 갑: 신은 이 세계를 창조한 세계 외적 존재이다.

➡ 스피노자는 신을 자연 그 자체이자 세계 내적 존재로 보았다.

② 갑: 신의 은총이 있어야만 영원한 행복을 누릴 수 있다.

➡ 스피노자는 신을 인격신으로 보지 않았다.

✅ 을: 도덕성은 인간의 정신 안에 생겨나는 느낌에 기초한다.

➡ 흄은 인간의 도덕성은 인간의 정신 안에 생겨나는 인상이나 느낌에 기초한다고 보았다.

④ 을: 인간의 이성은 도덕적으로 행동하는 데 기여할 수 없다.

➡ 흄은 이성이 도덕적 행위를 유발할 수는 없지만 감정이 원하는 바를 실현하는 방법이나 절차 등을 알려 줌으로써 도덕적 행위자에게 도움을 줄 수 있다고 보았다.

⑤ 갑, 을: 경험과 관찰을 통해 참된 진리를 파악해야 한다.

➡ 흄의 입장에만 해당한다. 스피노자는 이성적 추론을 통해 진리를 파악해야 한다고 주장하였다.

08 스피노자와 흄의 윤리 사상 비교

자료 분석 | 갑은 스피노자, 을은 흄이다. 스피노자는 감정을 이성적으로 인식할 때 감정을 잘 다스릴 수 있다고 보았다. 흄은 보편적인 시인의 감정이 도덕적 감정이며, 이러한 도덕적 감정은 사회적 유용성과 관련된 공감으로부터 나온다고 보았다.

[선택지 분석]

① 감정 자체를 배제해야 행복에 이를 수 있는가?

➡ 스피노자가 부정의 대답을 할 질문이다. 스피노자는 감정을 모두 제거할 필요는 없다고 보았다.

✅ 정념의 속박에서 벗어나 이성에 따르는 삶을 살아야 하는가?

➡ 스피노자는 긍정, 흄은 부정의 대답을 할 질문이다.

③ 도덕은 타인의 행복과 불행에 대한 공감 능력에 근거하는가?

➡ 흄이 긍정의 대답을 할 질문이다.

④ 이성보다 감정이 도덕적 실천에서 중요한 역할을 수행하는가?

➡ 흄이 긍정의 대답을 할 질문이다.

⑤ 자유 의지를 발휘하여 자연의 인과적 필연성에서 벗어나야 하는가?

➡ 스피노자가 부정의 대답을 할 질문이다. 스피노자는 인간은 자유 의지가 없다고 보았다.

---

06 ~ 옳고 그름의 기준

콕콕! 개념 확인하기   155쪽

01 (1) 의무론 (2) 선의지
02 (1) × (2) ○ (3) ×
03 (1) 로스 (2) 실제적
04 (1) 결과론 (2) 공리의 원리 (3) 행위
05 (1) ○ (2) × (3) ×
06 (1) ㉡ (2) ㉠

02 (1) 칸트는 자연적 경향성에 따른 행위는 도덕적 행위가 아니라고 보았다.

(3) 칸트는 우리는 동정심이나 연민과 같은 자연적 경향성이나 장기적 측면에서의 이익과 같은 유용성 때문에 결과적으로 의무에 '맞는' 행위를 할 수는 있으나, 이러한 행위들은 의무에서 비롯된 행위가 아니기에 도덕적 가치를 지니지 않는다고 보았다.

05 (2) 벤담은 쾌락에는 양적인 차이만 있다고 보고 쾌락의 계산법을 제시하였다.

(3) 밀은 소량의 질적으로 높은 수준의 쾌락이 다량의 질적으로 낮은 수준의 쾌락보다 우월하다고 보았다.

탄탄! 내신 다지기   156~157쪽

01 ①   **02** ⑤   **03** ③   **04** ④   **05** ②   **06** ②   **07** ③
08 ⑤   **09** ⑤   **10** 해설 참조

01 의무론의 특징

[선택지 분석]

㉠ 목적이 수단을 정당화할 수 없다고 본다.

➡ 의무론은 아무리 좋은 목적을 위해서라도 잘못된 수단을 사용해서는 안 된다고 본다.

㉡ 행위의 결과보다 행위의 동기를 중시한다.

➡ 의무론은 어떤 행위가 가져오는 결과보다 그 행위를 하는 이유가 중요하다고 본다.

✖ 행위의 가치가 본래 정해져 있지 않다고 본다.

➡ 의무론은 행위의 가치가 본래 정해져 있다고 본다. 예를 들어 거짓말을 하는 것은 본래 옳지 않다.

✘ 시대나 지역을 초월하여 보편적인 도덕 원칙은 존재하지 않는다고 본다.

➡ 의무론은 시대나 지역을 초월하여 보편적인 도덕 원칙이 존재한다고 본다.

02 칸트의 윤리 사상

[선택지 분석]

① 도덕 법칙은 정언 명령의 형식을 지닌다고 본다.

➡ 칸트는 도덕 법칙이 가언 명령이 아닌 정언 명령의 형식을 지닌다고 보았다.

② 도덕 법칙은 우리 안의 실천 이성에 의해 세워진 것이라고 본다.

➡ 칸트는 인간의 마음에 누구나 반드시 따라야 할 도덕 법칙이 존재하며, 이러한 도덕 법칙은 우리 안의 실천 이성에 의해 세워진 것이라고 보았다.

③ 선의지에서 비롯된 의무에 따른 행위만이 도덕적 가치를 지닌다고 본다.

➡ 칸트는 다른 이유가 아니라 오로지 선의지에서 비롯된 의무에 따른 행위만이 도덕적 가치를 지닌다고 보았다.

④ 이 세상에서 절대적이고 무조건적으로 선한 것은 선의지밖에 없다고 본다.

➡ 칸트는 이 세상에서 무조건적으로 선한 것은 선의지밖에 없다고 보았다.

✔ 도덕 법칙은 인간에게 명령으로 다가오기 때문에 인간은 타율적인 존재라고 본다.

➡ 칸트는 도덕 법칙이 인간에게 명령으로 다가오지만 타인이 내리는 명령이 아니라, 자신이 스스로에게 부과하는 명령을 따르는 것이기 때문에 인간을 자율적 존재로 보았다.

03 로스의 조건부 의무론의 특징

자료 분석 | 제시문은 현대의 칸트주의자인 로스의 입장이다. 로스는 칸트의 의무론적 윤리가 지닌 문제를 해결하고자 조건부 의무론을 제시하였다.

[선택지 분석]

① 단일한 최고의 도덕 법칙은 존재한다.

➡ 로스는 단일한 최고의 도덕 법칙의 존재를 거부하였다.

② 도덕적 의무 간의 상충 문제는 해결할 수 없다.

➡ 로스는 도덕적 의무 간의 상충 문제를 해결하기 위해 조건부 의무론을 제시하였다.

✔ 조건부 의무는 직관적으로 알 수 있는 옳고 명백한 의무이다.

➡ 로스에 따르면 조건부 의무는 절대적이고 무조건적인 의무와는 달리 직관적으로 알 수 있는 옳고 명백한 의무이다.

④ 조건부 의무는 특별한 상황이 발생할 경우 예외를 인정하지 않는다.

➡ 로스에 따르면 조건부 의무는 특별한 상황이 발생할 경우 예외를 인정한다.

⑤ 의무들 사이의 갈등을 예방하기 위해서는 다양한 도덕 원리를 인정하지 말아야 한다.

➡ 로스는 의무들 사이의 갈등을 예방하기 위해서는 다양한 도덕 원리를 인정해야 한다고 본다.

04 칸트 의무론의 특징

자료 분석 | 제시문의 사상가는 칸트이다. 칸트는 도덕 법칙을 정언 명령의 형식으로 제시하였는데, 정언 명령의 핵심은 준칙의 보편화 가능성이라고 보았다. 칸트는 '진실하지 못한 약속을 통해 곤경에서 벗어난다.'라고 하는 준칙은 보편화 가능성이 없기 때문에 정언 명령이 될 수 없다고 보았다.

[선택지 분석]

① 인간은 선의지를 저절로 따를 수 있는가?

➡ 칸트는 인간이 본능적 욕구를 지녔기 때문에 선의지를 저절로 따를 수 없다고 보았다.

② 개인의 준칙은 모두 도덕 법칙으로 성립하는가?

➡ 칸트는 개인의 준칙이 모두 도덕 법칙으로 성립하는 것이 아니며, 준칙이 모든 사람이 따를 수 있도록 보편화될 때 도덕 법칙으로 성립할 수 있다고 보았다.

③ 도덕 법칙에는 자신을 위한 예외를 허용해도 되는가?

➡ 칸트는 도덕 법칙은 정언 명령의 형식을 지녀야 하기 때문에 자신을 위한 예외를 허용해서는 안 된다고 보았다.

✔ 무조건적인 정언 명령만이 도덕 법칙의 명령이 될 수 있는가?

➡ 칸트는 가언 명령이 아니라 무조건적 명령인 정언 명령만이 도덕 법칙이 될 수 있다고 보았다.

⑤ 도덕 법칙은 어떤 다른 목적을 달성하기 위한 수단이 되어야 하는가?

➡ 칸트는 도덕 법칙은 우리가 의무로서 지켜야 하는 것이기 때문에 다른 목적을 위한 수단이 되어서는 안 된다고 보았다.

05 칸트 의무론의 특징

자료 분석 | 제시문의 사상가는 천부적 재능이나 기질은 무조건적으로 선할 수 없고, 이 세상에서 무조건적으로 선한 것은 선의지밖에 없다고 본 점을 통해 칸트임을 알 수 있다.

[선택지 분석]

㉠ 도덕 법칙은 이성적 인간이 자신에게 내리는 명령이다.

➡ 칸트는 도덕 법칙이 타인이 자신에게 내리는 명령이 아니라 자신이 스스로에게 내리는 명령이라고 보았다.

✘ 결과적으로 의무에 알맞은 행위가 선의지에 따른 행위이다.

➡ 칸트는 결과적으로 의무에 알맞은 행위는 선의지에 따른 행위가 아니며, 의무로부터 비롯한 행위가 선의지에 따른 행위라고 보았다.

✘ 동정심에 따라 어려운 사람을 도와준 행위는 도덕적 행위이다.

➡ 칸트는 동정심이나 연민과 같은 자연적 경향성에 따른 행위는 도덕적 행위가 아니라고 보았다.

㉣ 선의지는 자연적인 경향성을 초월하여 스스로 도덕 법칙을 따르려는 자율적 의지이다.

➡ 칸트는 선의지는 동정심이나 쾌락과 같은 자연적 경향성을 초월하여 스스로 도덕 법칙을 따르려는 자유 의지라고 보았다.

06 결과론의 특징

[선택지 분석]

㉠ 행위의 가치는 각 상황의 결과에 의해 결정된다.
➡ 결과론은 행위의 가치가 미리 결정되어 있지 않고, 각 상황의 결과에 따라 결정된다고 본다.

✗ 행복을 행위의 목적으로 삼는 것은 적절하지 않다.
➡ 결과론은 대체로 행복을 좋은 결과의 기준으로 삼는다.

✗ 행위의 결과가 좋더라도 의도가 적절하지 않다면 그 행위는 옳지 않다.
➡ 결과론은 행위의 의도와 상관없이 행위의 결과가 좋으면 그 행위는 옳다고 본다.

㉣ 좋은 결과의 산출이라는 목적에 도움이 되는 수단은 도덕적으로 정당화된다.
➡ 결과론은 어떤 수단이 좋은 결과를 가져다주면 그 수단은 도덕적으로 정당화된다고 본다.

07 벤담의 윤리 사상

[선택지 분석]

① 인간과 동물의 쾌락은 질적으로 다르다고 본다.
➡ 벤담은 인간과 동물의 쾌락이 질적으로 다르지 않다고 보았다.

② 의무 수행을 행위의 목적으로 삼아야 한다고 본다.
➡ 벤담은 쾌락이나 행복을 행위의 목적으로 삼아야 한다고 보았다.

③ 개개인의 쾌락이 사회 전체의 쾌락으로 연결된다고 본다.
➡ 벤담은 개개인의 쾌락이 사회 전체의 쾌락으로 연결되며, 더 많은 사람이 쾌락을 누리게 되는 것은 그만큼 더 좋은 일이라고 생각하였다.

④ 쾌락과 고통의 양을 정확히 측정할 수 있는 기준은 없다고 본다.
➡ 벤담은 쾌락의 계산법을 통해 쾌락과 고통의 양을 측정할 수 있는 기준을 제시하였다.

⑤ 주위 사람과 상관없이 자신에게 좋은 결과를 가져오는 행위만을 추구해야 한다고 본다.
➡ 벤담은 자신뿐만 아니라 사회 구성원들에게도 좋은 결과를 가져오는 행위를 추구해야 한다고 보았다.

08 밀의 윤리 사상

자료 분석 | 제시문의 사상가는 쾌락을 계산할 때 양뿐만 아니라 질적인 차이도 고려해야 한다고 주장한 점을 통해 밀임을 알 수 있다.

[선택지 분석]

① 인간의 경험으로는 쾌락의 질적 차이를 구분할 수 없다.
➡ 밀은 인간의 경험을 바탕으로 쾌락의 질적 차이를 구분할 수 있다고 보았다.

② 삶의 궁극적인 목적을 쾌락이나 행복에 ~~두어서는 안 된다.~~
두어야 한다
➡

③ 쾌락은 한 가지 종류밖에 없으며, 양적인 차이만 고려하면 된다.
➡ 밀은 쾌락의 양적 차이뿐만 아니라 질적 차이도 고려해야 한다고 보았다.

④ 행위의 결과를 행위의 옳고 그름을 판단하는 기준으로 삼아서는 안 된다.
➡ 밀은 행위의 결과를 행위의 옳고 그름을 판단하는 기준으로 삼는다.

⑤ 쾌락을 질적으로 높은 수준의 쾌락과 낮은 수준의 쾌락으로 구분해야 한다.
➡ 밀은 쾌락에는 질적인 차이가 있기 때문에 쾌락을 질적으로 높은 수준의 쾌락과 낮은 수준의 쾌락으로 구분해야 한다고 보았다.

09 선호 공리주의와 규칙 공리주의 비교

자료 분석 | (가)는 선호 공리주의, (나)는 규칙 공리주의의 입장에 해당한다. 선호 공리주의는 직접적인 쾌락의 증가가 아니라 자신이 바라는 선호를 실현하는 것이 더 좋은 결과를 산출한다고 본다. 규칙 공리주의는 행위마다 쾌락과 고통을 계산할 것이 아니라 공리의 원리에 부합하는 규칙을 따를 것을 주장한다.

[선택지 분석]

㉠ (가)는 좋은 결과를 개인이 욕구하는 것, 바라는 것의 실현으로 본다.
➡ 선호 공리주의는 좋은 결과를 욕구하는 것, 바라는 것 등과 같은 선호의 실현으로 본다.

✗ (나)는 보편적 도덕 규칙을 의무로서 준수해야 한다고 본다. → 의무론의 입장
➡ 규칙 공리주의는 공리주의적 입장에서 최대 다수의 최대 행복을 낳는 규칙을 따른다.

㉢ (나)는 공리의 원리에 부합하는 도덕 규칙을 마련하여 그 규칙을 따르는 행위를 옳은 것으로 본다.
➡ 규칙 공리주의는 결과 계산이 어렵다는 행위 공리주의의 한계를 극복하고자 좋은 결과를 가져다줄 가능성이 큰 규칙을 따라야 한다고 본다.

㉣ (가), (나)는 좋은 결과를 가져오는 행위를 도덕적으로 옳은 행위라고 본다.
➡ 선호 공리주의와 규칙 공리주의 모두 좋은 결과를 가져오는 행위가 도덕적으로 옳은 행위라고 주장한다.

10 칸트와 벤담의 윤리 사상 비교

자료 분석 | 제시문에서 갑은 준칙의 보편화 가능성을 강조한 점을 통해 칸트, 을은 공리의 원리를 강조하고 쾌락을 양적으로 계산할 수 있다고 본 점을 통해 벤담임을 알 수 있다.

⑴ 갑: 칸트, 을: 벤담

⑵ [예시 답안] 칸트 윤리 사상의 장점은 도덕의 중요성을 강조하고 우리의 일상적인 도덕의식에 부합한다는 점이 있고, 단점은 형식적이고 추상적이어서 실제 삶에 필요한 구체적 행위 규칙을 제공해 줄 수 없고 행위의 결과와 행복을 도외시한다는 점이 있다. 벤담 윤리 사상의 장점은 사익과 공익의 조화라는 문제에 하나의 해법을 제시한다는 점이 있고, 단점은 행위의 결과를 지나치게 강조함으로써 인간의 내면적 동기나 과정을 소홀히 한다는 점이 있다.

채점기준	상	칸트와 벤담의 윤리 사상의 장단점을 모두 정확하게 서술한 경우
	중	칸트와 벤담의 윤리 사상의 장단점 중 하나의 경우만 정확하게 서술한 경우
	하	칸트와 벤담의 윤리 사상의 장단점을 모두 서술하지 못한 경우

도전! 실력 올리기

158~159쪽

01 ② **02** ③ **03** ④ **04** ④ **05** ④ **06** ③ **07** ②
08 ①

01 칸트의 윤리 사상

자료 분석 | 제시문은 칸트의 입장이다. 칸트는 모든 유한한 이성적 존재자, 즉 인간에게 도덕 법칙은 의무의 법칙이자 강제의 법칙이라고 주장하였다. 그러나 신에게는 신의 의지와 도덕 법칙이 일치하므로 의무로 주어지지 않는다고 보았다.

[선택지 분석]

① 의무에 부합하는 행위는 전적으로 도덕적 행위인가?
➡ 칸트는 의무에 부합하는 행위가 아니라 의무를 따르는 행위가 도덕적 행위라고 보았다. 칸트는 자신의 이익을 위한 행위가 의무에 부합하는 결과를 가져온다고 해서 도덕적 행위가 될 수는 없다고 보았다.

✅ 도덕 원리가 개인의 행복과 항상 일치하는 것은 아닌가?
➡ 칸트는 행복을 추구하는 행위를 부정하지는 않았지만, 행복 추구가 도덕 법칙이 될 수는 없다고 보았다.

③ 준칙에 따르는 모든 명령은 무조건적 의무의 요구인가?
➡ 준칙이란 개인이 정한 삶의 규칙이다. 칸트는 준칙에 따르는 모든 명령이 무조건적 의무의 요구가 될 수는 없다고 보았다. 준칙이 보편화되는 경우에만 무조건적 의무의 요구, 즉 도덕 법칙이 될 수 있다고 보았다.

④ 다른 사람의 고통에 대한 공감에 따른 행위는 도덕적 행위인가?
➡ 칸트는 공감이나 동정심 등 자연적 경향성에 따른 행위는 도덕적 행위가 될 수 없다고 보았다.

⑤ 인간은 누구나 실천 이성을 지니므로 비도덕적인 행위를 하지 않는가?
➡ 칸트는 인간은 누구나 실천 이성을 지니지만 한편으로는 본능적 욕구를 지니고 있기 때문에 비도덕적인 행위를 할 수도 있다고 보았다.

02 칸트와 벤담의 윤리 사상 비교

자료 분석 | 갑은 칸트, 을은 벤담이다. 칸트는 행복은 이성의 도덕적 삶의 목표가 될 수 없다고 보며, 도덕은 그 자체가 목적이며 다른 어떤 것의 수단이 될 수 없다고 주장하였다. 벤담은 쾌락을 증진하고 고통을 감소하는 것이 선이라는 공리의 원리에 따라 행위 해야 한다고 보았다.

[선택지 분석]

✗ 갑: 선의지는 행복한 삶을 추구하는 인간의 일반적인 성향이다.
➡ 칸트는 선의지를 어떤 행위가 옳다는 바로 그 이유 때문에 행위를 선택하는 의지라고 주장하였다.

ⓛ 갑: 이성적 존재자인 인간에게 도덕의 원리는 자율의 원리이다.
➡ 칸트는 인간에게 도덕의 원리는 타율적인 것이 아니라 자율적인 원리라고 보았다.

ⓒ 을: 쾌락을 추구하려는 자연적 경향성은 도덕의 기반이 될 수 있다.
➡ 벤담의 공리주의는 쾌락을 추구하려는 자연적 경향성을 도덕의 기반으로 삼는다.

✗ 갑, 을: 좋은 결과를 가져오는 행위는 도덕적인 행위이다.
➡ 결과론의 입장으로 벤담에만 해당하는 주장이다. 칸트는 선의지에서 비롯된 의무에 따르는 행위를 도덕적인 행위로 보았다.

03 흄과 칸트의 윤리 비교

자료 분석 | 갑은 흄, 을은 칸트이다. 흄은 이성은 참과 거짓을 발견하는 능력이지만 비활동적인 능력이기 때문에 도덕적 행위의 동기가 될 수 없다고, 즉 도덕적 행위를 유발할 수는 없다고 보았다. 칸트는 인간이 자신의 이성을 통해 의무의 이념, 즉 도덕 법칙을 따르려는 이념을 발견할 수 있다고 보았다.

[선택지 분석]

① ㉠ 도덕적 가치가 객관적으로 실재하지 않는다고 보며,
➡ 흄은 도덕적 가치는 어떤 것을 시인하거나 부인하는 감정일 뿐이어서 객관적으로 실재하지 않는다고 보았다.

② ㉡ 이성이 도덕적 실천의 동기가 될 수 없다고 보았다.
➡ 흄은 도덕적 실천의 동기가 될 수 있는 것은 이성이 아니라 감정이라고 보았다.

③ ㉢ 선의지에서 비롯된 의무에 따른 행위만이 도덕적 가치를 지닌다고 보고,
➡ 칸트는 자연적 경향성이나 우연에 따라 의무에 맞는 행위는 도덕적 가치가 없고, 무조건으로 선한 선의지에서 비롯된 의무에 따른 행위만이 도덕적 가치를 지닌다고 보았다.

✅ ㉣ 도덕적 실천을 요구하는 실천 이성을 인간의 본능적 욕구라고 보았다.
➡ 칸트는 인간은 자신의 본능적 욕구로 인해 실천 이성의 명령을 따르지 못하는 경우가 있을 수 있다고 보았다.

⑤ ㉤ 이성이 도덕적 행위를 하는 데 도움을 준다고 보았다.
➡ 칸트는 실천 이성이 도덕적 행위를 실천할 수 있도록 하는 이성이라고 보았다. 흄은 이성이 도덕적 행위를 하기 위한 수단을 가르쳐 준다는 점에서 도덕적 행위를 하는 데 도움을 준다고 보았다.

04 로스의 조건부 의무론의 특징

자료 분석 | 제시문은 로스의 주장이다. 로스는 의무들 간 서로 충돌할 경우 어떤 것은 실제적 의무가 되고 어떤 것은 유보될 수 있다는 조건부 의무론을 통하여 칸트 윤리 사상의 문제점으로 지적된 도덕적 의무 간의 충돌 문제를 해결하고자 하였다.

㉠ 언제 어디서나 지켜야 할 절대적 의무는 없다.

➡ 로스는 조건부 의무들을 정언 명령보다 느슨한 원칙이라고 하면서, 절대적 의무는 없다고 주장하였다.

㉡ 행위의 결과와 유용성보다 도덕적 의무를 우선해야 한다.

➡ 로스는 의무론자로 행위의 결과보다 도덕적 의무가 우선한다고 보았다.

✘ 어떤 조건부 의무도 다른 조건부 의무에 의해 유보될 수 없다.

➡ 로스는 조건부 의무들 간에 충돌이 발생할 경우 상식과 직관을 통하여 실천해야 할 조건부 의무를 결정할 수 있다고 보았다. 이 경우 결정되지 않은 다른 조건부 의무는 유보될 수 있다.

㉣ 조건부 의무들이 서로 충돌하면 직관적으로 더 중요한 의무가 이행되어야 한다.

➡ 로스는 조건부 의무들이 서로 충돌할 경우 상식과 직관을 통하여 실천해야 할 더 중요한 의무를 결정할 수 있다고 보았다.

05 에피쿠로스와 밀의 윤리 사상 비교

자료 분석 | 갑은 에피쿠로스, 을은 밀이다. 두 사상가 모두 쾌락주의를 추구하였다. 에피쿠로스는 개인적 차원의 쾌락을 추구한 반면, 밀은 사회적 차원의 쾌락을 추구하였다.

[선택지 분석]

㉠ A: 심신의 고통이 사라진 상태가 이상적인 상태이다. →에피쿠로스

㉡ B: 감각적 쾌락보다 정신적 쾌락을 추구해야 한다. →에피쿠로스, 밀

➡ 두 사상가 모두 감각적 쾌락보다 정신적 쾌락을 추구할 것을 강조하였다.

✘ B: 행복 실현을 위해 공동체적 가치를 추구해야 한다. →밀

➡ 에피쿠로스는 공동체에서 벗어난 은둔의 삶을 중시하였다.

㉣ C: 공리의 원리에 따라 행위 해야 한다. →밀

06 칸트와 밀의 윤리 사상 비교

자료 분석 | 갑은 칸트, 을은 밀이다. 칸트는 도덕과 행복이 양립 가능하지만 행복을 도덕의 목적이라고 할 수는 없다고 보았다. 밀은 벤담의 양적 공리주의를 비판하면서 쾌락의 양만이 아니라 질적인 차이도 고려해야 한다고 보았다.

[선택지 분석]

① 갑: 행위의 동기뿐만 아니라 결과도 도덕 판단의 기준이 될 수 있다.

➡ 칸트는 행위의 동기만이 도덕 판단의 기준이 된다고 보았다.

② 갑: 행복은 다른 무엇을 실현하기 위한 수단이 아니라
    도덕
    목적 그 자체이다.

✔ 을: 행복의 총량을 증가시키지 않는 희생은 무의미하다.

➡ 밀은 다른 사람들의 선을 위해 자신의 최대 선까지도 희생할 수 있는 힘이 인간에게 있다고 보았다. 다만 행복의 총량을 증가시키지 않는 희생은 무의미하다고 보았다.

④ 을: 여러 가지 쾌락을 경험한 사람이 선호하는 쾌락을 바람직한 쾌락으로 보아서는 안 된다.

➡ 밀은 여러 가지 쾌락을 경험한 사람이 선호하는 쾌락이 보다 바람직한 쾌락이라고 보았다.

⑤ 갑, 을: 타인의 어려운 처지를 배려하는 동정심은 도덕의 기반이 될 수 있다.

➡ 칸트는 쾌락을 추구하는 인간의 자연적 경향성이나 동정심 등은 도덕의 기반이 될 수 없다고 보았다.

07 벤담과 밀의 윤리 사상 비교

자료 분석 | 갑은 벤담, 을은 밀이다. 벤담은 양적 공리주의를 주장하면서 실제 상황에서 쾌락과 고통의 양을 정확히 측정할 수 있다고 보았다. 밀은 질적 공리주의를 주장하면서 정상적인 사람이라면 누구나 질적으로 낮은 감각적 쾌락보다 질적으로 높은 고상한 쾌락을 추구할 것이라고 보았다.

[선택지 분석]

① 인생의 궁극적인 목적은 행복인가?

➡ 벤담과 밀 모두 긍정의 대답을 할 질문이다. 공리주의에서는 인생의 궁극적인 목적을 행복 또는 쾌락이라고 본다.

✔ 모든 쾌락은 질적으로 차이가 없다고 보아야 하는가?

➡ 벤담은 모든 쾌락은 질적으로 차이가 없다고 본 반면, 밀은 쾌락에는 양적인 차이뿐만 아니라 질적인 차이도 있다고 보았다.

③ 인간은 누구나 쾌락을 추구하고 고통을 피하려 하는가?

➡ 벤담과 밀 모두 긍정의 대답을 할 질문이다. 공리주의는 쾌락주의적 인간관에 뿌리를 두고 있다.

④ 정상적인 인간은 누구나 정신적이고 고상한 쾌락을 추구하는가?

➡ 벤담은 부정, 밀은 긍정의 대답을 할 질문이다. 벤담은 양을 측정해 더 많은 양의 쾌락을 추구할 것이라고 대답할 것이다.

⑤ 행위자 자신만이 아니라 관련된 모든 사람의 행복 증진을 위해 노력해야 하는가?

➡ 벤담과 밀 모두 긍정의 대답을 할 질문이다. 공리주의는 행위와 관련된 당사자 모두를 고려할 것을 요구한다.

08 행위 공리주의의 문제점

자료 분석 | 제시문에는 현대에 들어 규칙 공리주의가 대두된다는 내용이 나온다. 현대의 공리주의는 행위 공리주의가 지닌 한계를 지적하고 이를 극복하려는 시도에서 등장하였다. 따라서 제시문에서 ㉠에 들어갈 내용은 행위 공리주의가 지닌 문제점이 적절하다.

[선택지 분석]

㉠ 개별 행위의 유용성을 계산하기 어렵다

➡ 행위 공리주의는 매번 행위의 결과를 정확히 예측하고 일일이 계산하기 어렵다는 문제점을 지닌다.

㉡ 도덕적 상식에 어긋나는 행위를 정당화할 수 있다

➡ 행위 공리주의는 처해진 상황에 따라 유용한 행위를 선택하기 때문에 도덕적 상식이나 직관에 어긋나는 행위를 정당화하는 경우가 있다는 문제점을 지닌다.

✘ 구체적인 상황에서 좋지 않은 결과를 산출할 수 있다

➡ 규칙 공리주의의 문제점에 해당한다. 규칙 공리주의는 공리의 원리를 행위가 아닌 규칙에 적용하기 때문에 구체적인 상황에서 좋지 않은 결과를 산출할 수 있다.

✕ 규칙이 서로 갈등하는 상황에서 분명한 기준을 제시하지 못한다

➡ 규칙 공리주의의 문제점에 해당한다. 규칙 공리주의는 규칙이 서로 갈등하는 상황에서 어떻게 해야 하는지 분명한 기준을 제시하지 못하는 한계가 있다.

---

07 ~ 현대의 윤리적 삶

콕콕! 개념 확인하기
164쪽

01 (1) 실존 (2) 이성주의
02 (1) ◯ (2) ✕ (3) ✕ (4) ◯
03 (1) ㉣ (2) ㉢ (3) ㉡ (4) ㉠
04 (1) 실용주의 (2) 현금 가치
05 (1) 유용성 (2) 고정성
06 (1) ✕ (2) ◯

02 (2) 야스퍼스는 개인은 연대를 통해 다른 사람의 실존적 삶을 위해서도 노력해야 한다고 주장하였다.
(3) 하이데거는 현존재인 인간이 죽음을 향해 나아감을 자각할 때 참된 실존을 회복할 수 있다고 주장하였다.

06 (1) 듀이는 도덕이나 윤리도 변화하고 성장한다고 보았다.

탄탄! 내신 다지기
165~166쪽

01 ② 02 ⑤ 03 ⑤ 04 ⑤ 05 ① 06 ⑤ 07 ⑤
08 ② 09 ⑤ 10 해설 참조

01 실존주의의 특징

[선택지 분석]
㉠ 개인의 자유와 책임, 주체성을 강조하였다.
➡ 실존주의는 인간의 본질을 이성에서 찾던 기존 사상과 달리 개인의 자유와 책임, 주체성을 강조하였다.
✕ 객관적이고 보편적인 도덕의 중요성을 강조하였다.
➡ 실존주의는 근대 이성주의가 객관적이고 보편적인 지식이나 도덕을 강조한 나머지 개인이 겪는 구체적인 삶의 문제를 도외시했다고 비판한다.
㉢ 개인들이 주체적 결단을 통해 주체적 삶을 살아갈 것을 강조하였다.
➡ 실존주의는 개인들이 객관적이고 보편적인 원리에 따를 것이 아니라, 자신의 주체적 결단을 통해 주체적 삶을 살아갈 것을 강조한다.

✕ 인간의 이성에 대한 신뢰를 바탕으로 인간 소외 문제를 해결하려고 하였다.
➡ 실존주의는 개인의 주체성 회복을 통해 인간 소외 문제를 해결하려고 한다.

02 야스퍼스의 윤리 사상

[선택지 분석]
① 자신이 죽음에 이르는 존재임을 자각해야 실존을 회복할 수 있다.
➡ 현존재가 자신의 죽음을 자각할 때 획일화된 삶의 방식에서 벗어나 참된 실존을 회복할 수 있다고 본 사상가는 하이데거이다.
② 개인이 다른 사람의 실존적 삶을 위해 노력하려는 태도는 옳지 않다.
➡ 야스퍼스는 개인이 자신만이 아니라 다른 사람의 실존적 삶을 위해서도 노력해야 한다고 보았다.
③ 개인이 초월자에 대한 의존에서 벗어날 때 참된 실존을 회복할 수 있다.
➡ 야스퍼스는 초월자의 존재를 수용할 때 참된 실존을 회복할 수 있다고 보았다.
④ 개인이 자신의 유한성을 극복하고 무한함을 추구할 때 참된 실존을 회복할 수 있다.
➡ 야스퍼스는 개인이 자신의 유한성을 자각할 때 참된 실존을 회복할 수 있다고 보았다.
✓ 개인은 한계 상황에서 경험하는 절망을 발판 삼아 주체적 결단을 내려 참된 실존을 회복할 수 있다.
➡ 야스퍼스는 한계 상황에 직면한 개인이 자신의 유한성을 자각하는 순간 주체적 결단을 통해 초월자의 존재를 수용하고 참된 실존을 회복할 수 있다고 보았다.

03 하이데거의 윤리 사상

자료 분석 | 제시문은 하이데거의 주장이다. 하이데거는 인간이 죽음을 회피하거나 불안에 빠져 있기보다 죽음을 향해 가고 있다는 사실을 자각할 때 참된 실존을 회복할 수 있다고 보았다.

[선택지 분석]
① 현존재는 불안과 염려로부터 해방된 존재이다.
➡ 하이데거는 현존재가 늘 불안과 염려 속에서 살아간다고 보았다.
② 현존재는 보편적인 인간의 특성을 드러내는 존재이다.
➡ 하이데거는 현존재를 지금 여기에 구체적으로 있는 인간으로 규정하였다.
③ 자연의 모든 존재는 자기 자신의 죽음을 예견할 수 있다.
➡ 하이데거는 현존재만이 자신의 죽음을 예견할 수 있다고 보았다.
④ 이성적인 사고를 바탕으로 주체적인 결단을 내릴 때 참된 실존을 회복할 수 있다.
➡ 하이데거를 포함한 실존주의 사상가들은 이성적인 사고에 반대하는 반이성주의를 표방하였다.
✓ 인간은 죽음에 이르는 존재임을 주체적으로 자각할 때 참된 실존을 회복할 수 있다.

04 키르케고르의 윤리 사상

자료 분석 | 제시문은 키르케고르의 주장이다. 키르케고르는 진리는 개별적이고 주관적인 것이며, 오직 신에게 의지하고 신의 명령에 따라 살아가고자 결단을 내릴 때 참된 실존을 회복할 수 있다고 보았다.

[선택지 분석]

㉠ 실존적 상황에서는 오직 주체성만이 답을 줄 수 있다.

➡ 키르케고르는 주체성이 진리라고 주장하면서 실존적 상황에서는 객관적 도덕규범이 아니라 주체성만이 답을 줄 수 있다고 보았다.

✗ 인간은 윤리적 실존 단계에 이르러야 참된 실존을 회복할 수 있다.

➡ 키르케고르는 인간은 윤리적 실존 단계에서 자신의 불완전성을 자각해 절망에 빠지고, 종교적 실존 단계에 이르러야 신 앞에 선 단독자로서 자신의 주체성을 자각하고 참된 실존을 회복할 수 있다고 보았다.

㉢ 인간은 주체적 결정을 회피하면서 죽음에 이르는 병에 걸리게 된다.

➡ 키르케고르는 인간은 선택의 상황에서 늘 불안을 느끼는데, 이때 주체적 결정을 회피하면서 절망이라는 죽음에 이르는 병에 걸리게 된다고 보았다.

㉣ 참된 실존을 회복하기 위해서는 신 앞에 선 단독자로서 생각하고 행동해야 한다.

➡ 키르케고르는 불안과 절망을 극복하고 실존을 회복하기 위해서는 신 앞에 선 단독자로서 주체적으로 생각하고 행동해야 한다고 보았다.

05 사르트르의 윤리 사상

자료 분석 | 제시문은 사르트르의 주장이다. 사르트르는 인간은 본질이 미리 정해져 있는 사물들과는 달리 먼저 실존하고 스스로를 만들어 가는 존재라고 보았다.

[선택지 분석]

✔인간의 본질을 정해 줄 신은 존재하지 않는가?

➡ 사르트르는 인간의 본질을 정해 줄 신은 없으며, 인간은 먼저 실존한 다음 스스로를 형성해 나가는 존재라고 보았다.

② 인간은 태어날 때부터 인생의 목적을 부여받는가?

➡ 사르트르는 인간은 삶의 목적, 즉 본질이 정해져서 태어난다고 보지 않았다.

③ 인간에게는 마땅히 실행해야 할 미리 정해진 본질이 있는가?

➡ 사르트르는 인간의 경우에는 미리 결정된 존재의 목적이 없으므로 실존이 본질에 앞선다고 보았다.

④ 신에게 의지하는 삶을 살 때에만 참된 실존을 회복할 수 있는가?

➡ 사르트르는 신의 존재를 부정하는 무신론적 실존주의를 주장하였다.

⑤ 인간에게는 무언가를 선택할 수 있는 자유가 주어지지 않는가?

➡ 사르트르는 인간은 근본적으로 자유로운 존재로, 선택할 수 있는 자유를 가진다고 보았다.

06 실용주의의 특징

[선택지 분석]

✗ 지식의 도구적 가치보다 본래적 가치를 중시해야 한다.

➡ 실용주의는 지식의 본래적 가치보다 도구적 가치를 중시하는 입장이다.

✗ 옳고 그름과 선악에 대한 절대적 기준을 마련해야 한다.

➡ 실용주의는 옳고 그름과 선악의 절대적 기준을 강조하는 기존 사상을 비판하면서, 기존의 사상으로는 사회적 혼란을 해결할 수 없고, 환경 변화에 따라 지식과 도덕도 변화해야 한다고 주장한다.

㉢ 규범의 옳고 그름은 실제적 유용성을 기준으로 판단해야 한다.

➡ 실용주의는 유용성을 옳고 그름을 판단하는 기준으로 삼는다.

㉣ 경험적이고 과학적인 방법을 바탕으로 문제 해결을 위한 지식을 추구해야 한다.

➡ 실용주의는 경험적이고 과학적인 방법을 바탕으로 문제 해결을 추구하는 유용한 지식을 강조한다.

07 듀이의 윤리 사상

[선택지 분석]

① 학문적 지식은 그 자체로서 목적이 된다고 보았다.

➡ 듀이는 학문적 지식도 인간의 유용한 삶을 위한 도구로 간주하였다.

② 진리는 변하는 것이 아니라 고정된 것이라고 보았다.

➡ 듀이는 진리도 변화하고 성장하는 것이라고 보았다.

③ 도덕적 인간은 고정불변하는 최고선을 지닌 사람이라고 보았다.

➡ 듀이는 도덕적 인간은 도덕적으로 성장하는 과정에 있는 사람이라고 보았다.

④ 도덕이나 윤리는 시대와 장소를 초월하는 불변성을 지녀야 한다고 보았다.

➡ 듀이는 도덕이나 윤리도 시대나 상황에 따라 변화하고 성장한다고 보았다.

✔문제 상황에 대한 답을 얻기 위해서는 지성적 탐구가 이루어져야 한다고 보았다.

➡ 듀이는 문제 상황에 대한 답을 얻기 위해서는 지성적 탐구가 이루어져야 하고, 지성적 탐구는 실험적이고 실천적인 방법을 따라야 한다고 보았다.

08 제임스의 윤리 사상

자료 분석 | 제시문의 사상가는 제임스이다. 제임스는 지식의 현금 가치를 강조하면서, 지식과 신념은 다양한 삶의 문제들을 해결할 수 있을 때 비로소 가치를 지닌다고 보았다.

[선택지 분석]

① 진리를 소유하는 것 자체가 목표이다.

➡ 제임스는 진리를 소유하는 것은 목표가 될 수 없으며 진리는 다른 필수적인 만족을 위한 예비 수단일 뿐이라고 주장하였다.

✅ 실생활에 유용한 지식만이 가치를 지닌다.
⇒ 제임스는 지식과 신념이 우리의 삶에 이롭고 유용할 때 가치를 지닌다고 보았다.

③ 영원불변하는 절대적 가치를 추구해야 한다.
⇒ 제임스는 영원불변하는 절대적 가치는 존재하지 않는다고 보았다.

④ 행위의 결과에 비추어 도덕적 판단을 해서는 안 된다.
⇒ 제임스를 비롯한 실용주의 사상가들은 도덕적 판단의 기준으로 행위의 결과를 제시한다.

⑤ 지식이 지닌 현재적 가치보다 미래적 가치를 중시해야 한다.
⇒ 제임스는 현금 가치라는 개념을 통해 지식과 신념의 유용성을 강조하였다. 따라서 지식이 지닌 미래적 가치보다 현재적 가치를 중시하였다.

채점기준		
상	실용주의 사상의 긍정적 측면과 부정적 측면을 모두 정확하게 서술한 경우	
중	실용주의 사상의 긍정적 측면과 부정적 측면 중 하나의 경우만 정확하게 서술한 경우	
하	실용주의 사상의 긍정적 측면과 부정적 측면을 모두 서술하지 못한 경우	

09 듀이의 윤리 사상의 특징

자료 분석 | 제시문의 사상가는 듀이이다. 듀이는 성장과 진보를 옳은 것으로 보고, 도덕적 인간은 고정불변하는 최고선을 지닌 사람이 아니라 도덕적으로 성장하는 사람이라고 주장하였다.

[선택지 분석]

✗ 어떤 행위의 도덕적 가치는 행위의 동기에서 비롯된다.
⇒ 듀이는 행위의 도덕적 가치는 행위의 동기가 아니라 행위의 결과에 의해서 결정된다는 결과론의 입장이다.

ⓛ 지식은 우리가 직면한 문제를 해결하는 하나의 도구이다.
⇒ 듀이는 지식을 그 자체로 목적이 아니라 인간이 환경에 적응하기 위한 도구로 보았다.

ⓒ 고정된 도덕 원리를 적용해서는 최선의 결과를 산출할 수 없다.
⇒ 듀이는 사람들이 현실에서 부닥치는 도덕 문제는 다양하고 변화하므로 고정된 도덕 원리로는 최선의 결과를 산출할 수 없다고 보았다.

ⓔ 인간은 환경과 상호 작용하는 과정에서 끊임없이 문제 상황에 직면한다.
⇒ 듀이는 인간이 환경과 상호 작용하는 과정에서 문제 상황에 직면한다고 보았고, 이러한 문제 상황을 해결하는 과정에서 습득한 경험이 축적되어 지식이 된다고 보았다.

10 듀이와 실용주의의 특징

자료 분석 | 제시문의 사상가는 정적인 성과나 결과보다 성장, 개선, 진보의 과정을 중시한다는 점에서 듀이임을 알 수 있다.

(1) 사상가: 듀이, 사상: 실용주의

(2) [예시 답안] 실용주의의 긍정적 측면으로는 환경의 변화에 유연한 대처를 가능하게 한다는 점, 가치의 다양성을 인정하는 관용적 태도를 중시한다는 점이 있다. 부정적 측면으로는 지식의 도구적 가치만을 강조하여 본래적 가치를 인정하지 않는다는 점, 보편적인 도덕을 부정한 나머지 윤리적 상대주의에 빠질 수 있다는 점이 있다.

도전! 실력 올리기
167쪽

01 ③ **02** ③ **03** ① **04** ④

01 키르케고르와 사르트르의 윤리 사상 비교

자료 분석 | 갑은 심미적·종교적 단계라는 용어를 통해 키르케고르, 을은 신이 존재하지 않으므로 인간의 본질도 미리 정해지지 않는다고 본 점을 통해 사르트르임을 알 수 있다. 키르케고르는 종교적 단계에서 신 앞에 선 단독자로서 생각하고 행동할 때 참된 실존을 회복할 수 있다고 보았다. 이처럼 신을 전제한 키르케고르의 실존주의를 유신론적 실존주의라고 한다. 사르트르는 인간의 본질을 정해 줄 신이 존재하지 않기 때문에 인간은 먼저 실존한 다음 스스로를 형성해 가는 존재라고 보았다. 이처럼 신을 부정한 사르트르의 실존주의를 무신론적 실존주의라고 한다.

[선택지 분석]

✗ A: 보편타당한 진리 인식을 통해 실존 회복이 가능한가?
⇒ 두 사상가 모두 부정의 대답을 할 질문이다. 실존주의에서는 보편타당한 진리 인식을 통해 실존을 회복할 수 있다고 보지 않는다.

ⓛ B: 불안을 극복하기 위해서는 신에게 의지해야 하는가?
⇒ 키르케고르는 긍정, 사르트르는 부정의 대답을 할 질문이다. 키르케고르는 불안을 극복하고 참된 실존을 회복하기 위해서는 신에게 의지해야 한다고 보았다. 반면에 사르트르는 신은 존재하지 않는다고 보았다.

✗ B: 참된 자신의 삶을 위해 주체적 결단을 내려야 하는가?
⇒ 두 사상가 모두 긍정의 대답을 할 질문이다.

ⓔ C: 인간은 자유롭지만 자유 자체는 선택할 수 없는가?
⇒ 사르트르가 긍정의 대답을 할 질문이다. 사르트르는 인간은 선택할 수 있는 자유를 지니지만 자유 자체는 선택할 수 없는, 즉 인간은 자신이 원하든 원하지 않든 자유로울 수밖에 없는 존재로 보았다.

02 듀이의 윤리 사상

자료 분석 | 제시문은 듀이의 주장이다. 듀이는 자연 과학에서 탐구 절차를 거치듯이 도덕에서도 이러한 탐구 절차를 거쳐야 한다고 보았다. 그는 도덕이나 윤리도 시대와 상황에 따라 변화하고 성장하는 것이라고 주장하였다.

① 지식은 불변의 목적인 도덕의 도구가 되는가?

➡ 듀이는 도덕을 불변의 목적으로 간주하지 않고 성장·변화하는 것으로 보았다.

② ~~경험과 관찰~~보다 ~~직관적 판단~~을 중시해야 하는가?
직관적 판단   경험과 관찰

✔ 과학적 발견을 통해 인류의 성장과 진보가 가능한가?

➡ 듀이는 지성적 탐구를 통한 과학적 발견이 문제 상황을 개선하고 사회의 성장과 진보를 가져올 수 있다고 보았다.

④ 지식은 세계를 개선하는 데 유용한 절대적 규범인가?

➡ 듀이는 지식을 세계를 개선하는 데 유용한 규범으로 여겼지만 절대적 규범으로 보지는 않았다.

⑤ 오류 가능성이 완전히 제거된 것만을 지식으로 받아들여야 하는가?

➡ 듀이는 우리가 지성적 탐구를 통해 얻은 지식이라고 하더라도 오류 가능성이 남아 있을 수 있다고 보았다. 따라서 언제든지 수정되고 재구성될 수 있다고 여겼다.

03 스피노자와 키르케고르의 윤리 사상 비교

자료 분석 | 갑은 스피노자, 을은 키르케고르이다. 스피노자는 신이 곧 자연이라는 범신론을 주장한 반면, 키르케고르는 신을 이 세상을 창조한 인격신으로 보았다.

[선택지 분석]

㉠ 갑: 인간과 사물은 무한한 실체가 다양한 모습으로 나타난 것이다.

➡ 스피노자는 무한한 실체인 신 즉 자연이 다양한 모습으로 나타난 것이 인간과 사물이라고 주장하였다.

㉡ 을: 도덕적인 삶만으로는 신과 하나가 될 수 없다.

➡ 키르케고르는 도덕적 삶을 추구하는 윤리적 실존 단계가 아니라 신에게 전적으로 의지하는 종교적 실존 단계에서 신과 하나가 되어 참된 실존을 회복할 수 있다고 보았다.

✘ 을: 인간의 보편적 본질에 대한 추구를 실존의 출발점으로 보아야 한다.

➡ 키르케고르와 같은 실존주의 사상가들은 인간의 보편적 본질 탐구가 아니라 인간의 실존 회복을 중시하였다.

✘ 갑, 을: 인격신의 은총에 의해서만 참된 행복을 얻을 수 있다.

➡ 스피노자가 말하는 신은 이 세계를 창조한 인격신이 아니라 이 세계 그 자체인 신이다.

04 하이데거와 야스퍼스의 윤리 사상 비교

자료 분석 | 갑은 하이데거, 을은 야스퍼스이다. 하이데거는 현존재인 인간이 죽음을 수용하는 주체적 결단을 내림으로써 참된 실존을 회복할 수 있다고 보았다. 야스퍼스는 인간이 극복할 수 없는 한계 상황을 직시함으로써 참된 실존을 회복할 수 있다고 보았다.

[선택지 분석]

① 갑: 인간은 현실적인 존재가 아니라 추상적인 존재이다.

➡ 하이데거는 인간을 논리적이고 추상적인 존재가 아니라 현실적이고 구체적인 존재, 즉 현존재로 보았다.

② 갑: 신에 대한 믿음을 통해 죽음을 극복할 때 참된 실존을 회복할 수 있다.

➡ 하이데거는 죽음을 회피하기보다는 수용하는 주체적 결단을 내림으로써 참된 실존을 회복할 수 있다고 보았다.

③ 을: 이성적 합리성을 추구함으로써 한계 상황을 극복할 수 있다.

➡ 야스퍼스와 같은 실존주의 사상가들은 이성적 합리성을 추구하는 근대 이성주의로 인해 인간 소외 문제가 발생했다고 보았다.

✔ 을: 한계 상황 속에서 좌절에 대한 경험이 실존을 각성하게 한다.

➡ 야스퍼스는 한계 상황 속에서 겪게 되는 좌절과 절망에 대한 경험이 실존을 각성하게 하는 근본 계기가 된다고 보았다.

⑤ 갑, 을: 보편적 도덕규범을 따를 때 참된 자신을 발견할 수 있다.

➡ 두 사상가 모두 보편적 도덕규범을 따른다고 해서 참된 자신을 발견할 수 있다고 보지 않았다. 두 사상가는 주체적인 삶을 살 때 참된 자신을 발견할 수 있다고 보았다.

한번에 끝내는 대단원 문제					170~175쪽

01 ②	02 ③	03 ④	04 ⑤	05 ③	06 ④	07 ⑤
08 ⑤	09 ③	10 ④	11 ④	12 ③	13 ②	14 ①
15 ②	16 ④	17 ⑤	18 ⑤	19 ⑤	20 ③	
21~24 해설 참조						

01 소크라테스의 윤리 사상

자료 분석 | 제시문은 고대 그리스 사상가 소크라테스의 주장이다. 소크라테스는 악덕은 무지(無知)로부터 비롯된다는 주지주의(主知主義)적 입장을 역설하였다.

[선택지 분석]

① 개별적 인간이 만물의 척도인가?

➡ 소크라테스는 이성을 통해 보편 타당한 도덕규범을 파악할 수 있다고 주장하였다.

✔ 행복한 삶은 덕에 대한 지식을 갖추었을 때 가능한가?

➡ 소크라테스는 참된 지식이 도덕적 행동의 전제가 되고, 이는 곧 행복과 연결된다는 지덕복 합일설을 주장하였다.

③ 인간과 사회보다 자연을 탐구 대상으로 삼아야 하는가?

➡ 고대 그리스 자연 철학자들과 달리 소크라테스는 인간과 사회를 탐구 대상으로 삼았다.

④ 행위의 옳고 그름은 사회적인 합의에 의해 결정되는가?

➡ 소크라테스가 행위의 옳고 그름을 판단하는 기준은 보편적 이성이다.

⑤ 객관적 지식을 얻기 위해 이성보다 감각과 경험에 의존해야 하는가?

➡ 소피스트와 달리 소크라테스는 이성을 통해 객관적 지식을 얻을 수 있다고 보았다.

02 소크라테스와 소피스트의 윤리 사상 비교

자료 분석 | 제시된 자료에서 갑은 소크라테스이며, 을은 소피스트인 프로타고라스이다. **소크라테스는 참된 앎이 덕 그 자체라고 보며, 보편적 진리를 찾기 위한 노력을 강조하였다.** 반면 프로타고라스는 선악의 객관적 기준은 존재하지 않는다는 인간 척도설을 통해 윤리적 상대주의를 주장하였다.

[선택지 분석]

㉠ A: 참된 앎이 덕 그 자체임을 깨달아야 한다. → 소크라테스

✗ B: 보편적 진리를 찾기 위해 노력해야 한다.
Ⓐ

✗ B: 개인의 비도덕적 행동은 무지에서 비롯됨을 알아야 한다.
Ⓐ

㉣ C: 선악의 객관적인 기준은 존재하지 않는다. → 프로타고라스

03 소피스트와 플라톤의 윤리 사상 비교

자료 분석 | (가)의 갑은 소피스트인 프로타고라스, 을은 플라톤이다. **프로타고라스는 보편타당한 윤리를 부정하는 상대주의적 윤리관을 주장하였으며, 플라톤은 이데아론을 중심으로 이상주의적 세계관을 주장하였다. 플라톤은 지혜를 갖추고 선의 이데아를 인식하는 철인이 다스리는 정치를 이상적인 정치로 보았으며, 수호자의 재산 공유를 주장하였다.**

[선택지 분석]

① A: 누구에게나 보편타당한 규범은 존재하는가?
➡ 프로타고라스가 부정의 대답을 할 질문이다.

② B: 인간이 아니라 자연을 학문의 주제로 삼아야 하는가?
➡ 프로타고라스가 부정의 대답을 할 질문이다. 이 질문에는 그리스의 자연 철학자들이 긍정의 대답을 할 것이다.

③ B: 모든 진리는 상대적인 것이 아니라 절대적인 것인가?
➡ 프로타고라스가 부정의 대답을 할 질문이다. 프로타고라스는 절대적 진리를 부정하였다.

✔ C: 이상적 사회는 제한적으로 공유제가 실현되는 사회인가?
➡ 플라톤이 긍정의 대답을 할 질문이다. 플라톤은 전체 계급이 아닌 수호자의 재산 공유를 주장하였다.

⑤ C: 다양한 윤리적인 삶이 존재할 뿐 보편타당한 윤리는 존재하지 않는가?
➡ 플라톤이 부정의 대답을 할 질문이다. 이 질문에는 프로타고라스가 긍정의 대답을 할 것이다.

04 플라톤의 윤리 사상

자료 분석 | 제시문의 사상가는 지혜를 갖춘 철학자가 통치할 때 정의로운 국가가 된다는 철인 통치론을 주장한 점을 통해 플라톤임을 알 수 있다. 플라톤은 지혜를 갖춘 철학자가 국가 구성원의 행복을 위해 봉사하는 통치자가 되고 세 계급이 각자의 역할을 잘 수행해 조화를 이루어야 한다고 보았다.

[선택지 분석]

① 민주주의는 어리석은 대중들의 정치이다.
➡ 플라톤은 고대 그리스의 민주 정치를 비판하였다.

---

② 덕을 알면서 고의로 행하지 않는 사람은 없다.
➡ 플라톤은 소크라테스의 주지주의를 계승하였다.

③ 현실 속에서는 이상적인 선이 존재할 수 없다.
➡ 플라톤은 이상주의적 세계관을 주장하였다.

④ 이상 사회는 각자가 자신의 역할을 수행하는 사회이다.
➡ 플라톤은 통치 계급, 군인 계급, 생산 계급이 각자 자신의 역할을 수행해야 한다고 보았다.

✔⑤ 옳은 행위는 의지를 바탕으로 한 지속적 실천이 전제된다.
→ 아리스토텔레스

05 아리스토텔레스의 윤리 사상

자료 분석 | 제시문은 "니코마코스 윤리학"에서 발췌한 것으로, 아리스토텔레스의 주장이다. **아리스토텔레스는 인간만이 지닌 고유한 이성을 잘 발휘할 때 덕을 지닐 수 있으며, 덕을 반복적으로 실천하여 습관화함으로써 행복을 얻을 수 있다고 보았다.**

[선택지 분석]

✗ 품성적 덕을 갖추는 것이 궁극적 목적인가?
➡ 아리스토텔레스는 행복이 궁극적 목적이라고 보았다.

㉡ 품성적 덕을 갖추려면 실천적 지혜가 필요한가?
➡ 아리스토텔레스는 덕은 지적인 덕과 품성적 덕으로 구분되는데, 품성적 덕을 갖추려면 실천적 지혜가 필요하다고 보았다.

✗ 유덕한 행동을 한 사람은 모두 유덕한 사람인가?
➡ 한두 번의 유덕한 행동을 했다고 유덕한 사람이라고 단정할 수 없다. 아리스토텔레스는 유덕한 행위를 반복적으로 실천해야 한다고 보았다.

㉣ 자제력이 부족한 사람은 앎에 반하게 행동할 수 있는가?
➡ 아리스토텔레스는 선을 알더라도 의지의 나약함으로 인해 악행을 저지를 수 있다고 보았다.

06 플라톤과 아리스토텔레스의 윤리 사상 비교

자료 분석 | 제시문의 갑은 선의 이데아를 강조한 점을 통해 플라톤, 을은 중용의 덕을 강조한 점을 통해 아리스토텔레스임을 알 수 있다.

[선택지 분석]

갑	을
✔㉢	㉠

➡ 플라톤은 현실 세계가 아닌 이데아의 세계에서 진리를 찾을 수 있다고 본 이상주의적 세계관을 주장하였고, 아리스토텔레스는 현실 세계에서 진리를 찾을 수 있다고 보았다. 두 사상가 모두 덕 있는 삶을 살 때 행복할 수 있다고 보았다.

07 에피쿠로스학파와 스토아학파의 윤리 사상 비교

자료 분석 | 제시문의 갑은 에피쿠로스, 을은 스토아학파 사상가이다. **에피쿠로스는 정신적·지속적 쾌락을 통해 욕망을 절제하면서 소극적 쾌락을 추구하였으며, 스토아학파는 자연의 법칙과 이성에 따라 운명에 순응하는 삶을 강조하였다. 두 사상 모두 욕망의 절제를 통한 평온한 삶을 추구한 것이 공통점이다.**

[선택지 분석]

✗ A: 모든 욕망과 감정에서 벗어나야 한다.

III. 서양 윤리 사상 **59**

➡️ 에피쿠로스학파와 스토아학파 모두 욕망의 절제를 강조한 것이지, 모든 욕망 자체를 부정한 것은 아니다.

✗ B: 이성을 통해 만물을 관조하면서 평온을 얻어야 한다.
  ➡️ 에피쿠로스학파는 이성을 통해 고통을 제거해 쾌락에 이르고자 하였다.

ⓒ B: 욕망의 절제를 통한 평온한 삶으로서의 행복을 추구해야 한다.

ⓔ C: 자연의 법칙과 이성에 따라 행위 하는 것이 인간의 의무이다.

08 에피쿠로스학파의 윤리 사상의 특징

자료 분석 | 제시문은 에피쿠로스의 죽음관이다. 에피쿠로스는 바람직한 삶을 위해 자연적이고 필수적 욕구를 최소로 충족해야 한다고 주장하였고, 공적인 삶에서 벗어나 사적인 공간에서 소수의 친구들과 우정을 나누며 정의롭게 사는 삶을 권장하였으며, 헛된 욕심을 버리고 절제하며 검소하게 살아야 한다고 보았다.

[선택지 분석]

① 순간적이고 감각적인 쾌락을 추구한다.
  ➡️ 에피쿠로스는 쾌락의 역설을 주장하였다.

② 필수적이지 않은 욕구를 충족하고자 힘쓴다.
  ➡️ 에피쿠로스는 자연적이고 필수적인 욕구만 충족할 것을 주장하였다.

③ 모든 감정이나 욕망으로부터 벗어나기 위해 노력한다.
  ➡️ 에피쿠로스학파는 욕망의 절제를 주장한 것이지, 모든 욕망에서 벗어날 것을 주장한 것은 아니다.

④ 어떤 상황에서도 동요하지 않는 정신 상태를 지향한다.
  ➡️ 에피쿠로스는 몸의 고통과 마음의 불안이 소멸한 아타락시아(평정심)를 지향하였다.

✅ 공적인 삶에서 벗어나 작은 공동체에서 우정을 나누려고 노력한다.

09 스토아학파와 에피쿠로스학파의 윤리 사상 비교

자료 분석 | 제시문의 갑은 주어진 운명을 순응하며 받아들일 것을 강조한 점을 통해 스토아학파 사상가, 을은 신과 운명 및 죽음에 대한 잘못된 믿음을 제거하여 평정심에 이를 것을 강조한 점을 통해 에피쿠로스임을 알 수 있다.

[선택지 분석]

✅ ㉢
  ➡️ 갑의 입장에 비해 을의 입장은 금욕적 생활을 강조하는 정도가 낮고, 사적인 생활을 중시하는 정도가 높으며, 주어진 운명에 대한 순응을 강조하는 정도는 낮다. 따라서 X와 Z는 낮고, Y는 높다.

10 아우구스티누스와 아퀴나스의 윤리 사상 비교

자료 분석 | 갑은 아우구스티누스, 을은 아퀴나스이다. 아우구스티누스는 플라톤 철학을 수용하여 세계를 지상의 국가와 천상의 국가로 구분하는 이원론적 세계관을 제시하였다. 아퀴나스는 신의 존재를 이성적으로 논증할 수 있다고 보았다.

[선택지 분석]

① 갑: 신은 ~~이성적으로 인식할 수 있는 대상~~이다.
  이성적 인식을 넘어선 존재

② 갑: 신은 실재적 존재가 아니라 관념적 존재이다.
  ➡️ 아우구스티누스는 신을 실재적 존재로 보았다.

③ 을: 신학적 진리와 철학적 진리는 모순 관계에 ~~있었다.~~
  있지 않다

✅ 을: 종교적 덕을 실천함으로써 신과 하나가 되어야 한다.
  ➡️ 아퀴나스는 자연적 덕의 실천만으로는 영원한 행복에 이를 수 없으며 종교적 덕을 실천해야 한다고 보았다.

⑤ 갑, 을: 영원한 행복은 인간 스스로의 노력을 통해 이루어진다.
  ➡️ 두 사상가는 모두 영원한 행복은 신의 사랑과 은총에 의해서만 가능하다고 보았다.

11 아퀴나스, 키르케고르, 스피노자의 윤리 사상 비교

자료 분석 | 갑은 아퀴나스, 을은 키르케고르, 병은 스피노자이다. 아퀴나스는 자연법은 영원법에 근거하며 인간의 이성으로 파악할 수 있다고 보았다. 키르케고르는 개인이 주체적 결정을 회피하면서 죽음에 이르는 병에 걸리게 된다고 보았다. 스피노자는 신을 자연 그 자체로 보았다.

[선택지 분석]

① A: 신에게 귀의할 때만 참된 삶이 가능함을 간과한다.
  ➡️ 을(키르케고르)도 신에게 귀의할 때만 참된 삶을 살 수 있다고 보기 때문에 을에 대한 갑의 비판으로 적절하지 않다.

② B: 인간의 본질을 정해 줄 신이 없음을 간과한다.

③ C: 신이 실존을 통해 만나야 할 인격적 존재임을 간과한다.

✅ C, E: 신이 만물의 내재적 원인임을 간과한다.
  ➡️ 스피노자는 신이 자연 그 자체이기 때문에 만물의 내재적 원인이라고 보았다. 그에 비해 아퀴나스와 키르케고르는 신이 이 세상을 창조하였기 때문에 만물의 초월적 원인이 된다고 보았다.

⑤ D, F: 신을 포함한 만물에게는 자유 의지가 없음을 간과한다.

12 베이컨과 데카르트의 윤리 사상 비교

자료 분석 | 갑은 베이컨, 을은 데카르트이다. 베이컨은 자연에 대한 참된 인식을 방해하는 선입견과 편견을 우상이라고 부르고 귀납법을 통해 이를 타파할 것을 주장하였다. 데카르트는 확실하고 자명한 지식을 얻기 위하여 방법적 회의를 사용하였고 연역법을 통해 개별적 이치를 알아낼 것을 주장하였다.

[선택지 분석]

✗ 지식을 얻기 위해서는 이성적 추론이 필요 없는가?
  ➡️ 두 사상가 모두 부정의 대답을 할 질문이다. 데카르트뿐만 아니라 베이컨도 이성적 추론이 필요하다고 보았다. 베이컨은 관찰과 실험을 통해 얻은 정보를 분석할 때 이성적 추론이 필요하다고 하였다.

ⓛ 지식의 근원을 이성이 아니라 경험에 두어야 하는가?
  ➡️ 베이컨은 지식의 근원을 경험에, 데카르트는 이성에 두어야 한다고 보았다.

ⓒ 주로 관찰과 실험을 통해 얻은 원리를 바탕으로 새로운 지식을 얻어 내야 하는가?

➡ 베이컨은 관찰과 실험을 통해, 데카르트는 이성적 추론을 통해 새로운 지식을 얻어 내야 한다고 보았다.

✖ 일반적인 원리로부터 논리적 추론을 통해 개별적인 이치를 알아내는 방법을 주로 사용해야 하는가?

➡ 베이컨은 귀납법을, 데카르트는 연역법을 진리를 인식하는 방법으로 강조하였다.

13 흄과 스피노자의 사상 비교

자료 분석 | 갑은 흄, 을은 스피노자이다. **흄은 도덕적 실천의 동기가 되는 것은 이성이 아니라 감정이라고 보았다. 스피노자는 신은 유일한 실체이고, 인간과 개별 사물은 신의 양태라고 보았다.**

[선택지 분석]

① 갑은 선악은 이성적으로 판단되는 것이 아니라고 본다.

➡ 흄은 선악은 어떤 행위를 바라볼 때 느끼는 시인의 감정이나 부인의 감정을 표현한 것이라고 보았다.

☑ 갑은 인간이 인과 관계의 실체를 인식해야만 참된 지식을 얻을 수 있다고 본다.

➡ 흄은 인과 관계는 우리가 반복적으로 실천함으로써 알게 된 것일 뿐, 우리는 원인과 결과의 실제적 결합을 알 수 없다는 회의주의적 인식론을 주장하였다.

③ 을은 인간을 유일한 실체가 변한 양태(樣態)라고 본다.

④ 을은 자연적 필연성에서 벗어나 자유 의지를 가지는 것은 불가능하다고 본다.

➡ 스피노자는 인간에게는 자유 의지가 없다고 보았다.

⑤ 을은 갑과 달리 인간의 이성을 도덕의 기반으로 삼아야 한다고 본다.

➡ 스피노자는 이성을, 흄은 감정을 도덕의 기반으로 삼았다.

14 조건부 의무론과 규칙 공리주의 비교

자료 분석 | (가)는 조건부 의무론, (나)는 규칙 공리주의의 입장이다. **조건부 의무론은 도덕적 의무 간의 상충 문제를 해결하기 위해 정언 명령보다 느슨한 조건부 의무를 제시한다. 규칙 공리주의는 행위의 옳고 그름이 최대의 유용성을 산출하는 규칙과의 일치 여부에 따라 결정된다고 본다.**

[선택지 분석]

ⓒ (가)는 도덕 원칙도 인간의 직관과 상식에 따라 유보될 수 있다고 본다.

➡ 조건부 의무론에서는 절대적 도덕 의무는 존재하지 않으며 도덕 원칙도 직관과 상식에 따라 유보될 수 있다고 본다.

✖ (가)는 언제 어디서나 지켜야 하는 절대적 도덕 의무가 ~~존재한다고~~ 본다.
존재하지 않는다고

ⓒ (나)는 공리의 원리를 행위의 규칙에 적용해야 한다고 본다.

✖ (가), (나)는 행위의 동기가 아닌 결과를 도덕 판단의 기준으로 삼아야 한다고 본다.

15 칸트의 윤리 사상

자료 분석 | 제시문은 칸트의 주장이다. **칸트는 도덕 법칙은 의무이자 강제이며, 의무로부터 비롯된 행위만이 도덕적 행위라고 보았다.**

[선택지 분석]

① 도덕의 가치는 그것의 행복 실현 정도에 달려 있다.

➡ 칸트는 행복을 도덕의 목적으로 간주하지 않았다.

☑ 선의지에 따른 행위가 항상 행복을 보장하지는 않는다.

➡ 칸트는 선의지에 따른 행위만이 도덕적 행위이며, 도덕적 행위의 목적이 행복이 아니므로 도덕적 행위와 행복이 항상 일치하는 것은 아니라고 보았다.

③ 개인의 준칙은 어떠한 경우에도 도덕 법칙으로 성립할 수 없다.

➡ 칸트는 개인의 준칙이 보편적 입법의 원리가 될 경우 도덕 법칙으로 성립 가능하다고 보았다.

④ 동정심에 근거한 행위가 의무에 맞을 경우 무조건적으로 선하다.

➡ 칸트는 동정심에 근거한 행위는 도덕적 행위가 될 수 없다고 보았다.

⑤ 보편적이고 자연스러운 경향성에 따라 행위 하는 것이 도덕적 행위이다.

➡ 칸트는 자연스러운 경향성에 따른 행위는 도덕적 행위가 될 수 없다고 보았다.

16 벤담, 밀, 에피쿠로스의 윤리 사상 비교

자료 분석 | 갑은 벤담, 을은 밀, 병은 에피쿠로스이다. **벤담은 양적 공리주의를, 밀은 질적 공리주의를 주장하였다. 에피쿠로스는 몸과 마음에 고통이 없는 상태를 이상적 상태로 추구하였다.**

[선택지 분석]

ⓒ A: 쾌락에는 질적인 차이는 없고 양적인 차이만 있는가?

➡ 벤담은 쾌락의 질적 차이를 부정한 반면 밀은 정신적 쾌락을 감각적 쾌락보다 우월한 것으로 보았다.

ⓒ B: 개인적 쾌락뿐만 아니라 사회적 쾌락도 함께 추구해야 하는가?

➡ 밀은 공리주의로서 사회적 쾌락의 추구를 강조한 반면, 에피쿠로스는 개인적 쾌락의 추구를 강조하였다.

✖ C: 도덕 판단의 기준이 되는 보편적 도덕 원칙은 없는가?

➡ 밀은 공리의 원리를 보편적 도덕 원칙으로 제시하였다.

ⓒ D: 적극적으로 쾌락을 추구하기보다는 고통의 제거에 힘써야 하는가?

➡ 에피쿠로스는 소극적 쾌락주의의 입장으로, 적극적으로 쾌락을 추구하기보다는 고통의 제거에 힘썼다.

17 흄과 칸트의 윤리 사상 비교

자료 분석 | 갑은 흄, 을은 칸트이다. **흄은 도덕적 선악은 이성적으로 판단되는 것이 아니라 사회적 시인 혹은 부인의 감정을 표현한 것이라고 보았다. 칸트는 도덕과 행복은 양립 가능하지만 행복을 도덕의 목적이라고 할 수는 없다고 보았다.**

[선택지 분석]

⊙ A: 도덕에 있어서 이성은 감정의 보조자일 뿐이다.
　　　　　　　　　　　　　　→ 흄 ○, 칸트 ×
　➡ 흄은 도덕적 실천의 동기가 되는 것은 감정이며, 이성은 감정의 보조 역할만을 할 뿐이라고 주장하였다.

✗ B: 공감에 바탕을 둔 행위는 도덕적 행위이다.
　　　　　　　　　　　　　　→ 흄 ○, 칸트 ×
　➡ 칸트는 공감과 같은 감정에 바탕을 둔 행위는 도덕적 행위가 아니라고 보았다.

⊙ B: 도덕적 행위와 행복의 추구는 양립 가능하다.
　　　　　　　　　　　　　　→ 흄 ○, 칸트 ○
　➡ 흄은 사회적 행복을 가져다주는 행위가 도덕적 행위라고 보며, 칸트는 도덕과 행복이 양립 가능하다고 보았다.

⊙ C: 의무로부터 비롯된 행위만이 도덕적 행위이다.
　　　　　　　　　　　　　　→ 흄 ×, 칸트 ○
　➡ 흄은 공감에서 비롯된 행위를, 칸트는 의무로부터 비롯된 행위를 도덕적 행위라고 보았다.

18 키르케고르와 사르트르의 윤리 사상 비교

자료 분석 | 갑은 키르케고르, 을은 사르트르이다. 키르케고르는 주체성이 진리라고 하면서 실존적 상황에서는 객관성이 아니라 주체성만이 답을 줄 수 있다고 보았다. 사르트르는 인간은 이 세상에 내던져진 존재로 먼저 실존한 다음 자신의 주체적 선택으로 스스로를 형성해 나가는 존재라고 보았다.

[선택지 분석]

① 갑: 진리는 개별적이고 주관적인 것이다.
　➡ 키르케고르는 주체성이 진리이기 때문에 진리는 객관적인 것이 아니라 개별적이고 주관적인 것이라고 보았다.

② 갑: 참된 실존을 회복하기 위해서는 신 앞에 선 단독자로서 행동해야 한다.
　➡ 키르케고르는 신 앞에 선 단독자로 행동하는 종교적 실존 단계에 이르러서야 비로소 참된 실존을 회복할 수 있다고 보았다.

③ 을: 인간의 본질을 정해 줄 신은 존재하지 않는다.
　➡ 사르트르는 신은 존재하지 않는다는 무신론적 실존주의를 주장하였다.

④ 을: 사회 문제에 관심과 책임 의식을 지녀야 한다.
　➡ 사르트르는 인간은 자신의 행위를 통해 사회에 참여하므로 사회 문제에도 적극적인 관심과 책임 의식을 지녀야 한다고 보았다.

⑤ 갑, 을: 인간의 보편적 특성인 본질의 파악을 중시해야 한다.
　➡ 실존주의에서는 인간의 본질 파악보다 개인의 주체성 회복을 중시하였다.

19 제임스와 싱어의 윤리 사상 비교

자료 분석 | 갑은 제임스, 을은 싱어이다. 실용주의자인 제임스는 '현금 가치'라는 개념을 통해 지식과 신념의 유용성을 강조하였다. 싱어는 선호 공리주의를 바탕으로 감각을 지닌 개체의 선호를 동등하게 고려해야 한다고 주장하였다.

[선택지 분석]

① 갑은 현금이 최고의 가치를 지닌다고 본다.
　➡ 제임스는 현금이 최고의 가치를 지닌다고 주장하지 않고, 현금처럼 지식이 일상생활에 유용해야 함을 주장하였다.

② 갑은 지식이나 규범은 그 자체로서 가치를 ~~지닌다~~고 본다.
　　　　　　　　　　　　　　　　　지니지 않는다고

③ 을은 인간과 동물의 선호를 동등하게 고려하는 것은 ~~옳지 않다~~고 본다.
　　옳다고

④ 을은 좋은 결과는 욕구하는 것의 실현이 아닌 쾌락의 증가로 보아야 한다고 본다.
　➡ 싱어는 좋은 결과를 욕구하는 것, 즉 선호의 실현으로 보아야 한다는 선호 공리주의를 주장하였다.

⑤ 갑, 을은 행위의 결과를 도덕 판단의 기준으로 삼아야 한다고 본다.
　➡ 두 사상가 모두 행위의 동기가 아닌 결과를 도덕 판단의 기준으로 삼아야 한다고 보았다.

20 듀이의 윤리 사상

자료 분석 | 제시문은 듀이의 주장이다. 듀이는 개념이나 이론과 같은 지식들은 인간의 삶을 위한 도구이며, 도구의 가치는 그것의 사용 결과가 유용한지의 여부에 따라 결정된다고 보았다.

[선택지 분석]

① 도덕의 과제는 절대적 가치를 발견하는 데 있다.
　➡ 듀이는 절대적인 가치는 존재하지 않는다고 보았다.

② 행위의 도덕적 가치는 그 행위의 ~~동기~~에서 비롯된다.
　　　　　　　　　　　　　　　　결과

③ 어떤 관념의 진리 여부는 그것의 유용성 여부에 달려 있다.

④ 과학적인 검증으로 확실하고 고정된 진리를 발견해야 한다.
　➡ 듀이는 확실하고 고정된 진리는 존재하지 않는다고 보았다.

⑤ 지식을 삶을 개선하기 위한 도구로 보는 것은 적절하지 않다.
　➡ 듀이는 지식을 삶을 개선하기 위한 도구라고 보았다.

21 소크라테스의 윤리 사상

자료 분석 | 덕과 행복을 연결한 소크라테스의 사상은 지덕복 합일설이라고 한다.

(1) 지덕복 합일설

(2) [예시 답안] 소크라테스의 입장에서 도덕적 행위를 실천하기 위한 전제 조건은 도덕적 지식이다. 그리고 악행을 저지르는 이유는 무지(無知) 때문이다.

채점 기준		
상	소크라테스의 도덕적 행동을 위한 전제 조건과 악행의 이유를 모두 정확하게 서술한 경우	
중	소크라테스의 도덕적 행동을 위한 전제 조건과 악행의 이유 중 하나만 정확하게 서술한 경우	
하	소크라테스의 도덕적 행동을 위한 전제 조건과 악행의 이유를 모두 서술하지 못한 경우	

22 스토아학파의 윤리 사상

자료 분석 | 스토아학파는 세계의 모든 일은 이성의 인과 법칙에 의해 필연적으로 발생한다고 보고 주어진 운명에 순응할 것을 강조하였다.

(1) 스토아학파

(2) [예시 답안] 우리에게 일어나는 모든 일들을 운명으로 받아들이고, 운명에 순응하고 운명을 사랑해야 한다.

채점기준		
상	스토아학파의 입장을 바탕으로 운명에 따라야 한다는 내용을 정확하게 서술한 경우	
하	스토아학파의 입장을 바탕으로 운명을 대하는 태도를 서술하지 못한 경우	

23 아퀴나스와 스피노자의 신 개념

자료 분석 | 아퀴나스는 신앙의 우위를 인정하면서도 신앙과 이성의 조화를 주장하였고, 스피노자는 지복을 신에 대한 인식에서 얻을 수 있다고 보았다.

(1) 갑: 아퀴나스, 을: 스피노자

(2) [예시 답안] 갑은 신을 이 세상을 창조한 인격신으로 보는 반면, 을은 신을 자연 그 자체로 인식한다. 갑은 신을 세계 외적 존재로 보는 반면, 을은 신을 세계 내적 존재로 본다.

채점기준		
상	갑과 을이 주장하는 신의 특성을 모두 정확하게 서술한 경우	
중	신에 대한 갑과 을의 입장 중 하나의 경우만 정확하게 서술한 경우	
하	신에 대한 갑과 을의 입장을 모두 서술하지 못한 경우	

24 흄과 칸트의 윤리 사상 비교

자료 분석 | 흄은 도덕적 선악의 판단은 우리가 어떤 행위를 바라볼 때 느끼는 감정을 표현하는 것이라고 보았고, 칸트는 도덕 법칙이 실천 이성이 자율적으로 수립한 자유의 법칙이라고 보았다.

(1) 갑: 흄, 을: 칸트

(2) [예시 답안] 갑은 사회적 시인의 감정을 일으키는 행위를 도덕적 행위라고 보았다. 반면에 을은 감정에 따른 행위는 도덕적 행위가 아니며, 실천 이성의 명령을 따른 행위로서 의무에서 비롯된 행위만이 도덕적 행위라고 보았다.

채점기준		
상	갑과 을이 주장하는 도덕적 행위를 모두 정확하게 서술한 경우	
중	갑과 을이 주장하는 도덕적 행위 중 하나의 경우만 정확하게 진술한 경우	
하	갑과 을이 주장하는 도덕적 행위를 모두 서술하지 못한 경우	

Ⅳ »» 사회사상

01 ~ 사회사상과 이상 사회

콕콕! 개념 확인하기   180쪽

01 (1) 사회사상 (2) 이상

02 (1) × (2) ○ (3) ○ (4) ○

03 (1) ⑩ (2) ② (3) ⑦ (4) ⑭ (5) ⑮

04 (1) 차별 (2) 철인 (3) 유토피아

05 (1) ○ (2) × (3) ○

02 (1) 사회사상은 그 자체가 이론이지만 강한 실천 지향적 성격도 갖는다.

05 (2) 각 계층의 사람들이 자신의 역할과 본분에 해당하는 덕을 잘 발휘하여 조화를 이룬 상태를 지향하는 것은 플라톤의 이상 국가이다.

탄탄! 내신 다지기   181~182쪽

01 ④ **02** ② **03** ① **04** ④ **05** ⑤ **06** ⑤ **07** ③
08 ① **09** ① **10** 해설 참조

01 사회사상의 정의와 특징

[선택지 분석]

① ⑦ 인간의 사회적 삶에서 나타나는 현상에 대한 체계적 사유와 해석
➡ 사회사상에 대한 정의로 옳은 내용이다.

② ⑭ 사회적 삶에서 중요한 가치에 대해 다양한 관점을 제시함
➡ 사회사상은 사회적 삶에서 중요한 가치에 대해 다양한 관점을 제시한다.

③ ⑮ 변화하는 사회를 설명하고 평가하는 기준을 제시함
➡ 사회사상은 변화하는 사회를 설명하고 평가하는 기준을 제시한다.

✓④ ② 사회 변화를 추구하지 않고 사회 현상의 해석만을 강조함
➡ 사회사상은 사회 현상의 해석은 물론 바람직한 사회로의 변화를 추구한다.

⑤ ⑩ 이상 사회를 주요한 목표로 삼음
➡ 사회사상은 이상 사회를 주요한 목표로 삼는다.

02 다양한 사회사상의 공통점

[선택지 분석]

① 소유에 있어서 절대적 평등을 지향하고 있어요.

➡ 절대적 평등을 추구하는 것은 사회주의만 해당된다.

☑ 사회 발전을 위한 다양한 생각을 제시하고 있어요.

➡ 사회 발전을 위한 다양한 생각을 제시하는 것은 사회사상의 공통된 특징이다.

③ 개인의 자유 보장과 공동선의 추구를 국가의 역할로 보고 있어요. → 공화주의

④ 국가가 복지 향상을 위해 적극적 역할을 담당해야 한다고 보고 있어요.

➡ 국가가 복지 향상을 위해 적극적 역할을 담당해야 한다고 보는 것은 국가의 적극적 역할을 강조하는 특정 사회사상만의 특징이다.

⑤ 업적에 따른 분배를 할 때 가장 이상적인 사회가 이룩된다고 보고 있어요.

➡ 사회사상은 업적 외에 다양한 분배 기준을 제시한다.

03 사회사상의 특징

[선택지 분석]

㉮ 변화하는 사회를 탐구 대상으로 삼고 있어요.
　　　　　　　　　　　　　→ 사회사상의 특징

㉯ 사회적 삶에 대해 다양한 관점을 제시하고 있어요.
　　　　　　　　　　　　　→ 사회사상의 특징

✘ 명확한 이론 정립에만 관심을 기울이고 있어요.

➡ 사회사상은 이론적 해석 외에 강한 실천적 성격을 띠고 있다.

✘ 사회 문제의 해결 불가능성에 주목하고 있어요.

➡ 사회사상은 다양한 사회 문제를 해결할 수 있음을 전제로 한다.

04 이상 사회의 특징

[선택지 분석]

㉠ 바람직한 사회의 조건을 제시한다.

➡ 이상 사회는 바람직한 사회의 조건을 제시하는 역할을 한다.

㉡ 현실을 개혁하는 데 필요한 대안을 제시한다.

➡ 이상 사회는 현실의 문제를 개혁하는 데 필요한 대안을 제시한다.

✘ 사회 발전에 대한 열망이 불가능함을 강조한다.
　　　　　　　　　　가능함을

㉢ 더 나은 사회를 만들고자 하는 신념을 부여한다.

➡ 이상 사회는 더 나은 사회를 만들고자 하는 신념을 부여하는 역할을 한다.

05 사회사상의 지향점

[선택지 분석]

① 인권의 확대 → 인류의 보편적 가치

② 적극적 자유의 확대 → 인류의 보편적 가치

③ 인간 존엄성의 실현 → 인류의 보편적 가치

④ 구성원으로서의 의무와 책임의 조화 → 인류의 보편적 가치

☑ 사회적 행복을 위한 개인의 희생과 봉사

➡ 사회적 행복을 위한 개인의 희생과 봉사를 인류의 보편적 가치로 보기 어렵다.

06 대동 사회와 소국과민 사회의 특징

자료 분석 | 갑은 공자이며, 을은 노자이다. 공자는 이상 사회로 대동 사회를, 노자는 소국과민 사회를 제시하였다.

[선택지 분석]

① 갑은 성인이 다스리는 도덕적인 사회를 지향한다.

➡ 대동 사회는 성인이 다스리는 도덕 사회이다.

② 갑은 사회적 재화가 고르게 분배되는 사회를 지향한다.

➡ 대동 사회는 재화가 고르게 분배되는 사회를 지향한다.

③ 을은 자연에 따르는 소박한 삶을 지향한다.

➡ 노자의 소국과민 사회는 자연에 따르는 소박한 삶을 지향한다.

④ 을은 인위적 규범에서 벗어나 인간 본연의 본성에 따를 것을 강조한다.

➡ 노자의 소국과민 사회는 인위적 규범에서 벗어나 인간의 자연적 본성에 따라 살아갈 것을 강조한다.

☑ 갑, 을은 국가에 의해 복지가 실현된 사회를 지향한다.

➡ 소국과민 사회는 국가에 의해 인위적으로 복지가 실현된 사회를 지향하지 않는다.

07 플라톤의 이상 국가

자료 분석 | 제시문은 철인이 통치하는 플라톤의 이상 국가에 대한 내용이다. 플라톤은 각 계급이 자신의 역할에 충실할 때 이상 국가가 가능하다고 보았다.

[선택지 분석]

① 지혜를 갖춘 철인이 통치자가 되어 다스린다.

➡ 플라톤은 지혜를 갖춘 철인(철학자)이 국가를 다스려야 한다고 보았다.

② 어떤 계급이든 절제의 덕을 지녀야 한다고 본다.

➡ 플라톤은 절제의 덕은 모든 계급에게 필요하다고 보았다.

☑ 통치자가 생산자 계급보다 더 많은 재산을 갖는다.
　　　　　사유 재산을 가져서는 안 된다

④ 생산자, 군인, 통치자가 서로 다른 역할을 수행한다.

➡ 플라톤은 사회에 생산자, 군인, 통치자 계급이 있고, 이들 세 계급은 자신의 역할에 충실해야 한다고 보았다.

⑤ 사람들은 자신의 의사에 따라 자유롭게 직업을 선택할 수 없다.

➡ 플라톤의 이상 사회에서는 타고난 성향에 따라 결정된 직업을 바꿀 수 없다고 보았다.

08 마르크스의 공산 사회

자료 분석 | 제시문은 마르크스의 이상 사회인 공산 사회에 대한 내용이다. 마르크스는 구성원 각자가 능력에 따라 일하고 필요에 따라 분배받으며, 억압과 착취가 없는 평등한 사회를 주장하였다.

[선택지 분석]

☑ 능력　　　필요

➡ 공산 사회에서 각자는 자신의 능력에 따라 일하고 필요에 따라 분배받는다.

09 모어의 유토피아

자료 분석 | 제시문은 토마스 모어의 이상 사회인 유토피아에 대한 내용이다. 모어는 유토피아에서 풍요롭고 사적 소유가 없는 사회를 꿈꾸었다.

[선택지 분석]

㉠ 소유물의 사유를 인정하지 않는다.
➡ 유토피아는 개인의 소유물이 없는 사회로 묘사되었다.

㉡ 도덕적으로 타락하지 않은 사회를 지향한다.
➡ 사치, 낭비가 없다는 점에서 추론할 수 있다.

✗ 노동에서 영원히 해방된 사회를 이상으로 본다.
➡ 누구나 매일 6시간 노동을 한다고 하였다.

✗ 서로 다른 정치 체제를 지닌 국가들의 연합을 추구한다.
➡ 유토피아는 비슷한 제도와 법률을 가진 마을로 구성된다고 하였다. 모어가 제시한 유토피아는 서로 다른 정치 체제를 지닌 국가들의 연합과 거리가 멀다.

10 모어와 마르크스의 이상 사회

(1) 갑: 모어, 을: 마르크스

(2) [예시 답안] 사유 재산을 인정하지 않는다. / 계급적 구별을 허용하지 않는다. / 경제적으로 평등한 사회를 지향한다.

채점기준	
상	모어와 마르크스 두 사상가의 공통점 두 가지를 정확하게 서술한 경우
중	모어와 마르크스 두 사상가의 공통점 중 한 가지만 정확하게 서술한 경우
하	모어와 마르크스 두 사상가의 공통점을 정확히 서술하지 못한 경우

도전! 실력 올리기   183쪽

01 ④　**02** ③　**03** ④　**04** ①

01 사회사상의 특징

자료 분석 | 제시문은 사회사상의 지향점에 대해 서술한 내용이다. ㉠에는 오늘날 우리가 추구하는 사회사상의 특징이 들어가야 한다.

[선택지 분석]

✗ 자유와 평등어 양립할 수 없음을 강조한다.
　　　　　　　의 조화를 추구

㉡ 자신이 속한 사회의 지속적 발전을 추구한다.
➡ 이상 사회가 지향하는 내용이다.

✗ 인류가 이상 사회를 역사적으로 성취하여 왔음을 강조한다.
추구하여 (이상 사회를 역사적으로 성취한 적은 없음)

㉢ 인간의 존엄성과 같은 보편적 가치의 실현에 관심을 기울인다.
➡ 사회사상이 지향하는 내용이다.

02 마르크스의 입장

자료 분석 | 제시문은 국가를 지배 계급의 도구로 파악하는 마르크스의 입장을 설명하고 있다. 마르크스는 국가를 계급적 착취의 도구로 본다.

[선택지 분석]

① 인격과 지혜를 갖춘 철학자의 통치를 강조한다.
→ 플라톤의 이상 국가

② 구성원 각자가 필요에 따라 일할 것을 강조한다.
➡ 마르크스는 능력에 따라 일하고 필요에 따라 일하는 평등한 사회를 주장하였다.

③ 계급 착취의 도구인 생산 수단의 공유를 강조한다.

④ 모든 사람이 가족 같은 관계를 맺을 것을 강조한다.
→ 공자의 대동 사회

⑤ 인위적인 것에서 벗어나 소박하게 살아갈 것을 강조한다. → 노자의 소국과민

03 대동 사회와 소국과민 사회 비교

자료 분석 | 대동 사회는 도덕적인 복지 사회를 지향하며, 노자의 소국과민 사회는 소박한 자연성을 지향하는 사회이다.

[선택지 분석]

➡ 갑의 입장에 비해 을의 입장은 국가가 국민의 삶의 질 향상에 적극적 역할을 하는 정도는 낮고, 소박한 삶을 강조하는 정도는 높으며, 경제적 풍요로움을 지향하는 정도는 낮다. 따라서 X는 낮고, Y는 높으며, Z는 낮다.

04 플라톤의 이상 국가

[선택지 분석]

㉠ 선의 이데아를 인식한 사람들이 국가를 운영해야 한다.
➡ 철학자는 선의 이데아를 인식한 사람이다.

㉡ 사람들은 자신이 가장 잘할 수 있는 일에만 종사해야 한다.
➡ 플라톤은 사람들이 자신의 타고난 성향에 따라 가장 잘할 수 있는 일에 종사하며, 계급 간의 이동을 허용하지 않는 사회를 이상으로 보았다.

✗ 생산 수단의 공유가 이루어지는 평등 사회를 실현해야 한다.
➡ 마르크스의 주장이다. 플라톤은 생산 수단의 공유를 주장하지 않았다.

✗ 과학 기술의 발달을 배경으로 풍요로운 사회를 실현해야 한다.
➡ 베이컨의 이상 사회인 뉴 아틀란티스에 대한 내용이다. 플라톤은 각 계급이 조화를 이룰 때 드러나는 정의의 실현에 관심을 기울였다.

02 ~ 국가

콕콕! 개념 확인하기 189쪽

01 (1) ㉠ (2) ㉢ (3) ㉡ (4) ㉣ (5) ㉤

02 (1) 도덕 (2) 행복

03 (1) × (2) ○ (3) ○

04 (1) 민본 (2) 정치 (3) 루소

05 (1) × (2) ○ (3) ○ (4) ○

03 (1) 자연 상태를 만인의 만인에 대한 투쟁 상태로 본 것은 로크가 아니라 홉스이다.

05 (1) 공화주의에서는 공동선을 실현하기 위해서는 절대 군주가 아닌 시민의 자발적 참여와 노력이 중요하다고 보았다.

탄탄! 내신 다지기 190~191쪽

01 ① **02** ② **03** ① **04** ② **05** ④ **06** ⑤ **07** ③
08 ② **09** ③ **10** 해설 참조

01 유교의 국가관

[선택지 분석]

✔ 가족 윤리와 사회 윤리를 독립적인 것으로 본다.
　　　　　　　　　　서로 연결된
② 국가를 도덕적 삶을 위한 도덕 공동체로 인식한다.
➡ 유교에서는 국가를 도덕 공동체로 본다.
③ 효제와 같은 가족 윤리가 국가 운영의 토대라고 본다.
➡ 유교에서는 가족 윤리를 국가 운영의 토대로 인식한다.
④ 부모를 섬기는 것이 나라를 다스리는 기초가 된다고 본다.
➡ 유교에서는 가족 윤리를 국가 운영의 기초로 본다.
⑤ 군주는 백성이 도덕적 삶을 살도록 노력해야 한다고 본다.
➡ 유교에서는 백성이 근본이며 백성이 도덕적으로 살아갈 수 있는 정치를 해야 한다고 본다.

02 아리스토텔레스의 국가관

자료 분석 | 제시문은 아리스토텔레스의 관점을 설명한 것이다. 아리스토텔레스는 국가의 목적은 좋은 삶에 있으며 국가가 최고선인 행복을 추구해야 한다고 보았다.

[선택지 분석]

① 구성원의 삶의 질을 향상시키기 위한 도구이다.
➡ 아리스토텔레스는 국가를 도구로 보지 않는다.

✔ 인간의 정치적 본성에 의해 생겨난 것이다.
➡ 아리스토텔레스는 국가가 인간의 정치적 본성에 의해 발생한 것이라고 본다.
③ 강자의 정복에서 발생한 산물이다.
➡ 정복설의 입장이다.
④ 사람들 간의 계약의 산물이다.
➡ 사회 계약론의 입장이다.
⑤ 지배 계급의 도구일 뿐이다.
➡ 마르크스의 입장이다.

03 마르크스의 국가관

자료 분석 | 국가를 계급적 이해관계로 보는 입장은 마르크스이다. 마르크스는 공산주의 사회에서 계급 지배의 도구인 국가가 소멸한다고 주장하였다.

[선택지 분석]

✔ 계급과 함께 소멸할 것이다.
➡ 공산주의 단계에서 계급과 국가는 소멸한다고 보았다.
② 억압의 도구로 기능할 것이다.
➡ 억압의 도구로서의 국가는 공산주의 단계 이전에 대한 설명이다.
③ 노동자 계급의 이익을 대변할 것이다.
➡ 공산주의 단계에서 국가는 소멸할 것으로 보았다.
④ 계급 지배의 새로운 도구가 될 것이다.
➡ 계급이 없는 공산주의 단계에서는 계급 지배의 도구인 국가도 소멸할 것으로 보았다.
⑤ 복지 정책을 강화하는 역할을 하게 될 것이다.
➡ 공산주의 단계에서는 국가가 소멸하므로 국가의 역할도 존재하지 않는다.

04 아리스토텔레스와 로크의 국가관

자료 분석 | 갑은 국가를 인간의 정치적 본성에서 나타난 산물로 보는 아리스토텔레스이고, 을은 비교적 평화로운 자연 상태에서 계약을 통해 국가를 만든다고 보는 사회 계약론자 로크이다.

[선택지 분석]

　갑　　　을
✔ A　　　D
➡ '국가는 수단이 아니라 목적으로 인식되어야 하는가?'라는 질문에 대해 갑은 '예', 을은 '아니요'라고 대답할 것이다. '국가는 자연적으로 발생하는 정치 공동체인가?'라는 질문에 갑은 '예', 을은 '아니요'라고 대답할 것이다. 따라서 갑의 입장은 A, 을의 입장은 D에 해당된다.

05 공화주의의 국가관

자료 분석 | 제시문은 국가가 인민의 것이며 공동선을 위해 노력해야 한다는 공화주의의 입장을 설명한 것이다.

[선택지 분석]

① 국가의 주권자는 시민이다.
➡ 공화주의에서는 국가의 주권자를 시민으로 본다.

② 국가는 공동선을 추구해야 한다.

➡ 공화주의에서는 국가가 공동선을 추구해야 한다고 본다.

③ 국가는 시민의 자유를 보장해야 한다.

➡ 공화주의에서는 국가가 시민의 자유를 보장해야 한다고 본다.

④ 국가는 ~~자연 발생적으로~~ 만들어진 조직체이다.
　　　　　인위적으로

⑤ 국가는 권력자의 자의적 지배로부터 벗어날 장치를 마련해야 한다.

➡ 공화주의에서는 권력자의 자의적 지배에서 벗어날 것을 강조하며, 시민의 자발적 정치 참여를 중시한다.

06 국가의 정당성에 대한 유교의 관점

자료 분석 | 제시문은 민본 위민 정치를 중시하고 군주가 백성의 경제적 안정을 위해 노력해야 한다는 유교의 입장을 설명한 것이다.

[선택지 분석]

① 민본주의 정치를 지향하였다.

➡ 유교는 백성을 근본으로 여기는 민본주의 정치를 추구하였다.

② 백성들의 도덕적 교화를 중시하였다.

➡ 유교는 백성들의 도덕적 교화를 통한 도덕적인 사회를 지향하였다.

③ 백성들의 민생 안정이 중요함을 강조하였다.

➡ 유교는 위민 정치, 민본주의 사상에 따라 민생의 안정을 강조하였다.

④ 형벌보다는 인륜에 따라 다스려야 한다고 보았다.

➡ 유교는 형벌에 의해서보다는 인륜에 따라 다스리는 도덕 정치를 강조하였다.

⑤ 국가 권력의 정당성을 민주주의의 실현에서 찾았다.

➡ 유교는 국가 권력의 정당성을 백성을 위한 민본 정치에서 찾았다. 민본 정치는 정치권력이 국민에게 있지 않다는 점에서 민주주의와 다르다.

07 국가의 기원에 대한 홉스의 관점

자료 분석 | 홉스는 국가를 자연 상태의 혼란을 극복하기 위해 시민의 계약을 통해 인위적으로 만든 것으로 보았다.

[선택지 분석]

① 개인의 자유를 보장하는 것

➡ 홉스에게 있어 국가의 역할은 개인의 자유를 보장하는 것이다.

② 시민의 생명을 보호하는 것

➡ 홉스에게 있어 국가의 역할은 시민의 생명을 보호하는 것이다.

③ 민주주의 질서를 확립하는 것

➡ 홉스는 민주주의 질서의 확립을 사회 계약을 통한 국가의 역할로 보지 않았다. 홉스는 절대 군주를 지지하였다.

④ 자연권을 위임받아 권력을 행사하는 것

➡ 홉스는 국가가 시민들의 자연권을 위임받아 권력을 행사하는 것으로 보았다.

⑤ 타인으로부터의 시민 각자의 안전을 보호하는 것

➡ 홉스는 국가를 통해 시민 각자의 안전을 보호하는 것을 국가의 역할로 보았다.

08 마르크스의 국가관

자료 분석 | 제시문은 지배 계급과 피지배 계급의 대립, 국가는 한 계급의 결합이라는 관점을 제시한 마르크스의 주장이다.

[선택지 분석]

㉠ 계급 지배의 도구로서 발생한 조직체

➡ 마르크스는 국가를 지배 계급의 도구로 보았다.

㉡ 공산주의 단계에서 확립되어야 할 조직체

➡ 마르크스는 국가가 공산주의 단계에서 소멸할 것이라고 보았다.

㉢ 사유 재산의 폐지로 인해 발생하는 조직체

➡ 마르크스는 사유 재산이 폐지되고 계급 대립이 사라지면 계급 지배의 도구인 국가도 소멸될 것이라고 보았다.

㉣ 지배 계급의 특권을 유지하기 위한 수단으로서의 조직체

➡ 마르크스는 국가를 계급 지배의 수단으로 보았다.

09 현대 국가의 역할과 정당성

자료 분석 | 그림은 현대 국가의 역할과 정당성에 관한 내용을 담고 있다. 이에 대한 답으로 갑은 기본권 보장을, 을은 시민성 고양을, 정은 국민의 복지 향상을 지적하고 있다.

[선택지 분석]

㉮ 국민 주권에 근거하여 국민의 생명과 자유 등 기본권을 보장해야 합니다.

➡ 국가는 국민의 기본권 보장할 때 정당성을 인정받는다.

㉯ 국민의 시민성을 고양하여 도덕적인 삶을 살 수 있도록 해야 합니다.

➡ 국가는 국민의 도덕성과 시민성 함양을 위해 노력할 때 정당성을 인정받는다.

㉰ 공적인 모든 일을 국민적 합의에 따를 수 있도록 제도화해야 합니다.

➡ 국가의 공적인 모든 일을 국민적 합의에 따라 처리하기는 어렵다.

㉱ 공적 부조, 사회 보험 등을 통해 국민의 복지를 향상시켜야 합니다.

➡ 국가는 국민의 복지와 행복을 위해 노력할 때 정당성을 인정받는다.

10 홉스와 로크의 자연 상태

(1) 갑: 홉스, 을: 로크

(2) [예시 답안] ㉠은 만인의 만인에 대한 투쟁 상태, 즉 서로 개인의 이익을 위해 투쟁하는 상태이다. ㉡은 비교적 자유롭고 평화로운 상태이다.

채점 기준	
상	홉스와 로크 두 사상가의 입장에서 자연 상태에 대해 정확하게 서술한 경우
중	홉스와 로크 두 사상가의 입장에서 자연 상태에 대해 설명하였으나 한 가지만 정확하게 서술한 경우
하	홉스와 로크의 자연 상태에 대해 모두 서술하지 못한 경우

01 아리스토텔레스의 국가관

자료 분석 | 제시문은 국가가 본성에 따른 산물이라고 보는 아리스토텔레스의 입장이다.

[선택지 분석]

☑ 국가는 최고선을 추구하는 도덕 공동체이다.
➡ 아리스토텔레스는 국가가 최고선을 추구하는 도덕 공동체라고 보았다.

② 국가는 시민의 자유를 지키기 위한 수단이다.
➡ 국가를 시민의 자유를 지키기 위한 수단으로 보는 것은 사회 계약론의 입장이다.

③ 국가는 자연 발생적인 것이 아니라 인위적인 산물이다.
➡ 아리스토텔레스는 국가를 자연 발생적인 것으로 보았다.

④ 국가는 자연 상태를 극복하기 위해 만들어진 공동체이다.
➡ 홉스의 입장이다.

⑤ 국가는 공동의 이익을 인정하고 동의한 사람들에 의해 만들어진 것이다.
➡ 아리스토텔레스는 동의에 의해 국가가 성립되었다고 보지 않았다.

02 홉스의 국가관

자료 분석 | 제시문은 자기 보존을 위해 국가를 만들었다고 보는 홉스의 주장이다. 홉스는 시민의 자유와 이익을 확보하기 위해 계약에 의해 자연권을 국가에게 양도함으로써 국가가 성립한 것으로 본다.

[선택지 분석]

✗ 권력 분립을 통해 왕권이 제한되어야 한다고 본다.
➡ 로크의 입장

ㄴ 계약을 통해 자신의 생명과 안전을 보장하고자 한다.
➡ 홉스를 포함한 사회 계약론의 입장

ㄷ 자연 상태의 비참함으로부터 벗어날 수 있는 길을 제시한다.
➡ 홉스의 입장

✗ 자연 상태에서 누리던 자유를 보장하기 위해 계약을 맺었다고 본다.
➡ 로크의 입장

03 마르크스의 국가관

[선택지 분석]

① 평등한 사회를 만들기 위해 노력해야 하는가?
➡ 마르크스는 경제적으로 평등한 사회를 지향한다.

② 생산력이 고도로 발전한 사회를 지향해야 하는가?
➡ 마르크스는 공산주의 사회를 생산력이 고도로 발전한 사회로 본다.

☑ 국가는 노동자 계급의 이해를 반영하는 조직체인가?
➡ 마르크스가 부정의 대답을 할 질문이다. 국가는 노동자 계급이 아닌 부르주아 계급의 이익을 반영한다고 본다.

④ 계급 간의 대립이 사라지면 계급 지배의 도구인 국가도 사라지는가?
➡ 마르크스는 계급 간 대립이 사라지면 계급 지배의 도구인 국가도 소멸할 것이라고 본다.

⑤ 자본주의 사회에서 사유 재산제가 철폐되고 생산 수단이 공유되어야 하는가?
➡ 마르크스는 사유 재산을 계급 발생의 원인으로 파악한다.

04 공화주의의 국가관

자료 분석 | 제시문은 공화주의자 키케로의 입장이다. 키케로는 국가가 공동선을 추구해야 한다고 보았다.

[선택지 분석]

① 국가는 가족이 확대되어 나타난 자연적 조직체이다.
→ 유교의 입장

② 국가는 인간의 정치적 본성에 따라 발생한 자연적 조직체이다. → 아리스토텔레스의 입장

③ 국가는 지배 계급의 특권을 유지하기 위해 나타난 인위적 조직체이다. → 마르크스의 입장

☑ 국가는 공동선을 실현하고 시민의 자유를 지키기 위한 인위적 조직체이다. → 공화주의의 입장

⑤ 국가는 각 개인들의 이해관계를 조정하기 위해 나타난 자연적 조직체이다.
공동선을 추구하기 위해 만들어진 인위적 조직체

05 아리스토텔레스와 로크의 국가관

자료 분석 | 갑은 공동선을 추구하는 자연적 조직체로서의 국가를 설명하는 아리스토텔레스, 을은 자연 상태에서 계약을 통해 국가를 형성했다고 보는 로크의 입장이다.

[선택지 분석]

☑ ㉠
➡ 로크는 아리스토텔레스에 비해 '국가를 최고선을 실현하기 위한 자연적 조직체로 보는 정도'는 낮고, '국가에 대한 시민들의 저항권을 인정하는 정도'는 높으며, '국가를 수단으로 보는 정도'는 높다. 따라서 X는 낮고, Y와 Z는 높다. 세 조건을 모두 만족시키는 것은 ㉠이다.

06 맹자의 국가 정당성

자료 분석 | 제시문은 군주는 백성의 경제적 안정을 위해 노력해야 한다는 민본·위민 정치를 강조하며, 군주가 위민 정치를 하지 못할 때 교체할 수 있다고 보는 맹자의 입장이다.

[선택지 분석]

ㄱ 인의의 덕으로 나라를 다스려야 한다. → 맹자의 입장

✗ 군주가 상과 벌로 사람들을 다스려야 한다. → 법가의 입장

ㄷ 국가는 백성의 경제적 안정에 힘써야 한다. → 맹자의 입장

ㄹ 백성들을 사람답게 살 수 있도록 해야 한다. → 맹자의 입장

07 키케로의 홉스 비판

자료 분석 | '나'는 공동의 이익을 중시하고 공화국을 강조하는 키케로이다. '어떤 사상가'는 자연 상태의 비참함과 계약에 의한 국가

의 성립을 강조하는 홉스이다. ㉠은 키케로가 홉스를 비판하는 내용이 들어가야 한다.

[선택지 분석]

① 국가가 필요에 따른 분배의 주체임을 간과한다.

　➡ 키케로의 관점이 아니다. 필요에 따른 분배는 마르크스의 주장이지만 국가를 분배의 주체로 보지 않는다.

② 국가가 합의에 따른 인위적인 산물임을 ~~간과한다.~~ 주장한다

③ 국가가 시민들의 안전을 보장해야 함을 ~~간과한다.~~ 주장한다

④ 국가가 인간의 정치적 본성에서 비롯되는 것임을 간과한다.

　➡ 국가가 인간의 정치적 본성에서 비롯되는 것이라는 관점은 아리스토텔레스의 주장이다.

☑ 공동선의 실현을 위해서는 시민의 자발적 참여가 중요함을 간과한다.

　➡ 키케로의 입장에서 홉스를 비판할 수 있는 내용이다.

08 홉스와 로크의 국가관

자료 분석 | 갑은 홉스, 을은 로크이다.

[선택지 분석]

① 국가는 계약에 의해 발생한 인위적 산물인가?

　➡ 갑, 을 모두 '예'라고 대답할 질문이다.

② 국가의 정당성은 시민의 자유와 생명을 보장하는 데 있는가?

　➡ 갑, 을 모두 '예'라고 대답할 질문이다.

③ 주권은 계약을 맺은 시민들에게 있는가?

　➡ 홉스가 '아니요'라고 대답할 질문이다. 홉스는 주권은 국가, 실질적으로는 군주에게 있다고 보았다.

④ 국가가 개인의 재산권을 보장하지 못하면 저항할 수 있는가?

　➡ 홉스가 '아니요'라고 대답할 질문이다. 저항권을 인정하는 것은 로크의 관점이다.

☑ 국가는 시민의 이익을 증진하기 위한 수단적 가치를 지니는가?

　➡ 로크가 '예'라고 대답할 질문이다.

---

03 ~ 시민

콕콕! 개념 확인하기
199쪽

01 (1) 자연권 (2) 자유 (3) 사회적

02 (1) ○ (2) ○ (3) ○

03 (1) 권리 (2) 공동선 (3) 역설

04 (1) × (2) ○ (3) ○ (4) ×

05 (1) ㉡ (2) ㉠

---

04 (1) 자유주의에서는 개인의 자유와 권리를 보장하기 위해 공동체가 존재한다고 본다.

(4) 공화주의에서는 관용을 서로의 차이를 단순히 허용하는 것을 넘어 비지배의 조건을 보장하기 위해 타인의 자율성을 존중하는 것을 의미한다.

탄탄! 내신 다지기
200~201쪽

| 01 ② | 02 ② | 03 ① | 04 ③ | 05 ⑤ | 06 ④ | 07 ④ |
| 08 ③ | 09 ④ | 10 해설 참조 |

01 자유주의의 특징

[선택지 분석]

① 자기 자신에 대해서는 각자가 주권자이다.

　➡ 자유주의는 자기 자신에 대해서는 각자가 주권자라고 주장한다.

☑ 개인의 선택보다 여론과 관습이 우선한다.

　➡ 자유주의는 여론과 관습보다는 개인의 선택이 우선한다고 본다.

③ 개인은 스스로의 삶을 선택하는 자율적 존재이다.

　➡ 자유주의는 개인을 스스로 삶의 방향을 설정하고 선택하는 자율적 존재로 본다.

④ 자신의 선택대로 살아가는 삶이 바람직한 삶이다.

　➡ 자유주의가 생각하는 바람직한 삶은 자신의 선택에 의해 살아가는 삶이다.

⑤ 개인은 자신이 원하는 삶을 자유롭게 살 권리가 있다.

　➡ 자유주의는 자신이 원하는 삶을 자유롭게 살 권리가 개인에게 있다는 것을 강조한다.

02 자유주의의 입장

자료 분석 | 제시문은 자유주의의 입장을 설명하고 있다. 자유주의에 의하면 개인은 자유롭고 독립적인 존재로서, 개인의 자유로운 선택만이 우리에게 도덕적 의무를 강제할 수 있다고 주장한다.

[선택지 분석]

㉠ 개인은 독립적인 주체로서의 존재 가치를 지닌다.

　➡ 자유주의는 개인을 사회로부터 독립적인 주체로 인정한다.

✗ 개인의 좋은 삶은 언제나 공동체가 추구하는 좋은 삶과 일치한다.

　➡ 자유주의에서 말하는 개인의 좋은 삶은 스스로의 선택에 따른 것으로, 공동체가 추구하는 삶과 언제나 일치한다고 보기 어렵다.

✗ 공동체는 개인의 바람직한 가치관 형성에 영향력을 행사해야 한다.

　➡ 자유주의에서는 공동체가 개인의 가치관 형성에 영향을 끼쳐서는 안 되며, 최대한 중립적인 입장을 견지해야 한다고 본다.

㉣ 공동체는 중립적 입장에서 개인의 자유로운 삶을 최대한 보장해야 한다.

　➡ 자유주의는 스스로의 삶의 방향은 개인이 선택하는 것이기 때문에 공동체는 중립적인 입장을 지녀야 한다고 본다.

03 공화주의의 자유

자료 분석 | 공화주의에서 말하는 자유는 권력자의 자의적인 지배가 없는 상태이며, 이러한 자유는 간섭의 부재에 그치는 것이 아니라 타인에게 사적으로 종속되지 않는 상태를 의미한다.

[선택지 분석]

㉠ 권력자의 자의적인 지배가 없는 상태
➡ 공화주의의 비지배적 자유는 권력자의 자의적인 지배가 없는 상태를 의미한다.

㉡ 타인에게 사적으로 종속되지 않는 상태
➡ 공화주의는 간섭의 부재가 아닌 지배의 부재를 강조한다. 따라서 타인에게 사적으로 종속되지 않는 상태를 의미한다.

✘ 외부의 부당한 압력이나 간섭이 부재한 상태
➡ 자유주의에서 강조하는 소극적 자유에 대한 설명이다.

✘ 자신이 설정한 목적을 실현하고자 노력하고 있는 상태
➡ 적극적 자유에 대한 설명이다.

04 공화주의의 특징

자료 분석 | 제시된 사회사상은 공화주의이다. 공화주의는 시민의 권리가 자발적인 참여로써 성취해야 하는 정치적 결과물이라고 본다.

[선택지 분석]

✘ 시민의 권리는 자연적으로 주어진 것이다.
➡ 공화주의는 시민의 권리는 자연적으로 주어지는 것이 아니라, 공동체의 구성원들 사이의 심의를 통해 구성되고 법에 의해 보장받는다고 본다.

✘ 시민이 자유롭게 살아가려면 법의 지배에서 벗어나야 한다.
➡ 공화주의는 시민의 자유와 권리는 법에 의해 보장받기 때문에 시민이 자유롭게 살아가기 위해서는 법의 지배를 벗어나면 안 된다고 본다.

③ 시민은 사적인 이익을 추구하기보다 공적인 의무 이행을 우선해야 한다.
➡ 공화주의에서는 개인을 사적인 이익을 추구하는 존재가 아니라 공동체의 구성원으로 이해한다. 따라서 공적인 의무 이행을 우선시한다.

④ 시민은 자신이 속한 공동체에서 맡은 역할을 책임 있게 수행해야 한다.
➡ 공화주의에서 시민은 공적인 일에 관심을 가지고 참여하며 공동체에서 맡은 역할을 책임 있게 수행해야 한다.

05 자유주의와 공화주의 비교

자료 분석 | (가)는 자유주의, (나)는 공화주의이다.

[선택지 분석]

① (가): 개인의 자유는 출생과 더불어 자연적으로 형성되는 것이다.
➡ 자유주의는 권리를 자연적으로 타고나는 천부 인권으로 설명한다.

② (가): 국가는 '~로부터의 자유'를 실현하기 위해 노력해야 한다.
➡ '~로부터의 자유'는 소극적 자유를 의미한다. 자유주의에서는 소극적 자유의 실현을 중시한다.

③ (나): 시민의 자유는 국가의 번영에 해를 끼치지 않는 한도 내에서만 허용된다.
➡ 공화주의는 시민의 자유가 무제한적인 것이 아니라 국가의 번영에 해를 끼치지 않는 한도 내에서만 허용된다고 본다.

④ (나): 개인은 정치 공동체의 일에 참여함으로써 자유를 실현할 수 있다.
➡ 공화주의에서 자유는 시민이 참여하여 만들어 내고 향유하는 것이다.

✔ (가), (나): 공동체가 추구해야 할 좋은 삶을 규정하고 권장해야 한다고 본다.
➡ 자유주의가 부정할 입장이다.

06 자유주의와 공화주의의 입장

[선택지 분석]

① 자유주의는 개인선보다 공동선을 중시한다.
➡ 공화주의에 대한 설명이다.

② 자유주의는 사익 추구를 위해 타인의 자유를 동의 없이 침해할 수 있다고 본다.
➡ 자유주의에서는 타인의 자유를 동의없이 침해할 수 있다고 보지 않는다.

③ 공화주의는 공동체를 개인의 자유 보장을 위한 수단으로 본다.
➡ 자유주의에 대한 설명이다.

✔ 공화주의는 특정인의 지배로 인해 개인의 자유가 침해되는 공동체는 진정한 공동체가 아니라고 본다.
➡ 공화주의는 비지배로서의 자유를 강조한다. 즉, 특정인의 지배로 인해 개인의 자유가 침해되는 공동체는 올바르지 못한 공동체로 본다.

⑤ 자유주의와 공화주의는 법에 의한 지배에서 벗어나야 한다고 주장한다.
➡ 공화주의는 법에 의한 지배에서 벗어나야 한다고 보지 않는다.

07 밀의 자유주의

자료 분석 | 제시문의 사상가는 밀이다. 밀은 개인의 자유가 스스로를 제외한 어떤 사람의 이익과도 관련되지 않는 한 사회적으로 제제를 받지 않아야 한다고 주장한다.

[선택지 분석]

㉠ 개인은 스스로 삶을 선택하고 만들어가는 존재인가?
➡ 밀은 개인이 스스로의 삶을 선택하고 만들어가는 존재라고 보았다.

㉡ 타인에게 해를 끼치는 행위는 사회적으로 통제 가능한가?
➡ 밀은 정당한 이유 없이 타인에게 해를 끼치는 행위는 사회적으로 통제되어야 한다고 보았다.

ⓒ 정치 공동체는 개인의 자유와 권리를 최대한 보장하기 위해 존재하는가?

➡ 밀은 자유주의자이며, 자유주의에서 공동체는 개인의 자유와 권리를 보장하기 위한 수단이라고 보았다.

✘ 개인의 행복과 자아실현 등 개인선의 추구보다 공동선을 중시해야 하는가?

➡ 밀은 자유주의자이다. 자유주의는 공동선을 개인선의 추구보다 중시하지 않는다.

08 공화주의적 애국심

[선택지 분석]

① 정치 공동체와 시민 동료들을 향한 대승적 사랑이다.

➡ 공화주의적 애국심에 대한 적절한 설명이다.

② 자유와 정의가 확립된 조국을 대하는 인위적 열정이다.

➡ 공화주의에서는 애국심은 타고난 민족에 대한 애착이 아니라 인위적인 열정이라고 본다.

☑ 혈연, 지연, 전통에 기초한 민족에의 대한 선천적인 애착이다.

➡ 민족주의적 애국심에 대한 설명이다.

④ 주종적 지배 관계가 없는 자유로운 정치 체제를 지향하는 애정이다.

➡ 주종적 지배 관계가 없는 비지배의 자유의 정치 체제인 공화주의에 대한 애정을 의미하는 공화주의적 애국심의 의미이다.

⑤ 타인이 겪고 있는 억압과 차별의 해결을 위해 함께 동참하려는 자발적 사랑이다.

➡ 공화주의는 타인이 겪는 억압과 차별의 해결을 위해 함께 동참하려는 자발적이고 대승적인 사랑을 의미한다.

09 공화주의와 자유주의의 애국심

자료 분석 | (가)는 공화주의이고, (나)는 자유주의이다.

[선택지 분석]

① (가): 애국심의 대상인 조국은 민족이 바탕이 된다.

➡ 공화주의에서 애국심의 대상인 조국은 민족이 바탕이 되지 않는다.

② (가): 애국심은 국가 자체를 맹목적으로 사랑하는 것이다.

➡ 공화주의는 애국심을 국가 자체를 향한 맹목적인 사랑으로 이해하지 않는다.

③ (나): 애국심은 시민이 정치와 공적인 일에 참여할 때만 생기는 열정이다.

➡ 공화주의의 애국심에 대한 설명이다.

☑ (나): 애국심은 문화, 역사와 무관한 중립적 정치 원리들에 충성하는 것이다.

➡ 자유주의의 애국심에 대한 설명이다. 자유주의의 애국심은 보편적 가치를 담고 있는 헌법에 대한 충성을 의미한다. 따라서 이러한 애국심은 특정 공화국의 법과 정치 체제에 충성하기보다 보편적 가치인 자유, 평등, 인권 등을 중시한다.

⑤ (가), (나): 애국심은 특정 공화국의 법과 정치 체제에 충성하는 것이다.

➡ 공화주의의 애국심만의 의미이다.

10 관용에 대한 자유주의와 공화주의의 관점

(1) 관용

(2) [예시 답안] 자유주의에서는 관용이란 자신과 다른 견해나 행동을 승인하며, 자신의 견해나 행동을 다른 사람에게 강요하지 않는 태도라고 본다. 이에 비해 공화주의에서는 관용이란 서로의 차이를 허용하는 것을 넘어 비지배의 조건을 보장하기 위해 타인의 자율성을 존중하는 것을 의미한다고 본다.

채점기준		
상	자유주의의 관점과 공화주의의 관점에서 관용의 의미를 정확하게 비교하여 서술한 경우	
중	자유주의의 관점과 공화주의의 관점 중 한 가지의 입장에서만 관용의 의미를 정확하게 서술한 경우	
하	자유주의의 관점과 공화주의의 관점에서 관용의 의미를 정확하게 서술하지 못한 경우	

도전! 실력 올리기
202~203쪽

01 ④ **02** ① **03** ④ **04** ⑤ **05** ③ **06** ⑤ **07** ④
08 ⑤

01 로크의 자유주의

자료 분석 | 제시문의 사상가는 사회 계약론자인 로크이다.

[선택지 분석]

① 개인의 합의와 계약을 통해 국가가 성립되는가?

➡ 로크는 사회 계약론자로서, 개인의 자유를 보장하기 위해 계약을 통해 국가가 성립된다고 보았다.

② 개인의 자유 보장을 위해 법률을 제정해야 하는가?

➡ 로크는 법은 개인의 권리를 보장하기 위해 형성되는 것이라고 보았다.

③ 국가의 주된 역할은 개인의 기본권을 보호하는 것인가?

➡ 로크는 국가의 주된 역할은 개인의 기본권을 보호하는 데 있다고 보았다.

☑ 개인의 권리 보호를 위해 권력은 분립되어서는 안 되는가?

➡ 로크는 개인의 자유가 보다 충실하게 보호되기 위해서라도 권력은 분립되어야 한다고 보았다 .

⑤ 국가 권력을 없애거나 바꾸는 최고 권력은 국민에게 있는가?

➡ 로크는 주권은 국민에게 있다고 주장하면서, 정치 권력을 없애거나 바꾸는 최고 권력은 국민에게 있다고 주장하였다.

02 자유주의와 공화주의의 시민성

자료 분석 | (가)는 자유주의이고, (나)는 공화주의이다.

[선택지 분석]

➡ (가)의 입장에 비해 (나)의 입장은 시민의 권리를 자연적으로 주어지는 천부 인권으로 보는 정도는 낮고, 진정한 자유를 권력자의 자의적 지배가 없는 상태로 보는 정도는 높으며, 시민들을 개체적 존재가 아니라 사회적 존재로 보는 정도도 높다. 따라서 X는 낮고, Y와 Z는 높다.

03 자유주의와 공화주의의 자유

자료 분석 | (가)는 자유주의, (나)는 공화주의이다. 자유주의에서는 소극적 자유를 진정한 자유로 본다. 공화주의는 비지배로서의 자유를 진정한 자유로 본다.

[선택지 분석]

ㄱ (가): 개인에 대한 공권력과 법의 간섭은 최소화되어야 한다.

➡ 자유주의의 입장에 해당한다.

ㄴ (나): 법은 자의적 권력의 지배로부터 시민들을 보호해 준다.

➡ 공화주의에서 규정하는 법에 대한 관점이다. 공화주의에서는 법이 자의적 권력의 지배로부터 시민을 보호해 주는 방패 역할을 담당한다고 본다.

✗ (나): 주인의 간섭이 없는 노예는 자유로운 상태라고 볼 수 있다.

➡ 공화주의는 주인의 간섭이 없더라도 주인과 노예는 주종의 상태에 놓여 있으므로 자유롭다고 보지 않는다.

ㄹ (가), (나): 개인이 공동체의 구성원임을 인정한다.

➡ 자유주의와 공화주의는 공동체의 존재를 인정한다.

04 관용의 역설

자료 분석 | 제시문은 관용이 잘못에 대해 용서하고 받아들이는 태도임은 분명하나, 관용을 실천하지 않는 개인이나 집단에게까지 관용할 경우, 관용의 역설이 발생한다고 보고 관용에 한계가 필요하다고 본다.

[선택지 분석]

✗ 관용의 대상에는 한계가 없음을 인식해야 한다.

➡ 타인의 인권과 자유를 침해하는 일까지 관용하지 않으므로 한계가 존재한다.

② 관용과 불관용의 경계에 대한 설정이 필요함을 알아야 한다.

➡ 인권을 침해하고 사회 질서가 무너지는 것에 대해서는 관용을 적용할 수 없다. 따라서 관용과 불관용의 경계 설정은 필요하다.

③ 관용은 공동선이 유지될 수 있는 범위 내에서 이루어져야 한다.

➡ 아무런 제약이 없는 관용은 반드시 관용의 소멸을 불러오므로, 공동선이 유지할 수 있는 범위 내에서 이루어져야 한다.

④ 공동체의 근간이 되는 가치를 침해하는 행위에 관용하지 않아야 한다.

➡ 공동체의 근간이 되는 가치인 자유와 인권을 침해하는 행위까지 관용해서는 안 된다고 주장하고 있다.

05 공화주의의 시민성

[선택지 분석]

✗ 자율성을 함양하고 스스로의 삶을 결정할 능력을 갖춘 사람입니다.

➡ 자유주의에서 시민적 덕성을 갖춘 훌륭한 시민에 대한 의미이다.

ㄴ 지배나 예속에 반대하고 서로를 평등한 시민으로 존중하는 사람입니다.

➡ 공화주의에서는 지배와 예속을 반대하고 서로를 평등한 시민으로 존중하는 시민을 훌륭한 시민이라고 본다.

ㄷ 공동체의 구성원으로서 사회적 책무와 공동선에 관심을 가지는 사람입니다.

➡ 공화주의에서는 사회적 책무와 공동선에 관심을 가지고 공공의 일에 헌신하는 시민을 훌륭한 시민이라고 본다.

✗ 다른 사람들이 선택한 삶을 존중하고 그들의 삶에 함부로 간섭하지 않는 사람입니다.

➡ 자유주의에서 시민적 덕성을 갖춘 훌륭한 시민에 대한 의미이다.

06 자유에 대한 페팃의 주장

자료 분석 | 제시문을 주장한 사상가는 현대 공화주의자인 페팃이다. 페팃은 간섭의 부재가 아니라 지배의 부재가 자유의 핵심이 되어야 한다고 본다.

[선택지 분석]

① 오직 자유로운 공화국 안에서만 자유를 누릴 수 있다.

➡ 공화주의는 자의적인 지배가 없는 자유로운 공화국 안에서만 진정한 자유를 누릴 수 있다고 본다.

② 예속과 지배의 부재가 진정한 자유의 핵심이 되어야 한다.

➡ 공화주의는 예속과 지배가 없는 상태를 자유라고 규정한다.

③ 자의적 지배가 존재하는 나라에서는 어느 누구도 자유로울 수 없다.

➡ 공화주의는 자의적 지배가 존재하는 나라에서 어느 누구도 자유로울 수 없다고 주장하면서 비지배로서의 자유가 중요하다고 본다.

④ 법에 의한 지배는 개인의 자유와 권리를 침해하는 것이 아니라 오히려 증진한다.

➡ 공화주의는 법 또는 법에 의해 운영되는 정부에 의해 자유가 보장된다고 본다.

✓ 공동체 전체에 지배적 영향력을 행사하는 존재가 있어야만 자유를 누릴 수 있다.

➡ 공화주의는 공동체 전체에 지배적 영향력을 행사하는 존재가 없어야만, 즉 현실적인 지배가 발생하지 않아야만 자유가 보장된다고 본다.

07 자유주의와 공화주의의 입장

자료 분석 | 갑은 자유주의자의 입장이고, 을은 공화주의자의 입장이다.

[선택지 분석]

ㄱ 갑: 개인은 특정한 역사적·문화적 맥락으로부터 독립된 존재이다.
➡ 자유주의는 개인을 특정한 사회적 맥락으로부터 독립된 존재로 이해한다.

ㄴ 갑: 공동체의 이익을 위해 개인의 권리를 침해하는 것은 바람직하지 않다.
➡ 자유주의는 개인의 권리가 공동체의 선보다 우선하기 때문에, 공동체의 이익을 위해 개인의 권리를 침해하는 것을 허용하지 않는다.

ㄷ 을: 공동선의 실현을 위해 개인이 스스로 참여할 때 삶은 더욱 풍요로워진다.
➡ 공동체주의자는 법치가 이루어질 수 있도록 하기 위해 시민의 참여가 뒷받침되어야 한다고 주장한다.

✘ 갑, 을: 개인의 정체성은 공동체의 전통과 가치를 토대로 형성된다.
➡ 자유주의자는 개인의 정체성은 공동체의 전통과 가치를 통해 형성되는 것이 아니라 스스로의 선택에 의해 형성된다고 본다.

08 밀의 자유주의

자료 분석 | (가)를 주장한 사상가는 밀이다. 밀은 개인이 자신의 신체와 정신에 대한 주권자라고 보면서, 각자가 개별성을 최대한 발휘해야 한다고 본다. 밀은 개인의 자유로운 행위가 타인에게 해를 끼친다면 사회적·법률적으로 처벌을 가할 수 있다고 본다.

[선택지 분석]

① 각자가 개별성을 최대한 발휘하도록 허용해야 한다.
➡ 밀은 각자 자신의 방식대로 살아가는 삶을 최선이라고 본다. 즉, 각자가 개별성을 최대한 발휘하도록 허용하는 자유로운 사회가 좋은 사회라고 본다.

② 개인에게 전통이나 관습에 따르도록 강제하면 안 된다.
➡ 밀은 관습이 인간의 진보를 막는 장애물이라고 보면서, 개인에게 전통이나 관습에 따르도록 강제해서는 안 된다고 본다.

③ 개인이 결정한 자유로운 선택에 대해 최대한 존중해야 한다.
➡ 자유주의자인 밀은 개인이 결정한 자유로운 선택에 대해 최대한 존중해야 한다고 본다.

④ 다수의 여론에 따르는 삶보다 사상의 자유를 중시해야 한다.
➡ 자유주의자인 밀은 다수의 여론에 따르는 삶보다 스스로의 선택에 따라 살아가며 개인의 자유로운 사상의 자유를 중시해야 한다고 본다.

✔ 어떠한 경우에도 개인의 행동의 자유를 제한해서는 안 된다.
➡ 밀은 정당한 이유 없이 타인에게 피해를 주는 행위에 대해서는 제재가 가능하다고 본다.

---

04 ~ 민주주의

콕콕! 개념 확인하기   209쪽

01 (1) 인민 주권 (2) 인민, 인민 (3) 직접
02 (1) 권력 분립 (2) 있다 (3) 회복해야 (4) 일반 의지
03 (1) ㉢ (2) ㉡ (3) ㉠
04 (1) ○ (2) × (3) ○

04 (2) 롤스는 개인의 양심을 불복종의 최종 근거로 제시한 소로와 달리 시민 다수의 정의감을 불복종의 최종 근거라고 보았다.

탄탄! 내신 다지기   210~211쪽

01 ④   **02** ④   **03** ④   **04** ①   **05** ④   **06** ②   **07** ②
08 ③   **09** ④   **10** 해설 참조

01 고대 아테네의 민주주의의 특징

[선택지 분석]

① 시민은 누구나 정치에 참여할 수 있었다.
➡ 고대 아테네에서는 시민이라면 누구나 정치에 참여할 수 있었다.

② 시민이 아닌 외국인은 정치적 주체가 될 수 없었다.
➡ 고대 아테네에서는 자유민인 성인 남성만을 시민으로 규정하였다. 그래서 노예, 여성, 외국인은 시민이 아니므로 정치적 주체가 될 수 없었다.

③ 시민들은 민회에 모여 자유롭게 의견을 교환하였다.
➡ 고대 아테네에서는 시민들이 민회에 모여 자유롭게 의견을 교환하고 토론하였다.

✔ 법원의 배심원을 포함한 공직은 철학자가 담당하였다.
➡ 고대 아테네에서는 추첨제, 윤번제를 통해 공직을 담당하였다. 즉, 철학자만 담당하는 것이 아니다.

⑤ 시민들은 토론을 통해 국가의 중요한 사항을 직접 결정하였다.
➡ 고대 아테네에서 시민들은 토론을 통해 국가의 중요한 사항을 직접 결정하는 직접 민주주의가 발달하였다.

02 민주정의 특징

자료 분석 | ㉠에 들어갈 정치 형태는 민주정이다. 민주정은 인민의 자기 지배를 전제한다. 따라서 주권은 정치를 담당하는 통치자에게 있는 것이 아니라 인민에게 있다.

[선택지 분석]

ㄱ 지배하는 자와 지배받는 자가 동일하다.
➡ 민주주의의 원리를 의미한다.

ㄴ 정치 공동체 구성원 사이의 정치적 평등을 주장한다.
➡ 민주주의는 정치 공동체 구성원들 간 정치적 평등을 전제한다.

ⓒ 국민이 정부와 국회의 운영에 대한 책임을 물을 수 있다.
→ 민주주의는 정부와 국회의 운영에 대한 책임을 국민이 물을 수 있다.

✖ 정치 공동체의 주권은 정치를 담당하는 통치자에게 있다.
→ 민주주의에서는 주권이 통치자에게 있는 것이 아니라 인민에게 있다.

03 로크의 사회 계약론

[선택지 분석]

㉠ 특정 세력에게 권력이 집중되는 것은 옳지 않다.
→ 로크는 특정 세력에게 권력이 집중되는 현상을 옳지 않다고 보면서, 권력 분립을 주장하였다.

㉡ 정치권력의 정당성은 구성원들의 동의에 기초한다.
→ 로크는 동의에 기초한 사회 계약을 주장하였다.

✖ 계약 위반을 처벌할 절대 군주의 통치력이 중요하다.
→ 로크는 절대 군주제가 아닌 권력 분립을 통한 국민의 권리 보장을 주장하였다.

㉣ 개인의 자연권을 침해하는 정치권력에 저항할 수 있다.
→ 로크는 자연권을 침해하는 정치권력에 대한 저항권을 인정하였다.

04 루소의 사회 계약론

[선택지 분석]

① 국민이 직접 인정하지 않은 법은 무효이다.
→ 루소는 주권은 양도될 수 없으며, 국민이 인정하지 않은 법에 대해서는 효력을 인정하지 않았다.

✖ 주권은 시민이 선출한 대의원을 통해 대표되어야 한다.
→ 루소는 주권은 엄연히 국민에게 있으며, 이는 양도될 수 없고 다른 사람에 의해 대표될 수도 없다고 보았다.

③ 인간의 불평등한 상황은 사유 재산의 발생에서 비롯된다.
→ 루소는 인간의 불평등한 상황은 사유 재산의 발생에서 비롯된다고 보며, 고통스러운 사회생활을 극복하기 위해 자유롭고 평등한 입장에서 국가를 수립하는 계약이 필요하다고 보았다.

✖ 일반 의지에 복종하는 행위는 개인의 소유물을 필연적으로 침해한다.
→ 루소는 법에 의한 지배를 정당한 지배로 보기 때문에 일반 의지에 복종하는 행위가 개인의 소유물을 침해한다고 보지 않았다.

05 로크와 루소의 입장 비교

자료 분석 | 갑은 로크, 을은 루소이다. 로크는 개인의 자연권을 침해하는 권력에 대해서는 저항할 수 있다고 보았다. 루소는 주권은 양도될 수도 없고 대표될 수도 없다고 보았다.

[선택지 분석]

㉠ 갑은 인간이 자연법상의 모든 권리를 간섭받지 않고 누려야 한다고 본다.

→ 로크는 인간이 태어나면서부터 천부적으로 지닌 생명, 자유, 재산에 대한 권리를 자유롭게 누려야 한다고 보았다.

㉡ 을은 일반 의지에 대한 복종은 자기 자신에 대한 복종이라고 본다.
→ 루소는 개인은 주권자의 일원으로서 입법자가 되는 계약을 통해서만 시민적 자유를 누린다고 보았다. 즉, 일반 의지에 대한 복종은 스스로 맺은 계약에 대한 복종이므로 자기 자신에 대한 복종이라고 볼 수 있다.

✖ 을은 주권은 구성원의 동의하에 군주에게 양도되어야 한다고 본다.
→ 루소는 주권은 양도될 수도 대표될 수도 없다고 보기 때문에, 군주에 대한 양도를 인정하지 않았다.

㉣ 갑과 을은 사회 계약은 시민적 자유와 양립 가능하다고 본다.
→ 로크와 루소는 인간의 존엄, 자유, 평등을 보장하기 위한 정치 원리를 주장하였다. 즉 계약을 통해 시민적 자유를 누릴 수 있다고 보았다.

06 대의 민주주의의 한계

[선택지 분석]

㉠ 시민이 정치에 무관심해질 수 있다.
→ 대의 민주주의에서는 대표에게 정치를 맡기게 됨으로써 시민의 정치에 대한 무관심이 증대될 수 있다.

✖ 대표자가 전문성과 자율성을 발휘하기 어렵다.
→ 대의 민주주의에서는 전문성을 지닌 대표자에게 정치를 맡기기 때문에 대표자의 전문성과 자율성 발휘가 용이하다.

㉢ 대표자가 다수의 의사를 온전히 대표하기 어렵다.
→ 대의 민주주의에서는 선출된 대표자들이 시민들의 다양한 의사를 얼마나 잘 대표했는지 파악하기 어렵다.

✖ 인민의 지배가 그들이 선출한 대표자를 통해 간접적으로 이루어진다.
→ 대의 민주주의의 특징에 대한 설명이다.

07 슘페터의 엘리트 민주주의

[선택지 분석]

㉠ 유권자의 투표가 대표자의 정치적 행위에 정당성을 부여하는가?
→ 슘페터는 유권자의 투표가 대표자의 정치적 행위에 정당성을 부여한다고 보았다.

✖ 시민과 달리 정치가들은 정치적 문제에 대한 책임 의식을 지니기 어려운가?
→ 슘페터는 일반적으로 시민들이 정치적 문제에 대한 책임 의식을 지니기 어렵다고 보았다.

✖ 시민의 역할은 지도자를 선출하는 투표자의 역할에 한정하지 말아야 하는가?
→ 슘페터는 시민의 역할을 투표자의 역할에 한정해야 한다고 보았다.

㉣ 선거에서 표를 획득하기 위하여 지도자들이 자유롭게 경쟁할 수 있어야 하는가?

➡ 숨페터는 민주주의를 국민의 지배가 아니라 국민의 지지를 얻기 위한 경쟁 과정을 통해 선출된 정치가의 지배로 보았다. 따라서 표를 획득하는 과정에서 지도자들이 자유롭게 경쟁할 수 있다고 보았다.

08 심의 민주주의의 특징

자료 분석 | 제시문에서 설명하는 민주주의는 심의 민주주의이다. 심의 민주주의는 민주적 의사 결정 과정에서 공적 심의를 중시하는 입장으로, 토론과 숙고를 통해 정책 결정의 공공성을 강화해야 한다고 주장한다.

[선택지 분석]

① 합의 도출을 위해 시민 참여를 최대한 배제해야 한다.

➡ 심의 민주주의는 심의 과정에서 시민 참여를 배제하지 않는다.

② 민주주의의 본질은 표를 얻기 위한 엘리트들의 경쟁이다.
→ 엘리트 민주주의

③ 토론과 숙고를 통해 정책 결정의 공공성을 강화해야 한다.

➡ 심의 민주주의는 토론과 숙고 과정을 통해 정책 결정의 공공성이 강화될 수 있다고 본다.

④ 심의 과정에서 기회나 지위는 차등적으로 부여되어야 한다.

➡ 심의 민주주의는 심의 과정에서의 기회와 지위는 동등하게 부여되어야 한다고 본다.

⑤ 투표로 선출된 대표만이 정책을 심의하고 결정하는 주체이다.

➡ 심의 민주주의는 모든 구성원이 심의의 주체라고 본다.

09 하버마스와 롤스의 시민 불복종에 대한 입장 비교

자료 분석 | 갑은 하버마스, 을은 롤스이다. 하버마스는 합법적인 규정이라도 정당성을 판단하는 기준인 헌법 원칙에 어긋나는 때에 시민 불복종이 발생할 수 있다고 보았다. 롤스는 정의의 원칙을 훼손한 법에 대해 비폭력적이고 공개적인 저항을 인정하였다.

[선택지 분석]

㉠ 갑: 시민 불복종은 헌법을 정당화하는 원칙에 근거하여 이루어져야 한다.

➡ 하버마스는 시민 불복종이 전체적으로 건전한 법치 국가에서 행해져야 하며, 기본권, 소송권의 보장, 국민 주권 원칙, 법 앞에서의 평등과 같은 헌법을 정당화하는 원칙에 근거하여 이루어져야 한다고 보았다.

㉡ 을: 시민은 정의의 원칙을 훼손한 법에 대해 비폭력적으로 저항해야 한다.

➡ 롤스는 정의의 원칙을 훼손한 법에 대해서는 불복종해야 한다고 주장하였으며, 불복종은 공개적이고 비폭력적인 방법으로 행해야 한다고 주장하였다.

㉢ 을: 행위의 정당성을 판단하는 최종 근거는 개인의 양심이다.

➡ 소로의 주장이다. 롤스는 불복종의 정당성을 판단하는 최종 근거를 사회 다수의 정의관이라고 보았다.

㉣ 갑, 을: 불복종을 행한 사람은 자신의 행위에 대한 법적인 결과를 책임져야 한다.

➡ 하버마스와 롤스는 시민 불복종을 행한 사람은 그로 인한 처벌을 감수해야 한다고 주장하였다.

10 참여 민주주의의 의의와 한계

자료 분석 | 참여 민주주의는 대표를 선출하여 투표하는 정치 참여는 민주주의의 본질을 보장하지 않는다고 보고, 진정한 민주주의의 실현을 위해서는 시민들이 정책 결정 과정에 직접 참여하여 강한 영향력을 행사해야 한다고 본다.

(1) 참여 민주주의

(2) [예시 답안] 참여 민주주의는 시민들이 직접 정책 결정 과정에 참여함으로써 국민의 지배라는 민주주의의 이상을 실현할 수 있다는 의의를 지닌다. 그러나 참여가 늘어난다고 민주주의의 질이 높다고 보장할 수 없으며, 참여한 시민이 이기적인 태도를 보인다면 시민 전체의 의사가 왜곡될 수 있다는 한계가 있다.

채점기준		
상	참여 민주주의의 의의와 한계를 모두 정확하게 서술한 경우	
중	참여 민주주의의 의의나 한계 중 한 가지만 정확하게 서술한 경우	
하	참여 민주주의의 의의와 한계를 모두 서술하지 못한 경우	

도전! 실력 올리기 212~213쪽

01 ⑤　**02** ①　**03** ⑤　**04** ③　**05** ③　**06** ③　**07** ④
08 ④

01 로크의 사회 계약론

자료 분석 | 제시문의 사상가는 개인의 자연권을 침해하는 정치 권력에 대한 저항을 강조한 점을 통해 로크임을 알 수 있다.

[선택지 분석]

① 국민을 통치의 주체로 인정해야 하는가?

➡ 로크는 주권은 통치자가 아닌 국민에게 있다고 주장하면서, 국민이 통치의 주체임을 강조하였다.

② 민의에 반하는 통치자는 교체될 수 있는가?

➡ 로크는 민의에 반하는 통치자는 교체될 수 있다는 저항권 사상을 주장하였다.

③ 통치 권력은 국민으로부터 위임받은 것인가?

➡ 로크는 통치자의 권력은 국민의 권리 보장을 위해 국민으로부터 위임받은 것이라고 보았다.

④ 국가의 주권은 국민에게 있다고 보아야 하는가?

➡ 로크는 국가의 주권은 국민에게 있다고 보아야 한다고 주장하였다.

⑤ 통치자는 권력을 자의적으로 행사할 수 있는가?

➡ 로크는 권력을 자의적으로 행사하는 것에 반대하면서 법에 의해 통치되어야 한다는 법치주의를 강조하였다.

02 로크와 루소의 사상 비교

자료 분석 | 갑은 입법권과 행정권으로 권력을 분리해야 함을 주장한 점을 통해 로크, 을은 주권을 일반 의지의 행사로 보고 양도될 수 없다고 주장한 점을 통해 루소임을 알 수 있다.

[선택지 분석]

㉠ 갑은 권력 집중보다 권력 분립이 필요하다고 본다.
→ 로크는 법을 제정하는 입법권과 제정된 법을 집행하는 집행권을 분리해야 한다고 주장하였다.

㉡ 갑은 국가의 목적이 국민의 재산을 보호하는 데 있다고 본다.
→ 로크는 국가의 목적은 국민의 생명, 자유, 재산을 지키는 데 있다고 보았다.

✗ 을은 국가 권력에 대해서 저항권을 행사할 수 있다고 본다.
→ 루소는 국가 권력에 대한 저항권의 행사를 주장하지 않았다.

✗ 갑, 을은 상호 투쟁 상태인 자연 상태에서 벗어나야 한다고 본다.
→ 로크와 루소 모두 자연 상태를 상호 투쟁 상태로 규정하지 않았다.

03 밀의 사상의 특징

자료 분석 | 제시문의 사상가는 밀이다. 밀은 대표적인 근대 자유주의 사상가로, 자신의 행동에 스스로 책임질 수 있다면 각자 생각대로 행동할 자유가 있다고 보아 사회나 국가가 개인의 자유를 존중할 것을 강조하였다.

[선택지 분석]

① 개인의 자유를 최대한 보장하는 정부가 바람직하다.
→ 밀은 개인의 자유를 최대한 보장하는 정부를 좋은 정부라고 규정하였다.

② 자유의 실현을 위해 개인의 권리 보호를 중시해야 한다.
→ 밀은 자유의 실현을 위해 개인의 권리 보호를 중시하였다.

③ 국가는 개인의 자유와 권리를 보호하기 위한 조직에 불과하다.
→ 밀은 국가를 개인의 자유와 권리 보호를 위한 수단으로 보았다.

④ 국가는 개인들의 다양한 가치관에 대해 가능한 중립을 유지해야 한다.
→ 밀은 가치관은 스스로의 선택에 의해 형성되는 것이므로, 국가는 가능한 중립을 지켜야 한다고 보았다.

⑤ 개인의 행동을 제약하는 국가와 사회의 모든 통제는 정당하지 않다.
→ 밀은 다른 사람에게 해를 끼치는 행동에 대해서는 사회적 통제가 필요하다고 보았다.

04 엘리트 민주주의와 심의 민주주의 비교

자료 분석 | (가)는 엘리트 정치인에게 정치를 맡겨야 한다고 주장한 점을 통해 엘리트 민주주의, (나)는 민주주의에서 심의 과정을 중시한 점을 통해 심의 민주주의임을 알 수 있다.

[선택지 분석]

✗ (가)는 국가의 모든 정책에 시민들이 참여하는 절차의 마련을 강조한다.
→ 엘리트 민주주의는 국가의 모든 정책에 시민이 참여할 필요가 없다고 본다.

㉡ (가)는 정책적 전문성을 갖춘 직업인으로서의 정치가에게 정치를 맡겨야 한다고 본다.
→ 엘리트 민주주의는 정치 엘리트인 지도자에게 정치를 맡겨야 한다고 본다.

㉢ (나)는 소통 과정을 통해 시민들의 집단 의사를 형성해 가는 심의를 필수적이라고 본다.
→ 심의 민주주의는 시민이 공론의 장에서 사회적 쟁점을 깊이 있게 토론하고 심의하는 과정을 중시한다.

✗ (가)와 (나)는 시민들의 정치 참여가 대표자를 선출하는 투표만으로 충분하다고 본다.
→ 시민들의 정치 참여가 대표자를 선출하는 투표만으로 충분하다고 본 것은 엘리트 민주주의만의 주장이다.

05 롤스와 하버마스의 시민 불복종 비교

자료 분석 | 제시문의 갑은 사회 다수의 정의관을 시민 불복종의 근거로 본 점을 통해 롤스, 을은 의사소통적 합리성과 같은 형식적인 도덕 원칙에 따라 시민 불복종을 정당화할 수 있다고 본 점을 통해 하버마스임을 알 수 있다.

[선택지 분석]

✗ 갑: 정치 체제의 변혁은 시민 불복종의 최종 목적이다.
→ 롤스가 주장하는 시민 불복종의 목적은 정치 체제의 변혁이 아니라 부정의한 법과 제도의 수정이다.

㉡ 갑: 시민 불복종은 합법적인 방법이 수용되지 않았을 때 비로소 이루어져야 한다.
→ 롤스는 최후의 수단으로서의 시민 불복종이 행해져야 한다고 보았다.

㉢ 을: 오류 소지가 있는 법과 정책은 의사소통 과정에서 교정되어야 한다.
→ 하버마스는 오류가 있는 법과 정책은 의사소통 과정에서 교정되어야 하며, 시민 불복종을 그 과정을 마련함으로써 오류를 수정할 기회를 제공하는 것으로 이해하였다.

✗ 갑, 을: 시민 불복종은 합리적인 의사소통을 통해 합의한 원칙에 어긋난 법이나 정책에 대한 저항이다.
→ 하버마스에만 해당되는 내용이다. 롤스는 시민 불복종을 공공의 정의관에 어긋나는 것에 대한 저항으로 정의하였다.

06 참여 민주주의와 엘리트 민주주의 비교

자료 분석 | (가)는 참여 민주주의이고, (나)는 엘리트 민주주의이다.

[선택지 분석]

✗ (가)는 선출된 대표가 각계각층의 입장을 충분히 대표한다고 주장한다.
→ 참여 민주주의는 선출된 대표가 각계각층의 입장을 충분히 대표한다고 볼 수 없기 때문에 직접적인 시민의 참여가 필요하다고 본다.

ㄴ (가)는 다수의 시민이 적극적으로 정치에 참여해야 한다고 주장한다.

➡ 참여 민주주의에서는 시민들의 적극적인 정치 참여를 강조한다.

✘ (나)는 시민들이 정부 정책과 집행 과정에 영향력을 행사하여 참여의 질을 높여야 한다고 주장한다.

➡ 엘리트 민주주의는 시민들의 참여는 투표 행위에 한정해야 한다고 본다.

ㄹ (나)는 (가)와 달리 정책 결정에 필요한 지식을 갖춘 전문가에게 정치를 맡겨야 한다고 주장한다.

➡ 엘리트 민주주의는 정치적 지배를 정치 엘리트인 지도자에게 맡겨야 한다고 주장한다.

07 소로와 롤스의 시민 불복종 비교

자료 분석 | 제시문에서 갑은 시민 불복종의 정당화 근거로 법이 아닌 개인의 양심을 주장한 점을 통해 소로, 을은 공유된 정의관이 시민 불복종의 정당화 근거가 되어야 한다고 본 점을 통해 롤스임을 알 수 있다.

[선택지 분석]

① A: 시민 불복종은 정의롭지 못한 법을 의도적으로 위반하는 행위인가?

➡ 소로와 롤스 모두 긍정의 대답을 할 질문이다.

② A: 시민 불복종은 합법적인 청원이 수용되지 않을 때 이루어져야 하는 최후의 수단인가?

➡ 롤스가 긍정의 대답을 할 질문이다. 소로는 양심에 어긋나는 법에 대한 즉각적 불복종을 강조하였다.

③ B: 시민 불복종은 정치 체제를 변혁하기 위한 비공개적인 행위인가?

➡ 소로는 시민 불복종을 정치 체제 변혁을 위한 비공개적 행위가 아니라 정의롭지 못한 법에 대한 공개적인 불복종이라고 보았다.

✔ C: 공동체의 정의감이 시민 불복종의 정당화 근거가 되어야 하는가?

➡ 롤스는 시민 불복종의 정당화의 최종 근거로 공동체의 정의감을 제시하였다.

⑤ C: 양심에 어긋나는 모든 법에 대해 시민 불복종을 즉시 전개해야 하는가?

➡ 롤스는 심각한 불의가 행해진 법에 대한 불복종만을 논의하며, 불복종을 합법적인 청원이 수용되지 않았을 때 이루어지는 최후의 수단으로 이해하였다.

08 심의 민주주의의 특징

자료 분석 | 제시문은 심의 민주주의는 시민들이 서로 소통하면서 집단의 의사를 형성하는 민주적 과정인 심의를 강조하며, 이러한 심의 민주주의가 성공하기 위한 조건에 대해 설명하고 있다.

[선택지 분석]

① 관련 정보 공유로 시민들의 이해력을 증진해야 한다.

➡ 심의 민주주의는 충분한 정보의 공유로 집단의 의사를 형성해야 한다고 본다.

② 심의 주체들은 평등한 관계에서 의견을 개진해야 한다.

➡ 심의 민주주의에서는 민주적 심의를 위해 권력이나 부와 무관하게 모든 사람이 심의 과정에서 동등한 기회와 지위를 누려야 한다고 본다.

③ 심의 참가자는 자유롭게 의사 표현을 할 수 있어야 한다.

➡ 심의의 참가자는 이성적인 사유에 근거하여 자신의 의사를 자유롭게 표현할 수 있어야 한다.

✔ 심의의 효율성을 위해 의사 표현의 기회는 제한되어야 한다.

➡ 심의 민주주의에서는 의사 표현 기회가 제한되어야 한다고 보지 않는다.

⑤ 공공 문제를 토론하는 데 있어 상호 이해와 소통이 필요하다.

➡ 심의 민주주의는 동료 시민들이 수용할 수 있는 이유를 제시한 의견을 통해 서로 간의 이해에 도달해야 한다고 본다.

05 ~ 자본주의

콕콕! 개념 확인하기　　　　218쪽

01 (1) 사유 재산, 시장 (2) 프로테스탄티즘 (3) 물질
02 (1) 배제 (2) 확대 (3) 축소
03 (1) ⓒ (2) ⓛ (3) ㄱ
04 (1) 빈부 격차 (2) 인간 소외 (3) 물질 만능주의
05 (1) ○ (2) ○ (3) ○ (4) ✕

05 (4) 프롤레타리아 혁명을 주장하는 것은 마르크스이다. 민주 사회주의는 마르크스가 주장한 급진적이고 폭력적인 프롤레타리아 혁명이 아닌 민주적인 방법을 통한 사회주의의 실현을 강조한다.

탄탄! 내신 다지기　　　　219~220쪽

01 ① 　02 ③ 　03 ③ 　04 ③ 　05 ② 　06 ④ 　07 ④
08 ④ 　09 ⑤ 　10 해설 참조

01 프로테스탄티즘의 이해

자료 분석 | 프로테스탄티즘은 칼뱅 사상에 영향을 받아 근면, 검소, 성실을 강조하며 합리적 이윤 추구를 긍정하였다.

[선택지 분석]

✔ 근면, 검소, 성실을 강조하였다

② 합리적인 이윤 추구를 부정하였다
　　　　　　　　　　　　긍정

③ 직업에 대한 소명 의식을 부정하였다

➡ 프로테스탄티즘은 직업에 대한 소명 의식을 주장한 칼뱅의 사상에 영향을 받아 직업을 소명으로 인식하였다.

④ 부의 축적은 신의 뜻에 ~~어긋난다~~고 보았다
　　　　　　　　　　어긋나지 않는다고
⑤ 개인의 자유를 존중하고 국가의 부당한 간섭을 거부하였다
　　➡ 자유주의에 관한 설명이다.

02 케인스의 수정 자본주의

[선택지 분석]

① 공익의 증진을 위해 사익 추구를 금지해야 한다.
　　➡ 케인스는 사익 추구를 금지해야 한다고 주장하지 않았다.
② 시장에 대한 정부 개입은 시장 실패를 야기한다.
　　➡ 케인스는 시장에 대한 정부 개입이 필요하다고 보았다. 오히려
　　　정부가 시장에 개입을 하지 않는 것이 시장 실패를 야기한다
　　　고 보았다.
③ 공공선 실현을 위해 정부의 시장 개입이 필요하다.
　　➡ 수정 자본주의자인 케인스는 불황과 실업 등의 문제를 해결하
　　　기 위해 정부의 시장 개입이 필요하다고 보았다.
④ 사유 재산 제도를 폐지하고 국유제를 실시해야 한다.
　　➡ 케인스는 사유 재산 제도를 폐지해야 한다고 보지 않았다.
⑤ 시장의 가격 자동 조절 기능을 언제나 신뢰할 수 있다.
　　➡ 케인스는 시장의 자동 가격 조절 기능의 불완전성으로 인해
　　　정부의 적극적 개입이 필요하다고 주장하였다.

03 애덤 스미스의 고전적 자본주의

자료 분석 | 제시문의 사상가는 '보이지 않는 손'을 주장한 것을 통
해 애덤 스미스임을 알 수 있다.

[선택지 분석]

✗ 시장 실패의 해결을 위한 정부의 개입이 필요하다.
　　➡ 애덤 스미스는 자유로운 경제 활동을 보장하는 자유방임주의
　　　를 주장하였다.
✗ 국가는 경제 불평등의 해소를 위해 노력해야 한다.
　　➡ 애덤 스미스는 국가가 경제 불평등 해소를 위한 기능을 맡아
　　　야 한다고 주장하지 않았다.
ⓒ 국부의 증진과 개인의 사익 추구가 양립할 수 있다.
　　➡ 애덤 스미스는 개인이 자유롭게 이익을 추구하도록 내버려둠
　　　으로써 사회의 이익을 증진시킬 수 있다고 보았다.
ⓔ 인간의 이기심은 경제 발전의 원동력이 될 수 있다.
　　➡ 애덤 스미스는 인간의 이기심이 경제 발전의 원동력이라고 보
　　　았다.

04 하이에크와 케인스의 입장 비교

자료 분석 | 갑은 신자유주의 사상가인 하이에크, 을은 수정 자본주
의 사상가인 케인스이다.

[선택지 분석]

✗ 갑: 정부는 경제 계획을 통해 시장을 통제해야 한다.
　　➡ 자본주의를 긍정하는 하이에크의 주장으로 볼 수 없다.
✗ 갑: 양극화를 해소하기 위해 복지 정책을 적극적으로 시행해야 한다.
　　➡ 하이에크는 복지 정책의 축소 등 시장의 자율성을 지지하는
　　　입장이다.

ⓒ 을: 정부의 적극적인 시장 개입이 필요하다
　　➡ 케인스는 정부의 시장 개입의 필요성을 인정하였다.
ⓔ 갑, 을: 시장의 경쟁 원리와 사유 재산제를 존중해야 한다.
　　➡ 자본주의의 공통적인 주장이다.

05 하이에크의 신자유주의

자료 분석 | 제시문의 사상가는 인간의 노력을 조정하는 수단으로
써 경쟁을 강조한 점을 통해 하이에크임을 알 수 있다.

[선택지 분석]

✗ 사익보다 공익을 우선 추구하는 체제가 되어야 한다.
　　➡ 하이에크는 사익보다 공익을 우선 추구하는 체제를 강조하지
　　　않았다.
② 경제적 효율성을 위해 정부 권한은 축소되어야 한다.
　　➡ 하이에크는 정부는 시장의 효율성을 위해 시장에 개입하지 말
　　　아야 한다고 보았다.
✗ 자유 경쟁 체제를 계획 경제 체제로 대체해야 한다.
　　➡ 하이에크는 계획 경제는 사람들을 노예의 길로 이끈다고 비판
　　　하면서, 자유 경쟁 체제를 옹호하였다.
④ 국가는 자유 경쟁이 효율적으로 작동하도록 하는 역할
만을 해야 한다.
　　➡ 하이에크가 강조하는 국가의 역할은 경쟁을 최대로 보장하는
　　　것 뿐이다. 그는 국가는 자유 경쟁이 효율적으로 작동하도록
　　　하는 역할만 담당해야 한다고 보았다.

06 자본주의에 대한 비판

[선택지 분석]

① 인간을 생산을 위한 수단으로만 여길 수 있다.
　　➡ 자본주의에서는 물질적 가치만을 좇으면서 인간을 기계의 부
　　　품처럼 취급할 수 있다.
② 과도한 경쟁으로 공동체의 통합을 저해할 수 있다.
　　➡ 자본주의에서는 자유 경쟁을 보장하기 때문에 경쟁이 과도해
　　　질 경우 공동체의 통합이 저해될 수 있다.
③ 빈부 격차가 심화되어 사회 양극화로 이어질 수 있다.
　　➡ 자본주의에서는 빈부 격차가 심화되어 사회 양극화 현상이 발
　　　생할 수 있다.
④ 정신적 가치를 물질적 가치보다 중요하게 여길 수 있다.
　　➡ 자본주의에서는 물질적 가치를 정신적 가치보다 중요하게 여
　　　기는 현상이 발생할 수 있다.
⑤ 지나친 이윤 추구로 인간성의 상실을 야기할 수 있다.
　　➡ 자본주의에서는 이윤 추구를 목적으로 하다 보니 인간성의 상
　　　실을 야기할 수 있다.

07 민주 사회주의의 특징

자료 분석 | 제시문은 '프랑크푸르트 선언'의 일부로 민주 사회주의
가 추구하는 이념을 보여주고 있다. 민주 사회주의는 민주적 방법
으로 사회주의 이상의 실현을 추구한다.

[선택지 분석]

✗ 사회 문제의 근원이 공유제에 있다고 보는가?

➡ 민주 사회주의는 사회 문제의 근원이 자본주의의 사유제에 있다고 본다.

ⓒ 의회를 통한 점진적 사회 개혁을 추구해야 하는가?
➡ 민주 사회주의는 마르크스주의와 달리 의회를 통한 점진적 사회 개혁을 추구해야 한다고 본다.

✗ 국가에 의한 사회 보장 제도는 축소되어야 하는가?
➡ 민주 사회주의는 국가에 의한 사회 보장 제도는 확대되어야 한다고 본다.

ⓔ 분배에 있어 필요는 우선적으로 고려되어야 하는가?
➡ 민주 사회주의는 필요를 우선적으로 고려하는 분배가 이루어져야 한다고 본다.

08 마르크스주의의 특징

자료 분석 | 제시문의 사상가는 자본주의 생산 양식에서는 노동자가 그 자신의 노동으로부터 소외된다고 주장한 마르크스이다.

[선택지 분석]

① 경제적 평등의 실현을 위해 노동의 분업을 확대해야 한다.
➡ 마르크스는 분업이 발생하는 과정에서 노동 소외가 발생한다고 보아 노동의 분업을 반대하였다.

② 공산주의 사회는 노동을 통한 사유 재산 축적을 중시한다.
➡ 마르크스는 사유제를 부정하고 공유제를 강조하였다.

③ 자본가와 노동자의 협력으로 노동 소외를 극복해야 한다.
➡ 마르크스는 자본가와 노동자는 협력할 수 없다고 보았다.

✔ 자본주의 사회에서 노동자는 노동 과정에서 주체가 될 수 없다.
➡ 마르크스는 자본주의 사회에서 노동자는 노동 과정의 주체가 될 수 없다고 하면서, 노동의 본질을 회복하기 위해 자본주의의 철폐를 주장하였다.

⑤ 자본가가 노동자의 복지 향상을 위해 적극적으로 노력하면 노동 소외 문제를 해결할 수 있다.
➡ 마르크스는 자본가의 노력을 통해 노동자의 복지 향상을 주장한 것이 아니라, 노동자의 혁명을 통해 자본주의의 문제를 타파하고자 하였다.

09 마르크스주의와 민주 사회주의의 특징

자료 분석 | 갑은 마르크스이고, 을은 민주 사회주의 사상가이다. 마르크스는 프롤레타리아 혁명을 통해 자본주의의 생산 관계를 타파하여 계급을 소멸시켜야 한다고 주장하였다. 이와 달리 민주 사회주의는 국가가 사람들의 복지를 증진시키기 위해 노력해야 한다고 본다.

[선택지 분석]

① A: 생산 수단의 사유와 공유가 모두 인정되어야 하는가?
➡ 갑은 부정, 을은 긍정의 대답을 할 질문이다. 민주 사회주의는 마르크스주의와 달리 부분적으로 사유를 인정한다.

② B: 공산 사회는 자본가와 노동자의 연대로 완성되는가?
➡ 갑이 부정의 대답을 할 질문이다. 마르크스는 자본가와 노동자의 연대를 강조하지 않았다.

③ B: 생산 성과는 모두 업적에 비례하여 분배되어야 하는가?
➡ 갑이 부정의 대답을 할 질문이다. 마르크스는 업적에 비례한 분배를 강조하지 않았다.

④ C: 프롤레타리아 혁명을 거쳐야 평등 사회가 실현되는가?
➡ 을이 부정의 대답을 할 질문이다. 민주 사회주의는 급진적인 혁명의 방식이 아닌 의회를 통한 점진적 변혁을 추구하였다.

✔ C: 국가는 사람들의 복지 증진을 위해 노력해야 하는가?
➡ 민주 사회주의가 긍정의 대답을 할 질문이다.

10 자본주의의 규범적 특징

(1) 자본주의
(2) [예시 답안] 자본주의는 개인의 경제적 자율성과 사적 소유권을 최대한 보장하고, 이윤 추구를 위해 시장에서의 자유 경쟁을 허용한다.

채점기준	
상	자본주의의 규범적 특징을 두 가지 모두 정확하게 서술한 경우
중	자본주의의 규범적 특징 중 한 가지만 정확하게 서술한 경우
하	자본주의의 규범적 특징을 서술하지 못한 경우

도전! 실력 올리기 221쪽

01 ① 02 ① 03 ③ 04 ④

01 하이에크의 케인스에 대한 비판

자료 분석 | '나'는 신자유주의 사상가인 하이에크이고, '어떤 사상가'는 수정 자본주의 사상가인 케인스이다.

[선택지 분석]

✔ 복지 정책이 시장의 자율성을 침해함을 간과한다
➡ 하이에크의 주장이다. 하이에크는 케인스가 주장한 복지 정책이 시장의 자율성을 침해하는 것으로 보고 정부의 시장 개입을 반대할 것이다.

② 국가의 적극적인 시장 개입이 필요함을 간과한다

③ 생산의 효율성보다 분배의 형평성이 중요함을 간과한다
➡ 신자유주의자인 하이에크는 분배의 형평성이 생산의 효율성보다 중요하다고 보지 않았다.

④ 국가의 공공선을 위해 시장 규제를 확대해야 함을 간과한다

⑤ 국가가 시민의 기본적인 구매력을 잃지 않도록 해야함을 간과한다

02 민주 사회주의와 수정 자본주의 비교

자료 분석 | (가)는 점진적이고 민주적인 방법으로 사회주의를 추구한 점을 통해 민주 사회주의, (나)는 정부의 적극적 개입을 주장한 점을 통해 수정 자본주의 사상가인 케인스임을 알 수 있다.

[선택지 분석]

ⓒ 경제 문제 해결을 위해 국가의 시장 개입을 주장하는가?
➡ 민주 사회주의와 수정 자본주의 모두 긍정의 대답을 할 질문이다.

✘ 효율적 자원 배분을 위한 복지 제도 축소를 강조하는가?
➡ 민주 사회주의와 수정 자본주의 모두 부정의 대답을 할 질문이다. 민주 사회주의와 수정 자본주의는 공통적으로 복지 제도의 확충을 주장한다.

ⓒ 자유로운 의회 활동을 통한 사회주의 이념의 실현을 강조하는가?
➡ 민주 사회주의가 긍정의 대답을 할 질문이다.

✘ 국가는 자유 경쟁 체제가 효율적으로 작동하는 데 어떠한 역할도 할 수 없는가?
➡ 민주 사회주의와 수정 자본주의는 공통적으로 국가에 의한 복지 제도의 확충을 주장한다. 따라서 국가가 어떠한 역할도 할 수 없다고 보지 않는다.

03 애덤 스미스의 고전적 자본주의

자료 분석 | 그림의 강연자는 개인이 자유롭게 자신의 이익을 추구함으로써 사회의 이익이 증진할 것이라고 주장한 점을 통해 애덤 스미스임을 알 수 있다.

[선택지 분석]

✘ 필요에 따른 분배를 실현해야 한다. → 마르크스

ⓛ 시장에 대해 국가는 가급적 간섭하지 않아야 한다.

ⓒ 보이지 않는 손의 자동 조절 기능을 신뢰해야 한다.

✘ 실업과 불황은 정부의 공공 투자 확대로 해결해야 한다.
➡ 애덤 스미스는 시장의 자율성을 강조하므로, 정부의 공공 투자 확대를 주장하지 않았다.

04 마르크스주의와 민주 사회주의 비교

자료 분석 | (가)는 마르크스주의, (나)는 민주 사회주의이다. 마르크스는 프롤레타리아에 의한 폭력 혁명을 주장하였고, 민주 사회주의는 점진적·평화적 방법을 강조하였다.

[선택지 분석]

① 계획 경제의 실현을 위해 모든 생산 수단을 공유해야 한다.
➡ 모든 생산 수단의 공유는 마르크스만의 주장이다.

② 일당 독재 체제를 통해 불평등한 사회 구조를 극복해야 한다.
➡ 일당 독재 체제를 지지하는 입장은 마르크스만의 주장이다.

③ 노동의 소외 문제를 해결하기 위해 노동자의 혁명이 필요하다.
➡ 급진적 혁명을 강조하는 것은 마르크스만의 주장이다.

✔ 공공의 이익이 사적 이익보다 우선되는 사회를 실현해야 한다.
➡ 마르크스주의와 민주 사회주의는 사적 이익을 중시하는 자본주의를 반대하면서 공공의 이익이 우선하는 사회주의를 지지하는 입장이다.

⑤ 복지 정책을 강화하기 위해 정부의 시장 개입을 최소화해야 한다.
➡ 민주 사회주의는 복지 정책 강화를 위한 정부의 시장 개입을 지지한다.

---

06 ~ 평화

콕콕! 개념 확인하기
227쪽

01 적극적 평화
02 (1) 수기이안백성 (2) 존비친소, 겸애
03 (1) 선, 악 (2) 이기심 (3) 제정
04 (1) ㉠ (2) ㉡
05 (1) 세계 시민주의 (2) 노직
06 (1) ○ (2) ○ (3) ✕ (4) ○ (5) ✕ (6) ✕

05 (3) 롤스는 원조를 통해 모든 국가의 복지 및 부의 수준을 조정해야 한다고 보지 않았다.

(5) 싱어는 사회 내 부조와 해외 원조 사이에는 본질적인 차이가 없으며, 모든 존재의 이익을 동등하게 고려해야 한다고 주장하였다.

(6) 싱어는 원조 대상 선정에서 고통을 고려하기 때문에, 풍요한 사회의 시민일지라도 절대 빈곤에 처한 사람이라면 제외될 수 없을 것이다.

탄탄! 내신 다지기
228~229쪽

01 ② 02 ⑤ 03 ⑤ 04 ④ 05 ④ 06 ④ 07 ③
08 ④ 09 ③ 10 해설 참조

01 불교의 평화론

[선택지 분석]

① 모든 생명체는 밀접한 관계를 맺고 있다.

✔ 생명체들의 가치는 ~~위계적인 질서를 지닌다.~~
              평등하다

③ 고통과 폭력이 되풀이되는 것을 막아야 한다.
➡ 불교에서 말하는 불살생, 비폭력을 의미하는 표현이다.

④ 연기에 대한 자각을 통해 자비를 베풀어야 한다.
➡ 불교는 마음속의 탐욕, 화냄, 어리석음을 제거하고 연기에 대한 깨달음에 이르면 자비로 이어진다고 본다.

⑤ 불살생(不殺生)의 계율에 따라 살생을 금지해야 한다.

02 유교와 묵자의 평화론

자료 분석 | 갑은 평화 실현을 위해 인(仁)의 회복을 이야기한 유교 사상가이고, 을은 평화 실현을 위해 차별 없는 사랑을 주장한 묵자이다.

[선택지 분석]

✘ 갑: 평화 실현을 위해 연기(緣起)를 깨달아야 한다. → 불교

ⓛ 을: 모든 사람을 차별 없이 사랑[兼愛]해야 한다.
➡ 묵자는 모든 사람을 똑같이 사랑해야 한다는 겸애를 주장한다.

ⓒ 을: 전쟁을 막기 위해 국가 간 신뢰를 쌓아야 한다.
➡ 묵자는 국가 간의 외교를 두텁게 하여 신뢰를 쌓아야 한다고 주장하였다.

ⓔ 갑, 을: 타국 정복을 위한 침략 전쟁을 해서는 안 된다.
➡ 유교는 침략 전쟁은 의롭지 않다는 점에서, 묵자는 침략 전쟁은 이익이 되지 않는다는 점에서 반대하였다.

03 도가의 평화론

자료 분석 | 제시문의 사상가는 도가 사상가인 노자이다. 도가에서는 사회의 혼란을 인위적인 사회 제도 및 그릇된 인식과 가치관에서 비롯된다고 본다. 이에 혼란과 갈등을 줄이기 위해서는 무위의 다스림이 이루어지며 나라의 규모가 작고 백성이 자급자족하도록 해야 한다고 주장한다.

[선택지 분석]

✗ 주변국과의 무역과 교류를 활성화해야 합니다.
➡ 노자는 주변국과 무역이나 교류를 하면 서로 침략할 가능성이 있기에 교류와 무역의 활성화를 주장하지 않았다.

✗ 나라의 부유함과 강력한 군사력을 추구해야 합니다.
➡ 노자가 추구하는 사회는 서로 침략하지 않으며 자급자족을 하는 소박한 사회이다.

ⓒ 백성이 본래의 자연성에 따라 살아가게 해야 합니다.
➡ 노자는 인간이 본래 지닌 소박하고 순수한 덕에 따라 살아갈 때 평화를 이룰 수 있다고 보았다.

ⓔ 백성이 자급자족할 규모가 작은 사회를 지향해야 합니다.
➡ 노자는 무위의 다스림이 이루어지기 위해서는 규모가 작은 사회를 지향해야 한다고 보았다.

04 칸트의 영구 평화론

자료 분석 | 제시문은 칸트의 "영구 평화론"의 일부이다.

[선택지 분석]

① 개별 국가의 시민적 정치 체제는 공화정체를 갖추어야 한다.
➡ 영구 평화를 위한 확정 조항에서 제1항에 대한 내용이다.

② 국가들은 평화 연맹을 형성하여 국제적 갈등을 조정해야 한다.
➡ 영구 평화를 위한 확정 조항에서 제2항에 대한 내용이다.

③ 공적인 인권과 영원한 평화를 위해 세계 시민법을 만들어야 한다.
➡ 영구 평화를 위한 확정 조항에서 제3항에 대한 내용이다.

✗ 영구 평화를 실현하기 위해 개별 국가의 주권은 폐지되어야 한다.
➡ 칸트는 영구 평화를 위해서 개인을 독립적 인격체로 존중하듯이 개별 국가의 주권을 존중하고, 타국의 내정에 간섭하지 말아야 한다고 주장하였다.

05 에라스뮈스와 아퀴나스의 전쟁에 대한 관점

자료 분석 | 갑은 에라스뮈스이고, 을은 정의 전쟁론을 주장한 아퀴나스이다. 에라스뮈스는 전쟁은 부당하다고 보는 반면, 아퀴나스는 정의로움의 실현을 위해 전쟁이 필요한 경우도 있다고 보았다.

[선택지 분석]

ⓐ 갑: 전쟁은 본성상 선보다 악을 초래한다.
➡ 에라스뮈스는 종교적, 도덕적, 경제적인 측면에서 전쟁은 본성상 선보다 악을 초래한다고 보았다.

ⓑ 갑: 평화를 달성하는 것이 전쟁보다 훨씬 적은 비용이 든다.
➡ 에라스뮈스는 전쟁을 위한 무기 구매, 용병 모집에 드는 비용, 전쟁에 의한 파괴 등의 경제적 손실을 고려해볼 때 평화 달성이 전쟁보다 더 적은 비용이 든다고 보았다.

ⓒ 을: 정당한 요건을 갖춘 전쟁은 정의로울 수 있다.
➡ 아퀴나스는 정당한 요건을 갖춘 전쟁은 정의로울 수 있다고 보았다.

✗ 갑, 을: 무력은 평화와 정의를 지키는 정당한 수단이 될 수 있다.

06 세계 시민의 바람직한 자세

[선택지 분석]

① 인류를 하나의 운명 공동체로 인식한다.
➡ 세계 시민주의는 인류를 하나의 운명 공동체로 인식한다.

② 다양성을 존중하는 관용의 덕목을 중시한다.
➡ 세계 시민주의는 다른 사람들과 더불어 살아가기 위해 다양성을 인정하고 관용을 베풀어야 한다고 본다.

③ 갈등이 발생하면 대화와 협력을 통해 해결한다.
➡ 세계 시민주의는 갈등이 발생하더라도 인류애를 바탕으로 대화와 타협을 통해 해결해야 한다고 본다.

✔ 난민과 기아 문제는 해당 국가가 해결할 것을 촉구한다.
➡ 난민과 기아 같은 세계 문제는 인류가 함께 해결할 문제로 인식해야 한다.

⑤ 지구촌에서 발생하는 문제는 인류 모두의 문제로 인식한다.
➡ 세계 시민주의는 지구상에서 발생하는 문제를 인류가 함께 해결하기 위해 노력해야 한다고 본다.

07 해외 원조에 대한 노직의 입장

자료 분석 | 제시문의 사상가는 해외 원조를 개인의 자유로운 선택에 근거해야 한다고 보고, 개인이 정당하게 취득한 재산에 대해 타인이나 국가가 결코 침해할 수 없다고 본점을 통해 노직임을 알 수 있다.

[선택지 분석]

✗ 원조는 국경을 초월한 세계 시민적 의무인가?
➡ 노직은 원조를 의무로 보지 않는다.

ⓑ 원조 의무를 실행하기 위한 과세는 강제 노동과 같은가? → 긍정

ⓒ 원조는 의무가 아닌 개인이 자율적으로 선택할 영역인가? → 긍정

✗ 원조는 인류의 복지를 증진하기 위해 이행되어야 하는가?
➡ 노직은 원조는 의무가 아닌 자선의 차원이라고 주장하였다.

08 해외 원조에 대한 롤스의 입장

자료 분석 | 제시문의 사상가는 고통 받는 사회의 사회 구조와 개선을 원조의 목적으로 본 점을 통해 롤스임을 알 수 있다.

[선택지 분석]

① 원조는 국익의 극대화를 위해 행해져야 한다.
　　　　　자유와 평등의 확립을 위해

② 빈곤하지만 질서 정연한 사회는 ~~원조 대상이다.~~
　　　　　　　　　　　　원조 대상이 아니다

③ 빈곤 국가의 복지 수준의 조정이 원조의 목적이다.
　➡ 롤스는 원조의 목적이 빈곤 국가의 복지 수준 조정이 아니라 질서 정연한 사회가 되도록 하는 것이라고 보았다.

✔ 원조는 자선이 아닌 당위적 차원에서 실시해야 한다.
　➡ 롤스는 원조가 자선이 아닌 당위적 차원에서 실시되어야 하는 의무라고 규정하였다.

⑤ 원조는 인류의 고통 감소와 쾌락 증진을 위한 것이다.

09 롤스와 싱어의 해외 원조에 대한 입장 비교

자료 분석 | 갑은 롤스이고, 을은 싱어이다.

[선택지 분석]

① A: 가난한 국가들은 모두 원조의 대상인가?
　➡ 롤스가 부정의 대답을 할 질문이다. 롤스는 상대적으로 빈곤하지만 질서 정연한 나라에 대해서는 원조의 의무가 적용되지 않는다고 보았다.

② A: 차등의 원칙을 적용하여 원조해야 하는가?
　➡ 롤스가 부정의 대답을 할 질문이다. 롤스는 차등의 원칙을 원조론에 적용하지 않았다.

✔ B: 원조의 목적은 자유와 평등의 확립에 있는가?
　➡ 롤스가 긍정의 대답을 할 질문이다. 롤스는 자유와 평등의 확립을 통한 정치 문화의 개선을 원조의 목적으로 보았다.

④ C: 경제적 불평등 해소가 원조의 궁극적 목적인가?
　➡ 싱어가 부정의 대답을 할 질문이다. 싱어는 원조의 목적이 경제적 불평등 해소가 아닌 고통 감소에 있다고 보았다.

⑤ C: 원조 여부 결정에서 대상자의 국적이 중요한가?
　➡ 싱어가 부정의 대답을 할 질문이다. 싱어는 세계 시민주의적 입장에서 원조 대상자의 국적은 중요하지 않다고 보았다.

10 갈퉁의 소극적 평화와 적극적 평화

(1) 갈퉁

(2) **[예시 답안]** 소극적 평화는 직접적 폭력이 발생하지 않는 것을 의미한다. 반면, 적극적 평화는 직접적 폭력뿐 아니라 구조적·문화적 폭력마저 극복한 상태로, 부정의하고 불평등한 사회의 현실 구조를 개선함으로써 평화의 개념을 인간 존엄성을 중시하는 차원까지 확장시켰다는 의의를 지닌다.

채점기준		
	상	소극적 평화와 구분되는 적극적 평화의 의미를 서술하고, 적극적 평화가 인간 존엄성을 중시함을 정확하게 서술한 경우
	중	소극적 평화와 구분되는 적극적 평화의 의미를 서술하였으나, 적극적 평화가 지닌 의의를 정확하게 서술하지 못한 경우
	하	적극적 평화의 의미를 서술하지 못한 경우

01 ⑤	02 ④	03 ②	04 ①	05 ⑤	06 ①	07 ①
08 ②						

01 도가의 평화론

자료 분석 | (가)의 사상가는 도가 사상인 노자이다.

[선택지 분석]

① 인의(仁義)와 같은 도덕규범을 실천해야 한다. → 유교
② 인위적으로 악한 본성을 선하게 변화시켜야 한다. → 순자
③ 남과 나를 차별하지 않는 사랑[兼愛]를 실천해야 한다.
　　　　　　　　　　　　　　　　　　　　　　→ 묵자
④ 국가 간 교역을 활성화하여 신뢰를 두텁게 해야 한다.
　➡ 노자는 국가 간 왕래하지 않을 것을 주장하였다.

✔ 겸허(謙虛)와 부쟁(不諍)의 덕에 따라 살아가야 한다.
　➡ 노자는 소국과민의 이상 사회를 추구하였으며, 이러한 사회에서는 겸허와 부쟁의 덕에 따른 삶을 강조하였다.

02 묵자의 평화론

자료 분석 | (가)의 사상가는 모든 천하의 찬탈과 원한이 발생하는 이유를 서로 사랑하지 않음에서 찾는 점을 통해 묵자임을 알 수 있다. 묵자는 서로 사랑하고 모두가 이로움을 나누는 겸애교리를 실천할 때 평화가 가능하다고 보았다.

[선택지 분석]

✖ 다른 나라를 해치고 자기 나라를 이롭게 하는 태도는 ~~의롭기 때문이다.~~
　　　　　　　　　　　　　　　　　　의롭지 않기 때문

ㄴ 침략하는 나라와 침략 당하는 나라 모두에 경제적 손실을 일으키기 때문이다.
　➡ 묵자는 전쟁은 침략하는 나라와 침략 당하는 나라 모두에 정치적 혼란과 경제적 손실을 가져온다고 보았다.

✖ 생명을 지닌 존재를 죽임으로써 불살생(不殺生)의 원칙을 위배하기 때문이다. → 불교

ㄹ 전쟁으로 말미암아 무수한 인명 피해가 발생하여 한 나라가 쇠망할 수 있기 때문이다.
　➡ 묵자는 전쟁으로 인명 피해가 발생하여 한 국가가 쇠망할 수도 있으므로 침략 전쟁을 해서는 안 된다고 말하였다.

03 에라스뮈스의 평화론

자료 분석 | 그림의 강연자는 탐욕과 야망을 불화와 전쟁의 원인으로 본 점을 통해 에라스뮈스임을 알 수 있다.

[선택지 분석]

ㄱ 전쟁은 평화를 추구하는 종교 정신에 위배된다.
　➡ 에라스뮈스는 전쟁은 본성상 선보다 악을 초래한다는 점에서 부당하다고 보았다.

✖ 전쟁에 의한 비용보다 평화 유지 비용이 더 ~~크다.~~
　　　　　　　　　　　　　　　　　　　　　　작다

ㄷ 지도자는 이성과 신앙에 따라 평화를 지켜야 한다.
　➡ 에라스뮈스는 전쟁은 종교 정신에 위배되며, 경제적으로도 손실이므로 평화를 유지해야 한다고 보았다.

✈ 군주들 간의 연합을 만들어 항구적인 평화를 실현해야 한다. → 생피에르

04 갈퉁의 평화론

자료 분석 | 제시문의 사상가는 폭력을 직접적이고 물리적인 폭력 이외에 문화적 폭력과 구조적 폭력으로까지 구분한 점을 통해 갈퉁임을 알 수 있다. 갈퉁은 물리적 폭력뿐만 아니라 문화적 폭력과 구조적 폭력까지 제거된 상태인 적극적 평화를 지향한다.

[선택지 분석]

☑ 빈곤에 의한 폭력이 제거된 적극적 평화를 실현해야 한다.
➡ 빈곤에 의한 폭력은 구조적 폭력이다. 적극적 평화란 물리적 폭력뿐만 아니라 구조적 폭력과 문화적 폭력이 사라진 상태이다.

② 국가 간 전쟁이 없는 상태는 적극적 평화의 실현을 보장한다.
➡ 국가 간 전쟁이 없는 상태는 소극적 평화이다.

③ 적극적 평화를 위해 물리적인 폭력 사용도 정당화될 수 있다.
➡ 갈퉁은 평화적 수단에 의한 평화만이 정당하다고 보았다.

④ 인간 삶의 질을 보장하지 못하는 제도는 폭력에 속하지 않는다.
➡ 갈퉁에 따르면 인간 삶의 질을 보장하지 못하는 제도는 폭력에 속한다.

⑤ 평화의 대상을 정치·군사적 차원으로 한정하여 이해해야 한다.
➡ 갈퉁은 평화의 대상을 경제, 사회, 문화, 생태적 차원으로 확장하였다.

05 칸트의 영구 평화론

자료 분석 | 제시된 원칙은 칸트가 설명한 영구 평화를 위한 확정 조항이다.

[선택지 분석]

① 평화 실현을 위해 다른 국가의 내정에 간섭할 수 있다.
➡ 칸트는 평화를 실현하기 위해서는 타국의 내정 간섭을 금지해야 한다고 보았다.

② 국제법이 적용되는 단일한 세계 국가를 만들어야 한다.
➡ 칸트는 단일한 세계 국가를 만드는 것이 아니라 개별 국가의 주권이 인정되는 국제 연맹을 만들고자 하였다.

③ 영구 평화는 국가 간의 세력 균형으로 실현되어야 한다. → 현실주의

④ 평화 조약이란 국가 간 적대 행위의 일시적 중지에 불과하다.
➡ 칸트는 평화 조약은 영구적인 평화를 위한 것으로, 단순히 적대 행위의 일시적 중지에 불과하다고 보아서는 안 된다고 하였다.

☑ 어떤 국가도 다른 국가의 통치에 폭력적으로 개입해서는 안 된다.
➡ 칸트는 한 국가에 대한 폭력적 개입은 결국 모든 국가의 자율성을 위태롭게 하는 결과를 초래할 것이므로, 어떤 국가도 다른 국가의 통치에 폭력적으로 개입해서는 안 된다고 하였다.

06 롤스와 싱어의 원조에 대한 입장 비교

자료 분석 | 갑은 롤스이고, 을은 싱어이다. 롤스는 원조의 목적이 고통받는 사회를 질서 정연한 사회가 되도록 하는 것에 있다고 보았다. 싱어는 모든 가난한 사람들을 원조의 대상으로 삼아야 한다고 보며, 이를 돕는 원조의 주체에 개인을 배제하지 않았다.

[선택지 분석]

㉠ 갑: 원조의 목적은 모든 인류의 복지 수준을 향상시키는 데 있지 않다.
➡ 롤스는 원조의 목적은 인류의 복지 수준 향상이 아니라 고통받는 사회를 질서 정연한 사회가 되도록 하는 것에 있다고 보았다.

㉡ 갑: 고통을 겪는 사회가 스스로의 문제를 합리적으로 관리할 수 있도록 원조해야 한다.
➡ 롤스는 원조의 목적은 그 나라 스스로 자유와 평등의 체계를 운영할 수 있도록 도와 스스로의 문제를 합리적으로 관리할 수 있도록 만드는 것에 있다고 보았다.

✗ 을: 원조의 주체는 개인이 아니라 국가여야 한다.
➡ 싱어는 개인도 원조의 주체가 될 수 있다고 보았다.

✗ 갑, 을: 가난한 사람을 돕는 일에 국경은 중요한 의미를 지니지 않는다.

07 칸트와 현실주의의 평화론 비교

자료 분석 | 갑은 칸트, 을은 현실주의 사상가이다. 칸트는 영구 평화를 위한 국제 연맹의 창설과 국제법의 시행을 주장하였다. 현실주의에서는 자국의 이익을 실현하기 위해 전쟁을 할 수 있다고 본다.

[선택지 분석]

㉠ 갑: 세계 시민법은 보편적 우호의 추구를 목표로 해야 한다.
➡ 칸트의 영구 평화를 위한 확정 조항 제3항에 해당한다.

㉡ 갑: 개별 국가의 자유를 보장하는 국제 연맹을 통해 평화 실현이 가능하다.
➡ 칸트의 영구 평화를 위한 확정 조항 제2항에 해당한다.

✗ 을: 인명의 살상을 동원하는 전쟁은 그 자체로 옳지 않다.
➡ 현실주의에서는 자국의 이익을 실현하기 위한 전쟁은 허용될 수 있다고 본다.

✗ 갑, 을: 자국의 이익을 극대화하기 위한 전쟁은 허용해야 한다.
➡ 칸트는 자국의 이익을 극대화하기 위한 침략 전쟁을 반대하였다. 이와 달리 현실주의에서는 자국의 이익을 실현하기 위한 전쟁은 가능하다고 본다.

08 세계 시민주의의 특징

자료 분석 | A는 세계 시민주의이다.

[선택지 분석]

① 혈연적 유대감을 바탕으로 민족 공동체에 헌신하는 태도를 강조한다.
➡ 민족주의에 대한 설명이다.

✔ 보편적 도덕 법칙을 토대로 인류에 대한 의무 의식을 지닐 것을 강조한다.

➡ 세계 시민주의에 대한 설명이다. 세계 시민주의는 인간 존엄성을 바탕으로 민족이나 국가의 경계를 넘어서 인류의 보편적 가치를 추구한다.

③ 특정한 사회적 정체성과 전통을 기반으로 도덕성을 형성할 것을 강조한다.

➡ 특정 공동체를 중시하는 공동체주의에 대한 설명이다.

④ 다른 나라와 민족에 대해 배타적이거나 우월적인 태도를 지닐 것을 강조한다.

➡ 세계 시민주의는 모든 인류의 구성원을 평등하게 본다.

⑤ 어떤 공동체에 속한 구성원으로서의 특수한 가치를 보편적 가치보다 우선시한다.

➡ 세계 시민주의는 보편적 가치를 중시한다.

한번에 끝내는 대단원 문제					234~239쪽 ▶	
01 ③	02 ⑤	03 ④	04 ②	05 ②	06 ①	07 ⑤
08 ⑤	09 ②	10 ④	11 ④	12 ⑤	13 ③	14 ③
15 ②	16 ③	17 ⑤	18 ④	19 ⑤	20 ④	
21~24 해설 참조						

01 대동 사회와 뉴 아틀란티스의 특징

자료 분석 | 갑은 다 함께 잘 사는 사회인 공자의 대동 사회, 을은 과학 기술의 발달에 따라 편리한 생활을 누리는 베이컨의 뉴 아틀란티스이다.

[선택지 분석]

① A: 소외 계층이 없는 민주주의의 실현을 강조하였다.

➡ 공자는 대동 사회를 통해 소외 계층이 없는 것을 지향하였으나 민주주의의 실현을 강조하지는 않았다.

② A: 인위적 질서를 거부하고 소규모의 소박한 공동체를 지향하였다.

➡ 인위적 질서를 거부하고 소규모의 소박한 공동체를 지향하는 것은 노자의 소국과민 사회이다.

✔③ B: 경제적으로 안정되고 풍요로운 사회를 지향하였다.

➡ 경제적으로 안정되고 풍요로운 사회를 지향하는 것은 대동 사회와 뉴 아틀란티스의 공통점이다.

④ B: 인공적인 질서에 바탕을 둔 이상 사회를 지향하였다.

➡ 인공적인 질서에 바탕을 둔 이상 사회를 지향한 것은 뉴 아틀란티스에만 해당된다.

⑤ C: 자연과의 공생을 기초로 한 이상 사회를 지향하였다.

➡ 뉴 아틀란티스는 자연과의 공생을 기초로 하지 않는다. 베이컨은 과학 기술을 통해 자연을 이용하고 지배할 수 있다고 보았다.

02 플라톤의 이상 국가

자료 분석 | 제시문의 사상가는 계급을 통치자, 군인, 생산자로 구분하고 각 계급이 각자 역할에 충실할 것을 강조한 점을 통해 플라톤임을 알 수 있다.

[선택지 분석]

① 유능한 사람이 등용되는 신분적 차별이 없는 사회를 지향한다. → 대동 사회

② 오랜 교육과 훈련을 받은 생산자가 통치하는 사회를 지향한다. 철인(哲人)이

③ 생산 수단의 공유를 바탕으로 계급이 소멸한 사회를 지향한다. → 공산 사회

④ 과학 기술의 발전에 따라 생산이 풍부하고 생활이 편리한 사회를 지향한다. → 뉴 아틀란티스

✔ 통치자, 군인, 생산자 세 계급이 각자 역할을 잘 수행하여 조화를 이루는 사회를 지향한다.

➡ 플라톤은 지혜를 갖춘 철인이 통치하고 통치자, 군인, 생산자의 세 계급이 각자 역할을 잘 수행하여 조화를 이룬 국가를 이상 국가로 보았다.

03 모어의 유토피아

자료 분석 | 제시된 내용은 모어의 유토피아이다. 유토피아는 분배와 소득이 평등한 사회이다.

[선택지 분석]

㉠ 경제적으로 안정된 사회를 지향한다.

➡ 유토피아는 경제적으로 안정된 사회이다.

✗ 고통을 주는 노동 자체가 배제된 사회를 꿈꾼다.

➡ 유토피아에서는 누구나 똑같이 노동한다.

㉢ 사유 재산이 없고 모두가 평등한 사회를 지향한다.

➡ 유토피아는 사유 재산을 허용하지 않고 경제적으로 평등한 사회이다.

㉣ 누구나 똑같이 일하고 휴식하는 사회를 이상적으로 본다.

➡ 유토피아는 필요 이상의 노동을 하지 않기 때문에 진정한 행복을 영위할 수 있다.

04 마르크스와 노자의 이상 사회

자료 분석 | 갑은 능력에 따라 일하고 필요에 따라 분배받는 것을 이상으로 여기는 마르크스, 을은 소국과민 사회를 이상으로 제시하는 노자이다.

[선택지 분석]

㉠ A: 경제적으로 풍요로운 사회를 지향하는가?

➡ 갑은 긍정, 을은 부정의 대답할 질문이다. 마르크스는 경제적으로 풍요로운 사회를 지향하였으나 노자는 경제적으로 풍요로운 사회를 이상으로 보지 않았다.

✗ A: 국가는 계급적인 이해관계를 무시하는가?

➡ 갑이 부정의 대답할 질문이다. 마르크스는 국가를 지배 계급의 이해관계를 반영하는 수단으로 보았다.

㉢ B: 국가가 소멸된 상태를 이상으로 보는가?

➡ 갑이 긍정의 대답할 질문이다. 마르크스는 계급 지배의 도구인 국가가 공산주의 사회에서 계급과 더불어 사라질 것으로 보았다.

✗ C: 문명의 혜택을 고루 누리는 사회를 지향하는가?
➡ 을이 부정의 대답할 질문이다. 노자는 문명의 혜택을 받지 않는 원시적이고 소박한 공동체를 추구하였다.

05 아리스토텔레스의 국가관

자료 분석 | 제시문은 아리스토텔레스의 주장이다. 아리스토텔레스는 국가를 최고선을 실현하기 위한 최고의 공동체라고 보았다.

[선택지 분석]

✗ 국가는 시민의 자유를 지키기 위한 수단이다.
➡ 아리스토텔레스는 국가를 수단이 아닌 목적으로 이해하였다.

② 국가는 최고선을 추구하는 도덕 공동체이다.
➡ 아리스토텔레스는 국가가 최고선을 추구하는 공동체라고 보았다.

③ 국가는 인간의 자연적 본성에서 유래한 공동체이다.
➡ 아리스토텔레스에 따르면 국가는 인간의 자연적 본성, 즉 정치적 본성에서 유래한 공동체이다.

✗ 국가는 국민의 동의에 의해 정당성을 확보하는 공동체이다.
➡ 동의에 의해 국가의 정당성이 확보된다고 보는 관점은 사회 계약론이다.

06 로크의 국가관

자료 분석 | 제시문의 사상가는 로크이다.

[선택지 분석]

① 국가는 자연 발생적으로 나타난 정치 공동체인가?
➡ 로크가 부정의 대답을 할 질문이다. 로크는 국가가 시민들의 계약에 의해 인위적으로 발생한 것이라고 보았다.

② 자연 상태는 서로에 대한 투쟁 상태로 보면 안 되는가?
➡ 로크가 긍정의 대답을 할 질문이다. 로크는 홉스와 달리 자연 상태를 서로에 대한 투쟁 상태로 보지 않았다.

③ 시민은 국가에게 양도한 자연권을 회수할 수 있는가?
➡ 로크가 긍정의 대답을 할 질문이다. 로크는 국가가 개인의 자유와 재산을 지키지 못할 때 국가에게 양도한 자연권을 회수할 수도 있다고 보았다.

④ 국가가 개인의 재산권을 보장하지 않을 때 저항할 수 있는가?
➡ 로크가 긍정의 대답을 할 질문이다. 로크는 국가가 개인의 정당한 재산권을 보장하지 못하면 저항할 수 있다고 보았다.

⑤ 국가는 인간의 이성을 통한 합리적 사고에 따른 계약의 산물인가?
➡ 로크가 긍정의 대답을 할 질문이다. 로크는 계약을 맺는 것 자체가 이성적 판단에 따른 결과라고 보았다.

07 키케로와 로크의 국가관

자료 분석 | 갑은 공동선을 추구하는 공화국을 지향하는 공화주의자 키케로이다. 을은 사회 계약론을 주장하는 로크이다.

[선택지 분석]

① 갑은 정치적 저항권을 행사할 수 있다고 본다.
➡ 로크의 입장이다.

② 갑은 국가를 자연 발생적으로 나타난 정치 공동체로 본다.
➡ 공화주의에서는 국가를 인위적인 산물이라고 본다.

③ 을은 국가는 강자의 정복에 의해 발생한 인위적 산물이라고 본다.
➡ 사회 계약론에서는 국가를 시민의 동의에 의해 발생한 계약의 산물로 본다.

④ 을은 스스로 주권자이고 입법자인 정치 공동체에서 시민적 자유를 누릴 수 있다고 본다.
➡ 루소의 입장이다.

⑤ 갑, 을은 국가를 목적이 아닌 수단으로 본다.
➡ 키케로와 로크는 모두 국가를 수단으로 본다.

08 아리스토텔레스와 홉스의 국가관

자료 분석 | 갑은 국가를 인간의 정치적 본성에 의한 산물로 보는 아리스토텔레스, 을은 국가를 계약을 통한 인위적 조직체로 보는 홉스이다.

[선택지 분석]

① ㉠ 국가는 행복을 실현하는 도덕 공동체라고 보며,
➡ 아리스토텔레스는 국가를 행복을 실현하는 도덕 공동체로 보았다.

② ㉡ 국가의 목적은 덕의 실천을 통해 구성원들이 도덕적 삶을 살아가도록 하는 데 있다고 본다.
➡ 아리스토텔레스는 국가의 목적을 구성원의 도덕적 삶을 가능하게 하는 데 있다고 보았다.

③ ㉢ 공통의 법률이 없는 상태에서는 도덕이 존재하지 않는다고 보며,
➡ 홉스는 자연 상태에서는 도덕이 존재하지 않는다고 보았다.

④ ㉣ 계약적 관점을 도입하여 군주의 절대권을 확립하는 데 관심을 기울였다.
➡ 홉스는 사회 계약을 통해 만들어진 국가의 주권은 군주에게 있다고 보았다.

⑤ ㉤ 국가를 시민의 경제적 안정을 위한 수단으로 본다.
➡ 아리스토텔레스는 국가를 수단이 아닌 목적으로 보았다.

09 자유주의 사상의 특징

자료 분석 | 제시문의 사회사상은 개인의 권리와 자유를 강조한 점을 통해 자유주의 사상임을 알 수 있다.

[선택지 분석]

㉠ 공동체는 개인들의 계약에 의해 형성되는가?
➡ 자유주의는 개인의 권리 보장을 위해 계약을 통해 공동체를 형성한다고 본다.

✗ 개인의 정체성은 공동체적 관계 속에서 형성되는가?
➡ 자유주의는 개인을 독립된 자아로 규정한다.

㉢ 개인의 이익이 공동체의 목적보다 언제나 우선하는가?
➡ 자유주의는 개인의 이익이 공동체의 목적보다 언제나 우선한다고 본다.

✗ 개인은 자신이 선택하지 않은 의무를 이행해야 하는가?
➡ 자유주의는 개인의 선택의 자유를 강조한다.

10 아리스토텔레스가 강조한 시민적 덕성

자료 분석ㅣ 제시문을 주장한 사상가는 아리스토텔레스이다.

[선택지 분석]

㉠ 훌륭한 국가의 실현을 위해서 시민들은 덕성을 갖추어야 한다.
  ➡ 아리스토텔레스는 최고의 공동체인 국가가 훌륭해지려면 시민이 훌륭해져야 한다고 보고 시민적 덕성을 강조하였다.

㉡ 훌륭한 국정 운영을 위해서는 지혜로운 시민들의 참여가 필요하다.

✕ 훌륭한 국가의 실현과 훌륭한 시민의 교육은 별개로 이루어져야 한다.
  ➡ 아리스토텔레스는 훌륭한 국가의 실현과 시민 교육은 별개로 이루어져야 한다고 보지 않았다.

㉣ 훌륭한 국가로 발전하기 위해서는 시민들의 윤리적 숙고가 필수적이다.

11 공화주의 사상의 특징

자료 분석ㅣ A 사상은 공화주의이다.

[선택지 분석]

① 시민적 자유와 권리는 천부적으로 주어지는 것이 아니다.
  ➡ 공화주의는 시민적 자유와 권리를 시민의 참여에 의해 형성되는 정치적·사회적 권리로 규정한다.

② 법치를 통해서만이 비지배로서의 자유를 보장할 수 있다.
  ➡ 공화주의는 타인에게 지배받지 않을 자유를 누리려면 특정한 개인이나 집단의 뜻이 아닌 모두의 뜻에 의한 지배가 실현되어야 한다고 보면서, 전체의 의견을 모아 탄생한 법률에 모두가 따라야 한다고 본다.

③ 시민은 사익 추구보다 공적인 의무 이행을 우선시해야 한다.

✔④ 자유롭게 살아가기 위해 법에 의한 지배에서 벗어나야 한다.
  ➡ 공화주의에서는 오로지 법에 대한 복종만이 자유로움을 드러낼 수 있다고 본다.

⑤ 개인은 정치 공동체의 일에 참여하는 시민이 됨으로써 자유를 실현할 수 있다.

12 로크의 사회 계약론

자료 분석ㅣ 제시문의 사상가는 로크이다.

[선택지 분석]

✕ 국가는 자연적으로 형성된 산물인가?
  ➡ 로크는 국가가 계약에 의해 인위적으로 형성된다고 보았다.

✕ 정치적 의무는 명시적 동의에 의한 계약으로만 발생하는가?
  ➡ 로크는 정치적 의무가 묵시적 동의에 의해서도 발생한다고 보았다.

㉢ 법률을 제정한 자가 그 법률을 집행하도록 하는 것은 잘못인가?
  ➡ 로크는 권력 분립을 주장하였다.

㉣ 시민들은 제 역할을 하지 못하는 국가에 복종하지 않아도 되는가?
  ➡ 로크는 저항권을 인정하였다.

13 참여 민주주의의 특징

자료 분석ㅣ 제시문에 나타난 현대 민주주의는 참여 민주주의이다. 참여 민주주의는 시민들의 적극적인 참여를 강조함으로써 대의 민주주의의 한계를 극복할 수 있으며, 국민의 지배라는 민주주의의 이상을 실현할 수 있다고 본다.

[선택지 분석]

✕ 시민들이 정책 결정 과정에 참여하는 것은 ~~바람직하지 않다.~~ 바람직하다

㉡ 적극적인 시민 참여를 통해 행정의 일탈 행위들을 감시해야 한다.
  ➡ 참여 민주주의에서 시민에게 주어진 역할로 이해할 수 있다.

✕ 시민의 역할은 지도자를 선출하는 투표자의 역할에 한정해야 한다.
  ➡ 참여 민주주의에서는 시민의 역할을 투표자의 역할에 한정하는 것이 아니라 직접 참여하도록 해야 함을 강조한다.

㉣ 시민은 자신이 속한 공동체의 규율을 형성하는 것에 관여해야 한다.
  ➡ 참여 민주주의에서는 자신이 속한 공동체의 규율과 규제를 시민의 참여를 통해 형성할 것을 강조한다.

14 시민 불복종에 대한 롤스와 하버마스의 입장

자료 분석ㅣ 갑은 공유된 정의관을 근거로 시민 불복종을 정당화 한 롤스, 을은 법에 대한 조건부의 복종을 강조한 하버마스이다.

[선택지 분석]

① 갑은 시민 불복종의 목표가 사회 체제의 근본적 변화라고 본다.
  ➡ 롤스는 시민 불복종의 목적을 정의롭지 않은 법과 제도의 변화로 보지, 사회 체제의 근본적 변화로 보지 않았다.

② 갑은 시민 불복종이 법에 대한 충실성의 한계를 벗어나야 한다고 본다.
  ➡ 롤스는 시민 불복종이 법에 대한 충실성의 한계 내에 있다고 보았다.

✔③ 을은 시민 불복종은 시민 공중의 비판적 판단을 거칠 때 정당화될 수 있다고 본다.
  ➡ 하버마스는 법에 대한 절대적 복종이 아닌 조건부적 복종을 근거로 하여 시민 불복종을 정당화할 수 있다고 주장하였다.

④ 을은 시민 불복종이 폭력적인 방법으로 이루어지더라도 정당화될 수 있다고 본다.
  ➡ 하버마스는 불복종이 정당화되기 위해서는 비폭력적인 방법으로 이루어져야 한다고 보았다.

⑤ ~~갑,~~ 을은 시민 불복종의 최종 근거를 개인의 양심에서 소로는 찾아야 한다고 본다.

15 하이에크의 케인스에 대한 비판

자료 분석 | 제시문의 '나'는 신 자유주의 사상가인 하이에크이고, '어떤 사상가'는 수정 자본주의 사상가인 케인스이다.

[선택지 분석]

① 분배의 형평성이 생산의 효율성보다 중요함을 간과한다

✓② 복지를 위한 정책이 시장의 자율성을 침해함을 간과한다
  ➡ 시장의 효율성을 강조하는 하이에크는 수정 자본주의를 지지한 케인스에게 복지를 위한 정책들이 시장의 자율성을 침해함을 간과한다고 비판할 것이다.

③ 정부의 시장에 대한 적극적인 개입이 필요함을 간과한다
  ➡ 케인스가 하이에크에게 제시할 비판이다.

④ 공공선을 위해 정부의 시장 규제를 확대해야 함을 간과한다
  ➡ 케인스가 하이에크에 제시할 비판이다.

⑤ 국가가 재정 지출을 늘려 유효 수요를 창출해야 함을 간과한다
  ➡ 케인스가 하이에크에게 제시할 비판이다.

16 자본주의에 대한 마르크스의 입장

자료 분석 | 제시문의 사상가는 프롤레타리아의 단결을 강조한 점을 통해 마르크스임을 알 수 있다.

[선택지 분석]

✗ 의회를 통해 사회를 점진적으로 개혁해야 하는가?
  → 민주 사회주의

✗ 시장 내 공정한 경쟁이 마련되는 정책이 필요한가?
  ➡ 마르크스는 시장 경제 체제를 부정하였다.

ⓒ 능력에 따라 일하고 필요에 따라 분배해야 하는가?

ⓔ 경제적 평등의 실현을 위해 생산 수단을 공유해야 하는가?
  ➡ 마르크스는 프롤레타리아에 의한 생산 수단의 공유와 계획 경제를 주장하였다.

17 수정 자본주의와 민주 사회주의의 특징

자료 분석 | (가)는 수정 자본주의, (나)는 민주 사회주의이다.

[선택지 분석]

① (가)는 모든 생산 수단의 국유화를 주장한다.
  ➡ 수정 자본주의의 주장이 아니다.

② (나)는 정부가 시장에 개입하는 것을 반대한다.
  ➡ 민주 사회주의는 분배의 격차를 줄이기 위해 정부의 적극적인 시장 개입을 강조한다.

③ (가)는 (나)와 달리 계급 없는 사회를 이상적으로 본다.
  ➡ 수정 자본주의는 계급 없는 사회를 이상적인 사회로 규정하지 않는다. 이러한 주장은 마르크스의 주장이다.

④ (나)는 (가)와 달리 국가의 복지 정책의 축소를 주장한다.
  ➡ 민주 사회주의는 국가의 복지 정책의 확대를 주장한다.

✓⑤ (가), (나)는 국가의 적극적 시장 개입으로 경제적 불평등을 개선해야 한다고 본다.
  ➡ 수정 자본주의와 민주 사회주의는 모두 국가의 적극적 시장 개입을 통해 경제적 불평등을 개선해야 한다고 본다.

18 묵자의 평화 사상

자료 분석 | 제시문의 'A 사상가'는 차별없는 사랑인 겸애를 주장한 점을 통해 묵자임을 알 수 있다. 묵자는 전쟁으로 인해 백성들이 겪는 고통과 피해를 없애기 위해 침략 전쟁을 반대하는 비공을 주장하였다.

[선택지 분석]

ⓐ 타국을 정복하거나 침략하기 위한 전쟁을 해서는 안 된다.

ⓑ 강대국으로부터 약소국을 지키기 위한 방어 전쟁은 정당하다.
  ➡ 묵자는 방어 전쟁은 정당화하였다.

ⓒ 천하의 이익을 일으키고 해를 제거하기 위해 전쟁을 피해야 한다.

✗ 사회적 지위나 친분을 고려하여 사람들을 분별적으로 대해야 한다.
  ➡ 묵자는 서로 차별하지 않는 분별 없는 사랑을 강조하였다.

19 갈퉁의 평화론

자료 분석 | 제시문의 사상가는 적극적 평화를 진정한 평화로 규정한 갈퉁이다.

[선택지 분석]

✗ 개인의 선의지 함양만으로 평화를 실현할 수 있다.
  ➡ 갈퉁은 구조적 요인으로 인한 폭력의 제거도 강조하므로 개인의 선의지 함양만을 강조하였다고 보기 어렵다.

✗ 모든 전쟁의 종식은 적극적 평화 실현을 보장한다.
  ➡ 갈퉁에 따르면 모든 전쟁의 종식(직접적 폭력의 중단)이 적극적 평화 실현을 보장하는 것은 아니다. 적극적 평화가 실현되기 위해서는 구조적 폭력과 문화적 폭력도 사라져야 한다.

ⓒ 모든 종류의 폭력은 평화적 수단으로 해소해야 한다.
  ➡ 갈퉁은 폭력은 평화적 수단으로 해소해야 한다고 보았다.

ⓔ 폭력은 인간의 기본적 욕구를 모독하는 모든 것이다.
  ➡ 갈퉁은 폭력을 인간의 기본적인 욕구를 모독하는 모든 것으로 보았다.

20 싱어와 롤스의 해외 원조에 대한 입장

자료 분석 | 갑은 싱어, 을은 롤스이다. 싱어와 롤스는 모두 해외 원조를 도덕적 의무로 보았다.

[선택지 분석]

① 갑: 굶주림과 죽음에 대한 방치는 인류 전체의 고통을 증가시키는 것이다.
  ➡ 싱어는 공리주의적 관점에서 세계의 모든 가난한 사람을 원조의 대상으로 삼는다.

② 갑: 원조에서 사용하는 비용이 원조를 통해 얻는 이익보다 작을 경우 원조를 해야 한다.
  ➡ 싱어는 공리주의의 입장에서 비용이 이익보다 적어야 원조가 정당화될 수 있다고 보았다.

③ 을: 원조의 최종 목적은 고통을 겪고 있는 사회의 구조 개선이다.

➡ 롤스는 원조의 목적이 고통받는 사회가 질서 정연한 사회가 되도록 하는 데 있다고 보았다.

✔ 을: 원조를 할 때 차등의 원칙을 적용하여 분배 정의를 실현해야 한다.

➡ 롤스의 원조에 있어 차등의 원칙을 적용하지 않았다.

⑤ 갑, 을: 원조는 자선이 아닌 당위의 차원에서 실시해야 한다.

21 마르크스와 루소의 국가관

(1) 갑: 마르크스, 을: 루소

(2) [예시 답안] 마르크스는 생산 수단의 사적 소유를, 루소는 사유 재산을 불평등의 원인으로 보았다.

채점 기준	상	불평등의 원인에 대한 갑과 을 입장을 모두 정확하게 서술한 경우
	중	불평등의 원인에 대한 갑과 을의 입장 중 하나의 경우만 정확하게 서술한 경우
	하	불평등의 원인에 대한 갑과 을의 입장을 모두 서술하지 못한 경우

22 공자와 플라톤의 이상 사회

(1) 갑: 공자, 을: 플라톤

(2) [예시 답안] 공자의 대동 사회는 재화가 고르게 분배되며 타인을 배려하는 도덕 공동체이다. 플라톤의 이상 국가는 각 계급이 각자의 역할을 잘 수행하여 조화를 이루는 정의로운 사회이다.

채점 기준	상	갑, 을이 지향하는 이상 사회의 특징을 정확하게 서술한 경우
	중	갑, 을이 지향하는 이상 사회 중 하나의 특징만 정확하게 서술한 경우
	하	갑, 을이 지향하는 이상 사회의 특징을 모두 서술하지 못한 경우

23 자본주의의 문제점

(1) 자본주의

(2) [예시 답안] 자본주의의 문제점으로는 경제적 불평등이 심화될 수 있고, 인간 소외 현상을 야기할 수 있고, 물질 만능주의로 인해 천민자본주의가 만연할 수 있는 점을 꼽을 수 있다.

채점 기준	상	자본주의의 윤리적 문제점을 두 가지 이상 정확하게 서술한 경우
	중	자본주의의 윤리적 문제점을 한 가지만 정확하게 서술한 경우
	하	자본주의의 윤리적 문제점을 서술하지 못한 경우

24 해외 원조에 대한 롤스와 싱어의 입장 비교

(1) 갑: 롤스, 을: 싱어

(2) [예시 답안] 갑은 원조의 목적이 고통받는 사회가 질서 정연한 사회가 되도록 하는 것에 있다고 보았다면, 을은 원조의 목적이 세계의 모든 가난한 사람들의 이익과 행복을 증진하는 데 있다고 보았다.

채점 기준	상	원조 목적에 대한 갑, 을의 입장 차이를 정확하게 서술한 경우
	중	원조 목적에 대한 갑, 을의 입장 차이 중 한 가지만 정확하게 서술한 경우
	하	원조 목적에 대한 갑, 을의 입장 차이를 서술하지 못한 경우

수고했다옹.
개념 학습을 끝냈으니
이제 정리 노트를
작성해 보자~옹!

개념 학습과 정리가 한번에 끝나는 기본서

개념플

윤리와 사상

사과탐 성적 향상 전략

개념 학습은 개념풀

사과탐 실력의 기본은 개념,
개념을 알기 쉽게 풀어 이해가 쉬운
개념풀 기본서로 개념을 완성하세요.

사회 통합사회, 한국사, 생활과 윤리, 윤리와 사상,
한국지리, 세계지리, 정치와 법, 사회·문화

과학 통합과학, 물리학 I, 화학 I, 생명과학 I, 지구과학 I
화학 II, 생명과학 II

시험 대비는 핵심큐

빠르게 내신 실력을 올리는 전략,
내신기출문제를 철저히 분석하여 구성한
핵심큐 문제집으로 내신 만점에 도전하세요.

사회 통합사회, 한국지리, 사회·문화, 생활과 윤리, 정치와 법

과학 통합과학, 물리학 I, 화학 I, 생명과학 I, 지구과학 I

명강

고전
시가

고전 시가 작품을 갈래 순으로 학습하고
수능과 내신을 한 번에 정복할 수 있도록 하는
고전 시가 실전서!

1 갈래 학습

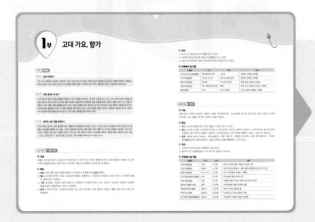

2 작품 학습

작품 학습에 앞선 갈래별 학습

- 고전 시가의 경우 다양한 갈래가 있기 때문에 본격적인 작품 학습을 하기 전에 갈래에 대한 이해가 우선되어야 한다.

- 갈래별로 어떻게 공부를 해야 하는지, 각 갈래의 개념과 갈래별 특징은 무엇인지 등을 먼저 학습하도록 한다.

작품의 문학사와 갈래에 대한 이해는 필수

- 개별 작품에 대한 이해를 하기 전에 고전 문학사 즉 역사의 흐름 속에서 고전 시가의 특정 갈래가 어떤 위치이고 어떤 특성을 가지는지 알아야 시험에서 처음 보는 작품을 만나도 문항에 좀 더 쉽게 접근할 수 있다. 갈래별 학습 내용을 꼼꼼하게 읽어 보도록 한다.

작품의 전체적 내용 파악

- 낯선 고어나 한자어가 섞여 있는 작품의 경우 다소 이해하기 어려울 수 있다. 하지만 고전 시가 작품을 이해하기 위해서는 고어에도 익숙해져야 한다.

- 모르는 어휘가 나오더라도 당황하지 말고 문맥을 통해 뜻을 추리해 보며 내용 파악에 중점을 두고 본문을 읽도록 한다.

생생 Note를 통한 작품의 기본적 내용 정리 및 이해를 위한 스스로 답 찾기

- 생생 Note에 정리된 내용을 참고하여 화자와 상황을 먼저 파악한다. 이를 바탕으로 하여 작품의 주제를 직접 써 보도록 한다.

- 문제 형태로 정리된 '핵심 시어의 의미'를 풀며 작품에서 중요한 시어의 의미를 이해하도록 한다.

특징 1

고전 시가 필수 주요 작품을 수록하여 시험에 효율적으로 대비할 수 있는 교재

특징 2

고전 시가 작품 학습뿐만 아니라 갈래별 학습 방향과 각 갈래의 특징을 학습할 수 있는 종합적 교재

특징 3

한 작품을 통해 내신과 수능을 한 번에 대비할 수 있는 교재

3 실전 문제 학습

내신 대비 특별 문제를 통한 작품 외적 내용 학습

- 수능과 달리 내신 문제는 작품 외적인 요소와 관련된 것을 묻는 경우가 있다. 즉, 내신 문제는 작품과 관련된 배경지식이 있어야 풀 수 있는 경우도 있으므로 내신 대비 특별 문제를 풀며 작품의 내용 학습 외에도 작품 외적인 요소와 관련된 내용도 정리하도록 한다.

수능형 문제는 시험을 보듯 풀고 반드시 채점하기

- 처음 문제를 풀 때는 시험을 보듯 시간을 정해 빠르게 문제를 풀고 반드시 채점을 한다.
- 정답의 근거는 지문, 문제의 발문, 〈보기〉, 선택지 안에 있다. 특히 문제의 〈보기〉에는 작품 이해를 돕는 중요한 단서들이 제시되는 경우가 많음을 기억하자.

4 '정답과 해설' 활용 및 복습

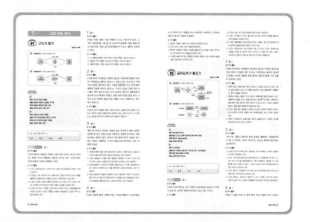

'정답과 해설'을 잘 활용하기

- 문제를 풀고 채점을 한 후, 틀린 문제와 맞았지만 헷갈렸던 문제에 대해서는 스스로 다시 한 번 답을 찾아보도록 한다.
- '정답과 해설'의 자세한 풀이를 읽어 정답인 이유와 오답인 이유를 반드시 확인하도록 한다.

문제를 틀렸다면 왜 틀렸는지를 꼭 확인하기

- 문제를 틀렸다는 것은 작품을 잘못 해석했거나, 문제의 발문이나 선택지를 잘못 이해했다는 뜻이다. 혹은 제시된 어휘나 문학 용어를 몰랐을 수도 있다.
- 틀린 문제를 다시 살펴보고 자신이 왜 이 문제를 틀렸는지 그 이유를 찾아보자. 맞았지만 헷갈렸던 문제도 반드시 다시 풀어 보자.

이 책의 차례

고전 시가 **필수 어휘** ⑧

ㄱ

1 가없다, ㅈ없다 》 끝이 없다
예 누인 개국(累仁開國)ᄒ샤 복년(卜年)이 ㅈ 업스시니 _정인지 등, 〈용비어천가〉

2 건곤 》 하늘과 땅
예 **건곤(乾坤)**이 폐색(閉塞)ᄒ야 _정철, 〈사미인곡〉

3 고인 》 학문과 덕이 높은 성현
예 **고인(古人)**도 날 몯 보고 나도 **고인(古人)** 몯 뵈 _이황, 〈도산십이곡〉

4 곳, 곶(꽃) 》 꽃
예 **곳** 됴코 여름 하ᄂ니 _정인지 등, 〈용비어천가〉

5 괴다 》 사랑하다
예 나 ᄒ나 졈어 잇고 님 ᄒ나 날 **괴시니** _정철, 〈사미인곡〉

6 긋다 》 그치다, 끊어지다
예 유수(流水)는 엇뎨ᄒ야 주야(晝夜)애 **긋디** 아니는고 _이황, 〈도산십이곡〉

7 ᄀ롬, 가람 》 강
예 나라히 파망(破亡)ᄒ니 뫼콰 **ᄀ롬**뿐 잇고 _ 두보, 〈춘망〉

ㄴ

8 나모(낡) 》 나무
예 당당당(唐唐唐) 당츄ᄌ(唐楸子) 조협(皂莢) **남긔** _한림 제유, 〈한림별곡〉

9 낫브다 》 부족하다
예 아츰이 **낫브거니** 나조ᄒ라 슬흘소냐 _송순, 〈면앙정가〉

10 녀다, 녜다 》 가다, 살다
예 평싱(平生)애 원(願)ᄒ요ᄃ 흔ᄃ **녜쟈** ᄒ얏더니 _정철, 〈사미인곡〉

11 녹양, 양류 》 버드나무
예 **녹양(綠楊)**의 우는 황앵(黃鶯) 교태(嬌態) 겨워 ᄒ는 괴야 _송순, 〈면앙정가〉

12 뉘 》 누가
예 시비(柴扉)란 **뉘** 다드며 딘 곳츠란 **뉘** 쓸려뇨 _송순, 〈면앙정가〉

13 늣기다 》 흐느끼다
예 **늣기는** 둣 반기는 둣 님이신가 아니신가 _정철, 〈사미인곡〉

14 니르다 》 말하다
예 옥누(玉樓) 고쳐(高處)야 더옥 **닐러** 므슴ᄒ리 _정철, 〈사미인곡〉

ㄷ

15 님비(림비) / 곰비 》 앞 / 뒤
예 덕(德)으란 **곰비**예 받ᄌ고, 복(福)으란 **림비** 예 받ᄌ고 _작자 미상, 〈동동〉

16 닛다 》 잊다, 이어지다
예 므슴다 녹사(錄事)니믄 녯 나롤 **닛고신뎌** _ 작자 미상, 〈동동〉

17 놀애, 놀이 》 날개
예 향 므든 **놀애**로 님의 오시 올므리라 _정철, 〈사미인곡〉

18 도로혀 》 돌이켜
예 **도로혀** 풀쳐 혜니 이리ᄒ여 어이ᄒ리 _허난설헌, 〈규원가〉

19 도화 》 복숭아꽃
예 셔창(西窓)을 여러ᄒ니 **도화(桃花)**ㅣ 발(發) ᄒ두다 _작자 미상, 〈만전춘별사〉

20 돈후ᄒ다 》 인정이 두텁다
예 정초(正初) 세배(歲拜)ᄒ믄 **돈후(敦厚)**ᄒ 풍속(風俗)이라 _정학유, 〈농가월령가〉

21 둏다, 됴타 》 좋다
예 인간(人間)을 도라보니 머도록 더옥 **됴타** _ 윤선도, 〈어부사시사〉

22 디다 》 떨어지다
예 짓ᄂ니 한숨이오 **디ᄂ니** 눈믈이라 _정철, 〈사미인곡〉

23 디위 》 지위, 경지
예 어와 뎌 **디위**롤 어이ᄒ면 알 거이고 _정철, 〈관동별곡〉

24 ᄃ 》 대나무
예 눈 마ᄌ 휘여진 **ᄃ**를 뉘라셔 굽다턴고 _원천석

ㅁ

25 마초아 》 마침
예 淮회陽양 녜 일홈이 **마초아** ᄀ톨시고 _정철, 〈관동별곡〉

26 만건곤 》 천지에 가득 참
예 백설(白雪)이 **만건곤(滿乾坤)**홀 제 독야청 청(獨也靑靑)ᄒ리라 _성삼문

27 머흘다 》 험하다
예 세사(世事)는 구롬이라 **머흐도 머흘시고** _ 정철, 〈성산별곡〉

28 모쳐라 》 마침
예 **모쳐라** 놀낸 낼식만정 에헐질 번 ᄒ괘라 _ 작자 미상

29 모쳠 》 초가집 처마
예 **모쳠(茅簷)** 비쵠 ᄒ룰 옥누(玉樓)의 올리고 져 _정철, 〈사미인곡〉

30 뫼 》 산
예 이 **뫼ᄒ** 안자 보고 져 **뫼ᄒ** 거러 보니 _송순, 〈면앙정가〉

31 뮈다 》 움직이다
예 불휘 기픈 남ᄀ 부ᄅ매 아니 **뮐씨** _정인지 등, 〈용비어천가〉

ㅂ

32 바롤 》 바다
예 살어리 살어리랏다 **바ᄅ래** 살어리랏다 _작 자 미상, 〈청산별곡〉

33 바회 》 바위
예 산슈간(山水間) **바회** 아래 ᄡ집을 짓노라 ᄒ니 _윤선도, 〈만흥〉

34 백구 》 흰 갈매기
예 무심(無心)ᄒ **백구(白鷗)**야 오라 ᄒ며 말라 ᄒ랴 _박인로, 〈누항사〉

35 버히다 》 베다
예 동지(冬至)ㅅ 둘 기나긴 밤을 한 허리를 **버 혀** 내어 _황진이

36 별혜 》 벼랑에
예 삭삭기 셰몰애 **별혜** _작자 미상, 〈정석가〉

37 부용, 부용장 》 연꽃 무늬 휘장
예 **부용(芙蓉)**을 거더 노코 공작(孔雀)을 둘러 두니 _정철, 〈사미인곡〉

38 불워ᄒ다 》 부러워하다
예 보기의 신신(新新)ᄒ야 오신채(五辛菜) **불 워ᄒ랴** _정학유, 〈농가월령가〉

ㅅ

39 삼기다 》 만들다
예 둏과 항것과를 뉘라셔 **삼기신고** _주세붕, 〈오륜가〉

40 선ᄒ다 》 서운하다
예 **선ᄒ면** 아니 올셰라 _작자 미상, 〈가시리〉

41 소, 지당 》 연못
예 울었던가 말았던가 베갯머리 **소(沼)**이 졌 네 _작자 미상, 〈시집살이 노래〉

42 소반 ≫ 밥상

예 도리도리 도리 **소반(小盤)** 수저 놓기 더 어렵더라 _작자 미상, 〈시집살이 노래〉

43 수품, 슈품 ≫ 솜씨

예 **슈품(手品)**은 크니와 제도(制度)도 ᄀ 줄시고 _정철, 〈사미인곡〉

44 슬ᄏ지 ≫ 실컷

예 바횟긋 묽ᄀ의 **슬ᄏ지** 노니노라 _윤선도, 〈만흥〉

45 싀어디다 ≫ 죽다

예 ᄎ하리 **싀어디여** 범나븨 되오리라 _정철, 〈사미인곡〉

46 실솔 ≫ 귀뚜라미

예 가을 둘 방에 들고 **실솔(蟋蟀)**이 상(床)에 울 제 _허난설헌, 〈규원가〉

47 ᄲᅢ오다 ≫ 깨우다

예 므스 일 원수로서 잠조차 **ᄲᅢ오는다** _허난설헌, 〈규원가〉

48 싀우다 ≫ 꺼리다

예 공명(功名)도 날 **싀우고**, 부귀(富貴)도 날 **싀우니** _정극인, 〈상춘곡〉

49 서셜 ≫ 이야기

예 어와 네여이고 내 **서셜** 드러 보오 _정철, 〈속미인곡〉

ㅇ

50 아치고절 ≫ 아담하고 격에 맞는 멋과 높은 절개라는 뜻으로 '매화'를 이르는 말

예 아마도 **아치고절(雅致高節)**은 너ᄲᅮᆫ인가 ᄒ노라 _안민영, 〈매화사〉

51 암향 ≫ 그윽한 향기

예 ᄀ득 빙담(冷淡)ᄒ듸 **암향(暗香)**은 므스 일고 _정철, 〈사미인곡〉

52 어엿부다 ≫ 불쌍하다

예 귓돌이 져 귓돌이 **어엿부다** 져 귓돌이 _작자 미상

53 여름 ≫ 열매

예 곳 됴코 **여름** 하ᄂ니 _정인지 등, 〈용비어천가〉

54 연하 ≫ 안개와 노을

예 **연하(煙霞)**로 지블 삼고 풍월(風月)로 버들 사마 _이황, 〈도산십이곡〉

55 오뎐되다 ≫ 방정맞다

예 **오뎐된** 계성(鷄聲)의 ᄌᆷ은 엇디 ᄭᅢ돗던고 _정철, 〈속미인곡〉

56 외다 ≫ 그르다

예 화형제(和兄弟) 신붕우(信朋友) **외다** 하리 뉘 이시리 _박인로, 〈누항사〉

57 우움 ≫ 웃음

예 말솜도 **우움**도 아녀도 몯내 됴하ᄒ노라 _윤선도, 〈만흥〉

58 이리, 일히 ≫ 아양

예 **이릭**야 교튀야 어저러이 구돗썬디 _정철, 〈속미인곡〉

59 이화 ≫ 배꽃

예 **이화(梨花)** 가디 우희 밤낫즐 못 울거든 _조위, 〈만분가〉

ㅈ

60 자로 ≫ 잘, 자주

예 잘하고 **자로** 하네 에히요 산이가 **자로** 하네 _작자 미상, 〈논매기 노래〉

61 잣 ≫ 성(城)

예 **잣** 앗 보미 플와 나모ᄲᆞᆫ 기펫도다 _두보, 〈춘망〉

62 쟐다 ≫ 짧다

예 긴 소리 **쟈른** 소리 절절(節節)이 슬픈 소리 _작자 미상

63 져근덧, 건듯 ≫ 잠깐, 잠시

예 **져근덧** 가디 마오 이 술 ᄒ 잔 머거 보오 _정철, 〈관동별곡〉

64 졍지 ≫ 부엌

예 가다가 가다가 드로라 에**졍지** 가다가 드로라 _작자 미상, 〈청산별곡〉

65 즌 ᄃᆡ ≫ 진 데, 위험한 곳

예 어긔야 **즌 ᄃᆡ롤** 드듸욜셰라 _작자 미상, 〈정읍사〉

66 지리ᄒ다 ≫ 지루하다

예 열두 째 김도 길샤 설흔 날 **지리(支離)ᄒ다** _허난설헌, 〈규원가〉

67 ᄌᆞᄌᆞ지다 ≫ 우거지다

예 나모 새 **ᄌᆞᄌᆞ지여** 수음(樹陰)이 얼린 적의 _송순, 〈면앙정가〉

ㅊ

68 천석고황 ≫ 자연을 사랑하는 마음

예 ᄒ몰며 **천석고황(泉石膏肓)**을 고텨 므슴 ᄒ료 _이황, 〈도산십이곡〉

69 촉 ≫ 초

예 **촉(燭)** 좁고 갓가이 ᄉᆞ랑헐 제 암향(暗香) 좃ᄎ 부동(浮動)터라 _안민영, 〈매화사〉

70 침노하다 ≫ 침범하다

예 찬 기운(氣運) 식여 드러 좁든 매화(梅花)를 **침노(侵擄)ᄒ다** _안민영, 〈매화사〉

ㅍ

71 파람 ≫ 휘파람

예 청풍이 옷깃 열고 긴 **파람** 흘리 불제 _위백규, 〈농가〉

72 펴티다 ≫ 펼치다

예 닛는 ᄃᆞᆺ **펴티는** ᄃᆞᆺ 헌ᄉᆞ토 헌ᄉᆞ홀샤 _정철, 〈성산별곡〉

ㅎ

73 하다 ≫ 많다

예 성현(聖賢)도 만ᄏ니와 호걸(豪傑)도 **하도 할샤** _정철, 〈성산별곡〉

74 행화 ≫ 살구꽃

예 도화 **행화(桃花杏花)**는 석양리(夕陽裏)에 퓌여 잇고 _정극인, 〈상춘곡〉

75 햐암, 향암 ≫ 시골에서 자라 세상 물 정에 어둡고 어리석은 사람

예 어리고 **햐암**의 ᄯᅳᆺ의는 내 분(分)인가 ᄒ노라 _윤선도, 〈만흥〉

76 헌ᄉᆞᄒ다, 헌ᄉᆞ롭다 ≫ 야단스럽다

예 조물(造物)리 **헌ᄉᆞᄒ야** 빙설(氷雪)노 ᄭᅮ며 내니 _송순, 〈면앙정가〉

77 혀다 ≫ (불이나 악기를) 켜다

예 사ᄉᆞ미 짒대예 올아셔 희금(奚琴)을 **혀거**를 드로라 _작자 미상, 〈청산별곡〉

78 혈마 ≫ 설마

예 실위(實爲) 그러ᄒ면 **혈마** 어이홀고 _박인로, 〈누항사〉

79 혬, 혜염 ≫ 걱정, 근심, 생각

예 소 업ᄉᆞ 궁가(窮家)애 **혜염** 만하 왓삽노라 _박인로, 〈누항사〉

80 홍진, 풍진, 미진, 인세, 하계 ≫ 인간 세상, 속세 등

예 **홍진(紅塵)**에 뭇친 분네 이내 생애(生涯) 엇더ᄒ고 _정극인, 〈상춘곡〉

1부 고대 가요, 향가

갈래 학습법

1단계 갈래 이해하기

고전 시가 대부분의 갈래가 그렇지만 고대 가요와 향가의 경우는 특히 갈래의 특성을 잘 알아야 작품을 제대로 이해할 수 있다. 따라서 고대 가요와 향가의 각 갈래별 개념은 물론 각 갈래가 갖고 있는 일반적인 특징도 학습해 두어야 한다.

2단계 배경 설화도 꼭 읽기

고대 가요와 향가의 배경 설화를 이해하는 것은 작품을 파악하는 데 많은 도움을 준다. 이는 고대 가요가 원래 독립된 형태로 생겨난 것이 아니라 서사적인 형태 속에서 만들어졌기 때문인데, 배경 설화를 통해 작품의 내용과 창작 의도 등을 이해할 수 있다. 물론 배경 설화를 알아야 풀 수 있는 문제일 경우 대부분 〈보기〉의 형식으로 배경 설화의 내용을 알려 준다. 따라서 배경 설화를 암기하거나 배경 설화에 대해 별도로 심도 깊게 학습할 필요는 없지만 작품을 이해하는 데 큰 도움이 되기 때문에 작품 학습을 할 때 반드시 관련 배경 설화를 읽어 두어야 한다.

3단계 알려진 모든 작품 공부하기

고대 가요와 향가는 다른 갈래에 비해 시험에 자주 출제되는 갈래는 아니다. 그러나 모든 교과서에서 다루고 있으므로 출제될 가능성을 배제할 수는 없다. 그리고 현재까지 알려진 작품 외에 다른 작품이 더 추가로 발견될 가능성이 거의 없기 때문에 시험에 나올 모든 작품을 우리가 이미 알고 있는 셈이다. 따라서 교과서에 수록된 작품은 물론 수록되지 않은 작품도 모두 공부한다면 이 갈래에 대한 것만큼은 시험 대비를 완벽히 할 수 있을 것이다.

갈래 학습 - 고대 가요

❶ 개념

향찰로 표기된 향가가 나타나기 이전까지의 시기에 우리 민족이 영위하던 원시 종합 예술의 형태를 띤 집단 서사적 내용에서부터 개인적이고 서정적인 내용으로 분화된 시가까지를 총칭한다.

❷ 특징

(1) **전승**: 배경 설화 속에 삽입된 형태로 구전되다가 후대에 한역(漢譯)되었다.

(2) **형식**: 4구체의 한역시, 한글 노래 등의 형태로 전해지나, 구전되다가 후대에 기록된 것이므로 원래의 형태를 정확히 알기 어렵다.

(3) **기록**: 당시에는 기록의 수단이 없어서 구전되다가 후대에 한자나 이두, 한글로 기록되는 과정에서 원래의 형태가 많이 변형되었을 것으로 추정된다.

(4) **변천**: 초기의 의식요, 노동요의 성격을 지닌 집단 가요에서 점차 개인적 서정을 노래한 개인 서정 가요로 변천하였다.

❸ 의의

(1) 우리 시가 형식의 초기 단계를 알 수 있다.

(2) 국문학 역사상 최초의 서정 시가 형태를 알 수 있다.

(3) 집단 서사시로부터 개인 서정시로의 변천 과정을 알 수 있다.

❹ 주목해야 할 작품

작품명	작가	연대	내용
공무도하가(公無渡河歌)	백수광부의 아내	고조선	임과의 사별을 슬퍼함
구지가(龜旨歌)	구간(九干) 등	신라 유리왕 19년	임금의 강림을 기원함
황조가(黃鳥歌)	유리왕	고구려 유리왕	짝을 잃은 슬픔과 외로움
정읍사(井邑詞)	어느 행상인의 아내	백제	행상 나간 남편의 안전을 기원함
해가(海歌)	미상	신라 성덕왕	수로 부인의 귀환을 기원함

갈래 학습 - 향가

❶ 개념

본래 신라 시대에 우리말로 가창된 노래를 의미하였지만, 오늘날에는 한자의 음과 뜻을 빌려 문장을 우리말 어순대로 적는 향찰로 표기한 신라의 노래를 말한다.

❷ 특징

(1) 작가: 승려나 화랑과 같은 귀족 계층이 주류를 이루고 있다.

(2) 형식: 4구체, 8구체, 10구체 등이 있다. 4구체 향가는 민요가 정착된 노래이고, 8구체 향가는 향가의 발전 과정에서 생긴 과도기 형태의 노래이다. 10구체 향가는 가장 정제된 형태의 노래로, '사뇌가'라 불린다.

(3) 종류: 민요와 동요(〈서동요〉), 축사(逐邪)의 노래(〈처용가〉), 화랑을 추모하는 노래(〈찬기파랑가〉), 치국안민(治國安民)의 노래(〈안민가〉), 불교 신앙의 노래(〈원왕생가〉) 등이 있다.

❸ 의의

(1) 국문학 역사상 최초의 정형화된 서정시이다.

(2) 향가의 표기 형태(향찰)는 고어 연구의 귀중한 자료이다.

❹ 주목해야 할 작품

작품명	작가	형식	내용
서동요(薯童謠)	서동	4구체	선화 공주에 대한 서동의 은밀한 사랑
도솔가(兜率歌)	월명사	4구체	산화 공덕을 통해 두 개의 해의 출현(변괴)을 막고자 함
헌화가(獻花歌)	어느 노인	4구체	수로 부인에게 사랑을 고백함
모죽지랑가(慕竹旨郎歌)	득오	8구체	죽지랑에 대한 추모의 정
처용가(處容歌)	처용	8구체	아내를 범한 역신을 감복시켜 물러나게 함
원왕생가(願往生歌)	광덕	10구체	극락왕생에 대한 간절한 염원
제망매가(祭亡妹歌)	월명사	10구체	죽은 누이의 명복을 빎
안민가(安民歌)	충담사	10구체	나라를 다스리는 올바른 자세
찬기파랑가(讚耆婆郎歌)	충담사	10구체	기파랑의 고매한 인품을 찬양함

구지가 龜旨歌·해가 海歌

가

龜何龜何
구 하 구 하

首其現也
수 기 현 야

若不現也
약 불 현 야

燔灼而喫也
번 작 이 끽 야

거북아 거북아,

머리를 내어라.

내어놓지 않으면,

구워 먹으리라.

– 구간(九千) 등, 〈구지가〉

나

龜乎龜乎出水路
구 호 구 호 출 수 로

掠人婦女罪何極
약 인 부 녀 죄 하 극

汝若悖逆不出獻
여 약 패 역 불 출 헌

入網捕掠燔之喫
입 망 포 락 번 지 끽

거북아 거북아 수로를 내놓아라.

남의 아내 훔쳐간 죄 얼마나 크랴.

네 만일 거역하고 내놓지 않는다면,

그물로 너를 잡아 구워 먹으리.

– 작자 미상, 〈해가〉

배경 설화

가 3번 문제의 〈보기〉 참고

나 신라 성덕왕 때에 순정공(純貞公)이 강릉 태수로 부임하는 도중 임해정(臨海亭)이란 곳에서 점심을 먹고 있었는데, 불현듯 해룡(海龍)이 나타나 그의 아내 수로 부인의 미모를 탐내 바닷속으로 납치해 갔다. 공이 어찌할 바를 모르고 있는데 그때 한 노인이 나타나 말하기를,

"옛날 말에 여러 입은 쇠도 녹인다 하니 이제 바닷속의 물건인들 어찌 여러 입을 두려워하지 않으랴? 경내의 백성을 모아 노래를 지어 부르고 막대로 언덕을 치면 부인을 찾을 수 있으리라."

고 하였다. 이에 공이 그 노인의 말대로 하였더니 용이 부인을 받들고 나와 도로 내놓았다 한다.

생생 Note

가 구지가

화자 _____

상황 _____

주제 _____

핵심 시어의 의미 ☐☐은/는 신령스러운 존재이자 주술의 대상이며, ☐☐은/는 생명이나 우두머리(수로왕)를 의미함

해제 가락국 건국 신화에 삽입되어 전하는 노래로, 집단적·제의적·주술적 성격을 띰. 위협적 표현을 통하여 화자의 기원을 성취하려는 의도가 담겨 있음

성격 집단적, 주술적, 명령적, 제의적

형식 4언 4구 한역 시가

별칭 영신군가, 영군가, 가락국가, 구가, 구지곡

의의 ① 현전하는 가장 오래된 집단 무요 ② 주술성을 지닌 노동요

나 해가

화자 _____

상황 _____

주제 _____

핵심 시어의 의미 주술의 대상이자 공격의 대상이 되는 존재는? _____

해제 〈구지가〉 계통의 노래로, 〈구지가〉가 오랜 세월 민간에 구비 전승되어 왔음을 보여 줌. 신라 성덕왕 때 수로 부인이 해룡(海龍)에게 잡혀가자 남편 순정공이 마을 사람들을 동원해 부른 노래

성격 주술적, 집단적, 명령적

형식 7언 4구 한역 시가

별칭 해가사

의의 〈구지가〉가 후대에 전승되었음을 알려 줌(〈구지가〉와 약 700년의 시차가 있음)

★ [가]와 [나]에 대한 설명으로 적절하지 <u>않은</u> 것은?

① [가]는 건국 신화 속에 삽입된 신군(神君) 맞이의 노래이다.

② [나]는 주술의 목적과 위협의 이유가 구체적으로 드러나 있다.

③ [나]는 신라 시대 민간에 전승되어 액(厄)을 막고 소원 성취를 빌던 노래이다.

④ [가]와 [나]의 화자는 경외심을 가지고 대상을 예찬하고 있다.

⑤ [가]와 [나]는 무속 신앙과 동물숭배 사상을 바탕으로 하며 기원을 노래하고 있다.

내용 전개 구조의 파악

1 [가]의 내용 전개 구조와 가장 유사한 것은?

① 매화야, 매화야. 꽃을 피워라. 온 세상 흰 눈으로 적막할 때 옥 같은 자태 뽐내며 예쁜 꽃을 피워라.

② 개야, 이 얄미운 개야. 냉큼 네 집으로 들어가거라. 한 번만 더 임을 향해 짖는다면 며칠 동안 밥을 굶기리라.

③ 잠아, 잠아. 이내 맘도 모르는 잠아. 임 떠나는 꿈 가지고 오늘 밤도 찾아오면 긴 밤 두 눈 뜨고 너를 쫓으리라.

④ 나무야, 큰 나무야. 가지를 숙여라. 광명한 햇빛을 너 혼자 차지한다면 그늘진 응달에서 여린 꽃들 어찌 자라리.

⑤ 긴 밤 지새우는 여인이여. 그만 눈물을 거두시오. 오지 않는 임 가슴 치며 불러 봐도 커져 가는 슬픔에 낮도 밤인 것을.

작품 간의 차이점 파악

2 [가]가 구전되다가 [나]로 변형되었다고 할 때, 변형된 내용끼리 바르게 묶인 것은?

ㄱ. 화자의 소망이 점층적으로 강화되고 있다.

ㄴ. 동일한 부사어를 반복하여 구조적 통일을 이루고 있다.

ㄷ. 위협의 대상에게 구체적인 위협의 이유를 밝히고 있다.

ㄹ. 구체적 인명(人名)을 제시하며 대상과의 재회를 간절히 바라고 있다.

ㅁ. 7언 4구로 형식적으로도 확장되면서 내용을 좀 더 구체적으로 제시하고 있다.

① ㄱ, ㄴ, ㄷ ② ㄱ, ㄷ, ㅁ ③ ㄴ, ㄷ, ㄹ

④ ㄴ, ㄹ, ㅁ ⑤ ㄷ, ㄹ, ㅁ

작품의 종합적 감상

3 [가]의 배경 설화인 〈보기〉를 바탕으로 발표 수업을 준비할 때, 내용상 적절하지 <u>않은</u> 것은?

보기

　옛날 가락국의 김해라는 마을 북쪽에 구지봉이란 산이 있었는데 그곳에서 이상한 소리가 들려왔다. 마을 사람들이 구지봉으로 몰려가니 아무 모습도 보이지 않았는데 어디선가 이곳에 사람이 있느냐는 소리가 들려왔다. 아홉 명의 추장들(구간)이 이곳에 와 있다고 대답하자, 다시 하늘에서 소리가 들려왔다.

　"황천께서 내게 명령하시기를 이곳에 가서 나라를 새롭게 하여 왕이 되라고 하셨다. 내가 이곳에 내려왔으니 너희들은 산꼭대기(구지봉)에서 흙을 파면서 노래를 부르고 춤을 추어서 나를 맞이하도록 하여라."

　다 같이 시키는 대로 하였더니 하늘에서 황금 알 여섯이 내려와 이후 사람으로 변하였는데 그중에 처음 나온 사람을 '수로'라 하였다.

① 〈보기〉의 '산꼭대기에서 흙을 파면서'를 토대로 [가]가 노동요로 해석될 수 있는지 알아본다.

② 〈보기〉의 '다 같이 시키는 대로 하였더니'를 토대로 [가]가 집단요로 해석될 수 있는지 알아본다.

③ 〈보기〉의 '노래를 부르고 춤을 추어서'를 토대로 [가]가 특정한 의식을 수행하며 부른 노래로 해석될 수 있는지 알아본다.

④ 〈보기〉의 '황천께서 내게~왕이 되라고 하셨다.'를 토대로 [가]가 천손 강림을 내용으로 하는 노래로 해석될 수 있는지 알아본다.

⑤ 〈보기〉의 '황금 알 여섯이~사람으로 변하였는데'를 토대로 [가]가 농경에서 상업을 중시하는 사회로 이행되는 시기에 불렸던 노래로 해석될 수 있는지 알아본다.

표현상의 특징 파악

4 [나]에 대한 설명으로 적절하지 <u>않은</u> 것은?

① 대상을 의인화하여 시상을 전개하고 있다.

② 가정과 위협의 말하기 방식을 사용하고 있다.

③ 대조의 방식으로 대상에 대한 원망을 강조하고 있다.

④ 청자에게 말을 건네는 방식으로 의도를 드러내고 있다.

⑤ 강한 명령형 어조를 사용해 직설적으로 표현하고 있다.

02 공무도하가 公無渡河歌 · 황조가 黃鳥歌

가

公無渡河
공 무 도 하

公竟渡河
공 경 도 하

墮河而死
타 하 이 사

當奈公何
당 내 공 하

임이여, 물을 건너지 마오.

임은 그예 물을 건너시네.

물에 빠져 돌아가시니

가신 임을 어이할꼬.

— 백수광부의 아내, 〈공무도하가〉

나

翩翩黃鳥
편 편 황 조

雌雄相依
자 웅 상 의

念我之獨
염 아 지 독

誰其與歸
수 기 여 귀

훨훨 나는 저 꾀꼬리

암수 정답게 노니는데,

외로울사 이 내 몸은

뉘와 함께 돌아갈꼬.

— 유리왕, 〈황조가〉

배경 설화

가 고조선 때 뱃사공 곽리자고가 새벽에 일어나 배를 손질하고 있었는데, 머리가 센 미친 사람(백수광부)이 머리를 풀고 술병을 낀 채 물살을 헤치며 건너려 하였다. 그의 아내가 뒤따르며 막아 보려 했으나 막지 못하고 결국 미친 사람은 물에 빠져 죽고 말았다.

이에 그의 아내는 공후를 타며 공무도하(公無渡河)의 노래를 불렀는데 그 소리가 매우 구슬펐으며, 노래를 마치고는 스스로 물에 몸을 던져 죽었다. 곽리자고는 집으로 돌아와 이 이야기를 아내인 여옥에게 했고, 여옥은 백수광부의 아내가 부르던 노래를 다시 노래로 불렀다.

나 고구려 제2대 왕인 유리왕 3년에 왕비 송씨가 세상을 떠나자 왕은 다시 두 여자를 계비로 맞아들였다. 하나는 골천(鶻川) 여자 화희(禾姬)요, 다른 하나는 한인(漢人) 여자 치희(雉姬)였다. 두 여자는 왕의 사랑을 다투어 사이가 좋지 않았다. 어느 날 왕이 기산으로 사냥을 나가 이레 동안 돌아오지 않았다. 이때 두 여인 사이에 큰 싸움이 일어났는데 화희가 치희에게 "너는 한나라 집에서 온 천한 계집의 몸으로 어찌 그리 무례하게 구느냐?"라고 꾸짖었다. 이에 치희는 부끄럽고 분해서 제 나라로 돌아가 버렸다. 뒤늦게 왕이 말을 달려 치희를 찾아 나섰으나 치희는 노여워 돌아오지 않았다. 왕은 혼자 돌아오는 길에 마침 쌍쌍이 노니는 꾀꼬리를 보고 이 노래로 외로움을 읊었다.

생생 Note

가 공무도하가

화자 _____

상황 _____

주제 _____

핵심 시어의 의미 ☐은/는 화자의 사랑이자, 삶과 죽음의 경계이며, 죽음을 의미하기도 함

해제 뱃사공 곽리자고가 목격한 내용을 그의 아내인 여옥에게 들려주자 여옥이 공후를 타면서 노래로 불러 널리 전파되었다고 하는 고조선의 노래

성격 애상적, 체념적, 서정적

별칭 공후인

의의 ① 문헌상 가장 오래된 서정시 ② 집단 가요에서 개인적 서정시로 넘어가는 단계의 노래 ③ 우리 민족의 전통적 정서인 한(恨)을 바탕으로 한 노래

나 황조가

화자 _____

상황 _____

주제 _____

핵심 시어의 의미 ☐☐☐은/는 화자의 외로운 정서를 부각하는 객관적 상관물임

해제 사랑하는 임을 잃은 외로움을 '꾀꼬리'라는 자연물을 매개로 하여 표현한 고구려 유리왕의 노래

성격 애상적, 서정적

의의 ① 작가와 연대가 뚜렷한, 현전하는 최고(最古)의 개인적 서정시 ② 집단 가요에서 개인적 서정시로 넘어가는 단계의 노래

★ [가]와 [나]에 대한 설명으로 적절하지 않은 것은?

① [가]와 [나]의 화자는 임과의 재회를 확신하고 있다.
② [가]와 [나]는 배경 설화와 함께 전해지는 노래들이다.
③ [가]와 [나]는 설의적 종결로 화자의 감정을 드러내고 있다.
④ [가]와 [나]에는 대상의 부재로 인한 슬픔과 안타까움이 드러난다.
⑤ [가]와 [나]는 집단적 서사시에서 개인적 서정시로 넘어가는 단계의 노래들이다.

작품의 종합적 감상

1 [가]에 대한 설명으로 적절하지 않은 것은?

① '물'의 이미지가 '사랑-이별-죽음'으로 변화하고 있다.
② 화자의 정서가 '애원-초조-비애-탄식'으로 변화하고 있다.
③ 우리 민족 전통의 정서인 '이별의 한(恨)'을 형상화하고 있다.
④ 자연물에 화자의 정서를 이입하여 시적 상황을 강조하고 있다.
⑤ 4행의 '어이할꼬'에는 화자의 탄식과 체념의 정서가 드러나고 있다.

비교 감상의 적절성 파악

2 [나]와 〈보기〉에 대한 설명으로 적절하지 않은 것은?

보기

공산(空山)에 우는 접동 너는 어이 우지는다.
너도 날과 갓치 무음 이별(離別)ᄒ엿는야.
아무리 피느게 운들 대답(對答)이나 ᄒ더냐.   – 박효관

① [나]와 〈보기〉의 화자는 부정적 상황으로 인해 괴로워하고 있다.
② [나]와 〈보기〉는 설의적 표현을 통해 화자의 정서를 강조하고 있다.
③ [나]와 〈보기〉는 화자의 정서를 대변하는 상징물을 활용하고 있다.
④ [나]가 〈보기〉에 비해 화자의 정서를 더욱 구체적으로 드러내고 있다.
⑤ [나]와 〈보기〉의 화자는 자연물을 자의적으로 해석하는 모습을 보이고 있다.

외적 준거에 따른 작품 감상

3 〈보기〉를 바탕으로 [가]를 이해한 내용으로 적절하지 않은 것은?

보기

물은 예술의 영역에서 오랫동안 모방과 창조의 대상이었다. 예술에서 '물'은 이승과 저승을 가르는 경계의 의미를 지니기도 하고, 삶과 죽음, 이별, 정화 혹은 정화를 통한 재생의 의미를 지니기도 한다. 또 생명과 삶의 원천이라는 의미와 충만한 사랑 등 다양한 의미를 지닌 상징으로 활용되어 왔다. 특히 [가]는 '물'이 반복되어 사용되고 [가]의 배경 설화에는 노래를 부른 여인이 남편을 따라 물에 빠져 죽었다는 내용을 담고 있어서 '물'과 관련이 많은 작품이다.

① 임을 따라 화자도 빠져 죽었다는 배경 설화 속 '물'은 재생을 위한 정화의 의미를 지닌다고 할 수 있군.
② 임의 죽음으로 화자가 임과 이별하게 되므로 '물'은 이별의 공간이라는 의미를 지닌다고 할 수 있군.
③ 임이 '물'에 빠져 죽으면서 화자와 이별하므로 '물'은 이승과 저승의 경계라는 의미를 지닌다고 할 수 있군.
④ '임이여, 물을 건너지 마오'에서의 '물'은 임이 건너지 않기를 바란다는 점에서 화자의 사랑이 담겨 있는 '물'이라고 할 수 있군.
⑤ '물에 빠져 돌아가시니'에서의 '물'은 '임의 죽음'이라는 의미를 지닌다고 할 수 있군.

감상의 적절성 파악

4 〈보기〉는 시의 감상과 수용을 위한 학습 목표를 정리한 것이다. 이를 [나]에 적용하여 해석한 내용으로 적절하지 않은 것은?

보기

Ⅰ. 시적 상황을 이해한다.
Ⅱ. 표현상의 특징을 파악한다.
Ⅲ. 시에 사용된 이미지를 확인한다.
Ⅳ. 시의 형식과 구조를 분석한다.
Ⅴ. 시적 화자의 정서와 태도를 이해한다.

① Ⅰ: 사랑하는 임이 화자 곁에 없는 상황이다.
② Ⅱ: 선경 후정의 방법으로 시상이 전개되고 있다.
③ Ⅲ: 주로 시각적 심상이 나타나고 있다.
④ Ⅳ: 앞의 2행과 뒤의 2행이 내용상 대조를 이루고 있다.
⑤ Ⅴ: 현실 상황에 대한 화자의 좌절감이 간접적으로 제시되고 있다.

정읍사 井邑詞

ⓐ 둘하 ㉠노피곰 도ᄃ샤

어긔야 ㉡머리곰 비취오시라.

어긔야 어강됴리

아으 다롱디리

㉢져재 녀러신고요

어긔야 ㉣즌 ᄃᆡ를 드ᄃᆡ욜셰라.

어긔야 어강됴리

㉤어느이다 노코시라.

어긔야 내 가논 ᄃᆡ 졈그롤셰라.

어긔야 어강됴리

아으 다롱디리

달님이시여, 높이높이 돋으시어	
멀리멀리 비춰 주소서.	
시장에 가 계신가요?	
진 데(위험한 곳)를 디딜까 두렵습니다.	
어느 곳에나 (짐을) 놓으십시오.	
임 가시는 곳에 (날이) 저물까 두렵습니다.	

– 어느 행상인의 아내, 〈정읍사〉

배경 설화

정읍은 전주에 소속된 현이다. 이 고을 사람이 행상을 떠나 돌아오지 않으므로 그 아내가 산 위의 바위에 올라 남편이 밤길을 오다가 해를 입을 것에 대한 염려를 진흙물에 더러워짐에 비유하여 이 노래를 불렀다. 아내가 남편을 기다리던 고개에 돌(망부석)이 남아 있다고 한다.

〈참고〉

신라 눌지왕 때에 박제상이 왕의 동생 미사흔을 데리러 일본으로 가서 미사흔은 구출했지만 자신은 돌아오지 못했다. 그의 아내는 자녀를 데리고 치술령에 올라가 일본을 바라보며 남편을 기다리다가 돌이 되었는데 그 돌을 '망부석'이라고 하게 되었다. 뒷날 사람들은 그의 아내를 치술령 신모(神母)로 모시고 이를 소재로 〈치술령곡〉을 지었다.

생생 Note

화자 _____

상황 _____

주제 _____

핵심 시어의 의미 ☐은/는 시적 화자가 소망을 기원하는 대상이고, ☐☐은/는 어둠과 위험을 의미하는 장소임

해제 남편을 기다리는 아내의 간절한 마음이 담겨 있는 노래로, 어둠을 밝게 비추는 달에게 자신의 소망을 기원하고 있음

성격 서정적, 기원적, 민요적, 직서(直敍: 상상이나 감상 등을 덧붙이지 않고 있는 그대로 서술함)적

의의 ① 현전하는 유일한 백제 가요 ② 국문으로 기록되어 전하는 가장 오래된 가요 ③ 시조 형식의 연원(3장 6구 – 여음구 제외)

내신 대비 특별 문제

★ 이 작품에 대한 설명으로 적절하지 <u>않은</u> 것은?

① 시조 형식의 연원으로 보는 작품이다.
② 〈망부석 설화〉, 〈치술령곡〉과 관련이 있다.
③ 현재 유일하게 가사가 전해지는 백제 가요이다.
④ 남편의 무사 귀환을 바라는 여인의 심정이 담겨 있다.
⑤ 대립적인 이미지를 통해 갈등적 상황을 해소하고 있다.

표현상의 특징 파악

1 이 작품의 표현 방식에 대한 설명으로 적절하지 <u>않은</u> 것은?

① 동일한 종결 어미를 반복하여 정서를 강조하고 있다.
② 존칭 표현을 활용하여 경건한 분위기를 조성하고 있다.
③ 인격화된 자연물을 통해 화자의 바람을 제시하고 있다.
④ 계절적 이미지를 환기하여 화자의 처지를 부각하고 있다.
⑤ 대조적 이미지의 시어를 통해 주제 의식을 드러내고 있다.

구절의 의미 파악

2 〈보기〉를 바탕으로 ㉠~㉤을 이해한 내용으로 적절하지 <u>않은</u> 것은?

> 보기
>
> 　정읍(井邑)은 전주에 소속된 현(縣)이다. 이 고을 사람이 행상을 떠나 오래도록 돌아오지 않았다. 이에 그 아내가 산 위의 바위에 올라가 먼 곳을 바라보면서, 남편이 밤길을 오다가 해(害)를 입지나 않을까 염려하는 마음을 '진흙 물에 더러워짐'에 비유하여 이 노래를 불렀다. 세상에 전하기를, 아내가 남편을 기다리던 산에 돌(망부석)이 남아 있다고 한다. — 고려사 악지, 〈삼국 속악 백제조〉

① ㉠: 남편의 무사함을 비는 간절한 마음이 드러나 있다.
② ㉡: 화자가 남편과 멀리 떨어져 있는 상황임을 짐작할 수 있다.
③ ㉢: 구체적 공간을 제시하여 남편의 직업을 추측할 수 있다.
④ ㉣: 남편이 해를 입지나 않을까 염려하는 마음이 나타나 있다.
⑤ ㉤: 남편이 무사히 돌아올 것이라는 화자의 확신이 반영되어 있다.

시상 전개 방식 이해

3 이 작품을 〈보기〉와 같이 구조화할 때, [A]~[C]에 대한 이해로 적절하지 <u>않은</u> 것은?

보기

1~4행	→	5~7행	→	8~11행
[A]		[B]		[C]

① [A]에는 화자가 말을 건네는 상대가 누구인지 나타나 있군.
② [A]에서 이루어진 화자의 행위는 [B]를 통해 그 이유를 짐작할 수 있군.
③ [B]와 [C]에서는 대상에 대한 걱정과 의구심이 나타나 있군.
④ [A]에서의 소망이 [B]에서 염려를 거쳐 [C]에서 체념으로 이어지고 있군.
⑤ [A]~[C] 모두 대화체의 기원적 어조를 사용해 화자의 감정을 드러내고 있군.

다른 작품과의 비교 감상

4 이 작품의 ⓐ와 〈보기〉의 ⓑ를 비교 감상한 내용으로 적절하지 <u>않은</u> 것은?

> 보기
>
> 　ⓑ쟈근 거시 노피 떠서 만믈(萬物)을 다 비취니,
> 　밤듕의 광명(光明)이 너만 ᄒ니 ᄯ 잇ᄂ냐.
> 　보고도 말 아니 ᄒ니 내 벋인가 ᄒ노라. — 윤선도, 〈오우가〉 제6수

① ⓐ는 ⓑ와 달리 화자의 행동 변화를 유도한다.
② ⓑ는 ⓐ에 비해 친밀감 있는 존재로 제시된다.
③ ⓑ는 ⓐ와 달리 화자에게 예찬의 대상이 된다.
④ ⓐ와 ⓑ는 모두 어둠을 밝혀 주는 기능을 한다.
⑤ ⓐ는 ⓑ와 달리 다른 대상과의 심리적 매개체의 역할을 한다.

제망매가 祭亡妹歌

生死路隱 생 사 로 은	생사(生死) 길은	생사(삶과 죽음)의 길은
此矣有阿米次肹伊遣 차 의 유 아 미 차 힐 이 견	이에 있으매 죽고	여기에 있음에 죽고
吾隱去內如辭叱都 오 은 거 내 여 사 질 도	나는 간다 말도	나는 간다는 말도
毛如云遣去內尼叱古 모 여 운 견 거 내 니 질 고	못 이르고 갔나이까	못 이르고 갔는가?
於內秋察早隱風未 어 내 추 찰 조 은 풍 미	어느 가을 이른 바람에	어느 가을 이른 바람에
此矣彼矣浮良落尸葉如 차 의 피 의 부 량 락 시 엽 여	여기저기 떨어지는 잎과 같이	여기저기에 떨어지는 잎처럼
一等隱枝良出古 일 등 은 지 량 출 고	한 가지에 나고	같은 나뭇가지(부모)에 나고서도
去奴隱處毛冬乎丁 거 노 은 처 모 동 호 정	간 곳을 모르옴이여	(네가) 가는 곳을 모르겠구나.
阿也彌陁刹良逢乎吾 아 야 미 타 찰 량 봉 호 오	아 정토(淨土)에서 만날 나	아아, 극락세계에서 만날 나는
道修良待是古如 도 수 량 대 시 고 여	도(道)를 닦아 기다리고자 하노라	도를 닦으며 기다리겠노라.

– 월명사 / 김준영 해독, 〈제망매가〉

배경 설화

신라 경덕왕 때 월명은 사천왕사(四天王寺)에 살았는데 피리를 잘
불었다. 일찍이 달밤에 피리를 불면서 문 앞의 큰 길을 지나가니 달이
그를 위해 가는 길을 멈추었다. 이로 말미암아 그 길이 월명리(月明里)
라 했고, 월명사 또한 이로써 이름이 났다. 또한 월명사가 죽은 여동생
을 추모하는 재(齋)를 지내던 중 이 노래를 지어 부르니, 갑자기 불어
온 광풍이 지전(紙錢: 죽은 자에게 주는 노자(路資))을 서쪽으로 날리
었다고 한다.

내신 대비 특별 문제

★ 이 작품에 대한 설명으로 적절하지 <u>않은</u> 것은?

① 10구체 향가로 가장 정제된 형식이다.
② 세련된 표현 기교와 뛰어난 서정성을 지닌 작품이다.
③ 월명사가 죽은 누이의 명복을 비는 추모의 노래이다.
④ '기 – 서 – 결'의 3단 구성으로 시상이 전개되고 있다.
⑤ 화자는 누이의 죽음으로 인한 슬픔에서 벗어나지 못하
고 있다.

작품의 종합적 감상

1 이 작품을 감상한 학생들의 대화 내용으로 적절하지 <u>않은</u> 것은?

① '나는 간다'에서 '나'는 시적 화자라고 볼 수 있어.

② '한 가지에 나고'로 보아, 시적 대상은 화자의 혈육임을 알 수 있어.

③ '바람'을 삶과 죽음을 지배하는 힘이라고 볼 때, '이른 바람'은 누이의 요절을 의미한다고 생각해.

④ 2행의 '이'는 삶과 죽음을 초월한 세상을 의미하는 9행의 '정토(淨土)'와 의미상 대립된다고 생각해.

⑤ 혈육과의 사별로 인한 슬픔과 충격을 딛고 도(道)를 닦아 정토에서 재회하겠다는 화자의 의지가 나타나 있어.

외적 준거에 따른 작품 감상

2 〈보기〉를 바탕으로 이 작품을 감상할 때 적절하지 <u>않은</u> 것은?

> [보기]
>
> 〈제망매가〉는 처음 – 중간 – 끝의 세 부분이 유기적으로 관련을 맺으면서도 화자의 태도는 각각 차이점이 드러난다. 화자는 처음 부분에서 누이의 죽음에 대해 안타까움을 피력하고 있다. 그러다가 누이의 죽음을 단순히 자기와 인연을 맺은 존재의 죽음을 넘어 인간 보편의 문제로 바라보게 된다. 특히 끝의 '도(道)를 닦아 기다리고자 하노라'에 이르면 생사의 문제를 초극하려는 구도자의 의지적인 어조로 시상을 마무리되는 것을 볼 수 있다.

① 처음 부분에는 누이의 죽음에 대한 안타까움의 정서에 휩싸인 화자의 모습이 드러나 있다.

② '나는 간다 말도 / 못 이르고 갔나이까'에는 누이의 죽음을 마주한 화자의 아픔이 드러나 있다.

③ '여기저기 떨어지는 잎과 같이'에는 떨어지는 나뭇잎처럼 무기력하고 초라했던 누이의 삶의 모습이 드러나 있다.

④ '한 가지에 나고 / 간 곳을 모르옴이여'에는 누이의 죽음이라는 한 개인의 죽음이 인간 보편의 문제로 승화되고 있다.

⑤ '정토에서 만날 나 / 도를 닦아 기다리고자 하노라'에는 누이의 죽음에 대한 슬픔이 화자의 의지적 태도를 통해 종교적으로 승화되고 있다.

작품의 형식적 특징 파악

3 〈보기〉를 바탕으로 이 작품을 이해한 내용으로 적절하지 <u>않은</u> 것은?

> [보기]
>
> 향가는 초기의 4구체 형식으로 출발하여 이후 4구체가 두 번 반복된 8구체가 나타났고, 8구체에 시상을 집약하는 낙구 2행이 더해지면서 10구체의 완성된 형태를 띠게 되었다. 10구체 향가는 대개 기구, 서구, 결구 세 부분으로 나눌 수 있는데 결구에 해당하는 9~10구는 '낙구'라고 일컬어지며 낙구 첫머리에는 감탄사가 주로 나온다. 이때 낙구의 감탄사는 시상을 집약하고 고양된 감정을 드러내며, 때로는 시상의 전환을 이루기도 한다. 이처럼 3단 구성을 이루고, 낙구 첫머리에 감탄사가 온다는 점 등은 이후 출현하는 시조 양식에도 영향을 주었다.

① '아 정토에서 만날 나'는 낙구가 시작되는 부분으로 시상을 집약하는 역할을 하고 있다.

② 시조의 종장 첫 어절이 감탄사로 시작하는 것은 향가의 형식적 특성과 관련되어 있다.

③ 이 작품의 '기–서–결'의 형식적 특징은 시조의 초장–중장–종장의 3장 형식에 영향을 미쳤다고 할 수 있다.

④ 이 작품은 10구의 형식을 이루고 있고, 낙구가 나타나는 것으로 보아 10구체 향가의 형식적 특성을 보여 준다.

⑤ '한 가지에 나고 / 간 곳을 모르옴이여'에 사용된 감탄의 표현을 볼 때, 이 작품에서 가장 고양된 감정이 표출된 대목이라 할 수 있다.

감상의 적절성 파악

4 이 작품을 정리한 내용으로 적절하지 <u>않은</u> 것은?

	감상 항목	작품 속 근거	감상 내용
①	시적 상황	이른 바람에	갑작스러운 누이의 죽음
②	화자의 태도	정토에서 만날 나 / 도를 닦아 기다리고자 하노라	혈육의 죽음으로 인한 슬픔과 고뇌를 정토에서의 재회를 기약하며 구도의 의지를 드러냄
③	화자의 어조	갔나이까, 간 곳을 모르옴이여, 기다리고자 하노라	자기 고백적이고 절망적인 어조
④	시상의 전환	아	낙구 첫머리의 감탄사
⑤	표현상 특징	떨어지는 잎, 한 가지에 나고	비유적 표현을 사용하여 시적 상황을 구체적으로 형상화함

05 찬기파랑가 讚耆婆郎歌

咽嗚爾慮米 열 오 이 처 미	창문을 열고 바라보니	창문을 열고 바라보니
露曉邪隱月羅理 노 효 사 은 월 라 리	화양창 밝은 달 밑에	환하게 밝은 달 밑에
白雲音逐于浮去隱安支下 백 운 음 축 간 부 거 은 안 지 하	흰 구름조차 떠가는 안쪽에서도	흰 구름조차 떠가는 안쪽에서도
沙是八陵隱汀理也中 사 시 팔 릉 은 정 리 야 중	물 푸른 강속에서도	물 푸른 강속에서도
耆郎矣皃史是史藪邪 기 랑 의 모 사 시 사 수 사	기랑(耆郎)의 얼굴 보는 듯하다	기랑의 얼굴을 보는 듯하다.
逸鳥川理叱磧惡希 일 오 천 리 질 적 오 희	금호강 언저리에	금호강 언저리에서
郎也持以支如賜鳥隱 낭 야 지 이 지 여 사 오 은	랑과 친히 다니는 이여	(기)랑과 친히 다니는 이여
心未際叱肹逐內良齊 심 미 제 질 힐 축 내 량 제	고상한 맘 자최를 본받자구나	고상한 마음의 자취를 본받자.
阿耶栢史叱枝次高支好 아 야 백 사 질 지 차 고 지 호	아아 송백의 높은 가지	아아 송백의 높은 가지
雪是毛冬乃乎尸花判也 설 시 모 동 내 호 시 화 판 야	눈 서리 이겨 내듯 으뜸가는 그 맘이여	눈 서리 이겨 내듯 으뜸가는 그 마음이여.

– 충담사 / 정렬모 해독, 〈찬기파랑가〉

생생 Note

화자 _____
상황 _____
주제 _____
핵심 시어의 의미 자연물인 ☐, 강, ☐☐ 등은 모두 기파랑의 고매한 인품을 상징함
해제 충담사가 기파랑의 고매한 인격을 자연물에 빗대어 찬양한 향가로, 고도의 비유와 상징을 통해 찬양의 효과를 높임
성격 예찬적, 추모적, 서정적
의의 〈제망매가〉와 함께 향가 중 백미로 꼽힘

내신 대비 특별 문제

★ 이 작품에 대한 설명으로 적절하지 않은 것은?
① 시적 화자는 대상의 높은 인품을 흠모하여 예찬하고 있다.
② 시적 화자는 이상 세계에 대한 동경의 태도를 보이고 있다.
③ 서정성이 짙은 노래로 고도의 상징적 표현을 사용하고 있다.
④ 대상의 인품을 자연물의 속성을 통하여 비유적으로 제시하고 있다.
⑤ 〈제망매가〉와 함께 표현 기교 및 서정성이 매우 뛰어난 작품으로 평가되고 있다.

외적 준거에 따른 작품 감상

1 〈보기〉를 참고하여 이 작품의 창작 배경과 관련된 시대적 분위기를 떠올려 보는 활동을 수행하였다고 할 때 그 내용으로 적절하지 **않은** 것은?

보기

선생님: 오늘은 〈찬기파랑가〉의 창작 배경에 대해 알아보도록 하겠습니다. 〈찬기파랑가〉는 신라 시대의 화랑이었던 기파랑의 높은 인품을 사모한 충담사가 그의 인물됨을 상징적인 의미를 지닌 자연물을 통해 찬양한 노래로 알려져 있습니다. 이 노래가 지어진 시기인 경덕왕 때는 삼국 통일로 오랜 시간 태평한 시대가 계속되면서 불교나 유교, 중국의 학문을 중시하는 사람들이 높은 지위를 차지하는 시대가 되었고 신라의 국풍으로 인정받던 화랑정신과 통일 전쟁을 이끌었던 사람들은 시대적 상황 속에서 점차 힘을 잃어 갔다고 합니다. 충담사가 〈찬기파랑가〉를 지은 이유도 이러한 사회적 분위기와 무관하지 않다고 할 수 있습니다.

① 작가가 '기파랑'을 전면에 내세워 예찬했던 이유에는 화랑의 정신이 점차 잊혀 가는 현실과 관련되어 있다고 짐작할 수 있습니다.

② 국가의 주요 직책에서 배제되고 있는 화랑의 모습을 보고 과거의 영광을 통해 화랑의 정치적 중용이 필요함을 강조하고자 했을 것 같습니다.

③ 높은 인품으로 존경받던 '기파랑'을 예찬함으로써 쇠퇴하는 화랑 집단의 결속을 다지고 화랑의 정신을 계승하려는 뜻을 담고 있을 것 같습니다.

④ 삼국 통일의 과정에서 공을 세우고 활약했던 화랑의 전통과 위업이 나날이 잊혀 가는 현실에서 백성들에게 화랑의 정신을 되새기고 싶었을 것 같습니다.

⑤ 작가는 '기파랑'의 인품을 사모한 나머지 찬란했던 화랑의 전통이 쇠퇴하는 것을 막고 그 정신을 다시 일깨우고자 이 작품을 지었을 것이라고 추측할 수 있습니다.

작품의 특징 파악

2 이 작품의 특징을 살려 현대시로 재창작하고자 할 때, 고려해야 할 사항으로 적절하지 **않은** 것은?

① 독백체의 어조를 고려하여 시를 재창작한다.

② 작품에 사용된 영탄법을 적절히 활용하여 시의 주제를 효과적으로 전달한다.

③ 화자가 대상의 죽음으로 인한 슬픔을 극복하기 위해 종교에 의지하는 모습을 부각한다.

④ 이 작품은 내용상 세 부분으로 나눌 수 있으므로 새로 창작하는 현대시도 총 3연으로 구성한다.

⑤ 상징적 자연물을 통해 대상의 숭고한 인품을 드러낸 점을 고려하여 이를 재창작 과정에 반영한다.

조건에 따른 감상의 적절성 파악

3 〈보기〉를 바탕으로 이 작품을 감상하는 활동을 한다고 할 때, 그 활동으로 적절하지 **않은** 것은?

보기

다음은 이 작품과 관련하여 기본적인 감상 활동을 수행하기 위하여 정리한 내용이다. 활동의 계획에 따라 이 작품을 감상해 보자.
활동 1: 〈찬기파랑가〉의 화자가 처한 상황과 시어의 의미 정리하기
활동 2: 〈찬기파랑가〉의 형식을 탐구하고 한국 문학의 전통 계승 측면에서 시조와 함께 감상하기
활동 3: 〈찬기파랑가〉에 사용된 표기 방식인 향찰(한자의 음과 훈을 빌려 국어 문장 전체를 적은 표기법) 방식이 한국 문학사에서 지니는 의미 생각해 보기

① 활동 1과 관련하여 시적 화자가 처한 상황을 살펴보면, '기랑의 얼굴 보는 듯하다'에서 기파랑을 그리워하고 있음을 알 수 있다.

② 활동 1과 관련하여 시어 '송백의 높은 가지'와 '눈 서리'의 의미를 살펴보면, '눈 서리'로 표현된 시련과 고난을 이겨 내는 기파랑의 '맘'이 '송백의 높은 가지'로 표현되어 있다.

③ 활동 2와 관련하여 〈찬기파랑가〉의 특징을 살펴보면, 전체 10행으로 이루어진 10구체 향가로 시조의 3장 형식과 유사하게 기-서-결의 3단 구성으로 되어 있다.

④ 활동 2와 관련하여 〈찬기파랑가〉의 9행에 나오는 '아아 송백의 높은 가지'에는 시조의 종장 첫 구에 나오는 감탄사와 형태적으로 유사성을 지니고 있음을 알 수 있다.

⑤ 활동 3과 관련하여 〈찬기파랑가〉의 표기 방식을 살펴보면, 우리 글자가 없던 시기에 중국 글자를 그대로 사용함으로써 문자가 없는 시기의 우리 문학의 표기 방식을 엿볼 수 있다.

2부 고려 가요, 경기체가

갈래 학습법

1단계 갈래별 특징 이해하기

고전 시가의 모든 갈래가 그렇지만 고려 가요와 경기체가 역시 각 갈래별로 뚜렷한 특징을 갖고 있다. 그러한 갈래의 형식적 특징은 구체적인 작품 안에서 표현상의 특징으로 나타난다. 따라서 갈래의 특징을 이해함으로써 작품의 표현상 특징을 파악할 수 있으므로 갈래별 특징을 반드시 학습해 두어야 한다.

2단계 내용별로 정리하기

고려 가요의 경우 평민들의 소박하고 풍부한 삶을 진솔하게 표현한 노래로, 대체로 이별의 정한, 남녀 간의 사랑을 노래한 작품이 많다. 그밖에 귀양살이의 억울함, 어머니의 사랑 등을 노래한 작품이 있으므로 내용별로 유사한 작품끼리 모아서 학습하는 것이 효율적이다. 한편 경기체가는 신흥 사대부의 자부심을 드러내거나 자연을 예찬한 작품이 대부분이다.

3단계 교과서 수록 작품을 중심으로 공부하기

수능에서는 오래전에 출제된 이후 고려 가요나 경기체가 작품이 출제되지 않고 있지만 평가원 모의고사나 교육청 모의고사에서 간혹 출제되고 있으며 교과서의 수록 비율도 높다. 따라서 교과서에 수록된 작품을 중심으로 학습하되 수록되지 않은 작품이라 하더라도 중요 작품으로 꼽을 수 있는 작품들은 반드시 학습해 두어야 한다.

갈래 학습 - 고려 가요

❶ 개념

향가의 쇠퇴 후 고려의 귀족층이 한문학으로 문단을 이끌어 가자 평민층에 새로이 나타나 널리 향유된 노래(민요적 시가)로, '속요, 고속가(古俗歌), 여요, 장가'라고도 한다.

❷ 특징

(1) 작가: 구전되다가 한글 창제 후에 문자로 기록되어 정확한 저작 연대, 작가 등을 알기 어렵다.
(2) 내용: 사랑, 이별, 자연 등을 소재로 하여 소박하고 풍부한 서민들의 정서가 진솔하게 드러난다.
(3) 형식: 대체로 분절체이고, 독특한 후렴구가 발달하였다.
(4) 운율: 율격이 고정된 것은 아니지만 3 · 3 · 2조의 3음보 율격이 많이 나타난다.

❸ 의의

아름다운 우리말 표현, 율조의 유려함, 소박하고 꾸밈없는 감정의 표출 등으로 국문학 갈래의 백미로 평가된다.

❹ 주목해야 할 작품

작품명	형식	내용
동동(動動)	전 13연	달마다 행하는 세시 풍속과 임에 대한 연모
정과정(鄭瓜亭)	10구체	귀양살이의 억울함과 연군의 정
청산별곡(靑山別曲)	전 8연	삶의 고뇌를 느끼고 이상향을 그리는 심정
가시리	전 4연	사랑하는 이와 이별한 슬픔
서경별곡(西京別曲)	전 3연	대동강을 배경으로 한 이별의 정한
정석가(鄭石歌)	전 6연	임금 또는 임에 대한 변함 없는 사랑
사모곡(思母曲)	단연	어머니의 지극한 사랑을 농기구에 비유해 읊음
쌍화점(雙花店)	전 4연	남녀 간의 자유로운 애정 행각
이상곡(履霜曲)	단연	남녀 간의 사랑
만전춘별사(滿殿春別詞)	전 6연	변치 않는 사랑에 대한 소망
상저가(相杵歌)	단연	방아를 찧으면서 부모에 대한 효도를 읊음

갈래 학습 - 경기체가

❶ 개념

고려 중엽부터 조선 초기까지 귀족층 사이에서 향유되던 노래로, 교술적 성격을 지녔다. 노래의 끝 부분에 '경(景) 긔 엇더ㅎ니잇고'나 '경기하여'라는 후렴구가 붙어 '경기하여가(景幾何如歌)'라고도 하고, 제목에 '별곡'이라는 말이 붙어 있어 고려 가요의 〈청산별곡〉 등과 구별하기 위해 '별곡체(別曲體)'라고도 한다.

❷ 특징

(1) 작가: 대부분 무신의 난 이후 새롭게 등장한 사대부 계층이다.
(2) 의의: 조선 초에 발생한 가사 문학에 영향을 주었다.
(3) 표기: 대부분 한문구를 나열하고, 부분적으로 이두를 사용하였다.
(4) 내용: 선비들의 학식, 체험, 사물이나 경치 등을 노래하면서 신흥 사대부의 호탕한 기상과 자부심을 드러냈다.
(5) 형식: 각 장은 전후 양절로 나뉘어 전절(前節)은 길고 후절(後節)은 짧은 분절 형식이다. 1~3행은 3음보이며, 5행은 2음보가 반복되는 4음보가 원칙이다. 끝에 '경(景) 긔 엇더ㅎ 니잇고'라는 후렴구가 붙는다.

❸ 창작 계층(신흥 사대부)

고려 무신 정권이 들어선 후, 지방의 향리 출신이 중앙 관직으로 진출하면서 새로운 계층이 형성되었는데 이들을 신흥(신진) 사대부라고 한다. 바로 이들에 의해 경기체가와 시조 등의 새로운 문학 양식이 나타나게 되었다.

❹ 주목해야 할 작품

작품명	작가	내용
한림별곡(翰林別曲)	한림 제유	신흥 사대부들의 학문적 자부심과 향락적 풍류 생활
관동별곡(關東別曲)	안축	강원도 관동 지방의 절경을 노래
죽계별곡(竹溪別曲)	안축	작가의 고향인 풍기 죽계의 경치를 노래
불우헌곡(不憂軒曲)	정극인	전원생활의 즐거움과 교육의 보람, 성은 등을 노래
화전별곡(花田別曲)	김구	남해에 유배 가서 그곳 화전의 경치와 생활을 노래

가시리

가시리 가시리잇고 나는

ㅂ리고 가시리잇고 나는

　　위 증즐가 대평셩딕(大平盛代)

날러는 엇디 살라 ㅎ고

ㅂ리고 가시리잇고 나는

　　위 증즐가 대평셩딕(大平盛代)

잡수와 두어리마ᄂᆞᆫ

선ㅎ면 아니 올셰라

　　위 증즐가 대평셩딕(大平盛代)

셜온 님 보내ᅀᆞᆸ노니 나는

가시ᄂᆞᆫ 듯 도셔 오쇼셔 나는

　　위 증즐가 대평셩딕(大平盛代)

가시렵니까, 가시렵니까?

버리고 가시렵니까?

나는 어찌 살라 하고

버리고 가시렵니까?

붙잡아 둘 일이지마는

서운하면 아니 오실까 두렵습니다.

서러운 임을 보내 드리오니

가시자마자 곧 돌아서서 오소서.

　　　　　　　　　　　– 작자 미상, 〈가시리〉

생생 Note

화자 _____

상황 _____

주제 _____

핵심 시어의 의미 시적 화자의 소망이 직설적으로 나타난 시구는? _____

표현 ☐☐을/를 통한 ☐☐의 고조

해제 이별의 정한을 3·3·2조의 간결한 형식으로 노래한 고려 가요. 현존하는
　　고려 가요 중 전통적인 한(恨)의 정서가 가장 잘 표현된 작품

성격 서정적, 여성적, 애상적, 민요적

의의 ① '이별의 정한'이라는 전통적인 주제를 다룬 작품 – 〈공무도하가〉·〈황조
　　가〉·〈가시리〉·〈서경별곡〉·〈송인〉· 황진이의 시조·〈아리랑〉·〈진달래
　　꽃〉으로 주제 의식이 이어짐 ② 〈서경별곡〉, 〈청산별곡〉과 더불어 고려 가요
　　의 대표작

내신 대비 특별 문제

★ **이 작품에 대한 설명으로 적절하지 않은 것은?**

① 고려 시대 평민들이 부르던 노래이다.

② 구전되어 오다가 조선 시대에 문자로 기록되었다.

③ 순우리말을 사용하여 화자의 감정을 표현하고 있다.

④ 3음보의 율격과 기승전결의 4단 구성으로 되어 있다.

⑤ 다양한 비유와 상징을 통해 화자의 정서를 드러내고 있다.

시적 화자의 태도 파악

1 이 작품과 〈보기〉의 화자에 대한 설명으로 적절하지 <u>않은</u> 것은?

> 〈보기〉
>
> 이화우(梨花雨) 흩뿌릴 제 울며 잡고 이별한 임
> 추풍(秋風) 낙엽에 저도 날 생각하는가
> 천 리(千里)에 외로운 꿈만 오락가락 하노매라   – 계랑

① 이 작품의 화자가 처한 상황은 〈보기〉의 화자도 처한 적이 있다.

② 이 작품의 화자는 〈보기〉와 달리 임을 떠나보내는 이유를 밝히고 있다.

③ 이 작품의 화자는 〈보기〉와 달리 재회하기를 바라는 간절한 소망을 직접 표출하고 있다.

④ 〈보기〉의 화자는 이 작품과 달리 이별 후 오랫동안 임을 잊지 못하고 있음을 노래하고 있다.

⑤ 이 작품과 〈보기〉의 화자는 모두 청자로 설정된 임에게 직접 호소하는 방식으로 노래하고 있다.

조건에 따른 감상의 적절성 파악

2 〈보기〉를 참고하여 이 작품을 감상한 내용으로 적절하지 <u>않은</u> 것은?

> 〈보기〉
>
> 〈가시리〉의 중심인물은 '나'가 아니라 얼굴도 보이지 않고 소리도 들리지 않는 '임'이란 존재이다. 즉, 이 노래를 실제적으로 이끌어 가는 주체는 '임'이며, 화자인 '나'는 임의 행동에 수동적이고 종속적인 태도를 보인다.

① 'ᄇ리고', '선ᄒ면' 등에서 화자가 처한 상황과 관련한 '임'의 태도를 짐작할 수 있다.

② '가시리잇고'와 '도셔 오쇼셔'의 주체가 '임'인 점을 통해 이 노래를 이끌어 가는 주체가 '임'인 것을 알 수 있다.

③ '날러는 엇디 살라 ᄒ고'에서 화자가 임에 대해 종속적인 태도를 보이고 있음을 알 수 있다.

④ '잡ᄉ와 두어리마ᄂᆞᄂᆞᆫ'에서 화자에 대한 임의 수동적이고 소극적인 태도를 확인할 수 있다.

⑤ '가시ᄂ 듯 도셔 오쇼셔'에서 임의 의지와 선택에 따라 재회 여부가 결정됨을 알 수 있다.

표현상의 특징 파악

3 이 작품의 표현상 특징으로 가장 적절한 것은?

① 시간적 배경을 활용하여 시적 분위기를 형성하고 있다.

② 과거와 현재를 대비하여 화자의 처지를 부각하고 있다.

③ 동일한 문장을 반복하여 화자의 정서를 강조하고 있다.

④ 음성 상징어를 활용하여 시적 긴장감을 형성하고 있다.

⑤ 후렴구를 통해 화자의 궁극적 지향점을 드러내고 있다.

작품의 종합적 감상

4 〈보기〉를 바탕으로 이 작품을 감상하고 발표 수업을 진행하려고 할 때, 발표의 내용으로 적절하지 <u>않은</u> 것은?

> 〈보기〉
>
> 선생님 : 〈가시리〉는 임과 이별하는 상황에서 화자의 심리적 반응이 잘 나타나 있습니다. 이 작품과 아래의 도표를 참고하여 시의 내용을 발표해 보도록 하겠습니다.
>
>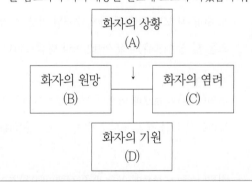

① (A)에는 '사랑하는 임이 자신을 떠나려는 상황'을 넣어 이 작품의 화자가 처한 상황을 표현할 수 있습니다.

② (B)에 들어갈 내용은 '나를 두고 떠나는 임이 원망스럽다'를 넣어 떠나는 임에 대한 화자의 원망과 안타까운 심정을 드러낼 수 있습니다.

③ (C)에는 '붙잡고 싶지만 그러면 임이 마음이 상해 아니 오실까 두려움'을 넣어 화자가 임을 보내는 이유를 드러나게 할 수 있습니다.

④ (C)의 내용 때문에 적극적으로 붙잡지 못하는 화자의 마음이 (D)에서 보다 잘 드러나고 있으므로 (D)에는 '가시자마자 돌아오라고 당부함'이 들어갈 수 있습니다.

⑤ (D)에는 화자가 자신의 슬픔을 안으로 삼키며 임과의 재회를 기원하는 마음이 담겨야 하기에 '임이 돌아오기를 바라는 소망이 드러남'을 넣을 수 있습니다.

02

동동 動動

가 덕(德)으란 곰비예 받줍고, 복(福)으란 림비예 받줍고,

덕(德)이여 복(福)이라 호늘 나수라 오소이다. / 아으 동동(動動)다리.

> 덕일랑은 뒷잔에(신령님께) 바치옵고 복일랑은 앞 잔에(임금님께) 바치옵고
> 덕이며 복이라 하는 것을 드리러(진상하러) 오십시오.

나 정월(正月)ㅅ 나릿므른 아으 어져 녹져 호논되,

누릿 가온되 나곤 몸하 호올로 녈셔. / 아으 동동(動動)다리.

> 정월 냇물은, 아아 얼려 녹으려 하는데,
> 세상에 태어나서 이 몸이여, 홀로 살아가는구나.

다 이월(二月)ㅅ 보로매 아으 노피 현 ⓐ등(燈)ㅅ블 다호라.

만인(萬人) 비취실 즈싀샷다. / 아으 동동(動動)다리.

> 2월 보름에, 아아 높이 켜 놓은 등불 같구나!
> 만인을 비추실 모습이시도다.

라 삼월(三月) 나며 개(開)혼 아으 만춘(滿春) 들욋고지여.

느미 브롤 즈슬 디녀 나샷다. / 아으 동동(動動)다리.

> 3월 지나며 핀, 아아 늦봄의 진달래꽃이여.
> 남이 부러워할 모습을 지니고 태어나셨구나.

마 사월(四月) 아니 니저 아으 오실셔 ⓑ곳고리 새여.

므슴다 녹사(錄事)니믄 녯 나를 닛고신뎌. / 아으 동동(動動)다리.

> 4월을 잊지 않고, 아아 오는구나 꾀꼬리여.
> 어찌하여 녹사님은 옛 나를 잊고 계시는가.

바 오월(五月) 오일(五日)애 아으 수릿날 아춤 ⓒ약(藥)은,

즈믄 힐 장존(長存)호샬 약(藥)이라 받줍노이다. / 아으 동동(動動)다리.

> 5월 5일(단오)에, 아아 단옷날 아침 약은
> 천 년을 사시게 할 약이기에 바치옵니다.

사 유월(六月)ㅅ 보로매 아으 ㉠별해 브룐 ⓓ빗 다호라.

도라보실 니믈 젹곰 좃니노이다. / 아으 동동(動動)다리.

> 6월 보름(유두일)에, 아아 벼랑에 버려진 빗 같구나.
> 돌아보실 임을 잠시나마 따르겠나이다.

아 칠월(七月)ㅅ 보로매 아으 백종(百種) 배(排)호야 두고,

니믈 혼 되 녀가져 원(願)을 비숩노이다. / 아으 동동(動動)다리.

> 7월 보름(백중일)에, 아아 여러 제물을 벌여 놓고,
> 임과 함께 살아가고자 소원을 비옵니다.

자 팔월(八月)ㅅ 보로문 아으 가배(嘉俳) 나리마룬,

니믈 뫼셔 녀곤 오늘낤 가배(嘉俳)샷다. / 아으 동동(動動)다리.

> 8월 보름(한가위)은, 아아 한가윗날이지마는,
> 임을 모시고 지내야만 오늘이 뜻있는 한가윗날입니다.

차 구월(九月) 구일(九日)애 아으 약(藥)이라 먹논

ⓔ황화(黃花) ㉡고지 안해 드니, 새셔 가만호얘라. / 아으 동동(動動)다리.

> 9월 9일(중양절)에, 아아 약이라고 먹는
> 노란 국화 꽃이 집 안에 피니 (임이 안 계신) 초가집이 고요하구나.

카 시월(十月)애 아으 져미연 브룻 다호라.

것거 브리신 후(後)에 디니실 혼 부니 업스샷다. / 아으 동동(動動)다리.

> 10월에, 아아 잘게 썬 보리수나무 같구나.
> 꺾어 버리신 후에 (보리수나무를) 지니실 한 분이 없으시도다.

타 십일월(十一月)ㅅ ⓒ봉당 자리예 아으 한삼(汗衫) 두퍼 누워

슬홀ᄉ라온뎌 고우닐 스싀옴 녈셔. / 아으 동동(動動)다리.

11월 봉당 자리에, 아아 홑적삼 덮고 누워

슬픈 일이로다. 고운 임과 (헤어져) 제각기 살아가는구나.

Ⅲ 십이월(十二月)ㅅ 분디남ᄀ로 갓곤, 아으 나슬 반(盤)잇 ⓓ져 다호라.

니믜 알픠 드러 얼이노니 ⓔ소니 가재다 므ᄅ ᄉ노이다. / 아으 동동(動動)다리.

12월에 분지나무로 깎은, 아아 (임께) 드릴 소반 위의 젓가락 같구나.

임의 앞에 들어 가지런히 놓으니 손님이 가져다가 뭅니다.

– 작자 미상, 〈동동〉

생생 Note

화자 _____

상황 _____

주제 _____

핵심 시어의 의미 ① [다]의 □□□와/과 [라]의 '돌욋곶'은 임을 비유한 시어임 ② [사]와 [카], [파]에서 □와/과 □□, □은/는 화자를 나타내는 시어임

표현 비유법, 영탄법, □□□ 상관물 사용

해제 현존하는 가장 오래된 달거리 형식[월령체(月令體)]의 노래로, 일 년 열두 달 사랑하는 임에 대한 그리움을 형상화한 작품

성격 연가풍, 민요풍, 송도가, 이별가

의의 ① 국문학 사상 최초의 달거리(월령체) 형식의 노래 ② 노래에 나오는 명절과 풍속의 모습은 민속 연구의 귀중한 자료가 됨

소재의 의미 및 기능 파악

2 ⓐ~ⓔ에 대한 설명으로 적절하지 <u>않은</u> 것은?

① ⓐ: 임의 높은 인품을 만인을 비추는 '등(燈)ㅅ블'에 비유하여 임을 향한 찬미의 태도를 드러내고 있다.

② ⓑ: 봄에 잊지 않고 다시 찾아온 '곳고리 새'와 임을 대조하여 오지 않는 임에 대한 원망의 마음을 드러내고 있다.

③ ⓒ: 임에게 바치는 '약(藥)'은 임이 오래 살기를 바라는 화자의 정성을 드러내고 있다.

④ ⓓ: 벼랑에 버려진 '빗'은 임에게 버림을 받은 화자의 처지를 드러내고 있다.

⑤ ⓔ: 가을날 집 안에 가득 핀 '황화(黃花)'를 통해 임에 대한 화자의 변함없는 사랑과 기다림의 자세를 보여 주고 있다.

내신 대비 특별 문제

★ **이 작품에 대한 설명으로 적절하지 <u>않은</u> 것은?**

① 임에 대한 송축과 연모의 정을 드러내고 있다.

② 동일한 시구를 반복하여 화자의 흥취를 강조하고 있다.

③ 시적 대상을 여러 가지 사물에 비유하여 표현하고 있다.

④ 일 년 열두 달로 나누어 구성한 월령체 형식의 노래이다.

⑤ 화자의 심리가 계절의 변화에 따라 세시 풍속과 연결되어 있다.

작품의 종합적 감상

3 **이 작품에 대한 이해로 적절하지 <u>않은</u> 것은?**

① 〈정월령〉의 '나릿믈'과 〈십일월령〉의 '봉당 자리'는 화자의 처지와 대비되는 대상이다.

② 〈오월령〉의 '받ᄌᆞ노이다'와 〈칠월령〉의 '비ᄉᆞ노이다'에는 정성과 기원이 담겨 있다.

③ 〈유월령〉의 '좃니노이다'와 〈칠월령〉의 '흔 ᄃᆡ 녀가져'에는 소망이 직접적으로 표출되고 있다.

④ 〈유월령〉의 '빗'과 〈시월령〉의 'ᄇ롯'은 버림받은 화자의 신세를 비유한 사물이다.

⑤ 〈시월령〉의 '업스샷다'와 〈십일월령〉의 '스싀옴 녈셔'에는 고독하게 지내는 삶이 드러나 있다.

시어의 기능 파악

1 ㉠~㉤ 중, 〈보기〉의 밑줄 친 시어와 유사한 기능을 하는 것은?

보기

ᄃᆞᆯ하 노피곰 도ᄃᆞ샤 / 어긔야 머리곰 비취오시라.

져재 녀러신고요. / 어긔야 즌 ᄃᆡ를 드ᄃᆡ욜셰라.

어느이다 노코시라. / 어긔야 내 가논 ᄃᆡ 졈그ᄅᆞᆯ셰라.

– 어느 행상인의 아내, 〈정읍사〉

① ㉠　　② ㉡　　③ ㉢　　④ ㉣　　⑤ ㉤

서경별곡 西京別曲

서경(西京)이 아즐가 서경(西京)이 셔울히 마르는

　　위 두어렁셩 두어렁셩 다링디리

닷곤디 아즐가 닷곤디 쇼셩경 고외마른 / 위 두어렁셩 두어렁셩 다링디리

여히므론 아즐가 여히므론 ⓐ질삼뵈 브리시고

　　위 두어렁셩 두어렁셩 다링디리

괴시란디 아즐가 괴시란디 우러곰 좃니노이다. / 위 두어렁셩 두어렁셩 다링디리

| | 서경이 서울이지마는 |

중수(重修)한 곳인 소성경을 사랑합니다마는

(임과) 이별하기보다는 (차라리) 길쌈하던 베를 버리고서라도

(저를) 사랑해 주신다면 울면서 따라가겠습니다.

　┌ ⓑ구스리 아즐가 구스리 바회예 디신들 / 위 두어렁셩 두어렁셩 다링디리

　│ ⓒ긴힛쏜 아즐가 긴힛쏜 그츠리잇가 나는

　│ 　위 두어렁셩 두어렁셩 다링디리

[A]│

　│ 즈믄 히를 아즐가 즈믄 히를 외오곰 녀신들 / 위 두어렁셩 두어렁셩 다링디리

　│ 신(信)잇든 아즐가 신(信)잇든 그츠리잇가 나는

　└ 　위 두어렁셩 두어렁셩 다링디리

구슬이 바위 위에 떨어진들

끈이야 끊어지겠습니까?

(임과 떨어져) 천 년을 홀로 살아간들

(임을 사랑하고 있는) 믿음이야 끊어지겠습니까?

ⓓ대동강(大同江) 아즐가 대동강(大同江) 너븐디 몰라셔

　　위 두어렁셩 두어렁셩 다링디리

비 내여 아즐가 비 내여 노혼다 ㉠샤공아 / 위 두어렁셩 두어렁셩 다링디리

네 가시 아즐가 네 가시 럼난디 몰라셔 / 위 두어렁셩 두어렁셩 다링디리

녈 빈예 아즐가 녈 빈예 연즌다 샤공아 / 위 두어렁셩 두어렁셩 다링디리

대동강(大同江) 아즐가 대동강(大同江) 건너편 ⓔ고즐여

　　위 두어렁셩 두어렁셩 다링디리

비 타 들면 아즐가 비 타 들면 것고리이다 나는 / 위 두어렁셩 두어렁셩 다링디리

대동강 넓은 줄을 몰라서

배를 내어 놓았느냐 사공아.

네 아내가 음란한 짓을 하는 줄도 모르고

떠나는 배에 (내 임을) 태웠느냐 사공아.

(나의 임은) 대동강 건너편 꽃을

배를 타면 꺾을 것입니다.

　　　　　　　　　　　　　　　　　　　　　　－ 작자 미상, 〈서경별곡〉

생생 Note

화자 _____

상황 _____

주제 _____

핵심 시어의 의미 ① ☐☐☐은/는 화자가 임과 이별하는 공간임 ② 화자가 자신과 임의 사랑을 방해하고 있다고 여겨 비난과 원망을 하고 있는 대상은?

_____

표현 ① ☐☐☐, 비유법, 설의법이 사용됨 ② 각 연마다 어조의 차이가 나타남

해제 〈가시리〉와 함께 이별의 정한을 그린 대표적인 고려 가요. 서경(西京)을 중심으로 서민층에서 널리 불리다가 궁중의 음악으로 사용됨

성격 이별의 노래, 남녀상열지사(男女相悅之詞)

의의 ① 〈청산별곡〉과 더불어 문학성이 뛰어난 고려 가요로 평가됨 ② 2연은 내용상 〈정석가〉 6연과 유사함(구비 문학적 성격)

내신 대비 특별 문제

★ 이 작품에 대한 설명으로 적절하지 <u>않은</u> 것은?

① 화자는 임을 따르고자 하는 적극적인 여인이다.

② 직설적이면서도 비유적인 표현을 사용하고 있다.

③ 고려 가요의 일반적 율격인 3음보를 따르고 있다.

④ 임과 이별한 슬픈 마음을 사공에 대한 관용으로 극복하고 있다.

⑤ 화자가 처한 상황과 후렴구에서 느껴지는 분위기가 대비되고 있다.

작품의 종합적 감상

1 〈보기〉를 바탕으로 이 작품을 감상하는 활동을 전개하였다고 할 때 그 내용으로 적절한 것은?

┌─────────── 보기 ───────────┐

활동 1: 화자가 처해 있는 상황은 어떠한지 말해 봅시다.

활동 2: 시상 전개에서 화자의 성별을 짐작할 수 있는 근거를 찾아봅시다.

활동 3: 이 작품을 세 연으로 나누어 중심 내용을 적어 봅시다.

활동 4: 작품의 내용을 참고할 때 화자의 태도에 대해 이야기해 봅시다.

활동 5: 이 작품이 궁중의 음악으로 사용되었다는 사실과 이 작품의 노랫말이 다른 고려 가요에서도 발견된다는 사실에 대해 설명해 봅시다.

└────────────────────────────┘

① 활동 1: 화자는 사랑하는 임과 이별하는 상황에 놓여 있습니다. 특히 화자는 이별의 상황을 자신의 운명으로 여기고 수용하는 태도를 보여 줍니다.

② 활동 2: 1연의 '질삼뵈 ㅂ리시고'에서 화자가 여성임을 확인할 수 있고, 3연에서 '대동강 건넌편 고즐여'를 통해 사랑하는 임이 대동강을 건너가면 다른 여성에게 마음을 빼앗길 것이라는 불안과 질투를 보인다는 점에서 여성 화자임을 짐작할 수 있습니다.

③ 활동 3: 1연은 이별을 거부하는 연모의 정이 드러나고, 2연은 아무리 오랜 세월을 떨어져 있어도 임에 대한 사랑과 믿음이 변하지 않을 것임을, 3연에서는 떠나는 임이 '대동강 건넌편 고즐'만 조심하면 좋겠다는 질투 섞인 불안의 심리를 드러내고 있습니다.

④ 활동 4: 1연에서 어떤 상황이 되어도 임을 따라가겠다던 화자의 모습과 3연에서 떠나는 임을 향해 질투의 감정을 토로하는 화자의 모습에 비해, 2연의 화자는 이별이 가져다 준 임의 사랑에 대한 확신을 표현하고 있어서 화자의 태도에 일관성이 부족한 모습을 보입니다.

⑤ 활동 5: 2연의 노랫말은 〈정석가〉의 6연과 유사합니다. 이러한 현상은 당대에 민간의 노래가 궁중 음악에 어울리게 편집, 개작되는 과정에서 임금을 송축하려는 의도가 개입된 것과 연관이 있습니다.

시어의 의미와 기능 파악

2 ⓐ∼ⓔ에 대한 설명으로 알맞지 않은 것은?

① ⓐ: 임을 따르겠다는 열정을 보여 준다.

② ⓑ: 임과의 아름다웠던 추억을 상징하는 소재이다.

③ ⓒ: '신(信)'과 대응하는 시어이다.

④ ⓓ: 임과의 이별을 공간적으로 형상화하고 있는 시어이다.

⑤ ⓔ: 화자로 하여금 질투의 감정을 유발시키는 대상이다.

속담의 이해와 적용

3 ㉠과 〈보기〉의 밑줄 친 대상을 대하는 화자의 공통된 태도를 평가한 내용으로 가장 적절한 것은?

┌─────────── 보기 ───────────┐

기를 여라믄이나 기르되 요 기ㄹ 깃치 얄믜오랴.

뮈온 님 오게 되면 꼬리를 회회 치며 치쒸락 나리쒸락 반계서 닛닷고, 고은 님 오게 되면 뒷발을 바둥바둥 므르락 나오락 캉캉 즛는 요 도리암키

쉰밥이 그릇 그릇 난진들 너 먹일 줄이 이시랴. – 작자 미상

└────────────────────────────┘

① 누워서 침 뱉는다더니 딱 그 모양이군.

② 믿는 도끼에 발등을 찍히다니 참으로 아둔하군.

③ 숭어가 뛰니까 망둥이도 뛴다고, 설쳐 대더니 잘되었군.

④ 종로에서 뺨 맞고 한강에 가서 눈 흘긴다더니 그 꼴이로군.

⑤ 등잔 밑이 어둡다더니 한 치 앞도 내다보지 못하는 한심한 인생이군.

비교 감상의 적절성 파악

4 〈보기〉를 참고할 때, 이 작품의 [A]와 〈보기〉의 [B]를 비교하여 이해한 내용으로 적절하지 않은 것은?

┌─────────── 보기 ───────────┐

〈서경별곡〉의 제2연에서 여음구를 제외한 부분은 당시 유행하던 민요의 모티프를 수용한 것으로, 〈정석가〉에도 동일한 모티프가 나타난다. 고려 시대의 문인 이제현도 당시에 유행하던 민요를 다음과 같이 한시로 옮긴 적이 있다.

```
        ┌ 비록 구슬이 바위에 떨어져도        縱然巖石落珠璣
        │ 끈은 진실로 끊어질 때 없으리.       纓縷固應無斷時
    [B] │ 낭군과 천 년을 이별한다고 해도      與郎千載相離別
        └ 한 점 붉은 마음이야 어찌 바뀌리오?   一點丹心何改移
```

└────────────────────────────┘

① [A]와 [B]에서 '구슬'은 변할 수 있는 것을, '긴'이나 '끈'은 변하지 않는 것을 비유하는 소재로 활용하였군.

② [A]에서는 '신'을, [B]에서는 '붉은 마음'을 굳건한 '바위'로 형상화하였군.

③ [A]와 [B] 모두에서 변하지 않는 마음을 소중한 가치로 여기는 화자의 태도가 나타나는군.

④ [A]와 [B]를 보니 동일한 모티프가 서로 다른 형식의 작품으로 수용되었군.

⑤ [A]와 [B]를 보니 여음구의 사용 여부에 차이가 있군.

정석가 鄭石歌

딩아 돌하 당금(當今)에 계샹이다. / 딩아 돌하 당금(當今)에 계샹이다.

선왕셩딕(先王聖代)예 노니으와지이다.

징이여 돌이여 지금 계십니다. / 징이여 돌이여 지금 계십니다.
태평성대에 노닐고 싶습니다.

삭삭기 셰몰애 별헤 나는 / 삭삭기 셰몰애 별헤 나는

구은 밤 닷 되를 심고이다.

그 바미 우미 도다 삭나거시아 / 그 바미 우미 도다 삭나거시아

유덕(有德)ᄒᆞ신 님믈 여희으와지이다.

사각사각하는 모래 벼랑에 / 사각사각하는 모래 벼랑에
구운 밤 닷 되를 심습니다.

그 밤이 움이 돋아 싹이 나야만 / 그 밤이 움이 돋아 싹이 나야만
유덕하신 임과 이별하고 싶습니다.

옥(玉)으로 련(蓮)ㅅ고즐 사교이다. / 옥(玉)으로 련(蓮)ㅅ고즐 사교이다.

바회 우희 접듀(接柱)ᄒᆞ요이다.

그 고지 삼동(三同)이 퓌거시아 / 그 고지 삼동(三同)이 퓌거시아

유덕(有德)ᄒᆞ신 님 여희으와지이다.

옥으로 연꽃을 새깁니다. / 옥으로 연꽃을 새깁니다.
바위 위에 접을 붙입니다.

그 꽃이 세 묶음(혹은 한겨울에) 피어야만 / 그 꽃이 세 묶음(혹은 한겨울에) 피어야만
유덕하신 임과 이별하고 싶습니다.

므쇠로 텰릭을 몰아 나는 / 므쇠로 텰릭을 몰아 나는

텰ㅅ(鐵絲)로 주룸 바고이다.

그 오시 다 헐어시아 / 그 오시 다 헐어시아

유덕(有德)ᄒᆞ신 님 여희으와지이다.

무쇠로 철릭(제복)을 재단하여 / 무쇠로 철릭(제복)을 재단하여
철사로 주름을 박습니다.

그 옷이 다 헐어야만 / 그 옷이 다 헐어야만

유덕하신 임과 이별하고 싶습니다.

므쇠로 한쇼를 디여다가 / 므쇠로 한쇼를 디여다가

텰슈산(鐵樹山)애 노호이다.

그 쇠 텰초(鐵草)를 머거아 / 그 쇠 텰초(鐵草)를 머거아

유덕(有德)ᄒᆞ신 님 여희으와지이다.

무쇠로 큰 소를 만들어다가 / 무쇠로 큰 소를 만들어다가
쇠로 된 나무가 있는 산에 놓습니다.

그 소가 쇠풀을 먹어야 / 그 소가 쇠풀을 먹어야
유덕하신 임과 이별하고 싶습니다.

구스리 ㉠바회예 디신들 / 구스리 바회예 ㉡디신들

㉢긴힛ᄃᆞᆫ 그츠리잇가.

즈믄 히를 ㉣외오곰 녀신들 / ㉤즈믄 히를 외오곰 녀신들

신(信)잇ᄃᆞᆫ 그츠리잇가.

　　　　　　　　　　　　　　　　　　　　　　　　　　－ 작자 미상, 〈정석가〉

구슬이 바위에 떨어진들 / 구슬이 바위에 떨어진들
끈이야 끊어지겠습니까.

천 년을 외따로 살아간들 / 천 년을 외따로 살아간들
믿음이 끊어지겠습니까.

생생 Note

화자	_____
상황	_____
주제	_____

핵심 시어의 의미 '구슬'은 임에 대한 화자의 ☐☐을/를 의미하며, ☐☐은/는 장애물이나 시련을 의미함

표현 ☐☐☐, 반어법, 과장법

해제 불가능한 상황 설정을 통해 임과 이별하지 않겠다는 화자의 강한 의지를 반어적·역설적으로 표현한 고려 가요

성격 서정적

내신 대비 **특별 문제**

★ **이 작품에 대한 설명으로 적절하지 <u>않은</u> 것은?**

① 전 6연의 분절체로 후렴구가 나타나 있다.
② 불가능한 상황을 전제로 이별을 가정하고 있다.
③ 자연물을 통해 삶의 비극성을 형상화하고 있다.
④ 민간의 노래가 궁중악의 가사로 수용되었음을 알 수 있다.
⑤ 역설과 반어를 사용하여 주제를 우회적으로 강조하고 있다.

시적 화자의 정서 및 태도 파악

2 이 작품과 〈보기〉가 동일한 화자의 노래라고 가정할 때, 〈보기〉로 상황이 변한 데 따른 화자의 심정을 가장 잘 표현한 것은?

보기

천상(天上)의 견우직녀(牽牛織女) 은하수(銀河水) 막혀서도, 칠월 칠석(七月七夕) 일년 일도(一年一度) 실기(失期)치 아니거든, 우리 님 가신 후는 무슨 약수(弱水) 가렷관디, 오거나 가거나 소식(消息)조차 끄쳣는고.

– 허난설헌, 〈규원가〉

① 아무리 내가 임을 버렸다 하여도 임도 나를 버릴 수 있단 말인가?
② 운명을 거스르는 것은 잘못된 일이야. 떠나려는 사람은 보내 주는 것이 옳아.
③ 임이 떠나간 후, 처음에는 힘들고 괴로웠지만 이제는 그럭저럭 지낼 만하구나.
④ 지금 와서 생각해 보니, 임과 헤어질 것을 걱정하고 두려워한 것이 부끄럽구나.
⑤ 임과의 사랑이 영원할 것이라 믿었는데, 어찌하여 임은 떠나간 후 소식조차 없을까?

작품의 종합적 감상

1 〈보기〉에 따라 이 작품을 감상한 내용으로 적절하지 <u>않은</u> 것은?

보기

총 6연으로 이루어진 이 작품은 내용상 크게 세 부분으로 나누어 볼 수 있다.

[서사]	[본사]	[결사]
제1연	제2~5연	제6연

① [서사]는 [본사], [결사]와 이질적 내용이 제시되어 있다.
② [본사]는 동일한 구절을 반복하여 통일성을 높이고 있다.
③ [본사]는 불가능한 상황의 가정과 소망의 제시로 구성되어 있다.
④ [결사]는 부정적 상황을 예언하여 여운을 형성하고 있다.
⑤ [결사]는 [본사]와 다른 표현 방식으로 끝맺음하고 있다.

시어의 의미 파악

3 ㉠~㉤ 중 〈보기〉의 ⓐ의 의미와 가장 가까운 것은?

보기

고려 시대에는 민간의 노래 가운데 풍속을 교화하는 데 적합하다고 여겨지는 노래를 궁중의 악곡으로 편입시켰다. 궁중 연회에서 사랑 노래가 많이 불린 것은 사랑 노래가 잔치 분위기와 잘 어울리면서도 남녀 간의 사랑을 ⓐ군신 간의 충의로 그 의미를 확장하여 수용할 수 있었기 때문이다. 민간에서 널리 불린 〈정석가〉가 궁중 연회의 노래로 정착된 것 역시 이런 맥락에서 볼 수 있다.

① ㉠　　　② ㉡　　　③ ㉢　　　④ ㉣　　　⑤ ㉤

만전춘별사 滿殿春別詞

어름 우희 댓닙 자리 보와 님과 나와 어러 주글만뎡

어름 우희 댓닙 자리 보와 님과 나와 어러 주글만뎡

졍(情) 둔 오ᄂᆞᆯ 밤 더듸 새오시라 더듸 새오시라

경경(耿耿) 고침샹(孤枕上)애 어느 ᄌᆞ미 오리오

셔창(西窓)을 여러ᄒᆞ니 도화(桃花)ㅣ 발(發)ᄒᆞ두다

도화(桃花)ᄂᆞᆫ 시름업서 ㉠쇼춘풍(笑春風)ᄒᆞᄂᆞ다 쇼춘풍(笑春風)ᄒᆞᄂᆞ다

넉시라도 님을 ᄒᆞᆫ듸 녀닛 경(景) 너기더니

넉시라도 님을 ᄒᆞᆫ듸 녀닛 경(景) 너기더니

벼기더시니 뉘러시니잇가 뉘러시니잇가

㉡올하 올하 아련 비올하

㉢여흘란 어듸 두고 소해 자라 온다

소콧 얼면 여흘도 됴ᄒᆞ니 여흘도 됴ᄒᆞ니

남산(南山)애 자리 보와 옥산(玉山)을 벼여 누어

금슈산(錦繡山) 니블 안해 ㉣샤향(麝香) 각시를 아나 누어

남산(南山)애 자리 보와 옥산(玉山)을 벼여 누어

금슈산(錦繡山) 니블 안해 샤향(麝香) 각시를 아나 누어

약(藥) 든 ᄀᆞ슴을 맛초ᄋᆞᆸ사이다 맛초ᄋᆞᆸ사이다

아소 님하

㉤원ᄃᆡ평ᄉᆡᆼ(遠代平生)애 여힐 술 모ᄅᆞᆸ새

─ 작자 미상, 〈만전춘별사〉

얼음 위에 대나무 잎으로 잠자리를 보아, 임과 내가 얼어 죽을망정

얼음 위에 대나무 잎으로 잠자리를 보아, 임과 내가 얼어 죽을망정

정 둔 오늘 밤 더디게 새소서, 더디게 새소서.

근심에 싸여 있는 외로운 잠자리에 어찌 잠이 오겠는가.

서쪽 창문을 열어 보니 복숭아꽃이 만발하였구나.

복숭아꽃은 근심이 없어서 봄바람에 웃는구나, 봄바람에 웃는구나.

넋이라도 임과 함께 지내는 일을 생각했더니

넋이라도 임과 함께 지내는 일을 생각했더니

어기신 사람이 누구였습니까, 누구였습니까.

오리야 오리야 어리석은 비오리야

여울은 어디 두고 연못에 자러 오느냐?

연못마저 얼면 여울도 좋으니 여울도 좋으니

남산에 잠자리를 보아 옥산을 베고 누워

금수산 이불 안에서 아름다운 여인을 안고 누워

남산에 잠자리를 보아 옥산을 베고 누워

금수산 이불 안에서 아름다운 여인을 안고 누워

사향이 든 향기로운 가슴을 맞춥시다, 맞춥시다.

아아 임이여,

평생토록 헤어지지 말고 싶다.

생생 Note

화자 _____

상황 _____

주제 _____

핵심 시어의 의미 ☐☐은/는 근심 없이 피어 봄을 즐기는 존재로, 시적 화자의 처지와 대조됨

표현 비유와 상징, 과장법

해제 임에 대한 사랑을 직설적으로 표현한 대표적인 남녀상열지사(男女相悅之詞)로, 시조 형식의 기원을 찾는 자료로 주목을 받고 있음

성격 향락적, 퇴폐적, 격정적

★ **이 작품에 대한 설명으로 적절하지 <u>않은</u> 것은?**

① 남녀 간의 사랑을 노골적으로 그리고 있다.

② 고려 가요 중 남녀상열지사의 대표작으로 꼽힌다.

③ 비유적 표현을 사용하여 시적 대상을 형상화하고 있다.

④ 매 연마다 반복되는 후렴구를 통해 흥취를 나타내고 있다.

⑤ 대조의 방법을 사용하여 화자의 상황과 정서를 부각하고 있다.

작품의 종합적 감상

1 **이 작품에 대한 설명으로 적절하지 <u>않은</u> 것은?**

① '졍(情) 둔 오늘 밤 더듸 새오시라'에서 임과 함께 있고 싶은 강렬한 연정을 확인할 수 있어.

② '경경(耿耿) 고침상(孤枕上)애 어느 주미 오리오'에서 독수공방의 외로운 처지를 드러내고 있군.

③ '벼기더시니 뉘러시니잇가'에서 상대에 대한 원망의 마음을 읽을 수 있군.

④ '금슈산(錦繡山) 니블 안해 샤향(麝香) 각시를 아나 누어'에서 임의 방탕한 생활을 풍자하는 모습이 드러나 있어.

⑤ '약(藥) 든 가슴을 맛초읍사이다'에서 상대에 대한 사랑의 마음이 대담하고 솔직하게 표현되고 있음을 알 수 있어.

시어의 의미와 역할 파악

2 **㉠~㉤에 대한 설명으로 적절하지 <u>않은</u> 것은?**

① ㉠: 봄바람을 즐기는 도화의 모습으로, 임과 이별한 화자의 심정과 대조를 이루고 있다.

② ㉡: 자유분방하게 행동하는 존재로, 방탕한 임에 대한 풍자의 표현이다.

③ ㉢: 화자를 관찰하는 존재로, 임을 잃고 외로워하는 화자의 심정을 이해하고 있다.

④ ㉣: 이성을 유혹하는 사향이 든 주머니로, 아름다운 여인으로 보기도 한다.

⑤ ㉤: 일생 동안이라는 의미로, 임과 이별 없이 지낼 수 있는 세상을 동경하는 화자의 마음을 드러내고 있다.

표현상의 특징 파악

3 **이 작품의 1연과 〈보기〉의 공통점으로 가장 적절한 것은?**

─ 보기 ─

개야미 불개야미 잔등이 똑 부러진 불개야미

앞발에 부스럼 나고 뒷발에 종기 난 불개야미 광릉 샘고개를 넘어 들어가 호랑이의 허리를 가로 물어 추켜들고 북해를 건넌단 말이 이셔이다. 님아 님아.

모든 사람이 온갖 말을 하여도 님이 짐작하소서.

– 작자 미상

① 어조의 변화를 통해 시적 의미를 나타내고 있다.

② 동일한 구절의 반복으로 주제를 강조하고 있다.

③ 반어적 표현을 통해 대상의 모습을 선명하게 드러내고 있다.

④ 구체적인 대상에 인격을 부여하는 방법으로 화자의 소망을 표출하고 있다.

⑤ 극단적인 상황을 설정하여 화자 자신의 의지와 절절한 바람을 나타내고 있다.

다른 작품과의 비교 감상

4 **이 작품과 〈보기〉를 비교하여 감상한 내용으로 적절한 것은?**

─ 보기 ─

동지(冬至)ㅅ돌 기나긴 밤을 한 허리를 버혀 내여,

춘풍(春風) 니불 아리 서리서리 너헛다가,

어론 님 오신 날 밤이여든 구뷔구뷔 펴리라. – 황진이

① 이 작품은 〈보기〉와 달리 계절적 배경을 활용하여 화자의 정서를 부각하고 있다.

② 이 작품은 〈보기〉와 달리 임과의 영원한 사랑을 희망하는 마음이 제시되고 있다.

③ 〈보기〉는 이 작품과 달리 임과 함께 지내는 시간이 천천히 흐르기를 바라고 있다.

④ 〈보기〉는 이 작품과 달리 화자가 처한 상황의 원인을 화자 자신에게 돌리고 있다.

⑤ 이 작품과 〈보기〉는 모두 임에 대한 그리움과 함께 원망의 마음도 드러내고 있다.

청산별곡 靑山別曲

살어리 살어리랏다 청산(靑山)애 살어리랏다
멀위랑 드래랑 먹고 청산(靑山)애 살어리랏다
　　얄리얄리 얄랑셩 얄라리 얄라

살겠노라 살겠노라. 청산에 살겠노래(살고 싶다).
머루랑 다래랑 먹고 청산에 살겠노래(살고 싶다).

㉠
┌ 우러라 우러라 새여 자고 니러 우러라 새여
└ 널라와 시름 한 나도 자고 니러 우니로라
　　얄리얄리 얄라셩 얄라리 얄라

우는구나 우는구나 새여. 자고 일어나 우는구나 새여.
너보다 시름이 많은 나도 자고 일어나 울며 지내노라.

㉡
┌ 가던 새 가던 새 본다 믈 아래 가던 새 본다
└ 잉 무든 장글란 가지고 믈 아래 가던 새 본다
　　얄리얄리 얄라셩 얄라리 얄라

가던 새 가던 새 본다. 물 아래로 가던 새를 본다.
이끼 묻은 연장을 가지고 물 아래로 가던 새를 본다.

이링공 뎌링공 ㅎ야 나즈란 디내와손뎌
오리도 가리도 업슨 바므란 쏘 엇디 호리라
　　얄리얄리 얄라셩 얄라리 얄라

이렇게 저렇게 하여 낮은 지내 왔지만
올 사람도 갈 사람도 없는 밤은 또 어찌하리오.

어듸라 더디던 돌코 누리라 마치던 돌코
믜리도 괴리도 업시 마자셔 우니노라
　　얄리얄리 얄라셩 얄라리 얄라

어디에 던지던 돌인가? 누구를 맞히려던 돌인가?
미워할 사람도 사랑할 사람도 없이 맞아서 울고 있노라.

㉢
┌ 살어리 살어리랏다 바ᄅ래 살어리랏다
└ ᄂᆞᄆᆞ자기 구조개랑 먹고 바ᄅ래 살어리랏다
　　얄리얄리 얄라셩 얄라리 얄라

살겠노라 살겠노라. 바다에 살겠노라.
나문재와 굴, 조개를 먹고 바다에 살겠노라.

㉣
┌ 가다가 가다가 드로라 에졍지 가다가 드로라
└ 사ᄉ미 짒대예 올아셔 ᄒᆡ금(奚琴)을 혀거를 드로라
　　얄리얄리 얄라셩 얄라리 얄라

가다가 가다가 듣노라. 외딴 부엌을 지나다가 듣노라.
사슴이 장대에 올라서 해금을 켜는 것을 듣노라.

㉤
┌ 가다니 빅브른 도긔 설진 강수를 비조라
└ 조롱곳 누로기 ᄆᆡ와 잡ᄉ와니 내 엇디 ᄒᆞ리잇고
　　얄리얄리 얄라셩 얄라리 얄라

가다가 배가 불룩한 독에 진한 술을 빚는구나.
조롱박꽃 같은 누룩이 매워 붙잡으니 난들 어찌하랴.

　　　　　　　　　　　　　　　　　　　　　　－ 작자 미상, 〈청산별곡〉

생생 Note

화자 _____
상황 _____

주제 _____

핵심 시어의 의미 ① ☐은/는 삶의 고달픔으로 인한 화자의 비애가 이입된 자연
물임 ② ☐☐은/는 현실의 고통을 잠시 잊게 하는 매개물임
해제 삶의 터전을 상실한 민중들의 비애를 진솔하게 담아낸 작품으로, 구전되다
가 훈민정음 창제 이후 문자로 정착되었으며, 고려 가요의 백미(白眉)로 평
가받고 있음
성격 애상적, 현실 도피적, 낙천적
의의 문학성과 비유가 뛰어난 대표적 고려 가요

내신 대비 **특별 문제**

★ 이 작품에 대한 설명으로 적절하지 <u>않은</u> 것은?

① 3 · 3 · 2조, 3음보의 운율을 보이고 있다.
② 밝고 경쾌한 느낌의 후렴구가 삽입되어 있다.
③ '청산'과 '바롤'은 시적 화자의 이상향을 의미하고 있다.
④ 구전되다가 조선 시대에 와서 문자로 기록, 정착되었다.
⑤ 삶의 비애를 극복하려는 시적 화자의 강한 의지가 드러
나고 있다.

소재의 함축적 의미 파악

1 각 연의 내용을 정리한 것으로 적절하지 <u>않은</u> 것은?

	연	소재	정서	소재의 함축적 의미
①	1연	청산	소망	시적 화자가 지향하는 이상향
②	2연	새	비애	시적 화자의 고독감과 슬픔
③	3연	믈	동경	속세에 대한 갈망
④	4연	밤	고독	절망적인 고독과 비탄의 시간
⑤	5연	돌	체념	피할 수 없는 인간의 숙명

시구의 기능 및 의미 파악

2 ㉠~㉤에 대한 설명으로 적절하지 <u>않은</u> 것은?

① ㉠: 화자는 자신과 '새'의 시름을 비교하여 자신의 비
애를 강조하고 있다.
② ㉡: 화자가 '믈 아래'를 보는 것은 속세에 미련이 남아
있음을 의미한다.
③ ㉢: '청산'에서 삶의 비애를 해소하지 못한 화자가 '바
롤'이라는 새로운 이상향을 모색하고 있다.
④ ㉣: '에졍지'를 지나가다가 듣는 '히금' 소리는 화자의
깨달음을 유도한다.
⑤ ㉤: '강수'를 빚어 마시겠다는 화자의 모습에서 체념
적 태도가 드러난다.

화자의 특성 및 시구의 의미 파악

3 이 작품의 화자를 〈보기〉의 ⓐ로 파악할 경우, 다음 시구
의 의미로 가장 적절한 것은?

보기

이 작품의 화자에 대해서는 다양한 해석이 존재한다. 사
랑하는 사람을 잃은 여인으로 보거나 변방의 병사, 혹은
좌절한 지식인을 화자로 보는 견해가 있다. 또한 고려 후
기는 지배층의 수탈, 무신정변과 수십 년에 걸친 거란 및
몽고와의 전쟁 등으로 인해 삶의 터전을 잃고 고통스러운
삶을 살아가는 유랑민이 많았다는 것을 고려하여 화자를
ⓐ유랑민으로 보는 견해도 있다. 화자를 누구로 해석하느
냐에 따라 이 작품은 시어의 상징적 의미와 주제도 각기
다르게 해석될 수 있다.

	가던 새	잉 무든 장글란
①	날아가던 새	녹슨 은장도
②	갈던 밭이랑	이끼 묻은 쟁기
③	갈던 밭이랑	날이 무뎌진 병기
④	'나'를 버리고 떠난 임	이끼 묻은 쟁기
⑤	'나'를 버리고 떠난 임	날이 무뎌진 병기

비교 감상의 적절성 파악

4 이 작품과 〈보기〉를 비교한 내용으로 적절하지 <u>않은</u> 것은?

보기

이씨의 사촌이 되지 말고 / 민씨의 팔촌이 되려무나.
아리랑 아리랑 아라리요 / 아리랑 배 띄여라 노다 가세. //
남산 밑에다 장충단을 짓고 / 군악대 장단에 받들어총만
한다.
아리랑 아리랑 아라리요 / 아리랑 배 띄여라 노다 가
세. // 〈중략〉
문전의 옥토는 어찌 되고 / 쪽박의 신세가 웬 말인가.
아리랑 아리랑 아라리요 / 아리랑 배 띄여라 노다 가세. //
밭은 헐려서 신작로 되고 / 집은 헐려서 정거장 되네.
아리랑 아리랑 아라리요 / 아리랑 배 띄여라 노다 가세.

– 작자 미상, 〈아리랑 타령〉

① 두 작품은 모두 삶에서 겪는 애환과 비애를 노래하고
있다.
② 두 작품은 모두 화자가 느끼는 정서의 원인이 구체적
으로 제시되어 있다.
③ 두 작품은 모두 3음보의 율격과 후렴구의 반복을 통
해 리듬감을 살리고 있다.
④ 이 작품의 후렴구는 화자의 정서와 상반되지만, 〈보
기〉의 후렴구는 화자의 정서를 반영하고 있다.
⑤ 이 작품은 공간을 중심으로 대칭적 시상 전개가, 〈보
기〉는 시간의 흐름에 따른 추보식 시상 전개가 나타
난다.

07 한림별곡 翰林別曲

〈제1장〉

원슌문(元淳文) 인노시(仁老詩) 공노ᄉ륙(公老四六)

니졍언(李正言) 딘한림(陳翰林) 쌍운주필(雙韻走筆)

튱긔딕칙(沖基對策) 광균경의(光鈞經義) 량경시부(良鏡詩賦)

㉠ 위 시댱(試場)ㅅ 경(景) 긔 엇더ᄒ니잇고.

㉡ 엽(葉) 금ᄒᆞᆨᄉ(琴學士)의 옥슌문싱(玉笋門生) 금ᄒᆞᆨᄉ(琴學士)의 옥슌문싱(玉笋門生)

위 날조차 몃 부니잇고.

〈제2장〉

┌ 당한셔(唐漢書) 장로ᄌ(莊老子) 한류문집(韓柳文集)

㉢ ├ 니두집(李杜集) 난ᄃᆡ집(蘭臺集) 빅락텬집(白樂天集)

└ 모시샹셔(毛詩尙書) 주역츈츄(周易春秋) 주ᄃᆡ례긔(周戴禮記)

위 주(註)조쳐 내 외옩 경(景) 긔 엇더ᄒ니잇고.

엽(葉) 대평광긔(大平廣記) ᄉ빅여 권(四百餘卷) 대평광긔(大平廣記) ᄉ빅여 권(四百餘卷)

위 력남(歷覽)ㅅ 경(景) 긔 엇더ᄒ니잇고.

〈제8장〉

㉣ 당당당(唐唐唐) 당츄ᄌ(唐楸子) 조협(皂莢)남긔

㉤ 홍(紅)실로 홍(紅)글위 ᄆ.ᆼ요이다.

혀고시라 밀오시라 명쇼년(鄭少年)하.

위 내 가논 ᄃᆡ 남 갈셰라.

엽(葉) 샥옥셤셤(削玉纖纖) 쌍슈(雙手)ㅅ 길헤 샥옥셤셤(削玉纖纖) 쌍슈(雙手)ㅅ 길헤

위 휴슈동유(携手同遊)ㅅ 경(景) 긔 엇더ᄒ니잇고.

– 한림 제유, 〈한림별곡〉

〈제1장〉

유원순의 문장, 이인로의 시, 이공로의 사륙변려문
이규보와 진화의 운을 맞추어 거침없이 써 내려 간 글
유충기의 대책문, 민광균의 경서 뜻풀이, 김양경의 시와 부
아, 과거 시험장의 모습 그것이 어떠합니까?

금의의 죽순처럼 많은 제자, 금의의 죽순처럼 많은 제자
아, 나까지 모두 몇 분입니까?

〈제2장〉

당서와 한서, 장자와 노자, 한유와 유종원의 문집
이백과 두보의 시집, 난대영사의 시문집, 백거이의 문집
시경과 서경, 주역과 춘추, 대대례와 소대례

아, 주석마저 내리 외우는 모습 그것이 어떠합니까?
태평광기 4백여 권, 태평광기 4백여 권

아, 두루두루 읽는 모습 그것이 어떠합니까?

〈제8장〉

당당당 당추자(호두나무), 쥐엄나무에

붉은 실로 붉은 그네를 맵니다.

당기시라 미시라, 정소년이여.

아, 내가 가는 그곳에 남이 갈까 두렵습니다.

옥을 깎은 듯 부드러운 두 손길에, 옥을 깎은 듯 부드러운 두 손길에
아, 손을 마주 잡고 같이 노니는 모습 그것이 어떻합니까?

생생 Note

화자 _____

상황 _____

주제 _____

핵심 시어의 의미 □□은/는 유희적·향락적 생활을 드러내는 도구임

해제 고려 고종 때, 한림의 여러 선비들이 지은 노래로 추정됨. 호화롭고 향락적
인 선비들의 생활상이 드러난 전 8장의 노래

성격 과시적, 향락적, 풍류적

의의 ① 최초의 경기체가 ② 가사 문학에 영향을 줌

작품의 종합적 감상

2 ㉠~㉤에 대한 설명으로 적절하지 **않은** 것은?

① ㉠: 앞에서 열거한 내용을 집약하여 제시하고 있다.

② ㉡: 화자의 사회적 신분과 학식을 짐작할 수 있다.

③ ㉢: 개인적 차원의 일을 사회적으로 확대하고 있다.

④ ㉣: 의미 없는 소리를 반복하여 운율을 맞추고 있다.

⑤ ㉤: 색채감을 활용하여 시적 상황을 강조하고 있다.

내신 대비 특별 문제

★ 이 작품과 같은 갈래에 대한 설명으로 적절하지 **않은** 것은?

① 작품의 일부 구절에서 '경기체가'의 명칭이 유래하였다.

② 객관적인 대상의 나열을 통해 사대부의 자부심을 드러
내었다.

③ 남녀 간의 진솔한 사랑을 주된 소재로 삼아서 백성들에
게도 널리 전파되었다.

④ 무신 정권 이후에 등장한 신흥 사대부들의 기개와 세계
관 및 미의식을 노래하였다.

⑤ 조선 초기에도 사대부들에 의해 창작되었으며, 가사 문
학의 형성에 영향을 주었다.

비교 감상의 적절성 파악

1 이 작품과 〈보기〉를 비교하여 감상한 내용으로 적절한 것은?

> **보기**
>
> 동창(東窓)이 밝았느냐 노고지리 우지진다.
> 소 치는 아이는 상기 아니 일었느냐.
> 재 너머 사래 긴 밭을 언제 갈려 하나니. – 남구만

① 이 작품과 〈보기〉는 풍류적인 삶의 태도를 담고 있다.

② 이 작품과 〈보기〉에는 사대부의 현실 도피적인 모습
이 잘 드러나고 있다.

③ 이 작품은 향락적인 삶을 노래하고 있지만, 〈보기〉는
근면한 삶을 권하고 있다.

④ 이 작품에는 여성의 목소리가 나타나고 있지만, 〈보
기〉에는 남성의 목소리가 나타나고 있다.

⑤ 이 작품은 사대부의 자긍심을 표현하고 있지만, 〈보
기〉는 사대부에 대한 비판 의식을 담고 있다.

시어의 기능 파악

3 이 작품의 글위(Ⓐ)와 〈보기〉의 '그네'(Ⓑ)를 비교한 내용
으로 가장 적절한 것은?

> **보기**
>
> 향단(香丹)아 그넷줄을 밀어라. / 머언 바다로
> 배를 내어 밀듯이, / 향단아.
>
> 이 다소곳이 흔들리는 수양버들나무와
> 베갯모에 놓이듯 한 풀꽃더미로부터,
> 자잘한 나비 새끼 꾀꼬리들로부터,
> 아주 내어 밀듯이, 향단아.
>
> 산호(珊瑚)도 섬도 없는 저 하늘로
> 나를 밀어 올려 다오.
> 채색(彩色)한 구름같이 나를 밀어 올려 다오.
> 이 울렁이는 가슴을 밀어 올려 다오!
>
> 서(西)로 가는 달같이는 / 나는 아무래도 갈 수가 없다.
>
> 바람이 파도(波濤)를 밀어 올리듯이
> 그렇게 나를 밀어 올려 다오.
> 향단아.
> – 서정주, 〈추천사〉

① Ⓐ와 Ⓑ는 모두 향락을 상징하는 소재이다.

② Ⓐ와 Ⓑ는 모두 사랑의 성취를 위한 매개체이다.

③ Ⓐ와 Ⓑ는 모두 화자의 감정이 이입된 객관적 상관물이
다.

④ Ⓐ는 유희의 도구이며, Ⓑ는 이상향으로 가기 위한 매
개체이다.

⑤ Ⓐ는 지적 즐거움을 위한 도구이며, Ⓑ는 물질적 욕망
을 위한 도구이다.

3부 한시

갈래 학습법

1단계 | 갈래 이해하기

우리나라는 한글이 창제되기 전까지 한문을 표기 수단으로 삼았다. 그러므로 한시는 한자로 표기된 문학 작품이지만 우리나라 사람이 창작하고 우리의 정서와 생활상을 담고 있다는 점에서 한국 문학의 범주에 속한다. 따라서 고전 시가에서 한시의 비중이 다소 적더라도 한국 문학의 개념과 범위를 이해하기 위해서는 한시 갈래에 대한 이해가 반드시 필요하다.

2단계 | 시상 전개 방식 파악하기

한시에는 주로 '기승전결'이나 '선경 후정'의 시상 전개 방식이 사용된다. 최근에는 작품의 표현상의 특징이나 시상 전개 방식을 묻는 문제가 자주 출제되고 있으므로 한시에 사용된 '기승전결'이나 '선경 후정'의 시상 전개 방식에 대해 정확히 이해하고 구체적 작품 안에서 이를 찾아낼 수 있어야 한다.

3단계 | 다른 갈래의 작품과 연계해 학습하기

한시가 단독으로 출제되는 경우는 없지만 시조나 가사와 함께 묶여 출제되곤 하였다. 따라서 다른 갈래의 작품과 엮어서 출제될 가능성이 높으므로 주제나 내용, 소재나 표현, 시상 전개 방식 등에서 유사점이 있는 다른 갈래의 작품과 함께 공부해 두는 것이 필요하다. 교과서에 수록된 작품이나 정지상, 정약용 등 중요 작가의 작품을 중심으로 학습해 두도록 한다.

갈래 학습 - 한시

❶ 개념

한문으로 이루어진 정형시로, 원래 중국의 시가 양식이지만 한글 창제 이전에 우리나라 사람이 지었거나 한문을 주로 사용하던 상류 계층이 지은 한시는 우리 문학에 포함된다.

❷ 종류

크게 형식이 비교적 자유로운 당나라 이전의 한시 형식인 고체시와 엄격한 규칙을 중시하고 당나라 때부터 발달한 근체시로 나눈다. 고체시는 시의 길이와 압운이 자유롭고, 각 장의 구수도 일정하지 않으며 구성상의 규칙도 없고 부조리한 현실을 구체적으로 서술하거나 서사적 내용을 노래하였다. 반면 근체시는 음절의 억양에 따른 배열법이나 대구 등 구성법에 일정한 규칙이 있는데, 절구와 율시, 배율 등이 있다.

❸ 특징

(1) 형식
- **절구**: 4행. 5언 절구(한 구가 다섯 자), 7언 절구(한 구가 일곱 자). '기−승−전−결'의 구성
- **율시**: 8행. 5언 율시, 7언 율시. '수련−함련−경련−미련'의 구성
- **배율**: 5언이나 7언 율시를 열 구 이상 늘어놓은 한시

(2) 시상 전개 방식
- **기승전결**: 시상의 제시[기] → 시상의 발전, 심화[승] → 시상의 고조, 전환[전] → 시상의 마무리, 정서 제시[결]
- **선경 후정**: 시의 앞부분에서는 풍경을 그리듯이 보여 주고, 뒷부분에서는 화자의 정서를 표현

❹ 의의

한글이 널리 쓰이기 전까지 한문을 주로 사용하던 양반층의 가치관과 문학 세계를 담고 있다.

❺ 주목해야 할 작품

작품명	작가	연대	형식	내용
여수장우중문시	을지문덕	고구려	5언 고시	을지문덕이 수나라의 장수인 우중문을 조롱함
추야우중	최치원	신라	5언 절구	뜻을 펴지 못한 지식인의 고뇌와 고국에 대한 향수
제가야산독서당	최치원	신라	7언 절구	산중에 은거하고 싶은 심경
촉규화	최치원	신라	5언 율시	자신의 능력을 알아주지 않는 세상을 개탄함
송인	정지상	고려 의종	7언 절구	대동강가에서 이별하는 애절한 심정
동명왕편	이규보	고려 명종	5언 282구	고구려의 시조인 동명왕의 영웅적 행적을 노래
부벽루	이색	고려	5언 율시	인간 역사의 무상함과 고려 국운 회복에 대한 소망
사리화	이제현	고려 말	7언 절구	탐관오리의 수탈과 횡포에 대한 고발
보리타작	정약용	조선 정조	행	보리타작하는 농민들의 모습을 사실적으로 묘사하며 자신의 삶을 반성
절명시	황현	1910년	7언 절구	나라를 잃은 지식인의 비탄과 절망

추야우중 秋夜雨中·제가야산독서당 題伽倻山讀書堂·촉규화 蜀葵花

가

秋風唯苦吟
추 풍 유 고 음

世路少知音
세 로 소 지 음

窓外三更雨
창 외 삼 경 우

燈前萬里心
등 전 만 리 심

㉠가을바람에 이렇게 힘들여 읊고 있건만

세상 어디에도 날 알아주는 이 없네.

창밖엔 깊은 ㉡밤 ㉢비 내리는데

㉣등불 앞에선 ㉤만 리 밖으로 마음 향하네.

— 최치원, 〈추야우중〉

나

狂奔疊石吼重巒
광 분 첩 석 후 중 만

人語難分咫尺間
인 어 난 분 지 척 간

常恐是非聲到耳
상 공 시 비 성 도 이

故教流水盡籠山
고 교 류 수 진 롱 산

첩첩 바위 사이를 미친 듯 달려 겹겹 봉우리 울리니,

지척에서 하는 말소리도 분간키 어려워라.

늘 시비(是非)하는 소리가 귀에 들릴세라,

짐짓 흐르는 물로 온 산을 둘러 버렸다네.

— 최치원, 〈제가야산독서당〉

다

寂寞荒田側 / 繁花壓柔枝
적 막 황 전 측 / 번 화 압 유 지

香經梅雨歇 / 影帶麥風欹
향 경 매 우 헐 / 영 대 맥 풍 의

車馬誰見賞 / 蜂蝶徒相窺
거 마 수 견 상 / 봉 접 도 상 규

自慙生地賤 / 堪恨人棄遺
자 참 생 지 천 / 감 한 인 기 유

거친 밭 언덕 쓸쓸한 곳에 / 탐스런 꽃송이 가지 눌렀네.

장맛비 그쳐 향기 날리고 / 보리 바람에 그림자 흔들리네.

수레와 말 탄 사람 그 누가 보아 주리. / 벌 나비만 부질없이 엿보네.

천한 땅에 태어난 것 스스로 부끄러워 / 사람들에게 버림받아도 참고 견디네.

— 최치원, 〈촉규화〉

생생 Note

가 추야우중

화자 _____

상황 _____

주제 _____

핵심 시어의 의미 ☐은/는 세상에 대한 단절과 미련을 동시에 의미함

표현 객관적 상관물

해제 작가가 당나라에서 고향에 대한 그리움을 노래했다는 설과 고향에 돌아와 육두품의 신분적 한계에 부딪혀 자신의 뜻을 이루지 못한 고뇌를 노래했다는 설이 있음

성격 서정적

나 제가야산독서당

화자 _____

상황 _____

주제 _____

핵심 시어의 의미 '흐르는 물'은 세상과 ☐☐하려는 화자의 의지를 상징하며, '말소리'와 '시비하는 소리'는 화자가 부정적으로 생각하는 ☐☐의 소리를 의미함

표현 ☐☐☐, 대조법

해제 작가가 신라 말기에 당나라에서 귀국한 뒤 정치 개혁을 위한 노력이 좌절되자 관직을 내놓고 객지를 유랑하다가 가야산 해인사에서 은거할 때 지은 한시

성격 서정적, 상징적

다 촉규화

화자 _____

상황 _____

주제 _____

핵심 시어의 의미 ☐☐☐☐☐☐은/는 화자가 자신을 알아주기를 바라는 존재로, 임금이나 고관대작을 의미함

표현 ☐☐☐을/를 이용한 비유

해제 작가가 당나라 유학 시절에 지은 한시로, 자신을 촉규화(접시꽃)에 비유하여 자신의 능력을 알아주지 않는 세상을 개탄함

성격 탄식적, 체념적

★ **[가]~[다]에 대한 설명으로 적절하지 않은 것은?**

① [가]의 화자는 자신을 알아주는 이가 없는 세상에 대한 소외감으로 인해 한탄하고 있다.

② [가]의 화자는 단절된 현실에서 느끼는 고뇌를 자연과의 조화를 통해 극복하고 있다.

③ [나]는 자연의 소리와 인간의 소리를 대비하여 주제를 강조하고 있다.

④ [나]의 화자는 혼란스러운 속세와 단절하고 은둔하고 싶은 의지를 드러내고 있다.

⑤ [다]의 화자는 자신이 이룬 학문적 경지에 대한 자부심을 자연물에 비유하여 드러내고 있다.

감상의 적절성 파악

1 **[가]와 [나]를 비교하여 감상한 내용으로 가장 적절한 것은?**

① [가]의 고향에 대한 화자의 그리움은 [나]에서도 그대로 유지되고 있다.

② [가]의 화자는 현실을 비판적으로, [나]의 화자는 현실을 우호적으로 인식하고 있다.

③ [가]의 '가을바람'과 [나]의 '바위'는 화자의 고뇌하는 심리를 보여 준다는 점에서 시적 기능이 유사하다.

④ [가]의 화자는 혼탁한 현실에 염증을 느끼고 있고, [나]의 화자는 웅장한 자연 앞에서 경외감을 느끼고 있다.

⑤ [가]는 객관적 상관물을 통해 화자의 고독감을, [나]는 대립적 구조를 통해 화자의 단절 의지를 형상화하고 있다.

시어의 기능 파악

2 **[가]의 ㉠~㉤ 중, 〈보기〉의 ⓐ로 적절한 것은?**

보기

최치원은 12세에 당나라에 유학하여 과거에 급제하였다. 황소의 난 때는 〈토황소격문〉을 지어 문장가로 이름을 떨쳤다. 이후 신라에 귀국한 후 정치 개혁을 위한 노력을 기울였지만 성과를 보지 못하고 유랑하다가 가야산에서 일생을 마친다. 이 작품이 귀국 후 쓰여진 것이라고 할 때 ⓐ이 시어는 작가와 세상과의 심리적·정서적인 간격을 잘 보여 주는 것이라고 평가되고 있다.

① ㉠　　② ㉡　　③ ㉢　　④ ㉣　　⑤ ㉤

비교 감상의 적절성 파악

3 **[나]와 〈보기〉의 공통점에 대한 설명으로 적절한 것은?**

보기

어제 간밤 오던 잠아 오늘 아침 다시 오네
잠아 잠아 무슨 잠고 가라 가라 멀리 가라
시상 사람 무수한데 구테 너난 간 데 없어
원치 않는 이 내 눈에 이렇다시 자심하뇨
주야에 한가하여 월명동창 혼자 앉아
삼사경 깊은 밤을 허도이 보내면서
잠 못 들어 한하는데 그런 사람 있건마는
무상 불청 원망 소래 온 때 마다 듣난고니 〈중략〉
난데없는 이 내 잠이 소리없이 달려드네
눈썹 속에 숨었는가 눈 알로 솟아온가
이 눈 저 눈 왕래하며 무삼 요수* 피우든고
맑고 맑은 이 내 눈이 절로절로 희미하다

– 작자 미상, 〈잠노래〉

*무삼 요수: 무슨 요망한 수

① 대조적 상황을 통해 화자의 처지를 드러내고 있다.

② 계절적 배경을 통해 이미지를 선명하게 그려 내고 있다.

③ 도치를 통해 대상이 가진 의미를 표현하고 있다.

④ 시간의 흐름에 따라 사물의 속성을 부각하고 있다.

⑤ 단정적 어조로 현실에 대한 비판 의식을 강조하고 있다.

외적 준거에 따른 작품 감상

4 **〈보기〉를 참고하여 [다]의 내용을 감상한 것으로 적절하지 않은 것은?**

보기

신라 6두품 출신의 최치원은 868년 12세의 어린 나이에 당나라로 유학을 떠났으며, 874년에 18세의 나이로 빈공과에 장원으로 급제하였다. 그러나 2년 동안 관직에 오르지 못하고 낙양 등지를 떠돌면서 시작(詩作)에 몰두하여 다수의 작품을 창작하였다. 자신을 '촉규화'에 빗댄 이 작품도 최치원이 당나라 유학 중에 지은 것이다.

① '거친 밭 언덕 쓸쓸한 곳'은 화자의 처지를 암시적으로 나타내고 있다.

② '탐스런 꽃송이'는 장원 급제할 정도로 높은 경지에 오른 화자의 학문적 경지를 의미한다.

③ '수레와 말 탄 사람'은 화자의 능력을 인정해 주지 않는 높은 지위에 있는 사람들을 의미한다.

④ '천한 땅'은 당나라를 의미하는 것으로 자신을 알아주지 않는 것에 대한 반감을 드러낸 표현이다.

⑤ '부끄러워'와 '참고 견디네'에서는 화자의 정서와 태도가 직접적으로 표출되어 있다.

송인 送人·부벽루 浮碧樓

가

雨歇長堤草色多
우 헐 장 제 초 색 다

送君南浦動悲歌
송 군 남 포 동 비 가

大同江水何時盡
대 동 강 수 하 시 진

別淚年年添綠波
별 루 년 년 첨 록 파

비 갠 긴 언덕엔 풀빛이 푸른데,

남포에서 임 보내며 슬픈 ⓐ노래 부르네.

대동강 물이야 어느 때나 마를 건가,

이별의 눈물은 해마다 푸른 물결에 보태나니.

— 정지상, 〈송인〉

나

昨過永明寺
작 과 영 명 사

暫登浮碧樓
잠 등 부 벽 루

城空月一片
성 공 월 일 편

石老雲千秋
석 로 운 천 추

麟馬去不返
인 마 거 불 반

天孫何處遊
천 손 하 처 유

長嘯倚風磴
장 소 의 풍 등

山靑江自流
산 청 강 자 류

어제 영명사를 지나다가

㉠잠시 부벽루에 올랐네.

㉡텅 빈 성엔 조각달 떠 있고

천 년 구름 아래 ㉢바위는 늙었네.

㉣기린마는 떠나간 뒤 돌아오지 않으니

천손은 지금 어느 곳에 노니는가?

돌계단에 기대어 길게 ⓑ휘파람 부노라니

㉤산은 오늘도 푸르고 강은 절로 흐르네.

— 이색, 〈부벽루〉

생생 Note

가 송인

화자 _____

상황 _____

주제 _____

핵심 시어의 의미 □, 물, □□은/는 눈물의 이미지와 연결되어 이별의 정한을 고조시킴

표현 ① 도치법, 과장법, 대조법, 설의법 ② □□□ 이미지를 선명하게 제시

해제 이별가의 백미(白眉)로 평가받는 작품으로, 이별의 슬픔을 절묘하게 드러내고 있음

성격 서정적, 송별시(送別詩), 이별시

나 부벽루

화자 _____

상황 _____

주제 _____

핵심 시어의 의미 자연의 영원함을 상징하는 '조각달, 구름, 산, 강'과 인간의 유한함을 상징하는 □□□이/가 대조됨

표현 자연과 인간의 대조, 시각적 이미지

해제 작가가 고구려 유적지인 평양성을 지나면서 읊은 시. 인간 역사의 유한함에서 오는 무상감을 변함없는 자연과 대조하는 한편, 영웅을 동경하는 화자의 일면에서 고려의 국운 회복에 대한 소망을 엿볼 수 있음

성격 회고적, 애상적

내신 대비 특별 문제

★ [가]와 [나]에 대한 설명으로 적절하지 <u>않은</u> 것은?

① [가]는 이별의 슬픔을 공간적으로 형상화하고 있다.

② [가]는 다양한 표현 방법을 사용하여 이별의 슬픔을 강조하고 있다.

③ [가]는 '남포'라는 객관적 상관물을 통해 이별의 정서를 극대화하고 있다.

④ [나]에는 선경 후정의 시상 전개 방식이 사용되었다.

⑤ [나]에는 시간의 흐름을 시각적으로 형상화한 표현이 나타나 있다.

작품의 공통점 파악

1 [가]와 [나]에 대한 설명으로 적절하지 <u>않은</u> 것은?

① [가]와 달리 [나]에는 화자의 역사 인식이 드러나 있다.

② [가]와 [나]는 모두 상징적 시어를 통해 주제를 형상화하고 있다.

③ [가]와 [나]는 모두 인간사와 자연의 대비를 통해 화자의 정서를 드러내고 있다.

④ [가]와 [나]는 모두 선명한 이미지를 통해 자연에 대한 예찬적 태도를 보이고 있다.

⑤ [가]는 [나]에 비해 화자의 정서를 유발한 사유가 좀 더 직접적으로 드러나고 있다.

소재의 기능 파악

2 ⓐ와 ⓑ에 대한 설명으로 가장 적절한 것은?

① ⓐ는 체념의 정서를, ⓑ는 극복의 의지를 드러낸다.

② ⓐ는 심리적 갈등을, ⓑ는 외적 갈등을 심화시킨다.

③ ⓐ는 과거 상황에, ⓑ는 현재 상황에 대한 한탄이다.

④ ⓐ는 개인적 차원과, ⓑ는 역사적 차원과 관련 있다.

⑤ ⓐ는 현실에 대한 무상감이고, ⓑ는 자연에 대한 깨달음이다.

소재의 의미 및 기능 파악

3 [가]에 사용된 소재의 의미와 기능을 〈보기〉처럼 파악했을 때, 그 내용으로 적절하지 <u>않은</u> 것은?

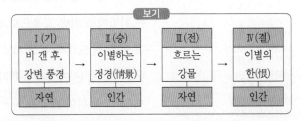

보기

Ⅰ (기)	→	Ⅱ (승)	→	Ⅲ (전)	→	Ⅳ (결)
비 갠 후, 강변 풍경		이별하는 정경(情景)		흐르는 강물		이별의 한(恨)
자연		인간		자연		인간

① Ⅰ의 푸른 '풀빛'은 비 온 뒤 자연의 싱그러움을 보여 준다.

② Ⅱ의 '남포'는 공간적 배경으로 화자가 이별하는 장소이다.

③ Ⅲ의 '대동강'은 화자의 원망을 임에게 전달하는 매개체이다.

④ Ⅳ의 '눈물'은 Ⅲ의 '대동강 물'과 동일시되면서 슬픔을 극대화한다.

⑤ Ⅳ의 '푸른 물결'은 Ⅰ의 강변 풍경과 감각적으로 호응한다.

시구의 기능 파악

4 〈보기〉를 참고하여 [나]의 ㉠~㉤을 감상한 내용으로 적절하지 <u>않은</u> 것은?

보기

　이 작품은 고려 말의 문신(文臣) 이색이 여행을 하다가 고구려의 도읍이었던 평양성의 부벽루에 올라 지은 한시이다. 화려하고 번성했던 고구려의 도읍 평양은 원(元)나라가 점령한 후 크게 황폐해지고 이후에는 과거의 영화를 되찾지 못한 상황이었다. 원나라의 오랜 침략을 겪고 국가의 힘이 극도로 쇠약해진 상황에서 작가는 부벽루 주변의 풍경을 바라보며 고구려의 시조인 동명왕과 관련된 기린마의 전설을 떠올린다. 그리고 고려의 국운(國運)이 회복되기를 바라는 간절한 마음을 표현하고 있다.

① ㉠: 여행 중이던 화자가 시대적 상황을 성찰하는 계기가 되고 있어.

② ㉡: 퇴락한 성의 모습을 통해 국력이 쇠약해진 시대적 상황을 드러내고 있어.

③ ㉢: 고구려의 몰락과 함께 황폐해진 자연의 풍경을 사실적으로 그리고 있어.

④ ㉣: 동명왕에 대한 회고와 함께 무상감으로 인한 탄식을 나타내고 있어.

⑤ ㉤: 변함없는 자연을 통해 이와 대조되는 현실에 대한 화자의 애상감이 부각되고 있어.

보리타작 打麥行

新篘濁酒如湩白
신 추 탁 주 여 동 백

새로 거른 막걸리 젖빛으로 뽀얗고

大碗麥飯高一尺
대 완 맥 반 고 일 척

큰 사발에 보리밥 고봉으로 담았네

飯罷取耞登場立
반 파 취 가 등 장 립

다 먹은 뒤 도리깨 쥐고 마당에 내려서니

雙肩漆澤翻日赤
쌍 견 칠 택 번 일 적

햇볕에 그을린 어깨에 윤기가 흐르네

呼邪作聲擧趾齊
호 야 작 성 거 지 제

'허이' 소리 하며 발맞춰 타작하니

須臾麥穗都狼藉
수 유 맥 수 도 랑 자

금세 보리 나락 온 마당에 그득하네

雜歌互答聲轉高
잡 가 호 답 성 전 고

앞소리 뒷소리 한데 섞여 높아지니

但見屋角紛飛麥
단 견 옥 각 분 비 맥

보리 쭉정이 용마루 끝까지 날리네

觀其氣色樂莫樂
관 기 기 색 락 막 락

그 모습 보노라니 즐겁기 그지 없어

了不以心爲形役
요 불 이 심 위 형 역

몸이 바라는 잇속을 벗어난 마음이러니

樂園樂郊不遠有
낙 원 락 교 불 원 유

기쁨 가득한 곳이 먼 데 있지 않은데

何苦去作風塵客
하 고 거 작 풍 진 객

무얼 바라 이곳저곳 떠도는가

– 정약용 / 김정훈 해독, 〈보리타작〉

생생 Note

화자 _____
상황 _____
주제 _____
핵심 시어의 의미 ☐☐☐☐☐☐☐은/는 정신과 육체가 일치된 경지를 드러
    내는 시어로, 헛된 명분을 좇아 이곳저곳 떠돌던 화자의 삶과 대조를 이룸

표현 선경 후정, 사실적 묘사
해제 보리타작에 몰두하는 농민들의 모습을 사실적으로 묘사하고, 그 모습을 보
    며 자신의 삶을 반성한 한시
성격 사실적, 반성적, 묘사적, 예찬적

★ 이 작품에 대한 설명으로 적절하지 <u>않은</u> 것은?

① 당시 농촌 사회의 어려운 현실을 풍자적으로 비판하고 있다.

② '햇볕에 그을린 어깨'에서 노동하는 농민들의 건강한 삶을 짐작할 수 있다.

③ 농민들이 보리타작하는 모습을 묘사한 후, 자신의 심정을 표현하는 방식으로 시상을 전개하고 있다.

④ '막걸리', '보리밥', '도리깨', '보리 쭉정이' 등 농민들의 삶을 드러내는 시어를 사용하여 사실성을 부여하고 있다.

⑤ 노동하는 농민들의 삶에서 새롭고 가치 있는 삶의 모습을 찾고자 했던 당시 진보적 지식인들의 경향을 엿볼 수 있다.

작품의 종합적 감상

2 이 작품을 정리한 내용으로 적절하지 <u>않은</u> 것은?

	부분	시상 전개	표현	화자의 태도
①	기 1~4행	대상의 관찰	햇볕에 그을린 어깨	노동하는 농민들의 건강한 삶의 모습을 봄
②	승 5~8행	대상의 관찰	'허이' 소리 하며 발맞춰 타작하니	보리타작하는 마당의 역동적인 모습을 바라봄.
③	전 9~10행	화자의 깨달음	몸이 바라는 잇속을 벗어난 마음이러니	농민들의 삶은 마음이 이끄는 대로 자유롭게 살고 있는 삶임을 깨달음
④	결 11~12행	화자의 반성	무얼 바라 이곳저곳 떠도는가	세상에 나가 세속적 욕망에 시달렸던 자신의 삶을 반성함
⑤	결 11~12행	새로운 삶에의 다짐	기쁨 가득한 곳이 먼 데 있지 않은데	기쁨 가득한 곳이 가까이 있으니 거기에서 살겠다는 다짐

외적 준거에 따른 작품 감상

1 〈보기〉를 참고하여 이 작품을 감상한 내용으로 적절하지 <u>않은</u> 것은?

보기

조선 말기의 실학자였던 정약용은 여러 관직을 역임하며 벼슬살이를 하던 중, 1801년 천주교를 믿었다는 이유로 체포되어 전라도 강진에서 19년 간 귀양살이를 하였다. 그는 이때 경제적으로 매우 어렵게 지내면서 백성의 삶을 가까이에서 볼 수 있었다. 그리고 이런 경험을 바탕으로 관념적 명분보다 실제 생활을 중시하는 실학사상을 집대성하였다. 그는 특히 국가적 부(富)의 원천은 생산이 이루어지는 농사에 있다는 중농주의를 주장하였다. 그의 이러한 인식은 농민에 대한 애정을 드러내거나, 이들을 힘들게 하는 관리를 비판하는 한시(漢詩)의 창작으로 이어졌다.

① 농민의 삶을 긍정적으로 보는 시각에는 작가의 중농주의 사상이 반영되어 있다고 할 수 있겠군.

② 벼슬길을 멀리하겠다는 다짐은 벼슬살이가 헛된 것임을 겪은 작가의 경험에서 비롯된 것이겠군.

③ 몸과 마음이 조화된 삶을 예찬하는 것에는 명분을 중시하는 사대부들에 대한 비판 의식이 내재되어 있겠군.

④ 막걸리와 보리밥을 부러워하는 것에서 귀양지에서 경제적으로 어렵게 살아야 했던 작가의 삶을 짐작할 수 있군.

⑤ 보리타작하는 모습을 사실적으로 그려 낼 수 있었던 것은 작가가 백성들의 삶을 가까이서 볼 수 있었기 때문이겠군.

비교 감상의 적절성 파악

3 이 작품의 화자(A)와 〈보기〉의 화자(B)가 대화를 나눈다고 가정할 때, 적절하지 <u>않은</u> 것은?

보기

씀은 듣는 대로 듣고 벗슨 쐴 대로 쐰다.
쳥풍의 옷깃 열고 긴 파람 흘리 불 제,
어듸셔 길 가는 손님늬 아는 드시 머무는고.

— 위백규, 〈농가〉

① A: 노동하는 농민들의 모습이 무척이나 건강하고 밝게 느껴지는군요.

② B: 예. 꿀맛 같은 휴식의 시간도 힘겨운 노동이 있었기에 더욱 값지게 느껴진답니다.

③ A: 농민들과 함께 땀을 흘리며 농사를 지으니 보리밥도 훨씬 맛이 좋네요.

④ B: 그렇지요. 농촌은 이렇게 몸소 땀 흘려 일하는 곳이고, 노동은 즐거움이자 참된 삶의 모습이라 할 수 있지요.

⑤ A: 예. 저도 헛된 세속적 가치를 좇던 과거의 제 자신이 부끄럽게만 느껴집니다.

절명시 絕命詩·무어별 無語別

가

鳥獸哀鳴海岳嚬
조 수 애 명 해 악 빈

槿花世界已沈淪
근 화 세 계 이 침 륜

秋燈掩卷懷千古
추 등 엄 권 회 천 고

難作人間識字人
난 작 인 간 식 자 인

새와 짐승은 슬피 울고 강산은 찡그리네.

무궁화 세계는 이미 사라지고 말았구나.

가을 등불 아래 책 덮고 천고의 역사 생각하니,

세상에서 글 아는 사람 노릇하기 어렵구나.

– 황현, 〈절명시〉

나

十五越溪女
십 오 월 계 녀

羞人無語別
수 인 무 어 별

歸來掩重門
귀 래 엄 중 문

泣向梨花月
읍 향 이 화 월

열다섯 아리따운 아가씨

남 부끄러워 말도 못하고 헤어졌어라.

돌아와 중문을 닫고서

배꽃 사이 달을 보며 눈물 흘리네.

– 임제, 〈무어별〉

생생 Note

가 절명시

화자 _____

상황 _____

주제 _____

핵심 시어의 의미 □, 짐승, □□은/는 국권 상실로 인한 화자의 비통하고 절망
적인 심정이 이입된 자연물임

해제 1910년 국권 피탈로 인한 작가의 비통한 심정을 노래한 4수의 한시 중 제3
수. 작가는 이 시를 짓고 자결함

성격 우국적, 비탄적, 고백적

나 무어별

화자 _____

상황 _____

주제 _____

핵심 시어의 의미 □□와/과 □은/는 애상적 분위기를 형성함

해제 남녀유별이 엄격했던 시대에 사랑을 마음속으로만 간직한 채 이별하는 여인
의 마음을 섬세하게 표현함

성격 애상적, 서정적

내신 대비 특별 문제

★ [가], [나]에 대한 설명으로 적절하지 <u>않은</u> 것은?

① [가]는 국권 피탈의 상황에서 지식인으로서의 비탄과
고뇌를 표현하였다.

② [가]의 '무궁화'는 화자의 정서와 대조적 의미를 지니는
객관적 상관물이다.

③ [가]는 활유법을 사용하면서도 고백적 어조로 화자의
정서를 드러내고 있다.

④ [나]는 섬세한 감각으로 이별하는 여인의 심정을 드러
내고 있다.

⑤ [나]의 화자는 대상을 관찰하며 객관적으로 상황을 전
달하고 있다.

비교 감상의 적절성 파악

1 [가]와 [나]의 공통점으로 적절한 것은?

① 화자의 감정이 절제되어 표현되고 있다.
② 계절감을 드러내는 시어가 쓰이고 있다.
③ 대상물에 화자의 감정을 이입하고 있다.
④ 독백적 어조로 비통함을 드러내고 있다.
⑤ 공간의 이동에 따라 시상이 전개되고 있다.

조건에 따른 감상의 적절성 파악

2 〈보기〉를 바탕으로 [나]를 감상한 내용으로 적절하지 않은 것은?

> ──[보기]──
>
> 선생님: 〈무어별〉의 제목인 '무어별'은 '말 못하고 헤어지다'라는 뜻으로 이별한 여인의 슬픔을 직접적으로 드러내지 않으면서 절제된 언어로 표현하고 있습니다. 특히 이 작품은 권위주의와 남녀유별이 엄격했던 시대에 자신의 사랑을 마음속으로만 간직한 채 남모르게 눈물 흘리는 여인의 심상을 잘 표현하고 있습니다. 또한 남성 작가가 여성적인 섬세한 감각으로 이별하는 여인의 슬픔을 표현한 한시로 평가받고 있습니다.

① 1~2행에는 시적 대상인 열다섯 살 소녀가 이별의 순간에 부끄러워 말도 못하는 이별의 안타까움이 표현되어 있다.
② 3~4행에는 임을 떠나보내고 집에 돌아온 여인이 남몰래 눈물 흘리는 모습을 제시하여 이별의 슬픔을 고조시키고 있다.
③ 3행의 중문을 닫는 행위에는 임을 떠나보내고 홀로 남게 된 여인의 임에 대한 정절을 지키겠다는 의지가 표현되어 있다.
④ 4행의 '배꽃'은 계절적 배경이면서 시 속 열다섯 살 소녀의 정서를 부각시키는 데 기여하고 있다.
⑤ 4행의 '배꽃 사이 달'은 배경의 구실도 하지만 임의 모습을 더욱 생각나게 하는 소재로도 기능하고 있어서 시 속 소녀의 슬픔을 고조시키고 있다.

화자의 태도 및 표현의 파악

3 [가]와 〈보기〉의 화자가 대화를 나눈다고 가정할 때, 대화 내용으로 적절하지 않은 것은?

> ──[보기]──
>
> 백발로 밭이랑에서 분발하는 것은
> 초야의 충심을 바랐음이라.
> 난적은 누구나 쳐야 하니,
> 고금을 물어서 무엇하리.　　　　－ 최익현, 〈창의시〉

① [가]의 화자: 선생님의 글에 나타난 강한 의지로 인해 가슴이 뭉클했습니다.
② 〈보기〉의 화자: 저 또한 우리 현실을 잘 비유한 선생님의 글에 감동했습니다.
③ [가]의 화자: 초야에서도 충심을 간직한 선생님의 모습은 지식인의 역할을 고민하는 저에게 큰 깨달음을 주는군요.
④ 〈보기〉의 화자: 현실에 대해 한탄만 할 것이 아니라 적을 치기 위해 노력해야 합니다.
⑤ [가]의 화자: 그 점은 동감합니다. 지난날은 생각하지 말고 나라를 지키기 위해 모두 다 싸웁시다.

시상 전개 방식 파악

4 [나]의 구조를 〈보기〉처럼 정리할 때, [나]에 대한 설명으로 적절하지 않은 것은?

> ──[보기]──

1구(기)	2구(승)	3구(전)	4구(결)
인물 소개	시적 상황	인물의 행위	인물의 심정

시간의 흐름 →

① 1구에서는 화자가 관찰자적 입장에서 인물을 소개하고 있다.
② 2구에서는 4구에서 이루어지는 행동의 원인이 제시되고 있다.
③ 3구에서는 상황을 부정하는 마음이 행동으로 드러나고 있다.
④ 4구에서는 시간적 배경을 통해 작중 분위기를 조성하고 있다.
⑤ 4구에서는 인물의 궁극적 심정이 시각적으로 형상화되고 있다.

4부 악장, 언해, 민요

갈래 학습법

[1단계] **문학사적 의의 이해하기**

악장이나 언해, 민요는 자주 출제되는 갈래는 아니다. 그러나 악장은 수능에서 출제된 적이 있고, 민요도 평가원이나 교육청 모의고사에서 간간히 출제되고 있다. 또한 문학사적으로 의의가 있어 교과서에서도 다루고 있으므로 문학사의 흐름에서 갈래에 대한 이해를 해 두어야 한다.

[2단계] **중요 작품 중심으로 학습하기**

앞서 언급했듯 자주 출제되는 갈래는 아니지만 출제 가능성을 배제할 수 없으므로 문학사적 의의가 있는 중요 작품을 중심으로 학습하는 것이 바람직하다.

[3단계] **다른 갈래의 작품과 연계해 학습하기**

민요는 단독으로 출제될 수 있지만 언해는 시조와 엮여 출제될 수 있다. 또한 악장은 단독으로도 다른 갈래와 묶여서도 출제될 수 있다. 따라서 개별 작품에 대한 학습과 함께 내용이나 표현상에서 유사점이 있는 다른 갈래의 작품과 함께 학습하는 것도 필요하다.

갈래 학습 - 악장

❶ 개념

조선 시대 궁중의 연락(宴樂: 잔치를 벌여 즐김)이나 종묘의 제악(祭樂: 나라에서 제사를 지낼 때 연주하던 음악) 등에 쓰이던 송축가로서 조선 건국 및 문물제도를 찬양하는 내용의 노래이다.

❷ 특징

(1) **시기 및 작가:** 조선 초기에 발생하여 성종 이후 소멸한 갈래로 대부분 조선조의 권신(權臣)들이 창작하고 향유하였다.

(2) **배경:** 조선 왕조의 건국 이념을 굳건히 하여 왕권을 강화하고 민심을 수습하기 위한 목적으로 지어 부르게 되었는데, 특권층의 목적성이 강한 장르였기 때문에 왕권의 기반이 안정적으로 확립된 성종 무렵에는 창작하지 않게 되었다.

(3) **내용:** 조선 건국의 정당성을 강조하고 문물제도를 찬양하는 내용, 임금의 만수무강과 왕가의 번창을 기원하는 내용, 후대 왕들을 권계(勸戒)하는 내용 등이 있다.

❸ 주목해야 할 작품

작품명	작가	연대	내용
신도가	정도전	태조	태조의 성덕과 건국 찬양, 새 수도 한양의 경치 소개
용비어천가	정인지 외	세종	건국의 정당성 주장, 육조의 업적 찬양, 후왕에 대한 권계

❶ 개념

중국의 불경, 경서, 문학 작품 등 한문으로 된 것을 조선 시대 한글 창제 이후 우리말로 번역한 것을 말한다.

❷ 특징

(1) 훈민정음의 창제와 인쇄술의 발달로 인해 번역 사업이 크게 활기를 띠게 되면서 중국의 글을 번역하게 되었다.
(2) 국문학 역사상 최초의 번역 시집인《두시언해(분류두공부시언해)》는 한시 창작에 많은 영향을 주었다.
(3) 한문학의 소개와 대중화로 우리 문학의 영역을 넓히는 데 영향을 주었다.
(4) 세조 때《월인석보》, 성종 때《두시언해》초간본, 인조 때《두시언해》중간본이 편찬되어 중세 국어 연구의 중요한 문헌적 자료가 되었다.

❸ 주목해야 할 작품(책)

작품(책)명	연대	내용
월인석보	세조	세종이 지은《월인천강지곡》과 수양 대군이 지은《석보상절》을 합하여 간행
두시언해	성종	유윤겸, 조위 등이 두보의 한시를 언해

❶ 개념

예부터 민중들 사이에서 자연 발생하여 불려 온 소박한 노래로, 작사가·작곡가가 따로 없으며 서민들의 건강한 삶과 진솔하고 소박한 정서가 직접 표출되어 있다.

❷ 특징

(1) **특징**: 입에서 입으로 전승되는 구전성, 정서를 직접적으로 표출하는 서정성, 서민의 일상생활을 바탕으로 하는 서민성, 일정한 정형성을 갖춘 형식성 등의 특징이 있다.
(2) **율격**: 2음보, 3음보, 4음보로 구성되어 있으며, 이 중 4음보가 가장 많다.
(3) **길이**: 민요의 길이는 2행으로 끝나는 것도 있고 100행 이상으로 긴 것도 있다. 연속체의 긴 노래는 후렴을 경계로 하여 연을 나눈다.

❸ 종류

민요는 부르는 사람에 따라 남요(男謠), 부요(婦謠), 동요(童謠) 등으로 나누기도 하고, 기능에 따라 노동요, 의식요, 유희요, 정치요 등으로 나누기도 한다.

❹ 주목해야 할 작품

작품명	작가	내용
시집살이 노래	미상	봉건적 사회에서 여성들이 겪었던 시집살이의 어려움을 노래함
논매기 노래	미상	김을 맬 때 부르던 노동요
아리랑 타령	미상	구한말에서 일제 강점기까지의 시대상을 비판함

용비어천가 龍飛御天歌

가 〈제1장〉

해동(海東) 육룡(六龍)이 ᄂᆞᄅᆞ샤 일마다 천복(天福)이시니.

고성(古聖)이 동부(同符)ᄒᆞ시니.

海東六龍飛 莫非天所扶 古聖同符
해동육룡비 막비천소부 고성동부

〈제1장〉

해동(우리나라)의 여섯 용(임금)이 나시어(飛) 하시는 일마다 하늘의 복을 받으시니.
중국의 옛 성왕(聖王)들의 사적과 꼭 맞으시니.

나 〈제2장〉

불휘 기픈 남ᄀᆞᆫ ᄇᆞᄅᆞ매 아니 뮐ᄊᆡ, 곶 됴코 여름 하ᄂᆞ니.

ᄉᆡ미 기픈 므른 ᄀᆞ므래 아니 그츨ᄊᆡ, 내히 이러 바ᄅᆞ래 가ᄂᆞ니.

根深之木 風亦不扤 有灼其華 有蕡其實
근심지목 풍역불올 유작기화 유분기실
源遠之水 旱亦不竭 流斯爲川 于海必達
원원지수 한역불갈 유사위천 우해필달

〈제2장〉

뿌리 깊은 나무는 바람에 흔들리지 아니하므로, 꽃이 좋고 열매가 많이 열리니.
샘이 깊은 물은 가뭄에 그치지 아니하므로, 내(川)가 이루어져 바다에 가나니.

다 〈제125장〉

천 세(千世) 우희 미리 정(定)ᄒᆞ샨 한수(漢水) 북(北)에, 누인 개국(累仁開國)ᄒᆞ샤 복년(卜年)이 ᄀᆞᆺ 업스시니,

성신(聖神)이 니ᅀᆞ샤도 경천근민(敬天勤民)ᄒᆞ샤ᅀᅡ, 더욱 구드시리이다.

님금하, 아ᄅᆞ쇼셔. 낙수(洛水)예 산행(山行) 가 이셔 하나빌 미드니잇가.

千世默定 漢水陽 累仁開國 卜年無疆
천 세 묵 정 한 수 양 누 인 개 국 복 년 무 강
子子孫孫 聖神雖繼 敬天勤民 酒盆永世
자 자 손 손 성 신 수 계 경 천 근 민 내 익 영 세

嗚呼 嗣王監此 洛表遊畋 皇祖其恃
오 호 사 왕 감 차 낙 표 유 전 황 조 기 시

〈제125장〉

천 년 전에 미리 (도읍지로) 정하신 한강 북쪽 땅(한양)에, (육조께서) 여러 대에 걸쳐 어진 덕(德)을 쌓고 나라를 여시어, 점지해 받은 왕조의 운수가 끝이 없으시니,
성자신손(성군의 자손)이 대를 이으셔도 하늘을 공경하고 백성을 다스리는 데에 부지런히 힘쓰셔야, (왕권이) 더욱 굳건할 것입니다. / 후대의 임금이시여, (다음과 같은 역사적 사실을)아소서. (하나라 태강왕이) 낙수에 사냥하러 가 있다가 (백 일이 되도록 돌아오지 않아, 드디어 폐위를 당하였으니, 그 태강왕은) 할아버지(하나라 우왕의 덕망)만을 믿었던 것입니까?

— 정인지, 권제, 안지 등, 〈용비어천가〉

생생 Note

화자 _____

상황 _____

주제 _____

핵심 시어의 의미 ① [가]의 핵심어는 ☐☐이고, [나]의 핵심어는 '곶, 여름, 냏, 바룰'이고, [다]의 핵심어는 ☐☐☐☐임 ② [나]에서 ☐☐와/과 ☐☐은/는 내우외환과 시련을 상징함

해제 세종 때 훈민정음으로 지어진 최초의 악장(樂章). 조선 왕조 6대에 걸친 역대 선조의 행적을 찬양하고 후대 왕에게 왕업의 수호를 권계한 내용을 담고 있는, 조선 건국의 송축가이며 영웅 서사시

성격 〈제1장〉 – 송축가(頌祝歌), 개국송(開國頌) 〈제2장〉 – 송축가(頌祝歌), 개국송(開國頌) 〈제125장〉 – 송축가(頌祝歌), 계왕훈(戒王訓)

의의 ① 한글로 기록된 최초의 장편 서사시 ② 〈월인천강지곡〉과 함께 악장 문학의 대표작 ③ 15세기 고어 연구의 귀중한 자료

내신 대비 특별 문제

★ 이 작품에 대한 설명으로 적절하지 <u>않은</u> 것은?

① 15세기 중세 국어 연구와 역사 연구의 귀중한 자료가 된다.

② 갈래의 특성상 대중성이 결여되어 지속적인 창작이 이루어지지 못했다.

③ 제1장과 제125장을 제외하고 대체로 대구를 이루며, 내용상 영웅 서사시이다.

④ 구비 전승의 과정을 거치면서 형성된 민요가 악장으로 수용되면서 훈민정음으로 기록된 작품이다.

⑤ 앞절에 중국의 사적을, 뒷절에 조선 육조의 사적을 배열하여 권위에 의존하는 설득 방법을 취하고 있다.

작품의 종합적 감상

1 [가]~[다]에 대해 감상한 내용으로 적절하지 <u>않은</u> 것은?

① [가]: 하늘의 뜻임을 밝혀 건국의 정당성을 강조하고 있음을 알 수 있어.

② [가]: '고성(古聖)이 동부(同符)ᄒ시니'로 보아 '육룡'과 '고성'은 동일인으로 봐야겠군.

③ [나]: 앞뒤 절이 비슷한 구조의 어구로 되어 있어 운율감을 느낄 수 있군.

④ [나]: '곶 됴코 여름 하ᄂ니'에는 문화의 융성과 왕조의 번영을 바라는 마음이 나타나 있어.

⑤ [다]: '천 세(千世) 우희'는 왕조의 창업이 운명적인 것임을 강조하려는 표현으로 볼 수 있어.

표현상의 특징 파악

2 〈제2장〉과 〈제125장〉에 대한 설명으로 적절하지 <u>않은</u> 것은?

① 〈제2장〉에서는 유사한 자연의 이치가 내포된 두 사례를 나란히 배열하고 있다.

② 〈제125장〉에서는 행에 따라 종결 어미를 달리하고 있다.

③ 〈제2장〉과 달리, 〈제125장〉은 전언의 수신자를 명시하고 있다.

④ 〈제125장〉과 달리, 〈제2장〉은 한자어를 배제하고 순우리말의 어감을 살리고 있다.

⑤ 〈제2장〉과 〈제125장〉은 모두 자연 현상과 인간의 삶을 대조적으로 보여 주고 있다.

비교 감상의 적절성 파악

3 〈보기 1〉을 바탕으로 이 작품과 〈보기 2〉를 감상한 것으로 적절하지 <u>않은</u> 것은?

> 보기 1
>
> 〈용비어천가〉는 새 왕조에 대한 송축, 왕에 대한 권계 등 정치적 목적으로 왕명에 따라 신하들이 창작하여 궁중 의례에서 연행된 작품이고, 〈강호사시가〉는 정계를 떠난 선비가 강호에서 누리는 개인적 삶을 표현한 작품이다. 두 작품 모두 사대부들에 의해 창작되었다. 사대부들은 수신(修身)을 임무로 하는 사(士)와 관직 수행을 임무로 하는 대부(大夫), 즉 선비와 신하라는 두 가지 정체성을 지니고 있었다. 이로 인해 사대부들이 향유한 시가가 정치적인 성격을 띠기도 한다.

> 보기 2
>
> 강호(江湖)에 봄이 드니 미친 흥(興)이 절로 난다
> 탁료계변(濁醪溪邊)에 금린어(錦鱗魚)가 안주로다
> 이 몸이 한가(閑暇)하옴도 역군은(亦君恩)이샷다
> 　　　　　　　　　　　　　　　　　　〈제1수〉
>
> 강호에 여름이 드니 초당(草堂)에 일이 업다
> 유신(有信)한 강파(江波)는 보내나니 바람이로다
> 이 몸이 서늘하옴도 역군은이샷다 〈제2수〉
>
> 강호에 가을이 드니 고기마다 살쪄 있다
> 소정(小艇)에 그물 실어 흘리띄워 던져두고
> 이 몸이 소일(消日)하옴도 역군은이샷다 〈제3수〉
> 　　　　　　　　　　　　　– 맹사성, 〈강호사시가(江湖四時歌)〉

① 이 작품에서 '뿌리 깊은 나무'와 '샘이 깊은 물'은 기반이 굳건하고 기원이 유구하다는 뜻을 내세워 왕조를 송축하는 표현이겠군.

② 이 작품에서 '경천근민'의 덕목을 부각하여 왕에 대해 권계한 것은 '대부'로서의 정치적 의식을 드러낸 것이군.

③ 〈보기 2〉에서 '한가'하게 '소일'하는 개인적 삶도 임금의 은혜 덕분이라고 표현한 데서 정치적 성격을 엿볼 수 있군.

④ 〈보기 2〉에서 '강파', '바람' 등의 자연물과 '소정', '그물' 등의 인공물의 대립은 '사'와 '대부'라는 정체성 사이에서 고뇌하는 모습을 드러내는군.

⑤ 이 작품의 '한강 북녘'은 새 왕조의 터전이라는 정치적 의미를 지니고, 〈보기 2〉의 '강호'는 개인적, 정치적 의미를 모두 지니고 있겠군.

춘망 春望·귀안 歸雁

가 나라히 파망(破亡)ㅎ니 뫼콰 ㄱ룸쑨 잇고,

　　잣 안 보미 플와 나모쑨 기펫도다.

　　시절(時節)을 감탄(感歎)ㅎ니 ㉠고지 눖믈룰 쓰리게코,

　　여희여슈믈 슬호니 새 무ᄋᆞ믈 놀래노라.

　　봉화(烽火)ㅣ 석 둘룰 니어시니,

　　㉡지븻 음서(音書)ᄂᆞᆫ 만금(萬金)이 ᄉᆞ도다.

　　셴 머리룰 글구니 쏘 뎌르니,

　　㉢다 빈혀룰 이긔디 몯홀 ᄃᆞᆺ ᄒᆞ도다.

　　　　　　　　　　　　　　　　　　　　　　－ 두보, 〈춘망〉

나라가 패망하니 산과 강물만 남아 있고

성 안에 봄이 오니 풀과 나무만 깊어 있도다.

시절을 애통하게 여기니 꽃마저 눈물을 흘리게 하고
(처자와) 이별하였음을 슬퍼하니 새조차 마음을 놀라게 한다.
봉화가(전쟁이) 석 달을 이었으니

집의 소식은 만금보다 값지도다.

(걱정이 되어) 흰 머리를 긁으니 또 짧아져서

(남은 머리를) 다 (모아도) 비녀를 이기지 못할 듯하구나.

나 보미 왯ᄂᆞᆫ ㉣만 리(萬里)옛 나그내ᄂᆞᆫ

　　난(亂)이 긋거든 어느 히예 도라가려뇨.

　　강성(江城)에 그려기

　　노피 정(正)히 ㉤북(北)으로 ᄂᆞ라가매 애룰 긋노라.

　　　　　　　　　　　　　　　　　　　　　　－ 두보, 〈귀안〉

봄에 와 있는(봄을 맞이한) 만 리 밖의 나그네는

난이 그치거든 어느 해에 돌아갈까?

강성의 기러기가

높이 똑바로 (고향이 있는) 북쪽으로 날아가니 (나의) 애를 끊는구나.

생생 Note

가 춘망

화자 _____

상황 _____

주제 _____

핵심 시어의 의미 □□은/는 전쟁 상황임을 나타내는 시어임

표현 선경 후정, 대구법, 과장법

해제 두보가 안사의 난으로 잡혀서 장안에 연금됐던 46세 때에 쓴 시로, 장안에서 보고 느낀 전란의 처참한 현실과 가족에 대한 그리움을 드러냄

성격 애상적, 영탄적

나 귀안

화자 _____

상황 _____

주제 _____

핵심 시어의 의미 □□□은/는 화자의 처지와 대비되는 시어임

표현 자연과 인간의 □□

해제 두보가 고향 쪽으로 날아가는 기러기를 보고 망향(望鄕)의 아픔을 노래한 시로, 나그네의 고독과 향수를 기러기에 의탁하여 읊음

성격 애상적

★ [가]와 [나]에 대한 설명으로 적절하지 <u>않은</u> 것은?

① [가]는 대구의 표현 방법이 사용되었다.

② [가]는 선경 후정에 의한 시상 전개가 나타난다.

③ [가]는 현실의 어려움을 구체적 상황을 통해 보여 준다.

④ [나]는 부정적 상황을 극복하고자 하는 의지가 드러난다.

⑤ [나]는 계절적 이미지를 활용하여 정서를 부각하고 있다.

표현상의 특징 파악

1 [가]와 [나]의 공통점으로 가장 적절한 것은?

① 자연과 인간사를 대비하여 화자의 정서를 강조하고 있다.

② 과거와 현재를 대조하여 상황의 비극성을 강화하고 있다.

③ 색채 이미지를 사용하여 대상을 선명하게 묘사하고 있다.

④ 주객이 전도된 표현을 통해 심리적 갈등을 형상화하고 있다.

⑤ 공간적 거리를 통해 대상과의 정서적 거리감을 나타내고 있다.

시어의 기능 파악

2 다음 밑줄 친 시어 중, [나]의 '그려기'와 시적 기능이 가장 유사한 것은?

① 잡거니 밀거니 놉픈 뫼히 올라가니
<u>구롬</u>은ᄏ니와 안개는므스 일고.
산쳔(山川)이 어둡거니 일월(日月)을 엇디 보며
지쳑(咫尺)을 모ᄅ거든 쳔 리(千里)를 ᄇ라보랴.
– 정철, 〈속미인곡〉

② <u>거북아</u>, 거북아,
머리를 내어라.
내어놓지 않으면,
구워서 먹으리.
– 구간 등, 〈구지가〉

③ 정월(正月)ㅅ 나릿므른 아으 어져 녹져 ᄒ논ᄃᆡ
누릿 가온ᄃᆡ 나곤 몸하 ᄒ올로 녈셔.
– 작자 미상, 〈동동〉

④ 우러라 우러라 <u>새</u>여 자고 니러 우러라 새여.
널라와 시름 한 나도 자고 니러 우니노라.
– 작자 미상, 〈청산별곡〉

⑤ 공명(功名)도 날 ᄭ의우고, 부귀(富貴)도 날 ᄭ의우니,
<u>청풍명월(淸風明月)</u> 외(外)예 엇던 벗이 잇ᄉ올고.
– 정극인, 〈상춘곡〉

조건에 따른 감상의 적절성 파악

3 〈보기〉를 참고하여 [가]의 전란을 표현한 구절들에 대해 이해한 내용으로 적절하지 <u>않은</u> 것은?

> **보기**
>
> 〈춘망〉에서 두보는 변함이 없는 자연과 인간사를 대비하여 전쟁의 슬픔을 노래하고 있다. 시성(詩聖)이라 칭하는 두보는 삶과 현실의 애환을 노래하였다.

① '나라히 파망ᄒ니 뫼콰 ᄀ름쁜 잇고'를 보니, 변화하는 인간사와 변하지 않는 자연을 통해 전란의 모습을 표현하고자 하였군.

② '여희여슈믈 슬호니 새 ᄆᆞ믈 놀래노라'를 보니, 전란으로 어지러운 시국 때문에 느끼는 슬픔을 표현하고자 하였군.

③ '봉화ㅣ 석 ᄃᆞᆯ 니어시니'를 보니, 전란을 상징하는 봉화가 석 달이 계속됨을 통해 전쟁이 끝나지 않은 현실을 표현하고자 하였군.

④ '지븻 음셔는 만금이 ᄉ도다'를 보니, 전란으로 가족과 헤어져 소식조차 들을 수 없게 된 현실에 대한 안타까움을 표현하고자 하였군.

⑤ '다 빈혀를 이긔디 몯홀 ᄃᆞᆺ ᄒ도다'를 보니, 늙고 쇠약해져 가는 자신의 모습을 보며 젊은 날에 대한 그리움을 표현하고자 하였군.

화자의 정서와 태도 파악

4 ㉠~㉤에 대한 설명으로 적절하지 <u>않은</u> 것은?

① ㉠: 아름다운 자연조차 즐기지 못하는 마음이 드러나 있다.

② ㉡: 가족 간에 소식 교류가 힘든 상황임을 짐작할 수 있다.

③ ㉢: 늙고 쇠약해진 신세에 대한 화자의 한탄이 나타나 있다.

④ ㉣: 타지에 있는 화자가 자신을 객관화하여 제시하고 있다.

⑤ ㉤: 고향을 떠나는 화자의 후회와 자책을 강조하고 있다.

시집살이 노래

가 형님 온다 형님 온다 분(粉)고개로 형님 온다.

형님 마중 누가 갈까 형님 동생 내가 가지.

형님 형님 사촌 형님 시집살이 어떱뎁까?

나 ㉠이애 이애 그 말 마라 시집살이 개집살이.

앞밭에는 당추(唐椒) 심고 뒷밭에는 고추 심어, / ㉡고추 당추 맵다 해도 시집살이 더 맵더라.

둥글둥글 수박 식기(食器) 밥 담기도 어렵더라.

도리도리 도리소반(小盤) 수저 놓기 더 어렵더라.

오 리(五里) 물을 길어다가 십 리(十里) 방아 찧어다가,

아홉 솥에 불을 때고 열두 방에 자리 걷고,

㉢외나무다리 어렵대야 시아버니같이 어려우랴?

나뭇잎이 푸르대야 시어머니보다 더 푸르랴?

시아버니 호랑새요 시어머니 꾸중새요, / 동세 하나 할림새요 시누 하나 뾰족새요,

시아지비 뾰중새요 남편 하나 미련새요, / ㉣자식 하난 우는 새요 나 하나만 썩는 샐세.

귀먹어서 삼 년이요 눈 어두워 삼 년이요, / 말 못 해서 삼 년이요 석 삼 년을 살고 나니,

배꽃 같던 요 내 얼굴 호박꽃이 다 되었네.

삼단 같던 요 내 머리 비사리춤이 다 되었네.

㉤백옥 같던 요 내 손길 오리발이 다 되었네.

열새 무명 반물치마 눈물 씻기 다 젖었네. / 두 폭붙이 행주치마 콧물 받기 다 젖었네.

다 울었던가 말았던가 베갯머리 소(沼)이 졌네.

그것도 소이라고 거위 한 쌍 오리 한 쌍 / 쌍쌍이 때 들어오네.

– 작자 미상, 〈시집살이 노래〉

생생 Note

화자 _____

상황 _____

주제 _____

핵심 시어의 의미 ① ☐☐☐☐은/는 시집살이의 어려움을 단적으로 드러낸

시어임 ② ☐☐와/과 ☐☐은/는 자식들을 비유한 표현임

표현 ① 대화 형식의 구성 ② 언어유희와 비유를 통한 해학성 유발 ③ 대구, 대

조, 과장, 반복, 열거, 의태어 사용

해제 남성 중심의 가부장제 사회에서 대가족을 수발하며 힘들게 살아야 했던 여

성들의 고통과 한(恨)을 해학적으로 표현한 민요

성격 서민적, 풍자적, 해학적

채록지 경상북도 경산 지방

운율의 특징 이해

3 **이 작품의 운율에 대한 설명으로 적절한 것은?**

① 대구와 열거 등 다양한 표현 방법으로 리듬을 형성한다.

② 낭송하기에 규칙적인 4·4조, 3음보의 기본적인 리듬이다.

③ 시집살이의 불만을 노래하며 갈수록 리듬이 빨라지면서 화자의 정서가 고조된다.

④ 한 사람이 선창을 하면 한 사람이 후창을 하는 방식이 계속해서 반복하여 이루어진다.

⑤ '형님 온다 / 형님 온다 // 분고개로 / 형님 온다'와 같이 한 행을 2개 마디씩 구분지어 읽을 때 리듬감이 살아난다.

내신 대비 특별 문제

★ **이 작품에 대한 설명으로 적절하지 <u>않은</u> 것은?**

① 서민들의 삶의 애환을 드러내고 있다.

② 유사 어구의 반복을 통해 운율감을 살리고 있다.

③ 물음과 그에 대한 대답으로 구성된 대화 형식을 취하고 있다.

④ 시집살이의 어려움을 적극적으로 극복하려는 화자의 태도가 나타나 있다.

⑤ 봉건 사회의 대가족 제도에서 여자가 겪어야 했던 시집살이의 고통이 실감나게 드러나고 있다.

표현상의 특징 파악

1 **이 작품의 표현상의 특징으로 적절하지 <u>않은</u> 것은?**

① 비유를 통해 대상의 특성을 드러내고 있다.

② 시집살이의 고통을 감각적으로 표현하고 있다.

③ 과장적 표현으로 화자의 설움을 강조하고 있다.

④ 대상에 인격을 부여하여 친근감을 드러내고 있다.

⑤ 해학적 표현을 통해 체념의 정서를 드러내고 있다.

시구의 의미와 특징 파악

2 **㉠～㉤에 대한 설명으로 적절하지 <u>않은</u> 것은?**

① ㉠: '시집'을 '개집'에 비유하여 음의 유사성에 의한 언어유희를 통해 시집살이의 어려움을 토로하고 있다.

② ㉡: '고추 당추'는 같은 음의 반복을 피하면서 운율을 살리기 위한 표현이며, '맵더라'는 시집살이의 고초를 미각적 심상으로 표현한 것이다.

③ ㉢: 시아버지를 대하는 것이 외나무다리를 건너는 것보다 더 어렵고 조심스럽다는 의미로 시부모 모시기의 어려움을 비교하여 드러내고 있다.

④ ㉣: 자식을 '우는 새', 자신을 '썩는 새'에 비유하여 나약한 자식 때문에 애가 타는 자신의 처지에 대해 자조적인 태도를 보이고 있다.

⑤ ㉤: 결혼 전의 고왔던 모습과 현재의 초라한 자신의 모습을 대조하여 시집살이의 고달픔을 강조하고 있다.

작품 간의 공통점 및 차이점 파악

4 **[나]의 나와 〈보기〉의 '부인'을 비교한 내용으로 적절하지 <u>않은</u> 것은?**

> **보기**
>
> 흥보기도 싫다마는 저 부인(婦人)의 거동 보소.
> 시집간 지 석 달 만에 시집살이 심하다고
> 친정에 편지하여 시집 흉을 잡아내네.
> 계염*할사 시아버니 암상*할사 시어머니
> 고자질에 시누이와 엄숙하기 맏동서라.
> 요악(妖惡)한 아우 동서 여우 같은 시앗년에
> 드세도다 남녀 노복(男女奴僕) 들며 나며 흠구덕에
> 남편이나 믿었더니 십벌지목(十伐之木) 되었에라.
> 여기저기 사설이요 구석구석 모함이라.
>
> — 작자 미상, 〈용부가〉
>
> * 계염: 시샘하여 탐내는 마음
> * 암상: 남을 시기하고 샘을 잘 내는 마음

① '나'는 '부인'과 달리 수치를 활용하여 처지를 부각한다.

② '나'는 '부인'과 달리 구체적 청자를 대상으로 하소연한다.

③ '부인'은 '나'와 달리 시댁 식구들을 거짓으로 비난한다.

④ '부인'은 '나'와 달리 시댁 식구들의 성격을 대체로 직설적으로 제시한다.

⑤ '나'와 '부인' 모두 자신의 남편에 대한 원망을 드러낸다.

베틀 노래·논매기 노래

가
기심 매러 갈 적에는 갈뽕을 따 가지고
기심 매고 올 적에는 올뽕을 따 가지고
삼간방에 누어 놓고 청실홍실 뽑아내서
강릉 가서 날아다가 서울 가서 매어다가
하늘에다 베틀 놓고 구름 속에 이매 걸어
함경나무 바디집에 오리나무 북게다가
짜궁짜궁 짜아 내어 가지잎과 몹거워라.
배꽃같이 바래워서 참외같이 올 짓고
외씨 같은 보선 지어 오빠님께 드리고
겹옷 짓고 솜옷 지어 우리 부모 드리겠네.

－ 작자 미상, 〈베틀 노래〉

나
㉠잘하고 자로 하네 에히요 산이가 자로 하네. //
이봐라 농부야 내 말 듣소 이봐라 일꾼들 내 말 듣소.
잘하고 자로 하네 에히요 산이가 자로 하네. //
하늘님이 주신 보배 편편옥토(片片沃土)가 이 아닌가.
잘하고 자로 하네 에히요 산이가 자로 하네. //
물꼬 찰랑 돋아 놓고 쥔네 영감 어디 갔나.
잘하고 자로 하네 에히요 산이가 자로 하네. //
㉡잘한다 소리를 퍽 잘하면 질 가던 행인이 질 못 간다.
잘하고 자로 하네 에히요 산이가 자로 하네. //
잘하고 자로 하네 우리야 일꾼들 자로 한다.
잘하고 자로 하네 에히요 산이가 자로 하네. //
㉢이 논배미를 얼른 매고 저 논배미로 건너가세.
잘하고 자로 하네 에히요 산이가 자로 하네. //
㉣담송담송 닷 마지기 반달만치만 남았구나.
잘하고 자로 하네 에히요 산이가 자로 하네. //
㉤일락서산(日落西山)에 해는 지고 월출동령(月出東嶺)에 달 돋는다.
잘하고 자로 하네 에히요 산이가 자로 하네. //
잘하고 자로 하네 에히요 산이가 자로 한다.
잘하고 자로 하네 에히요 산이가 자로 하네. //
잘하고 못하는 건 우리야 일꾼들 솜씨로다.

－ 작자 미상, 〈논매기 노래〉

생생 Note

㉮ 베틀 노래

화자 _____

상황 _____

주제 _____

핵심 시어의 의미 '보선'과 ☐☐, ☐☐은/는 화자의 가족에 대한 애정을 드러
　　내는 소재임

표현 ① 언어유희 ② 세련되고 우아한 어투 ③ 대구법, 직유법, 과장법, 의성법

해제 베를 짤 때의 고달픔을 잊기 위해 부른 노동요로, 고된 생활 속에서의 여유
　　와 가족을 생각하는 마음이 나타남

성격 낙천적, 낭만적, 유교적

채록지 강원도 통천 지방

㉯ 논매기 노래

화자 _____

상황 _____

주제 _____

핵심 시어의 의미 '잘하고 자로 하네 에히요 산이가 자로 하네.'는 ☐☐에 해
　　당하는데, 흥을 돋우며 운율을 형성하는 역할을 함

표현 ① 선후창의 노동요 ② 사설 첨가가 비교적 자유로움(즉흥성)

해제 농부들이 논의 김을 맬 때, 농사의 고달픔을 잊고 일의 능률을 올리기 위해
　　부르던 노동요로, 농부들의 낙천적인 사고가 드러남

성격 긍정적, 낙천적

채록지 충청북도 영동 지방

내신 대비 특별 문제

★ [가]와 [나]에 대한 설명으로 바르지 않은 것은?

① [가]는 베를 짜면서 부른 노동요로 4·4조의 연속체이다.

② [가]는 베 짜기의 고달픔을 잊고 흥을 돋우기 위해 부른
　노래이다.

③ [가]는 현실의 모순에 대한 여인의 한(恨)이 함축적으로
　나타나 있다.

④ [나]는 농사일을 천직으로 생각하는 농민들의 자부심이
　드러나 있다.

⑤ [나]는 선·후창으로 이루어진 노동요로 노동의 능률을
　높이는 기능을 한다.

작품의 종합적 감상

2 [가]를 감상한 내용으로 적절하지 않은 것은?

① 뽕을 따다 누에를 치는 것부터 누에고치에서 실을 뽑
　아 베를 짜서 가족들의 옷을 짓기까지의 과정을 노래
　하고 있군.

② '뽕 따기' 장면에서 '갈 적에는 갈뽕을', '올 적에는 올
　뽕을'을 보니 발음의 유사성을 이용한 언어유희를 사
　용하여 노동의 힘겨움을 이겨 내려 하고 있군.

③ '하늘에다 베틀 놓고 구름 속에 이매 걸어'에는 베 짜는
　일을 하늘이 도와주기를 바라는 마음이 드러나 있군.

④ '베 짜기' 장면에서 '짜궁짜궁'을 보니 베 짜는 소리를
　흉내 낸 의성어를 통해 베 짜기의 단조로움에서 벗어
　나려 하고 있군.

⑤ 마지막 2행을 보니 이 노래에는 화자의 형제간 우애
　(友愛)와 부모에 대한 효친(孝親)의 정서가 나타나고
　있어서 유교적 성향을 짐작케 하고 있군.

비교 감상의 적절성 파악

1 [가]와 [나]를 비교한 내용으로 적절하지 않은 것은?

① [가]와 [나] 모두 대구법과 반복법을 사용하고 있으며
　이를 통해 운율감이 형성되고 있다.

② [가]와 [나]에는 모두 노동의 고달픔을 덜어 내고자
　하는 화자의 낙천적 사고방식이 드러나 있다.

③ [가]는 노동 후에 얻게 되는 결과와 보람에, [나]는 서
　로 격려하며 노동의 능률을 높이는 데 주목하고 있
　다.

④ [가]는 일의 과정에 따른 추보식 구성을, [나]는 노동
　의 구체적인 의미를 병렬식으로 나열하는 구성을 취
　하고 있다.

⑤ [가]는 한 명의 화자가 부르는 독창으로, [나]는 선창
　자의 노래에 이어 후창자들이 후렴을 부르는 형식으
　로 이루어져 있다.

시구의 의미 및 기능 파악

3 [나]의 ㉠~㉤에 대한 설명으로 적절하지 않은 것은?

① ㉠: 흥을 돋우는 후렴구로서 운율을 형성하며 서로에
　대한 칭찬의 내용을 담고 있다.

② ㉡: 농부들의 노래 소리를 듣느라 행인이 가던 길을
　못 갈 정도로 노래를 잘 부르자는 의미이다.

③ ㉢: 일을 빨리 할 것을 독려하고 있으며, 상부상조(相
　扶相助)의 정신이 드러난다.

④ ㉣: 논매는 일이 얼마 남지 않았음을 시각적으로 표
　현하며 남은 일을 빨리 끝내자는 의미이다.

⑤ ㉤: 시어를 중복하여 표현함으로써 시간이 흐르고 있
　음을 강조하고 더 부지런히 일하자는 의도를 나타낸
　다.

5부 시조

1단계 | 중요성 인지하기

고전 시가에서 시조는 가사와 함께 최근에 가장 빈번하게 출제되는 갈래이다. 문학에서 고전 시가가 반드시 출제된다는 사실을 고려해 볼 때 그만큼 시조 갈래는 출제 가능성이 높은 중요한 갈래라고 할 수 있다. 따라서 시조 갈래의 중요성을 인지하여 학습 계획을 세워야 한다.

2단계 | 주제별로 정리하기

대부분의 고전 시가 작품은 자연을 노래하거나 인간의 감정을 노래한다. 시조 역시 마찬가지인데, 조금 더 세분화해 보면 자연 친화, 유교적 이념, 임에 대한 그리움, 부정적 현실에 대한 비판과 풍자 등으로 나누어 볼 수 있다. 따라서 시조 작품을 유사한 주제의 작품끼리 모아서 주제별로 정리하고 학습하는 것은 매우 효율적인 방법이다.

3단계 | 다른 작품과 연계해 공부하기

연시조의 경우는 단독으로 작품이 출제되기도 하지만, 시조는 대부분 다른 작품과 함께 묶여서 출제된다. 이때 몇 개의 시조 작품이 묶여 출제되기도 하지만 시조와 다른 갈래의 작품이 묶여 출제되기도 한다. 그런데 대체로 주제나 시적 상황, 소재나 표현, 화자의 정서 등에서 유사점이 있는 작품들이 묶여 출제되므로 시조를 공부할 때는 이와 같은 요소에서 공통점을 보이는 다른 작품과 함께 공부해 두는 것이 좋다.

갈래 학습 - 시조

❶ 개념

고려 중엽에 발생하여 고려 말엽에 완성된 정형시로 현대까지 이어진 민족 문학 갈래이다. '단가(短歌)', '신조(新調)', '가요(歌謠)' 등으로 불려 오다가, 조선 영조 때 가객 이세춘에 의해 '시절가조(時節歌調)', 즉 '시조(時調)'라고 불리게 되었다. 처음에는 신흥 사대부들이 유교적 이념을 표출하기 위한 목적으로 창작하여 향유하다가 점차 향유층이 확대되어 국민 문학으로 승화되었다.

❷ 발생과 의의

(1) 발생: 10구체 향가, 민요, 무당의 노랫가락 등의 영향으로 발생하여 고려 가요의 분장(分章) 과정을 거쳐 형성되었을 것으로 본다.
(2) 배경: 고려 후기의 역사적 전환기를 맞은 신흥 사대부들이 유교적 관념과 주관적 정서를 표현하기에 적합한 양식을 찾는 과정에서 창안된 것으로 보인다.
(3) 작가: 임금부터 양반, 부녀자, 기녀에 이르기까지 다양하다.
(4) 의의: 우리나라 고유의 정형시 형태이며, 현대 시조로 계승되었다.

❸ 형식

(1) 형식: 3장 6구 45자 내외가 일반적인 평시조의 형식이다.
(2) 운율: 각 장은 3·4조 또는 4·4조의 음수율, 4음보가 기본이며 1, 2음절의 가감이 가능하다.
(3) 종장의 형식: 3음절로 고정되어 있는 종장의 첫 음보는 형식적 제약이 가장 엄격한 부분이다.

❹ 종류

(1) 평시조: 3장 6구 45자 내외의 글자로 구성된 정형시이다. 평시조가 한 수로 되어 있으면 '단형시조'라고 하고, 2수 이상이 모여 한 작품을 이루면 '연시조'라고 한다.
(2) 엇시조: 평시조의 형식에서 종장의 첫 구절을 제외하고 어느 한 구절이 평시조보다 길어지는 형태이다.
(3) 사설시조: 평시조의 형식에서 두 구절 이상이 길어지는 형태. 엇시조와 마찬가지로 길어지는 구절의 글자 수는 10자 이상이다.

❺ 시조 문학의 흐름

(1) 고려 말의 시조
  • 특징: 시조라는 형태가 정형시로 완성되었으며, 이 시기에는 평시조가 주류를 이루었다.
  • 내용: 왕조 교체기의 위국충절, 패망한 나라에 대한 회고, 간신에 대한 풍자 등의 내용을 주로 담고 있다.
(2) 조선 전기의 시조
  • 특징
  ① 고려 말에 형태가 갖추어진 시조는 조선 초기에 들어 양반 사대부의 새로운 문학 양식으로 확고한 자리를 차지하게 되었는데, 이는 시조의 간결함이 유학자들의 검소함과 담백한 정서를 표현하는 데 적절하였기 때문이다.
  ② 조선 전기 시조는 평시조인 단형시조, 연시조가 주류를 형성하였으며, 한때 고려 유신들의 회고가류가 창작되기도 하였다.
  • 내용: 유학자들의 검소함과 담백한 정서, 충의 사상, 자연관 등의 내용을 주로 담고 있다.
(3) 조선 후기의 시조
  • 특징
  ① 임진왜란과 병자호란을 전후하여 나타난 조선 후기의 시조는 우국충절, 현실에 대한 경세(警世) 등을 담고 있다.
  ② 영조 때 가객 이세춘의 시조창을 비롯하여 많은 평민 가객들이 등장하고, 시조창이 널리 애호·보급되었다.
  ③ 이 시기에는 산문 정신의 발달로 사설시조가 나타났다. 사설시조는 대부분의 작품이 작가·연대 미상이며 서민적인 소박한 생활 감정을 진솔하게 표현하고 있다.
  • 내용: 임진왜란·병자호란 이후의 우국충절, 현실에 대한 경세, 자연과 인정, 서민적인 진솔하고 소박한 생활 감정 등의 내용을 주로 담고 있다.

❻ 주요 시조집

책명	편자	연대	작품 수
청구영언	김천택	영조 4년(1728)	998수
해동가요	김수장	영조 39년(1763)	883수
고금가곡	송계연월옹	미상	308수
병와가곡집	이형상(추정)	정조(추정)	1109수
동가선	미상	순조 30년(1830)	235수
가곡원류	박효관, 안민영	고종 13년(1876)	970여 수
남훈태평가	미상	미상	224수

백설이 즈자진 골에 ~ 외

가
백설(白雪)이 즈자진 골에 구루미 머흐레라.

반가온 ㉠매화(梅花)는 어늬 곳에 픠엿는고.

석양(夕陽)에 홀로 셔 이셔 갈 곳 몰라 ᄒ노라.

— 이색

흰 눈이 녹아 없어진 골짜기에 구름이 험악하구나.

반가운 매화는 어느 곳에 피어 있는가?

석양에 홀로 서서 갈 곳을 모르고 있도다.

나
오백 년(五百年) 도읍지(都邑地)를 필마(匹馬)로 도라드니,

산천(山川)은 의구(依舊)ᄒ되 인걸(人傑)은 간 듸 업다.

어즈버, ㉡태평연월(太平烟月)이 숨이런가 ᄒ노라.

— 길재

오백 년 도읍지를 한 필의 말을 타고 돌아들어 가니

산천은 예나 다름없으나 인재들은 간 곳 없구나.

아아! (고려의) 태평한 시절이 한낱 꿈처럼 허무하도다.

다
이 몸이 주거 주거 일백 번(一百番) 고쳐 주거,

백골(白骨)이 진토(塵土) 되여 넉시라도 잇고 업고,

㉢님 향(向)ᄒ 일편단심(一片丹心)이야 가쉴 줄이 이시랴.

— 정몽주

이 몸이 죽어 죽어 일백 번 다시 죽어

흰 뼈가 티끌이 되어 넋이라도 있든지 없든지

임 향한 일편단심이야 변할 까닭이 있겠는가.

라
㉣눈 마즈 휘여진 듸를 뉘라셔 굽다턴고.

구블 절(節)이면 눈 속에 프를소냐.

아마도 세한 고절(歲寒孤節)은 ㉤너쑨인가 ᄒ노라.

— 원천석

눈을 맞아 휘어진 대나무를 누가 굽었다고 하던가.

굽을 절개라면 눈 속에 어찌 푸르겠는가.

아마도 한겨울의 추위를 이겨 내는 절개를 가진 것은 너뿐일 것이다.

생생 Note

㉮ 백설이 즈자진 골에 ~

화자 _____

상황 _____

주제 _____

핵심 시어의 의미 ☐☐은/는 고려 유신을, ☐☐은/는 고려 왕조를 위협하는 정치 세력을, ☐☐은/는 고려 왕조를 지켜 낼 우국지사를 의미함

표현 상징적 시어 사용

해제 고려의 국운이 쇠퇴하는 역사적 전환기에 고뇌하는 지식인의 모습이 비유적으로 잘 나타난 시조

성격 우의적, 우국적

㉯ 오백 년 도읍지를 ~

화자 _____

상황 _____

주제 _____

핵심 시어의 의미 ☐☐은/는 한 필의 말을 의미하기도 하지만, 벼슬하지 않은 외로운 신분도 의미하는 ☐☐☐ 의미의 시어임

표현 ☐☐☐, 영탄법, 대구법

해제 고려 유신으로서 망국의 한과 맥수지탄(麥秀之嘆)을 노래하여 인생무상의 정서를 담은 회고가

성격 회고적, 감상적

㉰ 이몸이 주거 주거 ~

화자 _____

상황 _____

주제 _____

핵심 시어의 의미 고려 왕조에 대한 화자의 변함없는 충성심을 단적으로 드러내는 시어는? _____

표현 ☐☐☐, 점층법, 설의법

해제 이방원의 시조에 대한 화답으로 직설적인 표현을 통해 충절을 강조함으로써 단호한 의지를 드러낸 단심가

성격 의지적, 직설적

㉱ 눈 마즈 휘여진 듸를 ~

화자 _____

상황 _____

주제 _____

핵심 시어의 의미 화자는 자신에게 닥친 시련과 고난을 ☐(으)로 표현하고, 자신의 지조와 절개를 ☐에 비유해 표현함

표현 ☐☐☐, 의인법

해제 망국의 시련과 고통 속에서도 끝까지 신념을 굽히지 않으려는 의지를 비유적으로 표현한 시조

성격 절의적, 의지적

내신 대비 특별 문제

★ ㉠~㉤에 대한 설명으로 적절하지 않은 것은?

① ㉠은 지조와 절개를 상징하는 것으로, 고려의 국운을 살려 낼 우국지사를 의미한다.

② ㉡은 근심이나 걱정이 없는 편안한 세월을 의미하는 것으로, 조선 왕조의 융성을 상징한다.

③ ㉢은 고려 왕조 혹은 고려의 임금을 의미하는 것으로, 화자가 충성을 다하려는 대상이다.

④ ㉣은 일반적으로 시련이나 고난을 상징하는데, 여기서는 이성계 일파를 비롯한 신흥 세력을 의미한다.

⑤ ㉤은 대나무를 가리키는 것으로, 높은 절개를 지닌 화자와 동일시되는 대상이다.

작품의 종합적 감상

2 [가]~[라]에 대한 설명으로 적절하지 않은 것은?

① [가]의 화자는 기울어져 가는 나라를 보며 안타까워하고 있다.

② [나]는 망국의 한과 인생무상함을 회고적 정서 속에 담고 있다.

③ [나]의 내용과 관련된 한자 성어로는 맥수지탄(麥秀之嘆)이 있다.

④ [다]는 화자의 의지를 직설적으로 나타낸 데 비해, [라]는 사물을 이용해 비유적으로 나타내고 있다.

⑤ [가]와 [라]는 세속적 욕망의 덧없음을 강조하며 은둔 생활의 즐거움을 보여 주고 있다.

시어 및 시구의 함축적 의미 파악

1 〈보기〉를 참고하여 [가]와 [다]의 시어나 시구를 해석한 내용으로 적절한 것은?

보기

유교 정치 이념에 따르면 왕이 덕을 갖추지 못하였을 때에는 혁명을 통한 새로운 왕조의 출현은 정당하다. 하지만 이러한 이념에는 의리를 중시하는 면도 있어서 이전 왕조에 대한 변함없는 충성을 지키거나 혁명에 대한 비판적인 입장을 취하는 근거가 되기도 하였다. 이와 같은 모순된 면 때문에 왕조 말에는 새로운 왕조의 출현을 갈망하는 세력들과 이전 왕조에 대해 변함없는 충성을 강조하는 세력들 간에 갈등이 나타나기도 하였다. 조선은 이와 같은 갈등 상황에서 전자가 후자를 능가하여 제압하고 세운 왕조이다.

① [가]의 '백설'은 새로운 왕조의 출현을 갈망하는 세력이다.

② [가]의 '구름'은 이전 왕조에 대한 변함없는 충성을 강조하는 세력이다.

③ [가]의 '갈 곳 몰라 ᄒᆞ노라'는 두 왕조 사이에서 갈등하는 상황을 의미한다.

④ [다]의 '백골이 진토 되여'는 의리를 중시하는 이념이 투영된 표현이다.

⑤ [다]의 '님'은 덕을 갖추어 혁명을 통해 새롭게 왕조를 이룬 대상을 의미한다.

외재적 감상의 적절성 파악

3 〈보기〉를 바탕으로 [라]를 감상한 내용으로 적절하지 않은 것은?

보기

[라]의 작가 원천석은 고려 말의 학자이자 문인이다. 이성계가 새로운 왕조를 세우려 하자, 고려의 신하들은 그에게 협력하는 사람과 격렬하게 저항하는 사람으로 나뉘었다. 이 상황에서 작가는 새 왕조에 반대하여 치악산에 은거하였다. 조선 건국 후 태종이 즉위하여 여러 차례 그를 불렀으나 끝내 응하지 않았다. [라]는 이런 상황을 반영하고 있다.

① 초장의 '눈'은 새로운 왕조에 협력을 강요하는 세력을 의미한다고 볼 수 있겠군.

② 초장의 '휘여진'은 이성계 세력에 강력하게 맞서지 않고 은거한 작가의 삶과 관련된다고 볼 수 있겠군.

③ 중장의 '절(節)'은 고려의 신하로서 새 왕조에 반대하고 끝내 벼슬을 거절한 것과 관련된다고 볼 수 있겠군.

④ 중장의 '눈 속에 프를소냐'는 새 왕조에 협력하는 사람들에 대한 원망이 담겨 있다고 볼 수 있겠군.

⑤ 종장의 '너'는 초장의 '딕'와 동일한 대상으로, 조선의 건국 과정에서 보여 준 작가의 태도와 유사한 특성을 가지고 있다고 볼 수 있겠군.

이 몸이 주거 가셔 ~ 외

가 이 몸이 주거 가셔 무어시 될꼬 ᄒᆞ니,

봉래산(蓬萊山) 제일봉(第一峯)에 ㉠낙락장송(落落長松) 되야 이셔,

백설(白雪)이 만건곤(滿乾坤)ᄒᆞᆯ 제 독야청청(獨也靑靑)ᄒᆞ 리라.

— 성삼문

> 이 몸이 죽은 후에 무엇이 될 것인가 생각해 보니,
> 봉래산 제일 높은 봉우리에 낙락장송이 되었다가,
> 흰 눈이 천지를 덮을 때 홀로 절개를 굳게 지키리라.

나 Ⓐ가마귀 눈비 마ᄌ 희는 듯 검노ᄆᆡ라.

야광명월(夜光明月)이 Ⓑ밤인들 어두오랴.

님 향(向)ᄒᆞᆫ ⓒ일편단심(一片丹心)이야 고칠 줄이 이시랴.

— 박팽년

> 까마귀 눈비를 맞아서 희어지는 듯하다가 곧 검어지는구나.
> 밤에 밝게 빛나는 달이 밤이 된들 어둡겠느냐.
> 임을 향한 충성스러운 마음이야 변할 리가 있겠는가.

다 방(房) 안에 혓는 ㉡촛(燭)불 눌과 이별(離別)ᄒᆞ엿관ᄃᆡ

것츠로 눈믈 디고 속 타는 쥴 모로는고.

뎌 촛(燭)불 날과 갓트여 속 타는 쥴 모로도다.

— 이개

> 방 안에 켜 놓은 촛불은 누구와 이별을 하였기에,
> 겉으로 눈물을 흘리면서 속이 타 들어가는 것을 모르는가?
> 저 촛불도 나와 같아서 속이 타는 줄을 모르는구나.

라 천만리(千萬里) 머나먼 길ᄒᆡ 고은 님 여희ᅌᅳᆸ고,

ᄂᆡ ᄆᆞᄋᆞᆷ 둘 ᄃᆡ 업서 냇ᄀᆞ의 안쟈시니,

뎌 믈도 ᄂᆡ 안 ᄀᆞᆺᄒᆞ여 우러 밤길 녜놋다.

— 왕방연

> 천만리 멀고 먼 길에 고운 임(단종)과 이별하고,
> 내 마음을 둘 곳이 없어 냇물가에 앉아 있으니,
> 저 물도 내 마음과 같아서 울면서 밤길을 흘러가는구나.

생생 Note

가 이 몸이 주거 가셔 ~	**나** 가마귀 눈비 마ᄌ ~	**다** 방 안에 혓는 촛불 ~	**라** 천만리 머나먼 길ᄒᆡ ~
화자 _____	화자 _____	화자 _____	화자 _____
상황 _____	상황 _____	상황 _____	상황 _____
_____	_____	주제 _____	주제 _____
주제 _____	주제 _____	핵심 시어의 의미 화자의 애타는 마음	핵심 시어의 의미 '고은 님'이 의미하는
핵심 시어의 의미 ☐☐은/는 화자에게 시련을 주는 존재로, 수양 대군 일파를 상징함	핵심 시어의 의미 ☐☐☐은/는 간신(수양 대군)을, ☐☐☐☐은/는 충신(단종)을 의미함	은 ☐☐에 감정 이입되어 나타남	것은? _____
표현 대조법	표현 대조법, 설의법	표현 ☐☐☐☐	표현 ☐☐☐☐
해제 세상이 어지러워도 자신의 절개는 끝까지 지키겠다는 의지를 나타낸 시조	해제 수양 대군의 왕위 찬탈 과정에서 단종에 대한 충성심을 노래한 시조	해제 단종과 이별하는 슬픔을 촛불에 비유하여 형상화한 시조	해제 단종을 유배지에 남겨 둔 심정을 표현한 시조
성격 절의가	성격 충의가	성격 연군가	성격 연군가

내신 대비 특별 문제

★ **[가]~[라]의 공통된 설명으로 적절한 것은?**

① 여성적인 어조로 이별의 정서를 심화시키고 있다.
② 물아일체의 경지에 다다른 기쁨을 노래하고 있다.
③ 해학적 방법으로 대상을 풍자하며 희화화하고 있다.
④ 특정 사물을 활용하여 화자의 심정을 부각시키고 있다.
⑤ 감각적인 이미지의 사용으로 사물을 실감나게 표현하고 있다.

외재적 감상의 적절성 파악

1 **〈보기〉를 바탕으로 [가]~[라]를 감상한 내용으로 적절하지 않은 것은?**

보기

단종의 숙부인 수양 대군(세조)은 1453년 계유정난을 통하여 권력을 독차지한 뒤, 1455년 단종의 왕위를 찬탈하였다. 이에 성삼문, 박팽년, 하위지, 이개, 유응부, 유성원 등이 단종의 복위를 도모하였으나, 이 거사에 참여하였던 김질의 밀고로 거사에 연루된 모든 이가 처형된, 이른바 사육신(死六臣) 사건이 일어났다. 이후 1457년 단종은 강원도 영월에 유배되었고, 그 해 10월에 17세의 나이로 죽임을 당하였다.

① [가]의 '이 몸이 주거 가셔'는 화자가 단종의 복위를 위해 죽음을 각오하는 것으로 볼 수 있다.
② [가]의 '백설'은 단종에게 끝까지 충성을 다하고자 했던 사육신을 의미하는 것으로 볼 수 있다.
③ [나]의 '야광명월'은 계유정난과 수양 대군의 왕위 찬탈을 반대한 세력을 의미하는 것으로 볼 수 있다.
④ [다]의 '이별'은 왕위를 찬탈당한 단종과의 이별을 의미하는 것으로 볼 수 있다.
⑤ [라]의 '닉 ᄆᆞᆷ 둘 ᄃᆡ 업서'는 유배된 단종에 대한 안타까움의 심정을 의미하는 것으로 볼 수 있다.

비교 감상의 적절성 파악

2 **〈보기 1〉을 참고하여 [나]와 〈보기 2〉의 Ⓐ~Ⓔ를 이해한 내용으로 적절하지 않은 것은?**

보기 1

[나]는 단종 복위를 꾀하다가 옥에 갇힌 작가가 세조의 회유를 뿌리치며, 권력을 탐하는 이들의 위선적 태도를 비판하려는 의도를 드러내고 있다. 〈보기 2〉는 고려 유신으로 조선 개국에 참여한 작가가 자신의 행위를 정당화하고, 겉으로 고고한 척하는 이들을 비판하려는 의도를 담고 있다.

보기 2

Ⓓ가마귀 검다 ᄒᆞ고 Ⓔ백로(白鷺)야 웃지 마라
겻치 거믄들 속조차 기믈소냐
아마도 겉 희고 속 검을손 너뿐인가 ᄒᆞ노라　　　　　– 이직

① Ⓐ는 권력을 탐하는 자들에게 고초를 겪는 작가 자신을 가리킨다고 볼 수 있다.
② Ⓑ는 세조가 단종을 몰아내고 왕위에 오른 시대 상황을 암시한다고 볼 수 있다.
③ Ⓒ는 세조의 회유를 뿌리치고 단종에 대한 충의를 지키려는 작가의 굳은 마음을 드러낸다고 볼 수 있다.
④ Ⓓ는 작가가 자기 행위의 정당성을 주장하기 위해 자신과 동일시하는 대상으로 볼 수 있다.
⑤ Ⓔ는 겉으로 고고한 척하는 무리를 가리키며, 작가가 비판하는 대상으로 볼 수 있다.

시어의 상징과 역할 파악

3 **㉠과 ㉡에 대한 이해로 가장 적절한 것은?**

① ㉠과 ㉡은 모두 화자의 감정이 이입된 대상물이다.
② ㉠과 ㉡은 모두 화자가 지향하는 도덕적 가치를 상징한다.
③ ㉠과 ㉡은 모두 화자가 부정적으로 인식하는 상황을 비유하고 있다.
④ ㉠은 계절감을 드러내고 있고, ㉡은 대상에 대한 향수를 자극하고 있다.
⑤ ㉠은 화자가 지향하는 삶의 모습을, ㉡은 안타까워하는 화자의 마음을 나타내고 있다.

십 년을 경영ᄒ여 ~ 외

가 십 년(十年)을 경영(經營)ᄒ여 초려삼간(草廬三間) 지여 내니,

나 ᄒ 간 ㉠ᄃᆞᆯ ᄒ 간에 청풍(淸風) ᄒ 간 맛져 두고,

ⓐ강산(江山)은 들일 ᄃᆡ 업스니 둘러 두고 보리라.

　　　　　　　　　　　　　　　　　　　　　　　　　　　－ 송순

> 십 년이나 계획을 세워서 초가삼간을 지어 내니.
> 내가 한 칸 갖고 달과 청풍에게 각각 한 칸씩 맡겨 두고,
> 강산은 들여놓을 곳이 없으니 (주위에) 둘러놓고 보리라.

나 말 업슨 청산(靑山)이요, 태(態) 업슨 유수(流水)ㅣ로다.

갑 업슨 ㉡청풍(淸風)이요, 님즈 업슨 명월(明月)이라.

이 중(中)에 병(病) 업슨 이 몸이 분별(分別) 업시 늙으리라.

　　　　　　　　　　　　　　　　　　　　　　　　　　　－ 성혼

> 말이 없는 청산이요, 모양 없이 흐르는 물이로다.
> 값이 없는 것은 맑은 바람이요, 임자가 없는 것은 밝은 달이라.
> 이 가운데 병이 없는 이 몸은 아무 걱정 없이 늙어 가리라.

다 ㉢강산(江山) 죠흔 경(景)을 힘센이 닷톨 양이면,

ᄂᆡ 힘과 ᄂᆡ 분(分)으로 어이ᄒ여 엇들쏜이.

진실(眞實)로 금(禁)ᄒ리 업쓸씩 나도 두고 논이노라.

　　　　　　　　　　　　　　　　　　　　　　　　　　　－ 김천택

> 강산의 아름다운 경치를 (차지하기 위해) 힘이 센 사람들이 다툰다면,
> 나처럼 힘이 없고 가난한 처지에(분수로는) 어떻게 얻을 수 있겠는가?
> 진실로 (자연을 사랑하고 즐기는 것을) 금할 사람이 없으므로 나 같은 사람도 두고 즐기노라.

라 집방석(方席) 내지 마라, 낙엽(落葉)엔들 못 안즈랴.

㉣솔불 혀지 마라, 어져 진 달 도다온다.

아희야, ㉤박주산채(薄酒山菜)ㄹ만졍 업다 말고 내여라.

　　　　　　　　　　　　　　　　　　　　　　　　　　　－ 한호

> 짚으로 만든 방석을 내지 말아라, 낙엽엔들 앉지 못하겠느냐.
> 관솔불을 켜지 말아라, 어제 졌던 밝은 달이 다시 떠오른다.
> 아이야, 변변치 않은 술과 산나물 안주라도 좋으니 없다고 하지 말고 내오너라.

생생 Note

가 십 년을 경영ᄒ여 ~

화자 _____

상황 _____

주제 _____

핵심 시어의 의미 화자의 소박한 생활을 나타내는 시어는?

_____

표현 과장법

해제 자연의 아름다움에 몰입하여 물아일체의 경지를 노래한 시조

성격 풍류적

나 말 업슨 청산이요 ~

화자 _____

상황 _____

주제 _____

핵심 시어의 의미 ☐☐와/과 ☐☐은/는 영원한 자연을. ☐☐와/과 ☐☐은/는 마음껏 즐길 수 있는 자연을 의미함

표현 의인법, ☐☐☐

해제 의연하고 꾸밈없는 자연을 벗삼아 지내는 즐거움을 노래한 시조

성격 한정가

다 강산 죠흔 경을 ~

화자 _____

상황 _____

주제 _____

핵심 시어의 의미 ☐☐☐은/는 부귀와 권력을 가진 사회적, 경제적 강자를 의미함

표현 설의법

해제 속세에서는 자신의 처지 때문에 많은 제약이 따르지만, 자연 속에서는 마음껏 자연을 즐길 수 있음을 노래한 시조

성격 비판적, 한정가

라 집방석 내지 마라 ~

화자 _____

상황 _____

주제 _____

핵심 시어의 의미 ☐☐☐와/과 ☐☐은/는 인공적인 소재를, ☐☐와/과 ☐은/는 자연적인 소재를 상징함

표현 ☐☐☐, 대구법, 설의법, 대유법

해제 자연 속에서 소박한 풍류를 즐기며 안빈낙도하는 모습을 그린 시조

성격 풍류적, 전원적

내신 대비 **특별 문제**

★ 〈보기〉를 바탕으로 [가]~[라]에 드러나는 문학적인 아름다움을 설명한 내용으로 적절한 것은?

보기

　숭고미(崇高美)는 자연을 인식하는 '나'가 자연의 조화를 현실에서 추구하고 실현하고자 하는 태도를 보임으로써 나타나는 미의식으로, 인간의 보통 이해력으로는 알 수 없는 경이, 외경, 위대함 따위의 느낌을 준다. 우아미(優雅美)는 자연을 바라보는 '나'가 자연의 조화에 순응하는 태도를 보임으로써 나타나는 미의식이고, 비장미(悲壯美)는 자연을 인식하는 '나'의 실현 의지가 현실적 여건 때문에 좌절될 때 나타나는 미의식이다. 골계미(滑稽美)는 풍자나 해학을 통해 웃음의 정서를 유발하는 미의식이다.

① [가]의 화자가 소박하게 살아가려는 모습에서 숭고미가 드러난다.
② [가]의 화자가 자연물에 인격을 부여한 것에서 비장미가 드러난다.
③ [나]의 화자가 자연과 어우러지는 모습에서 우아미가 드러난다.
④ [다]의 화자가 지향하는 삶의 태도에서 숭고미와 골계미가 드러난다.
⑤ [라]의 화자가 자연을 대하는 모습에서 골계미와 비장미가 함께 드러난다.

작품의 종합적 감상

1 [가]~[라]에 대한 설명으로 적절하지 <u>않은</u> 것은?
① [가]의 화자는 안빈낙도의 태도를 보이고 있다.
② [나]는 인생사의 고통과 시련을 직접적으로 드러내고 있다.
③ [다]는 자연의 아름다움을 마음껏 누리는 상황에 대한 기쁨을 노래하고 있다.
④ [다]는 가난한 처지에도 자연의 아름다움을 누릴 수 있는 것에 만족하고 있다.
⑤ [라]는 인공적 요소와 자연적 요소를 대조하여 안빈낙도하는 모습을 그리고 있다.

화자의 의도 파악

2 ⓐ에 담긴 화자의 생각이나 의도로 가장 적절한 것은?
① 자연을 곁에 두고 살아가는 것에 만족한다.
② 사람은 모름지기 자연처럼 욕심이 없어야 한다.
③ 자연을 모두 집에 들이지 못하는 것이 안타깝다.
④ 보잘것없는 작은 집을 자연으로 둘러 가리고 싶다.
⑤ 자연과는 적당한 거리를 두어야 풍류를 즐길 수 있다.

조건에 따른 감상의 적절성 파악

3 〈보기〉를 바탕으로 [가]를 이해한 내용으로 적절하지 <u>않은</u> 것은?

보기

　전원에서의 삶을 살고자 한 [가]의 화자는 초려삼간(草廬三間)을 지어 놓고 자연과 일체가 되는 물아일체의 삶을 노래하고 있다. 이와 같은 자연 친화적 태도를 통해 안분지족(安分知足)의 삶의 지혜를 터득한 작가의 정신세계를 엿볼 수 있다.

① '십 년을 경영ᄒ여'를 통해 화자가 자연에 은거하고 싶은 마음을 오랫동안 지니고 왔음을 짐작할 수 있다.
② '초려삼간'은 화자가 자연 속에 거처할 공간을 의미하는 것으로 소박한 삶을 지향하는 화자의 태도가 담겨 있다.
③ '나 ᄒ 간 ᄃᆞᆯ ᄒ 간에 청풍 ᄒ 간 맛져 두고'에는 'ᄃᆞᆯ'과 '청풍'에게도 방을 내어 줌으로써 자연 속에서의 외로움을 달래고 있다.
④ '나'와 'ᄃᆞᆯ', '청풍'이 초려삼간을 각각 한 '간'씩 차지하는 것으로 표현된 중장에는 자연을 벗하여 살아가는 삶이 담겨 있다.
⑤ '강산은 들일 ᄃᆡ 업스니 둘러 두고 보리라'에는 강산에 인위적인 힘을 가하지 않고 자연 그대로 즐기려는 마음이 담겨 있다.

시적 화자의 공통점 파악

4 [나]와 [다]에서 보이는 화자의 공통된 자연관으로 가장 적절한 것은?
① 인간 세상의 갈등을 해소해 주는 이상향으로 생각하고 있다.
② 늙고 병든 육체를 치유할 수 있는 치료의 공간으로 여기고 있다.
③ 아름다운 경치를 즐길 수 있는 만족스러운 공간으로 생각하고 있다.
④ 유교적 가치를 실현시켜 줄 수 있는 도덕적 공간으로 이해하고 있다.
⑤ 관직에 나아갈 수 있도록 실력을 연마하는 수련의 장이라고 생각하고 있다.

시어의 함축적 의미 파악

5 ㉠~㉤ 중, 함축적 의미가 가장 이질적인 것은?
① ㉠　　② ㉡　　③ ㉢
④ ㉣　　⑤ ㉤

추강에 밤이 드니 ~ 외

가 추강(秋江)에 밤이 드니 물결이 ᄎ노미라.

낚시 드리치니 고기 아니 무노미라.

무심(無心)ᄒ 둘빗만 싯고 ㉠븬 빅 저어 오노미라.

— 월산 대군

> 가을 강에 밤이 되니 물결이 차갑구나.
>
> 낚시를 드리우니 고기 아니 무는구나.
>
> 아무런 욕심이 없는 달빛만 싣고 빈 배 저어 돌아오는구나.

나 두류산(頭流山) 양단수(兩端水)를 녜 듯고 이제 보니,

도화(桃花) ᄯᅳᆫ 묽은 물에 산영(山影)조ᄎ 잠겻셰라.

아희야, 무릉(武陵)이 어듸오, 나는 옌가 ᄒ노라.

— 조식

> 지리산의 두 갈래로 흐르는 물줄기를 옛날에 듣고 이제 와 보니.
>
> 복숭아꽃이 떠내려가는 맑은 물에 산 그림자까지 잠겨 있구나.
>
> 아이야, 무릉도원이 어디냐? 나는 여기인가 하노라.

다 대쵸 볼 불근 골에 밤은 어이 ᄯᅳᆺ드르며,

벼 븬 그르헤 게는 어이 ᄂᆞ리ᄂᆞᆫ고.

술 닉쟈 체 쟝ᄉ 도라가니 아니 먹고 어이리.

— 황희

> 대추가 불그레하게 익은 골짜기에 밤이 어찌 떨어지며.
>
> 벼를 벤 그루터기에 게는 어찌 내려오는고.
>
> (술안주가 생겼는데) 술이 익자 체 장수가 돌아가니 (체를 사서 술을 걸러) 아니 먹고 어찌하겠는가.

라 초암(草庵)이 적료(寂寥)ᄒ듸 벗 업시 ᄒ즈 안즈

평조(平調) 한 닙히 백운(白雲)이 절로 존다.

언의 뉘 이 죠흔 뜻을 알 리 잇다 ᄒ리오.

— 김수장

> 초암이 적적하고 고요한데 벗 없이 혼자 앉아서
>
> 평조 한 곡조에 흰 구름이 절로 존다.
>
> 어느 누가 이 좋은 뜻을 알 사람이 있다 하겠는가.

생생 Note

가 추강에 밤이 드니 ~	**나** 두류산 양단수를 ~	**다** 대쵸 볼 불근 골에 ~	**라** 초암이 적료ᄒ듸 ~
화자 _____	화자 _____	화자 _____	화자 _____
상황 _____	상황 _____	상황 _____	상황 _____
주제 _____	주제 _____	주제 _____	주제 _____
핵심 시어의 의미 '무심ᄒ 둘빗'은 □□이/가 없는 자연을 의미함	핵심 시어의 의미 □□와/과 □□은/는 무릉도원을 연상케 하며 이 상황을 상징함	핵심 시어의 의미 □□, □, □은/는 가을 농촌의 풍요로운 모습을 나타냄	핵심 시어의 의미 '죠흔 뜻'은 □□에 묻혀 한가롭게 지내는 흥취와 삶을 의미함
표현 영탄법, 대구법	표현 □□□	표현 시선의 이동에 따른 묘사, 대구법	표현 □□□, 설의법
해제 가을 달밤의 여유로운 모습을 나타낸 대표적 강호 한정가	해제 두류산의 경치를 예찬하며 화자의 자연 친화적 태도를 노래한 시조	해제 풍요로운 가을 정취를 묘사하여 농촌 생활의 흥겨움을 노래한 시조	해제 초가에서 홀로 거문고를 타며 한가로이 지내는 풍류가 잘 드러난 시조
성격 풍류적	성격 한정가, 예찬적	성격 한정가	성격 한정가

작품의 차이점 파악

3 [가]의 ㉠과 〈보기〉의 ⓐ에 대한 설명으로 적절한 것은?

> ─────── 보기 ───────
>
> 지당(池塘)에 비 쓰리고 양류(楊柳)에 닉 씨인 졔,
> 사공은 어듸 가고 ⓐ빈 빈만 믜엿눈고.
> 석양에 딱 일흔 굴며기는 오락가락 ᄒ노매.　　─ 조헌

① ㉠은 과거 회상의 계기이고, ⓐ는 자아 성찰의 계기이다.
② ㉠은 사물의 외양을, ⓐ는 사물의 속성을 중시한 표현이다.
③ ㉠은 화자의 소극적 인식과, ⓐ는 적극적 인식과 관련이 있다.
④ ㉠은 화자의 욕심 없는 마음을, ⓐ는 고독한 마음을 의미한다.
⑤ ㉠은 화자와의 거리감이 느껴지지만, ⓐ는 화자와 동일시되고 있다.

내신 대비 특별 문제

★ [가]~[라]의 공통점으로 가장 적절한 것은?

① 가을을 시간적 배경으로 하고 있다.
② 자신의 삶을 성찰하는 자세를 보이고 있다.
③ 현재의 상황에 만족하는 태도를 드러내고 있다.
④ 설의법을 사용하여 대상에 대한 감탄을 드러내고 있다.
⑤ 자연과 하나가 되는 물아일체의 경지를 노래하고 있다.

작품의 종합적 감상

1 [가]~[라]에 대한 설명으로 적절하지 않은 것은?

① [가]는 세속의 물욕을 벗어난 고고함을 드러내고 있다.
② [가]는 대구법을 통해 가을밤 강가의 정적인 분위기를 표현하고 있다.
③ [나]는 현실에서 이상향을 발견한 화자의 감흥을 노래하고 있다.
④ [다]는 감각적인 심상을 통해 농촌 생활의 무료함을 사실적으로 묘사하고 있다.
⑤ [라]는 번잡한 세속을 떠나 초가에서 한가롭게 풍류를 즐기는 모습을 드러내고 있다.

시어의 의미 파악

2 [가]~[라]의 시어에 대한 설명으로 가장 적절한 것은?

① [가]의 '무심흔 둘빗'은 욕심 없는 자연을, [나]의 '도화'와 '무릉'은 이상적인 자연의 모습을 의미한다.
② [가]의 '낙시'와 [다]의 '밤'은 세속적인 물욕과 명리를 의미한다.
③ [가]의 '추강'은 세속의 공간으로, [라]의 '초암'과 대조되는 공간이다.
④ [나]의 '산영'과 [다]의 '체 쟝ᄉ'는 화자가 부정적으로 생각하는 대상이다.
⑤ [다]의 '계'와 [라]의 '백운'은 시적 화자와 교감하는 대상이다.

시적 형상화 방법 이해

4 [나]와 [다]의 시적 형상화 방법으로 적절하지 않은 것은?

① [나]: 예찬적 태도로 대상의 아름다움을 드러내었다.
② [나]: 문답법을 활용하여 화자의 정서를 강조하였다.
③ [나]: 다른 대상에 빗대어 대상의 모습을 표현하였다.
④ [다]: 관념적 표현과 한자어를 사용하여 농촌 풍경을 묘사하였다.
⑤ [다]: 시선의 이동에 따라 시상을 전개하여 농촌의 풍요로운 모습을 형상화하였다.

이화우 훗쌜릴 제 ~ 외

가 이화우(梨花雨) 훗쌜릴 제 울며 잡고 이별(離別)흔 님,

추풍낙엽(秋風落葉)에 저도 날 싱각는가.

천 리(千里)에 외로운 쑴만 오락가락 ᄒ노매.

― 계랑

> 배꽃이 비처럼 흩날리는 봄에 손잡고 울며 헤어진 임.
> 바람 불고 낙엽이 지는 이 가을에 임도 나를 생각하고 계실까?
> 천 리 길 머나먼 곳에 외로운 꿈만 오락가락하는구나.

나 묏버들 갈히 것거 보내노라 님의손딕,

자시는 창(窓) 밧긔 심거 두고 보쇼셔.

밤비예 새닙곳 나거든 날인가도 너기쇼셔.

― 홍랑

> 묏버들 가려 꺾어 보내노라, 임에게.
> 주무시는 창문 밖에 심어 두고 보소서.
> 밤비에 새잎이 나거든 나인가 여기소서.

다 동지(冬至)ㅅ둘 기나긴 밤을 한 허리를 버혀 내어,

춘풍(春風) 니불 아릭 서리서리 너헛다가,

어론 님 오신 날 밤이여든 구뷔구뷔 펴리라.

― 황진이

> 동짓달 기나긴 밤의 한가운데를 베어 내어.
> 봄바람처럼 따뜻한 이불 아래 서리서리 넣었다가
> 정든 임이 오시는 밤에 굽이굽이 펴리라.

라 재 위에 우뚝 선 소나무 바람 불 적마다 흔덕흔덕

개울에 섰는 버들 무슨 일 좋아서 흔들흔들

임 그려 우는 눈물은 옳거니와 입하고 코는 어이 무슨 일 좋아서 후루룩 비쭉 하나니

> 고개 위에 우뚝 선 소나무 바람이 불 때마다 흔덕흔덕
> 개울에 서 있는 버드나무 무슨 일 때문에 흔들흔들
> 임을 그리며 우는 눈물은 옳거니와 입하고 코는 무슨 일 때문에 후루룩 비쭉 하는가.

생생 Note

가 이화우 훗쌜릴 제 ~

화자 _____

상황 _____

주제 _____

핵심 시어의 의미 하강적 이미지를 나타내며, 이별의 정서를 더욱 심화시키는 시어는? _____

표현 시간의 비약(봄 → 가을)

해제 조선 선조 때 부안의 명기 계랑이 임을 그리워하며 부른 시조

성격 애상적

나 묏버들 갈히 것거 ~

화자 _____

상황 _____

주제 _____

핵심 시어의 의미 □□□은/는 임에게 바치는 사랑의 상징물이자, 임을 그리워하는 화자의 분신임

표현 □□□

해제 조선 선조 때 경성의 기생 홍랑이 임과의 이별을 안타까워하며 부른 시조

성격 애상적

다 동지ㅅ둘 기나긴 밤을 ~

화자 _____

상황 _____

주제 _____

핵심 시어의 의미 임 없이 보내는 외로운 시간을 의미하는 시구는? ____

표현 추상적 개념의 □□□

해제 추상적 개념을 구체적 사물로 형상화하여 임을 기다리는 마음을 드러낸 시조

성격 낭만적

라 재 위에 우뚝 선 ~

화자 _____

상황 _____

주제 _____

핵심 시어의 의미 화자가 자신과 동질감을 느끼는 시어는? _____

표현 음성 상징어, □□□ 표현

해제 자연물과 음성 상징어를 통해 화자의 상황과 처지를 해학적으로 드러낸 시조

성격 서정적, 해학적

내신 대비 특별 문제

★ [다]와 [라]에 대한 설명으로 적절하지 <u>않은</u> 것은?

① [다]와 [라] 모두 사랑하는 이에 대한 그리움이 작품 창작의 계기가 되고 있다.

② [다]는 [라]와 달리 음성 상징어를 사용하여 우리말의 묘미를 살리고 있다.

③ [다]는 [라]와 달리 추상적인 개념을 구체적인 사물로 형상화하는 표현이 사용되었다.

④ [라]는 [다]와 달리 자신의 슬픔을 분출하는 화자의 우스운 외양이 해학적으로 표현되어 있다.

⑤ [라]의 '재', '개울'과 달리 [다]의 '춘풍 니불 아릭'에는 임이 오시는 날에 대한 기대가 담겨 있다.

조건에 따른 감상의 적절성 파악

1 〈보기〉를 바탕으로 [가]~[라]를 감상한 내용으로 적절하지 <u>않은</u> 것은?

보기

선생님: 시조는 읽는 문학이 아니라 노래하는 문학이라고 할 수 있습니다. 이황은 "한시는 읊을 수는 있겠으나 노래하기에는 어렵게 되어 있다."고 하면서 "노래하려면 반드시 시속의 말로 지어야 한다."고 하였습니다. 이 말에서 알 수 있듯이 시조는 노래로서의 특징을 많이 가지고 있습니다. 그러므로 시조를 감상할 때는 노래하는 대상과 표현 방식 등을 생각하며 감상할 것을 추천합니다.

① [가]~[다]는 4음보의 율격이 나타나고 있어서 노래로서의 특징을 드러내고 있다.

② [가]~[다]는 3장 6구의 정형적인 형식으로 이루어져 있으며 일정한 글자 수의 반복을 보여 주고 있다.

③ [나]와 [라]에 사용된 어순을 바꾸는 표현은 작품의 음악적 변주 효과를 강화하고 있다.

④ [다]와 [라]에 사용된 음성 상징어는 노래의 음악적 효과를 부각하는 데 기여하고 있다.

⑤ [가]~[다]와 달리 [라]는 대구를 통해 운율을 느낄 수 있게 함으로써 음악적 효과를 거두고 있다.

비교 감상의 적절성 파악

2 [나]와 〈보기〉의 공통점으로 적절한 것은?

보기

동산(東山)의 들이 나고 북극(北極)의 별이 뵈니,
님이신가 반기니 눈믈이 절로 난다.
청광(淸光)을 쥐여 내여 봉황누(鳳凰樓)의 붓티고져.
누(樓) 우히 거러 두고 팔황(八荒)의 다 비최여
심산(深山) 궁곡(窮谷) 졈낫ᄀᆞ티 밍그쇼셔.

– 정철, 〈사미인곡〉

① 화자가 그리워하는 대상을 자연물에 비유하여 표현하고 있다.

② 대상에 대한 화자의 마음을 도치법을 사용하여 드러내고 있다.

③ 부재하는 대상을 원망하는 화자의 심리를 직접 표현하고 있다.

④ 대상에 대한 정성과 사랑을 상징하는 소재를 사용하여 화자의 심정을 드러내고 있다.

⑤ 화자가 자신이 처한 상황을 안타까워하며 이를 극복하고자 하는 강한 의지를 보이고 있다.

표현상의 특징 파악

3 [다]의 표현상 특징으로 적절하지 <u>않은</u> 것은?

① 우리말의 묘미를 잘 살린 표현이 사용되었다.

② 시상 전개에 긴장감을 부여하는 표현이 사용되었다.

③ 발상의 참신함을 확인할 수 있는 표현이 사용되었다.

④ 추상적 개념을 구체화하여 화자의 심정을 드러내는 표현이 사용되었다.

⑤ 임을 만나 오랫동안 정을 나누고 싶은 심정을 드러내는 의태 표현이 사용되었다.

흔 손에 막뒤 잡고 ~ 외

㉮ 흔 손에 막뒤 잡고 쏘 흔 손에 가싀 쥐고,

늙는 길 가싀로 막고 오는 백발(白髮) 막뒤로 치려터니,

백발(白髮)이 제 몬져 알고 ⓐ즈럼길로 오더라.

– 우탁

> 한 손에 막대를 잡고 또 한 손에는 가시를 쥐
> 고,
> 늙는 길을 가시로 막고 오는 백발을 막대로
> 치려 했더니,
> 백발이 제가 먼저 알고 지름길로 오는구나.

㉯ 동기로 세 몸 되어 ⓑ한 몸같이 지내다가

두 아운 어디 가서 돌아올 줄 모르는고.

날마다 ⓒ석양 문외에 한숨 겨워 하노라.

– 박인로

> 삼 형제로 태어나 한 몸처럼 지내다가
> 두 아우는 어디 가서 돌아올 줄 모르는가.
> 날마다 저녁 나절 문 밖에 (두 동생을 기다리
> 며) 한숨을 이기지 못하노라.

㉰ 반중(盤中) ⓓ조홍(早紅)감이 고아도 보이ᄂ다.

유자(柚子) 안이라도 품엄즉 ᄒ다마ᄂ

품어 가 반기리 업슬싀 글노 셜워ᄒᄂ이다.

– 박인로

> 소반에 놓인 붉은 감이 곱게도 보이는구나.
> 비록 유자가 아니어도 품어 갈 마음이 있다마
> 는
> 품어 가 보았자 반가워하실 부모님이 안 계시
> 므로 그것을 서러워하노라.

㉱ ⓔ노래 삼긴 사ᄅᆷ 시름도 하도할샤.

닐러 다 못 닐러 불러나 푸돗든가.

진실(眞實)로 풀릴 거시면은 나도 불러 보리라.

– 신흠

> 노래 만든 사람 시름이 많기도 많구나.
> 말로 다 표현하지 못해 (노래를) 불러서 (시름
> 을) 풀었던가.
> 진실로 (시름이) 풀릴 것이라면 나도 (노래를)
> 불러 보리라.

생생 Note

㉮ 흔 손에 막뒤 잡고 ~

화자 _____

상황 _____

주제 _____

핵심 시어의 의미 ☐☐은/는 늙음을 의미함

표현 ☐☐☐, 대구법

해제 인생의 유한함을 해학적으로 표현한 시조

성격 해학적, 탄로가

㉯ 동기로 세 몸 되어 ~

화자 _____

상황 _____

주제 _____

핵심 시어의 의미 동생들에 대한 그리움과 안타까움의 분위기를 심화하는 시·공간적 배경은? _____

표현 비유법

해제 임진왜란 와중에 헤어진 동생들에 대한 그리움과 기다림을 표현한 시조

성격 애상적

㉰ 반중 조홍감이 ~

화자 _____

상황 _____

주제 _____

핵심 시어의 의미 돌아가신 부모님을 생각하게 하는 매개체가 되는 시어는? _____

표현 인용법

해제 박인로가 한음 이덕형으로부터 감을 대접받고 느낀 바 있어 지었다는 시조

성격 교훈적, 유교적

㉱ 노래 삼긴 사ᄅᆷ ~

화자 _____

상황 _____

주제 _____

핵심 시어의 의미 ☐☐은/는 시름을 해소할 수 있는 장치임

표현 ☐☐☐, 영탄법

해제 세상살이에서 오는 근심과 걱정을 노래로 풀어 보려는 마음을 담은 시조

성격 영탄적, 의지적

내신 대비 특별 문제

★ @~@에 대한 설명으로 적절하지 않은 것은?

① @: 빠르게 흘러가는 세월의 무정함을 드러낸 표현이다.
② ⓑ: 화자와 형제들 간의 지극한 우애를 비유적으로 표현하였다.
③ ⓒ: 화자의 그리움과 안타까움을 심화시키는 시·공간적 배경이다.
④ ⓓ: 화자에게 돌아가신 부모님을 생각하게 하는 소재이다.
⑤ ⓔ: 시름을 풀기 위해 노래를 만든 사람으로, 화자를 의미한다.

작품의 종합적 감상

2 [가]~[라]에 대한 설명으로 적절하지 않은 것은?

① [가]는 늙음을 막아 보려는 모습을 익살스럽게 표현했다.
② [나]는 화자의 안타까움을 직설적으로 제시하고 있다.
③ [다]에는 돌아가신 부모님에 대한 화자의 그리움이 드러나 있다.
④ [라]에는 삶의 근심을 풀고 싶은 화자의 마음이 나타나 있다.
⑤ [가]~[라]는 모두 화자의 정서 유발 동기가 동일하다.

비교 감상의 적절성 파악

1 다음은 [가]와 〈보기〉를 정리한 메모이다. ㉠~㉤에 대한 설명으로 잘못된 것은?

보기

춘산(春山)에 눈 녹인 바름 건듯 불고 간듸업다.
져근덧 비러다가 마리 우희 불니고져.
귀 밋틱 히묵은 서리를 녹여 볼가 ᄒ노라. —우탁

[메모]
1. 공통된 주제 – 늙음에 대한 한탄
2. 공통된 화자의 태도
  – 늙음을 안타까워하면서도 이를 달관함 ………… ㉠
3. 표현 방법
  (1) [가] ……………………………………………… ㉡
    – 늙음을 막으려는 행위를 통해 해학미를 드러냄 … ㉢
  (2) 〈보기〉
    – 늙은 자신의 모습을 참신하게 비유함 ……… ㉣
    – 의인법을 통해 늙음을 피할 수 없음을 강조함 ·· ㉤

① ㉠ – 화자의 태도를 잘못 파악하고 있어. '늙음을 막지 못해 절망함'이라고 고쳐야 해.
② ㉡ – [가]와 관련해 '추상적 대상을 구체화하여 표현함'이라는 항목을 추가해야겠어.
③ ㉢ – [가]의 '중장' 내용을 근거로 제시하면 좋을 것 같아.
④ ㉣ – 〈보기〉의 '히묵은 서리'라는 표현을 예로 들어야겠어.
⑤ ㉤ – 〈보기〉에 해당하지 않는 내용이므로 [가]에 대한 설명으로 옮기는 것이 좋겠어.

감상의 적절성 파악

3 다음의 고사를 참고하여 〈보기〉와 같이 [다]에 대한 탐구 과제를 해결하고자 할 때, 적절하지 않은 것은?

회귤(懷橘: 귤을 품음) 고사: 오나라 육적(陸績)이라는 사람이 여섯 살 때 원술(袁術)의 집에 갔다가 귤을 대접받았다. 육적은 그중 세 개를 먹지 않고 품속에 숨겼는데, 하직 인사를 하고 나오다 이를 떨어뜨렸다. 원술이 귤을 먹지 않고 숨긴 이유를 묻자 육적은 귤을 어머니께 드리려 하였다고 말했다. 이때부터 '회귤'은 지극한 효성을 뜻하게 되었다.

보기

• 중심 소재인 '조홍감'의 기능은?
  → 외적 기능: 창작의 계기, 내적 기능: 정서 환기
  ………………………………………………………… ①
• '유자(柚子)' 관련 고사(故事)를 인용한 효과는?
  → 주제를 효과적으로 부각시킴 ………………… ②
• 표현 기법상의 특징은?
  → 역설(逆說)의 사용 ………………………………… ③
• 주제와 관련된 한자 성어는?
  → 풍수지탄(風樹之嘆) …………………………… ④
• 독자에게 줄 수 있는 교훈은?
  → 부모님 생전에 효도를 다하자는 마음 ……… ⑤

두터비 ᄑ리를 물고 ~ 외

가

두터비 ᄑ리를 물고 ⓐ두험 우희 치ᄃ라 안자

겻넌 산(山) ᄇ라보니 백송골(白松鶻)이 쩌 잇거늘 ⓑ가슴이 금즉ᄒ여 풀덕 쒸여 내ᄃᆺ다가

두험 아래 잣바지거고.

모쳐라 ⓒ놀낸 낼싀만졍 에헐질 번ᄒ괘라.

> 두꺼비가 파리를 물고 두엄 위에 뛰어 올라가 앉아
> 건너편 산을 바라보니 흰 송골매가 떠 있기에 가슴이 섬뜩하여 펄쩍 뛰어 내닫다가 두엄 아래 자빠졌구나.
>
> "마침 날랜 나였기에 망정이지 (하마터면 다쳐서) 피멍 들 뻔하였구나."

나

붉가버슨 아해(兒孩)ㅣ들리 거믜쥴 테를 들고 기쳔(川)으로 왕래(往來)ᄒ며,

붉가숭아 붉가숭아 져리 가면 죽ᄂ니라. 이리 오면 ᄉᄂ니라. 부로나니 붉가숭이로다.

아마도 세상(世上)일이 다 이러ᄒᆫ가 ᄒ노라.

― 이정신

> 발가벗은 아이들이 거미줄 테를 들고 개천을 왔다 갔다 하며
> "발가숭아, 발가숭아, 저리 가면 죽고 이리 오면 산다." 부르는 것이 발가숭이로다.
> 아마도 세상일이 다 이런 것인가 하노라.

다

댁들에 동난지이 사오. 저 장사야, 네 황화 그 무엇이라 웨는다, 사자.

ⓓ외골내육(外骨內肉), 양목(兩目)이 상쳔(上天), 젼행(前行) 후행(後行), 소(小)아리 팔족

(八足) 대(大)아리 이족(二足), 청장(淸醬) 아스슥 하는 동난지이 사오.

장사야, 하 거북이 웨지 말고 ⓔ게젓이라 하렴은.

> 댁들이여, 동난지이(게젓) 사오. 저 장수야, 네 물건 그 무엇이라고 외치느냐? 사자.
> 겉은 단단하고 안은 물렁하며, 두 눈은 위로 솟아 하늘을 향하고, 앞으로도 가고 뒤로도 가는 작은 다리가 여덟 개이고 큰 다리가 두 개이며 청장이 아스슥 하는 동난지이 사오.
> 장수야, 그렇게 거북하게 말하지 말고 게젓이라 하려무나.

생생 Note

⑦ 두터비 ᄑ리를 물고 ~

화자 _____

상황 _____

주제 _____

핵심 시어의 의미 □□□은/는 탐관오리를, □□은/는 힘없는 백성을, □□□은/는 고위 관리나 외세를 의미함

표현 □□□, 묘사

해제 '두터비, ᄑ리, 백송골'의 관계를 통해 힘없는 백성들을 괴롭히던 당시 위정자들의 횡포와 허세를 날카롭게 풍자한 시조

성격 풍자적, 우의적, 해학적

⑭ 붉가버슨 아해ㅣ들리 ~

화자 _____

상황 _____

주제 _____

핵심 시어의 의미 □□□□은/는 잠자리를 잡으려는 아이들을, □□□은/는 잠자리를 의미함

표현 □□□

해제 '붉가숭이(발가벗은 아이)'가 '붉가숭아(고추잠자리)'를 잡는 상황을 통해, 서로 모해하는 약육강식(弱肉强食)의 인간 세태를 풍자한 시조

성격 풍자적

⑭ 댁들에 동난지이 사오 ~

화자 _____

상황 _____

주제 _____

핵심 시어의 의미 풍자의 대상이 되는 인물은? _____

표현 □□□ 구성, 돈호법, 의성어 사용

해제 '게젓'이라는 우리말이 있음에도 어려운 한자어를 쓰는 게젓 장수의 현학적 태도(허장성세)를 해학적으로 풍자한 시조

성격 해학적, 풍자적

[내신 대비] **특별 문제**

★ **[가]~[다]에 대한 설명으로 적절하지 않은 것은?**

① [가]에서는 부정적 대상을 희화화함으로써 풍자의 효과를 높이고 있다.

② [나]에서는 현실 상황에 대한 화자의 개탄이 나타나고 있다.

③ [다]에 나타난 풍자적 태도는 비실용적인 허위의식을 비판하는 것으로 볼 수 있다.

④ [가]와 [다]에서 보이는 대상에 대한 태도는 서민들의 비판 의식이 성장한 것과 관련이 있다.

⑤ [가]~[다]에서 '두터비', '붉가숭이', '장사'는 모두 풍자의 대상이자 가해자로 등장하고 있다.

외재적 감상의 적절성 파악

2 **〈보기〉를 참고하여 [나]를 감상한 내용으로 적절하지 않은 것은?**

> 보기
>
> [나]는 조선 영조 때의 가객인 이정신의 작품으로 약자가 강자에게 잡아먹히게 되는 약육강식의 세태를 해학적으로 풍자하고 있다. 아이들이 잠자리를 잡으려고 잠자리들에게 자신에게 오라고 말하는데, 실제로는 아이들에게서 멀리 도망가야 잠자리는 살 수 있다. 작가는 이와 같은 상황을 통해 모해당하는 자와 모해하는 자의 모습을 해학적으로 표현하여 각박한 세태를 풍자하고 있다.

① 초장의 '붉가버슨 아해'와 중장의 '붉가숭이'가 잠자리를 잡으려는 아이들이군.

② 중장의 '붉가숭아'는 모해를 하는 자로 '붉가숭이'는 모해를 당하는 자로 볼 수 있어.

③ 중장의 '붉가숭아' 입장에서는 감언이설(甘言利說)을 잘 가려야 위험에 빠지질 않겠군.

④ 중장의 '이리 오면 스느니라'라는 '붉가버슨 아해'의 말은 구밀복검(口蜜腹劍)이라고 비판할 수 있어.

⑤ 종장의 '세상(世上)일이 다 이러흔가 흐노라'에서 각박한 세태에 대한 작가의 인식을 확인할 수 있군.

조건에 따른 감상의 적절성 파악

1 **〈보기〉의 선생님의 질문에 대한 대답으로 가장 적절한 것은?**

> 보기
>
> 선생님: [가]의 경우 화자가 일관되게 유지된다는 견해와 시상 전개 과정에서 원래 시적 대상이던 '두터비'가 화자로 바뀐다는 견해가 양립하고 있습니다. 만약 [가]의 중장부터 화자가 '두터비'로 바뀐다고 가정한다면 어떻게 이해할 수 있을까요?

① 중장에서 '백송골'과 '두터비' 사이의 우열 관계가 역전될 것입니다.

② 중장에서 '백송골'과 '두터비' 사이의 갈등의 원인을 다각적으로 살펴볼 수 있을 것입니다.

③ 중장은 '두터비'가 자신이 체험한 상황과 그에 대한 감정을 직접적으로 드러냈다고 볼 수 있을 것입니다.

④ 종장에서 부정적인 상황에 맞서려는 '두터비'의 의지가 부각될 것입니다.

⑤ 종장은 '두터비'가 과거의 행적을 반성적으로 성찰하는 독백이 될 것입니다.

시어의 의미와 기능 파악

3 **ⓐ~ⓔ에 대한 설명으로 적절하지 않은 것은?**

① ⓐ: 두꺼비가 올라가 앉아 있는 것으로 보아, '두험'은 부패한 사회나 수탈한 재물로 볼 수 있다.

② ⓑ: 파리를 물고 있던 두꺼비가 백송골을 보고 몹시 놀라는 것을 보아, 백송골은 두꺼비보다 힘이 더 센 세력을 의미하는 것으로 볼 수 있다.

③ ⓒ: 놀라서 두엄 아래 자빠진 상황이지만, 자신의 실수를 합리화하는 허장성세의 말로 볼 수 있다.

④ ⓓ: 굳이 사용하지 않아도 되는 한자어를 사용하는 것으로 보아, '장사'는 현학적인 태도를 지닌 사람으로 볼 수 있다.

⑤ ⓔ: 앞서 '거북이 웨지 말고'라고 한 점으로 보아, 게 젓 장수의 실수를 바로잡아 주는 말로 볼 수 있다.

08 귓도리 져 귓도리 ~ 외

가
　　ⓐ귓도리 져 귓도리 어엿부다 져 귓도리

　　어인 귓도리 지는 달 새는 밤의 긴 소릐 쟈른 소릐 절절(節節)이 슬픈 소릐 제 혼자 우러
녜어 사창(紗窓) 여윈 잠을 살드리도 깨오는고나.

　　두어라 제 비록 미물(微物)이나 무인동방(無人洞房)에 내 뜻 알 리는 저뿐인가 ᄒ노라.

> 귀뚜라미, 저 귀뚜라미, 불쌍하다 저 귀뚜라미
> 어찌된 귀뚜라미가, 지는 달, 새는 밤에 긴 소리 짧은 소리 마디마디 슬픈 소리로 저 혼자 울고 다니며 규방에서 자는 (나의) 옅은 잠을 잘도 깨우는구나.
> 두어라, 제가 비록 미물이지만 임 없이 지내는 텅 빈 방에서 나의 뜻을 알아 줄 이는 너뿐인가 하노라.

나
　　님이 오마 ᄒ거늘 저녁밥을 일 지어 먹고

　　중문(中門) 나서 대문(大門) 나가 지방(地方) 우희 치ᄃᆞ라 안자 이수(以手)로 가액(加額)
ᄒ고 오ᄂᆞᆫ가 가ᄂᆞᆫ가 건넌 산(山) ᄇᆞ라보니 거머횟들 셔 잇거늘 져야 님이로다. 보션 버서
품에 품고 신 버서 손에 쥐고 곰븨 님븨 님븨 곰븨 천방 지방 지방 천방 즌 듸 ᄆᆞᄅᆞᆫ 듸 ᄀᆞᆯ
희지 말고 워렁충창 건너가셔 정(情)엣말 ᄒᆞ려 ᄒᆞ고 곁눈을 흘깃 보니 상년(上年) 칠월(七
月) 사흔날 ᄀᆞᆯ가 벅긴 주추리 삼대 슬드리도 날 소겨거다.

　　모쳐라 밤일싀망졍 ᄒᆡᆼ혀 낫이런들 ᄂᆞᆷ 우일 번ᄒ괘라.

> 임이 오겠다고 하기에 저녁밥을 일찍 지어 먹고,
> 중문을 나와서 대문으로 나가, 문지방 위에 올라가 앉아 손을 이마에 대고 임이 오는가 하여 건넛산을 바라보니, 거무희뜩한 것이 서 있기에 저것이 임이로구나. 버선을 벗어 품에 품고 신을 벗어 손에 쥐고, 엎치락뒤치락 허둥거리며 진 곳, 마른 곳 가리지 않고 우당탕탕 건너가서 정이 넘치는 말을 하려고 곁눈으로 흘깃 보니 작년 7월 3일 날 껍질을 벗긴 주추리 삼대가 얄밉게도 나를 속였구나.
> 마침 밤이기에 망정이지 행여 낮이었다면 남을 웃길 뻔하였도다.

다
　　나모도 바히 돌도 업슨 뫼헤 매게 ᄶᅩ친 가토릐 안과,

　　대천(大川) 바다 한가온듸 일천 석(一千石) 시른 ᄇᆡ에, 노도 일코 닷도 일코 농총도 근코
돗대도 것고 치도 ᄲᅡ지고, ᄇᆞ람 부러 물결치고 안개 뒤셧계 ᄌᆞ자진 날에 갈 길은 천리 만리
(千里萬里) 나믄듸 사면(四面)이 거머어득 져믓 천지 적막(天地寂寞) ᄀᆞ치 노을 ᄯᅥᆺᄂᆞᆫ듸 수
적(水賊) 만난 도사공(都沙工)의 안과,

　　엊그제 님 여흰 내 안히야 엇다가 ᄀᆞ을ᄒ리오.

> 나무도 바위도 없는 산에 매에게 쫓긴 까투리의 마음과,
> 넓은 바다 한가운데 일천 석 실은 배가 노도 잃고 닻도 잃고 줄도 끊어지고 돛대도 꺾이고 키도 빠지고 바람도 불어 물결치고 안개가 뒤섞여 자욱한 날에 갈 길은 천 리 만 리 남았는데 사방이 어둑어둑 저물고 천지는 적막하여 사나운 파도가 떴는데 해적을 만난 도사공의 마음과,
> 엊그제 임과 이별한 내 마음이야 어디에다 비교할 수 있겠는가.

생생 Note

가 귓도리 져 귓도리 ~
화자 _____
상황 _____
주제 _____
핵심 시어의 의미 화자의 외로운 감정이 이입된 대상인 □□□은/는 화자와 □□□□의 처지에 있음
표현 의인법, □□□, 감정 이입, 반어법
해제 잠 못 드는 외로운 여인의 마음을 귀뚜라미에 의탁하여 표현한 시조
성격 연모가, 서정적

나 님이 오마 ᄒ거늘 ~
화자 _____
상황 _____
주제 _____
핵심 시어의 의미 □□□□□은/는 화자가 임으로 착각하는 대상임
표현 □□□□□ 사용, 반어법
해제 화자가 삼 줄기를 임으로 착각한 데에서 해학성과 임에 대한 화자의 간절한 그리움을 느낄 수 있는 시조
성격 연모가, 해학적, 과장적

다 나모도 바히 돌도 업슨 뫼헤 ~
화자 _____
상황 _____
주제 _____
핵심 시어의 의미 임과 이별한 화자의 안타깝고 절망적인 심정을 초장에서는 □□□ 중장에서는 □□□와/과 비교하여 강조하고 있음
표현 열거법, □□□, 점층법, 비교법, 설의법
해제 '매에게 쫓기는 까투리의 마음', '여러 어려움을 만난 도사공의 마음'과 '임을 여읜 화자의 심정'을 비교하여 이별한 화자의 심정을 강조하고 있는 시조
성격 이별가, 수심가(愁心歌)

화자의 정서 파악

3 [나]와 [다]의 화자에 대한 설명으로 적절하지 <u>않은</u> 것은?

① [나]는 화자가 착각한 대상에 대한 반어적 표현을 통해 화자의 실망감이 드러나고 있다.

② [나]는 음성 상징어를 통해 임을 만나려고 서두르는 화자의 설레는 마음이 드러나고 있다.

③ [나]는 화자가 임으로 오해한 대상을 설정하여 화자의 간절한 그리움을 형상화하고 있다.

④ [다]는 설의적 표현을 통해 다른 대상들과 비교할 수 없을 정도로 참담한 화자의 심정이 강조되고 있다.

⑤ [다]는 화자의 심리가 이입된 대상과의 비교를 통해 임과 이별한 화자의 절망감을 드러내고 있다.

내신 대비 특별 문제

★ [가]~[다]의 공통점으로 적절한 것은?

① 자연물에 화자의 감정을 이입하여 표현하고 있다.

② 절망하는 화자의 운명론적 체념이 드러나고 있다.

③ 과장된 표현을 통해 화자의 상황이 드러나고 있다.

④ 사랑하는 대상에 대한 그리움의 정서가 나타나 있다.

⑤ 임과의 재회를 소망하는 화자의 의지적 태도가 나타나 있다.

작품의 종합적 감상

1 [가]~[다]에 대한 설명으로 적절하지 <u>않은</u> 것은?

① [가]의 화자는 고독한 상황에서 잠을 못 이루고 있다.

② [나]는 진솔함과 해학미가 어우러져 높은 문학적 성과를 얻고 있다.

③ [나]는 임을 빨리 만나고 싶어 하는 화자의 마음을 과장된 행동 묘사를 통해 표현하고 있다.

④ [다]는 과장과 열거를 통해 화자의 절박한 심정을 드러내고 있다.

⑤ [가]~[다]는 모두 불평등한 남녀 관계에 대한 화자의 불만이 직접적으로 드러나고 있다.

소재의 기능 파악

2 밑줄 친 시어 중, [가]의 ⓐ와 시적 기능이 <u>다른</u> 것은?

① 님 글인 상사몽(想思夢)이 실솔(蟋蟀)의 넉시되야
추야장(秋夜長) 깁픈 밤에 님의 방(房)에 드럿다가
날 닛고 깁히 든 줌을 씨와 볼가 ᄒ노라.　　　– 박효관

② 압못세 든 고기들아 뉘라셔 너를 모라다가 넉커늘 든다.
북해청소(北海淸沼)를 어듸 두고 이 못세 와 든다.
들고도 못 나는 정(情)은 네오 늬오 다르랴.　　　– 어느 궁녀

③ ᄆᆞ음이 어린 후(後) ㅣ니 ᄒᆞ는 일이 다 어리다.
만중운산(萬重雲山)에 어늬 님 오리마ᄂᆞᆫ,
지는 닙 부는 ᄇᆞ람에 힝여 귄가 ᄒᆞ노라.　　　– 서경덕

④ 공산(空山)에 우는 졉동, 너는 어이 우지는다.
너도 날과 갓치 무음 이별ᄒᆞ엿ᄂᆞ냐.
아무리 피ᄂᆞ게 운들 대답이나 ᄒᆞ더냐.　　　– 박효관

⑤ 간밤에 우던 여흘 슬피 우러 지내여다.
이제야 싱각ᄒᆞ니 님이 우러 보내도다.
져 물이 거스리 흐르고져 나도 우러 녜리라.　　　– 원호

조건에 따른 감상의 적절성 파악

4 사설시조에 대해 조사한 내용인 〈보기〉의 ㉠~㉤과 관련하여 [가]~[다]를 이해한 내용으로 적절하지 <u>않은</u> 것은?

─── 보기 ───

사설시조의 특징

• **형식**: 3장 6구의 평시조 기본 형식에서 2구 이상 늘어나 장형화된 형식임 ······························ ㉠

• **표현**: 시어의 반복, 일상어의 직설적 사용, 대담하고 구체적인 묘사와 과장이 나타남 ·················· ㉡

사설시조에 드러나는 평민 문학의 특질

• **인간 본위**: 인간의 정서를 중심으로 자연물을 바라보는 태도가 나타남 ····························· ㉢

• **현실 중심**: 현실의 삶에서 부딪히는 여러 가지 문제 상황을 소재로 하여 정서나 깨달음을 노래함 ········· ㉣

• **웃음으로 눈물 닦기**: 슬픈 상황에서 과장과 해학으로 슬픔을 씻어 냄 ························· ㉤

① ㉠은 [가]~[다] 모두 중장이 기본 형식보다 현저하게 늘어난 점에서 확인할 수 있다.

② ㉡은 [나]의 중장, [다]의 중장의 표현에서 주로 확인할 수 있다.

③ ㉢은 [가]의 화자가 '귓도리'를 자신의 처지와 동일시하는 태도에서 확인할 수 있다.

④ ㉣은 [가]~[다] 모두 임의 부재에서 비롯된 정서를 드러내고 있는 점에서 확인할 수 있다.

⑤ ㉤은 [가]와 [나]의 화자가 자신이 처한 슬픈 상황을 해학적으로 표현하고 있는 점에서 확인할 수 있다.

창 내고쟈 창을 내고쟈 ~ 외

가 창(窓) 내고쟈 창(窓)을 내고쟈 이 내 가슴에 창(窓) 내고쟈.

고모장지 세살장지 들장지 열장지 암돌져귀 수돌져귀 빈목걸새 크나큰 쟝도리로 쑥싹
바가 이내 가슴에 창(窓) 내고쟈.

잇다감 하 답답홀 제면 여다져 볼가 ᄒ노라.

> 창을 내고 싶다, 창을 내고 싶다. 이 나의 가슴
> 에 창을 내고 싶다.
> 고모장지나 세살장지나 들장지나 열장지에 암
> 톨쩌귀 수톨쩌귀 배목걸새를 큰 장도리로 뚝
> 딱 박아서 이 나의 가슴에 창을 내고 싶다.
>
> (그리하여) 가끔 몹시 답답할 때면 여닫아 볼
> 까 하노라.

나 어이 못 오던다, 무슴 일로 못 오던다.

너 오는 길 우희 무쇠로 성(城)을 ᄲᅡ고 성 안헤 담 ᄲᅡ고 담 안헤란 집을 짓고 집 안헤란
두지 노코 두지 안헤 궤(櫃)를 노코 궤 안에 너를 결박ᄒᆞ여 노코 쌍(雙)비목 외걸새에 용
(龍)거북 ᄌᆞ물쇠로 수기수기 ᄌᆞᆷ갓더냐 네 어이 그리 아니 오던다.

흔 둘이 셜흔 눌이여니 날 보라 올 홀리 업스랴.

> 어찌 못 오던가, 무슨 일로 못 오던가.
> 너 오는 길에 무쇠로 성을 쌓고, 성 안에 담을
> 쌓고, 담 안에 집을 짓고, 집 안에 뒤주를 놓
> 고, 뒤주 안에 궤를 놓고, 궤 안에 너를 결박하
> 여 놓고, 쌍배목 외걸쇠에 용거북 자물쇠로 깊
> 이깊이 잠가 두었느냐. 너 어찌 그리 아니 오
> 던가.
> 한 달이 서른 날이나 되는데, 날 보러 올 하루
> 가 없겠는가.

다 싀어마님 며ᄂᆞ라기 낫바 벽 바흘 구루지 마오.

빗에 바든 며ᄂᆞ린가 갑세 쳐 온 며ᄂᆞ린가. 밤나모 서근 들걸에 휘초리 나니ᄀᆞ치
알살픤신 싀아바님, 볏 뵌 쇳동ᄀᆞ치 되죵고신 싀어마님, 삼 년(三年) 겨론 망태에 새 송곳
부리ᄀᆞ치 샢쪽ᄒᆞ신 싀누의님, 당(唐)피 가론 밧틔 돌피 나니ᄀᆞ치 시노란 외곳 ᄀᆞᄐᆞᆫ
피똥 누는 아들 ᄒᆞ나 두고,

건 밧틔 멋곳 ᄀᆞᄐᆞᆫ 며ᄂᆞ리를 어듸를 낫바 ᄒᆞ시ᄂᆞᆫ고.

> 시어머님 며느라기 미워서 부엌 바닥을 구르
> 지 마오.
> 빚 대신 받은 며느린가, 값을 쳐서 데려온 며
> 느린가. 밤나무 썩은 등걸에 회초리 난 것처
> 럼 매서우신 시아버님, 볕 쬔 쇠똥처럼 말라빠
> 진(까다로운) 시어머님, 3년 엮은 망태기에 새
> 송곳 끝처럼 뾰족하신 시누이님, 당피 심은 밭
> 에 돌피 난 것처럼 샛노란 오이꽃같이 (허약한
> 데다가) 피똥까지 누는 아들(또는 어린 남편)
> 하나 두고,
> 기름진 밭에 메꽃 같은 며느리가 어디가 미워
> 서 그러시는고.

생생 Note

가 창 내고쟈 창을 내고쟈 ~

화자 _____

상황 _____

주제 _____

핵심 시어의 의미 화자는 삶의 답답함을 가슴에 □
을/를 내어 여닫음으로써 해소해 보겠다고 함

표현 ① 열거법, □□□, 의태어의 사용 ② 기발한
발상 ③ a-a-b-a 구조

해제 기발한 발상과 해학적인 표현으로 현실의 비애
와 고통에서 벗어나려는 마음을 드러낸 시조

성격 해학적, 의지적

나 어이 못 오던다 ~

화자 _____

상황 _____

주제 _____

핵심 시어의 의미 임을 화자에게 오지 못하게 방해하
는 장애물을 의미하는 시어는? _____

표현 □□□, 열거법

해제 임을 기다리는 간절한 마음을 사물의 연쇄를 통
해 과장하여 노래한 시조

성격 연모가, 해학적, 과장적

다 싀어마님 며ᄂᆞ라기 낫바 ~

화자 _____

상황 _____

주제 _____

핵심 시어의 의미 □□, 외곳은 아들을 의미하며,
□□은/는 화자인 며느리를 의미함

표현 □□□, 열거법, 대구법

해제 시집 식구들에 대한 원망을 통해 가부장제 사회
에서 며느리가 겪는 혹독한 시집살이의 고충을
보여 주는 시조

성격 해학적, 풍자적, 직설적

★ [가]~[다]의 공통점으로 적절한 것은?

① 자신의 지난 삶에 대해 반성하는 모습이 드러나 있다.
② 시간의 흐름에 따라 변하는 화자의 정서를 드러내고 있다.
③ 화자가 처한 현실에 대해 불만의 감정이 바탕에 깔려 있다.
④ 의인화된 자연물을 활용하여 자신의 처지를 표현하고 있다.
⑤ 대비되는 자연 현상을 제시해 인생사의 고달픔을 강조하고 있다.

작품의 종합적 감상

1 [가]~[다]에 대한 설명으로 적절하지 <u>않은</u> 것은?

① [가]와 달리 [나]와 [다]에는 고뇌의 원인이 구체적으로 드러나 있다.
② [나]와 달리 [가]와 [다]에는 대상에 대한 원망의 감정이 직설적으로 제시되어 있다.
③ [가], [다]와 달리 [나]에는 연쇄법을 통한 해학성이 나타나 있다.
④ [가], [나]와 달리 [다]에는 부정적 대상을 향한 화자의 적극적인 항변이 나타나 있다.
⑤ [가]~[다]는 일상적인 소재를 활용하여 생활에서 느끼는 감정을 진솔하게 노래하고 있다.

발상 및 표현상의 특징 파악

2 [가]의 작가가 이어서 [나]를 지었다고 가정할 때, [가]에서 변경된 내용으로 적절하지 <u>않은</u> 것은?

① 시어와 시구의 반복을 통해 운율이 형성되도록 한다.
② 임이 오지 못하는 이유로 추측한 내용을 자세하게 제시하도록 한다.
③ 화자와 임의 만남을 가로막는 장애물을 구체적으로 열거하도록 한다.
④ 대상에 대한 그리움의 정서를 강조하기 위해 연쇄법을 활용하도록 한다.
⑤ 의문형 어미를 활용하여 대상에 대한 화자의 태도가 분명히 드러나도록 한다.

조건에 따른 감상의 적절성 파악

3 〈보기〉를 바탕으로 사설시조와 [나]에 대해 탐구한 내용으로 적절하지 <u>않은</u> 것은?

보기

　평시조와 사설시조는 내용과 형식, 표현의 측면에서 차이가 난다. 평시조는 사대부들이 주로 창작한 반면, 조선 후기의 사설시조는 서민, 풍류 가객 등이 주로 창작하였다. 평시조와 사설시조의 차이는 이러한 향유 계층의 차이에 기인한다고 볼 수 있다. 내용면에서 평시조는 세속의 갈등으로부터 벗어나 자연 속에서 유유자적하는 삶을 그리는 것이 주류를 이룬 반면, 사설시조는 지배 계층의 위선이나 부도덕성, 민중의 생활을 사실적으로 담아내고 있는 점이 다르다. 형식면에서도 평시조는 4음보가 결합하여 한 행을 이루고 그것이 초장, 중장, 종장으로 이루어진 반면, 사설시조는 중장이 6구 이상 늘어난 작품으로 규정된다. 표현면에서 평시조는 절제된 언어를 사용하는 반면, 사설시조는 일상생활 속 재담, 욕설, 음담 등이 서슴없이 묘사되었다.

① 평시조와 사설시조는 향유 계층과 담아내고자 하는 내용이 달라지면서 그 표현도 달라진 것으로 볼 수 있겠군.
② 사설시조의 등장을 통해 문학도 시간이 지나면 기존의 형식이 사라지고 새로운 형식이 등장함을 알 수 있겠군.
③ [나]의 중장 부분은 평시조의 형식에 비해 글자 수가 길어진 형식을 보여 주는군.
④ [나]는 일상생활의 사물들을 열거하며 임이 오지 못하는 이유를 과장하여 표현하였군.
⑤ [나]는 절제된 언어 형식보다 생활 속 쉬운 언어로 화자 자신의 솔직한 감정을 생생하게 표현하였군.

반응의 적절성 파악

4 [다]에 대한 반응으로 적절하지 <u>않은</u> 것은?

① 원망의 대상이 누구인지 직접적으로 드러나 있군.
② 화자 자신에 대한 자부심은 비유적으로 표현하고 있군.
③ 시댁 식구들의 도덕적 결함을 신랄하게 비판하고 있군.
④ 주변에서 흔히 접할 수 있는 소재로 대상의 성격을 제시하고 있군.
⑤ 비유와 열거를 사용해 시집살이의 고달픔을 웃음으로 극복하고 있군.

율리유곡 栗里遺曲

〈제1곡〉

도연명(陶淵明) 죽은 후에 또 연명(淵明)이 나단 말이

밤마을 옛 이름이 때마침 같을시고

돌아와 수졸전원(守拙田園)이야 그와 내가 다르랴

〈제2곡〉

공명도 잊었노라 부귀도 잊었노라 / 세상의 번우한 일 다 주어 잊었노라

내 몸을 내마저 잊으니 남이 아니 잊으랴

〈제5곡〉

질가마 좋이 씻고 바위 아래 샘물 길어 / 팥죽 달게 쑤고 저리지 끄어 내니

세상에 이 두 맛이야 남이 알까 하노라

〈제6곡〉

어화 저 ⓐ백구(白鷗)야 무슨 수고 하느냐 / 갈숲으로 서성이며 고기 엿보기 하는구나

나같이 군마음 없이 잠만 들면 어떠리

〈제8곡〉

삼공(三公)이 귀하다 한들 이 강산과 바꿀쏘냐 / 조각배에 달을 싣고 낚싯대 흩던질 때

이 몸이 청흥(淸興) 가지고 만호후인들 부러우랴

〈제10곡〉

어지럽고 시끄런 문서 다 주어 내던지고 / 필마(匹馬) 추풍에 채를 쳐 돌아오니

아무리 매인 ⓑ새 놓였다고 이대도록 시원하랴

〈제11곡〉

[A] ⎡ ⓒ대 막대 너를 보니 유신(有信)하고 반갑고야

　　 내 아이 적에 너를 타고 다니더니

　　⎣ 이제란 창(窓) 뒤에 섰다가 날 뒤 세우고 다녀라

〈제1곡〉

도연명이 죽은 후에 또 연명이 나타났다는 말이

밤마을의 옛 이름이 때마침 같구나.

돌아와 전원에서 분수를 지키며 소박하게 살고자 하는 마음이야 그와 내가 다르겠느냐?

〈제2곡〉

공명도 잊었노라, 부귀도 잊었노라. / 세상의 괴로워 근심스러운 일은 다 (남에게) 주어 잊었노라. / 내 몸을 나마저 잊으니 남이 (나를) 아니 잊을 수 있겠느냐?

〈제5곡〉

질가마를 깨끗이 씻고 바위 아래에서 샘물을 길어다가 / 팥죽을 달게 쑤고 겉절이를 꺼내어 먹으니 / 세상에 이 두 맛이야말로 남이 알까 하노라.

〈제6곡〉

어와 저 흰 갈매기야, 무슨 수고 하느냐? / 갈대숲으로 서성거리며 권력과 부귀영화를 얻으려 엿보는구나. / 나처럼 딴마음이 없이 잠만 들면 어떠하겠느냐?

〈제8곡〉

삼정승 같은 높은 벼슬이 귀하다 한들 이 자연과 바꿀 수 있겠는가? / 조각배에 달빛을 가득 싣고 낚싯대를 던질 때 / 이 몸이 즐기는 이 맑은 흥취야말로 세력이 큰 제후인들 부러워하겠느냐?

〈제10곡〉

어지럽고 시끄러운 문서를 다 주어 던져 버리고 / 한 마리 말을 타고 가을바람에 채찍을 쳐서 돌아오니 / 아무리 갇혔던 새가 놓인다고 한들 이처럼 시원할 수 있겠는가?

〈제11곡〉

대나무 막대 너를 보니 신의가 있고 반갑구나.

내가 어릴 때는 너를 타고 다녔더니

이제는 창 뒤에 서 있다가 날 뒤에 세우고 다니는구나.

– 김광욱, 〈율리유곡〉

생생 Note

화자 ＿＿＿＿＿＿＿＿＿＿＿＿＿＿＿

상황 ＿＿＿＿＿＿＿＿＿＿＿＿＿＿＿

주제 ＿＿＿＿＿＿＿＿＿＿＿＿＿＿＿

핵심 시어의 의미 ① '밤마을', '수졸전원', '강산'은 □□의 공간을 의미함 ② 자연과 대조되는 속세를 의미하는 시어는 □□, '부귀', '번우한 일', '고기', '삼공', □□□, '시끄런 문서'임

표현 ① 자연과 속세를 □□□(으)로 표현함 ② □□□ 표현을 사용하여 화자의 정서를 표현함 ③ □□□ 소재를 사용하여 사실성을 높임

해제 작가가 관직을 떠나 '율리(밤마을)'라는 곳에 머물면서 창작한 연시조임. 자연에서 유유자적하는 자신의 삶에 대한 만족감과 자부심이 잘 드러남

성격 자연 친화적, 비판적, 교훈적

3 ㄱ~ㄷ에 대한 설명으로 가장 적절한 것은?

① ㄱ은 화자와 하나가 된 물아일체의 대상이다.

② ㄴ은 현재 화자의 처지를 빗댄 대상이다.

③ ㄱ과 ㄴ은 모두 화자의 만족감이 투영된 자연물이다.

④ ㄱ은 ㄷ과 달리 화자가 비판적으로 바라보는 대상이다.

⑤ ㄴ은 ㄷ과 달리 화자가 친밀감 있게 여기는 대상이다.

내신 대비 **특별 문제**

★ **이 작품의 표현상의 특징으로 적절하지 않은 것은?**

① 의인화를 사용하여 자연물을 인격체로 대우하고 있다.

② 설의적 표현을 사용하여 대상과의 유사성을 강조하고 있다.

③ 부름의 형식을 사용하여 대상과의 친근감을 드러내고 있다.

④ 화자와 대상의 대조를 통해 속세에 대한 거부감을 강조하고 있다.

⑤ 상반되는 시어를 사용하여 특정 공간에 대한 속성을 강조하고 있다.

---

1 이 작품의 시구에 대한 설명으로 적절하지 않은 것은?

① 〈제1곡〉의 '연명이 나단 말이'의 '연명'은 화자 자신을 의미한다.

② 〈제2곡〉의 '세상의 번우한 일'은 〈제10곡〉의 '어지럽고 시끄런 문서'와 같은 의미이다.

③ 〈제6곡〉의 '고기 엿보기'는 화자의 소박하고 유유자적한 삶을 나타낸 것이다.

④ 〈제8곡〉의 '조각배에 달을 싣고'는 세속적 욕망을 버린 무욕적인 삶을 의미한다.

⑤ 〈제10곡〉의 '이대도록 시원하랴'는 〈제1곡〉의 '밤마을'에 돌아온 화자의 심정이다.

---

4 〈보기〉를 참고하여 이 작품을 감상한 내용으로 적절하지 않은 것은?

보기

작품의 '율리'는 작가가 관직에서 물러나 머문 공간으로 '밤마을'이란 뜻이다. '율리'가 도연명이 은거했던 곳의 지명과 우연히 같다는 점을 근거로 작가는 자신이 도연명처럼 자연에서 유유자적하는 삶을 살게 된 것에 만족감을 드러내고 있다. 특히 자연에서의 소박한 삶이 속세의 높은 관직보다 낫다고 여김으로써 자연에서의 삶에 대한 자부심을 강조하고 있다.

① 〈제1곡〉은 화자 자신이 머문 공간과 고사 속 인물이 은거했던 공간의 지명이 동일함을 근거로 자신을 고사 속 인물과 동일시하고 있다.

② 〈제2곡〉은 관직에서 물러난 이후 속세의 일과 단절되면서 남들로부터 소외당한 심정을 유유자적한 삶으로 보상받았음을 나타내고 있다.

③ 〈제5곡〉은 화자가 자연 속에서 소박한 음식을 먹으며 사는 생활의 즐거움을 남이 알까 걱정하는 점에서 안빈낙도의 자세가 드러나 있다.

④ 〈제8곡〉은 높은 벼슬보다 자연을 더 소중하게 생각하며 자연에서 흥취를 즐기는 자신의 삶에 대한 자부심을 드러내고 있다.

⑤ 〈제10곡〉은 화자가 관직에 몸 담았던 시간을 부정적으로 인식하며, 관직에서 물러나 '율리'에 돌아온 것에 대한 만족감을 강조하고 있다.

---

2 [A]에 대한 설명으로 가장 적절한 것은?

① 설의적 표현을 통해 대상에 대한 반가움을 강조하고 있다.

② 대상과 관련된 행위를 통해 무력감의 원인을 드러내고 있다.

③ 과거와 현재의 대비를 통해 인생무상의 정서를 드러내고 있다.

④ 대상의 쓰임이 달라진 상황을 통해 세월의 흐름을 드러내고 있다.

⑤ 시간 표현을 통해 대상에 대한 화자의 원망의 감정을 드러내고 있다.

도산십이곡 陶山十二曲

가 〈제1곡: 언지(言志) 1〉

이런들 엇더ᄒᆞ며 뎌런들 엇더ᄒᆞ료.

초야우생(草野愚生)이 이러타 엇더ᄒᆞ료.

ᄒᆞ믈며 ㉠천석고황(泉石膏肓)을 고텨 므슴ᄒᆞ료.

〈제1곡〉

이런들 어떠하며 저런들 어떠하겠는가?

시골에 묻혀 사는 어리석은 사람이 이렇게 산들 어떠하겠는가?
하물며 자연을 사랑하는 병을 고쳐 무엇하겠는가?

나 〈제2곡: 언지(言志) 2〉

연하(煙霞)로 지블 삼고 풍월(風月)로 버들 사마

태평성대(太平聖代)예 병(病)으로 늘거 가뇌.

이 듕에 ᄇᆞ라는 이른 허므리나 업고쟈.

〈제2곡〉

안개와 노을을 집으로 삼고 바람과 달을 친구로 삼아
태평성대에 병으로 늙어 가는구나.

이 중에 바라는 일은 허물이나 없었으면 하는 것이구나.

다 〈제6곡: 언지(言志) 6〉

춘풍(春風)에 화만산(花滿山)ᄒᆞ고 추야(秋夜)에 월만대(月滿臺)라.

사시가흥(四時佳興)ㅣ 사름과 ᄒᆞᆫ가지라.

ᄒᆞ믈며 어약연비(魚躍鳶飛) 운영천광(雲影天光)이야 어늬 그지 이슬고.

〈제6곡〉

봄바람이 부니 산에 꽃이 만발하고 가을이 되니 달빛이 누대에 가득하구나.
사계절의 아름다운 흥취가 사람과 마찬가지로다.
하물며 물고기가 뛰고 솔개가 날며 구름이 그늘을 짓고 햇빛이 빛나는 이러한 자연의 아름다움이 어찌 다함이 있겠는가.

라 〈제9곡: 언학(言學) 3〉

고인(古人)도 날 몯 보고 나도 고인(古人) 몯 뵈.

고인(古人)을 몯 뵈도 녀던 길 알ᄑᆡ 잇닉.

녀던 길 알ᄑᆡ 잇거든 아니 ㉡녀고 엇뎔고.

〈제9곡〉

옛 성현도 나를 못 보고, 나 또한 성현을 뵙지 못하네.
성현을 못 뵈어도 (그분들이) 가던 길이 앞에 있네.
가던 길이 앞에 있는데 아니 가고 어찌할 것인가?

마 〈제10곡: 언학(言學) 4〉

당시(當時)에 ㉢녀던 길흘 몃 ᄒᆡ를 ᄇᆞ려 두고,

어듸 가 ᄃᆞ니다가 이제야 ㉣도라온고.

이제야 도라오나니 년 ᄃᆡ ᄆᆞᄋᆞᆷ 마로리.

〈제10곡〉

당시에 가던 길을 몇 해 동안 버려 두고,

어디 가 다니다가 이제야 돌아왔는가?

이제라도 돌아왔으니 다른 데 마음 두지 않으리라.

바 〈제11곡 : 언학(言學) 5〉

청산(靑山)은 엇뎨ᄒᆞ야 만고(萬古)애 프르르며,

유수(流水)는 엇뎨ᄒᆞ야 주야(晝夜)애 긋디 아니ᄂᆞᆫ고.

우리도 그치디 말아 ㉤만고상청(萬古常靑)호리라.

〈제11곡〉

푸른 산은 어찌하여 영원히 푸르며,

흐르는 물은 또 어찌하여 밤낮으로 그치지 아니하는가?
우리도 그치지 말아 영원히 푸르리라.

— 이황, 〈도산십이곡〉

생생 Note

화자 _____
상황 _____
주제 _____

핵심 시어의 의미 ① [가]에서 화자가 자신을 겸손하게 이르는 말은 ☐☐☐☐ 이고, ☐☐☐☐은/는 자연에 살고 싶은 마음을 표현한 말임 ② [라]의 '녀 던 길'과 대조적인 의미를 지닌 시어를 [마]에서 찾으면 ☐☐와/과 ☐☐ 임

표현 ☐☐☐. 연쇄법, 설의법

해제 이황이 벼슬을 사직하고 향리로 돌아와 도산 서원에서 후진을 양성할 때 지은 작품. 언지 6곡과 언학 6곡의 12수로 구성된 강호가도의 대표작

성격 예찬적, 교훈적, 회고적

의의 강호가도의 대표적인 작품

내신 대비 특별 문제

★ **이 작품에 대한 설명으로 적절하지 않은 것은?**

① [가]에서 화자는 자연에 대한 사랑을 병적인 것으로 표현하고 있다.

② [마]에서 화자는 학문의 길을 잠시 접고 관직에 종사했던 과거를 떠올리며, 회한과 절망의 감정에 빠져 있다.

③ [바]에는 영원히 변하지 않는 자연과 같이 변함없이 꾸준한 학문 수양에 대한 결의가 나타나고 있다.

④ 전체적으로 한자어를 많이 사용하여 내용을 전개해 생경한 느낌을 주고 있다.

⑤ 총 12수로 된 연시조로, 전 6곡은 자연에 동화된 생활을, 후 6곡은 학문 수양의 자세를 표현하고 있다.

표현상의 특징 파악

1 이 작품의 표현상 특징으로 적절하지 않은 것은?

① 연쇄법을 사용하여 화자의 다짐을 부각하고 있다.

② 설의적 표현을 통해 화자의 자부심을 드러내고 있다.

③ 대구의 방식으로 대상에 대한 예찬적 태도를 강조하고 있다.

④ 동일한 글자를 규칙적으로 사용하여 운율감을 형성하고 있다.

⑤ 공감각적 이미지를 활용하여 대상을 사실감 있게 제시하고 있다.

시어의 의미 파악

2 ㉠~㉤ 중, 의미하는 바가 이질적인 것은?

① ㉠　　② ㉡　　③ ㉢

④ ㉣　　⑤ ㉤

시어 및 시구의 의미 파악

3 [가]~[바]의 시어와 시구에 대한 설명으로 적절하지 않은 것은?

① [가]의 '이런들 엇더ᄒ며 뎌런들 엇더ᄒ료'에는 현실에 대한 화자의 달관적 태도가 나타나 있다.

② [나]의 '병(病)'은 [가]의 '천석고황'과 같은 의미로 자연을 사랑하는 마음이 병이 될 정도로 깊음을 의미한다.

③ [라]의 '고인'은 현재 화자가 추구하고자 하는 이상적 인물상을 의미하고 있다.

④ [마]의 '이제야 도라온고'에는 과거에 대한 화자의 반성적 태도가 드러나고 있다.

⑤ [바]의 '청산'과 '유수'는 영원성을 지닌 자연으로, 인간의 무상감을 부각시키고 있다.

다른 작품과 비교 감상

4 이 작품과 〈보기〉를 비교한 내용으로 가장 적절한 것은?

보기

그곳(부친에게 물려받은 별장)에는 씨 뿌려 식량을 마련할 만한 밭이 있고, 누에를 쳐서 옷을 마련할 만한 뽕나무가 있고, 먹을 물이 충분한 샘이 있고, 땔감을 마련할 수 있는 나무들이 있다. 이 네 가지는 모두 내 뜻에 흡족하기 때문에 그 집을 '사가(四可)'라고 이름을 지은 것이다.

녹봉이 많고 벼슬이 높아 위세를 부리는 자야 얻고자 하는 것은 무엇이든지 얻을 수 있지만, 나같이 곤궁한 사람은 백에 하나도 가능한 것이 없었는데 뜻밖에도 네 가지나 마음에 드는 것을 차지하였으니 너무 분에 넘치는 것은 아닐까? 기름진 음식을 먹는 것도 나물국에서부터 시작하고, 천 리를 가는 것도 문 앞에서 시작하니, 모든 일은 점진적으로 되는 것이다.

내가 이 집에 살면서 만일 전원의 즐거움을 얻게 되면, 세상일 다 팽개치고 고향으로 돌아가 태평성세의 농사짓는 늙은이가 되리라. 그리고 밭을 갈고 배[腹]를 두드리며 성군(聖君)의 가르침을 노래하리라. 그 노래를 음악에 맞춰 부르며 세상을 산다면 무엇을 더 바랄 게 있으랴.

– 이규보, 〈사가재기(四可齋記)〉

① 이 작품과 〈보기〉는 모두 한 개인으로서의 소망을 이루려는 모습을 드러내고 있다.

② 이 작품과 〈보기〉는 모두 지배층의 핍박으로부터 도피하기 위해 선택한 자연 은둔의 삶을 제시하고 있다.

③ 이 작품과 〈보기〉는 모두 불우한 처지에서 점진적으로 벗어날 수 있으리라는 낙관적 태도를 보여 주고 있다.

④ 이 작품은 〈보기〉와 달리 삶의 물질적 여건이 마련된 후에야 자연의 즐거움을 누릴 수 있음을 강조하고 있다.

⑤ 이 작품은 속세에 있으면서 자연을 동경하는 인간을, 〈보기〉는 자연에 있으면서 속세를 그리워하는 인간을 형상화하고 있다.

고산구곡가 高山九曲歌

가 〈서곡〉

고산 구곡담(高山九曲潭)을 살룸이 몰으든이,

주모복거(誅茅卜居)ᄒ니 벗님네 다 오신다.

어즙어, 무이(武夷)를 상상(想像)ᄒ고 학주자(學朱子)를 ᄒ리라.

〈서곡〉

고산의 아홉 번을 굽이도는 계곡의 아름다운 경치를 사람들이 모르더니,

내가 터를 닦아 집을 짓고 살게 되니 벗들이 찾아오는구나.

아, 주자가 학문을 닦은 무이산을 생각하면서 주자의 학문을 공부하리라.

나 〈제1곡〉

일곡(一曲)은 어드미고 ㉠관암(冠巖)에 히 빗췬다.

평무(平蕪)에 닉 거든이 원근(遠近)이 글림이로다.

송간(松間)에 녹준(綠樽)을 녹코 벗 온 양 보노라.

〈제1곡〉

일곡은 어디인가? 관암에 해가 비친다.

잡초가 우거진 들판에 안개가 걷히니 원근의 경치가 그림같이 아름답구나.

소나무 사이에 술통을 놓고 벗이 찾아온 것처럼 바라보노라.

다 〈제2곡〉

이곡(二曲)은 어드미고 ㉡화암(花巖)에 춘만(春晚)커다.

벽파(碧波)에 곳츨 씌워 야외(野外)에 보내노라.

살룸이 승지(勝地)를 몰온이 알게 ᄒ들 엇더리.

〈제2곡〉

이곡은 어디인가? 화암의 늦봄 경치로다.

푸른 물결에 꽃을 띄워 멀리 들판으로 보내노라.

사람들이 경치 좋은 이곳을 모르니 알게 한들 어떠리.

라 〈제3곡〉

삼곡(三曲)은 어드미고 취병(翠屛)에 닙 퍼졋다.

녹수(綠樹)에 산조(山鳥)는 하상기음(下上其音)ᄒ는 적의

반송(盤松)이 수청풍(受淸風)ᄒ니 녀름 경(景)이 업세라.

〈제3곡〉

삼곡은 어디인가? 푸른 병풍을 둘러친 듯한 절벽에 잎이 우거졌다.

푸른 나무 위의 산새는 여러 가지 소리로 지저귀는데,

작고 옆으로 퍼진 소나무가 바람에 흔들리니 여름 같지 않게 시원하구나.

마 〈제8곡〉

팔곡(八曲)은 어드메오 금탄(琴灘)에 달이 밝다.

옥진금휘(玉軫金徽)로 수삼곡(數三曲)을 연주하니

고조(古調)를 알 이 없으니 혼자 즐겨 하노라.

— 이이, 〈고산구곡가〉

〈제8곡〉

팔곡은 어디인가? 금탄에 달이 밝다.

거문고로 몇 곡을 연주하니

예로부터 전해오는 가락을 알 사람이 없으니 혼자 즐거워 하노라.

생생 Note

화자 _____

상황 _____

주제 _____

핵심 시어의 의미 [가]에서 학문에 힘쓰고자 하는 화자의 마음을 직설적으로 표현한 시어는? _____

표현 ① 중의법, 영탄법 ② 시각적(묘사적) 심상 ③ ☐☐☐☐에 따른 전개

해제 작가가 해주에서 후진 양성에 힘쓰고 있을 때, 주자의 〈무이구곡가(武夷九曲歌)〉를 창의적으로 계승하여 지은 총 10수로 구성된 연시조. 자연에 묻혀 살면서 주자를 배우며 학문에 힘쓰고자 하는 마음이 잘 담겨 있음

성격 교훈적, 유교적, 예찬적

의의 성리학의 대가가 지은 작품으로 이황의 〈도산십이곡〉과 쌍벽을 이룸

내신 대비 특별 문제

★ 이 작품에 대한 설명으로 적절하지 <u>않은</u> 것은?

① 진리 탐구에 대한 작가의 의지를 나타내어 주제를 직설적으로 제시하고 있다.

② 비현실적 대상인 자연의 다양한 사물을 제시하여 이상향을 추구하는 화자의 바람을 드러내고 있다.

③ 작가가 후진 양성에 힘쓰고 있을 때 지은 것으로 강학의 즐거움과 고산의 아름다운 경치가 잘 나타나 있다.

④ 주자(朱子)의 〈무이구곡가(武夷九曲歌)〉에 영향을 받아 지은 노래로, 어려운 한문을 많이 사용하고 있다.

⑤ '관암(冠巖), 화암(花巖), 취병(翠屛), 금탄(琴灘)'은 지명이자, 그에 대한 경관도 아울러 나타내는 중의적인 표현으로 사용되고 있다.

작품의 종합적 감상

2 [가]~[마]에 대한 설명으로 적절하지 <u>않은</u> 것은?

① [가]는 [나]~[마]의 내용을 집약적으로 서술하고 있다.

② [가]의 '고산 구곡담(高山九曲潭)'은 작품 전체의 시적 대상이자 공간적 배경이다.

③ [가]의 '살룸'과 '벗님네'의 관계는 [다]의 '살룸'과 [라]의 '산조(山鳥)'의 관계와 동일하게 설정되어 있다.

④ [나]~[마]는 공간의 이동에 따라 내용을 전개하고 있다.

⑤ [나]~[마]는 자연에 대한 화자의 예찬적 태도를 바탕으로 하고 있다.

외재적 감상의 적절성 파악

1 〈보기〉를 참고하여 이 작품을 이해한 독자의 반응으로 적절하지 <u>않은</u> 것은?

─── 보기 ───

이 작품은 율곡 이이가 벼슬에서 물러나 황해도 해주 석담에서 은병정사를 짓고 후학 양성에 힘쓸 때에 지었다고 알려져 있다. 연시조를 이루고 있는 각 수들은 하루의 시간적 흐름과 사계절의 변화에 따른 자연의 모습을 중심으로 작가의 자연 친화적인 태도와 자연 속에서의 운치 있는 풍류를 드러내고 있다. 뿐만 아니라 이와 연계하여 학문 정진에 대한 의지를 보여 주고 있다. 한편 사용된 소재와 내용을 통해 볼 때, 각 수의 초장에 제시된 지명은 작가가 그곳에서 발견한 특성과 관련을 맺고 있음을 알 수 있다.

① [가]의 '학주자'를 통해 화자가 자연 속에서 살아가는 삶은 학문과 연관되어 있음을 알 수 있겠군.

② [나]에서 하루의 시간적 흐름에 따라 펼쳐지는 풍광을 자신을 찾아온 '벗'과 함께 감상하고 있는 화자의 모습을 볼 수 있군.

③ [다]에서 감각적 이미지를 활용하여 '화병'의 늦봄 경치를 노래함으로써 계절에 따른 자연의 아름다움을 느낄 수 있게 해 주는군.

④ [라]에 제시된 '녹수'와 연결해 생각해 볼 때, '취병'이라는 지명은 그곳의 특성과 관련되어 있음을 알 수 있군.

⑤ [마]는 '금탄'에서 자연과 음악이 어우러진 풍류를 즐기고 있는 화자의 운치 있는 모습을 보여 주고 있군.

표현상의 특징 파악

3 밑줄 친 시어 중 ㉠, ㉡과 동일한 표현 기법이 사용된 것은?

① <u>가마귀</u> 검다 ᄒ고 백로(白鷺) ㅣ야 웃지 마라.
겄치 거믄들 속조차 거믈소냐.
아마도 것 희고 속 거믈손 너쑨인가 ᄒ노라.　　　– 이직

② 방(房) 안에 혓는 <u>촛(燭)불</u> 눌과 이별(離別)ᄒ엿관ᄃᆡ,
겄츠로 눈물 디고 속 타는 줄 모로는고.
뎌 촛(燭)불 날과 갓트여 속 타는 줄 모로도다.　　　– 이개

③ 전원(田園)에 나믄 흥(興)을 전나귀에 모도 싯고
계산(溪山) 니근 길로 흥치며 도라와셔
아히 금서(琴書)를 다스려라 <u>나믄 히</u>를 보내리라.　– 김천택

④ 재 너머 성권롱(成勸農) 집에 술 익닷 말 어제 듣고,
누은 소 발로 박차 언치 놓아 지즐 타고
아이야 네 권롱(勸農) 계시냐 <u>정좌수(鄭座首)</u> 왔다 하여라.　　　– 정철

⑤ <u>청산(靑山)</u>도 절로절로 녹수(綠水)도 절로절로
산(山) 절로 수(水) 절로 산수간(山水間)에 나도 절로
그중(中)에 절로 ᄌ란 몸이 늙기도 절로절로　　　– 송시열

입암이십구곡 立巖二十九曲

〈제1곡〉

무정히 서 있는 ⓐ바위 유정하여 보이ᄂ다

㉠최령(最靈)한 오인(吾人)도 직립불의(直立不倚) 어렵건만

오랜 세월 곧게 선 자태 고칠 적이 없ᄂ다

〈제2곡〉

강가에 우뚝 서니 쳐다볼수록 더욱 높다

㉡바람서리에 불변ᄒ니 뚫을수록 더욱 굳다

사람도 이 바위 같으면 대장부인가 ᄒ노라

〈제3곡〉

말 한 마디 업슨 바위 사귈 일도 업건만은

고모진태(古貌眞態)를 벗 삼아 안즈시니

㉢세상에 이익 되는 세 벗을 사귈 줄 모르노라

〈제4곡〉

㉣먹줄 업시 삼긴 바회 어느 법도를 알랴마ᄂ

놉고도 고다니 귀(貴)ᄒ야 보이ᄂ다

㉤애닯다 가히 사람이오 이 돌만도 못ᄒ랴

〈제5곡〉

탁연직립(卓然直立)ᄒ니 본받음 직ᄒ다마는

구름 깁흔 골짜기에 알 이 있어 츠즈오랴

노력제반(努力躋攀)ᄒ면 기관(奇觀)이야 만ᄒ니라

〈제6곡〉

세정(世情)이 하 수상ᄒ니 나를 본들 반길넌가

왕기순인(枉己循人)ᄒ야 내 어딕 옮아가리오

산 됴코 물 됴흔 골에 생긴 대로 늘그리라

― 박인로, 〈입암이십구곡〉

〈제1곡〉

아무 생각 없이 서 있는 바위가 어떤 뜻이 있어 보인다.
가장 신령하다는 우리도(우리 인간도) 의지하지 않고 꼿꼿하게 바로 서기 어려운데
아주 오랜 세월 동안 곧게 선 저 모습이 바뀔 (변할) 때가 없구나.

〈제2곡〉

강가에 우뚝 서 있으니 쳐다볼수록 더욱 높다.

바람과 서리에도 변치 않으니 뚫을수록 더욱 굳다.
사람도 이 바위 같으면 대장부인가 하노라.

〈제3곡〉

말 한 마디 없는 바위 사귈 일도 없건만

옛 모습 그대로 변함없이 참다운 태도를 벗 삼아 앉아 있으니
세상에 이익이 되는 세 벗을 사귈 줄 모르는구나.

〈제4곡〉

먹줄을 튕기지 않고도 생긴 바위 어느 법도(도리)를 알겠느냐마는
높고도 곧으니 귀하게 보이는구나.

애달프구나. 가히 사람이면서 이 돌만도 못하겠느냐.

〈제5곡〉

빼어나게 곧게 서 있으니 본받을 만하다마는

구름 깊은 협곡 중에(있으니) 알 사람이 있어 찾아오겠는가?
힘을 다해 기어오르면 기이한 구경거리가 많으니라.

〈제6곡〉

속세가 매우 이상하고 의심스러우니 나(바위)를 본다고 반가워하겠는가?
몸을 굽혀(나의 본분을 버리고) 남을 좇아 내 어디로 옮겨갈 것인가?
산 좋고 물 좋은 골짜기에서 생긴 대로 늙으리라.

생생 Note

화자 _____

상황 _____

주제 _____

핵심 시어의 의미 ① 무정물인 ☐☐은/는 인간이 본받아야 할 바람직한 속성을 가진 존재임. ② 〈제5곡〉의 ☐☐☐☐와/과 〈제6곡〉의 ☐☐☐☐은/는 대조적 의미를 지님.

표현 ① 입암과 ☐☐되는 이해 타산적인 세태 비판 ② 자연물인 바위를 ☐☐☐하여 친근감을 드러냄 ③ ☐☐ 형식을 통해 시상을 전개함

해제 전란 이후에 작가가 자연 속에서 지내면서 바위의 곧고 높은 모습 등을 예찬하며 창작한 29수의 연시조임. 바위만도 못한 사람들에 대한 안타까움을 드러내며, 다양한 표현 기법을 동원하여 바람직한 가치 회복을 바라는 작가의 마음을 효과적으로 드러냄

성격 풍류적, 예찬적, 비유적, 비판적

★ **이 작품에 대한 설명으로 가장 적절한 것은?**

① 계절마다 대상에 대한 상반된 가치관을 드러내고 있다.

② 시간의 흐름에 따라 변하는 대상의 모습을 보여 주고 있다.

③ 선명한 색채 대비를 활용하여 대상의 긍정적인 속성을 드러내고 있다.

④ 의문의 형식을 활용하여 대상에 대한 화자의 거리감을 강조하고 있다.

⑤ 감정을 직접적으로 제시하여 부정적 현실에 대한 안타까움을 표현하고 있다.

시구의 의미 파악

2 ㉠~㉤에 대한 설명으로 가장 적절한 것은?

① ㉠ : 인간이 뛰어난 위치에 있다고 생각하는 인식이 담겨 있다.

② ㉡ : 대상의 긍정적인 변화를 야기하는 역할을 한다.

③ ㉢ : 화자가 닮고 싶은 대상의 속성을 이미 갖고 있는 존재이다.

④ ㉣ : 법도를 앎에 있어 배움이 필요 없음을 의미한다.

⑤ ㉤ : 바위와의 물리적 거리감에서 느껴지는 화자의 심정을 집약한 표현이다.

조건에 따른 감상의 적절성 파악

1 〈보기〉를 참고하여 〈제5곡〉과 〈제6곡〉을 이해한 내용으로 적절하지 않은 것은?

─ 보기 ─

이 작품은 전쟁 후 작가가 자연 속에 머물면서 창작한 29수의 연시조로 바위의 곧고 높은 모습을 예찬하며 바위가 지닌 바람직한 가치를 희구하는 내용을 담고 있다. 특히 〈제5곡〉과 〈제6곡〉은 대화 형식을 띠고 있는데, 각각 화자의 말과 바위의 답변으로 이해할 수 있다. 즉 〈제6곡〉의 화자는 〈제5곡〉의 화자에게 답을 하면서 동시에 현재 자신이 머무는 공간에서 계속 살아가겠다는 의지를 드러내고 있다.

① 〈제5곡〉의 '구룸 깁흔 골짜기'와 〈제6곡〉의 '산 됴코 물 됴흔 골'은 동일한 공간으로 볼 수 있다.

② 〈제5곡〉의 '탁연직립'과 〈제6곡〉의 '왕기순인'은 모두 화자가 추구하는 바람직한 삶의 자세로 볼 수 있다.

③ 〈제5곡〉에서 화자는 세상 사람들이 '노력제반'하면 바위의 '탁연직립'한 모습을 볼 수 있을 것으로 기대하고 있다.

④ 〈제6곡〉의 초장은 〈제5곡〉 종장에 대한 바위의 답변으로, 바위는 세상 사람들이 자신을 반기지 않을 것이라고 생각하고 있다.

⑤ 〈제6곡〉의 화자는 속세에 대한 부정적 인식을 바탕으로 '어듸'와는 대조적인 '산 됴코 물 됴흔 골'에서 계속 살아가려는 의지를 드러내고 있다.

시적 대상에 대한 의미 파악

3 ⓐ에 대한 설명으로 적절하지 않은 것은?

① 꼿꼿한 의지를 지닌 존재

② 높고 곧은 모습을 지닌 존재

③ 인간과 대등한 위상을 지닌 존재

④ 진실한 품성을 변함없이 지닌 존재

⑤ 인간이 본받아야 할 품성을 지닌 존재

다른 작품과의 비교 감상

4 이 작품과 〈보기〉를 비교한 내용으로 적절하지 않은 것은?

─ 보기 ─

고즌 므스 일로 퓌며셔 쉬이 디고
플은 어이ᄒᆞ야 푸르ᄂᆞ 듯 누르ᄂᆞ니
아마도 변티 아닐순 바회뿐인가 ᄒᆞ노라

― 윤선도, 〈오우가〉

① 이 작품과 〈보기〉 모두 자연물을 예찬하게 된 까닭을 드러내고 있다.

② 이 작품과 〈보기〉 모두 3장 구성이며 4음보의 형식적인 규칙을 지키고 있다.

③ 이 작품과 〈보기〉 모두 자연물을 의인화하여 변함없는 속성을 예찬하고 있다.

④ 〈보기〉와 달리 이 작품은 특정 대상의 속성을 닮지 못하는 사람들을 비판하고 있다.

⑤ 이 작품과 달리 〈보기〉는 자연물을 쉽게 변하는 대상과 변하지 않는 대상으로 나누고 있다.

시조

14

어부사시사 漁父四時詞

가 〈춘사(春詞) 4〉

㉠우는 거시 벅구기가 프른 거시 버들숩가.

　　이어라 이어라

어촌(漁村) 두어 집이 닛 속의 나락들락.

　　지국총(至匊悤) 지국총(至匊悤) 어사와(於思臥)

말가흔 기픈 소희 온간 고기 뛰노ᄂ다.

〈춘사 4〉

우는 것이 뻐꾸기인가 푸른 것이 버드나무 숲인가.
노 저어라 노 저어라.
어촌 두어 집이 안개 속에 들락날락하는구나.
찌그덩 찌그덩 어여차
맑고도 깊은 못에 온갖 고기 뛰노는구나.

나 〈하사(夏詞) 1〉

구즌비 머저 가고 시냇믈이 묽아 온다.

　　비 떠라 비 떠라

㉡낙대를 두러메니 기픈 흥(興)을 금(禁) 못홀돠.

　　지국총(至匊悤) 지국총(至匊悤) 어사와(於思臥)

연강텹장(煙江疊嶂)은 뉘라셔 그려 낸고.

〈하사 1〉

궂은비 멎어 가고 시냇물이 맑아 온다.
배 띄워라 배 띄워라.
낚싯대를 둘러메니 깊은 흥을 금할 수 없구나.
찌그덩 찌그덩 어여차
안개 자욱한 강과 첩첩이 쌓인 산봉우리는 누가 이처럼 그려 냈는가?

다 〈추사(秋詞) 2〉

㉢슈국(水國)의 ᄀ을히 드니 고기마다 슬져 인다.

　　닫 드러라 닫 드러라

만경딩파(萬頃澄波)의 슬ᄏ지 용여(容與)ᄒ쟈.

　　지국총(至匊悤) 지국총(至匊悤) 어사와(於思臥)

ⓐ인간(人間)을 도라보니 머도록 더옥 됴타.

〈추사 2〉

강촌(보길도)에 가을이 되니 고기마다 살져 있다.
닻 들어라 닻 들어라.
끝없이 넓고 푸른 바다의 물결에서 실컷 놀아 보자.
찌그덩 찌그덩 어여차
속세를 돌아보니 멀수록 더욱 좋구나.

라 〈동사(冬詞) 4〉

간밤의 눈 갠 후(後)에 ⓑ경물(景物)이 달랃고야.

　　이어라 이어라

㉣압희는 만경류리(萬頃琉璃) 뒤희는 천텹옥산(千疊玉山).

　　지국총(至匊悤) 지국총(至匊悤) 어사와(於思臥)

㉤션계(仙界)ㄴ가 블계(佛界)ㄴ가, 인간(人間)이 아니로다.

〈동사 4〉

지난밤 눈 그친 후에 경치가 달라졌구나.
노 저어라 노 저어라.
앞에는 유리처럼 맑고 잔잔한 넓은 바다, 뒤에는 첩첩이 둘러싸인 백옥 같은 산.
찌그덩 찌그덩 어여차
선계인가 불계인가 속세는 아니로다.

－ 윤선도, 〈어부사시사〉

생생 Note

화자 _____
상황 _____
주제 _____

핵심 시어의 의미 ① [다]의 ☐☐은/는 화자가 거리를 두고자 하는 속세를 의미함 ② [라]의 ☐☐와/과 ☐☐은/는 속세와 대조되는 이상 세계를 의미함

표현 ① 초장과 중장, 중장과 종장 사이에 여음·후렴구 삽입 ② 대구법, 의성어의 사용 ③ ☐☐의 대비

해제 조선 후기에 지어진 대표적인 어부가(漁父歌)로, 고려 후기 작자 미상의 〈어부가(漁父歌)〉와 조선 전기 이현보의 〈어부가〉의 전통을 계승한 연시조로, 어촌의 아름다움과 어부의 흥취를 생동감 있게 형상화함

성격 강호 한정가, 자연 친화적

내신 대비 특별 문제

★ 이 작품의 표현상 특징에 대한 설명으로 적절하지 않은 것은?

① 대구를 통해 운율을 형성하고 있다.
② 색채를 대비하여 배경을 묘사하고 있다.
③ 우리말의 묘미를 잘 살린 표현을 사용하고 있다.
④ 화자의 감정을 자연물에 이입하여 표현하고 있다.
⑤ 여음·후렴구의 삽입을 통해 화자의 흥을 표현하고 있다.

시적 화자와 시어의 이해

1 이 작품의 화자가 〈보기〉의 ㉮라고 할 때, 감상의 내용으로 적절하지 않은 것은?

> 보기
>
> ㉮'가어옹(假漁翁)'은 가짜 어부라는 뜻으로, 속세를 떠나 강호(江湖)에서 한가로운 생활을 즐기며 삶에 만족하며 사는 사대부를 의미한다. 그들은 생계를 위해 고기잡이를 하는 것이 아니라 흥취를 즐기는 방편으로 고기잡이를 한다고 볼 수 있다.

① 흥취를 즐기는 방편으로 고기잡이를 하는 것이기 때문에 화자에게 '기픈 소희 온갇 고기'는 완상의 대상이겠군.
② 강호에서 한가로운 생활을 즐기며 살기 때문에 화자는 낚시를 하러 갈 때에 '기픈 흥'을 금할 수 없는 것이겠군.
③ 화자는 삶에 만족하며 사는 사대부이기 때문에 '연강 텹장'과 같은 그림을 취미로 그리며 만족해하는 것이겠군.
④ 화자가 생계를 위해 고기잡이를 하는 것이 아니기 때문에 끝이 보이지 않는 너른 바다에서도 '슬ᄏ지 용여호쟈'고 말할 수 있는 것이겠군.
⑤ 속세를 떠난 화자가 강호에서의 삶에 만족하며 살아가기 때문에 '머도록 더옥 됴타'는 속세를 떠난 즐거움을 표현한 것이라고 볼 수 있겠군.

소재의 의미 및 기능 파악

2 ㉠~㉤에 대한 이해로 적절하지 않은 것은?

① ㉠: '벅구기'와 '버들숩'은 화자가 동경하는 대상이다.
② ㉡: '낙대'는 유유자적한 어촌의 생활을 드러내는 소재이다.
③ ㉢: '고기'는 'ᄀ올'과 연결되어 풍요로움을 보여 준다.
④ ㉣: '천텹옥산'은 '간밤의 눈'으로 인해 변한 풍경을 드러내는 표현이다.
⑤ ㉤: '션계'와 '블계'는 화자가 머무는 어촌에 대한 만족감을 강조하기 위한 표현이다.

시어의 상징성 파악

3 ⓐ와 ⓑ에 대한 설명으로 가장 적절한 것은?

① ⓐ와 ⓑ는 화자가 정서적으로 지향하는 공간이다.
② ⓐ와 ⓑ는 화자가 삶을 바꾸는 계기를 제공하는 공간이다.
③ ⓐ는 화자 자신을, ⓑ는 화자가 생활하는 공간을 형상화한 것이다.
④ ⓐ는 화자에게 기쁨을 안겨 주는 대상이고, ⓑ는 화자에게 절망을 안겨 주는 공간이다.
⑤ ⓐ는 화자가 가까이 하고 싶어 하지 않는 대상이고, ⓑ는 화자가 머물고자 하는 공간이다.

비교 감상의 적절성

4 [다]와 〈보기〉를 비교한 내용으로 적절하지 않은 것은?

> 보기
>
> 청강(靑江)에 비 듯는 소ᄅᆞ 긔 무어시 우읍관ᄃᆡ
> 만산홍록(滿山紅綠)이 휘드르며 웃는고야
> 두어라 춘풍(春風)이 몃 날이리 우을ᄃᆡ로 우어라.
> – 봉림 대군(효종)

① [다]와 〈보기〉 모두 계절을 드러내는 시어를 사용하고 있다.
② [다]와 〈보기〉 모두 시각과 청각의 감각적 표현을 사용하고 있다.
③ [다]와 달리 〈보기〉의 화자는 자신의 처지에 대해 불만족스러워하고 있다.
④ [다]와 달리 〈보기〉는 자연물에 인격을 부여하여 화자의 정서를 드러내고 있다.
⑤ 〈보기〉와 달리 [다]의 화자는 변화될 미래에 대한 의지적 태도를 드러내고 있다.

만흥 漫興

가 **〈제1수〉**

산슈간(山水間) 바회 아래 ⓐ뛰집을 짓노라 ㅎ니,

그 모론 눔들은 욷는다 ㅎ다마는,

어리고 ⓑ햐암의 뜻의는 내 분(分)인가 ㅎ노라.

〈제1수〉

산수 간 바위 아래에 움막을 지으려 하니,

나의 뜻을 모르는 남들은 비웃는다지만,

어리석고 세상 물정 모르는 내 생각에는 이것이 내 분수인가 하노라.

나 **〈제2수〉**

보리밥 풋ㄴ믈을 알마초 머근 후(後)에,

바횟긋 믉ㄱ의 슬ㅋ지 노니노라.

ⓒ그나믄 녀나믄 일이야 부를 줄이 이시랴.

〈제2수〉

보리밥과 풋나물을 알맞게 먹은 후에,

바위 끝이나 물가에서 실컷 노니노라.

그 밖의 다른 일이야 부러워할 까닭이 있으랴.

다 **〈제3수〉**

잔 들고 혼자 안자 먼 뫼흘 브라보니,

그리던 님이 오다 반가옴이 이러ᄒ랴.

말ᄉ음도 우움도 아녀도 몯내 됴하ᄒ노라.

〈제3수〉

잔 들고 혼자 앉아 먼 산을 바라보니,

그리워하는 임이 온들 반가움이 이 정도이랴.

말도 없고 웃음도 없지만 마냥 좋아하노라.

라 **〈제4수〉**

누고셔 삼공(三公)도곤 낫다 ㅎ더니 만승(萬乘)이 이만ᄒ랴.

이제로 헤어든 ⓓ소부 허유(巢父許由)ㅣ 냑돗더라.

아마도 ⓔ임천한흥(林泉閑興)을 비길 곳이 업세라.

〈제4수〉

누가 (자연이) 삼정승보다 낫다더니 만승천자가 이만하겠는가?

이제 와서 생각해 보니 소부와 허유가 영리했구나.

아마도 자연 속에서 한가로이 지내는 흥취는 비할 데가 없으리라.

마 **〈제5수〉**

내 셩이 게으르더니 하늘히 아르실샤

인간 만ᄉ(人間萬事)를 ᄒ 일도 아니 맛뎌

다만당 ᄃ토리 업슨 강산(江山)을 딕희라 ᄒ시도다.

〈제5수〉

내 천성이 게으른 것을 하늘이 아시고

인간 세상의 많은 일 가운데 한 가지도 맡기지 않으시고

다만 다툴 이 없는 자연을 지키라고 하셨도다.

바 **〈제6수〉**

강산(江山)이 됴타 ᄒ들 내 분(分)으로 누얻ᄂ냐.

님군 은혜(恩惠)를 더욱 아노이다.

아ᄆ리 갑고쟈 ᄒ야도 ᄒ올 일이 업세라.

〈제6수〉

강산이 좋다고 한들 나의 분수로 누워 있겠는가.

임금의 은혜를 더욱 알 것 같구나.

아무리 갚고자 하여도 (임금을 위해) 할 수 있는 일이 없구나.

– 윤선도, 〈만흥〉

생생 Note

화자 _____
상황 _____
주제 _____

핵심 시어의 의미 ① [가]에서 화자의 구체적인 삶의 공간을 의미하는 것은 ☐☐임 ② [라]에서 ☐☐☐☐은/는 화자가 느끼는 흥취를 단적으로 나타냄

표현 우리말의 묘미를 잘 살림

해제 세상일을 떨치고 자연에 묻혀 사는 즐거움을 노래한 전 6수의 연시조로, 자연과 합일되는 물아일체의 경지와 함께 정치 현실이나 세속에 대한 작가의 현실 도피적인 의식이 엿보임

성격 한정가, 자연 친화적

내신 대비 특별 문제

★ [가]~[라]에 드러난 화자의 정서와 태도를 한자 성어를 사용하여 표현할 때, 적절하지 않은 것은?

① [가]에는 자연에 묻혀 사는 삶에 안분지족(安分知足)하는 태도가 드러나 있다.
② [나]에는 소박한 생활에도 즐거워하는 안빈낙도(安貧樂道)의 태도가 드러나 있다.
③ [다]에는 자연과 마음으로 통하는 심심상인(心心相印)의 정서가 드러나 있다.
④ [라]에는 권력보다 자연을 택하겠다는 청운지지(靑雲之志)의 태도가 드러나 있다.
⑤ [가]~[라]에는 공통적으로 자연을 즐기며 유유자적(悠悠自適)하는 태도가 드러나 있다.

시적 화자의 이해

1 이 작품의 시적 화자에 대한 설명으로 적절하지 않은 것은?

① 소박하고 검소한 삶을 즐기고 있다.
② 벼슬살이의 어리석음을 은근히 꼬집고 있다.
③ 탈속한 삶과 현실의 욕망 사이에서 갈등하고 있다.
④ 현실과는 의도적으로 거리를 두려는 태도를 보이고 있다.
⑤ 세속의 모든 가치를 뛰어넘는 자연의 가치를 지향하고 있다.

외재적 감상의 적절성 파악

2 〈보기〉를 바탕으로 이 작품을 이해할 때, 각 시구에 대한 설명으로 적절하지 않은 것은?

보기

작가 윤선도는 병자호란 때 임금을 모시지 않았다는 이유로 유배되었고, 이로 인해 권력을 추구하는 현실 정치에 환멸을 경험하게 되었다. 이후 그는 경치가 아름다운 해남의 금쇄동에 은거하며 시가 창작에 전념한다.

① '그 모론 눔들'은 자연에서 은거하는 화자를 비웃고 조정에서 권력을 추구하는 사람들을 의미한다.
② '보리밥 풋ᄂᆞ믈'은 화자가 자신의 궁핍한 처지를 직시하게 되는 한스러운 소재로, 가난한 생활을 의미한다.
③ '부룰 줄이 이시랴'는 화자가 관료로서의 삶에 아무런 미련이 없음을 나타낸다.
④ '잔 들고 혼자 안자'에는 현실 정치 속에서 인간들의 명리 추구에 환멸을 느꼈던 화자의 현실 도피 태도가 드러난다.
⑤ '만승(萬乘)이 이만ᄒᆞ랴'에는 세속의 부귀영화와 비교할 수 없는 강호 한정의 삶에 대한 화자의 자부심이 드러난다.

시어의 함축적 의미 파악

3 ⓐ~ⓔ 중, 〈보기〉의 '온포(溫飽)'와 함축적 의미가 가장 유사한 것은?

보기

빈이무원(貧而無怨)을 어렵다 ᄒᆞ건마ᄂᆞᆫ
닉 생애(生涯) 이러호ᄃᆡ 설운 뜻은 업노왜라.
단사표음(簞食瓢飲)을 이도 족(足)히 너기로라.
평생(平生) ᄒᆞᆫ 뜻이 온포(溫飽)애ᄂᆞᆫ 업노왜라.
— 박인로, 〈누항사〉

① ⓐ ② ⓑ ③ ⓒ ④ ⓓ ⑤ ⓔ

견회요 遣懷謠

가 〈제1수〉

슬프나 즐거오나 옳다 하나 외다 하나

내 몸의 해올 일만 닦고 닦을 뿐이언정

그 밧긔 여남은 일이야 분별(分別)할 줄 이시랴.

〈제1수〉

슬프나 즐거우나 옳다 하나 그르다 하나

내 몸의 할 일만 닦고 닦을 뿐이로다.

그 밖의 다른 일이야 걱정할 일이 있겠는가?

나 〈제2수〉

내 일 망녕된 줄 내라 하여 모랄 손가.

이 마음 어리기도 님 위한 탓이로세.

아뫼 아무리 일러도 임이 혜여 보소서.

〈제2수〉

내 일이 잘못된 줄 나라고 하여 모르겠는가?

이 마음 어리석은 것도 모두 임(임금) 위하기 때문일세.

아무개가 아무리 헐뜯더라도 임이 헤아려 살피소서.

다 〈제3수〉

추성(秋城) 진호루(鎭胡樓) 밧긔 울어 예는 저 시내야.

무음 호리라 주야(晝夜)에 흐르는다.

님 향한 내 뜻을 조차 그칠 뉘를 모르나다.

〈제3수〉

경원성 진호루 밖에서 울며 흐르는 저 시냇물아.

무엇을 하려고 밤낮으로 흐르느냐?

임 향한 내 뜻을 따라 그칠 줄을 모르는구나.

라 〈제4수〉

뫼흔 길고 길고 물은 멀고 멀고.

어버이 그린 뜻은 많고 많고 하고 하고.

어디서 외기러기는 울고 울고 가느니.

〈제4수〉

산은 길고 길고 물은 멀고 멀고.

어버이 그리워하는 뜻은 많기도 많다.

어디서 외기러기는 슬피 울며 가는구나.

마 〈제5수〉

어버이 그릴 줄을 처엄부터 알아마는

님군 향한 뜻도 하날이 삼겨시니

진실로 님군을 잊으면 긔 불효(不孝)인가 여기노라.

〈제5수〉

어버이 그리워할 줄은 처음부터 알았지만

임금 향한 뜻도 하늘이 만들어 주셨으니

진실로 임금을 잊으면 그것이 불효인가 하노라.

– 윤선도, 〈견회요〉

생생 Note

화자 _____

상황 _____

주제 _____

핵심 시어의 의미 화자의 감정이 이입되어 있는 자연물 2개는? _____

표현 ① 자연물에 ☐☐☐☐하여 화자의 정서를 드러냄 ② ☐☐☐을/를 통해 화자의 신념을 드러냄 ③ 대구법과 ☐☐☐을/를 통해 운율을 형성하고 의미, 주제를 동시에 강조함 ④ 각 연이 독립적이면서도 전체 주제 안에서 유기적으로 연관을 맺고 있음

해제 권신 이이첨에 대한 상소를 올렸다가 유배를 가게 된 작가가 귀양지(함경도 경원)에서 부모와 임금을 그리워하는 마음을 노래한 전 5수의 연시조로, 우리말의 아름다움이 잘 드러난 작품임. 자연물에 자신의 감정을 이입하는 방식을 사용해 화자의 상황과 정서를 효과적으로 드러냄. 임금에 대한 충성심과 부모에 대한 효심을 개별적으로 진술한 뒤, 5수에서 이를 통합하는 방식으로 시상이 전개됨

성격 우국적, 연군적

★ 이 작품을 영화화한다고 할 때, 적절하지 않은 것은?

① 주인공의 행동에 대해 임금에게 험담을 하는 반동 인물을 등장시킨다.
② 영화의 주인공이 흐르는 시냇물을 바라보며 임금을 생각하는 모습을 담아낸다.
③ 영화의 배경을 멀리는 산과 강으로 둘러싸여 있고, 근처에는 시내가 흐르는 곳으로 설정한다.
④ 주인공이 맑은 하늘을 자유롭게 날아가는 외기러기를 부러운 눈빛으로 바라보는 모습을 담아낸다.
⑤ 주인공이 자신의 과거를 회상하며 모든 것이 임금을 위한 행동이었다고 억울한 표정으로 연기를 한다.

발상 및 표현상의 특징 파악

2 [가]~[마] 중 〈보기〉의 '**구름**'에 사용된 표현상의 특징이 나타나는 것은?

> 보기
>
> 철령 높은 봉(峯)에 쉬어 넘는 저 구름아,
> 고신원루(孤臣冤淚)를 비 삼아 띄워다가,
> 님 계신 구중심처(九重深處)에 뿌려 본들 어떠리.
>
> — 이항복

① [가], [나] 　　② [가], [다]
③ [나], [다] 　　④ [다], [라]
⑤ [라], [마]

감상의 적절성 파악

1 〈보기〉를 참고하여 이 작품을 감상한 내용으로 적절하지 않은 것은?

> 보기
>
> '견회(遣懷)'는 '시름을 풀다'라는 의미이다. 윤선도는 간신 이이첨(李爾瞻) 등의 죄를 규탄하는 상소를 올렸다가 도리어 함경도로 유배되었다. 〈견회요〉에는 유배에 대한 억울한 심정과 함께 유배지에서 느낀 임금에 대한 충절, 그리고 어버이에 대한 효성이 절절히 드러나 있다.

① [가]에는 간신을 규탄하는 상소를 올렸다가 귀양을 간 상황에서도 자신의 신념을 지키려는 태도가 드러나 있군.
② [나]에서는 임금에 대한 충성을 강조하면서 결백을 호소하고 있군.
③ [다]에는 임금에 대한 변함없는 마음과 충성에 대한 의지가 드러나 있군.
④ [라]에는 억울하게 유배된 곳에서 느낀 부모님에 대한 간절한 그리움이 드러나 있군.
⑤ [마]에서는 임금에 대한 충성심보다 부모님에 대한 효성을 강조했던 과거를 후회하고 있군.

다른 작품과 비교 감상

3 [나]와 〈보기〉에 대한 설명으로 적절하지 않은 것은?

> 보기
>
> 내 님믈 그리ᅀᆞ와 우니다니
> 산(山) 졉동새 난 이슷ᄒᆞ요이다.
> 아니시며 거츠르신 ᄃᆞᆯ 아으
> 잔월효성(殘月曉星)이 아ᄅᆞ시리이다.
> 넉시라도 님은 ᄒᆞᆫ디 녀져라 아으
> 벼기더시니 뉘러시니잇가.
> 과(過)도 허믈도 천만(千萬) 업소이다.
> 물힛 마리신뎌
> 술읏븐뎌 아으
> 니미 나ᄅᆞᆯ ᄒᆞ마 니ᄌᆞ시니잇가.
> 아소 님하, 도람 드르샤 괴오쇼셔.
>
> — 정서, 〈정과정〉

① [나]와 〈보기〉 모두 화자를 모함하는 대상이 있음을 언급하고 있다.
② [나]와 〈보기〉 모두 자신의 잘못에 대해 반성하는 모습이 드러나 있다.
③ [나]와 〈보기〉 모두 기원의 어조를 사용하여 화자의 바람을 드러내고 있다.
④ [나]와 달리 〈보기〉에서는 자연물을 통해 자신의 결백함을 호소하고 있다.
⑤ [나]와 달리 〈보기〉에서는 임이 자신을 잊었을까 봐 원망하는 모습이 드러나 있다.

농가 農歌

〈第1수〉

서산의 도들 볏 셔고 굴움은 느제로 낸다 / ㉠비 뒷 무근 풀이 뉘 밧시 짓텃든고

두어라 츠례 지운 일이니 미는 대로 미오리라

〈第3수〉

[A]
둘너 내쟈 둘너 내쟈 길춘 골 둘너 내쟈 / 바라기 역괴를 골골마다 둘너 내쟈

쉬 짓튼 긴 스래는 마조 잡아 둘너 내쟈

〈第4수〉

[B]
쏨은 듣는 대로 듣고 볏슨 쐴 대로 쐰다 / 청풍이 옷깃 열고 긴 파람 흘리 불제

㉡어듸셔 길 가는 손님네 아는 드시 머무는고

〈第5수〉

[C]
㉢힁긔예 보리뫼오 사발의 콩닙 치라 / 내 밥 만홀셰요 네 반찬 젹글셰라

먹은 뒷 흔숨 줌경이야 네오내오 다를소냐

〈第6수〉

[D]
도라가쟈 도라가쟈 히 지거단 도라가쟈 / ㉣계변의 손발 싯고 흠의 메고 돌아올 제

어듸셔 우배초적이 흠씌 가쟈 비아는고

〈第7수〉

면화는 세 드래 네 드래요 일윈 벼의 피는 모가 곱는가

오뉴월이 언제 가고 칠월이 븐이로다

㉤아마도 하느님 너희 삼길 제 날 위ㅎ야 삼기샷다

〈第9수〉

[E]
취ㅎ느니 늘그니요 웃느이 아희로다

흐튼 슌비 흐린 술을 고개 수겨 권홀 쌔여

뉘라셔 흙쟝고 긴 노래로 츠례 춤을 미루는고

— 위백규, 〈농가〉

〈제1수〉
서쪽 산에 아침볕이 비치고 구름은 낮게 떠 있구나. / 비 온 뒤 묵은 풀이 누구의 밭이 더 짙었던가? / 두어라. 차례 정해 놓은 일이니 매는 대로 매리라.

〈제3수〉
걷어 내자 걷어 내자 긴 고랑 (풀을) 걷어 내자. / 바랭이와 여뀌(풀의 일종) 풀을 고랑마다 걷어 내자. / 잡초가 무성한 밭이랑은 마주 잡아 걷어 내자.

〈제4수〉
땀은 떨어질 대로 떨어지고 볕은 쬘 대로 쬔다. / 맑은 바람에 옷깃을 열고 긴 휘파람을 흘려 불 때 / 어디서 길 가는 손님(나그네)이 (이 마음을) 아는 듯이 머무는가?

〈제5수〉
그릇에 보리밥이요, 사발에 콩잎 반찬이라. / 내 밥이 많을까 걱정이요, 네 반찬이 적을까 걱정이라. / 먹은 뒤에 한숨 졸음이야 너와 내가 다르겠느냐?

〈제6수〉
돌아가자 돌아가자 해 지거든 돌아가자. / 시냇가에서 손발 씻고 호미 메고 돌아올 때 어디서 목동의 풀피리 소리가 함께 가자 재촉하는가.

〈제7수〉
면화는 세 다래, 네 다래요, 이른 벼의 피는 이삭이 곱구나. 오뉴월이 언제 가고 칠월이 반이 지났구나. 아마도 하느님이 너희들(면화와 벼)을 만들 때 날 위하여 만드셨구나.

〈제9수〉
취한 이는 늙은이요, 웃는 이는 아이로다. 어지럽게 술잔 돌려 흐린 술(막걸리)을 고개 숙여 권할 때에 누가 장고 소리와 긴 노래로 춤출 차례를 미루겠는가?

내신 대비 특별 문제

★ [A]~[E]의 표현상 특징에 대한 설명으로 적절하지 <u>않은</u> 것은?

① [A]: 청유형 어미를 반복적으로 사용하여 농사일을 서로 독려하고 있다.
② [B]: 대구법을 사용하여 고된 농사에 최선을 다하는 모습을 나타내고 있다.
③ [C]: 설의적 표현을 사용하여 공동체적 삶의 유대감을 강조하고 있다.
④ [D]: 의인법을 사용하여 농부의 삶에 깃든 소박한 풍취를 드러내고 있다.
⑤ [E]: 문답 형식을 사용하여 농촌의 흥겨운 정취를 드러내고 있다.

시구의 의미 파악

2 ㉠~㉤에 대한 설명으로 적절하지 <u>않은</u> 것은?

① ㉠: 순서를 정하기 위해 누구 밭의 풀이 더 짙었는지를 묻는 화자의 궁금증이 나타나 있다.
② ㉡: 땀 흘려 일하는 농부의 기분을 모르는 대상에 대한 화자의 은근한 빈정거림이 나타나 있다.
③ ㉢: 농번기에 고된 농사일을 한 후 먹는 소박한 음식에 대한 화자의 만족감이 나타나 있다.
④ ㉣: 하루 일과를 마치고 돌아가는 화자의 뿌듯함과 흥겨움이 나타나 있다.
⑤ ㉤: 일 년 농사의 결실을 대하는 화자의 감사한 마음과 만족감이 나타나 있다.

다른 작품과의 비교 감상

1 이 작품을 [가], 〈보기〉를 [나]라고 했을 때 [가]와 [나]를 비교하여 감상한 내용으로 가장 적절한 것은?

보기

홍진(紅塵)에 뭇친 분네 이내 생애(生涯) 엇더ᄒ고
녯 사ᄅᆷ 풍류(風流)ᄅᆞᆯ 미출가 못 미출가
천지간(天地間) 남자(男子) 몸이 날만ᄒᆞᆫ 이 하건마ᄂᆞᆫ
산림(山林)에 뭇쳐 이셔 지락(至樂)ᄋᆞᆯ ᄆᆞ롤 것가
수간 모옥(數間茅屋)을 벽계수(碧溪水) 앏픠 두고
송죽(松竹) 울울리(鬱鬱裏)예 풍월 주인(風月主人) 되여셔라.
– 정극인 〈상춘곡〉

① [가]와 [나]는 모두 농민의 삶을 예찬하며 이상화된 농촌의 모습을 그리고 있다.
② [가]와 [나]는 모두 타인에게 자신이 추구하는 가치를 직접적으로 권유하고 있다.
③ [가]와 [나]는 모두 현실적 공간인 농촌의 공동체에 긍정적인 가치를 부여하고 있다.
④ [가]는 [나]와 달리 자연 속 풍류를 모르는 속세 사람들을 안타깝게 여기고 있다.
⑤ [나]는 [가]와 달리 자연을 풍류를 즐기며 노니는 강호한정의 공간으로 보고 있다.

조건에 따른 감상의 적절성 파악

3 〈보기〉를 참고하여 이 작품을 이해한 내용으로 적절하지 <u>않은</u> 것은?

보기

〈농가〉는 작가의 실제 농촌 생활을 바탕으로 농촌 사회의 일상적인 모습을 형상화하고 있다. 자연 친화적인 정서나 안빈낙도를 노래했던 기존 사대부들의 시조와 달리 화자는 농사일에 직접 참여하면서 공동체적 삶에 대한 따뜻한 시선과 농사일의 수고로움, 수확에 대한 기대, 그리고 소박하지만 풍요로운 농촌 생활을 비교적 사실적으로 그리고 있다. 〈제1수〉~〈제6수〉는 여름 농번기의 바쁜 하루 일과를, 〈제7수〉~〈제9수〉는 그 이후 결실을 맺은 농촌의 흥겨움을 담고 있다.

① 〈제1수〉의 '도들 볏 셔고'에는 하루 일과의 시작, 〈제6수〉의 '희 지거단'에는 하루 일과의 끝이 나타나 있다.
② 〈제1수〉의 '츠례 지운 일'을 〈제3수〉에서 '마조 잡아' 해결하는 모습을 통해 상부상조하는 농촌 공동체를 보여 주고 있다.
③ 〈제3수〉와 〈제6수〉의 'A-A-B-A' 구조는 리듬감을 형성해 농사일에서 느끼는 활력과 건강한 농촌 사회의 모습을 흥겹게 드러내고 있다.
④ 〈제4수〉의 농사일에 대한 수고로움 덕분에 〈제7수〉의 수확에 대한 화자의 기대감은 〈제9수〉의 만족감으로 나타난다.
⑤ 〈제9수〉는 농촌의 즐거운 분위기를 관찰하며 자연에서 만족하는 사대부의 안빈낙도를 드러내고 있다.

오륜가 五倫歌

가 〈제1수〉

사룸 사룸마다 이 말솜 드러스라.

이 말솜 아니면 사룸이오 사룸 아니니

이 말솜 닛디 말오 비호고야 마로리이다.

〈제1수〉

사람 사람마다 이 말씀을 들으십시오.

이 말씀이 아니면 사람이면서도 사람이 아니니,

이 말씀을 잊지 않고 배우고야 말 것입니다.

나 〈제2수〉

아바님 날 나흐시고 어마님 날 기르시니

부모(父母)옷 아니시면 내 모미 업슬랏다.

이 덕을 갑프려 흐니 하늘 ▽이 업스샷다.

〈제2수〉

아버님 날 낳으시고 어머님 날 기르시니

부모님이 아니셨더라면 내 몸이 없었으리로다.

이 덕을 갚으려 하니 하늘같이 끝이 없습니다.

다 〈제3수〉

동과 항것과룰 뉘라셔 삼기신고.

벌과 가여미사 이 뜨둘 몬져 아니.

한 모ᅀᅡ매 두 뜯 업시 속이지나 마옵생이다.

〈제3수〉

종과 상전의 구별을 누가 만들었는가?

벌과 개미들이 이 뜻을 먼저 아는구나.

한 마음에 두 뜻을 가지는 일 없이 속이지나 마십시오.

라 〈제4수〉

지아비 받 갈라 간 듸 밥고리 이고 가,

반상(飯床)을 들오듸 눈썹의 마초이다.

친코도 고마오시니 손이시나 다룰실가.

〈제4수〉

남편이 밭 갈러 간 곳에 밥 담은 광주리를 이고 가서

밥상을 들되 눈썹 높이까지 공손히 맞추어 바칩니다.

친하고도 고마운 분이시니 손님 대하는 것과 무엇이 다르겠습니까?

마 〈제5수〉

형님 자신 져줄 내 조쳐 머궁이다.

어와 뎌 아ᅀᅡ야 어마님 너 ᄉᆞ랑이아.

형제(兄弟)옷 불화(不和)ᄒᆞ면 개도티라 ᄒᆞ리라.

〈제5수〉

형님이 잡수신 젖을 내가 따라 먹습니다.

아아, 우리 아우야, 너는 어머님의 사랑이로다.

형제끼리 화목하지 못하면 개, 돼지라 할 것입니다.

바 〈제6수〉

늘그니ᄂᆞᆫ 부모(父母) ᄀᆞᆮ고 얼우ᄂᆞᆫ 형(兄) ᄀᆞᄐᆞ니

ᄀᆞᄐᆞᆫ듸 불공(不恭)ᄒᆞ면 어듸가 다룰고.

날료셔 ᄆᆞ디어시ᄃᆞᆫ 절ᄒᆞ고야 마로리이다.

〈제6수〉

노인은 부모 같고 어른은 형 같으니

이와 같은데 공경하지 않으면 (짐승과) 어디가 다를 것인가?

나로서는 (노인과 어른들을) 맞이하게 되면 절하고야 말 것입니다.

— 주세붕, 〈오륜가〉

생생 Note

화자 _____
상황 _____
주제 _____

핵심 시어의 의미 ① [다]에서 □와/과 □□은/는 각각 하인과 상전, 즉 신하와 임금을 의미함 ② [마]에서 부도덕한 사람을 의미하는 것은? _____
표현 계몽적인 내용을 □□□(으)로 전달함
해제 조선 중기 유학자인 주세붕이 해주 감사로 있을 때 지은 연시조로, 삼강오륜을 바탕으로 백성들을 교화하려는 목적을 지님
성격 교훈적, 계몽적, 유교적

내신 대비 특별 문제

★ 이 작품의 표현상 특징으로 적절하지 않은 것은?

① 자연물을 활용하여 화자의 생각을 드러내고 있다.
② 권계하는 어투를 활용하여 교훈을 전달하고 있다.
③ 과거와 현재의 대비를 통해 주제를 형상화하고 있다.
④ 의문형 종결 표현을 통해 화자의 생각을 강조하고 있다.
⑤ 유사한 문장 구조를 나란히 배열하여 시상을 전개하고 있다.

감상의 적절성 파악

1 〈보기〉를 바탕으로 이 작품을 감상한 내용으로 적절하지 않은 것은?

보기

〈오륜가(五倫歌)〉는 주세붕이 황해도 해주 감사 생활을 할 때 지은 작품으로, 백성들이 일상에서 지켜야 할 일을 노래한 교훈적인 시조이다. 이 작품은 계몽적인 내용을 효과적으로 전달하기 위해 작가가 직접 특정 입장에 있는 화자로 등장하기도 하고, 청자를 구체적으로 설정하여 이야기하기도 한다.

① [가]와 [바]에서는 작가가 화자로 등장하여 계몽적인 내용을 전달하고 있다.
② [나]에서는 화자를 자식으로 설정하여 부모님에 대한 자식의 도리를 보여 주고 있다.
③ [다]에서는 감사 생활을 하고 있는 작가가 임금과 신하 간의 올바른 관계에 대해 말하고 있다.
④ [라]에서는 화자를 아내로 설정하여 남편에 대한 올바른 태도에 대해 말하고 있다.
⑤ [마]에서는 아우를 청자로 설정하여 형인 화자가 형제 간의 바람직한 관계에 대해 훈계하고 있다.

작품의 내용 이해

2 〈보기〉의 내용을 참고할 때 이 작품을 이해한 내용으로 가장 적절한 것은?

보기

이 작품은 백성들을 교화하려는 목적으로 지어졌다. 〈제1수〉는 서사로 삼강오륜을 배워야 함을 강조하고 있다. 〈제2수〉~〈제6수〉는 각각 부모의 은혜와 자식의 도리, 임금에 대한 신하의 도리, 남편에 대한 아내의 도리, 형과 아우 사이의 도리, 노인과 어른에 대한 도리를 차례로 언급하고 있다. 즉 〈제2수〉~〈제6수〉는 서사에서 언급한 유교적 덕목을 구체적으로 형상화하고 있어서 서사와 나머지 수 사이에 긴밀한 체계가 드러난다.

① 〈제1수〉는 반어적 방법을 사용하여 뒤에서 언급하게 될 유교적 덕목을 실천할 것을 권하고 있다.
② 〈제3수〉는 상전에 대한 종의 의무를 두 자연물의 차이를 활용하여 강조하고 있다.
③ 〈제4수〉는 아내에 대한 남편의 바람직한 모습을 설의적 표현법을 사용하여 강조하고 있다.
④ 〈제5수〉는 형님과 아우가 대화를 나누는 형식을 통해 형제의 우애를 보여 주고 있다.
⑤ 〈제6수〉는 장유유서의 사회적 질서가 필요함을 고사의 인용을 통해 강조하고 있다.

비교 감상의 적절성 파악

3 [나]의 영향을 받아 〈보기〉를 창작하였다고 할 때, 고려한 사항으로 가장 적절한 것은?

보기

어버이 자식(子息) 수이 하늘 삼긴 지친(至親)이라.
부모(父母)곳 아니면 이 몸이 이실소냐.
오조(鳥鳥)*도 반포(反哺)*를 ᄒᆞ니 부모 효도하여라. 〈제수〉
　　　　　　　　　　　　　　　　　　　　 – 김상용, 〈오륜가〉

*오조: 까마귀
*반포: 까마귀 새끼가 자라서 늙은 어미에게 먹이를 물어다 주는 일

① 기존 작품의 주제 의식을 비판적으로 그려 봐야지.
② 대조되는 자연물을 통해 화자의 의도를 강조해야지.
③ 교훈을 주려는 화자의 의도를 더 직설적으로 표현해야지.
④ 화자의 감정을 이입한 소재를 통해 주제를 드러내야지.
⑤ 선경 후정의 구조를 통해 내용을 효과적으로 전달해야지.

풍아별곡 風雅別曲

<제1곡>

ⓐ 풍아(風雅)의 깁흔 뜻을 전하는 이 긔 뉘신고

고조(古調)를 됴하ᄒ나 아는 이 젼혀 없네

정성(正聲)이 하 아득하니 다시 블너 보리라

<제2곡>

내 말이 천리마니 몰고 또 몰아라

질고(疾苦)를 믈을지니 원습(原隰)을 갈힐소냐

성은이 지중(至重)하시니 못 갑흘가 하노라

<제3곡>

위의(威儀)도 거룩ᄒ고 예모(禮貌)도 너를시고

ⓑ 해학을 됴하ᄒ나 가혹함이 되올소냐

아마도 성덕지선(盛德至善)을 못 니즐가 ᄒ노라

<제4곡>

좌상(座上)의 손이 잇고 술통에 ⓒ 술이 가득

중심(中心)을 즐길지니 외모를 위홀소냐

덕음(德音)이 밝으시니 곧 반응이 나타나리라

<제5곡>

이 ᄒ 져므러시니 아니 놀고 어찌하리

㉠ 즐기믈 됴하ᄒ나 ⓓ 거칠음은 말지어다

아마도 직사기우(職思其憂)야 그가 어진 선비일까 ᄒ노라

<제6곡>

두엇던 ⓔ 종고금슬(鐘鼓琴瑟) 날로 즐겨 놀지어다

빅년 후 도라보오 화옥(華屋)의 뉘 들소니

싱젼의 다 즐기지 못ᄒ면 뉘우칠까 ᄒ노라

<제1곡>

시를 짓고 풍류를 즐기는 깊은 뜻을 전하는 이, 그가 누구이신가?
옛 곡조를 좋아하나 아는 이가 전혀 없네.

옳은 소리 너무 아득하니 다시 불러 보리라.

<제2곡>

내 말이 천리마니 몰고 또 몰아라.

(천리마에게) 병으로 인한 고통을 물으니 높고 마른 땅과 낮고 젖은 땅을 가리겠는가.
임금의 은혜는 매우 소중하니 못 갚을까 두렵구나.

<제3곡>

위엄도 거룩하고 예절에 맞는 몸가짐도 넓구나.
해학(농담)을 좋아는 하지만 남을 괴롭혀서야 되겠는가.
아마도 훌륭한 덕과 지극한 선을 못 잊을까 하노라.

<제4곡>

여러 사람이 모인 자리에 손님이 있고 술통에 술이 가득하니
마음속을 즐기리니 겉모습이 중요하겠는가.

도리에 맞는 말이 밝으시니 곧 알게 되리라.(곧 본보기가 되리라)

<제5곡>

이 한 해 저물었으니 아니 놀고 어이하리.

즐김을 좋아하나 지나침은 말지어다.

아마도 (그런) 근심을 생각하며 노력한 그가 어진 선비일까 하노라.

<제6곡>

두었던 종, 북, 거문고, 비파(악기들)와 날마다 즐겁게 놀아보자.
오랜 세월이 지난 후를 돌아보오. 화려한 집에 누가 들것인가.
생전에 충분히 다 즐기지 못하면 뉘우칠까 하노라.

– 권익륭, 〈풍아별곡〉

생생 Note

화자 _____

상황 _____

주제 _____

핵심 시어의 의미 ① ☐☐과 '가혹함'을, ☐☐과 '외모'를, '즐길'과 '거칠음'을 대조하여 지향해야 할 가치를 강조함 ② ☐은 화자가 풍류를 즐기게 해 주는 소재임

표현 ① 동일한 종결 어미, 유사한 문장 구조의 ☐☐을 통해 운율 형성 ② ☐☐☐을 통한 사대부의 바람직한 삶의 자세 강조

해제 작가가 강원도 간성 지역의 군수로 있을 때 손님을 접대할 목적으로 창작한 6수의 연시조로 주로 손님들이 많이 모인 자리에서 불렸지만, 사대부가 지녀야 할 바람직한 자세를 담고 있어 사대부들을 교화하는 데에도 활용됨

성격 교훈적, 유교적, 풍류적, 예찬적

작품의 표현 방식 파악

2 이 작품에 나타나는 표현 방법으로 가장 적절한 것은?

① 색채어를 사용하여 자연의 아름다움을 강조하고 있다.

② 공감각적 심상을 사용하여 화자의 흥취를 노래하고 있다.

③ 설의법을 사용하여 지난날에 대한 후회를 드러내고 있다.

④ 시어를 대조하여 지향해야 할 가치의 의미가 강조되고 있다.

⑤ 화자를 자연물에 비유하여 임금의 은혜를 갚기 위한 노력을 드러내고 있다.

내신 대비 특별 문제

★ ㉠에 담긴 화자의 의도를 한자 성어로 표현할 때 가장 적절한 것은?

① 흥진비래(興盡悲來)이니 즐거울 때 그 이후를 위해 준비해야 한다.

② 아무리 좋아도 과유불급(過猶不及)이니 조심하는 자세가 중요하다.

③ 인생이란 새옹지마(塞翁之馬)라서 즐겁다고 마냥 좋아해선 안 된다.

④ 마음이 즐겁다고 경거망동(輕擧妄動)하면 반드시 실수하기 마련이다.

⑤ 여러 사람과 함께하는 즐거운 분위기에 부화뇌동(附和雷同)하지 말아야 한다.

시구의 의미 파악

3 각 시구에 대한 설명으로 적절하지 않은 것은?

① '아는 이 전혀 없네'에는 '고조'를 아는 이가 없는 현실에 대한 화자의 안타까움이 나타나 있다.

② '성은이 지중하시니'에는 사대부가 지녀야 할 유교적 가치관인 '충(忠)' 사상이 담겨 있다.

③ '외모를 위홀소냐'에는 외면적 가치보다 내면적인 가치가 더 중요하다는 의미가 담겨 있다.

④ '아니 놀고 어찌하리'에는 임금의 부름을 받지 못한 사대부의 현실 도피적 태도가 나타나 있다.

⑤ '빅년 후 도라보오'에는 과장적인 표현을 사용하여 화자의 권유가 정당함을 드러내고 있다.

감상의 적절성 파악

1 〈보기〉를 참고하여 이 작품을 감상한 내용으로 적절하지 않은 것은?

보기

선생님: 오늘은 권익륭의 〈풍아별곡〉이란 연시조를 배워 보도록 하겠습니다. 이 작품은 작가가 강원도 간성 지역의 군수로 재직 중일 때 자신을 찾아온 손님들을 대접하기 위해 창작한 노래라고 합니다. 그래서 흥겹게 즐기는 분위기가 주를 이루지만 부분적으로 권계의 내용이 나타나 있습니다. 즉 현재를 즐기되 지나치면 안 된다는 낙이불음(樂而不淫) 사상과 중심(中心)을 지켜야 한다는 사대부의 바람직한 자세가 담겨 있습니다.

① 은솔: 〈제1곡〉은 사대부의 바람직한 자세를 알리겠다는 화자의 의지가 나타나 있습니다.

② 유나: 〈제1곡〉과 〈제6곡〉은 모두 중심을 지켜야 한다는 작가의 인식이 나타나 있습니다.

③ 도희: 〈제2곡〉은 관직에 있던 작가가 지닌 사대부로서의 바람직한 모습이 나타나 있습니다.

④ 채영: 〈제3곡〉부터 〈제5곡〉까지는 현재를 즐기되 지나쳐서는 안 된다는 권계가 담겨 있습니다.

⑤ 윤희: 〈제6곡〉은 미래보다 현재의 즐거운 생활에 더 가치를 부여하는 작가의 가치관이 담겨 있습니다.

시어의 의미 파악

4 ⓐ~ⓔ에 대한 설명으로 적절하지 않은 것은?

① 옳은 ⓐ는 사대부가 지녀야 할 바람직한 요소이다.

② 옳은 ⓐ는 ⓒ와 함께하면서도 ⓓ를 절제해야 이룰 수 있는 이상적 가치이다.

③ ⓑ와 달리 ⓓ는 어진 선비가 끊임없이 경계해야 할 대상이다.

④ ⓒ와 ⓓ는 올바른 ⓐ와 멀어진 현실을 극복하게 해 주는 수단이다.

⑤ ⓒ와 ⓔ는 모두 화자로 하여금 풍류를 즐기게 해 주는 수단이다.

매화사 梅花詞

가 〈제1수〉

매영(梅影)이 부드친 창(窓)에 옥인금차(玉人金釵) 비겨신져

이삼(二三) 백발옹(白髮翁)은 거문고와 노리로다.

이윽고 잔 드러 권(勸)하랼제 달이 쏘한 오르더라.

〈제1수〉

매화 그림자가 부딪친 창에 미인의 금비녀가 비스듬히 있구나.

두세 명의 백발노인은 거문고를 뜯으며 노래한다.

이윽고 술잔을 들어 권할 때에 달 또한 떠오르더라.

나 〈제2수〉

어리고 성귄 매화(梅花) 너를 밋지 아녓더니,

눈 기약(期約) 능(能)히 직혀 두세 송이 퓌엿고나.

촉(燭) 줍고 갓가이 스랑헐 제 암향(暗香)좃추 부동(浮動)터라.

〈제2수〉

연약하고 엉성한 매화 너를 믿지 아니하였더니,

눈 오면 피겠다는 약속을 능히 지켜 두세 송이 피었구나.

촛불 잡고 너를 가까이 바라보며 즐길 때 그윽한 향기조차 떠도는구나.

다 〈제3수〉

빙자옥질(氷姿玉質)이여 눈 속에 네로고나.

ᄀ마니 향기(香氣) 노아 황혼월(黃昏月)을 기약(期約)ᄒ니

아마도 아치고절(雅致高節)은 너샌인가 ᄒ노라.

〈제3수〉

얼음같이 맑고 깨끗한 모습과 구슬같이 아름다운 바탕이여, 바로 눈 속의 너로구나.

가만히 향기를 풍기며 저녁에 뜨는 달을 기다리니,

아마도 아담한 풍치와 높은 절개는 오직 너뿐인가 하노라.

라 〈제4수〉

눈으로 기약(期約)터니 네 과연(果然) 퓌엿고나.

황혼(黃昏)에 달이 오니 그림자도 성긔거다.

청향(淸香)이 잔(盞)에 떳스니 취(醉)코 놀녀 허노라.

〈제4수〉

눈이 올 때쯤 피겠다더니, 너는 과연 피어났구나.

해가 지고 어스름해질 때 달이 뜨니 그림자도 드문드문하구나.

(너의) 맑은 향기가 술잔에 어리었으니 취하며 놀고자 하노라.

마 〈제6수〉

ᄇ람이 눈을 모라 산창(山窓)에 부딪치니,

찬 기운(氣運) 식여 드러 줌든 매화(梅花)를 침노(侵擄)혼다.

아무리 얼우려 ᄒ인들 봄 뜻이야 아슬소냐.

〈제6수〉

바람이 눈을 몰고 와서 산가(山家)의 창에 부딪치니,

찬 기운이 방으로 새어 들어와 잠든 매화를 침범한다.

아무리 얼게 하려고 한들 봄소식 전하려는 의지야 빼앗을 수 있으랴?

바 〈제8수〉

동각(東閣)에 숨은 꼿치 척촉(躑躅)인가 두견화(杜鵑花)인가.

건곤(乾坤)이 눈이여늘 제 엇지 감히 퓌리.

알괘라 백설양춘(白雪陽春)은 매화(梅花)밧게 뉘 이시리.

〈제8수〉

동쪽 누각에 숨어 피어 있는 꽃이 철쭉인가 진달래인가.

온 천지가 눈에 덮여 있거늘 제 어찌 감히 꽃을 피울 수 있겠느냐.

알겠도다, 눈 속에서도 봄빛을 보이는 것은 매화밖에 누가 있겠는가.

— 안민영, 〈매화사〉

생생 Note

화자 _____

상황 _____

주제 _____

핵심 시어의 의미 ① [다]에서 매화의 속성을 드러내며 매화를 표현하는 시어 2개
는? _____ ② [바]에서 □□와/과 □□□은/는 대상인 매
화와 대조됨

표현 □□□, 설의법, 영탄법

해제 '영매가(詠梅歌)'라고도 불리는 전 8수의 연시조로, 작가가 고종 7년(1870년)
겨울에 스승인 박효관의 산방(山房)에서 벗과 함께 금가(琴歌)로 놀 때, 박효
관이 가꾼 매화가 책상 위에 있는 것을 보고 지은 시조라고 함. 노래를 통해
작가의 고결한 성품과 운치를 즐기는 모습을 엿볼 수 있음

성격 예찬적, 영탄적

내신 대비 특별 문제

★ 이 작품에 대한 설명으로 적절하지 않은 것은?

① 대상을 의인화하여 친근감을 표현하고 있다.

② 대상을 통해 은둔하는 삶에서 느끼는 여유를 노래하고
있다.

③ 대상에 대한 애정을 다양한 표현법을 사용하여 드러내고
있다.

④ 대상의 아름다움이 감각적으로 느껴지는 시어를 사용
하고 있다.

⑤ 대상의 강인한 의지와 자연의 섭리 및 질서에 대한 예
찬의 태도가 드러나고 있다.

작품의 종합적 감상

1 이 작품에 대한 설명으로 적절하지 <u>않은</u> 것은?

① [나]는 종장에서 감각적 심상을 활용하여 효과적으로
시상을 집약하고 있다.

② [다]는 대상을 여인에 비유해 그 아름다움을 강조하면
서 높은 절개를 예찬하고 있다.

③ [라]는 [다]와 달리 계절감이 드러나는 시어를 통해
대상의 면모를 강조하고 있다.

④ [마]는 시련에도 굴하지 않는 대상의 모습을 통해 대
상이 지닌 속성을 강조하고 있다.

⑤ [바]는 대상과는 대비되는 모습을 보이는 자연물을 제
시하여 대상의 면모를 부각하고 있다.

외재적 감상의 적절성 파악

2 〈보기〉를 참고하여 이 작품을 이해한 내용으로 적절하지
<u>않은</u> 것은?

> **보기**
>
> 안민영의 〈매화사〉에는 매화를 감상하는 여러 가지
> 태도가 나타나 있다. 기본적으로 시흥(詩興)을 불러일으
> 키는 자연물로서의 속성에 초점을 맞춰 매화를 감상하
> 는 태도가 바탕이 된다. 여기에 당대의 이념과 관련하여
> 매화에 규범적 가치를 부여하여 감상하는 태도, 매화에
> 심미적으로 접근하여 아름다움을 음미하는 태도, 매화
> 의 흥취를 즐기는 풍류적 태도 등이 덧붙여지기도 한다.

① '거문고와 노릭'는 매화가 불러일으킨 시흥을 즐기기
위한 풍류적 요소이다.

② '잔 드러 권하랼제'는 고조된 흥취를 사람들과 함께하
고 싶은 마음을 드러낸다.

③ '황혼월'은 매화를 심미적으로 감상할 때 매화의 아름
다움을 더욱 돋보이게 한다.

④ '아치고절'은 자연물인 매화에 부여된 심미적이면서도
규범적인 가치이다.

⑤ '봄 쯧'은 매화를 당대 이념에 국한하여 감상해야 의미
를 파악할 수 있는 시어이다.

비교 감상의 적절성 파악

3 다음 중 이 작품의 다른 한 수인 〈보기〉와 연계하여 감상
한 내용으로 적절하지 <u>않은</u> 것은?

> **보기**
>
> 〈제5수〉
> 황혼(黃昏)의 돗는 달이 너와 긔약 두엇더냐.
> 합리(閤裡)*의 ᄌ든 곳치 향긔 노아 맛는고야.
> 닉 엇지 매월(梅月)이 벗되는 줄 몰낫던고 ᄒ노라.
>
> *합리: 방 안

① [나]에서 매화에 집중된 진술의 초점이 〈보기〉에서도
이어지고 있다.

② [다]에서는 원경을 노래하고 있고, 〈보기〉에서는 원
경에서 근경으로 초점이 바뀌고 있다.

③ [마]에서는 '매화'라 지칭하고 있고, 〈보기〉에서는 '너'
라고 친근하게 부르고 있다.

④ [바]에서는 방 밖의 매화를 노래하고 있고, 〈보기〉에
서는 방 안의 매화를 노래하고 있다.

⑤ [바]에서는 눈 속에 피어난 매화를 노래하고 있고, 〈보
기〉에서는 달과 어울리는 매화를 노래하고 있다.

6부 가사

갈래 **학습법**

1단계 **학습 시간 확보하기**

가사는 시조와 함께 가장 많이 출제되는 만큼 중요한 갈래이다. 더불어 운문과 산문의 중간 형태인 가사는 고전 시가 중에서 한 작품당 길이가 가장 긴 갈래에 속한다. 따라서 한 작품을 학습하는 데 시간이 많이 걸릴 수밖에 없다. 그러므로 가사 작품을 공부할 때는 학습 시간을 충분히 확보하여 작품 하나하나를 좀 더 꼼꼼하게 공부할 수 있도록 해야 한다.

2단계 **중요 작가의 중요 작품 반드시 학습하기**

고전 시가는 작품이 한정되어 있어 다른 문학 갈래에 비해 한 번 출제되었던 작품이 다시 출제되는 경우도 있다. 따라서 이미 출제되었던 작가나 작품이라 하더라도 다시 출제될 가능성이 높으므로 중요 작가의 중요 작품들은 반드시 공부해 두어야 한다.

3단계 **자주 나오는 상징적 소재의 의미 이해하기**

고전 시가의 다른 갈래와 마찬가지로 가사 역시 상징적 소재의 의미를 파악하는 것이 중요하다. 그런데 가사에서 자주 사용되는 소재의 경우 그 상징적 의미가 대체로 유사하다. '눈, 서리, 밤, 겨울, 바람' 등이 시련과 고난을 의미하고, '인간, 인세, 홍진' 등이 번거롭고 속된 세상을 의미하는 것이 대표적이다. 따라서 가사에 자주 나오는 상징적 소재의 의미를 알고 있으면 작품을 좀 더 빠르고 정확하게 이해할 수 있다는 장점이 있다.

갈래 학습 - 가사

❶ 개념
고려 말에서 조선 초에 형태를 갖춘 갈래로, 고려 후기에서 조선 후기까지 주로 사대부들이 창작하여 부른, 운문과 산문의 중간 형태의 노래이다.

❷ 특징
(1) **발생:** 경기체가 기원설, 민요 기원설, 시조 기원설 등이 있다. 종래의 경기체가와 시조가 지닌 형식적 제약에서 벗어나 자유롭게 감정을 표현하기 위해 새로운 형식을 만들어 낸 것으로 추정된다.
(2) **형식:** ① 3(4) · 4조의 연속체, 4음보로 되어 있다. ② 마지막 행은 대체로 시조 종장의 율격과 일치한다.(시조의 종장과 일치하면 정격 가사, 그렇지 않으면 변격 가사라고 함)
(3) **내용:** 조선 전기에는 자연 속에서 유유자적하는 심정, 임금에 대한 연모의 정, 기행을 통해 얻게 된 견문 등을 다룬 작품들이 주였다면, 조선 후기에는 작가층이 확대되면서 평민들이 자신들의 생활을 사실적으로 표현한 작품들도 나타났다.

❸ 의의

시조와 더불어 조선 시대 전반에 걸쳐 모든 계층이 향유한 대표적인 문학 양식이다. 형식은 운문이지만 개인적인 정서뿐만 아니라 교훈적인 내용이나 여행의 견문 등 다양한 산문적 내용을 담고 있는 중간 형태의 문학 갈래이다. 조선 후기에는 산문 정신과 서민 의식의 성장으로 전기와는 다른 작품들이 창작되었는데, 예술성은 다소 떨어지지만 당대의 현실을 사실적이고 구체적으로 담고 있다는 점에서 의의를 가진다.

❹ 가사의 종류

(1) **은일 가사**: 자연에 묻혀 사는 선비의 생활을 다룬 가사. 정극인의 〈상춘곡〉, 송순의 〈면앙정가〉 등

(2) **내방 가사**: 규방 가사, 규중 가사라고도 하며 부녀자에 의해 지어져 전해지는 가사를 총칭한다. 허난설헌의 〈규원가〉 등

(3) **기행 가사**: 여행 중에 얻은 견문과 소감을 적은 가사로 내용에 따라 관유 가사(觀遊歌辭), 사행 가사(使行歌辭) 등으로 나뉜다. 관유 가사는 산천, 명승지를 구경하면서 견문을 기록하거나 타향 생활을 묘사한 것이고, 사행 가사는 사신 행차의 일원으로 외국을 다니며 본 경물(景物)의 느낌을 기록한 것이다.

(4) **유배 가사**: 귀양살이를 통해 새로이 얻은 경험과 견문을 읊은 것이다. 대체로 정치적인 이유로 유배 생활을 하였기 때문에 자기의 무죄와 정적(政敵)에 대한 복수심, 임금에 대한 일편단심을 표출하는 것이 특징이다.

❺ 주목해야 할 작품

(1) 조선 전기

작품명	작가	내용
상춘곡(賞春曲)	정극인	태인에 은거하면서 안빈낙도의 삶을 노래함
면앙정가(俛仰亭歌)	송순	면앙정 주위의 아름다움을 노래함
관서별곡(關西別曲)	백광홍	관서 지방의 아름다움을 노래함
성산별곡(星山別曲)	정철	성산의 사계절의 장관과 식영정 주인의 풍류를 노래함
관동별곡(關東別曲)	정철	관찰사로서의 포부와 관동 지방의 아름다움을 노래함
사미인곡(思美人曲)	정철	임금에 대한 연모의 정을 노래함
속미인곡(續美人曲)	정철	임금에 대한 연모의 정을 두 여인의 문답 형식으로 노래함
규원가(閨怨歌)	허난설헌	홀로 규방을 지키는 여인의 한을 노래함

(2) 조선 후기

작품명	작가	내용
선상탄(船上嘆)	박인로	전쟁의 슬픔을 딛고 태평성대를 희망함
누항사(陋巷詞)	박인로	누항에 묻혀 안빈낙도하는 생활을 읊음
농가월령가(農家月令歌)	정학유	농가의 연중 행사와 풍습을 월령체 형식으로 적음
일동장유가(日東壯遊歌)	김인겸	조선 통신사로 일본에 방문한 여정과 견문을 기록함
연행가(燕行歌)	홍순학	북경을 여행하고 나서 그 견문을 적음
덴동 어미 화전가	미상	한 여인의 기구한 인생 역정과 화전놀이의 즐거움을 노래함
용부가(庸婦歌)	미상	시집간 여인의 잘못된 행동을 풍자적으로 노래함
우부가(愚夫歌)	미상	예의와 염치를 모르고 못된 짓을 하는 한량을 희화화함

상춘곡 賞春曲

가 홍진(紅塵)에 뭇친 분네 이내 생애(生涯) 엇더ᄒ고.

　　㉠녯 사ᄅᆷ 풍류(風流)ᄅᆞᆯ 미ᄎᆞᆯ가 못 미ᄎᆞᆯ가.

　　┌　천지간(天地間) 남자(男子) 몸이 날만ᄒᆞᆫ 이 하건마ᄂᆞᆫ,
　　│　산림(山林)에 뭇쳐 이셔 지락(至樂)을 ᄆᆞᄅᆞᆯ 것가.
　[A]│
　　│　수간모옥(數間茅屋)을 벽계수(碧溪水) 앏픠 두고,
　　└　송죽(松竹) 울울리(鬱鬱裏)예 풍월주인(風月主人) 되여셔라.

속세에 묻혀 사는 사람들이여 이 나의 생활이 어떠한가?
옛사람의 풍류에 미치겠는가, 못 미치겠는가.

세상에 남자의 몸으로 태어나 (처지가) 나와 비슷한 사람이 많건마는,
그들은 왜 자연에 묻혀 지내는 지극한 즐거움을 모른단 말인가?
몇 칸짜리 초가집을 푸른 시냇물 앞에 두고,

소나무와 대나무가 울창한 속에서 자연의 주인이 되어 살고 있도다.

나 엇그제 겨을 지나 새봄이 도라오니,

도화 행화(桃花杏花)ᄂᆞᆫ 석양리(夕陽裏)예 픠여 잇고,

녹양방초(綠楊芳草)ᄂᆞᆫ 세우 중(細雨中)에 프르도다.

칼로 ᄆᆞᆯ아 낸가, 붓으로 그려 낸가,

㉡조화신공(造化神功)이 물물(物物)마다 헌ᄉᆞ롭다.

수풀에 우는 새는 춘기(春氣)ᄅᆞᆯ ᄆᆞᆺ내 계워 소ᄅᆡ마다 교태(嬌態)로다.

㉢물아일체(物我一體)어니, 흥(興)이이 다ᄅᆞᆯ소냐.

시비(柴扉)예 거러 보고, 정자(亭子)애 안자 보니,

소요음영(逍遙吟詠)ᄒᆞ야, 산일(山日)이 적적(寂寂)ᄒᆞᆫ듸,

한중진미(閑中眞味)ᄅᆞᆯ 알 니 업시 호재로다.

엊그제 겨울이 지나고 새봄이 돌아오니,

복숭아꽃과 살구꽃은 석양 속에 피어 있고,

푸른 버드나무와 향기로운 풀은 가랑비 속에 푸르구나.
칼로 마름질해 내었는가? 붓으로 그려 내었는가?
조물주의 신비로운 재주가 사물마다 야단스럽다.
수풀에서 우는 새는 봄기운을 끝내 못 이겨 소리마다 교태로구나.
자연과 내가 한 몸이 되니, 흥겨움이 다르겠는가?
사립문 주변을 걸어 보기도 하고, 정자에도 앉아 보며,
이리저리 거닐며 나직이 시를 읊조려, 산속의 하루가 적적한데,
한가로움 속에서 느끼는 참다운 맛을 알 사람 없이 나 혼자로구나.

다 이바 니웃드라, 산수(山水) 구경 가쟈스라.

답청(踏靑)으란 오ᄂᆞᆯ ᄒᆞ고, 욕기(浴沂)란 내일(來日) ᄒᆞ새.

아ᄎᆞᆷ에 채산(採山)ᄒᆞ고, 나조ᄒᆡ 조수(釣水)ᄒᆞ새.

ᄀᆞᆺ 괴여 닉은 술을 갈건(葛巾)으로 밧타 노코,

곳나모 가지 것거, 수 노코 먹으리라.

화풍(和風)이 건ᄃᆞᆺ 부러 녹수(綠水)ᄅᆞᆯ 건너오니,

청향(淸香)은 잔에 지고, 낙홍(落紅)은 옷새 진다.

준중(樽中)이 뷔엿거든 날ᄃᆞ려 알외여라.

소동(小童) 아ᄒᆡ드려 주가(酒家)에 술을 들어,

얼운은 막대 집고, 아ᄒᆡᄂᆞᆫ 술을 메고,

여보게 이웃 사람들아, 산수 구경 가자꾸나.

풀 밟기는 오늘 하고, 개울에 멱 감기는 내일 하세.
아침에는 산에서 나물을 캐고, 저녁에는 낚시 하세.
이제 막 익은 술을 칡베로 만든 두건으로 걸러 놓고,
꽃나무 가지 꺾어, 술잔을 세어 가며 마시리라.
화창한 봄바람이 문득 불어 푸른 물을 건너오니,
맑은 향기는 잔에 스미고, 붉은 꽃잎은 옷에 떨어진다.
술동이가 비었거든 나에게 알려라.

심부름하는 아이에게 술집에 술이 있는지 물어,
어른은 지팡이 짚고, 아이는 술동이 메고,

미음완보(微吟緩步)ᄒ야 시냇ᄀ의 호자 안자,

명사(明沙) 조흔 믈에 잔 시어 부어 들고,

청류(淸流)를 굽어보니, 쩌오ᄂ니 도화(桃花)ㅣ로다.

무릉(武陵)이 갓갑도다. 져 ᄆ이 권 거인고.

[B] 송간(松間) 세로(細路)에 두견화(杜鵑花)를 부치 들고,

봉두(峰頭)에 급피 올나 구름 소긔 안자 보니,

천촌만락(千村萬落)이 곳곳이 버려 잇ᄂ.

연하일휘(煙霞日輝)는 금수(錦繡)를 재폇ᄂ 듯.

엊그제 검은 들이 봄빗도 유여(有餘)ᄒ샤.

시를 나직이 읊조리며 천천히 걸어가 시냇가에 혼자 앉아,
고운 모래 맑은 물에 잔을 씻어 들고,

맑은 물을 바라보니 떠오는 것이 복숭아꽃이로구나.
무릉도원이 가까운 듯하다. 저 들이 그곳인가?
소나무 사이로 난 좁은 길에 진달래꽃을 붙들고,
산봉우리에 급히 올라 구름 속에 앉아 보니.

수많은 촌락이 곳곳에 벌여져 있네.

안개와 노을, 빛나는 햇살은 수놓은 비단을 펼쳐 놓은 듯.
엊그제까지만 해도 거뭇거뭇했던 들에 이제 봄빛이 흘러넘치는구나.

라

ㄹ 공명(功名)도 날 ᄭ우고, 부귀(富貴)도 날 ᄭ우니,

청풍명월(淸風明月) 외(外)예 엇던 벗이 잇ᄉ올고.

ㅁ 단표누항(簞瓢陋巷)에 훗튼 혜음 아니ᄒᄂ.

아모타, 백년행락(百年行樂)이 이만ᄒᆫ 들 엇지ᄒ리.

공명도 날 꺼리고, 부귀도 날 꺼리니.

맑은 바람과 밝은 달 외에 어떤 벗이 있겠는가?
소박한 시골 생활에도 헛된 생각 아니하네.

아무튼 평생 누리는 즐거움이 이만하면 만족스럽지 아니한가?

– 정극인, 〈상춘곡〉

생생 Note

화자 _____

상황 _____

주제 _____

핵심 시어의 의미 ① 화자의 감정이 이입된 소재는? ____ ② [라]에서
□□□□은/는 자연에 묻혀 경치를 즐기는 화자의 감상을 집약적으로
드러낸 시어임

표현 ① 설의법, 의인법, 대구법, 직유법 ② □□의 확장을 통한 정서의 심화

해제 작가가 벼슬에서 물러난 후 자연에 묻혀 살 때 지은 가사. 속세를 떠나 자연에 몰입하여 봄을 완상(玩賞)하고 인생을 즐기는 지극히 낙천적인 노래임. 가사 문학의 효시로 평가되고 있는 작품으로, 자연 속에서 한가하게 지내는 즐거움을 노래한 전형적인 양반 가사

성격 서정적, 묘사적, 예찬적

의의 ① 조선 시대 사대부 가사의 효시 ② 강호가도의 출발이 됨(송순의 〈면앙정가〉, 정철의 〈성산별곡〉과 〈관동별곡〉에 영향)

내신 대비 특별 문제

★ 이 작품에 대한 설명으로 적절하지 않은 것은?

① 조선 사대부 가사의 효시(嚆矢)이다.

② 3(4) · 4조, 4음보 연속체의 율격을 지니고 있다.

③ 안빈낙도(安貧樂道)하는 삶의 태도를 드러내고 있다.

④ 계절의 아름다움에 대한 예찬적 태도를 나타내고 있다.

⑤ 연군(戀君)과 우국(憂國)의 유교적 관념을 표출하고 있다.

표현상의 특징 파악

1 이 작품의 표현상 특징으로 가장 적절한 것은?

① 연쇄법을 사용하여 리듬감을 드러내고 있다.

② 풍자의 기법을 사용하여 세태를 비판하고 있다.

③ 과거와 현재의 대비를 통해 시상을 전개하고 있다.

④ 설의적 표현을 통해 화자의 내적 갈등을 표출하고 있다.

⑤ 대상의 아름다움을 구체적인 묘사를 통해 드러내고 있다.

감상의 적절성 파악

3 [A]와 [B]에 대한 설명으로 적절하지 않은 것은?

① [A]의 '산림(山林)에 뭇쳐 이셔'의 구체적 상황을 [B]의 내용으로 짐작할 수 있다.

② [A]의 '지락(至樂)'은 [B]의 자연 속에서 화자가 느끼는 감정과 관련 있음을 짐작할 수 있다.

③ [A]의 '수간모옥(數間茅屋)'과 [B]의 '무릉(武陵)'으로 화자가 지향하는 삶의 모습을 짐작할 수 있다.

④ [A]의 '날만흔 이'는 [B]의 '천촌만락(千村萬落)'에서 자연의 경치를 즐기는 사람들로 유추할 수 있다.

⑤ [A]의 '송죽(松竹) 울울리(鬱鬱裏)'는 [B]의 '송간(松間) 세로(細路)'와 연결되어 화자가 있는 공간을 유추할 수 있다.

시구의 의미와 화자의 정서 파악

2 〈보기〉는 대상에 대한 화자의 정서 및 태도를 도식화한 것이다. ㉠~㉤의 의미와 ⓐ와 ⓑ에 들어갈 내용이 적절하지 않은 것은?

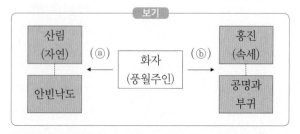

① ㉠은 화자의 풍류가 옛 사람의 수준에 미칠 만하다는 의미로, 자연을 즐기는 화자의 '자부심(ⓐ)'이 드러난다.

② ㉡은 봄 경치의 아름다움을 조물주의 신비로운 솜씨에 빗댄 표현으로, 자연을 '예찬(ⓐ)'하는 화자의 태도가 드러난다.

③ ㉢은 자연과 화자가 하나이므로 흥이 다르지 않다는 의미이며, 주어진 것에 만족할 줄 아는 '겸손(ⓐ)'한 태도가 드러난다.

④ ㉣은 주객전도(主客顚倒)된 표현으로, 화자가 '공명'과 '부귀'를 '꺼리고 있음(ⓑ)'을 알 수 있다.

⑤ ㉤은 소박한 시골 생활을 하고 있지만 헛된 생각은 하지 않는다는 의미로, 화자가 속세에 대해 '미련이 없음(ⓑ)'을 알 수 있다.

시상 전개 구조의 파악

4 〈보기〉는 이 작품의 시상 전개 구조를 도식화한 것이다. 이와 관련된 설명으로 적절하지 않은 것은?

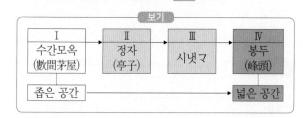

① 이 작품은 Ⅰ에서 Ⅳ로, 화자가 위치한 공간의 이동에 따라 시상이 전개되고 있다.

② 화자는 Ⅰ에서 풍류를 즐기며 생활하는 자신을 '풍월주인'에 비유하고 있다.

③ Ⅱ에서 화자는 '한중진미(閑中眞味)'를 아는 벗이 있다는 사실에 만족하고 있다.

④ Ⅲ에서 화자는 '청류(淸流)'를 바라보며 자연을 이상향으로 생각하고 있다.

⑤ Ⅳ에서 화자는 눈앞에 펼쳐진 풍경을 조망하며 봄을 완상(玩賞)하고 있다.

만분가 萬憤歌

가 천상(天上) 백옥경(白玉京) 십이루(十二樓) 어듸매오	천상 백옥경 십이루가 어디인가?
오색운(五色雲) 깁픈 곳의 자청전(紫淸殿)이 ᄀ려시니	오색 구름 깊은 곳에 자청전이 가렸으니
㉠천문(天門) 구만 리(九萬里)를 쑴이라도 갈동말동	구만 리 먼 하늘을 꿈이라도 갈동말동.
츠라리 싀여지여 억만(億萬) 번 변화(變化)ᄒ여	차라리 죽어져서 억만 번 변화하여
남산(南山) 늦즌 봄의 두견(杜鵑)의 넉시 되어	남산 늦은 봄에 두견새의 넋이 되어
이화(梨花) 가디 우희 밤낫즐 못 울거든	배꽃 가지 위에 밤낮으로 못 울거든
삼청동리(三淸洞裏)의 졈은 한널 구름 되여	삼청동리에 저문 하늘 구름 되어
ᄇ람의 흘리 ᄂ라 자미궁(紫微宮)의 ᄂ라 올라	바람에 흘러 날아 자미궁에 날아올라
옥황(玉皇) 향안전(香案前)의 지쳑의 나아 안자	옥황 향안 앞의 지척에 나가 앉아
ⓐ흉중(胸中)의 싸힌 말슴 쓸커시 스로리라 〈중략〉	마음속에 쌓인 말씀 실컷 사뢰리라. 〈중략〉
나 천층랑(千層浪) 한가온대 백 척 간(百尺竿)의 올나더니	험한 물결 한가운데 긴 장대 위에 올랐더니
무단(無端)한 양각풍(羊角風)이 환해 중(宦海中)의 니러나니	끝이 없는 회오리바람이 관리의 사회 중에 내리나니
억만 장(億萬丈) 소희 빠져 하날 따흘 모랄노다	억만 장 깊은 못에 빠져 하늘땅을 모르겠다.
ⓑ노(魯)나라 흐린 술희 한단(邯鄲)이 무슴 죄(罪)며	노나라 흐린 술에 한단이 무슨 죄며
진인(秦人)이 취(醉)한 잔(盞)의 월인(越人)이 무음 탓고	진나라 사람들이 취한 잔에 월나라 사람들이 웃음을 웃은 탓인가.
㉡성문(城門) 모딘 불의 옥석(玉石)이 함긔 타니	성문 모진 불에 옥석이 함께 타니
뜰 압희 심은 난(蘭)이 반(半)이나 이우례라	뜰 앞에 심은 난이 반이나 시들었구나.
㉢오동(梧桐) 졈은 비의 외기럭이 우러 녤 제	저물녘 오동잎에 내리는 비에 외기러기 울며 갈 때
관산만리(關山萬里) 길이 눈의 암암 발피난 듯	관산 만 리 길이 눈에 암암 밟히는 듯
청련시(靑蓮詩) 고쳐 읊고 팔도 한을 슷쳐 보니	이백의 시를 고쳐 읊고 팔도 한을 스쳐 보니
화산(華山)의 우난 새야 이별(離別)도 괴로왜라 〈중략〉	화산에 우는 새야 이별도 괴로워라. 〈중략〉
다 풍파(風波)의 헌 ᄇ 트고 흠ᄭ 노던 져ᄂ덜아	풍파에 헌 배 타고 함께 놀던 저 무리들아.
강천(江天) 지는 ᄒ의 주즙(舟楫)이나 무양(無恙)ᄒ가	하늘이 보이는 강에 지는 해의 배와 삿대는 별 탈이 없는가
밀거니 혀거니 염여퇴(灩澦堆)룰 겨요 디나	밀거니 당기거니 염여퇴(큰 암초)를 겨우 지나
만리붕정(萬里鵬程)을 멀리곰 견주더니	만 리나 되는 멀고 험한 길을 멀리멀리 견주더니
ᄇ람의 다브치여 흑룡강(黑龍江)의 써러진 듯	바람에 부딪쳐 흑룡강에 떨어진 듯
천지(天地) ᄀ이 업고 어안(魚雁)이 무정(無情)ᄒ니	천지는 끝이 없고 물고기와 기러기가 무정하니
㉣옥(玉) ᄀ튼 면목(面目)을 그리다가 말년지고	옥 같은 얼굴을 그리다가 말려는가.
매화(梅花)나 보내고져 역로(驛路)룰 ᄇ라보니	매화나 보내고자 역로를 바라보니
옥량명월(玉樑明月)을 녀보던 ᄂ빗친 듯	옥 대들보에 걸린 밝은 달을 옛 보던 얼굴인 듯

양춘(陽春)을 언제 볼고 눈비룰 혼자 마자

벽해(碧海) 너븐 ᄀᆞ의 넉시조차 훗터지니

내의 긴 소매룰 눌 위ᄒᆞ여 적시ᄂᆞᆫ고 〈중략〉

햇빛을 언제 볼까 눈비를 혼자 맞아

푸른 바다 넓은 가에 넋조차 흩어지니

나의 긴 소매를 누굴 위하여 적시는고. 〈중략〉

라 초수남관(楚囚南冠)이 고금(古今)의 ᄒᆞᆫ둘이며

백발황상(白髮黃裳)의 셔룬 일도 하고 만타

건곤(乾坤)이 병(病)이 드러 혼돈(混沌)이 죽은 후(後)의

하ᄂᆞᆯ이 침음(沈吟)ᄒᆞᆯ 듯 관색성(貫索星)이 비취ᄂᆞᆫ 듯

ⓓ 고졍의국(孤情依國)의 원분(寃憤)만 싸혓시니

ᄎᆞ라리 할마(瞎馬) ᄀᆞ치 눈 곰고 지내고져

창창막막(蒼蒼漠漠)ᄒᆞ야 못 미들슨 조화(造化)일다

이러나 저러나 하ᄂᆞᆯ을 원망ᄒᆞᆯ가

ⓔ 도척(盜跖)도 셩히 놀고 백이(伯夷)도 아사(餓死)ᄒᆞ니

동릉(東陵)이 놉픈 작가 수양(首陽)이 ᄂᆞᆽ은 작가

남화(南華) 삼십 편(三十篇)의 의논(議論)도 하도 할샤

남가(南柯)의 디난 ᄭᅮᆷ을 싱각거든 슬므어라

고국송추(故國松楸)룰 ᄭᅮᆷ의 가 ᄆᆞᆫ져 보고

선인(先人) 구묘(丘墓)룰 ᄭᅵᆫ 후(後)의 싱각ᄒᆞ니

구회간장(九回肝腸)이 굽의굽의 그쳐셰라 〈중략〉

죄 지은 사람이 고금에 한둘이며

늙은 신하의 서러운 일도 많기도 많다.

하늘과 땅이 병이 들어 혼돈이 죽은 후에

하늘이 침울할 듯 천한 이의 감옥에 비치는 듯

유배지에서 나라를 생각하는 마음에 원망과 울분만 쌓였으니

차라리 한 눈이 먼 말같이 눈 감고 지내고저.

창창막막하여 못 믿을 조화로다.

이러나 저러나 하늘을 원망할까.

큰 도적도 셩히 놀고 백이도 굶어 죽으니

동릉이 높은 걸까 수양산이 낮은 걸까.

《남화》 삼십 편에 의논도 많기도 많구나.

남가의 지난 꿈을 생각거든 싫고 미워라.

고국 산소의 나무들을 꿈에 가 만져 보고

선인 무덤을 깬 후에 생각하니

겹쳐진 속마음이 굽이굽이 끊어졌구나. 〈중략〉

마 ⓔ 한(恨)이 쓸희 되고 눈물로 가디 삼아

님의 집 창 밧긔 외나모 매화(梅花) 되여

설중(雪中)의 혼자 픠여 침변(枕邊)의 이위ᄂᆞᆫ 듯

ⓜ 월중소영(月中疏影)이 님의 옷의 빗취어든

어엿븐 이 얼굴을 네로다 반기실가 〈후략〉

한이 뿌리 되고 눈물로 가지 삼아

임의 집 창밖에 외나무 매화 되어

눈 속에 혼자 피어 베갯머리에 시드는 듯

달 아래 드문드문 비치는 그림자가 임의 옷에 비치거든

불쌍한 이 얼굴을 너로구나 반기실까. 〈후략〉

— 조위, 〈만분가〉

생생 Note

화자 _____

상황 _____

주제 _____

핵심 시어의 의미 ① [가]에서 ☐☐와/과 ☐☐은/는 화자의 분신으로, 화자의 억울함과 임에 대한 그리움을 드러냄 ② [나]에서 화자의 감정이 이입된 대상은? _____

표현 ① 다양한 ☐☐의 인용 ② 비유적 표현의 사용 ③ 격정적인 어조를 취하

여 자신의 ☐☐☐ 호소

해제 작가가 연산군 4년(1498년)에 무오사화에 연루되어 전라도 순천으로 유배가 있을 때 지은 것. 자신을 천상에서 지상으로 쫓겨난 여인으로, 선왕 성종을 옥황상제로 설정해 임에 대한 그리움과 자신의 억울함을 호소함

성격 서정적, 충신연주지사

의의 ① 현존하는 작품 중 가장 오래된 유배 가사 ② 〈사미인곡〉, 〈속미인곡〉 등에 영향을 줌

세부 내용의 이해

3 ⓐ~ⓔ에 대한 설명으로 적절하지 <u>않은</u> 것은?

① ⓐ: 유배지에서 화자가 자신의 억울한 심정을 하소연하고 싶은 심정을 담은 것으로 이 작품의 창작 동기가 된다.

② ⓑ: 서로 아무 관련이 없는 것을 예로 들어 유배 온 화자가 자신의 무죄를 호소한 것이다.

③ ⓒ: 유배지에서의 화자가 임금을 그리워하는 연군지정이 드러난다.

④ ⓓ: 유배지에서 느끼는 화자의 나라를 염려하는 마음과 원통하고 억울한 심정이 표현되어 있다.

⑤ ⓔ: 다시는 임금의 곁으로 돌아갈 수 없게 된 상황에서 오는 임금에 대한 원망과 미움이 드러나 있다.

★ 이 작품의 표현상 특징으로 적절하지 <u>않은</u> 것은?

① 규칙적인 율격을 통해 리듬감을 살리고 있다.

② 고사를 인용하여 자신의 처지를 드러내고 있다.

③ 주제는 유교적이나, 도교적 성격의 시어들도 사용하고 있다.

④ 비유적 표현을 통해 자신이 처한 상황을 생생하게 드러내고 있다.

⑤ 절제된 감정 표현을 통해 자신의 심정을 우회적으로 전달하고 있다.

시적 화자의 상황 및 정서 파악

1 이 작품의 화자가 유배지에서 다음과 같은 회고록을 썼다고 가정할 때, 내용으로 적절하지 <u>않은</u> 것은?

> ①벼슬살이란 본디 자칫 잘못하면 환난을 면치 못하는 험난한 길이다. 나는 젊은 시절 벼슬길에 올라 한동안 그럭저럭 위험한 고비들을 잘 넘기며 지내왔으나 결국 내게도 뜻하지 않은 불행이 닥쳐왔다. ②어느 날 불어 닥친 조정의 피바람에 나는 아무 잘못도 없이 이곳 남도 땅으로 유배를 오게 되었다. ③처음 유배지에 내려왔을 때 아무 잘못도 없는 내가 유배를 당해야만 하는 현실을 도무지 받아들일 수 없었고 내 가슴속에는 분노와 원한이 가득했다. 차라리 눈 감고 지내고자 하는 자포자기의 심정도 들었다. ④그러나 어찌 원인이 없는 결과가 있을 수 있겠는가? 이 모든 것이 나의 잘못 때문임을 깨닫기 시작했다. 그 이후 나는 유배지에서 하루하루 임금님을 뼈에 사무치게 그리워하며 시간을 보냈다. 또한 ⑤고향에 대한 그리움도 날로 더해 어느 날 밤에는 고향의 선산에 간 꿈을 꾸었다. 아! 나는 언제나 이곳을 벗어나 그리운 고향에 돌아갈 수 있을꼬.

시어의 의미 파악

2 ㉠~㉤에 대한 설명으로 적절하지 <u>않은</u> 것은?

① ㉠에서 '천문'은 임금이 계신 곳을, '구만 리'는 화자가 느끼는 심리적인 거리감을 의미하는 시어이다.

② ㉡에서 '옥석'은 아무 잘못도 없는 화자 자신과 죄인들을 비유적으로 나타낸 시어이다.

③ ㉢의 '비'와 '외기러기'는 화자의 처지를 드러내고, 정서를 심화시키는 기능을 하는 시어이다.

④ ㉣에서 '도척'은 간신을, '백이'는 화자 자신을 비유적으로 나타낸 시어이다.

⑤ ㉤에서 '월중소영'은 임의 곁에 있는 다른 인물을 표현한 것으로, 화자의 체념적 정서를 보여 주는 시어이다.

비교 감상의 적절성 파악

4 〈보기〉의 작품과 이 작품을 비교하여 감상한 내용으로 적절하지 <u>않은</u> 것은?

> **보기**
>
> 내 님믈 그리ᄉᆞ와 우니다니
> 산(山) 졉동새 난 이슷ᄒᆞ요이다.
> 아니시며 거츠르신 ᄃᆞᆯ 아으
> 잔월효성(殘月曉星)이 아ᄅᆞ시리이다.
> 넉시라도 님은 ᄒᆞᆫᄃᆡ 녀져라 아으
> 벼기더시니 뉘러시니잇가.
> 과(過)도 허믈도 천만(千萬) 업소이다.
> ᄆᆞᆯ힛 마리신뎌
> 술읏븐뎌 아으
> 니미 나를 ᄒᆞ마 니ᄌᆞ시니잇가.
> 아소 님하, 도람 드르샤 괴오쇼셔.   – 정서, 〈정과정〉
>
> 〈정과정〉은 자신의 결백과 임금에 대한 충절을 노래한 고려 가요로, 유배 문학과 충신연주지사의 원류가 되는 작품이다.

① 자신의 결백함을 밝히고자 한다는 점에서 창작 동기의 유사성을 찾을 수 있어.

② 임금에 대한 절절한 그리움을 노래하고 있다는 점에서 정서의 유사성을 찾을 수 있어.

③ 자연물을 이용하여 자신의 심정을 표현하고 있다는 점에서 소재의 활용 방식의 유사성을 찾을 수 있어.

④ 유배를 당한 자신의 처지를 임에게 버림받은 이에 빗대어 표현했다는 점에서 발상의 유사성을 찾을 수 있어.

⑤ 비유와 인용, 완곡한 어조를 사용하여 화자의 감정을 절제하고 있다는 점에서 표현상의 유사성을 찾을 수 있어.

하늘이 만드심을 일정 고루 하련마는	하늘이 만드시기를 일정하고 고르게 하련마는
어찌 된 인생이 이다지도 괴로운고	어찌 된 인생이 이토록 괴로운가?
㉠삼십 일에 아홉 끼니 얻거나 못 얻거나	삼십 일에 아홉 끼니를 얻거나 못 얻거나
십 년 동안 갓 하나를 쓰거나 못 쓰거나	십 년 동안 하나의 갓을 쓰거나 못 쓰거나
안표(顏瓢)가 자주 빈들 나같이 비었으며	안연의 밥그릇이 자주 비었던들 나같이 비었으며
원헌(原憲)의 가난인들 나같이 극심할까	원헌의 가난인들 나같이 극심할까?
ⓐ봄날이 따뜻하여 ⓑ뻐꾸기가 보채거늘	봄날이 따뜻하여 뻐꾸기가 재촉하거늘
동편 이웃 쟁기 얻고 서편 이웃 호미 얻고	동쪽 이웃에게 쟁기 얻고 서쪽 이웃에게 호미 얻고
집 안에 들어가 씨앗을 마련하니	집 안에 들어가 씨앗을 마련하려 하니
올벼 씨 한 말은 반 넘게 ⓒ쥐 먹었고	올벼 씨 한 말은 반 넘게 쥐가 먹었고
기장 피 조 팥은 서너 되 부쳤거늘	기장, 피, 조, 팥은 서너 되 부쳤거늘
㉡춥고 주린 식구 이리하여 어이 살리	춥고 배고픈 식구 이리하여 어찌 살리.
이봐 아이들아 아무쪼록 힘을 써라	이봐 아이들아 어쨌거나 힘써 살아가라.
죽 웃물 상전 먹고 건더기 건져 종을 주니	죽을 쑤어 국물은 상전이 먹고 건더기 건져 종을 주었는데
눈 위에 바늘 젓고 코로는 휘파람 분다	눈살을 찌푸리며 콧방귀만 뀐다.
올벼는 한 발 뜯고 조 팥은 다 묵히니	올벼는 한 발만 수확하고 조와 팥은 다 묵히니
싸리피 바랭이는 나기도 싫지 않던가	싸리, 피, 바랑이는 (잡초는) 나기도 싫지 않던가?
환곡 장리는 무엇으로 장만하며	빌린 곡식의 이자는 무엇으로 장만하며
부역 세금은 어찌하여 차려 낼꼬	부역과 세금은 어찌하여 채워 낼꼬?
이리저리 생각해도 견딜 수가 전혀 없다	이리저리 여러 가지로 생각하여도 견딜 가망이 전혀 없다.
ⓓ장초의 무지를 부러워하나 어찌하리	장초가 아무 걱정 모르는 것을 부러워하나 어찌하리?
시절이 풍년인들 아내가 배부르며	시절이 풍년인들 아내가 배부르며
겨울을 덥다 한들 몸을 어이 가릴꼬	겨울이 덥다 한들 몸을 어찌 가릴까?
베틀 북도 쓸 데 없어 빈 벽에 남겨 두고	베틀의 북은 쓸 데 없이 빈 벽에 걸려 있고
㉢솥 시루도 버려두니 붉은 빛이 다 되었다	솥 시루도 버려두니 붉은 빛이 다 되었다.
㉣세시 삭망 명일 기제는 무엇으로 제사하며	세시 절기, 명절과 제사는 무엇으로 해 올리며
원근 친척 손님들은 어이하여 접대할꼬	멀고 가까운 친척 손님들은 어찌하여 대접할 것인가?
이 얼굴 지녀 있어 어려운 일 많고 많다	이 몰골 지니고 있어 어려운 일 많고 많다.
┌ 이 원수 가난귀신 어이하여 여의려뇨	이 원수 가난귀신을 어찌해야 이별할까?
술에 음식을 갖추고 이름 불러 전송하여	술에 음식을 갖추어서 이름 불러 전송하여
길한 날 좋은 때에 사방으로 가라 하니	좋은 날 좋은 때에 사방으로 가라 하니
웅얼웅얼 불평하며 화를 내어 이른 말이	웅얼웅얼 불평하며 화를 내며 하는 말이

어려서부터 지금까지 희로애락을 너와 함께하여

[A] 죽거나 살거나 헤어질 일이 없었거늘

어디 가 뉘 말 듣고 가라 하여 이르느뇨

우는 듯 꾸짖는 듯 온 가지로 협박커늘

돌이켜 생각하니 네 말도 다 옳도다

무정한 세상은 다 나를 버리거늘

네 혼자 신의 있어 나를 아니 버리거든

위협으로 회피하며 잔꾀로 여읠려냐

ⓜ 하늘 만든 이내 가난 설마한들 어이하리

빈천도 내 분수니 서러워해 무엇하리

어려서부터 지금까지 기쁨과 슬픔을 너와 함
께하여
죽거나 살거나 헤어질 일이 없었거늘

어디 가서 누구 말을 듣고 가라고 말하는가?

타이르는 듯 꾸짖는 듯 온갖 방법으로 협박하
거늘
돌이켜 생각하니 네 말도 다 옳도다.

무정한 세상은 다 나를 버리거늘

너 혼자 신의 있어 나를 아니 버리니

억지로 피하여 잔꾀로 이별하겠느냐?

하늘이 준 이내 가난 설마한들 어찌하리.

가난과 천함도 내 분수니 서러워하여 무엇하
리.

— 정훈, 〈탄궁가〉

내신 대비 특별 문제

★ 이 작품의 표현상 특징과 효과에 대한 설명으로 적절하지 <u>않은</u>
것은?

① 상황을 구체적으로 묘사하여 사실성을 높이고 있다.

② 가난귀신과의 대화를 통해 내적 갈등을 해소하고 있다.

③ 중국 고사 속 인물과 비교하여 화자의 궁핍함을 강조하
고 있다.

④ 말을 건네는 방식을 사용하여 화자가 바라는 것을 드러
내고 있다.

⑤ 대구법을 사용하여 부정적 현실에 대한 극복 의지를 강
조하고 있다.

비교 감상의 적절성 파악

1 이 작품과 〈보기〉의 공통점으로 가장 적절한 것은?

> ───── 보기 ─────
>
> 내 몸이 여유 있어 일가(一家)를 돌아보랴
> 수염이 긴 노비는 노주분(奴主分)을 잊었거든
> 봄이 왔다 알리는 걸 어느 사이 생각하리
> 경당문노(耕當問奴)인들 누구에게 물을런고
> 손수 농사짓기가 내 분(分)인 줄 알리로다
>
> ─ 박인로, 〈누항사〉

① 집안을 돌보지 않는 하인을 꾸짖는 상황이 제시되어 있다.

② 사대부가 오히려 하인의 눈치를 보는 상황이 제시되어 있다.

③ 사대부로서 농업을 근본으로 여기는 마음가짐이 제시되어 있다.

④ 자연을 즐기며 안분지족하는 사대부의 삶의 태도가 제시되어 있다.

⑤ 농사철이 다가와 사대부임에도 일손을 보태야 하는 상황이 제시되어 있다.

시적 화자의 정서 및 태도 파악

2 [A]에 대한 설명으로 적절하지 <u>않은</u> 것은?

① 화자의 고통스럽고 비극적인 상황을 희화화하여 웃음으로 가리고 있다.

② 화자의 비관적 현실 인식은 유지되며 가난을 떨쳐 낼 대상으로 깨닫고 있다.

③ 가난에서 벗어나기 어려움을 깨닫고 이를 체념적으로 수용하는 자세를 보이고 있다.

④ 화자의 세상에 대한 부정적 인식과 '가난귀신'에 대한 믿음과 의지가 드러나고 있다.

⑤ '가난귀신'의 말을 통해 화자의 가난으로 인한 고통이 매우 오래되었음을 짐작할 수 있다.

조건에 따른 감상의 적절성 파악

3 〈보기〉를 참고하여 ㉠~㉤를 이해한 내용으로 적절하지 <u>않은</u> 것은?

> ───── 보기 ─────
>
> 이 작품은 경제적으로 몰락한 사대부가 궁핍한 생활을 벗어날 수 없음을 탄식하면서도 동시에 안분지족에 대한 지향을 노래한 가사이다. 개인적 궁핍함으로 인해 안으로는 가장의 역할을, 밖으로는 사대부로서의 사회적 책임을 감당할 수 없었던 사대부들은 현실을 극복할 대안을 찾지 못했고, 주어진 분수에 맞게 사는 것을 운명으로 여기며 정신적인 극복을 추구할 수밖에 없었다.

① ㉠: 구체적인 수치를 제시해 당시에 극심한 궁핍함으로 고통받던 몰락한 사대부들이 매우 많았음을 드러내고 있다.

② ㉡: 농사를 짓기도 힘든 집안 상황 때문에 가족들의 생계를 감당하지 못하는 가장으로서의 근심이 나타나 있다.

③ ㉢: 오랜 시간 동안 끼니조차 잇지 못하는 가난한 생활을 시각적으로 표현하여 가난을 극복할 대안을 찾지 못하고 있음을 드러내고 있다.

④ ㉣: 가난으로 인해 도리를 다하지 못하는 상황을 통해 사대부로서의 사회적 책임을 감당할 수 없는 현실을 드러내고 있다.

⑤ ㉤: 가난을 하늘이 주신 운명으로 받아들이며 체념하는 모습을 통해 현실을 정신적으로 극복하고자 했음을 나타내고 있다.

소재의 역할 파악

4 ⓐ~ⓓ에 대한 설명으로 가장 적절한 것은?

① ⓐ는 화자의 열악한 처지를 따뜻하게 위로해 주는 계절적 배경이다.

② ⓐ와 ⓑ는 모두 화자와 대비되는 소재로 부러움의 대상이다.

③ ⓐ와 ⓓ는 모두 화자의 절망적 상황을 더욱 인식하게 만드는 소재이다.

④ ⓒ는 화자의 궁핍함을 심화시키는 탐관오리를 의미하는 소재이다.

⑤ ⓓ는 화자의 고통스러운 정서가 이입된 소재이다.

관동별곡 關東別曲

가 江강湖호애 病병이 깁퍼 竹듁林님의 누엇더니
關관東동 八팔百빅 里니에 方방面면을 맛디시니
어와 聖셩恩은이야 가디록 罔망極극ᄒ다.
延연秋츄門문 드리ᄃ라 慶경會회 南남門문 ᄇ라보며
下하直직고 믈너나니 玉옥節졀이 알픠 셧다.
平평丘구驛역 몰을 ᄀ라 黑흑水슈로 도라드니
蟾셤江강은 어듸메오 雉티岳악이 여긔로다.
㉠昭쇼陽양江강 ᄂ린 믈이 어드러로 든단 말고.
孤고臣신去거國국에 白빅髮발도 하도 할샤.
東동洲쥐 밤 계오 새와 北븍寬관亭뎡의 올나ᄒ니
三삼角각山산 第뎨一일峰봉이 ᄒ마면 뵈리로다.
㉡弓궁王왕 大대闕궐 터희 烏오鵲쟉이 지지괴니
千쳔古고 興흥亡망을 아ᄂ다 몰ᄋᄂ다.
淮회陽양 녜 일홈이 마초아 ᄀ톨시고.
汲급長댱孺유 風풍彩치를 고텨 아니 볼 게이고.

자연을 사랑하는 마음이 병처럼 깊어 은거지
(창평)에서 지내고 있었는데,
(임금께서) 팔백 리나 되는 관동 지방 관찰사
의 직분을 맡겨 주시니,
아아, 임금의 은혜야말로 갈수록 끝이 없다.

(경복궁 서문인) 연추문으로 달려들어가 경회
루 남문을 바라보며,
(임금께) 하직하고 물러나니 관찰사의 신표인
옥절이 앞에 있다.
평구역(양주)에서 말을 갈아 타고 흑수(여주)
로 돌아드니,
섬강(원주)은 어디인가? 치악산(원주)이 여기
로구나.
소양강에서 흘러내리는 물이 어디로 흘러든다
는 말인가?
임금 곁을 떠나는 외로운 신하가 걱정이 많기
도 많구나.
동주(철원)에서 밤을 겨우 새워 북관정에 오르
니,
(임금 계신 한양의) 삼각산 제일 높은 봉우리
가 웬만하면 보일 것도 같구나.
궁예 왕의 대궐 터였던 곳에 까막까치가 지저
귀니,
한 나라의 흥하고 망함을 아는가 모르는가?

회양이라는 이곳의 이름이 (중국 한나라에 있던)
회양이라는 옛날 이름과 공교롭게도 같구나.
(한나라 회양 태수로 선정을 베풀었다는) 급장
유의 풍채를 다시 펼쳐야 할 것이 아닌가?

나 營영中듕이 無무事ᄉᄒ고 時시節졀이 三삼月월인 제
花화川쳔 시내길히 楓풍岳악으로 버더 잇다.
行ᄒᆡᆼ裝장을 다 쎨티고 石셕逕경의 막대 디퍼
百빅川쳔洞동 겨팅 두고 萬만瀑폭洞동 드러가니
銀은 ᄀ톤 무지게 玉옥 ᄀ톤 龍룡의 초리
섯돌며 쁨ᄂ 소리 十십 里리의 ᄌ자시니
들을 제ᄂ 우레러니 보니ᄂ 눈이로다.
金금剛강臺딘 민 우層층의 仙션鶴학이 삿기 치니
春츈風풍 玉옥笛뎍聲셩의 첫ᄌᆞᆷ을 ᄭᅵ돗던디
縞호衣의玄현裳샹이 半반空공의 소소 ᄯ니
西셔湖호 녯 主쥬人인을 반겨셔 넘노ᄂ 듯.
小쇼香향爐노 大대香향爐노 눈 아래 구버보고
正졍陽양寺ᄉ 眞진歇헐臺딘 고텨 올나 안즌마리
廬녀山산 眞진面면目목이 여긔야 다 뵈ᄂ다.

감영 안이 별일 없고 시절이 3월인 때에,

화천의 시냇길이 금강산으로 뻗어 있다.

행장을 간편히 하고 돌길에 지팡이를 짚고,

백천동 곁에 두고 만폭동 계곡으로 들어가니,

은 같은 무지개, 옥 같은 용의 꼬리처럼

폭포가 섞여 돌며 내뿜는 소리가 십 리 밖까
지 퍼졌으니,
(멀리서) 들을 때에는 우렛소리 같더니 (가까
이서) 바라보니 눈과 같구나!
금강대 맨 꼭대기에 학이 새끼를 치니,

봄바람에 들려오는 옥피리 소리에 첫 잠을 깨
었던지,
흰 저고리와 검은 치마로 단장한 듯한 학이
공중에 솟아 뜨니,
서호의 옛 주인이었던 임포를 반기듯 나를 반
겨서 넘노는 듯하구나!
소향로봉과 대향로봉을 눈 아래 굽어보고,

정양사 진헐대에 다시 올라 앉으니,

중국의 여산과도 같이 아름다운 금강산의 참
모습이 여기서야 다 보이는구나.

어와 造조化화翁옹이 헌스토 헌스홀샤.

늘거든 쮜디 마나 셧거든 솟디 마나.

芙부蓉용을 고잣는 둧 白빅玉옥을 믓것는 둧

東동溟명을 박츠는 둧 北북極극을 괴왓는 둧.

놉흘시고 望망高고臺딕 외로올샤 穴혈望망峰봉이 / 하늘의 추미러 므스 일을 스로리라

千천萬만 劫겁 디나드록 구필 줄 모르는다.

어와 너여이고 너 フ투니 쏘 잇는가.

아아, 조물주의 솜씨가 야단스럽기도 야단스럽구나.
(수많은 봉우리들은) 날거든 뛰지 말고 섰거든 솟지 말지.
연꽃을 꽂아 놓은 듯, 백옥을 묶어 놓은 듯,

동해를 박차는 듯, 북극을 괴어 놓은 듯하구나.
높기도 높은 망고대, 외롭기도 외로운 혈망봉이 / 하늘에 치밀어 무슨 일을 아뢰려고
오랜 세월이 지나도록 굽힐 줄 모르는가?

아아, 너로구나. (높은 지조를 지닌) 너 같은 이가 또 있겠는가?

(다) 開기心심臺딕 고텨 올나 衆즁香향城성 브라보며

萬만 二이千쳔 峰봉을 歷녁歷녁히 혀여ᄒ니

峰봉마다 및쳐 잇고 긋마다 서린 긔운 / 묽거든 조티 마나 조커든 묽디 마나.

뎌 긔운 흐터 내야 人인傑걸을 몬돌고쟈.

形형容용도 그지업고 體톄勢세도 하도 할샤.

天텬地디 삼기실 제 自ᄌ然연이 되연마는

이제 와 보게 되니 有유情졍도 有유情졍ᄒ샤.

毗비盧로峰봉 上샹上샹頭두의 올라 보니 긔 뉘신고.

東동山산 泰태山산이 어느야 놉돗던고. / 魯노國국 조븐 줄도 우리는 모르거든

넙거나 넙은 天텬下하 엇찌ᄒ야 젹닷 말고.

어와 뎌 디위를 어이ᄒ면 알 거이고.

ⓒ 오르디 못ᄒ거니 느려가미 고이홀가.

圓원通통골 フ는 길로 獅ᄉ子ᄌ峰봉을 ᄎ자가니

그 알픠 너러바회 化화龍룡쇠 되여셰라.

千쳔年년 老노龍룡이 구비구비 서려 이셔 / 晝듀夜야의 흘녀 내여 滄챵海ᄒ히예 니어시니

風풍雲운을 언제 어더 三삼日일雨우를 디련는다.

陰음崖애예 이온 플을 다 살와 내여스라. 〈중략〉

개심대에 다시 올라 중향성을 바라보며

일만 이천 봉을 똑똑히 헤아려 보니,

봉마다 맺혀 있고 끝마다 서려 있는 기운, / 맑거든 깨끗하지나 말지, 깨끗하거든 맑지나 말지.
저 (맑고 깨끗한) 기운을 흩어 내어 뛰어난 인재를 만들고 싶구나.
(산의) 생김새도 끝이 없고, 형세도 다양하기도 하구나.
천지가 생겨날 때에 저절로 이루어진 것이지만,
이제 와 보게 되니 조물주의 뜻이 담겨 있기도 하구나!
(금강산 가장 높은 봉우리인) 비로봉에 올라 본 사람이 그 누구인가?
동산과 태산 중 어느 것이 비로봉보다 높던가? / 노나라가 좁은 줄도 우리는 모르거든,
(하물며) 넓고도 넓은 천하를 (공자는) 어찌하여 작다고 했는가?
아아, (공자의 높고 넓은) 저 경지를 어찌하면 알 수 있겠는가?
오르지 못하는데 내려감이 이상하랴?

원통골의 좁은 길로 사자봉을 찾아가니,

그 앞의 넓은 바위가 화룡소가 되었구나.

천 년 묵은 늙은 용이 굽이굽이 서려 있는 것 같이 / 밤낮으로 물이 흘러내려 넓은 바다까지 이어 있으니, / (저 용은) 바람과 구름을 언제 얻어 흡족한 비를 내리려 하느냐?
그늘에 시든 풀들을 다 살려 내려무나. 〈중략〉

(라) 져근덧 밤이 드러 風풍浪낭이 定뎡ᄒ거늘, / 扶부桑상 咫지尺쳑의 明명月월을 기드리니,

瑞셔光광 千쳔丈댱이 뵈는 둧 숨는고야.

珠쥬簾렴을 고텨 것고 玉옥階계를 다시 쓸며,

啓계明명星셩 돗도록 곳초 안자 브라보니, / 白빅蓮년花화 ᄒ 가지를 뉘라셔 보내신고.

잠깐 사이에 밤이 되어 바람과 물결이 가라앉기에, / 해 뜨는 동해 가까이에서 밝은 달을 기다리니, / 상서로운 달빛이 보이는 듯하다가 숨는구나.
구슬을 꿰어 만든 발을 다시 걷어 올리고 옥 같은 섬돌을 다시 쓸며
샛별이 돋아 오를 때까지 꼿꼿이 앉아 바라보니 / 흰 연꽃 한 가지를 그 누가 보내셨는가?

ⓔ일이 됴흔 世세界계 놈대되 다 뵈고져 / 流뉴霞하酒쥬 フ득 부어 둘ᄃ려 무론 말이,

英영雄웅은 어딘 가며 四스仙션은 긔 뉘러니,

아미나 맛나 보아 녯 긔별 뭇쟈 ᄒ니,

仙션山산 東동海히예 갈 길히 머도 멀샤.

ⓜ 松숑根근을 볘여 누어 픗줌을 얼픗 드니, / 꿈애 혼 사람이 날ᄃ려 닐온 말이,

ⓓ그디롤 내 모ᄅ랴 上샹界계예 眞진仙션이라.

黃황庭뎡經경 一일字ᄌ롤 엇디 그릇 닐거 두고,

人인間간의 내려와셔 우리롤 ᄯ로오는다. / 져근덧 가디 마오 이 술 혼 잔 머거 보오.

北븍斗두星셩 기우려 滄챵海히水슈 부어 내여,

저 먹고 날 머겨늘 서너 잔 거후로니,

和화風풍이 習습習습ᄒ야 兩냥腋익을 추혀드니,

九구萬만 里리 長댱空공애 져기면 ᄂ리로다.

이 술 가져다가 四스海히예 고로 ᄂ화,

億억萬만 蒼창生싱을 다 醉취케 밍근 後후의,

그제야 고텨 맛나 ᄯ 혼 잔 ᄒ잣고야.

말 디쟈 鶴학을 ᄐ고 九구空공의 올나가니, / 空공中듕 玉옥蕭쇼 소리 어제런가 그제런가.

나도 줌을 ᄭ씨여 바다홀 구버보니, / 기픠롤 모ᄅ거니 フ인들 엇디 알리.

明명月월이 千쳔山산萬만落낙의 아니 비쵠 ᄃ 업다.

　　　　　　　　　　　　　　　　　　　　　　　　　　　　　　　　　　　－ 정철, 〈관동별곡〉

생생 Note

화자 ＿＿＿＿＿＿＿＿＿＿＿＿＿＿＿＿＿＿＿＿＿＿＿＿＿＿＿＿

상황 ＿＿＿＿＿＿＿＿＿＿＿＿＿＿＿＿＿＿＿＿＿＿＿＿＿＿＿＿

주제 ＿＿＿＿＿＿＿＿＿＿＿＿＿＿＿＿＿＿＿＿＿＿＿＿＿＿＿＿

핵심 시어의 의미 화자가 공적 임무와 개인적 욕망 사이의 갈등을 해소하게 되는 장치는? ＿＿＿＿＿＿＿＿＿＿＿＿＿＿＿＿＿＿＿＿＿＿

표현 ① 3(4) · 4조, 4음보의 율격이 사용되었고, 낙구에는 □□의 종장과 같은 3 · 5 · 4 · 3의 음수율이 사용됨 ② □□□을/를 인간의 삶에 적용시켜 주관적으로 변용시킴 ③ □□□ 순서(여정)에 따른 추보식 구성 ④ 우리

말의 아름다움을 잘 살려 표현함

해제 송강 정철의 대표작으로, 작가가 45세 되던 해 강원도 관찰사로 부임하여 금강산과 관동 팔경을 유람한 후, 아름다운 경치와 고사, 풍속, 자신의 정서와 태도 등을 여정에 따라 노래한 가사이다. 이 작품은 영탄법, 대구법, 생략법 등을 활용해 생동감 넘치게 자연의 풍경을 묘사하고 있으며, 작가의 뛰어난 우리말 구사력이 나타나 있어 가사 문학의 백미로 평가받는다.

성격 유교적, 도교적, 상징적, 비유적

의의 우리말의 아름다움을 잘 살린 조선 전기 가사 문학의 대표작

내신 대비 특별 문제

★ **이 작품에 대한 설명으로 적절하지 <u>않은</u> 것은?**

① 우리말의 아름다움을 잘 살린 언어적 기교가 뛰어난 작품이다.
② 중앙 정계에서 물러난 화자의 처지를 신선에 비유해 한탄하고 있다.
③ 관동 팔경 유람이라는 화자의 여정에 따른 추보식 구성을 하고 있다.
④ 유명한 고사나 시의 구절을 인용해 화자의 상황과 느낌을 드러내고 있다.
⑤ 자연을 묘사하면서도 자연의 모습에 관념적 이미지를 투사해 표현하고 있다.

표현상의 특징 파악

1 [가]~[마]의 표현상 특징으로 적절하지 <u>않은</u> 것은?

① [가]: 임금을 뵙고 나서 관찰사로 부임하는 과정을 속도감 있게 전개하고 있다.
② [나]: 비유적 표현과 감각적 이미지를 통해 폭포를 역동적으로 묘사하고 있다.
③ [다]: 앞말을 바로 뒤에 이어 제시하는 표현 방식을 통해 대상의 모습을 강조하고 있다.
④ [라]: 화자의 임무에 대한 굳은 다짐을 의문형 문장을 통해 나타내고 있다.
⑤ [마]: 대화의 방식을 사용하여 화자의 내적 갈등이 해소되는 과정을 보여 주고 있다.

작품의 내용 파악

2 ㉠~㉤을 감상한 내용으로 적절하지 <u>않은</u> 것은?

① ㉠: 화자는 관동 지방에 관찰사로 부임해서도 임금을 생각하고 있어.
② ㉡: 궁예 왕의 대궐터에서 바라본 모습을 통해 화자는 인생의 무상함을 느끼고 있어.
③ ㉢: 화자는 비로봉 상상두에 올라서서 바라본 천하의 경지가 심오하게 느껴져 그만 내려가려 하고 있어.
④ ㉣: 좋은 경관을 백성과 같이 보고 싶어 하는 화자의 애민(愛民) 정신과 선정에 대한 다짐이 드러나고 있어.
⑤ ㉤: 화자를 선계(仙界)에서 인간 세상으로 내려온 신선으로 설정하고 있어.

작품의 내용 파악

3 〈보기〉를 [나]의 화자가 쓴 일기라고 가정할 때, ⓐ~ⓔ 중 내용상 적절하지 <u>않은</u> 것은?

> **보기**
>
> 영중(營中)이 평안하여 ⓐ가벼운 차림으로 막대기를 짚으며 금강산의 가을 경치를 만끽하였다. 특히 ⓑ만폭동 폭포는 그 소리가 십 리까지 퍼질 정도로 웅장하였고, ⓒ금강대 꼭대기에 있던 학이 날아오르는 모습은 꼭 나를 반기는 것 같아 감동적이었다. 그리고 ⓓ진헐대에 올라서서 바라본 금강산의 산세(山勢)는 산봉우리들이 날아다니는 듯하였는데, 특히 ⓔ망고대와 혈망봉은 충신들의 지조와 절개가 느껴질 만큼 곧은 모습이었다.

① ⓐ ② ⓑ ③ ⓒ ④ ⓓ ⑤ ⓔ

외재적 감상의 적절성 파악

4 〈보기〉를 바탕으로 [마]를 감상한 내용으로 적절하지 <u>않</u>은 것은?

> **보기**
>
> 적강 모티프는 상계(上界)의 신선(神仙)이 죄를 지어 옥황상제에 의해 인간 세상으로 쫓겨나 죄 값을 치른 뒤에야 신선 세계로 복귀하는 이야기를 다룬다. 상계의 신선이었던 주인공이 인간 세상으로 귀양 온 것이기 때문에 주인공은 인간의 형상을 하고 인간 세상에서 상계의 질서에 상응하는 질서가 구현되도록 하는 데 공헌함으로써 자신이 지은 죄 값을 치르고 다시 상계로 복귀할 수 있게 된다. 〈관동별곡〉의 [마]는 이러한 적강 모티프가 나타나는 부분으로 이해할 수 있다.

① '꿈'에 드는 장면을 설정하여 화자가 상계의 신선이었음을 전해 듣는 계기를 마련하고 있다.
② '흔 사룸'은 화자가 상계에서 신선이었음을 알려 주는 존재로 설정되어 있다.
③ 화자가 상계의 신선이었다가 인간 세상으로 귀양 오게 되는 이유가 밝혀지고 있다.
④ '億억萬만 蒼창生싱을 다 醉취케 밍근 後후'에는 화자가 인간 세상에서 상계로 복귀하기 위해 수행해야 하는 일이 나타나 있다.
⑤ '明명月월이 千쳔山산萬만落낙의 아니 비쵠 딕 업다'는 화자가 인간 세상에서 상계의 질서를 구현하고 상계로 복귀했음을 암시하는 표현이다.

성산별곡 星山別曲

가

엇던 디날 손이 성산(星山)의 머믈며셔

서하당(棲霞堂) 식영정(息影亭) 주인(主人)아 내 말 듯소.

인생(人生) 세간(世間)의 됴흔 일 하건마는

엇디 훈 강산(江山)을 가디록 나이 녀겨

적막(寂寞) 산중(山中)의 들고 아니 나시는고.

송근(松根)을 다시 쓸고 죽상(竹床)의 자리 보아

져근덧 올라안자 엇던고 다시 보니 / ⓐ천변(天邊)의 썻는 구름 서석(瑞石)을 집을 사마

나는 듯 드는 양이 주인(主人)과 엇더훈고.

창계(滄溪) 흰 믈결이 정자(亭子) 알픠 둘러시니

천손(天孫) 운금(雲錦)을 뉘라셔 버혀 내여 / 닛는 듯 펴티는 듯 헌스토 헌스홀샤

산중(山中)의 책력(册曆) 업서 사시(四時)를 모르더니

눈 아래 헤틴 경(景)이 철철이 절로 나니

듯거니 보거니 일마다 선간(仙間)이라.

어떤 지나가는 나그네가 성산에 머물면서

서하당 식영정의 주인아 내 말을 들어 보소.

인간 세상에 좋은 일이 많건마는

어찌 한 강산을 갈수록 낫게 여겨

적막한 산중(성산)에 들어가서 아니 나오시는가.

소나무 뿌리를 다시 쓸고 대나무 침대에 자리를 보아

잠시 올라앉아 어떤가 하고 (주변 경관을) 다시 보니 / 하늘가에 떠 있는 구름이 서석을 집을 삼아 / 나가는 듯하다가 들어가는 모습이 주인과 어떠한가(같은 모습이 아니겠는가).

시내의 흰 물결이 정자 앞에 둘러 있으니

하늘의 은하수를 누가 베어 내어 / 잇는 듯 펼쳐 놓은 듯 야단스럽기도 야단스럽구나.

산 속에 달력이 없어서 사계절을 모르더니

눈 아래 펼쳐진 경치가 철을 따라 절로 생겨나니

(자연을) 듣고 보는 것이 모두 신선이 사는 세상이로다.

나

매창(梅窓) 아젹 벼틱 향기예 잠을 끼니

산옹(山翁)의 히욜 일이 곳 업도 아니하다.

울 밋 양지(陽地) 편의 외씨를 쎄허 두고 / 미거니 도도거니 빗김의 달화 내니

청문(靑門) 고사(故事)를 이제도 잇다 홀다.

망혜(芒鞋)를 비야 신고 죽장(竹杖)을 훗더디니

도화(桃花) 픤 시내길히 방초주(芳草洲)예 니어셰라. 〈중략〉

매화꽃이 피어 있는 창문 아침 볕의 향기에 잠을 깨니

산촌 늙은이의 할 일이 아주 없지도 아니하다.

울타리 밑 양지 쪽에 오이씨를 뿌려 두고 / (김을) 매고, (흙을) 돋우면서 비 온 김에 가꾸어 내니 / 청문의 고사를 이제도 있다고 할까.

짚신을 재촉하여 신고 대나무 지팡이를 흩어 짚으니

복숭아꽃 핀 시냇길이 꽃다운 풀이 우거진 물가에 이어졌구나. 〈중략〉

다

남풍(南風)이 건듯 부러 녹음(綠陰)을 헤텨 내니

절(節) 아는 괴꼬리는 어드러셔 오돗던고.

희황(羲皇) 벼개 우희 풋줌을 얼픗 끼니 / 공중(空中) 저즌 난간 믈 우희 써 잇고야.

마의(麻衣)를 니믜 츠고 갈건(葛巾)을 기우 쓰고 / 구브락 비기락 보는 거시 고기로다.

ⓑ 흐르밤 비 쯰운의 홍백련(紅白蓮)이 섯거 픠니

브람긔 업시셔 만산(萬山)이 향긔로다

염계(廉溪)를 마조보아 태극(太極)을 뭇줍는 듯

태을진인(太乙眞人)이 옥자(玉字)를 헤혓는 듯

남풍이 문득 불어 녹음을 헤쳐 내니

철을 아는 꾀꼬리는 어디에서 왔는가.

희황 베개 위에서 선잠을 얼핏 깨니 / 식영정 난간이 물 위에 떠 있는 것 같구나.

삼베옷을 여며 입고 갈건을 비스듬히 쓰고 / 허리를 구부리거나 기대면서 보는 것이 물고기로다. / 하룻밤 비 온 뒤에 붉은 연꽃과 흰 연꽃이 섞여 피니,

바람기가 없어도 모든 산이 향기로다.

염계를 마주하여 태극성을 묻는 듯

태을진인이 옥자를 헤쳤는 듯

노자암 부라보며 자미탄(紫微灘) 겨퇴 두고 | 노자암을 바라보며 자미탄을 곁에 두고,
장송(長松)을 차일(遮日) 사마 석경(石逕)의 안자ᄒᆞ니 | 큰 소나무를 햇볕 가리개로 삼아 돌길에 앉으니
ⓒ 인간(人間) 유월(六月)이 여긔는 삼추(三秋)로다. | 인간 세상은 유월이지만 여기는 가을이로구나.
청강(淸江)의 떳는 올히 백사(白沙)의 올마 안자 | 맑은 강에 떠 있는 오리가 흰 모래에 옮겨 앉아
백구(白鷗)룰 벗을 삼고 좀 씰 줄 모르나니 | 흰 갈매기를 벗 삼고 잠 깰 줄을 모르나니
무심(無心)코 한가(閑暇)ᄒᆞ미 주인(主人)과 엇디ᄒᆞᆫ고. 〈중략〉 | 사심이 없고 한가함이 식영정 주인(김성원)과 비교하여 같지 아니한가. 〈중략〉

라

산중(山中)의 벗이 업서 한기(漢紀)룰 ᄡᅡ하 두고 | 산중에 벗이 없어 서책을 쌓아 놓고
만고(萬古) 인물(人物)을 거스리 혜여ᄒᆞ니 | 만고의 인물들을 거슬러 헤아려 보니
성현(聖賢)도 만ᄏᆞ니와 호걸(豪傑)도 하도 할샤. | 성현도 많거니와 호걸도 많고 많다.
하늘 삼기실 제 곳 무심(無心)홀가마는 | 하늘이 (인간을) 지으실 때 어찌 아무 생각 없이 만들었겠냐마는
엇디ᄒᆞᆫ 시운(時運)이 일락배락 ᄒᆞ얏는고. | 어찌 된 시운이 흥했다 망했다 하였는가.
ⓓ 모룰 일도 하거니와 애둘옴도 그지업다. | 모를 일도 많거니와 애달픔도 끝이 없다.
기산(箕山)의 늘근 고불 귀는 엇디 싯돗던고. | 기산의 늙은 고불(허유) 귀는 어찌 씻었던가.
일표(一瓢)룰 썰틴 후의 조장이 ᄀᆞ장 놉다. | (소리가 난다고 핑계하고) 표주박을 버린 허유의 지조가 가장 높다.
인심(人心)이 ᄂᆞᆺ ᄀᆞᇀ야 보도록 새롭거늘 | 인심이 얼굴 같아서 볼수록 새롭거늘
세사(世事)는 구롬이라 머흐도 머흘시고 | 세상사는 구름이라 험하기도 험하구나.
엇그제 비즌 술이 어도록 니건ᄂᆞ니 / 잡거니 밀거니 슬ᄏᆞ장 거후로니 | 엊그제 빚은 술이 얼마나 익었느냐? / (술잔을) 잡거니 권하거니 실컷 기울이니
ᄆᆞᄋᆞᆷ의 미친 시름 져그나 ᄒᆞ리ᄂᆞ다. / 거문고 시옭 언저 풍입송(風入松) 이야고야. | 마음에 맺힌 시름이 조금이나마 덜어지는구나. / 거문고 줄을 얹어 풍입송을 타자꾸나.
손인동 주인(主人)인동 다 니저 ᄇᆞ려셰라. | 손님인지 주인인지 다 잊어버렸도다.
장공(長空)의 떳는 학(鶴)이 이 골의 진선(眞仙)이라. | 높고 먼 공중에 떠 있는 학이 이 골의 진선이라.
ⓔ 요대(瑤臺) 월하(月下)의 힝혀 아니 만나신가. | (이전에) 신선이 사는 달에서 혹시 (나를) 만나지 아니하였는가?
손이셔 주인(主人)ᄃᆞ려 닐오ᄃᆡ 그ᄃᆡ 권가 ᄒᆞ노라. | 손님이 주인에게 이르기를, 그대가 곧 진선인가 하노라.

– 정철, 〈성산별곡〉

생생 Note

화자 _____
상황 _____
주제 _____
핵심 시어의 의미 ① [가]에서 화자를 객관화시킨 표현은? _____
② [라]에서 화자는 주인(김성원)을 □□에 비유해 주인의 풍류 생활을 예찬함

표현 ① □□의 변화에 따른 시상 전개 ② 한자어와 □□ 인용이 잦음
해제 정철이 25세 때, 성산에 서하당과 식영정을 짓고 전원생활을 즐기던 김성원의 멋과 풍류를 예찬한 노래
성격 전원적, 풍류적, 예찬적
의의 조선조 사대부들의 전형적인 자연관이 여실히 드러난 작품

★ 이 작품에 대한 설명으로 적절하지 <u>않은</u> 것은?

① 작가의 체험을 바탕으로 서술하고 있다.

② 자연물을 통해 인물의 정서를 드러내고 있다.

③ 시간의 흐름에 따른 화자의 심리 변화를 서술하고 있다.

④ 자연 속에 은둔하며 지내는 한가로움을 드러내고 있다.

⑤ 한자어와 중국 고사를 빈번하게 사용하여 서술하고 있다.

표현상의 특징 파악

1 이 작품의 특징을 빌려 새로운 문학 작품을 창작하려고 할 때, 구상한 내용으로 적절하지 <u>않은</u> 것은?

① 화자 스스로를 객관화시켜 드러낸다.

② 청자에게 말을 건네는 방식을 사용한다.

③ 대상을 빗대어 표현하는 기법을 구사한다.

④ 추상적 관념을 수량으로 구체화하여 표현한다.

⑤ 마지막을 서두와 호응되는 구절로 마무리한다.

시상 전개 및 시어의 의미 파악

2 〈보기〉의 ㉠과 ㉡에 들어갈 소재를 [나], [다]에서 찾아 바르게 연결한 것은?

> **보기**
>
> 이 작품에서 화자는 성산의 아름다운 사계절과 그 속에서 풍류를 즐기며 사는 '주인'의 삶을 예찬하고 있는데, 작품 전체로 봤을 때 봄, 여름, 가을, 겨울의 사계절에 따라 시상이 전개되고 있다. 특히 가을은 '서리', 겨울은 '삭풍'과 '눈'처럼 계절감을 나타내는 시어를 사용하여 각각의 계절을 나타내고 있다. 이를 도식화하면 다음과 같이 나타낼 수 있다.

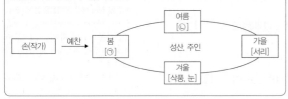

	[㉠]	[㉡]
①	매창, 산옹	녹음, 홍백련
②	양지, 청문	꾀꼬리, 마의
③	매창, 도화	남풍, 녹음
④	망혜, 죽장	마의, 유월
⑤	죽장, 방초주	삼추, 백구

세부 내용의 파악

3 〈보기〉를 참고로 하여 이 작품의 화자가 '주인'에게 편지를 썼다고 가정해 보았다. 적절하지 <u>않은</u> 것은?

> **보기**
>
> 이 작품은 작가 송강이 자신의 처외재당숙인 김성원이 서하당과 식영정을 지었을 때, 그곳의 경치와 김성원의 풍류를 예찬하며 지은 것이다.

> 당숙 어르신께
>
> 그동안 안녕하셨습니까?
>
> 처음 당숙께서 성산에 있는 정자에 기거하신다는 말을 들었을 때, 저는 당숙의 행동을 이해하기 힘들었습니다. ①아무리 자연이 좋으셔도 성산에서 그렇게 계속 머무르실 줄 몰랐기 때문입니다. 특히 ②당숙께서는 평소에 인간 세상에 좋은 일이 많다고 늘 말씀하셨기에 더욱 그렇습니다. 그러나 ③제가 정자 위에 직접 올라가서 살펴보니 정자 앞을 흐르는 시냇물이 마치 은하수를 펼쳐 놓은 듯 아름다웠습니다. 또한 ④눈앞에 펼쳐진 절경(絕景)을 바라보니 마치 이곳이 무릉도원(武陵桃源)인 것 같았습니다. 이러한 ⑤자연에서 유유자적한 삶을 사시는 당숙은 이 산을 지키는 진선(眞仙)이십니다. 이제야 어리석은 제가 당숙의 깊은 뜻을 이해할 수 있을 것 같습니다.
>
> 일간 다시 찾아뵙도록 할 것이오니 만나 뵙는 날까지 늘 건강하시고 안녕히 계십시오.
>
> 처조카 올림

시구의 의미와 기능 파악

4 ⓐ~ⓔ에 대한 설명으로 적절하지 <u>않은</u> 것은?

① ⓐ: 자연에서 유유자적한 삶을 살고 있는 주인을 비유하고 있다.

② ⓑ: 자연의 아름다움을 선명한 시각적 이미지로 형상화하고 있다.

③ ⓒ: 속세는 여름이지만 여기는 가을처럼 시원하다는 화자의 만족감이 드러나고 있다.

④ ⓓ: 작품의 지배적 정서인 화자의 내면적 갈등을 직설적으로 표현하고 있다.

⑤ ⓔ: 은근히 화자 자신도 신선의 풍모가 있음을 드러내고 있다.

가 이 몸 삼기실 제 님을 조차 삼기시니 / 호싱 연분(緣分)이며 하늘 모를 일이런가.

나 흐나 졈어 잇고 님 흐나 날 괴시니 / 이 무음 이 스랑 견졸 뒤 노여 업다.

평싱(平生)애 원(願)호요뒤 흐디 녜쟈 흐얏더니

늙거야 므스 일로 외오 두고 글이는고.

엊그제 님을 뫼셔 광한뎐(廣寒殿)의 올낫더니

그 더디 엇디호야 하계(下界)예 느려오니

올 적의 비슨 머리 얼킈연 디 삼 년(三年)이라.

㉠연지분(臙脂粉) 잇니마는 눌 위호야 고이 홀고.

무음의 미친 실음 텹텹(疊疊)이 싸혀 이셔 / ⓐ짓니 한숨이오 디니 눈믈이라.

인싱(人生)은 유혼(有限)혼뒤 시름도 그지업다.

무심(無心)혼 셰월(歲月)은 믈 흐르듯 흐는고야.

염냥(炎涼)이 쌔를 아라 가는 듯 고텨 오니 / ⓑ듯거니 보거니 늣길 일도 하도 할샤.

이 몸이 태어날 때 임을 따라 태어났으니. / 한평생 인연임을 하늘이 (어찌) 모를 일이던가? 나는 오직 젊어 있고 임은 오직 나만을 사랑하시니, / 이 마음과 이 사랑을 비교할 데가 전혀 없다. 평생에 원하기를 임과 함께 살아가고자 하였더니.

늙어서야 무슨 일로 외따로 두고 그리워하는고.

엊그제까지만 해도 임을 모시고 광한전에 올라 있었는데.

그동안에 어찌하여 속세에 내려왔는가.

내려올 때 빗은 머리가 헝클어진 지 삼 년이 지났구나.

연지분이 있지마는 누구를 위해서 곱게 단장할 것인가.

마음에 맺힌 근심이 겹겹이 쌓여 있어, / 짓는 것은 한숨이요, 떨어지는 것은 눈물이라.

인생은 유한한데 근심은 끝이 없다.

무심한 세월은 물 흐르듯 흘러가는구나.

더위와 추위가 때를 알아 지나갔다 이내 다시 오니, / 듣고 보는 가운데 흐느낄 일이 많기도 많구나.

나 동풍(東風)이 건듯 부러 젹셜(積雪)을 헤텨 내니

창(窓) 밧긔 심근 미화(梅花) 두세 가지 픠여셰라.

㉡굿득 닝담(冷淡)혼뒤 암향(暗香)은 므스 일고.

황혼(黃昏)의 돌이 조차 벼마틔 빗최니 / 늣기는 듯 반기는 듯 님이신가 아니신가.

뎌 미화(梅花) 것거 내여 님 겨신 뒤 보내오져. / 님이 너를 보고 엇더타 너기실고.

봄바람이 문득 불어 쌓인 눈을 헤쳐 내니.

창밖에 심은 매화가 두세 가지 피었구나.

가뜩이나 날이 쌀쌀한데, 그윽이 풍겨오는 향기는 무슨 일인고.

황혼에 달이 따라와 베갯머리에 비치니. / 느껴 우는 듯 반기는 듯도 하니 임이신가 아니신가? / 저 매화를 꺾어 내어 임 계신 곳에 보내고 싶구나. / 임께서 너를 보고 어떻다 생각하실꼬?

다 곳 디고 새 닙 나니 녹음(綠陰)이 실렷는뒤

나위(羅幃) 젹막(寂寞)호고 슈막(繡幕)이 뷔여 잇다.

부용(芙蓉)을 거더 노코 공쟉(孔雀)을 둘러 두니 / 굿득 시름 한뒤 날은 엇디 기돗던고.

원앙금(鴛鴦錦) 버혀 노코 오싴션(五色線) 플텨 내여,

금자히 견화이셔 님의 옷 지어 내니 / 슈품(手品)은 코니와 졔도(制度)도 굿즐시고.

산호슈(珊瑚樹) 지게 우히 빅옥함(白玉函)의 다마 두고

님의게 보내오려 님 겨신 뒤 브라보니 / 산(山)인가 구롬인가 머흐도 머흘시고.

㉢쳔 리(千里) 만 리(萬里) 길히 뉘라셔 추자갈고. / 니거든 여러 두고 날인가 반기실가.

꽃이 지고 새잎이 나니, 녹음이 우거졌는데.

비단 장막 안이 적막하고 수놓은 장막 안이 텅 비어 있다.

연꽃 무늬 휘장을 걷어 놓고 공작을 수놓은 병풍을 둘러 두니, / 가뜩이나 근심이 많은데 날은 어찌 이리도 길던가. / 원앙새를 수놓은 비단을 잘라 놓고 오색실을 풀어 내어 금자로 재어서 임의 옷을 만들어 내니, / 손재주는 물론이거니와 격식조차 갖추었구나. 산호로 만든 지게 위에 백옥함에 임의 옷을 담아 두고. 임에게 보내려고 임 계신 곳을 바라보니, / 산인지 구름인지 험하기도 험하구나.

천만 리나 되는 길을 누가 찾아갈까. / 가거든 이 함을 열어 놓고 나를 보신 듯이 반가워하실까?

라 흐ᄅ밤 서리김의 기러기 우러 녤 제 / 위루(危樓)에 혼자 올나 슈졍념(水晶簾) 거든말이

동산(東山)의 돌이 나고 븍극(北極)의 별이 뵈니, / 님이신가 반기니 눈믈이 졀로 난다.

하룻밤 서리 내릴 무렵 기러기가 울며 날아갈 때, / 높은 누각에 혼자 올라 수정으로 만든 발을 걷으니, / 동산에 달이 떠오르고 북극성이 보이므로 / 임이신가 하여 반가워하니 눈물이 절로 난다.

청광(清光)을 쥐여 내여 봉황누(鳳凰樓)의 븟티고져.

ⓒ누(樓) 우히 거러 두고 팔황(八荒)의 다 비최여

심산(深山) 궁곡(窮谷) 졈낫ᄀ티 밍그쇼셔.

> 맑은 달빛을 쥐어 내어 임 계신 궁궐에 부쳐
> 보내 드리고 싶구나.
> (그러면, 임께서 그 달빛을) 누각 위에 걸어 두
> 고 온 세상을 다 비추어
> 깊은 산골까지도 대낮같이 환하게 만드소서.

마▶ 건곤(乾坤)이 폐식(閉塞)ᄒᆞ야 빅셜(白雪)이 ᄒᆞᆫ 비친 제

ⓓ사ᄅᆞᆷ은ᄏᆞ니와 ᄂᆞᆯ새도 긋처 잇다. / 쇼샹남반(瀟湘南畔)도 치오미 이러커든

옥누(玉樓) 고쳐(高處)야 더옥 닐러 므슴ᄒᆞ리.

양츈(陽春)을 부쳐 내여 님 겨신 ᄃᆡ 쏘이고져.

모쳠(茅簷) 비쵠 ᄒᆡ를 옥누(玉樓)의 올리고져.

홍샹(紅裳)을 니믜ᄎᆞ고 취슈(翠袖)를 반(半)만 거더

ⓔ일모 슈듁(日暮脩竹)의 혬가림도 하도 할샤.

댜른 ᄒᆡ 수이 디여 긴 밤을 고초 안자

청등(青燈) 거른 겻틔 뎐공후(鈿箜篌) 노하 두고

ⓔ꿈의나 님을 보려 ᄐᆞᆨ 밧고 비겨시니 / 앙금(鴦衾)도 ᄎᆞ도 출샤 이 밤은 언제 샐고.

> 천지가 추위에 얼어 생기가 막히고 흰 눈으로
> 온통 덮여 있을 때에,
> 사람은 물론이거니와 날아다니는 새도 자취를
> 감추었도다. / 소상강 남쪽 언덕같이 따뜻하다
> 는 이곳(전남 창평)도 추위가 이러한데 / 하물며
> 임 계신 높은 곳(북쪽)이야 더 말해 무엇하랴.
> 따뜻한 봄볕을 부쳐 내어 임 계신 곳에 쏘이
> 게 하고 싶어라.
> 초가집 처마에 비친 따뜻한 햇볕을 임 계신
> 궁궐에 올리고 싶어라.
> 붉은 치마를 여며 입고 푸른 소매를 반쯤 걷
> 어
> 해가 저물 무렵, 대나무에 기대어 서니 잡념이
> 많기도 많구나.
> 짧은 (겨울) 해가 이내 넘어가고 긴 밤을 꼿꼿
> 이 앉아,
> 청사초롱을 걸어 둔 옆에 자개로 장식한 공후
> 를 놓아 두고,
> 꿈에서라도 임을 보려고 턱을 괴고 기대어 있
> 으니, / 원앙새를 수놓은 이불이 차기도 차구
> 나. (혼자 외로이 지내는) 이 밤은 언제나 샐
> 것인가?

바▶ ᄒᆞᄅᆞ도 열두 째, ᄒᆞᆫ ᄃᆞᆯ도 셜흔 날 / 져근덧 ᄉᆡᆼ각 마라 이 시름 닛쟈 ᄒᆞ니

ᄆᆞᄋᆞᆷ의 ᄆᆡ쳐 이셔 골슈(骨髓)의 ᄭᅦ텨시니 / ⓜ편쟉(扁鵲)이 열히 오나 이 병을 엇디ᄒᆞ리.

어와 내 병이야 이 님의 타시로다. / 출하리 싁어디여 범나븨 되오리라.

곳나모 가지마다 간 ᄃᆡ 쪽쪽 안니다가 / 향 므든 ᄂᆞᆯ애로 님의 오시 올므리라.

님이야 날인 줄 모ᄅᆞ셔도 내 님 조ᄎᆞ려 ᄒᆞ노라.

― 정철, 〈사미인곡〉

> 하루도 열두 때, 한 달도 서른 날, / 잠시라도
> 임 생각을 말아 이 시름을 잊으려 하여도
> 마음속에 맺혀 있어 뼛속까지 사무쳤으니, /
> 편작과 같은 명의가 열 명이 온다 한들 이 병
> 을 어찌하랴. / 아, 내 병이야 임의 탓이로다.
> / 차라리 죽어서 범나비가 되리라.
> (그리하여) 꽃나무 가지 간 데마다 앉아 다니
> 다가 / 향기 묻은 날개로 임의 옷에 옮아 가
> 앉으리라. / 임께서야 나인 줄 모르셔도 나는
> 끝까지 임을 따르려 하노라.

생생 Note

화자 _____

상황 _____

주제 _____

핵심 시어의 의미 ① [가]에서 ☐☐☐은/는 임금이 계신 대궐을 의미함 ② [라]
에서 ☐☐☐은/는 화자의 외로움이 감정 이입되어 있음 ③ [바]에서 화자
는 ☐☐☐을/를 통해 죽어서라도 임과 함께 있고자 하는 소망을 표출함

표현 ① 다양한 비유와 상징적 기법 활용 ② 뛰어난 우리말 구사

해제 임금을 연모하는 연군지사의 노래. 임금을 임으로, 자신을 여인으로 설정하
여 이별한 임을 그리워하는 마음을 노래함. 뛰어난 우리말 구사와 계절의
흐름에 따른 정서 변화 표현이 돋보이며, 충신연주지사라는 점에서 고려 가
요 〈정과정〉의 맥을 잇고 있음

성격 서정적, 충신연군지사

의의 ① 〈속미인곡〉과 더불어 가사 문학의 절정을 이룸 ② 우리말 구사의 극치를
보여 줌

내신 대비 특별 문제

★ **이 작품에 대한 설명으로 적절하지 않은 것은?**

① 제목의 '미인(美人)'은 임금을 의미한다.
② 계절의 흐름에 따른 시상 전개를 보여 주고 있다.
③ 여성적 어조를 통해 임에 대한 사랑을 노래하고 있다.
④ 독백체 형식으로 화자의 애절한 정서를 드러내고 있다.
⑤ 시적 화자는 이룰 수 없는 사랑 때문에 임을 원망하고 있다.

시적 화자의 태도 파악

1 ㉠∼㉤ 중, 〈보기〉의 밑줄 친 부분에 나타난 화자의 태도와 관련 있는 것은?

> 보기
>
> 원통(圓通)골 ᄀᆞᄂᆞᆫ 길로 ᄉᄌᆞ봉(獅子峰)을 ᄎᆞᄌᆞ가니
> 그 알픠 너러바회 화룡(化龍)쇠 되여셰라.
> 천년(千年) 노룡(老龍)이 구비구비 서려 이셔
> 듀야(晝夜)의 흘녀 내여 창ᄒᆡ(滄海)예 니어시니
> 풍운(風雲)을 언제 어더 삼일우(三日雨)룰 디련ᄂᆞᆫ다.
> 음애(陰崖)예 이온 플을 다 살와 내여ᄉᆞ라.
>
> ─ 정철, 〈관동별곡〉

① ㉠　② ㉡　③ ㉢　④ ㉣　⑤ ㉤

시구의 의미 파악

2 ⓐ∼ⓔ에 대한 이해로 적절하지 않은 것은?

① ⓐ: 임과 이별한 화자의 슬픔을 집약해 드러내고 있다.
② ⓑ: 하소연할 일이 많다는 것을 통해 화자의 한(恨)을 짐작할 수 있다.
③ ⓒ: 구체적 수치를 사용하여 화자와 임 사이의 거리감을 표현하고 있다.
④ ⓓ: 소재의 대비를 통해 임의 부재에서 느끼는 상실감을 나타내고 있다.
⑤ ⓔ: 현실에서 이루지 못하는 임과의 재회를 꿈을 통해 이루려 하고 있다.

작품의 종합적 감상

3 이 작품을 심화 학습한 후, 다음과 같이 내용을 정리하였다. 적절하지 않은 것은?

> • 중심 소재인 '범나비'의 기능은?
> → 죽어서라도 임과 함께 있고 싶어 하는 시적 화자의 소망 표출 ……………………………………… ①
> • 사용된 시상 전개 방식과 그 효과는?
> → 계절의 변화에 따라 화자의 심리를 표현하여 임에 대한 화자의 연모의 정이 절실하게 드러나고 있음… ②
> • 임에 대한 그리움과 정성을 표현한 소재는?
> → 봄의 '미화', 여름의 '님의 옷', 가을의 '청광', 겨울의 '양춘', '희' ……………………………………… ③
> • 표현상의 특징은?
> → 유려한 한문 문장의 사용으로 임금을 연모하는 사대부의 충정을 노래함 ………………………… ④
> • 예상되는 독자의 반응은?
> → 임에게 버림받고도 일편단심의 태도로 임을 그리워하는 시적 화자의 모습에 연민을 느낌 ……… ⑤

감상의 적절성 파악

4 〈보기〉를 참고하여 이 작품을 감상한 내용으로 적절하지 않은 것은?

> 보기
>
> 정철은 당쟁으로 탄핵을 받아 관직에서 물러난 후 고향인 전남 창평에 머물 때 이 작품을 지었다. 작가는 임금에 대한 자신의 충절과 연군의 정을 드러내고 있는데, 화자를 여성으로 설정함으로써 임금에 대한 그리움을 보다 섬세하고 구체적으로 드러낼 수 있었다.

① '혼ᄉᆞᆼ 연분(緣分)'은 임금에 대한 연모의 정을 남녀의 천생연분에 비유한 표현이겠군.
② '얼퀴연 디 삼 년(三年)이라'는 관직에서 물러난 지 삼 년이 되었다는 의미이겠군.
③ '산(山)인가 구롬인가'는 임과 화자를 가로막는 존재로, 자신을 탄핵한 정적(政敵)으로 볼 수 있겠군.
④ '쇼샹남반(瀟湘南畔)'은 화자가 그리워하는 임금이 계신 궁궐을 가리키는 것이겠군.
⑤ '홍샹(紅裳)을 니믜ᄎᆞ고'를 통해 작가는 남성이지만 화자는 여성임을 짐작할 수 있겠군.

속미인곡 續美人曲

가

┌ 뎨 가는 뎌 각시 본 듯도 흔뎌이고.

│ 텬샹(天上) 빅옥경(白玉京)을 엇디흐야 니별(離別)흐고,

│ 히 다 뎌 져믄 날의 눌을 보라 가시는고.

└ 어와 네여이고 내 ᄉ셜 드러 보오.

[A] ┌ 내 얼굴 이 거동이 님 괴얌즉 흔가마는

│ 엇딘디 날 보시고 네로다 녀기실시

│ 나도 님을 미더 군ᄠᅳ디 전혀 업서

│ 이릭야 교티야 어즈러이 구돗썬디

└ 반기시는 ᄂᆺ비치 녜와 엇디 다ᄅ신고.

┌ 누어 싱각ᄒ고 니러 안자 혜여ᄒ니

│ 내 몸의 지은 죄 뫼ᄀ티 빠혀시니

(ㄱ) │ 하ᄂᆯ히라 원망ᄒ며 사ᄅᆷ이라 허믈ᄒ랴.

└ 셜워 플뎌 혜니 조믈(造物)의 타시로다.

나

글란 싱각 마오.

미친 일이 이셔이다.

님을 뫼셔 이셔 님의 일을 내 알거니

믈 ᄀᄐᆫ 얼굴이 편ᄒ실 적 몃 날일고.

츈한고열(春寒苦熱)은 엇디ᄒ야 디내시며

츄일동텬(秋日冬天)은 뉘라셔 뫼셧ᄂᆫ고.

쥭조반(粥早飯) 죠셕(朝夕) 뫼 녜와 ᄀᆺ티 셰시ᄂᆫ가.

기나긴 밤의 ᄌᆷ은 엇디 자시ᄂᆫ고.

님다히 쇼식(消息)을 아므려나 아쟈 ᄒ니

오늘도 거의로다. 닉일이나 사ᄅᆷ 올가.

내 ᄆ음 둘 ᄃᆡ 업다. 어드러로 가쟛 말고.

잡거니 밀거니 놉픈 뫼희 올라가니

구롬은 ᄏᄂ니와 안개는 므스 일고.

산텬(山川)이 어둡거니 일월(日月)을 엇디 보며

지쳑(咫尺)을 모ᄅ거든 쳔 리(千里)를 ᄇ라보랴.

출하리 믈ᄀ의 가 ᄇ 길히나 보쟈 ᄒ니

ᄇ람이야 믈결이야 어둥졍 된뎌이고.

샤공은 어듸 가고 빈 ᄇᆡ만 걸렷ᄂᆞ니.

저기 가는 저 각시 (어디서) 본 듯도 하구나.

임금이 계시는 궁궐을 어찌하여 이별하고

해 다 져서 저문 날에 누구를 만나러 가시는가?
아, 너로구나. 내 이야기 좀 들어 보오.

내 모습과 이 행동이 임에게 사랑을 받음직한가마는
어찌된 일인지 나를 보시고 너로구나 하고 특별히 여겨 주시기에
나도 임을 믿어 다른 생각이 전혀 없어,

아양도 부리고 교태도 떨며 어지럽게 굴었던지
반기시는 얼굴빛이 옛날과 어찌 달라졌는가?

누워 생각하고 일어나 앉아 생각해 보니

내 몸의 지은 죄가 산처럼 쌓였으니

하늘을 원망하며 사람을 탓할 수 있으랴.

서러워 여러 가지를 풀어 내어 생각해 보니
조물주의 탓이로구나.

그렇게 생각하지 마오.

내 마음속에 맺힌 일이 있습니다.

임을 모신 적이 있어서 임의 일을 내가 잘 알거니.
물같이 연약한 몸이 편하실 때가 몇 날일까.

이른 봄날의 추위와 여름철의 무더위는 어떻게 지내시며,
가을날과 겨울날은 누가 모셨는가?

자릿조반과 아침 저녁 진지는 예전과 같이 잡수시는가?
기나긴 밤에 잠은 어찌 주무시는가?

임 계신 곳의 소식을 어떻게라도 알려고 하니,

오늘도 날이 거의 지나갔구나. 내일이나 되어야 임의 소식을 전해 줄 사람이 올까?
내 마음 둘 곳이 없다. 어디로 가잔 말인가?

(나무와 바위 등을) 잡기도 하고 밀기도 하면서 높은 산에 올라가니,
구름은 물론이거니와 안개는 또 무슨 일로 끼어 있는가?
산천이 어두운데 일월을 어찌 바라보며,

바로 앞도 분간할 수 없는데 천 리나 되는 먼 곳을 바라볼 수 있으랴.
차라리 물가에 가서 뱃길이나 보려고 하니

바람과 물결 때문에 어수선하게 되었구나.

뱃사공은 어디 가고 빈 배만 걸려 있는가?

강텬(江天)의 혼쟈 셔셔 디ᄂᆞᆫ 히ᄅᆞᆯ 구버보니

님다히 쇼식(消息)이 더옥 아득ᄒᆞ뎌이고.

모쳠(茅簷) ᄎᆞᆫ 자리의 밤듕만 도라오니

반벽쳥등(半壁靑燈)은 눌 위ᄒᆞ야 ᄇᆞᆯ갓ᄂᆞᆫ고.

오ᄅᆞ며 ᄂᆞ리며 헤ᄯᅳ며 바자니니

져근덧 녁진(力盡)ᄒᆞ야 풋ᄌᆞᆷ을 잠간 드니

졍셩(精誠)이 지극ᄒᆞ야 ᄭᅮᆷ의 님을 보니

옥(玉) ᄀᆞᄐᆞᆫ 얼굴이 반(半)이나마 늘거셰라.

ᄆᆞᄋᆞᆷ의 머근 말ᄉᆞᆷ 슬ᄏᆞ장 ᄉᆞᆲᄌᆞ ᄒᆞ니

눈믈이 바라 나니 말인들 어이ᄒᆞ며

졍(情)을 못다ᄒᆞ야 목이조차 몌여ᄒᆞ니

오뎐된 계셩(鷄聲)의 ᄌᆞᆷ은 엇디 ᄭᆡ돗던고.

（다）

어와, 허ᄉᆞ(虛事)로다. 이 님이 어듸 간고.

ᄭᅢᆯ의 니러 안자 창(窓)을 열고 ᄇᆞ라보니 / 어엿븐 그림재 날 조ᄎᆞᆯ ᄲᅮᆫ이로다.

출하리 싀여디여 ⓐ낙월(落月)이나 되야이셔

님 겨신 창(窓) 안ᄒᆡ 번드시 비최리라.

각시님 ᄃᆞᆯ이야ᄏᆞ니와 ⓑ구준비나 되쇼셔.

— 정철, 〈속미인곡〉

생생 Note

화자 _____

상황 _____

주제 _____

핵심 시어의 의미 [다]에서 ☐☐은/는 화자의 소극적 애정관을. ☐☐☐은/는 화자의 적극적 애정관을 보여 줌

표현 ① ☐☐☐을/를 사용하여 내용을 전개함 ② 우리말 구사가 절묘함 ③ 화자를 ☐☐(으)로 설정하여 정서를 심화시키고, 폭넓은 공감대를 형성함

해제 〈사미인곡〉의 속편으로, 송강 정철이 1585년(선조 18년)에 전남 창평에서 4년간 은거할 때 쓴 작품. 두 여인이 대화하는 형식으로 된 이 작품은 뛰어난 우리말 구사와 세련된 표현으로 가사 문학 중 문학성이 가장 뛰어난 작품으로 평가됨. 〈사미인곡〉의 결사는 일방적인 연군으로 소극성을 보이지만, 이 작품의 결사에서는 임도 오랫동안 자신을 그리워하며 슬픔을 느끼게 하려는 적극성을 보인다는 점에서 차이가 남

성격 충신연군지사, 서정적, 여성적

의의 〈사미인곡〉과 더불어 가사 문학의 극치를 이룬 작품

내신 대비 특별 문제

★ **이 작품에 대한 설명으로 적절하지 <u>않은</u> 것은?**

① 과감한 생략과 압축을 통해 여운을 느끼게 한다.

② 임과의 이별로 인한 슬픔과 그리움을 노래하고 있다.

③ 두 여인이 대화를 나누는 형식으로 내용을 전개하고 있다.

④ 자연물에 상징적 의미를 부여하여 화자의 심정을 표현하고 있다.

⑤ 부정적 상황으로부터 벗어나 소망이 실현되기를 바라는 화자의 염원이 드러나고 있다.

시적 화자의 정서와 태도 파악

1 **[가]의 ㉠에 담겨 있는 시적 화자의 심리로 적절하지 <u>않은</u> 것은?**

① 지난날의 잘못에 대하여 후회하고 있다.

② 임과 떨어져 지내는 신세를 한탄하고 있다.

③ 현재의 상황에서 자신의 처지를 되짚어 보고 있다.

④ 이별하게 된 원인을 임의 탓으로 돌리며 원망하고 있다.

⑤ 모든 것을 운명으로 받아들이며 체념과 자책을 하고 있다.

비교 감상의 적절성 파악

2 **[A]와 〈보기〉를 비교하여 감상한 내용으로 가장 적절한 것은?**

> ─── 보기 ───
>
> 형님 온다 형님 온다 분고개로 형님 온다.
> 형님 마중 누가 갈까 형님 동생 내가 가지.
> 형님 형님 사촌 형님 시집살이 어떱뎁까.
> 이애 이애 그 말 마라 시집살이 개집살이.
> 앞밭에는 당추 심고 뒷밭에는 고추 심어,
> 고추 당추 맵다 해도 시집살이 더 맵더라.
> 둥글둥글 수박 식기(食器) 밥 담기도 어렵더라.
>
> ─ 작자 미상, 〈시집살이 노래〉

① [A]와 〈보기〉 모두 시어의 반복을 통해 리듬감을 살리고 있다.

② [A]와 〈보기〉 모두 화자 자신의 문제 상황에 대한 책임을 제삼자에게 전가하고 있다.

③ [A]와 〈보기〉 모두 예전에 알고 지내던 인물과의 만남을 계기로 하여 자신의 심정을 토로하고 있다.

④ [A]에서는 공간의 변화를, 〈보기〉에서는 계절의 변화를 통해 화자의 정서를 심화하고 있다.

⑤ [A]에서는 다양한 비유적 표현을, 〈보기〉에서는 반어적 표현을 통해 자신의 처지를 드러내고 있다.

소재의 기능 파악

3 **ⓐ와 ⓑ에 대한 설명으로 적절하지 <u>않은</u> 것은?**

① ⓐ: 임에 대한 여인의 변함없는 사랑을 의미하는 시각적 이미지의 소재이다.

② ⓐ: 임이 자신을 몰라주더라도 임과 함께하려는 여인의 소망이 드러난 소재이다.

③ ⓑ: 임에게 다가가고 싶은 여인의 간절한 마음을 전달하는 방법이다.

④ ⓑ: 여인의 눈물과 슬픔을 함축하고 있는 것으로도 볼 수 있다.

⑤ ⓑ: 여인의 분신이자 소극적 애정관을 나타내는 것이라는 점에서 ⓐ와 유사하다.

시상 전개 방식 파악

4 **〈보기〉는 이 작품의 시상 전개 구조도이다. 이를 참고하여 작품을 해석한 내용으로 적절하지 <u>않은</u> 것은?**

① Ⅰ: 화자 1은 화자 2가 이별한 상황임을 알고 있으며, 질문을 통해 대화를 유도하고 있다.

② Ⅱ: 화자 2는 자신이 처한 상황에 대해 자신의 잘못을 자책하며 조물주를 탓하고 있다.

③ Ⅲ: 화자 2에게 하는 화자 1의 위로는 다른 대상에게 책임을 전가하지 말라는 의미를 내포하고 있다.

④ Ⅳ: 화자 2는 마음속에 맺힌 일을 풀어 내며 자신의 신세 한탄과 하소연을 하고 있다.

⑤ Ⅴ: 화자 2는 자신의 외로운 처지를 강조하며, 자연물이 되어서라도 임과 함께하려는 의지를 드러내고 있다.

면앙정가 俛仰亭歌

가 무등산(无等山) 흔 활기 뫼희 동다히로 버더 이셔

무등산의 한 줄기 산이 동쪽으로 뻗어 있어.

멀리 쪠쳐 와 제월봉(霽月峯)의 되여거늘

(무등산을) 멀리 떼어 버리고 나와 제월봉이 되었거늘.

무변대야(無邊大野)의 므슴 짐쟉 ᄒ노라

끝없이 넓은 들에 무슨 생각을 하느라고

일곱 구비 홀머움쳐 므득므득 버려ᄂ 듯.

일곱 굽이가 한데 움츠려 우뚝우뚝 벌여 놓은 듯하다.

가온대 구비ᄂ 굼긔 든 ㉠늘근 뇽이 / 선줌을 ᄀᆞᆺ 씨야 머리ᄅᆞᆯ 안쳐시니.

그 가운데 굽이는 구멍에 든 늙은 용이 / 선잠을 막 깨어 머리를 얹어 놓은 듯하다.

너ᄅᆞᆨ바회 우희 / 송죽(松竹)을 헤혀고 정자(亭子)ᄅᆞᆯ 안쳐시니

넓고 평평한 바위 위에 / 소나무와 대나무를 헤치고 정자를 앉혀 놓았으니.

구름 튼 ㉡청학(靑鶴)이 천 리(千里)ᄅᆞᆯ 가리라 / 두 ᄂᆞ릐 버렷ᄂ 듯. 〈중략〉

마치 구름을 탄 푸른 학이 천 리를 가려고 / 두 날개를 벌린 듯하다. 〈중략〉

나 흰 구름 브흰 연하(煙霞) 프ᄅᆞ니ᄂ 산람(山嵐)이라.

흰 구름과 뿌연 안개와 노을. 푸른 것은 산 아지랑이로구나.

천암(千巖) 만학(萬壑)을 제 집으로 사마 두고 / 나명셩 들명셩 일히도 구ᄂ지고.

수많은 바위와 골짜기를 제 집처럼 삼아 두고. / 나며 들며 아양도 떠는구나.

오르거니 ᄂ리거니 / 장공(長空)의 쎠나거니 광야(廣野)로 거너거니

오르기도 하며 내리기도 하며 / 공중으로 떠갔다가 넓은 들판으로 건너갔다가.

프르락 블그락 여트락 지트락 / 사양(斜陽)과 섯거디어 세우(細雨)조츠 ᄲᅡᆨ리ᄂ다.

푸르락 붉으락, 옅으락 짙으락 / 석양과 섞여 가랑비마저 뿌리는구나.

ⓐ남여(藍輿)ᄅᆞᆯ 비야 ᄐᆞ고 솔 아ᄅᆡ 구븐 길로 / 오며 가며 ᄒᆞᄂ 적의

남여를 재촉해 타고 소나무 아래 굽은 길로 / 오며 가며 하는 때에.

㉢녹양(綠楊)의 우ᄂ ㉣황앵(黃鶯) 교태(嬌態) 겨워 ᄒᆞᄂ괴야.

푸른 버드나무에서 지저귀는 꾀꼬리는 흥에 겨워하는구나.

나모 새 ᄌᆞᄌᆞ지여 수음(樹陰)이 얼린 적의

나무 사이가 우거져서 녹음이 울창한 때에.

백 척(百尺) 난간(欄干)의 긴 조름 내여 펴니

높은 난간에서 긴 졸음을 내어 펴니.

수면(水面) 양풍(凉風)이야 긋칠 줄 모르ᄂ가.

물 위의 서늘한 바람이 그칠 줄 모르는구나.

즌 서리 ᄲᅡ진 후의 산 빗치 금슈(錦繡)로다.

된서리 걷힌 후에 산 빛이 수놓은 비단 같구나.

㉤황운(黃雲)은 또 엇지 만경(萬頃)에 펀거기요.

누렇게 익은 곡식은 또 어찌 넓은 들에 퍼져 있는고?

ⓑ어적(漁笛)도 흥을 계워 ᄃᆞᆯᄅᆞᆯ ᄯᆞ라 브ᄂ다.

어부의 피리도 흥에 겨워 달을 따라 부는 것인가?

초목(草木) 다 진 후의 강산(江山)이 미몰커늘

초목이 다 떨어진 후에 강산이 묻혔거늘.

조물(造物)리 헌ᄉ ᄒᆞ야 빙설(氷雪)노 ᄭᅮ며 내니

조물주가 야단스러워 얼음과 눈으로 꾸며 내니.

경궁요대(瓊宮瑤臺)와 옥해 은산(玉海銀山)이 / 안저(眼底)에 버러셰라.

경궁요대와 옥해 은산 같은 설경이 / 눈 아래 펼쳐져 있구나.

건곤(乾坤)도 가음 열샤 간 대마다 경이로다.

천지가 풍성하구나. 가는 곳마다 아름다운 경치로다.

다 인간(人間)을 쪄나와도 내 몸이 겨를 업다.

인간 세상을 떠나와도 내 몸이 한가로울 겨를이 없다.

니것도 보려 ᄒᆞ고 져것도 드르려코

이것도 보려 하고 저것도 들으려 하고.

ᄇᆞᄅᆞᆷ도 혀려 ᄒᆞ고 달도 마즈려코

바람도 쐬려 하고 달도 맞이하려고 하니.

봄으란 언제 줍고 고기란 언제 낙고

밤은 언제 줍고 고기는 언제 낚으며.

시비(柴扉)란 뉘 다드며 딘 곳츠란 뉘 쓸려뇨.

사립문은 누가 닫고 떨어진 꽃은 누가 쓸 것인가?

아춤이 낫브거니 나조히라 슬흘소냐.

오늘리 부족(不足)커니 내일(來日)리라 유여(有餘)ᄒ랴.

이 뫼ᄒ히 안자 보고 져 뫼ᄒ히 거러 보니

번로(煩勞)ᄒ 무음의 ᄇ릴 일리 아조 업다.

쉴 스이 업거든 길히나 젼ᄒ리야.

다만 ᄒ ⓒ청려장(靑藜杖)이 다 므듸여 가노미라.

[A]
　┌ 술리 닉어거니 벗지라 업슬소냐.
　│ 블ᄂ며 ᄐ이며 혀이며 이아며
　│ 온가지 소리로 취흥(醉興)을 비야거니
　└ 근심이라 이시며 시름이라 브터시랴.

누으락 안즈락 구브락 져츠락

을프락 푸람ᄒ락 노혜로 놀거니

천지(天地)도 넙고넙고 일월(日月)도 ᄒ가ᄒ다.

희황(羲皇)을 모를러니 이 젹이야 긔로고야.

ⓓ신선(神仙)이 엇더틴지 이 몸이야 긔로고야.

강산풍월(江山風月) 거늘리고 내 백 년(百年)을 다 누리면

악양루상(岳陽樓上)의 ⓔ이태백(李太白)이 사라 오다

호탕정회(浩蕩情懷)야 이에서 더흘소냐.

이 몸이 이렁 굼도 역군은(亦君恩)이샷다.

– 송순, 〈면앙정가〉

아침이 (자연을 완상하느라고) 부족한데 저녁이라고 싫을쏘냐?

오늘도 (완상할 시간이) 부족한데 내일이라고 넉넉하랴?

이 산에 앉아 보고 저 산에 걸어 보니

번거로운 마음이면서도 버릴 것이 전혀 없다.

쉴 사이도 없는데 길을 전할 틈이 있으랴.

다만 하나의 명아주 지팡이가 다 무디어져 가는구나.

술이 익었는데 벗이 없을 것인가.

(노래를) 부르게 하며, (악기를) 타게 하며, 켜게 하며, 흔들며

온갖 소리로 취흥을 재촉하니.

근심이라 있으며 시름이라 붙어 있으랴.

누웠다가 앉았다가 구부렸다가 젖혔다가,

(시를) 읊었다가 휘파람을 불었다가 하며 마음 놓고 노니,

천지도 넓고 넓으며 세월도 한가하다.

복희씨의 태평성대를 모르고 지냈는데, 이때야말로 그것이로구나.

신선이 어떠하던지 이 몸이야말로 그것이로구나.

강산풍월 거느리고 내 평생을 다 누리면,

악양루 위에 이태백이 살아온다 한들

넓고 끝없는 정다운 회포야말로 이보다 더할 것인가.

이 몸이 이렇게 지내는 것도 역시 임금의 은혜이시도다.

내신 대비 특별 문제

★ 이 작품의 표현상 특징으로 적절하지 않은 것은?

① 비유적 표현으로 계절감을 드러내고 있다.

② 대상의 모습과 주변의 모습으로 나누어 묘사하고 있다.

③ 상징적 소재를 사용하여 연군의 정을 형상화하고 있다.

④ 감각인 묘사로 대상의 모습을 실감나게 보여 주고 있다.

⑤ 대구법과 열거법을 사용하여 화자의 흥취를 드러내고 있다.

작품의 종합적 감상

1 이 작품에 대한 감상으로 적절하지 <u>않은</u> 것은?

① 자연 친화적인 화자의 태도가 드러나 있다.

② 사계절에 따른 대상의 아름다움을 묘사하고 있다.

③ 자연 속에서의 풍류와 유교적 충의를 결합시키고 있다.

④ 대상을 생생하고 감각적으로 드러내는 음성 상징어를 사용하고 있다.

⑤ 분주한 생활 속에서 가족과 떨어져 지내야 하는 안타까움을 토로하고 있다.

시어의 기능 파악

3 ㉠~㉤에 대한 이해로 가장 적절한 것은?

① ㉠과 ㉡은 화자가 바라보고 있는 자연물들이다.

② ㉠과 ㉤은 풍요로운 세상을 비유적으로 드러낸 소재들이다.

③ ㉡과 ㉣은 화자의 감정이 이입된 대상물들이다.

④ ㉢과 ㉣은 대비적 관계에 놓인 자연물들이다.

⑤ ㉢과 ㉤은 계절감을 드러내는 자연물들이다.

시적 화자의 정서 파악

2 〈보기〉를 참고할 때, 이 작품에 나타난 화자의 정서와 가장 유사한 것은?

> **보기**
>
> 조선 시대 시가 문학에는 자연에 귀의하는 삶을 예찬하는 강호가도(江湖歌道) 계열의 작품들이 많다. 조선조의 많은 사대부들이 사화와 당쟁의 소용돌이에서 벼슬을 하기보다는 자연에 귀의하여 유유자적한 생활을 함으로써 몸과 마음, 그리고 가문의 안전을 확보하고자 했는데, 강호가도는 충의(忠義) 사상과 결합하면서 당시 사대부들의 시조나 가사에 자주 등장하게 되었다. 삶의 근본적인 자세가 임금에 충성하고 부모에 효도하는 충효 그 자체임을 고려할 때, 자연에서의 즐거움도 결국에는 임금의 은혜로 귀결시키는 것이 당연했던 것이다.

① 유란(幽蘭)이 재곡(在谷)ᄒ니 자연(自然)이 듯디 됴해.

백설(白雪)이 재산(在山)ᄒ니 자연(自然)이 보디 됴해.

이 듕에 피미일인(彼美一人)을 더옥 닛디 몯ᄒ얘. — 이황, 〈도산십이곡〉

② 강산(江山) 됴흔 경(景)을 힘센이 닷톨 양이면,

ᄂᆡ 힘과 ᄂᆡ 분(分)으로 어이ᄒ여 엇들쏜이.

진실(眞實)로 금(禁)ᄒ리 업쓸씌 나도 두고 논이노라. — 김천택

③ 녹초(綠草) 쳥강상(晴江上)에 굴레 버슨 ᄆᆞᆯ이 되여

ᄯᅢᄯᅢ로 멀이 들어 북향(北向)ᄒ야 우는 ᄯᅳᆺ은

셕양(夕陽)이 재 넘어감애 님자 글여 우로라. — 서익

④ 풍상(風霜)이 섯거 친 날에 ᄀᆞᆺ 픠온 황국화(黃菊花)를

금분(金盆)에 ᄀᆞ득 담아 옥당(玉堂)의 보ᄂᆡ오니,

도리(桃李)야, 곳이온 양 마라, 님의 ᄯᅳᆺ을 알괘라. — 송순

⑤ 님금과 빅셩(百姓)과 ᄉᆞ이 하늘과 ᄯᅡ히로ᄃᆡ

내의 셜운이ᄅᆞᆯ 다 아ᄅᆞ려 ᄒ시거든

우린들 술진 미나리ᄅᆞᆯ 혼자 엇디 머그리. — 정철, 〈훈민가〉

시어의 의미 및 기능 파악

4 ⓐ~ⓔ에 대한 설명으로 적절하지 <u>않은</u> 것은?

① ⓐ: 화자의 신분을 짐작할 수 있는 소재이다.

② ⓑ: 가을 경치를 보는 화자의 흥겨움이 이입되어 있다.

③ ⓒ: 병든 몸을 이끌고 다니느라 힘든 화자의 모습을 알 수 있다.

④ ⓓ: 자연에서 은일하는 화자 자신을 나타내는 시어이다.

⑤ ⓔ: 화자의 호탕한 정회를 강조하는 역할을 하고 있다.

비교 감상의 적절성 파악

5 [A]와 〈보기〉의 공통점으로 가장 적절한 것은?

> **보기**
>
> 전원(田園)에 나믄 흥(興)을 전나귀에 모도 싯고
> 계산(溪山) 니근 길로 흥치며 도라와서
> 아히 금서(琴書)를 다스려라 나믄 히를 보내리라. — 김천택

① 추상적 개념을 구체화하여 형상화하고 있다.

② 자연을 즐기는 마음이 직설적으로 드러나 있다.

③ 초월적 세계에 대한 동경의 마음이 나타나고 있다.

④ 자신의 생각을 거스르는 대상에 대한 비판의 태도를 보이고 있다.

⑤ 과감한 압축과 생략으로 대상의 변화를 속도감 있게 제시하고 있다.

지수정가 止水亭歌

가 산가(山家) 풍수설에 동구 못이 좋다 할새

십 년을 경영하여 한 땅을 얻으니

형세는 좁고 굵은 암석은 많고 많다

㉮옛 길을 새로 내고 작은 연못 파서

활수를 끌어들여 가는 것을 머물게 하니

㉯맑은 거울 티 없어 산 그림자 잠겨 있다

천고(千古)에 황무지를 아무도 모르더니

일조(一朝)에 진면목을 내 혼자 알았노라

㉰처음의 이내 뜻은 물 머물게 할 뿐이더니

이제는 돌아보니 가지가지 다 좋구나

　백석은 치치(齒齒)하여 은도로 새겨 있고

　벽류는 콸콸 흘러 옥 술잔을 때리는 듯

　첩첩한 산들은 좌우의 병풍이요

　빽빽한 소나무는 전후의 울타리로다

[A]　구곡 상하대는 층층이 둘러 있고

　삼경(三逕) ⓐ송국죽(松菊竹)은 줄지어 벌여 있다

　하물며 바위 벼랑 높은 위에 노송이 용이 되어 구부려 누웠거늘

　운근(雲根)을 베어 내고 작은 정자 붙여 세워

　띠 풀로 지붕 이고 자르지 않으니 이것이 어떤 집인가

㉱남양의 제갈려인가 무이의 와룡암인가

다시금 살펴보니 필굉 위언의 그림의 것이로다

㉲무릉도원을 예 듣고 못 봤더니

이제야 알겠구나 이 진짜 거기로다

나 연년에 살펴보아 만물을 바라보니

사시가흥이 볼수록 각각 좋다

동풍이 건듯 불어 침실에 들어오니

창밖의 찬 ⓑ매화 이 소식을 먼저 안다

천지가 화창하여 꽃과 버들 서로 다투니

풍영단(風咏壇) 방수단(傍潀壇)에 미친 흥이 끝이 없다

용산(龍山)에 비 갠 후에 고사리 손수 꺾어

장국을 끓어내어 조석에 맛나게 먹고

산속 집 풍수지리에 동네 입구 연못이 좋다 하여
십 년을 계획하여 한 땅을 얻으니

땅의 모양은 좁고 굵은 암석은 많기도 하다.

옛 길을 새로 만들고 작은 연못을 파서

흐르는 물을 끌어들여 흐르는 것을 머물게 하니
맑은 거울처럼 티 없어 (연못의 맑은 물에) 산 그림자 잠겨 있다.
오랜 세월에 황무지를 아무도 몰라보더니

하루아침에 참모습을 나 혼자 알았노라.

처음의 이내 뜻은 물만 머물게(연못만 만들고자) 할 뿐이었는데
이제와 돌아보니 여러 가지 다 좋구나.

흰 자갈은 줄지어 있어 은빛 칼로 새겨 있고

푸른 물줄기는 콸콸 흘러 옥 술잔을 때리는 듯
여러 겹으로 둘러선 산들은 좌우에 있는 병풍이요.
빽빽한 소나무는 앞뒤의 울타리로다.

아홉 골짜기와 높고 낮은 산은 층층이 둘러 있고
세 겹으로 늘어선 소나무, 국화, 대나무는 줄지어 벌여 있다.
하물며 바위 벼랑 높은 위에 노송이 용이 되어 몸 굽히어 누웠거늘
구름의 뿌리(나무의 뿌리)를 베어 내고 작은 정자를 붙여 세워
띠 풀로 지붕을 잇고 자르지 않으니 이것이 어떤 집인가.(보통의 집이 아니다)
남양의 제갈려인가 무이의 와룡암인가.

다시금 살펴보니 필굉과 위언(유명한 화가)의 그림 같구나.
무릉도원을 옛날에 들어만 보고 못 봤더니

이제야 알겠구나, 이곳이 진짜 거기로다.

해마다 살펴보아 만물을 바라보니

사계절의 아름다운 경치 볼수록 각각 좋다

봄바람이 문득 불어 침실에 들어오니

창밖의 찬 매화가 이 소식을 먼저 알고 피었구나.
온 세상이 따뜻하여 꽃과 버들이 서로 다투어 피니
풍영단, 방수단에 미치는 흥이 끝이 없다.

와룡산에 비 갠 후에 고사리 손수 꺾어

장국을 끓어내어 아침저녁에 맛나게 먹고

만족함도 이내의 분이로다

천산(千山)에 꽃 다 지고 만목(萬木)에 새잎 나니

녹음(綠陰)이 가득하여 여름날이 아주 긴 적에

돌베개에 낮잠 깨어 함벽당(涵碧塘)을 굽어보니

그곳에 노는 고기 낱낱이 다 헤리로다

대 사이 서늘한 기운 ⓒ하엽주(荷葉珠)를 흩으리니

군자(君子)의 담백함을 여기서 알리로다

기러기 한 소리에 맑은 서리 물들이고

산 모습이 다 여의어 금수로 꾸몄으니

곡구암(谷口巖) 반타암(盤陀巖)이 그림이 되어

동문(洞門)을 잠가 있다

계화비영(桂花飛影)하여 솔 처마에 비추거든

ⓓ거문고 가로 안고 옥난간에 기대니

깃옷 입은 손님은 다 나를 찾아와

눈에 언뜻 보이도다

세모(歲暮) 천한(天寒)에 산과 들에 눈 가득하니

인적은 아주 업고 우는 새도 그처진 때

원근(遠近) 능곡(陵谷)은 백옥경(白玉京)과 경요굴(瓊瑤窟)이 되었거늘

울울한 ⓔ소나무는 호올로 빼어나

높은 기개 가졌으니

내 마음도 그런 줄을 서로 알아

무고암에 서성이니

우리의 새긴 맹세야 고칠 줄이 있으랴

아마도 이 ⒜정자 작고도 갖추었네

– 김득연, 〈지수정가〉

만족하는 것도 모두 나의 분수로다.

온 산에 꽃 다 지고 모든 나무에 새잎이 나니

푸른 나무 그늘 가득하여 여름날이 아주 긴 때에
바위 위에서 낮잠 깨어 함벽당을 굽어보니

그곳에 노는 고기 낱낱이 다 셀 수 있도다.

대나무 사이로 서늘한 바람 불어 연잎 위에 구슬 같은 이슬을 흩으리니
군자의 맑은 성품을 여기서 알리로다.

기러기 한 소리에 맑은 서리 물들이고

산 모양이 변하여 비단으로 꾸몄으니

곡구암, 반타암이 그림처럼 되어 있어

마을 입구 문을 잠갔구나.

계수나무 꽃 그림자 날리어 소나무 처마에 비추거든
거문고 바로 안고 옥난간에 기대니

깃옷 입은 손님들은 다 나를 찾아오니

눈에 가득 보이도다.

세밑 찬 하늘에 산과 들은 눈으로 가득하니

사람의 발자취는 끊어지고 우는 새도 그쳤는데

멀고 가까운 언덕과 골짜기는 백옥경과 경요굴이 되었거늘
울창한 소나무는 홀로 빼어나

높은 기개를 가졌으니

내 마음도 그런 줄을 서로 알아

외로운 바위에서 주위를 왔다 갔다 하지만

우리의 새긴 맹세가 변할 줄 있겠는가.

아마도 이 정자, 작지만 다 갖추었구나.

생생 Note

화자 _____

상황 _____

주제 _____

핵심 시어의 의미 ① [가]에서 자신이 머무는 자연 공간을 □□□□이라 칭하며 이상적 공간으로서의 가치를 발견함 ② [나]에서 '동풍', □□, '고사리'는 '봄'의 계절감을, □□은/는 '여름'의 계절감을, □□□, □□은/는 '가을'의 계절감을, '세모', '천한', □은/는 '겨울'의 계절감을 드러냄

표현 ① □□□ 이미지를 활용하여 특정 공간과 그 주변을 묘사함 ② 자연의 순리를 드러내는 □□의 흐름과 정경의 변화를 표현함 ③ 대구법, 비유법 등을 통해 자연의 아름다운 모습을 드러냄

해제 외룡산 부근에 '지수정'이라는 정자를 직접 짓고 그 주변 자연을 벗 삼아 풍류를 즐기는 삶에 대한 만족감과 사대부로서의 결의를 담고 있음. 작가는 '지수정'을 이상적 삶의 공간으로 제시하여 조화롭고 아름다운 자연에서의 삶을 지향함

성격 예찬적, 유교적, 자족적

내신 대비 특별 문제

★ [A]에 대한 설명으로 적절하지 않은 것은?

① 대조적인 시어를 통해 화자의 내적 갈등을 부각하고 있다.

② 동일한 문장 구조의 반복을 통해 리듬감을 형성하고 있다.

③ 음성 상징어를 사용하여 주변 풍경을 생동감 있게 표현하고 있다.

④ 자연물을 다른 대상에 비유하여 공간을 구체적으로 제시하고 있다.

⑤ 시각과 청각적 심상을 사용하여 자연의 아름다운 경치를 묘사하고 있다.

[1~2] 〈보기〉를 읽고 물음에 답하시오.

보기

이 작품은 작가가 자연에서 생활하면서 자연의 가치를 새롭게 발견하며 자신이 지은 정자에 만족감을 드러내고 있는 가사이다. '지수'란 물을 머물게 했다는 뜻으로 흐르지 않고 괴어 있는 물(연못)로 이해할 수 있다. 이는 마음이 고요하고 움직임이 없음을 비유적으로 이를 때도 사용하는 말로 작가에게 '지수정'이라는 정자는 깨끗한 내면을 수양하는 공간이다. 또한 자연의 가치를 새롭게 확인하며 이상적 가치를 실현할 수 있는 이상적인 공간이자 군자의 맑은 성품과도 어울리는 곳이기도 했다.

외재적 감상의 적절성 파악

1 〈보기〉를 참고하여 이 작품을 이해한 내용으로 적절하지 않은 것은?

① ㉮의 '연못 파서 활수를 끌어들여 가는 것을 머물게 하니'는 작품의 제목과 관련지어 이해할 수 있겠군.

② ㉯는 군자의 맑은 성품을 닮은 연못을 '맑은 거울'에 빗대며 지난날을 반성하고 내면을 수양하는 작가의 태도를 파악할 수 있겠군.

③ ㉰는 처음과 달리 시간이 흐르면서 다른 자연물에서도 아름다움과 그 가치를 발견한 작가의 심정으로 이해할 수 있겠군.

④ ㉱는 작가가 자신이 지은 정자를 고사 속의 공간이나 그림으로 표현하여 만족감을 드러낸 것으로 파악할 수 있겠군.

⑤ ㉲는 현실적 공간을 이상적 가치를 실현할 수 있는 공간인 '무릉도원'으로 바라보는 작가의 태도로 이해할 수 있겠군.

시어의 의미 파악

2 ⓐ~ⓔ 중 〈보기〉의 밑줄 친 '군자의 맑은 성품'을 가장 잘 표현한 것은?

① ⓐ　　② ⓑ　　③ ⓒ　　④ ⓓ　　⑤ ⓔ

작품 구조를 통한 내용 파악

3 다음은 〈보기〉를 참고하여 [나]를 정리한 것이다. 그 내용으로 적절하지 않은 것은?

보기

선생님: [나]는 정자 주변의 경관을 사계절의 변화에 따라 감상한 부분으로 다음과 같이 정리할 수 있어요.

| 계절감을 알 수 있는 소재 | → | 각 계절의 경치 | → | 화자의 구체적 행위 |

	계절감을 알 수 있는 소재	각 계절의 경치	화자의 구체적 행위
봄	동풍, 매화 고사리	날씨가 따뜻하여 매화를 시작으로 꽃과 버들이 앞다퉈 피기 시작함 ·········· ㉠	고사리로 장국을 끓여 조석으로 먹음
여름	녹음 ······ ㉡	푸른 나무 그늘이 가득하고 여름날이 아주 김	돌 베개에서 낮잠을 자다 깸
가을	기러기, 서리	대나무 사이에 서늘한 기운이 불고 단풍 든 산이 금수로 꾸민 듯함 ·············· ㉢	연못 속에 노는 고기를 보며 자연의 여유로움을 바라봄 ······ ㉣
겨울	세모, 천한, 눈	산과 들이 눈으로 덮이니 언덕과 골짜기가 천상계와 같음	소나무의 푸르름을 보며 바위에서 서성임 ······ ㉤

① ㉠　　② ㉡　　③ ㉢　　④ ㉣　　⑤ ㉤

세부 내용 파악

4 Ⓐ에 대한 설명으로 가장 적절한 것은?

① Ⓐ의 위치는 풍수설에 근거하여 인정을 받은 곳이다.

② Ⓐ를 마련하기 위해 얻은 땅은 암석이 많고 작은 연못이 있었다.

③ Ⓐ를 짓기 위해 화자는 오랜 시간을 준비하여 넓은 땅을 살 수 있었다.

④ Ⓐ는 작지만 생활에 필요한 모든 것을 갖추어 일상에 불편함이 없는 곳이다.

⑤ Ⓐ는 항상 외부와 단절된 탈속적 공간으로 사계절의 좋은 경치를 볼 수 있는 곳이다.

농가월령가 農家月令歌

가 〈정월령(正月令)〉

정월(正月)은 맹춘(孟春)이라 입춘(立春) 우수(雨水) 절후(節侯)로다.

산중 간학(山中澗壑)의 빙설(氷雪)은 남아시니

평교(平郊) 광야(廣野)의 운물(雲物)이 변(變)ᄒ도다.

어와 우리 성상(聖上) 애민 중농(愛民重農)ᄒ오시니

간측(懇側)ᄒ신 권농 윤음(勸農綸音) 방곡(坊曲)의 반포(頒布)ᄒ니,

슬푸다 농부(農夫)들아 아므리 무지(無知)ᄒᆫ들

네 몸 이해(利害) 고사(姑舍)ᄒ고 성의(聖意)를 어길소냐?

산전 수답(山田水畓) 상반(相半)ᄒ게 힘듸로 ᄒ오리라.

일 년 풍흉(一年豊凶)은 측량(測量)치 못ᄒ야도

인력(人力)이 극진(極盡)ᄒ면 천재(天災)를 면(免)ᄒᄂ니

져 각각(各各) 권면(勸勉)ᄒ야 게얼니 구지 마라.

일년지계 재춘(一年之計在春)ᄒ니 범사(凡事)를 미리 ᄒ라.

봄에 만일 실시(失時)ᄒ면 종년(終年) 일이 낭패되네.

농지(農地)를 다스리고 농우(農牛)를 살펴 먹여

지거름 직와 노코 일변(一邊)으로 시러 닉여

맥전(麥田)의 오좀듀기 세전(歲前)보다 힘쎠 ᄒ소

늙으니 근력(筋力) 업고 힘든 일은 못 ᄒ야도

낮이면 이영 녁고 밤의ᄂ 숙기 꼬아

쩌 맛쳐 집 니우니 큰 근심 더럿도다.

실과(實果)나모 벗곳 싸고 가지 ᄉ이 돌 끼오기

정조(正朝)날 미명시(未明時)의 시험(試驗)죠로 ᄒ야 보소.

며나리 닛디 말고 송국주(松菊酒) 밋ᄒ여라.

삼춘(三春) 백화시(百花時)의 화전 일취(花煎一醉) ᄒ야 보ᄌ.

상원(上元)날 달을 보아 수한(水旱)을 안다 ᄒ니

노농(老農)의 징험(徵驗)이라 대강은 짐작(斟酌)ᄂ니.

정초(正初) 세배(歲拜)ᄒᄆ른 돈후(敦厚)ᄒ 풍속(風俗)이라.

시 의복(衣服) 썰쳐 닙고 친척 인인(親戚隣人) 셔로 ᄎᄌ

노소 남녀(老少男女) 아동(兒童)까지 삼삼오오(三三五五) 단일 젹의

와각버셕 울긋불긋 물색(物色)이 번화(繁華)ᄒ다.

산나히 연(鳶) 씌오고 계집아히 널 쒸고

늣노라 나기ᄒ기 소년(少年)들의 노리로다.

〈정월령〉

1월은 초봄이라 입춘, 우수의 절기로다.

산속 골짜기에는 얼음과 눈이 남아 있으나.

넓은 들판에는 경치가 변하기 시작하도다.

어와, 우리 임금님께서 백성을 사랑하고 농사를 중히 여기시어,
농사를 권장하시는 말씀을 방방곡곡에 알리시니.
슬프다 농부들이여, 아무리 무지하다고 한들

네 자신의 이해관계를 제쳐 놓는다 해도 임금님의 뜻을 어기겠느냐?
밭과 논을 반반씩 균형 있게 힘써 경작하오리라.
일 년의 풍년과 흉년을 예측하지는 못 해도,

사람의 힘을 다 쏟으면 자연의 재앙을 면하나니,
제각각 서로 권하여 게을리 굴지 마라.

일 년의 계획은 봄에 하는 것이니 모든 일을 미리 하라.
만약 봄에 때를 놓치면 해를 마칠 때까지 일이 낭패되네.
농지를 다스리고 농우를 잘 보살펴서,

재거름을 재워 놓고 한편으로 실어 내어,

보리밭에 오줌 주기를 새해가 되기 전보다 힘써 하소.
늙으니 기운이 없어 힘든 일은 못 해도,

낮이면 이엉을 엮고 밤이면 새끼 꼬아,

때 맞추어 지붕을 이니 큰 근심을 덜었도다.

과일나무 보굿을 벗겨 내고 가지 사이에 돌 끼우기.
정월 초하룻날 날이 밝기 전에 시험 삼아 하여 보소.
며느리는 잊지 말고 송국주를 걸러라.

온갖 꽃이 만발한 봄에 화전을 안주 삼아 한 번 취해 보자.
정월 대보름날 달을 보아 그 해의 홍수와 가뭄을 안다 하니,
농사짓는 노인의 경험이라 대강은 짐작하네.

정월 초하룻날 세배하는 것은 인정이 두터운 풍속이라.
새 옷을 차려 입고 친척과 이웃을 서로 찾아

남녀노소에 아이들까지 몇 사람씩 떼를 지어 다닐 적에,
설빔(새 옷)이 와삭버석거리고 울긋불긋하여 빛깔이 화려하다.
남자아이들은 연을 띄우고 여자아이들은 널을 뛰고,
윷을 놀아 내기하기 소년들의 놀이로다.

사당(祠堂)의 세알(歲謁)ᄒ니 병탕(餅湯)의 주과(酒果)로다.

엄파와 미나리를 무오엄의 겻드리면

보기의 신신(新新)ᄒ야 오신채(五辛菜) 불워ᄒ랴?

보름날 약식(藥食) 다례(茶禮) 신라(新羅)적 풍속(風俗)이라.

묵은 산채(山菜) 살마 닉여 육미(肉味)를 밧골소냐?

귀밝히ᄂ 약(藥)술이며 부름 삭ᄂ 생률(生栗)이라.

먼져 불너 더위팔기 달마지 홰불 혀기

흘너오ᄂ 풍속(風俗)이오 아희들 노리로다.

설날 사당에 인사를 드리니 떡국과 술과 과일이 제물이로다.
움파와 미나리를 무 싹에다 곁들이면,

보기에 새롭고 싱싱하니 오신채를 부러워하겠는가?
보름날 약밥을 지어 먹고 차례를 지내는 것은 신라 때의 풍속이라.
지난해에 캐어 말린 산나물을 삶아서 무쳐 내니 고기 맛과 바꾸겠는가?
귀 밝으라고 마시는 약술이며, 부스럼 삭으라고 먹는 생밤이라.
먼저 불러서 더위 팔기와 달맞이, 횃불 켜기는

옛날부터 전해 오는 풍속이요, 아이들 놀이로다.

〈팔월령(八月令)〉

팔월(八月)이라 중추(仲秋)되니 빅노(白露) 추분 졀긔로다.

북두성(北斗星) 즈로 도라 서편(西便)을 가르치니

선선흔 조석(朝夕) 긔운 추의(秋意)가 완연ᄒ다.

귀쏘람이 말근 쇼릐 벽간(壁間)에 들거고나.

아츰의 안기 끼고 밤이면 이실 ᄂ려

빅곡(百穀)을 성실(成實)ᄒ고 만물을 직촉ᄒ니

들 구경 돌아보니 힘드린 일 공생(功生)ᄒ다.

빅곡(百穀)의 이삭 픠고 여믈 드러 고기 숙어

서풍(西風)에 익ᄂ 빗츤 황운(黃雲)이 이러난다.

빅설 갓흔 면화송이 산호(珊瑚) 갓튼 고초다릐

쳠아에 너러시니 가을 볏 명낭ᄒ다.

안팎 마당 닥가 노코 발챠 망구 장만ᄒ소.

면화 ᄯᄂ 다락기의 수수 이삭 콩가지오

나무군 도라오니 머루 다릐 산과(山果)로다.

뒤동산 밤 대추ᄂ 아희들 세샹이라.

아름 모아 말리여라 철 대야 쓰게 ᄒ소.

명지(明紬)를 끈허 내여 추양(秋陽)에 마젼ᄒ고,

쪽 듸리고 잇 듸리니 청홍(靑紅)이 색색이라.

부모님 연만(年晩)ᄒ니 수의(壽衣)를 유의ᄒ고

그 남아 마루지아 자녀의 혼슈(婚需)ᄒ세.

집 우희 긋은 박은 요긴흔 기명(器皿)이라.

댑스리 뷔를 매아 마당질의 쓰오리라.

〈팔월령〉

팔월이라 중추가 되니 백로, 추분의 절기로다.

북두칠성의 국자 모양의 자루가 돌아 서쪽을 가리키니,
서늘한 아침저녁 기운은 가을의 모습이 완연하다.
귀뚜라미 맑은 소리가 벽 사이에서 들리는구나.
아침에 안개가 끼고 밤이면 이슬 내려.

온갖 곡식을 여물게 하고, 만물의 결실을 재촉하니,
들 구경을 하니 힘들여 일한 공이 나타나는구나.
온갖 곡식의 이삭이 나오고 곡식의 알이 들어 고개를 숙여,
서풍에 익는 빛은 노란 구름이 이는 듯하다.

눈같이 흰 목화송이, 산호같이 아름다운 고추 열매,
처마에 널어 놓으니 가을 볕이 맑고 밝다.

안팎의 마당을 닦아 놓고 발채와 옹구를 마련하소.
목화 따는 바구니에 수수 이삭과 콩가지도 담고,
나무꾼 돌아올 때 머루, 다래와 같은 산과일도 따오리라.
뒷동산의 밤과 대추에 아이들은 신이 난다.

알밤을 모아 말려서 필요한 때에 쓸 수 있게 하소.
명주를 끊어 내어 가을볕에 말리고,

남빛과 빨강으로 물을 들이니 청홍이 색색이로구나.
부모님 연세가 많으니 수의를 미리 준비하고,

그 나머지는 마르고 재어서 자녀의 혼수하세.

집 위의 익은 박은 긴요한 그릇이라.

댑싸리로 비를 만들어 타작할 때 쓰리라.

참깨 들깨 거둔 후의 중오려 타작호고,

담배 줄 녹두 말을 아쇠야 쟉젼(作錢)호랴.

쟝 구경도 호려니와 홍졍할 것 잇지 마쇼.

[A]

북어쾌 젓죠긔를 츄셕 명일 쇠아 보세.

신도쥬(新稻酒) 오려숑편 박나믈 토란국을

션산(先山)의 졔물호고 이웃집 눈화 먹세.

며느리 말믜 바다 본집에 근친(覲親) 갈 졔,

개 잡아 살마 건져 떡고리와 술병이라.

쵸록 쟝옷 반믈 치마 쟝쇽(裝束)호고 다시 보니

여름지이에 지친 얼골 쇼복(蘇復)이 되얏느냐.

즁츄야 붉은 달에 지긔(志氣) 펴고 놀고 오쇼.

금년 홀 일 못 다호나 명년 계교(計較) 호오리라.

밀지 뷔여 더운가리 모맥(牟麥)을 추경(秋耕)호세.

끗끗치 못 닉어도 급한 대로 것고 갈쇼.

인공(人功)만 그러홀가 천시(天時)도 이러호니

반각(半刻)도 쉴 찌 업시 맛츠며 시작느니.

참깨, 들깨를 수확한 후에 일찍 익은 벼를 타작하고,

담배나 녹두 등을 아쉬운 대로 팔아 돈을 만들어라.

장 구경도 하려니와 흥정할 것 잊지 마소.

북어쾌와 젓조기를 사다가 추석 명절을 쇠어 보세.

햅쌀로 빚은 술과 송편, 박나물과 토란국을

조상께 제사를 지내고 이웃집이 서로 나누어 먹세.

며느리가 휴가를 얻어 친정에 근친 갈 때에.

개를 잡아 삶아 건지고 떡고리와 술병을 함께 보낸다.

초록색 장옷과 남빛 치마로 몸을 꾸미고 다시 보니,

농사짓기에 지친 얼굴이 원기가 회복되었느냐.

추석날 밝은 달 아래 기를 펴고 놀다 오소.

금년에 할 일을 다 못 했지만 내년 계획을 세우리라.

풀을 베고 오랜만에 내린 비로 논을 갈아 보리를 가을 경작하세.

끝까지 다 익지 못했어도 급한 대로 거두고 밭을 가시오.

사람의 일만 그런 것이 아니라 자연 현상도 마찬가지이니,

잠시도 쉴 사이가 없이 마치면서 다시 새로운 것이 시작되도다.

– 정학유, 〈농가월령가〉

내신 대비 특별 문제

★ 이 작품에 대한 설명으로 적절하지 <u>않은</u> 것은?

① 현실과 거리가 먼 관념적인 유교 이념을 다루고 있다.

② 자연이 풍류의 대상이 아닌 삶의 현장으로 제시되어 있다.

③ 명령형과 청유형 표현을 사용하여 계몽적인 내용을 전달하고 있다.

④ 농가에서 해야 할 일을 각 달별로 알려 주고 있는 월령체 노래이다.

⑤ 농촌 생활과 관련된 어휘를 사용하고 세시 풍속을 소개하는 내용이 담겨 있다.

내용 전개 방식의 파악

1 이 작품의 내용 전개 방식으로 옳은 것은?

① 정월령과 팔월령은 수미 상관의 구조로 되어 있다.

② 절기의 소개를 시작으로 하여 기승전결로 구성되어
있다.

③ 절기 소개와 이에 대한 감상을 제시한 부분은 선경 후
정으로 구성되어 있다.

④ 농촌에서 한 해 동안 해야 할 일들을 시간의 흐름에
따라 순차적으로 제시하고 있다.

⑤ 각 월령의 세시 풍속의 모습을 묘사하는 부분에서는
시선의 이동에 따라 내용을 전개하고 있다.

비교 감상의 적절성 파악

**2 이 작품과 〈보기〉를 비교하여 감상한 내용으로 적절하지
않은 것은?**

> ┤ 보기 ├
>
> 도롱이에 호미 걸고 뿔 굽은 검은 소 몰고
> 고동풀 뜯기면서 개울물가 내려갈 제
> 어디서 품 진* 벗님 함께 가자 하는고 〈제2수〉
>
> 둘러내자* 둘러내자 우거진 고랑 둘러내자
> 바랭이 여뀌 풀을 고랑마다 둘러내자
> 쉬 짙은 긴 사래는 마주 잡아 둘러내자 〈제3수〉
>
> 땀은 듣는 대로 듣고 볕은 쬘 대로 쬔다
> 청풍에 옷깃 열고 긴 휘파람 흘리 불 제
> 어디서 길 가는 손님네 아는 듯이 머무는고 〈제4수〉
>
> ─ 위백규, 〈농가(農歌)〉
>
> *품 진: 품앗이를 한
> *둘러내자: 휘감아서 걷어 내자

① 〈보기〉에는 이 작품과 달리, 특정 시기에 수확할 수
있는 작물이 제시되어 있군.

② 〈보기〉에는 이 작품과 달리, 농사일을 하던 중에 휴식
을 즐기는 여유로움이 그려져 있군.

③ 이 작품에는 〈보기〉와 달리, 먹고 입는 것과 관련한
농가 일이 다양하게 나타나 있군.

④ 이 작품과 〈보기〉의 화자는 모두 노동의 현장을 주목
하고 있군.

⑤ 이 작품과 〈보기〉의 배경은 모두 농부들의 일상적인
삶을 보여 주는 공간으로 볼 수 있군.

감상의 적절성 파악

**3 〈보기〉를 바탕으로 [가]의 시구에 대해 보인 반응으로 적
절하지 않은 것은?**

> ┤ 보기 ├
>
> 〈농가월령가〉는 전체 13장의 월령체 가사로, 1월령
> 에서 12월령까지 모두 동일한 구조가 반복되고 있다. 각
> 장은 '절기 소개'-'화자의 감상'-'농부들이 해야 할 농
> 사일'-'행해지는 세시 풍속'의 순으로 시상이 전개된다.

① '정월(正月)은 맹춘(孟春)이라 입춘(立春) 우수(雨水)
절후(節侯)로다'에는 절기를 소개하는 부분으로, 1월
달의 절기로 '입춘'과 '우수'가 소개되고 있다.

② '평교(平郊) 광야(廣野)의 운물(雲物)이 변(變)ᄒ도다'
에는 정월에 대한 화자의 감상이 나타나 있다.

③ '네 몸 이해(利害) 고사(姑舍)ᄒ고 성의(聖意)를 어길
소냐?'는 임금의 뜻을 명분 삼아 농민들에게 농사일
을 게을리 하지 말 것을 권장하려는 뜻이 담겨 있다.

④ 1월 달 농사일을 소개하는 부분에서는 '봄에 만일 실
시(失時)ᄒ면 종년(終年) 일이 낭패되네'를 통해 1월
달 농사일의 중요성을 강조하며 농지 다스리기, 농우
먹이기, 거름 만들기, 보리밭에 오줌 주기 등에 힘쓰
기를 당부하고 있다.

⑤ '귀밝히는 약(藥)술이며 부름 삭는 생률(生栗)이라'는
농사일을 마치고 술을 마시며 여유로움을 즐기는 농
부의 한가함을 강조한 부분이다.

비교 감상의 적절성 파악

**4 [A]와 〈보기〉를 비교하여 감상한 내용으로 가장 적절한 것
은?**

> ┤ 보기 ├
>
> 동창(東窓)이 밝았느냐 노고지리 우지진다.
> 소치는 아이는 상기 아니 일었느냐?
> 재 너머 사래 긴 밭을 언제 갈려 하나니. ─ 남구만

① 〈보기〉와 달리 [A]는 근면과 성실함을 강조하고 있다.

② 〈보기〉와 달리 [A]는 농촌 풍경을 구체적으로 묘사하
고 있다.

③ [A]와 달리 〈보기〉는 농사일에 대한 비관적인 전망을
밝히고 있다.

④ [A]와 달리 〈보기〉는 농경 생활에서 풍류를 즐기는
기쁨을 표현하고 있다.

⑤ [A]와 〈보기〉는 모두 농가에 대한 화자의 권장하는
태도가 드러나고 있다.

연행가 燕行歌

가 하 오월 초칠일의 도강 날즈 졍ᄒ여네. / 방물을 졍검ᄒ고 힝장을 슈습ᄒ여

압녹강변 다다르니 송객졍이 여긔로다.

의쥬 부윤 나와 안고 다담상을 ᄎ려 놋코, / 삼 사신을 젼별ᄒᆯ시 쳐창키도 그지없다.

일ᄇᆡ 일ᄇᆡ 부일ᄇᆡᄂᆞᆫ 셔로 안져 권고ᄒ고, / 상ᄉ별곡 ᄒᆞᆫ 곡조을 참아 듯기 어려워라.

| 여름 오월 초이레에 강을 건널 날짜 정하였네. / 가지고 갈 물건을 점검하고 여행 장비를 수습하여 / 압록강변에 다다르니 송객정(送客亭)이 여기로다.
| 의주 부윤이 나와 앉고 다담상을 차려 놓고, / 세 사신을 전별하는데 구슬프기도 그지없다.
| 한 잔 한 잔 또 한 잔으로 서로 앉아 권하고, / 상사별곡(相思別曲) 한 곡조를 차마 듣기 어려워라.

나 장계을 봉ᄒᆞᆫ 후의 썰더리고 이러나셔,

㉮ ┌ 거국지회 그음업셔 억졔ᄒ기 어려운 즁
   └ 홍상의 ᄭᅩ즌눈물이 심회을 돕ᄂᆞᆫ도다

뉵인교을 물녀 노니 장독교을 등ᄃᆡᄒ고,

젼ᄇᆡ 토인 ᄒᆞ직ᄒ니 일산 좌견ᄲᅮᆫ만 잇고,

공형 급창 물녀셔니 마두 셔ᄌᆞᄲᅮᆫ이로다.

일엽 소션 ᄇᆡ을 져어 졈졈 멀이 ᄯᅥ셔 가니, / 푸른 봉은 쳡쳡ᄒ여 날을 보고 즐기ᄂᆞᆫ 듯,
ᄇᆡᆨ운은 요요ᄒ고 광식이 참담ᄒ다. 〈중략〉

| 장계(狀啓)를 봉한 후에 거만하게 뽐내며 일어나서,
| 나라를 떠나는 감회가 그지없어 억제하기 어려운 중
| 여인의 꽃다운 눈물이 마음의 회포를 돕는도다.
| 육인교를 물려 놓으니 장독교를 대령하고,
| 가마 앞에 서는 통인(通引)이 하직하니 해 가리는 일산과 말고삐만 있고,
| 공형(公兄)과 급창(及唱)이 물러서니 마두와 서재(書者)뿐이로다.
| 한 조각 자그마한 배를 저어 점점 멀리 떠서 가니, / 푸른 봉은 첩첩하여 나를 보고 즐기는 듯, / 흰 구름은 멀리 아득하고 햇살의 빛깔이 참담하다. 〈중략〉

다 ㉯ ┌ 녹창 쥬호 여염들은 오식이 영농ᄒ고,
      └ 화ᄉ 치란 시졍들은 만물이 번화ᄒ다.

집집이 호인들은 길의 나와 구경ᄒ니,

의복기 괴려ᄒ여 쳐음 보기 놀납도다.

머리ᄂᆞᆫ 압흘 싹가 뒤만 ᄯᅡᄒ 느리쳐셔

당ᄉ실노 당긔ᄒ고 말익이을 눌너 쓰며,

일 년 삼ᄇᆡᆨ뉵십 일에 양치 한 번 아니ᄒ여

㉠ 이샬은 황금이오 손톱은 다셧 치라.

거문빗 져구리ᄂᆞᆫ 깃 업시 지어쓰되, / 옷고름은 아니 달고 단초 다라 입어쓰며,

아쳥 바지 반물 속것 허리쎅로 눌너 ᄆᆡ고

두 다리의 힝젼 모양 타오구라 일홈 ᄒ여, / 회목의셔 오금까지 회미ᄒ게 드리 끼고

깃 업슨 쳥두루막기 단초가 여러히요, / ㉡ 좁은 ᄉᄆᆡ 손등 덥허 손이 겨오 드나들고,

두루막 위에 배자이며 무릅 우에 슬갑이라.

ⓐ 곰방ᄃᆡ 옥 물ᄲᅮ리 담ᄇᆡ 너ᄂᆞᆫ 쥬머니의

부시까지 쎠셔 들고 뒤짐지기 버릇치라.

㉢ 사람마다 그 모양니 쳔만 인이 한빗치라.

| 녹색 창과 붉은 문의 여염집은 오색이 영롱하고,
| 화려한 집과 난간의 시가지는 만물이 번화하다.
| 집집마다 만주 사람들은 길에 나와 구경하니
| 의복이 괴이하여 처음 보기 놀랍구나.
| 머리는 앞을 깎아 뒤만 땋아 내려서
| 당사실로 댕기를 드리고 마래기를 눌러 썼으며,
| 일 년 삼백육십 일에 양치질 한 번도 아니하여
| 이빨은 황금빛이요, 손톱 길이는 다섯 치라.
| 검은빛 저고리는 깃 없이 만들었는데, / 옷고름은 안 달고 단추 달아 입었으며,
| 검푸른 바지와 남빛 속옷을 허리띠로 눌러 매고,
| 두 다리에 행전 같은 것을 타오구라 이름하여, / 발목에서 오금까지 가뿐하게 들이끼우고
| 깃 없는 푸른 두루마기 단추가 여러 개요, / 좁은 소매가 손등을 덮어 손이 겨우 드나들고, / 두루마기 위에 덧저고리 입고 무릎 위에 슬갑(膝甲)이라.
| 곰방대와 옥 물부리, 담배 넣는 주머니에
| 부싯돌까지 꺼내 들고 뒷짐을 지는 것이 버릇이라.
| 사람마다 그 모양인데 천만 사람이 한 모습이구나.

┌ 섯듸인 온다 ᄒ고 져의기리 지져귀며
ⓓ
└ 무어시라 인사ᄒ나 ᄒ 마듸도 모르겟다.

소국 사람 온다 하면서 저희들끼리 수군대며,

뭐라고 인사하나 한 마디도 모르겠다.

라 계집년들 볼 만ᄒ다 그 모양은 웃더튼냐. / ⓑ머리만 치거실러 가림즈는 아니 타고,

뒤통슈의 모화다가 믭시 잇게 슈식ᄒ고, / 오ᄉ으로 만든 꼿츤 ᄉ면으로 꼿즈스며,

도화분 단장ᄒ여 반취ᄒ 모양갓치 / 불그러 고흔 틴도 아미을 다스르고,

살즉을 고이 ᄭ끼고 붓스로 그려스니, / ⓒ입술 아릭 연지빗흔 단슌이 분명ᄒ고,

ⓓ귓방을 ᄯ른 군영 귀여쇠리 달아스며,

┌ 의복을 볼작시면 사나히 졔도로되,
라
└ 다홍빗 바지의다 푸른빗 져구리오,

연도싁 두루막이 발등까지 길게 지어, / 목도리며 슈구 ᄭ꿋동 화문으로 슈을 노코,

품 너르고 ᄉ믹 널너 풍신 죠케 썰쳐 입고,

여자들 볼 만하다. 그 모양이 어떻더냐? / 머리를 위로 치켜 올려 가르마는 안 타고, 뒤통수에 모아다가 맵시 있게 꾸미고, / 오색으로 만든 꽃을 사면에 꽂았으며, 복숭아빛의 분으로 단장하여 반쯤 취한 모양같이 / 불그레 고운 모습 눈썹 치장을 하였고, 귀밑머리 고이 끼고 붓으로 그렸으니, / 입술 아래 연지빛은 붉은 입술이 분명하고, 귓방울 뚫은 구멍에 귀고리를 달았으며,

옷차림을 보자면 남자들 옷차림과 비슷하되,

다홍빛 바지에다 푸른빛 저고리요.

연두색 두루마기를 발등까지 길게 지어, / 목도리며 소매 끝동에 꽃무늬로 수를 놓고, 품 너르고 소매 넓어 여유 있게 떨쳐 입고,

마 ⓔ옥슈의 금지환은 외싹만 넙젹ᄒ고, / ⓕ손목의 옥고리는 굴게 ᄉ려 둥글고나.

손톱을 길게 길너 ᄒ 치만큼 길너시며, / ⓔ발 밉시을 볼작시면 슈당혀를 신어시며,

청여는 발이 커셔 남즈의 발 ᄀᆺ트나, / 당여는 발이 작아 두 치짐 되는 거슬

비단으로 쏙 동히고 신 뒤츅의 굽을 달아, / 위둑비둑 가는 모양 너머질가 위틱ᄒ다.

┌ 그러타고 웃지 마라. 명나라 ᄭ친 졔도
마
└ 져 계집의 발 ᄒ 가지 지금까지 볼 것 잇다. 〈후략〉

— 홍순학, 〈연행가〉

옥 같은 손의 금반지는 한 짝만 넓적하고, / 손목에 낀 옥고리는 굵게 사려 둥글구나. 손톱을 길게 길러 한 치만큼 길렀으며, / 발 맵시를 볼 것 같으면 수 놓은 당혜를 신었으며, 청나라 여자는 발이 커서 남자의 발 같으나, / 한족(漢族)의 여자는 발이 작아 두 치쯤 되는 것을 비단으로 꼭 동이고 신 뒤축에 굽을 달아, / 뒤뚱뒤뚱 가는 모양 넘어질까 위태하다. 그렇다고 웃지 마라. 명나라가 남긴 제도

저 여자의 발 한 가지가 지금까지 볼 것 있다. 〈후략〉

생생 Note

화자 _____
상황 _____
주제 _____
핵심 시어의 의미 [가]의 ▢▢▢▢와/과 ▢▢▢을/를 통해 화자의 여정을 알 수 있음
표현 ① 과장과 ▢▢적 표현을 통해 웃음을 유발함 ② 중국 고사나 한시를 거의 사용하지 않음(→ 우리말 구사가 나타남) ③ 치밀한 관찰을 통해 대상을 ▢▢▢(으)로 묘사함 ④ 비유법, 대구법을 사용함 ⑤ 의태어를 사용해

▢▢▢을/를 획득함
해제 총 3,924구로 된 장편 기행 가사. 고종의 왕비를 책정한 일로 고종 3년에 청나라로 사신을 보낸 행차에 홍순학이 서장관(書狀官)으로 다녀온 경험을 노래한 작품. 내용이 풍부하며 치밀한 관찰력으로 대상을 섬세하게 묘사하고 순 한글로 기록함
성격 사실적, 비판적, 묘사적, 객관적
의의 김인겸의 〈일동장유가〉와 더불어 조선 후기 기행 가사의 대표적인 작품

내신 대비 특별 문제
★ ⓐ~ⓔ 중, 〈보기〉의 설명에 해당하는 예로 적절한 것은?

> 보기
>
> 당시 조선의 유학자들이 중국을 대하는 시각에는 명(明)은 동경하면서도 청(淸)은 은근히 경시(輕視)하는 특이한 점이 있었다. 따라서 당시에 씌어진 여러 연행록에서도 청나라의 제도나 문물에 대해서는 비록 좋은 점이 있다 하더라도 이를 부정적으로 표현하고 있는 부분이 자주 눈에 띈다.

① ⓐ   ② ⓑ   ③ ⓒ
④ ⓓ   ⑤ ⓔ

작품의 종합적 감상
1 이 작품에 대한 설명으로 적절하지 <u>않은</u> 것은?

① 공간의 이동에 따라 시상이 전개되고 있다.
② 치밀한 관찰력으로 대상을 자세히 묘사하고 있다.
③ 한자의 사용을 자제하고 순 한글로 서술하고 있다.
④ 묘사 대상에 대한 우월 의식을 바탕으로 서술하고 있다.
⑤ 주관적인 의견 없이 객관적인 사실 위주로 서술하고 있다.

표현상의 특징 파악
2 ㉠~㉤ 중, 〈보기〉의 밑줄 친 부분에서 설명한 특징이 가장 잘 드러난 것은?

> 보기
>
> 홍순학은 봉황성에서 만난 남녀 호인들의 옷차림이나 그들의 주식, 생활 등 낯선 이국의 풍물을 소상히 관찰한 후, 그것을 사실적으로 묘사하는 한편 <u>과장과 해학을 통해 익살스럽게 표현</u>하였다.

① ㉠   ② ㉡   ③ ㉢
④ ㉣   ⑤ ㉤

바꿔 쓰기의 효과 파악
3 [가]와 [나]가 〈보기〉를 바꿔 쓴 것이라고 할 때, 고려했을 사항으로 적절하지 <u>않은</u> 것은?

> 보기
>
> 그는 1866년 4월 9일 송객정에 다다랐다. 의주 부윤이 전별연을 베풀었다. 그는 중앙에 마련된 자리에서 연거푸 술잔을 비우다가 취해 잠이 들었다. 다음날 아침, 일행은 분주히 움직이기 시작했다. 그는 지금까지 타고 왔던 크고 편안한 가마를 돌려보내고 작고 소박한 가마로 바꾸어 탔다. 주변을 따르던 무리들도 모두 돌려보냈다. 그리고 작은 배에 올랐다. 이제 고국을 떠나 낯선 땅으로 가는 것이다. 배가 강을 가로지르는 동안 그는 송객정이 시야에서 완전히 사라질 때까지 배의 후미에 서서 남쪽 땅을 바라보았다.

① 인물의 신분을 알 수 있게 해 주는 어휘를 추가해야겠어.
② 자연물을 활용해서 인물의 정서를 효과적으로 표현해야겠어.
③ 고국을 떠나는 인물의 쓸쓸한 감회를 직접적으로 나타내야겠어.
④ 시점을 바꿔서 인물의 심리를 독자가 상상해 볼 수 있도록 해야겠어.
⑤ 일정한 음보를 규칙적으로 반복하여 리듬감이 느껴지도록 고쳐야겠어.

시구의 의미 및 화자의 태도 파악
4 ㉮~㉺에 대한 이해로 적절하지 <u>않은</u> 것은?

① ㉮: 화자의 심정과 함께 감회를 심화시키는 대상이 제시되고 있다.
② ㉯: 화려하고 번성한 집들과 거리 모습을 대구의 표현으로 그려 내고 있다.
③ ㉰: 청나라 사람들의 반응을 소개하며 그들에 대한 화자의 시각을 드러내고 있다.
④ ㉱: 청나라 여인들의 옷차림의 특징을 시각적 이미지를 사용하여 설명하고 있다.
⑤ ㉲: 청나라의 문물과 제도를 긍정적으로 평가하고 인정하는 태도가 제시되고 있다.

12 규원가 閨怨歌

가 엊그제 저멋더니 흐마 어이 다 늘거니. / 소년 행락(少年行樂) 생각호니 일러도 속절업다.

늘거야 서른 말솜 호자니 목이 멘다.

부생모육(父生母育) 신고(辛苦)호야 이내 몸 길러 낼 제

공후 배필(公侯配匹)은 못 바라도 군자 호구(君子好逑) 원(願)호더니

삼생(三生)의 원업(怨業)이오 월하(月下)의 연분(緣分)으로

장안 유협(長安遊俠) 경박자(輕薄子)롤 쭘굳치 만나 잇서

당시(當時)의 용심(用心)호기 살어름 디듸는 듯

삼오 이팔(三五二八) 겨오 지나 천연 여질(天然麗質) 절로 이니

이 얼골 이 태도(態度)로 백년 기약(百年期約) 호얏더니

연광(年光) 훌훌호고 조물(造物)이 다시(多猜)호야

봄바람 가을 믈이 뵈오리 북 지나듯

설빈 화안(雪鬢花顔) 어듸 두고 면목가증(面目可憎) 되거고나.

ㄱ ┌ 내 얼골 내 보거니 어느 님이 날 괼소냐.
  └ 스스로 참괴(慚愧)호니 누구를 원망(怨望)호리.

엊그제 젊었더니 벌써 어이 늙었는가. / 어린 시절 즐겁게 지내던 일을 생각하니 말하여도 소용없다. / 늙어서 서러운 사연 말하자니 목이 멘다.
부모님께서 날 낳아 몹시 고생하여 이내 몸 길러 내실 때
높은 벼슬아치의 짝은 바라지 않아도 군자의 좋은 짝 정도는 바랐더니.
삼생(전세, 현세, 내세)의 원망스러운 업보이자, 부부의 인연으로,
서울 거리의 호탕한 풍류객이면서 경박한 사람을 꿈같이 만나서,
시집갈 당시에 마음 쓰기를 살얼음 디디는 듯

열다섯, 열여섯 살을 겨우 지나 타고난 고운 모습이 절로 나타나니.
이 모습으로 백년 기약하려고 하였더니.

세월이 빨리 지나가고 조물주가 시기함이 많아서.
봄바람 가을 물(세월)이 베틀의 올에 북 지나가듯 (쏜살같이 지나더니)
아름다운 얼굴을 어디에 두고 보기 싫은 얼굴이 되었구나.
내 얼굴 내 보거니 어느 임이 나를 사랑할 것인가.
스스로 부끄러우니 누구를 원망할 것인가.

나 삼삼오오(三三五五) ⓐ야유원(冶遊園)의 새 사람이 나단 말가.

곳 피고 날 저물 제 정처(定處) 업시 나가 잇어

백마 금편(白馬金鞭)으로 어듸어듸 머무는고.

원근(遠近)을 모르거니 소식(消息)이야 더욱 알랴.

인연(因緣)을 긋쳐신들 싱각이야 업슬소냐.

얼골을 못 보거든 그립기나 마르려믄 / 열두 째 김도 길샤 설흔 날 지리(支離)호다.

옥창(玉窓)에 심근 매화(梅花) 몃 번이나 픠여 진고.

겨울 밤 차고 찬 제 자최눈 섯거 치고 / 여름날 길고 길 제 구즌비는 므스 일고.

삼춘 화류(三春花柳) 호시절(好時節)의 경물(景物)이 시름업다.

가을 둘 방에 들고 실솔(蟋蟀)이 상(床)에 울 제

긴 한숨 디는 눈물 속절업시 혬만 만타. / 아마도 모진 목숨 죽기도 어려울사.

삼삼오오 다니는 기생집에 새 기생이 생겼단 말인가.
꽃 피고 날 저물 때 정처 없이 나가 있어.

흰 말과 금 채찍(호사스러운 행장)을 차리고 어디어디 머무르는고.
가깝고 멂을 모르거늘 소식이야 더욱 어찌 알랴.
인연을 끊으려고 한들 생각이야 없을 것인가.

얼굴을 못 보거든 그립지나 않았으면 좋으련만, / 열두 때 길기도 길고, 서른 날이 지루하다.
창문 앞에 심은 매화는 몇 번이나 피었다 졌는고.
겨울밤 차고 찬 때 자국눈 섞어 내리고, / 여름날 길고 길 때 궂은비는 무슨 일로 내리는고.
봄날 온갖 꽃 피고 버들잎이 돋아나는 좋은 시절에 아름다운 경치를 보아도 아무 생각이 없다. / 가을 달이 방에 들고 귀뚜라미가 침상에서 울 때.
긴 한숨 떨어지는 눈물에 속절없이 생각만 많다. / 아마도 모진 목숨 죽기조차 어렵구나.

다 도로혀 풀쳐 혜니 이리호여 어이호리.

청등(靑燈)을 돌라 노코 녹기금(綠綺琴) 빗기 안아,

돌이켜 풀어 생각하니 이렇게 살아서 어찌할 것인가.
청사초롱을 돌려 놓고 푸른빛 거문고를 비스듬히 안아.

벽련화(碧蓮花) 한 곡조를 시름 조ᄎ 섯거 타니,

소상 야우(瀟湘夜雨)의 댓소리 섯도는 듯,

화표(華表) 천 년(千年)의 별학(別鶴)이 우니는 듯,

옥수(玉手)의 타는 수단(手段) 녯 소래 잇다마는,

ⓑ부용장(芙蓉帳) 적막(寂寞)ᄒ니 뉘 귀에 들리소니.

간장(肝腸)이 구곡(九曲) 되야 구븨구븨 ᄭᅳᆫ쳐셔라.

벽련화 한 곡조를 시름에 섞어 타니,

소상강 밤비에 대나무 소리가 함께 나는 듯,

망주석에 천 년 만에 돌아온 이별의 학이 울
고 다니는 듯,
아름다운 손가락으로 타는 솜씨는 옛 노래 그
대로건만,
연꽃 무늬 휘장을 친 방이 텅 비어 있으니 누
구의 귀에 들릴 것인가.
마음속이 굽이굽이 끊어졌도다.

(라) 출하리 잠을 드러 ᄭᅮᆷ의나 보려 ᄒ니, / 바람의 디는 닙과 풀 속에 우는 즘생,

므스 일 원수로셔 잠조차 ᄭᆡ오는다.

┌ 천상(天上)의 견우직녀(牽牛織女) 은하수(銀河水) 막혀셔도,

│ 칠월 칠석(七月七夕) 일년 일도(一年一度) 실기(失期)치 아니거든,

ⓒ

│ 우리 님 가신 후는 무슨 약수(弱水) 가렷관ᄃᆡ,

└ 오거나 가거나 소식(消息)조차 ᄭᅳᆫ쳣는고.

난간(欄干)의 비겨 셔셔 님 가신 ᄃᆡ 바라보니,

초로(草露)는 맷쳐 잇고 모운(暮雲)이 디나갈 제,

죽림(竹林) 푸른 고ᄃᆡ 새소리 더욱 셜다. / 세상의 서른 사람 수업다 ᄒ려니와,

박명(薄命)ᄒᆫ 홍안(紅顏)이야 날 가ᄐᆞ니 ᄯᅩ 이실가.

아마도 이 님의 지위로 살동말동 ᄒ여라.

— 허난설헌, 〈규원가〉

차라리 잠이 들어 꿈에나 보려고 했더니, / 바
람에 지는 잎과 풀 속에 우는 짐승,
무슨 일 원수라서 잠조차 깨우는가.

하늘의 견우직녀는 은하수가 막혔어도

칠월 칠석 일 년에 한 번씩은 빼먹지 않고 만
나는데,
우리 임 가신 후는 무슨 이별의 강이 가로막
았는지,
오거나 가거나 소식조차 끊겼는가.

난간에 기대어 서서 임 가신 데 바라보니,

풀에 이슬은 맺혀 있고 저녁 구름이 지나갈 때
대나무 숲 푸른 곳에 새소리는 더욱 슬프게
들리는구나. / 세상에 서러운 사람 수없이 많
다고 하지만
운명이 기구한 여자야 나 같은 이 또 있을까.

아마도 이 임의 탓으로 살 듯 말 듯하여라.

생생 Note

화자 _____

상황 _____

주제 _____

핵심 시어의 의미 ① [가]에서 ☐☐☐☐☐☐은/는 화자의 남편을 의미
하며 남편의 됨됨이를 드러냄 ② [나]에서 ☐☐은/는 화자의 외로움이 감
정 이입된 시어임

표현 ① 대구법, 대조법, 은유법, 설의법, 의인법 등 다양한 표현법을 사용하여 작
품을 유려하게 이끎 ② 고사(故事)와 한문을 사용하여 세련된 분위기를 형

성함 ③ 자연물에 ☐☐☐☐하여 화자의 정서를 표현함

해제 조선조 남존여비의 봉건적 유교 사회에서 독수공방하는 부녀자의 한과 괴
로움을 노래한 규방 가사. 여성의 실생활과 관련된 표현과 자신의 감정을
대상물에 이입하는 표현 등을 사용하여 여인의 섬세하고 애절한 슬픔과 그
리움의 정서를 표출하면서 한스러움을 부각시키고 있지만, 품격을 잃지 않
고 있어 더욱 높게 가치를 평가받음

성격 원망적, 한탄적, 고백적

의의 ① 현전하는 최초의 여류 가사 ② 내방 가사의 대표적 작품

★ 이 작품에 대한 설명으로 적절하지 <u>않은</u> 것은?

① 현전하는 최초의 여류(내방) 가사이다.
② 3(4)·4조, 4음보 연속체의 율격을 지니고 있다.
③ 부재하는 임에 대한 원망과 그리움을 노래하고 있다.
④ 남성 중심적 가부장제 사회에서 겪는 여인의 고통이 잘 드러나 있다.
⑤ 화자는 임의 마음을 돌리기 위하여 자신의 사랑을 적극적으로 고백하고 있다.

표현상의 특징 파악
1 이 작품의 표현상 특징으로 적절한 것은?

① 과거와 현재를 대조하며 흐르는 세월에 대한 무상감을 드러내고 있다.
② 대상에게 말을 건네는 방식을 통해 화자의 외로움과 한을 전달하고 있다.
③ 의문형 문장을 사용하여 현실에서 벗어나고자 하는 소망을 드러내고 있다.
④ 추상적 내용을 구체화한 표현을 통해 임에 대한 원망의 정서를 나타내고 있다.
⑤ 계절적인 소재를 활용하여 임에 대한 그리움이 해소되어 가는 과정을 표현하고 있다.

화자의 정서 및 태도 파악
2 ㉠과 ㉡에 대한 설명으로 가장 적절한 것은?

① 화자의 심리가 ㉠은 우회적으로, ㉡은 직설적으로 표현되고 있다.
② 화자의 정서가 ㉠은 원망으로, ㉡은 자신에 대한 한탄으로 드러나고 있다.
③ 문제의 원인에 대한 화자의 시선이 ㉠은 자신에게, ㉡은 외부로 향하고 있다.
④ 현실에 대한 화자의 태도가 ㉠은 체념적으로, ㉡은 수용적으로 나타나고 있다.
⑤ 화자의 갈등 양상이 ㉠은 내적 갈등의 심화로, ㉡은 외적 갈등의 완화로 나타나고 있다.

다른 작품과 비교 감상
3 [라]와 〈보기〉의 공통점으로 가장 적절한 것은?

보기

공방미인(空房美人) 독상사(獨相思)는 녜로붓터 이러흔가
나 혼자 이러흔가 남도 아니 이러흔가
날 사랑ᄒ든 싯히 남 사랑ᄒ려는가
무졍(無情)ᄒ여 그러흔가 유졍(有情)ᄒ여 이러흔가
산계야목(山鷄野鶩)* 길흘 드러 노흘 줄을 모르는가
노류장화(路柳墻花) 썩어 쥐고 츈싴(春色)*으로 닷니는가
가는 길이 자최 업셔 오는 길이 무듸거다
흔번 쥭어 도라가면 다시 보기 어려오니
아마도 녯졍(情)이 잇거든 다시 보게 삼기쇼셔
　　　　　　　　　　　　　－ 작자 미상, 〈상사별곡〉

* 산계야목(山鷄野鶩): 산꿩과 들오리
* 츈싴(春色): 아름다운 얼굴. 기뻐하는 모습

① 임에 대한 원망을 드러내면서도 재회를 확신하고 있다.
② 자연물과 화자의 정서를 동일시하여 감정을 드러내고 있다.
③ 꿈을 통해 화자의 고뇌를 일시적으로 해소하고 있다.
④ 자신의 상황을 다른 사례와 비교하며 신세를 한탄하고 있다.
⑤ 임과 자신을 가로막고 있는 방해물에 대해 한탄하고 있다.

공간의 의미 파악
4 ⓐ와 ⓑ의 공간적 의미에 대한 설명으로 적절한 것은?

① ⓐ는 임과 이별하게 되는 공간이고, ⓑ는 임과 재회하게 되는 공간이다.
② ⓐ는 임이 있을 것으로 추측하는 공간이고, ⓑ는 임의 부재를 인식하고 있는 공간이다.
③ ⓐ는 화자에게 시련을 유발하는 공간이고, ⓑ는 화자가 시련을 해소하게 되는 공간이다.
④ ⓐ는 임에 대한 그리움이 심화되는 공간이고, ⓑ는 임에 대한 그리움을 극복하는 공간이다.
⑤ ⓐ는 화자가 자신의 잘못을 인정하는 공간이고, ⓑ는 화자가 자신의 과거를 반성하는 공간이다.

누항사 陋巷詞

가 어리고 우활(迂闊)홀산 이 내 우히 더니 업다.

길흉화복(吉凶禍福)을 하날긔 부쳐 두고

누항(陋巷) 깁푼 곳의 초막(草幕)을 지어 두고

풍조우석(風朝雨夕)에 석은 딥히 섭히 되야

셔 홉 밥 닷 홉 죽(粥)에 연기(煙氣)도 하도 할샤.

ⓐ설 데인 숙냉(熟冷)애 뷘 배 쇡일 샌이로다.

생애(生涯) 이러호다 장부(丈夫) 뜻을 옴길넌가.

안빈 일념(安貧一念)을 적을망정 품고 이셔

수의(隨宜)로 살려 호니 날로조차 저어(齟齬)호다.

어리석고 세상 물정에 어둡기로는 나보다 더
한 사람이 없다.
모든 운수를 하늘에게 맡겨 두고

누추한 깊은 곳에 초가를 지어 놓고

고르지 못한 날씨에 썩은 짚이 땔감이 되어

초라한 음식을 만드는 데 연기가 많기도 많구
나.
덜 데운 숭늉으로 고픈 배를 속일 뿐이로다.

살림살이가 이렇게 구차하다고 한들 대장부의
뜻을 바꿀 것인가.
안빈낙도하겠다는 한 가지 생각을 적을망정
품고 있어서,
옳은 일을 좇아 살려 하니 날이 갈수록 뜻대
로 되지 않는다.

나 ᄀ올히 부족(不足)거든 봄이라 유여(有餘)호며

주머니 뷔엿거든 병(甁)의라 담겨시랴.

빈곤(貧困)혼 인생(人生)이 천지간(天地間)의 나뿐이라.

기훈(飢寒)이 절신(切身)호다 일단심(一丹心)을 이질는가.

분의 망신(奮義忘身)호야 죽어야 말녀 너겨

우탁우낭(于槖于囊)의 줌줌이 모아 녀코

병과(兵戈) 오재(五載)예 감사심(敢死心)을 가져 이셔

이시섭혈(履尸涉血)호야 몃 백전(百戰)을 지니연고.

가을에도 (생활이) 부족한데 봄이라고 여유가
있겠으며
주머니가 비었는데 술병에 (술이) 담겨 있으
랴.
가난한 인생이 천지간에 나뿐이로다.

배고픔과 추위가 몸을 괴롭힌다 한들 일편단
심을 잊을 것인가.
의에 분발하여 내 몸을 돌보지 않고 죽고야
말겠노라고 마음먹어,
전대와 망태에 한 줌 한 줌 모아 넣고,

전란 5년 동안에 용감하게 죽고 말리라는 마
음을 가지고 있어
주검을 밟고 피를 건너 몇 백전을 치렀던가.

다 일신(一身)이 여가(餘暇) 잇사 일가(一家)를 도라보랴.

일노장수(一奴長鬚)는 노주분(奴主分)을 이졋거든

고여춘급(告余春及)을 어늬 사이 싱각호리.

경당문노(耕當問奴)인들 눌드려 물룰눈고.

ⓑ궁경가색(躬耕稼穡)이 내 분(分)인 줄 알리로다.

신야경수(莘野耕叟)와 농상경옹(壟上耕翁)을 천(賤)타 호리 업것마는

아므려 갈고젼들 어늬 쇼로 갈로손고.

내 몸이 겨를이 있어서 집안을 돌보겠는가.

늙은 종은 하인과 주인의 분수를 잊어버렸는
데,
나에게 봄이 왔다고 일러 줄 것을 어떻게 기
대할 수 있겠는가.
밭 가는 일은 마땅히 종에게 물어야 한다지만
누구에게 물을 것인가.
몸소 농사를 짓는 것이 내 분수에 맞는 줄을
알겠도다.
들에서 밭 갈던 은나라의 이윤과 진나라의 진
승을 천하다고 할 사람이 없지마는
아무리 갈려고 한들 어느 소로 갈겠는가?

라

한기태심(旱旣太甚)ᄒ야 시절(時節)이 다 느즌 제

서주(西疇) 놉흔 논애 잠싼 긴 녈비예

도상(道上) 무원수(無源水)를 반만깐 ᄃᆡ혀 두고

쇼 ᄒᆞᆫ 젹 듀마 ᄒᆞ고 엄섬이 ᄒᆞᄂᆞᆫ 말삼

친절(親切)호라 너긴 집의

달 업슨 황혼(黃昏)의 ⓒ허위허위 다라가셔

구디 다든 문(門) 밧긔 어득히 혼자 서셔

큰 기춤 아함이를 양구(良久)토록 ᄒᆞ온 후(後)에

어화 긔 뉘신고 염치(廉恥) 업산 ᄂᆡ옵노라.

초경(初更)도 거읜ᄃᆡ 긔 엇지 와 겨신고.

년년(年年)에 이러ᄒᆞ기 구차(苟且)ᄒᆞᆫ 줄 알건마ᄂᆞᆫ,

쇼 업슨 궁가(窮家)애 혜염 만ᄒᆞ 왓삽노라.

공ᄒᆞ니나 갑시나 주엄즉도 ᄒᆞ다마ᄂᆞᆫ / 다만 어젯밤의 거넨 집 져 사람이

목 불근 수기치(雉)을 옥지읍(玉脂泣)게 ᄭ우어 ᄂᆡ고

간 이근 삼해주(三亥酒)을 취(醉)토록 권(勸)ᄒᆞ거든

이러ᄒᆞᆫ 은혜를 어이 아니 갑흘넌고.

내일(來日)로 주마 ᄒᆞ고 큰 언약(言約) ᄒᆞ야거든

실약(失約)이 미편(未便)ᄒᆞ니 사셜이 어려왜라.

실위(實爲) 그러ᄒᆞ면 혈마 어이ᄒᆞᆯ고.

헌 먼덕 수기 스고 측 업슨 집신에 설퍼설퍼 믈러오니

풍채(風采) 져근 형용(形容)애 긔 즈칠 ᄲᅮᆫ이로다.

가믐이 몹시 심하여 농사철이 다 늦은 때에,

서쪽 두둑 높은 논에 잠깐 갠 지나가는 비에

길 위에 흐르는 물을 반쯤 대어 놓고는,

소 한 번 주마 하고 엉성하게 하는 말을 듣고

친절하다고 여긴 집에

달이 없는 저녁에 허둥지둥 달려가서,

굳게 닫은 문 밖에 우두커니 혼자 서서,

"에헴" 하는 인기척을 꽤 오래도록 한 후에,

"어, 거기 누구신가?" (묻기에) "염치없는 저올시다."
"초경도 거의 지났는데 무슨 일로 와 계신고?"
"해마다 이러기가 구차한 줄 알지마는

소 없는 가난한 집에서 걱정이 많아 왔소이다."
"공것이나 값을 치거나 간에 주었으면 좋겠지마는, / 다만 어젯밤에 건넛집에 사는 사람이
목이 붉은 수꿩을 구슬 같은 기름에 구워 내고
갓 익은 좋은 술을 취하도록 권하였는데

이러한 은혜를 어떻게 갚지 않겠는가.

내일 (소를 빌려) 주마고 굳게 약속을 하였기에
약속을 어기기가 편하지 못하니 말씀하기가 어렵구료."
정말로 그렇다면 설마 어찌하겠는가.

헌 모자를 숙여 쓰고 축 없는 짚신을 신고 맥없이 물러나오니
풍채 보잘것없는 내 모습에 개가 짖을 뿐이로다.

마

와실(蝸室)에 드러간들 잠이 와사 누어시랴.

북창(北窓)을 비겨 안자 ᄉᆡ비를 기다리니

무정(無情)한 대승(戴勝)은 이 ᄂᆡ 한(恨)을 도우ᄂᆞ다.

종조추창(終朝惆悵)하며 먼 들흘 바라보니

즐기는 농가(農歌)도 흥(興) 업서 들리ᄂᆞ다.

세정(世情) 모른 한숨은 그칠 줄을 모ᄅᆞᄂᆞ다.

아까온 져 소뷔는 벗보님도 됴홀세고.

가시 엉귄 묵은 밧도 용이(容易)케 갈련마ᄂᆞᆫ

허당반벽(虛堂半壁)에 슬듸업시 걸려고야.

춘경(春耕)도 거의거다 후리쳐 더뎌 두쟈.

작고 누추한 집에 들어간들 잠이 와서 누워 있겠는가.
북쪽 창문에 기대앉아 새벽을 기다리니

무정한 대승(오디새)은 나의 한을 북돋우는구나.
아침이 끝날 때까지 슬퍼하며 먼 들을 바라보니
즐기는 농부들의 노래도 흥없게 들리는구나.

세상 물정을 모르는 한숨은 그칠 줄을 모른다.

아까운 저 쟁기는 날이 선 모양도 좋구나.

가시가 엉킨 묵은 밭도 쉽게 갈 수 있으련마는,
빈 집 벽 한가운데 쓸데없이 걸려 있구나.

봄갈이도 거의 다 지났다. 팽개쳐 던져 버리자.

바

ⓓ강호(江湖) 흔 쑴을 꾸언 지도 오리러니

구복(口腹)이 위루(爲累)ㅎ야 어지버 이져쩌다.

첨피기욱(瞻彼淇澳)혼듸 녹죽(綠竹)도 하도 할샤.

유비군자(有斐君子)들아 낙듸 ㅎ나 빌려스라.

노화(蘆花) 깁픈 곳애 명월청풍(明月淸風) 벗이 되야

님지 업슨 풍월강산(風月江山)애 절로절로 늘그리라.

무심(無心)흔 백구(白鷗)야 오라 ㅎ며 말라 ㅎ랴.

다토리 업슬슨 다문 인가 너기로라.

자연을 벗 삼아 살겠다는 꿈을 꾼 지도 오래
더니

먹고사는 것이 누가 되어, 아아 다 잊었도다.

저 물가를 바라보니 푸른 대나무가 많기도 많
구나.

교양 있는 선비들아, 낚싯대 하나 빌리자꾸나.

갈대꽃 깊은 곳에서 밝은 달과 맑은 바람의
벗이 되어.

임자가 없는 자연 속에서 근심 없이 늙으리라.

무심한 갈매기야 (나더러) 오라고 하며 가라고
하랴.

다툴 이가 없는 것은 다만 이것뿐인가 생각하
노라.

사

무상(無狀)흔 이 몸애 무슨 지취(志趣) 이스리마는

두세 이렁 밧논을 다 무겨 더뎌 두고

이시면 죽(粥)이오 업시면 굴물망정

남의 집 남의 거슨 전혀 부러 말렷노라.

닉 빈천(貧賤) 슬히 너겨 손을 헤다 물러가며

남의 부귀(富貴)를 불리 너겨 손을 치다 나아오랴.

인간(人間) 어늬 일이 명(命) 밧긔 삼겨시리.

빈이무원(貧而無怨)을 어렵다 ㅎ건마는

닉 생애(生涯) 이러호듸 설온 쯧은 업노왜라.

단사표음(簞食瓢飮)을 이도 족(足)히 너기로라.

평생(平生) 흔 쯧이 온포(溫飽)애는 업노왜라.

태평천하(太平天下)애 충효(忠孝)를 일을 삼아

화형제(和兄弟) 신붕우(信朋友) 외다 하리 뉘 이시리.

그 밧긔 남은 일이야 ⓔ삼긴 딕로 살렷노라.

보잘것없는 이 몸이 무슨 갸륵한 뜻이나 취향
이 있으랴마는

두어 이랑의 밭과 논을 다 묵혀 던져 두고,

있으면 죽이요, 없으면 굶을망정

남의 집 남의 것은 전혀 부러워하지 않겠노라.

내 가난과 천함을 싫게 여겨 손을 내젓는다고
(가난하고 천함이) 물러가겠으며,

남의 부귀를 부럽게 여겨 손짓을 한다고 (그
부귀가 나에게로) 오겠는가.

인간의 어느 일이 운명과 상관없이 생겼으랴.

가난해도 원망하지 않는 것이 어렵다고 하건
마는

내 생활이 이렇다 해서 서러운 뜻은 없노라.

가난한 생활이지만 이것도 만족스럽게 여기고
있노라.

평생의 한 뜻이 따뜻하게 입고 배불리 먹는
데에는 없노라.

태평스러운 세상에 충성과 효도를 일삼아,

형제간에 화목하고 친구와 신의 있게 사귀는
것을 그르다고 할 사람이 누가 있겠는가?

그 밖의 나머지 일이야 타고난 대로 살겠노라.

– 박인로, 〈누항사〉

생생 Note

화자 _____

상황 _____

주제 _____

핵심 시어의 의미 가난하지만 원망하지 않는다는 의미의 ☐☐☐☐은/는 화
자가 궁극적으로 지향하는 삶의 태도를 보여 줌

표현 ① ☐☐☐을/를 사용하여 실생활의 모습을 사실적으로 그림 ② 일상적인
어휘와 함께 어려운 ☐☐☐을/를 많이 사용함 ③ 대구법, 설의법, 과장법,
열거법 등의 표현법을 사용함

해제 작가가 벼슬에서 물러나 경기도 용진(현재의 경기도 남양주)에서 생활하던
때, 한음 이덕형이 두메 생활의 처지를 묻자 이에 대한 답으로 지은 가사.
이 작품은 자연에 은일하는 태도를 드러내면서도 가난한 현실의 어려운 생
활상을 생동감 있게 그려 내고 있다는 점에서 조선 전기의 양반 가사와 달
리 가사 작품에서 현실 인식을 드러내는 새로운 장을 개척했다는 평가를 받
고 있음

성격 전원적, 사색적, 사실적

의의 궁핍한 생활을 구체적이고도 사실적으로 형상화함

★ 이 작품에 대한 설명으로 적절한 것은?

① 작가 자신이 생활 속에서 체험한 것들에 대해 진솔하게 이야기하고 있다.

② 비판의 대상이 되는 허구적 인물을 내세워 희화화함으로써 각박한 세태를 풍자하고 있다.

③ 당시 백성들이 겪어야 했던 궁핍한 생활상을 객관적인 관찰자의 입장에서 서술하고 있다.

④ 궁핍한 현실을 타개하려는 화자의 모습에 전쟁 상황을 극복하려는 작가의 의지가 반영되어 있다.

⑤ 비유적이고 상징적인 수법을 이용하여 현실로부터 벗어난 이상 세계에 대한 동경을 드러내고 있다.

작품의 종합적 감상

1 이 작품에 대한 감상으로 적절하지 <u>않은</u> 것은?

① 전쟁 후의 어려운 생활상을 사실적으로 드러내고 있다.

② 이상과 현실 사이에서의 갈등을 솔직하게 그려 내고 있다.

③ 현실적인 삶의 모습과 자연 친화적인 화자의 태도를 엿볼 수 있다.

④ 유교적 이상을 실천하고자 하는 화자의 태도가 잘 드러나고 있다.

⑤ 농사와 관련된 다양한 소재들을 바탕으로 농사일을 권장하는 화자의 태도가 드러나고 있다.

공간에 따른 작품의 내용 이해

2 화자와 관련된 공간을 〈보기〉와 같이 정리할 때, 이를 바탕으로 하여 작품을 이해한 내용으로 적절하지 <u>않은</u> 것은?

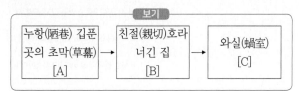

① [A]에서 화자는 살림살이가 구차하지만 안빈낙도하겠다는 뜻을 품고 있다.

② [A]에서 화자는 몸소 농사를 짓겠다는 생각을 하지만 소가 없어 근심한다.

③ [A]에서 [B]로 화자가 간 이유는 소를 빌려주겠다는 소 주인의 굳은 약속 때문이다.

④ [B]에서 화자는 소를 이웃 사람에게 빌려주기로 선약을 했다는 소 주인의 말을 듣는다.

⑤ [C]에서 화자는 농기구를 보며 탄식하다가 농사짓기에 대해 자포자기하는 마음을 먹는다.

감상의 적절성 파악

3 〈보기〉를 바탕으로 이 작품을 감상한 내용으로 적절하지 <u>않은</u> 것은?

보기

　이 작품은 이덕형이 작가의 곤궁한 생활에 대해 묻자 그에 대한 답으로 지은 것으로 임진왜란 이후 작가가 경험했던 현실이 생생하게 그려져 있다. 작가는 임진왜란의 격동적 사회의 변화 속에서 사대부(士大夫)로서의 지위도 보장되지 않고 경제적 기반도 무너지며 농민으로 살아가기에 여건이 갖추어지지 못한 데서 오는 소외감을 잔잔하게 읊고 있다. 이러한 상황 속에서도 작가는 곤궁한 현실에 굴하지 않으려는 다짐과 유교적 도의를 굳건히 지키면서 살겠다는 의지를 드러내고 있다.

① [가]: 길흉화복을 하늘에 맡겨 두고, 누항에 살면서 옳은 일을 좇아 살려고 하지만 날이 갈수록 뜻대로 되지 않는 현실과 타협할 수밖에 없는 포기가 드러나 있다.

② [나]: 임진왜란이 일어나자 우국단심으로 참전해서 싸웠던 일을 회상하고 있다.

③ [다]: 임진왜란 이후의 사회적 변화를 소개하고, 고사를 인용하여 직접 농사를 짓는 일을 부끄럽게 여기지 않으나 농사에 쓸 소가 없음을 한탄하는 내용이 담겨 있다.

④ [라]: 소를 빌리기 위해 소 주인의 집을 방문했다가 거절당하고 돌아오는 모습을 통해 화자의 서글픔이 드러난다.

⑤ [사]: 가난하지만 현재의 생활에 만족하고 유교적 도의를 지키며 살겠다는 의지가 나타난다.

시구의 의미 파악

4 ⓐ∼ⓔ에 대한 이해로 적절하지 <u>않은</u> 것은?

① ⓐ: 화자의 빈궁함을 단적으로 드러내는 초라한 음식으로 볼 수 있다.

② ⓑ: 직접 농사를 지어야 하는 화자의 처지에서 궁핍함을 짐작할 수 있다.

③ ⓒ: 소를 빌리려 허겁지겁 달려가는 모습에서 화자의 절박함을 느낄 수 있다.

④ ⓓ: 자연을 벗 삼아 살면서 도를 추구하고자 하는 화자의 소망으로 이해할 수 있다.

⑤ ⓔ: 노력해도 극복할 수 없는 가난한 삶에 좌절하는 화자의 무력감을 확인할 수 있다.

14 죽창곡 竹牕曲

가

죽창(竹窓)의 병(病)이 깁고 포금(布衾)이 냉낙(冷落)한대	대나무 창가에 병이 깊고 이부자리가 차가운데
돌미나리 한 줌으로 석찬을 ᄒᆞ쟈터니	돌미나리 한 줌으로 저녁 반찬 하자 했더니
상 위에 그저 노코 님 생각 하는 뜻은	상 위에 그저 놓고 임 생각하는 뜻은
아리따운 님의 거동 친한 적 업건마는	아리따운 임의 거동 친한 적 없건마는(함께한 적이 없건마는)
불관(不關)한 이내 몸이 님을 조차 삼기오니	관계없는 이내 몸이 임을 따라 생기오니
월노(月老)의 노끈을 매었나 연분(緣分)도 하 중(重)하고	월하노인 실 매었나, 연분도 크게 중하고
조물이 새오던가 박명(薄命)함도 그지업다	조물주가 시기했나, 박복함도 끝이 없다.
지란(芝蘭)으로 꾸민 집에 고운 모습 길러낼 제	영지와 난초로 꾸민 집에 고운 모습 길러낼 때
자태도 좋거니와 연지분이 업슬손가	자태도 좋거니와 연지분이라 없겠는가.
티 한 점 업는 얼굴 백번 씻고 다시 씻어	티 한 점 없는 얼굴 백번 씻고 다시 씻어
황혼(黃昏)이 다다르니 님의 눈에 고이 오려	황혼이 다다르니 임의 눈에 사랑 받으려
금침(金針)으로 바느질해 칠양금 베어 짜니	금바늘로 바느질해 칠양금(비단의 한 가지) 베어 짜니
운한(雲漢)을 수를 노하 상자 속에 마름질해 두고	은하수를 수로 놓아 상자 속에 마름질해 넣어 두고
수품(手品)을 픠어 내여 님의 옷 지으리라	솜씨를 피우며 임의 옷 지으리라.
고운 얼굴 경대 옆에 열녀전을 싸하 두고	고운 얼굴 비추어진 거울 옆에 열녀전을 쌓아 놓고
미노의 손을 씻어 조석(朝夕)으로 을픈 뜻은	장미 이슬에 손을 씻어 아침저녁 읊는 뜻은
유한 정숙함이 가훈도 잇거니와	그윽하고 한가하며 깨끗하고 맑은 것이 집안의 가르침이거니와
고인(古人)의 어진 행실 다 배우기 원하더니	옛사람의 어진 행실 다 배우기 원함이라.
명창(明窓) 아래 거울 보며 운빈(雲鬢)을 고로면서	볕 잘 드는 창문 아래 거울 보며 구름 같은 귀밑머리 고르면서
이팔(二八) 방년(芳年)이 손꼽아 다다르니	꽃다운 십육 세 손꼽아 다다르니
십니(十里) 벽도화(碧桃花)의 구름이 머흔 속의	십 리 밖의 푸른 복숭아꽃에 구름이 험하니
내 소식 님 모르고 님의 집 나 모를 제	내 소식 임 모르고 임의 집 내 모를 제
세사(世事)의 마(魔)히 고하 홍안(紅顔)이 복(福)이 업셔	세상일에 마가 끼어 고운 얼굴 복이 없어
하룻밤 놀난 우레 풍우(風雨) 조차 섯거치니	하룻밤 놀란 우레 비바람조차 섞어 치니
뜰알픠 심근 규화(葵花) 못피여 시들거다	뜰앞의 심은 해바라기 못 피고 시들었다.
한 고기 흐린 물이 왼 못을 더러인다	고기 하나 흐린 물이 온 연못을 더럽힌다.
형극(荊棘)의 떨어진 불이 난혜총(蘭蕙叢)의 붓터오니	가시덤불에 떨어진 불이 꽃 위에 붙어오니
내 얼골 고운 줄을 님이 엇디 알으실고	내 얼굴 고운 줄을 임이 어찌 아실까.
화공(畫工)의 붓긋흐로 그려 내여 울닐 손가	화공의 붓끝으로 (내 얼굴을) 그려 내어 올릴까?
연년(延年)의 가곡(歌曲)으로 띄여다가 도도올가	해마다 (임의 장수를 기원하는) 노래로 띄워다가 돋우올까?
대가티 고든 절(節)을 님이 더욱 모르려든	대같이 곧은 절개를 임이 더욱 모르거든

🔵 나

수놓은 옷 더뎌두고 거친 옷을 고쳐 입고	수놓은 옷 던져두고 거친 옷으로 고쳐 입고
금비녀 거더 내여 호미 연장 다 갓초아	금비녀 걷어 내고 호미 연장 다 갖추어
춘산(春山)의 나물 캐고 썰물에 됴개 주워	봄 산에 나물 캐고 썰물에 조개 주워
아침밥 지으리라 대집으로 도라오니	아침밥 지으려고 대집으로 돌아오니
모첨(茅簷)의 빗친 해 궁곡(窮谷)을 머다 말고	초가 처마에 비친 해가 깊은 산골 멀다 않고
상서롭고 따뜻한 빗티 짜듯이 발가셰라	상서롭고 따뜻한 빛이 짜듯이 밝혔구나.
은탕(殷湯)의 비텬 그믈 일면(一面)을 마자 푼 듯	은탕왕이 빈 그물 한쪽으로 마저 푼 듯이
서강(西江)의 터딘 물결 학철(涸轍)노 쏘다던 듯	서강에서 터진 물결 수레바퀴 자국 위로 쏟아질 듯
학발이 시름업시 츩베옷을 걸메고셔	흰 머리에 시름없이 칡베옷을 걸치고서
화봉삼축(華封三祝) 을푸면서 온전(穩全)도 쬐는구나	화봉삼축 읊으시니 본바탕 그대로 햇볕을 쬐는구나.
즐겁기 그지업고 감누가 절노 나니	즐겁기 끝이 없고 감격한 눈물 절로 나니
일하(日下)의 바라보니 님 계신 대 저기로다	해 아래 바라보니 임 계신 데가 저기로다.
어화 뎌 햇빗츨 님이 쬐여 보내도다	아아, 저 햇빛을 임이 쬐어 보냈구나.
결발(結髮)하여 함께 한 님이 늙도록 같이 살아	머리 묶어 함께 한 임이 늙도록 같이 살아
군사랑은 전혀 업소 엄비참 못드러도	군사랑은 전혀 없소. 원교를 벌하자는 참소는 내 알지 못하였고
심사(心思)라도 나 모로고 보전(保全)하미 얼엽거든	내 마음은 내 모르고 보전하기 어려워도
알간들 그리 알며 밋긴들 그리 밋어	알자 하니 그리 알며 믿자 하니 그리 믿어
외롭고 천한 몸의 이대도록 견권하니	외롭고 천한 몸이 이토록 (임을) 잊지 못해 살뜰하게 생각하니
분수 밧긔 님의 은혜(恩惠) 나도 모를 일이로다	분수 밖의 임의 은혜 나도 모를 일이로다.
천고(千古)의 내친 몸의 못 본다고 의논(議論)말고	예전에 내쳐진 몸이 못 본다고 의논 말고
삼생 인연 삼긴 후의 처음인가 하노라	삼생 인연 생긴 후에 처음인가 하노라.
나의 깁흔 정(情)을 님의 거위 비추시니	나의 깊은 정을 임이 거의 비추시니
추야(秋夜) 앙금(鴦衾)이야 뷔엿다 관여(關與)하며	가을밤 원앙금침 비었다고 상관하며
밧긔 더딘 봉(鳳)이 처량함을 한할소냐	밖에 던진 봉황 비녀 처량하다 한탄할까.

– 이긍익, 〈죽창곡〉

생생 Note

화자 _____
상황 _____
주제 _____
핵심 시어의 의미 ① 화자는 자신을 자연물인 □□와/과 □□□에 비유하여 임과 함께 하지 못한 안타까움을 드러냄 ② 유배의 원인을 '□□이 새오던가.', '□□이 머흔 속의', '세사의 □히 고하'와 같이 외부 탓으로 돌림
표현 ① 유배 생활을 하는 화자의 상황을 임을 그리워하는 여성 화자에 빗대어 표

현함 ② 의문형 형식을 사용하여 화자의 안타까움을 강조함 ③ 비유적 표현을 활용해 임에 대한 굳은 절개를 강조함
해제 아버지인 원교 이광사가 유배 생활을 할 때 아버지를 뒷바라지하던 작가가 지은 것으로, 작품에서 화자는 아버지인 원교와 작가 자신이 혼재되어 있음. 유배 생활을 하는 화자의 상황을 임을 그리워하는 여성 화자의 모습으로 형상화하여 임과 함께 하지 못하는 안타까움과 임에 대한 변치 않는 마음을 노래함
성격 애상적, 비유적

내신 대비 특별 문제

★ 이 작품의 표현상 특징으로 적절하지 <u>않은</u> 것은?

① 대구법을 사용하여 운율감을 형성하고 있다.
② 설의법을 통해 화자의 안타까움을 드러내고 있다.
③ 비유적 표현을 통해 변함없는 화자의 마음을 강조하고 있다.
④ 자연물의 상징적 의미를 사용하여 굳은 절개를 드러내고 있다.
⑤ 중국 고사를 인용하여 현실에 대한 비판적 태도를 드러내고 있다.

외재적 감상의 적절성 파악

1 〈보기〉를 참고하여 이 작품을 이해한 내용으로 적절하지 <u>않은</u> 것은?

보기

일반적으로 유배 가사는 여성 화자의 목소리를 통해 임금에 대한 그리움인 연군지정을 담고 있다. 또한 유배지에서의 고통, 자신의 상황에 대한 불만, 정치 현실에 대한 비판적 인식 등이 나타난다. 하지만 이 작품은 작가의 친부인 원교 이광사가 유배를 당할 때 아버지를 뒷바라지하며 함께 했던 이긍익이 지은 가사이다. 자신의 직접적인 잘못이 아닌 죄인의 아들로서 이긍익이 마주한 현실은 사회적으로 입신양명의 기회가 박탈된 것이었다. 그럼에도 아버지의 처지를 옹호하거나 세상에 대한 비판적 목소리를 드러내지 않았다. 오히려 소박한 유배 생활이 임금의 은혜 덕분임을 강조하고 있다.

① '상 위에 그저 노코 님 생각 하는 뜻은'에서 일반적인 유배 가사의 특징인 임금에 대한 그리움이 나타나 있음을 알 수 있군.
② '아리따운 님의 거동 친한 적 업건마는'에서 화자가 앞으로 자신의 입신양명 기회가 막혔음을 깨닫고 있음을 알 수 있군.
③ '형극의 떨어진 불이 난혜총의 붓터오니'에서 화자가 자신의 잘못이 아닌 이유로 현재의 상황에 처하게 됐음을 알 수 있군.
④ '춘산의 나물 캐고 썰물에 됴개 주워'에서 유배지에서 아버지를 뒷바라지 하고 있는 화자의 모습을 알 수 있군.
⑤ '어화 뎌 햇빗츨 님이 쬐여 보내도다'에서 화자가 현재의 부정적인 상황을 극복하는 계기가 임금의 은혜 때문임을 알 수 있군.

비교 감상의 적절성 파악

2 이 작품과 〈보기〉를 비교한 내용으로 가장 적절한 것은?

보기

누어 싱각ᄒ고 니러 안자 혜여ᄒ니
내 몸의 지은 죄 뫼ᄀ티 빠혀시니
하ᄂᆞᆯ히라 원망ᄒ며 사ᄅᆞᆷ이라 허믈ᄒ랴
셜워 플텨 혜니 조믈의 타시로다
글란 싱각 마오 미친 일이 이셔이다
님을 뫼셔 이셔 님의 일을 내 알거니
믈ᄀᆞ튼 얼굴이 편ᄒᆞ실 적 몃 날일고   – 정철, 〈속미인곡〉

① 이 작품과 〈보기〉는 모두 두 여성 화자가 대화를 나누는 형식을 취하고 있다.
② 이 작품과 달리 〈보기〉는 현실에 순응하며 임의 축복을 기원하고 있다.
③ 이 작품과 달리 〈보기〉는 추상적 대상을 구체적인 자연물에 빗대어 표현하고 있다.
④ 〈보기〉와 달리 이 작품은 임과의 이별 원인이 자신에게 있음을 탄식하고 있다.
⑤ 〈보기〉와 달리 이 작품은 임과 함께하지 못해도 더 이상 한탄하지 않겠다는 의지가 나타나 있다.

시어의 의미 파악

3 이 작품에 사용된 시어가 지닌 의미로 적절하지 <u>않은</u> 것은?

	시어	의미
①	연지분, 홍안, 금비녀	화자를 여성 화자로 설정하여 보편적 공감대를 높인다.
②	열녀전, 대	임에 대한 화자의 변치 않는 지조와 절개를 드러낸다.
③	구름, 우레 풍우, 거친 옷	화자에게 시련과 고통을 주는 존재이며 부정적으로 인식된다.
④	규화, 난혜총	기다린 임과의 인연이 제대로 이어지지 못한 화자를 비유한다.
⑤	호미 연장	임과의 만남을 포기하고 소박한 현실에 순응하려는 화자의 심리를 드러내는 소재이다.

내신·수능 대비 필수 작품을
친절하고 꼼꼼하게 분석한

모든 것 시리즈

현대시의 모든 것(개선판) | 현대산문의 모든 것(개선판)
고전시가의 모든 것 | 고전산문의 모든 것 | 문법·어휘의 모든 것

- 국어와 문학의 실력을 기르기 위한 국어 학습의 필수 지침서!
- 국어·문학 교과서 작품, EBS 교재 수록 작품, 기출 작품,
  주요 작가의 낯선 작품 등 필수 작품 총망라!
- 꼼꼼한 분석, 일목요연한 정리, 보기 편한 구성과 친절한 해설!
- 출제 빈도가 높은 필수 문제로 내신·수능 만점 대비!

명강 문학 시리즈　　현대시 ｜ 고전시가 ｜ 현대소설 ｜ 고전산문

고전시가 **갈래별 필수 작품** 총정리!
문학 고수를 만드는 **명품 실전서!**

명강 고전 시가

[정답과 해설]

꿈을담는틀
Dream Matrix

정답과
해설

01 구지가·해가

본문 10~11쪽

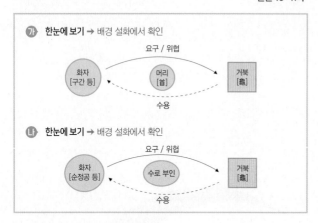

가 한눈에 보기 → 배경 설화에서 확인

요구 / 위협

화자 [구간 등] — 머리 [首] — 거북 [龜]

수용

나 한눈에 보기 → 배경 설화에서 확인

요구 / 위협

화자 [순정공 등] — 수로 부인 — 거북 [龜]

수용

생생 Note

가
화자 구간과 마을 사람들
상황 임금(수로왕)의 강림을 요구함
주제 임금(수로왕)의 강림 기원
핵심 시어의 의미 거북, 머리

나
화자 순정공과 마을 사람들
상황 수로 부인을 돌려 달라고 요구함
주제 수로 부인의 귀환을 기원함
핵심 시어의 의미 거북

내신 대비 특별 문제 ④

1 ②　　　2 ⑤　　　3 ⑤　　　4 ③

내신 대비 특별 문제 답 ④

○ 정답 풀이
[가]의 화자는 대상인 거북을 신령스러운 존재로 여기고 있지만, 예찬이 아닌 위협하는 태도를 보이고 있다. [나]의 화자 또한 대상인 거북을 위협하고 있다.

✗ 오답 풀이
① [가]는 〈삼국유사〉의 가락국 건국 신화 속에 삽입되어 전하는 고대 가요이다.
② [나]에는 수로 부인의 무사 귀환이라는 주술의 목적과 남의 아내를 빼앗았기 때문이라는 위협의 이유가 구체적으로 드러나 있다.
③ [나]는 [가]와 비슷한 내용과 형식을 지니고 있는 신라 시대의 노래로, 민간에 구비 전승되어 재액 극복의 소망을 드러내고 있다.
⑤ [가]와 [나] 모두 거북을 신령스러운 존재로 여기는 토템(동물숭배) 사상이 드러난다. 또한 기원을 노래하는 주술성을 지니므로 무속 신앙과 관련이 있다.

---

1 답 ②
○ 정답 풀이
[가]는 '부름-명령-가정-위협'의 구조로 이루어져 있다. ② 역시 '개야(부름)-네 집으로 들어가거라(명령)-임을 향해 짖는다면(가정)-밥을 굶기리라(위협)'의 구조로 내용이 전개되고 있다.

✗ 오답 풀이
①, ⑤ 부름과 명령은 나타나지만 가정과 위협은 나타나지 않는다.
③ 부름과 가정, 위협은 나타나지만 명령은 나타나지 않는다.
④ 부름과 명령, 가정은 나타나지만 위협은 나타나지 않는다.

2 답 ⑤
○ 정답 풀이
[가]와 달리 [나]에서는 위협의 대상인 '거북'에게 위협의 이유를 구체적으로 밝히고 있다(ㄷ). 또한 [나]는 '수로'라는 구체적인 인명을 제시하고 있고, 거북을 위협하며 '수로 부인'과의 재회를 간절히 바라고 있다(ㄹ). 그리고 [나]는 [가]와 같이 4구체로 되어 있으나 글자 수가 4언에서 7언으로 변화되면서 형식적으로도 확장이 되었다. 또한 남의 부인을 훔친 죄가 크다며 수로 부인을 내놓으라는 내용도 보다 구체적으로 제시하고 있다(ㅁ).

✗ 오답 풀이
[가]와 [나]에서 대상을 대하는 화자의 태도는 점층적으로 강화되고 있으나, 화자의 소망이 점층적으로 강화되고 있는 것은 아니다(ㄱ). [가]와 [나]는 동일한 부사어가 반복적으로 사용되지 않았다(ㄴ).

3 답 ⑤
○ 정답 풀이
'황금 알 여섯'은 신비성, 비범성 등을 부각하기 위한 신화적 설정일 뿐 당시 사회가 농경 사회인지, 상업을 중시하는 사회인지와는 관련이 없다. 따라서 이를 통해 [가]가 상업을 중시하는 사회로 이행되는 시기의 작품인지를 알아보는 것은 적절하지 않다.

✗ 오답 풀이
① 산꼭대기에서 흙을 파며 함께 부른 노래라고 하였으므로 [가]를 집단으로 일을 하며 부른 노동요로 해석하는 것은 적절하다.
② 마을 사람들과 구간들이 왕의 출현을 기원하며 '다 같이' 시키는 대로 부른 노래라고 하였으므로 집단요로 해석하는 것은 적절하다.
③ 배경 설화에서 가락국의 구간들이 왕을 부르는 의식을 수행하며 부른 노래라고 하였으므로 [가]를 제의적인 노래로 해석하는 것은 적절하다.
④ 배경 설화에서 하늘에서 들려온 소리가 황천께서 내려가 자신더러 왕이 되라고 하셨다고 하였으므로 이 작품을 천손 강림(하늘의 자손이 내려옴)을 내용으로 하는 노래로 해석하는 것은 적절하다.

4 답 ③
○ 정답 풀이
[나]는 부름과 명령, 위협의 이유, 가정과 위협의 구조를 통해

수로 부인의 무사 귀환을 비는 주술적인 노래이다. [나]에는
대조의 방식이 사용되지 않았다.

✗오답 풀이

① 대상인 거북을 '거북아'라고 부르며 의인화하고 있다.

② [나]의 3구는 가정, 4구는 위협에 해당한다.

④ 청자인 거북에게 '거북아 수로를 내놓아라.'라고 말을 건네는 방식으
로 수로 부인의 무사 귀환을 요구하고 있다.

⑤ '수로를 내놓아라.'라는 명령형 어조를 사용해 수로 부인을 내놓을
것을 직설적으로 요구하고 있다.

02 공무도하가·황조가

본문 12~13쪽

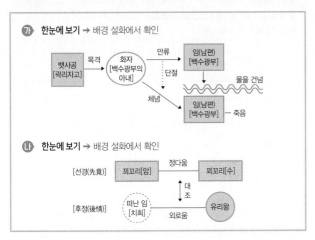

생생 Note

가
화자 백수광부의 아내
상황 물을 건너던 임(백수광부)이 물에 빠져 죽음
주제 임과의 사별을 슬퍼함
핵심 시어의 의미 물

나
화자 '나'(유리왕)
상황 임과 이별하고 돌아오다 정다운 암수 꾀꼬리를 봄
주제 임을 잃은 슬픔과 외로움
핵심 시어의 의미 꾀꼬리

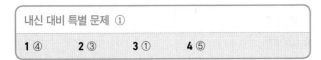

내신 대비 특별 문제 ①

1 ④   **2** ③   **3** ①   **4** ⑤

내신 대비 특별 문제 답 ①

◯정답 풀이

[가]와 [나]의 화자는 모두 이별의 안타까움과 슬픔을 드러내
고 있을 뿐, 임과의 재회를 확신하고 있는 것은 아니다.

✗오답 풀이

② [가]와 [나]는 모두 배경 설화와 함께 노래가 전해진다.

③ [가]는 '어이할꼬', [나]는 '돌아갈꼬'와 같은 설의적 종결을 통해 화
자의 슬픔을 드러내고 있다.

④ [가]에는 물에 빠져 죽은 임으로 인한, [나]에는 떠난 임(치희)으로 인
한 화자의 슬픔과 안타까움이 드러나 있다.

⑤ [가]는 국문학사상 가장 오래된 서정 시가이고, [나]는 국문학사상
사랑을 주제로 한 최초의 서정 시가이다. 두 작품 모두 집단 가요(서
사시)에서 개인적 서정시로 넘어가는 단계의 작품들이다.

1 답 ④

◯정답 풀이

[가]에 '물'이라는 자연물이 제시되어 있기는 하지만 '물'에 화
자의 정서가 이입된 것은 아니다. [가]에서는 화자의 정서를
드러내는 어조와 상황에 대한 화자의 태도를 통해 시적 상황
이 강조되고 있다.

✗오답 풀이

① 1행의 '물'은 임에 대한 화자의 충만한 사랑을 상징하며, 2행의 '물'
은 삶과 죽음의 경계, 즉 이별을 상징한다. 임이 물에 빠진 3행에서
는 '물'이 죽음을 의미한다.

② 1행에서 화자는 물을 건너지 말라고 애원하며 임을 만류하고 있다.
2행에서는 물을 건너는 임을 바라보는 화자의 초조함이, 3행에서는
물에 빠져 죽은 임으로 인한 비애가 드러나고 있다. 그리고 4행에서
화자는 임을 잃은 슬픔에 탄식을 하고 있다.

③ [가]는 임을 잃은 슬픔을 노래하고 있는데, 이러한 한(恨)의 정서는
우리 문학의 주요한 전통이 되어 후대에 많은 서정 시가로 계승되
었다.

⑤ 4행의 '어이할꼬'는 임을 잃은 화자의 슬픔과 탄식, 체념의 정서를
집약적으로 보여 주는 시어이다.

2 답 ③

◯정답 풀이

〈보기〉의 '접동'은 화자의 슬픈 감정을 대변하는 상징물이라
고 할 수 있지만, [나]의 '꾀꼬리'는 외로운 화자와 대조되는
상징물이다.

✗오답 풀이

① [나]와 〈보기〉의 화자 모두 사랑하는 이의 부재라는 부정적 상황으
로 인해 괴로워하고 있다.

② [나]는 '뉘와 함께 돌아갈꼬.(함께 돌아갈 이가 없음)'에, 〈보기〉는 '아
무리 피ㄴ게 운들 대답(對答)이나 ㅎ더냐.(울어도 대답할 이가 없
음)'에 설의적 표현이 쓰였다. 그리고 이러한 설의적 표현을 통해 화
자의 정서가 강조되고 있다.

④ [나]의 화자는 '외로울사'라고 하며 〈보기〉의 화자에 비해 자신의 감
정을 더욱 구체적으로 드러내고 있다.

⑤ [나]의 화자는 '꾀꼬리'가 정답게 노니는 것처럼, 〈보기〉의 화자는
'접동'이 슬피 우는 것처럼 자연물을 자의적으로 해석해 표현하였다.

3 답 ①

◯정답 풀이

아내가 노래를 부른 후 물에 빠져 죽은 남편을 따라 자신도

물에 빠졌다는 배경 설화 속 '물'은 남편의 죽음으로 인한 헤어짐의 공간으로 아내도 들어감으로써 재회를 이루는 공간이 될 수는 있다. 하지만 재생을 위한 정화의 공간이라는 의미를 이끌어 낼 수는 없다.

✗ 오답 풀이

② '임은 그예 물을 건너시네'에서 '물'을 건너는 행위가 삶과 죽음의 경계를 건너는 행위가 되고 있기 때문에 화자인 아내의 입장에서 보면 남편과 이별하게 되는 공간이라고 할 수 있다.

③ 물에 빠져 죽게 되는 임과 이를 만류하는 아내의 입장에서 보면 '물'은 삶과 죽음 즉 이승과 저승의 경계라는 의미를 지닌다고 할 수 있다.

④ 아내는 '물'을 건너려는 남편을 만류하고 있다. 남편이 '물'을 건너지 않기를 바라는 아내의 심정은 '사랑'의 의미를 지닌다고 할 수 있다.

⑤ '물에 빠져 돌아가시니'에서 '물'은 남편의 죽음이 일어나는 '죽음'의 의미를 지닌다고 할 수 있다.

4 답 ⑤

● 정답 풀이

[나]의 화자는 암수 정답게 노는 꾀꼬리와 달리 자신은 함께 돌아갈 사람이 없다는 사실을 이야기하며, 임이 부재하는 현실 상황에 외로움을 느끼고 있다. 그리고 실연의 슬픔을 탄식하고 있는데 화자는 자신의 이러한 감정을 '외로울사'라는 표현을 통해 직설적으로 제시하고 있다. 또한 임의 부재에 대한 화자의 정서는 '좌절감'보다는 외로움과 슬픔의 정서에 가깝다.

✗ 오답 풀이

① '외로울사 이 내 몸은 / 뉘와 함께 돌아갈꼬.'라는 3~4행 내용을 통해 화자가 사랑하는 임과 떨어져 혼자 있음을 알 수 있다.

② 1~2행에서는 꾀꼬리의 정다운 모습, 즉 외적 상황을 그리고 있고, 3~4행에서는 외로운 자신의 정서를 드러내고 있다.

③ 정다운 꾀꼬리의 모습을 표현한 부분, 특히 '훨훨 나는 저 꾀꼬리'에서 시각적 심상이 두드러짐을 알 수 있다.

④ 앞의 2행은 정다운 꾀꼬리의 모습을, 뒤의 2행은 이와 대조되는 외로운 화자의 상황과 정서를 드러내고 있다.

03 정읍사

본문 14~15쪽

한눈에 보기

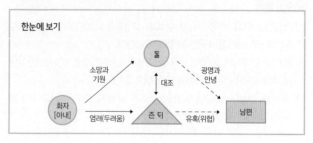

생생 Note

화자 어느 행상인의 아내
상황 행상 나간 남편의 무사 귀환을 위해 달에게 기도함
주제 행상 나간 남편의 안전을 기원함
핵심 시어의 의미 돌, 즌 딕

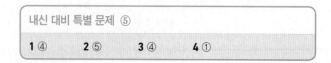

내신 대비 특별 문제 ⑤

1 ④   2 ⑤   3 ④   4 ①

내신 대비 특별 문제   답 ⑤

● 정답 풀이

이 작품은 대립적인 이미지인 '돌'과 '즌 딕'를 사용하고 있지만, 이를 통해 갈등적 상황을 해소하는 것이 아니라 임을 염려하는 화자의 마음을 효과적으로 드러내고 있는 것이다.

✗ 오답 풀이

① 이 작품은 여음구를 제외하면 3장 6구로 되어 있어 시조의 연원으로 보는 견해가 있다.

② 이 작품은 아내가 행상 나간 남편을 기다리는 내용이므로 절개가 굳은 아내가 산마루나 고개에서 외지에 나간 남편을 기다리다 만나지 못하고 죽어 돌이 되었다는 〈망부석 설화〉와, 박제상의 아내가 치술령에서 남편을 기다리다 망부석이 되었다는 유래만 전하는 〈치술령곡〉과 관련이 있다.

③ 이 작품은 현전하는 유일한 백제 가요이다.

④ 이 작품은 행상 나간 남편의 안전과 무사 귀환을 기원하는 여인의 심정을 주제로 하고 있다.

1 답 ④

● 정답 풀이

이 작품에 계절적 이미지를 드러내는 시어나 상황은 나타나지 않는다. 다만, '돌'과 '즌 딕'라는 대조적인 이미지의 시어를 활용하여 남편의 무사 귀환을 바라는 화자의 심정을 드러내고 있다.

✗ 오답 풀이

① '드딕욜셰라', '졈그룰셰라'에서 보이듯 '−ㄹ셰라'라는 의구형 종결 어미를 사용하고 있다. 이 작품은 이러한 종결 어미를 반복하여 사

용함으로써 남편을 걱정하고 있는 아내의 간절한 마음을 강조하고 있다.

② 이 작품은 '돌하', '도두샤', '비취오시라'와 같은 존칭 표현을 사용하여 달에게 기원을 하는 경건한 분위기를 조성하고 있다.

③ '돌하 노피곰 도두샤'에서 자연물인 달에 존칭의 호격 조사인 '하'를 덧붙여 달을 인격화하고 있다. 화자는 이런 달에게 자신의 소망을 기원하고 있다.

⑤ '돌'은 시적 화자가 소망을 비는 대상으로, 남편의 안녕을 상징하며 광명의 이미지를 지닌다. 반면 '즌 딕'는 험한 곳, 진 곳으로 위험을 상징하며 어둠의 이미지를 지닌다. 이 작품은 이렇듯 대립적인 속성을 가진 두 시어의 이미지를 대조하여 남편의 무사 귀환을 바라는 화자의 기원을 드러내고 있다.

2 답 ⑤

○정답 풀이

ⓜ '어느이다 노코시라.'는 '어느 곳에나 (짐을) 놓으십시오.'라는 뜻으로 남편의 안전을 바라는 아내의 당부의 말이다. 따라서 ⓜ에 남편이 무사히 돌아올 것이라는 화자의 확신이 담겨 있다고 이해하는 것은 적절하지 않다. 오히려 화자는 '드디욜셰라'나 '졈그뢸셰라'에서 보이듯 '~ㄹ셰라'와 같은 종결 어미를 사용해 남편의 안전에 대한 걱정을 드러내고 있다.

✗오답 풀이

① ㉠은 '높이높이 돋으시어'라는 뜻이다. 화자가 남편의 무사 귀환을 달에게 빌고 있는 상황임을 고려할 때, 남편이 무사히 돌아오기를 바라는 화자의 간절한 마음이 드러나 있는 것으로 볼 수 있다.

② ㉡은 '멀리멀리 비춰 주소서.'라는 뜻으로 달에게 화자가 소망을 비는 표현이다. 이는 〈보기〉의 내용으로 보아 화자가 남편과 멀리 떨어져 있어 남편을 걱정하는 상황임을 짐작할 수 있다.

③ ㉢의 '져재'는 '시장에'라는 뜻이다. 또한 〈보기〉에서 '고을 사람이 행상을 떠나 오래도록 돌아오지 않았다.'고 하였으므로 화자의 남편은 시장을 돌아다니며 행상을 하는 사람임을 추측할 수 있다.

④ ㉣의 '즌 딕'는 남편에게 일어날 수 있는 모든 위험한 상황을 상징하는 시어이다. 〈보기〉를 통해 '즌 딕'는 남편이 밤길을 오다가 해를 입지나 않을까 염려하는 마음을 '진흙물에 더러워짐'에 비유한 것임을 알 수 있다. 따라서 남편이 '즌 딕'를 디딜까 두려워하는 것은 남편이 해를 입지나 않을까 염려하는 화자의 마음으로 볼 수 있다.

3 답 ④

○정답 풀이

[A]에서 화자는 남편의 안전을 빌기 위해 달을 향해 기원을 하고 있다. 그리고 [B]에서는 남편이 밤길에 해를 입지 않을까 염려하고 있으며, [C]에서는 남편의 무사 귀환을 기원하며 불안한 마음을 동시에 드러내고 있다. 따라서 [A]~[C]에서 화자는 '소망 → 염려 → 기원과 염려'의 정서를 드러내는 것으로 이해해야 한다. [C]에서 체념의 정서를 드러낸다는 ④의 설명은 잘못된 것이다.

✗오답 풀이

① [A]에서 화자는 '돌하'라고 달님을 부르며 남편의 무사 귀환을 빌고 있다.

② [A]에서 화자는 달에게 높이 떠서 멀리멀리 비추어 달라고 기원하고 있다. 즉, [A]에서 이루어지는 화자의 행위는 기원이다. 그리고 이 행위는 임의 안전, 즉 임이 진 곳을 디딜 것에 대한 걱정에서 비롯된 것임이 [B]에서 나타나고 있다. 따라서 [A]에서 이루어진 화자의 행위의 이유는 [B]를 통해 짐작할 수 있는 것이다.

③ [B]와 [C]에서 나타나는 '~ㄹ셰라'는 '~할까 두렵다'라는 뜻을 지닌 의구형 어미이다. 즉, 화자는 임이 혹시라도 위험에 처하지 않았을까라는 걱정과 함께 임의 안전에 대한 의구심을 이러한 어미를 통해 나타내고 있는 것이다.

⑤ [A]에서 화자는 달에게 소원을 빌며 남편의 무사 귀환을 빌고 있다. [B]에서는 남편이 있는 곳이 '져재'인지 묻고는 '즌 딕'를 디딜까 두렵다고 말하고 있다. 그리고 [C]에서는 어느 곳에나 짐을 놓으라고 남편에게 당부의 말을 하고 있다. 즉, 화자는 누군가에게 말을 건네는 대화체를 사용하는 한편, 기원의 어조를 사용해 남편을 걱정하는 마음을 드러내고 있다.

4 답 ①

○정답 풀이

이 작품의 ⓐ와 〈보기〉의 ⓑ는 모두 '달'을 가리킨다. 이 작품에서 화자는 ⓐ를 향해 임의 무사함을 기원하고 있으므로, ⓐ는 기원의 대상이다. 반면 〈보기〉의 ⓑ는 광명과 과묵의 덕성을 지닌 존재로, 화자에게 예찬의 대상이다. 즉, ⓐ와 ⓑ 모두 화자의 행동 변화를 유도하고 있는 것은 아니다. 따라서 ⓐ는 ⓑ와 달리 화자의 행동 변화를 유도한다는 ①의 설명은 적절하지 않다.

✗오답 풀이

② ⓐ와 ⓑ 모두 자연물인 달이 인격화되어 나타난 것이다. 그런데 ⓐ는 화자가 소망을 비는 초월적 존재인 반면, ⓑ는 화자에게 벗으로 인식되고 있다. 따라서 ⓑ는 ⓐ에 비해 친밀감 있는 존재로 제시되고 있는 것이다.

③ ⓐ는 화자에게 기원의 대상이자 초월적 존재이다. 반면 ⓑ는 어둠을 밝혀 광명을 주는 존재이자, 침묵의 미덕을 지니고 있는 존재로 화자에게 예찬의 대상이 되고 있다.

④ 이 작품의 '돌하 노피곰 도두샤 / 어긔야 머리곰 비취오시라.'와 〈보기〉의 '쟈근 거시 노피 떠서 만믈(萬物)을 다 비취니, / 밤듕의 광명(光明)이 너만 하니 또 잇느냐.'를 통해 ⓐ와 ⓑ가 모두 어둠을 밝혀 주는 기능을 하고 있음을 알 수 있다.

⑤ 이 작품의 화자는 ⓐ에게 임의 안녕을 빌고 있으므로, ⓐ는 화자와 임을 심리적으로 이어주는 매개체 역할을 한다고 볼 수 있다. 하지만 〈보기〉에서 화자는 ⓑ를 벗으로 여기고 있을 뿐, ⓑ를 통해 다른 대상과 연결되고 있는 것은 아니다.

04 제망매가

본문 16~17쪽

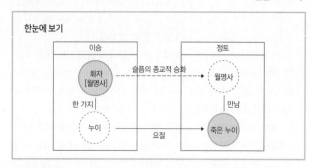

한눈에 보기

생생 Note

화자 '나'(월명사)
상황 죽은 누이를 추모하며 불도에 정진함
주제 죽은 누이의 명복을 빎(추모)
핵심 시어의 의미 ① 정토 ② 한 가지, 이른 바람

내신 대비 특별 문제 ⑤

1 ①　　**2** ③　　**3** ⑤　　**4** ③

내신 대비 특별 문제 **답** ⑤

○정답 풀이

화자는 죽은 누이와 '정토'에서 만나기를 '도(道)'를 닦으며 기다리겠다고 하였다. 즉, 화자는 사별의 슬픔을 종교적으로 승화시키고 있다.

1 **답** ①

○정답 풀이

'나는 간다'의 주체는 시적 화자가 아니라 화자의 죽은 누이이다. 시적 화자를 의미하는 '나'는 9행의 '나'이다.

✗오답 풀이

② '한 가지'는 같은 부모를 의미하므로 시적 대상은 화자와 혈육 관계임을 알 수 있다.
③ '바람'을 삶과 죽음을 지배하는 초자연적 질서로 이해할 때, '이른 바람'은 이른 죽음을 의미한다고 할 수 있다.
④ 2행의 '이'는 삶과 죽음이 공존하는 이승을 의미하므로 삶과 죽음을 초월하는 극락세계를 의미하는 '정토'와 대립적인 의미를 지니고 있다.
⑤ 9~10행에서 화자는 도(道)를 닦아 죽은 누이와 정토에서 재회하겠다고 함으로써 사별의 슬픔을 종교적으로 승화하고 있다.

2 **답** ③

○정답 풀이

'여기저기 떨어지는 잎과 같이'에서는 죽은 누이를 가을의 떨어지는 잎에 비유하고 있다. 무기력하고 초라했던 누이의 삶의 모습을 드러내고 있다는 설명은 적절하지 않다.

✗오답 풀이

① 처음 부분에는 누이의 죽음 앞에서 화자가 느끼는 안타까움이 드러나 있음을 〈보기〉를 통해 알 수 있다.
② '나는 간다 말도 / 못 이르고 갔나이까'에서 누이가 유언조차 못 이르고 죽음에 이르렀음을 알 수 있다. 누이의 죽음을 마주한 화자의 아픔이 드러나 있다.
④ '한 가지에 나고 / 간 곳을 모르옴이여'에서는 누이의 죽음이라는 현실 앞에서 혈육의 죽음을 넘어 인간은 누구나 죽는다는 보편적 문제로 승화되고 있음을 〈보기〉를 통해 짐작할 수 있다.
⑤ 〈보기〉에서 '생사의 문제를 초극하려는 구도자의 의지적인 어조'를 통해 알 수 있듯이 화자는 도를 닦아 정토에서 만나겠다고 하며 극락왕생의 의지를 드러내고 있다고 할 수 있다.

3 **답** ⑤

○정답 풀이

'한 가지에 나고 / 간 곳을 모르옴이여'는 이 작품의 7~8구에 해당하는 부분으로 형식적으로는 서구에 해당하는 부분이다. 이 부분은 누이의 죽음 앞에서 화자가 느끼는 삶의 덧없음을 표현하고 있다. 〈보기〉에서 화자의 감정이 가장 고양되는 부분은 낙구의 시작 부분이라고 하였으므로 '한 가지에 나고 / 간 곳을 모르옴이여'에서 가장 고양된 감정이 표출된다는 설명은 적절하지 않다.

✗오답 풀이

① '아 정토에서 만날 나'는 향가의 9구로 낙구가 시작되는 부분이다. 〈보기〉에서 낙구의 감탄사는 시상을 집약하거나 고양된 감정을 드러내기도 한다고 하였으므로 '아 정토에서 만날 나'는 낙구가 시작되는 부분으로 시상을 집약하는 역할을 하고 있다는 설명은 적절하다.
② 시조 종장의 첫 구에서 사용되는 감탄사는 향가의 특성에서 영향을 받은 것이라고 짐작할 수 있다.
③ 10구체 향가의 형식적 특징은 '기-서-결' 3단 구성으로 이루어져 있다는 점이고 이러한 형식적 특징이 시조 양식에서 계승되고 있다는 설명으로 보아 '기-서-결'의 형식적 특징이 시조의 3장 형식에 영향을 미쳤다는 설명은 적절하다.
④ 이 작품이 10구로 이루어져 있고 9구에 감탄사가 나오면서 낙구의 형식을 갖추고 있는 것으로 보아 10구체 향가라 판단할 수 있다.

4 **답** ③

○정답 풀이

죽은 누이와 정토에서의 재회를 위해 화자는 '도를 닦아 기다리고자 하노라'라고 말하며 슬픔을 넘어 재회를 위한 불도에의 정진을 다짐하는 의지적인 어조를 보여 주고 있다. 따라서 화자의 어조를 '자기 고백적이고 절망적인 어조'로 보는 것은 적절하지 않다.

✗오답 풀이

① '이른 바람에'는 누이의 죽음이 갑작스러운 것이었음을 비유적으로 표현한 것이다.
② '정토'는 불교에서 말하는 극락세계를 의미한다. 화자는 죽은 누이와 '정토'에서 다시 만날 것을 기약하면서 불도를 닦으며 정진하겠다는 의지를 다지고 있다.

④ 낙구의 첫머리에 '아'라는 감탄사는 앞에서 지속되어 온 정서를 전환하여 시상을 마무리하는 역할을 한다.

⑤ '떨어지는 잎'은 죽은 누이를, '한 가지에 나고'는 같은 부모에게서 태어났음을 비유적으로 표현한 것이다.

05 찬기파랑가

본문 18~19쪽

한눈에 보기

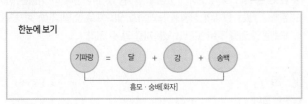

흠모·숭배[화자]

생생 Note

화자 기파랑을 추모하는 이(충담사)
상황 높은 인품을 지닌 기파랑을 떠올림
주제 기파랑의 고매한 인격을 추모함
핵심 시어의 의미 달, 송백

내신 대비 특별 문제 ②

1 ②　　**2** ③　　**3** ⑤

내신 대비 특별 문제 답 ②

○**정답 풀이**

이 작품의 화자는 예찬의 대상인 '기파랑'을 흠모하며 따르고자 하는 태도를 보이고 있다. 그렇지만 이상 세계에 대한 동경의 태도를 드러내고 있는 것은 아니므로 ②의 설명은 적절하지 않다.

✗**오답 풀이**

①, ③, ④ 이 작품은 '달. 강. 송백'과 같은 자연물을 통해 기파랑의 고매한 인품을 고도의 상징적 기법으로 표현한 서정적 향가이다.

⑤ 이 작품은 고도의 상징적 표현이 쓰인 뛰어난 작품으로, 〈제망매가〉와 함께 향가의 백미(白眉)로 꼽히고 있다.

1 답 ②

○**정답 풀이**

충담사가 화랑의 정치적 중용이 필요함을 강조하기 위해서 이 작품을 지었다고 할 근거는 찾을 수 없다.

✗**오답 풀이**

①, ⑤ 화랑의 정신이 점차 잊혀 가는 현실에서 신라의 삼국 통일을 가능케 했던 국가적 기상을 다시 일깨우고자 작품을 창작했다는 설명은 타당하다.

③, ④ 점점 쇠퇴하는 화랑의 내부적 결속을 다져서 화랑의 정신을 계승하려는 뜻과 백성들에게 화랑의 정신을 되새기고자 창작했다고 보는 것은 타당하다.

2 답 ③

○**정답 풀이**

이 작품의 작가인 충담사는 신라 경덕왕 때의 승려이다. 그러나 이 작품에서는 기파랑의 고매한 인격을 추모하고 있을 뿐, 슬픔을 극복하기 위해 종교에 의지하는 화자의 모습은 드러나지 않는다.

✗**오답 풀이**

① 기파랑의 인품을 따르려는 화자의 마음을 독백체로 표현하고 있으므로, 이를 고려하여 시를 재창작하는 것은 적절하다.

② 이 작품에서는 '~이여', '아아' 등 영탄법을 빈번히 사용하여 기파랑을 예찬하고 추모하고자 하는 주제 의식을 효과적으로 표현하고 있다. 따라서 재창작 과정에서 이를 활용하는 것은 적절하다.

④ 10구체 향가인 이 작품은 내용상 '기파랑의 고결한 모습(1~5행)', '기파랑의 뜻을 따르겠다는 마음(6~8행)', '기파랑의 높은 절개와 인품 예찬(9~10행)'의 세 부분으로 나눌 수 있으므로, 현대시도 3연으로 창작하는 것이 적절하다.

⑤ 기파랑의 고매한 성품을 '달', '강', '송백'으로 표현한 점을 고려하여 이를 재창작 과정에 반영하는 것은 적절하다.

3 답 ⑤

○**정답 풀이**

〈찬기파랑가〉에 사용된 표기 방식인 향찰은 한자의 음과 훈을 빌려 국어 문장 전체를 적은 표기법이다. 따라서 우리 글자가 없던 시기에 중국 글자를 그대로 사용하였다는 설명은 적절하지 않다.

✗**오답 풀이**

① 화자는 '흰 구름조차 떠가는 안쪽에서도 / 물 푸른 강속에서도 / 기랑의 얼굴 보는 듯하다'라고 하며 기파랑을 그리워하고 있다.

② '송백의 높은 가지'는 기파랑의 고결한 절개를 의미한다. '눈 서리'로 표현된 시련과 고난을 이겨 내는 '기파랑'의 마음을 '송백의 높은 가지'로 표현하고 있다.

③ 〈찬기파랑가〉는 전체 10행으로 이루어진 10구체 향가이다. '가-서-결'로 이루어진 10구체 향가는 '초장-중장-종장'으로 이루어진 시조의 3장 형식과 유사한 구성임을 알 수 있다.

④ 10구체 향가의 경우 9행과 10행이 낙구이며 특히 9행의 첫 구는 감탄사로 시작하고 있어서 시조의 종장 첫 구와 그 형태가 유사하다.

01 가시리

본문 22~23쪽

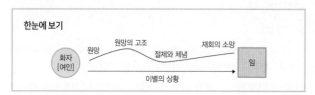

생생 Note

화자 '나'(어떤 여인)
상황 임과의 이별을 눈앞에 둠
주제 이별의 정한(情恨)
핵심 시어의 의미 가시는 덧 도셔 오쇼셔
표현 반복, 원망

내신 대비 특별 문제 ⑤

1 ⑤	2 ④	3 ③	4 ④

내신 대비 특별 문제 답 ⑤

○정답 풀이
이 작품의 화자는 자신의 정서를 직설적으로 표출하고 있다.

✕오답 풀이
①, ②, ③, ④ 이 작품은 이별의 정한을 3음보 3·3·2조의 형식과 기승전결의 4단 구성으로 노래한 고려 가요이다. 고려 가요는 향가의 쇠퇴 후 평민층에 새로이 나타난 노래로, 구전되다가 한글 창제 이후 문자로 기록되었다. 아름다운 우리말 표현과 소박하고 꾸밈없는 감정 표출이 특징인 문학 양식이다.

1 답 ⑤

○정답 풀이
이 작품의 화자는 '가시리 가시리잇고', '날러는 엇디 살라 ᄒ고 / ᄇ리고 가시리잇고'와 같이 말을 건네는 어투로 노래하여 임에게 직접 호소하는 형식을 취하고 있다. 반면에 〈보기〉는 임을 청자로 설정하고 있지 않으며 임을 그리워하는 화자의 심정을 독백적 어조로 노래하고 있다. 따라서 〈보기〉가 임을 청자로 설정하여 직접 호소하는 방식으로 노래하고 있다는 설명은 적절하지 않다.

✕오답 풀이
① 이 작품의 화자는 임과 이별하는 상황에 처해 있는데, 〈보기〉의 화자가 초장에서 '이화우(梨花雨) 흣뿌릴 제 울며 잡고 이별'하였다고 노래한 것을 통해 이 작품의 화자와 동일한 상황에 처한 적이 있음을 알 수 있다.
② 이 작품의 화자는 '선ᄒ면 아니 올세라'라며 임이 서운하게 느끼면 돌

아오지 않을까 두려워 임을 보낸다는 이유를 밝히고 있다. 반면에 〈보기〉의 화자는 임을 떠나보낸 이유에 대해 언급하지 않았다.
③ 이 작품의 화자는 '가시는 덧 도셔 오쇼셔'에서 임이 돌아오기를 바라는 간절한 소망을 직접 표출하였으나, 〈보기〉의 화자는 이별한 임에 대한 그리움만 드러낼 뿐 재회하기를 바라는 간절한 소망을 직접 드러내지는 않았다.
④ 〈보기〉의 화자는 '이화우(梨花雨) 흣뿌릴 제' 이별한 임을 '추풍(秋風) 낙엽'이 질 때도 생각하고 있음을 노래하여 이별한 후에 오랜 시간 동안 임을 잊지 못하고 있음을 알 수 있다. 반면에 이 작품은 이별하고 있는 현재의 상황을 노래하고 있으므로 이별 후에 화자가 오랫동안 임을 잊지 못하고 있는지를 알 수 없다.

2 답 ④

○정답 풀이
'잡ᄉ와 두어리마ᄂᆞᄂᆞᆫ'은 '잡아 두고 싶지만'의 뜻으로 주체가 화자이다. 여기에서는 화자에 대한 임의 수동적이고 소극적인 태도를 확인하기는 어렵다. 다음 구절인 '선ᄒ면 아니 올세라'까지 확인하면 오히려 화자의 소극적이고 수동적인 태도를 알 수 있다.

✕오답 풀이
① 'ᄇ리고'에서 임이 '나'를 버리고 가는 상황을 짐작할 수 있고, '선ᄒ면'에서 붙잡아 둔다면 서운해할 수 있는 임의 모습을 짐작할 수 있다.
② '가시리잇고'는 임의 태도를, '도셔 오쇼셔'는 떠나는 임에 대한 화자의 바람을 드러내는 서술어이다. 그 주체가 임이라는 것은 이 작품을 이끌어 가는 중심인물이 임이라는 해석의 근거가 된다.
③ 화자는 '날러는 엇디 살라 ᄒ고'를 통해 임이 자신을 버리고 가면 자신은 살 수 없을 것이라고 강조하며 자신의 절망감을 강렬하게 표출하고 있다. 이는 동시에 임에 대한 화자의 종속적인 태도를 보여 주는 것이다.
⑤ 이별이 '나'를 버리고 가는 임의 결정에 의한 것이므로 임과의 재회 역시 임의 의지에 달려 있다고 볼 수 있다.

3 답 ③

○정답 풀이
1연과 2연에서는 'ᄇ리고 가시리잇고'라는 의문형 문장을 반복적으로 사용하고 있다. 이것은 임이 자신을 떠나겠다는 말이 믿기지 않는다는 시적 화자의 정서를 드러내는 한편, 자신을 떠나지 말라는 애원을 간절하게 드러내고 있는 것이다.

✕오답 풀이
① 이 작품에 구체적으로 시간적 배경은 나타나지 않으며, 시적 상황을 통해 미루어 짐작할 수도 없다.
② 이 작품에 과거와 현재의 대비는 나타나지 않는다. 단지 이별을 맞이하는 현재의 상황만 드러나 있을 뿐이다.
④ 이 작품의 본문에 의태어나 의성어 등의 음성 상징어는 사용되지 않았다. 다만 후렴구에서는 악기 소리를 흉내 낸 의성어인 '증즐가'가 사용되었으나, 이것이 시적 긴장감을 형성하는 것은 아니다.
⑤ 이 작품에는 '위 증즐가 대평셩ᄃᆡ(大平盛代)'라는 후렴구가 사용되고 있다. 그러나 이는 별다른 의미가 없으며 시적 상황과도 무관한

구절로, 운율을 형성하고 흥을 북돋는 기능을 할 뿐이다.

4 답 ④

○정답 풀이

떠나는 임을 적극적으로 잡지 못하고 있는 것은 사실이지만 붙잡지 못하는 화자의 마음이 (D)에서 보다 잘 드러나고 있다는 설명은 적절하지 않다. (D)에는 '떠나는 임을 붙잡지 못하고 보내드리면서 떠나는 임이 곧 돌아오기를 바라는 소망'이 들어갈 수 있다.

✗오답 풀이

① 이 작품의 화자는 사랑하는 임과 이별을 눈앞에 두고 있다.

② (B)에는 떠나는 임에 대한 원망과 안타까움의 심정을 드러낼 수 있다.

③ 화자는 적극적으로 만류하지 못하고 임을 떠나보내는 이유를 밝히고 있다. 붙잡는 자신의 행동이 임에게 서운하게 느껴지면 아니 올까 두려워 적극적으로 붙잡지 못하고 있다.

⑤ [D]에는 4연의 '가시ᄂᆞᆫ ᄃᆞᆺ 도셔 오쇼셔'를 통해 알 수 있듯이 임이 곧 돌아오기를 소망하는 화자의 심정을 드러낼 수 있다.

02 동동

본문 24~25쪽

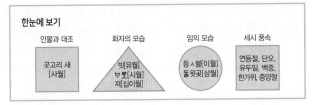

한눈에 보기

인물과 대조	화자의 모습	임의 모습	세시 풍속
곳고리 새 [사월]	빗[유월] 부롯[시월] 져[십이월]	등ㅅ블[이월] 돌읫곳[삼월]	연등절, 단오, 유두일, 백중, 한가위, 중양절

생생 Note

화자 '나'(임과 이별한 여인)
상황 일 년 열두 달 임을 사랑함
주제 임에 대한 송도(송축)와 연모
핵심 시어의 의미 ① 등ㅅ블 ② 빗, 부롯, 져
표현 객관적

내신 대비 특별 문제 ②

1 ⑤   **2** ⑤   **3** ①

내신 대비 특별 문제 답 ②

○정답 풀이

이 작품에는 북소리의 의성어를 활용한 '아으 동동(動動)다리'라는 후렴구가 반복 사용되어 경쾌한 느낌을 준다. 그러나 작품 자체는 임에 대한 화자의 송축과 연모를 드러내고 있어 화

자의 정서가 흥겨운 것은 아니다. 따라서 동일한 시구를 반복하여 화자의 흥취를 강조하고 있다는 설명은 잘못된 것이다.

1 답 ⑤

○정답 풀이

[파]의 '소니'는 '손님'으로 〈보기〉의 '즌 ᄃᆡ'와 같이 화자와 임의 사랑을 방해하는 장애물이자 부정적 대상이다.

✗오답 풀이

① ㉠은 '벼랑'이라는 의미로, 임에게 버림받은 화자의 처지를 드러내기 위한 소재이다.

② ㉡은 '노란 국화꽃'을 가리키는데, 임이 없는 쓸쓸함을 부각시키는 역할을 한다.

③ ㉢은 '안방과 건넌방 사이의 흙바닥'을 의미하며, 임 없이 쓸쓸히 지내는 화자의 처지를 드러내는 역할을 한다.

④ ㉣은 '젓가락'으로, 다른 사람에게 시집가는 신세가 된 화자의 처지를 드러내는 소재이다.

2 답 ⑤

○정답 풀이

'황화(黃花)'는 9월 9일 중양절에 먹는 국화전의 재료로, 임이 없는 집 안이 더욱 적막하게 느껴지는 원인이 되고 있다. 따라서 임에 대한 화자의 변함없는 사랑과 기다림의 자세를 보여 주고 있다는 설명은 적절하지 않다.

3 답 ①

○정답 풀이

〈정월령〉의 '나릿믈'은 세상에 태어나 홀로 살아가는 화자의 처지와 대비되어 외로움을 고조시키는 객관적 상관물이다. 반면에 '봉당자리'는 '흙바닥의 추운 자리'라는 의미로 임 없이 쓸쓸히 지내는 화자의 처량한 신세를 부각하는 객관적 상관물이지만, 화자의 처지와 대비되는 대상은 아니다.

✗오답 풀이

② 〈오월령〉의 '받줍노이다'는 '바치옵니다'라는 뜻으로, 임의 장수를 기원하는 화자의 행동을 나타내는 표현이다. 〈칠월령〉의 '비웁노이다'는 '비옵니다'라는 뜻으로, 임과 함께 살아가고자 하는 소원을 비는 화자의 행동을 나타내는 표현이다. 따라서 두 표현에는 모두 화자의 정성과 기원이 담겨 있다고 볼 수 있다.

③ 〈유월령〉의 '좃니노이다'는 '따르겠습니다', 〈칠월령〉의 'ᄒᆞᆫ ᄃᆡ 녀가져'는 '함께 살아가고자'라는 뜻이다. 두 표현은 모두 임을 따르고 임과 함께 살겠다는 화자의 소망이 직접 표출되어 있다.

④ 〈유월령〉의 '빗'은 벼랑에 버려졌다고 하였고, 〈시월령〉의 'ᄇᆞ롯'은 꺾어 버리신 후에 지니실 한 분이 없다고 하였다. 따라서 두 소재는 모두 임에게 버림받은 화자의 모습을 비유한 것이라고 볼 수 있다.

⑤ 〈시월령〉의 '업스샷다'는 임에 의해 꺾여 버려진 이후 자신을 지니실 한 분이 없다는 의미이며, 〈십일월령〉의 '스싀옴 녈셔'는 고운 임과 헤어져 각자 살아간다는 의미이다. 따라서 두 표현은 모두 임과 이별한 후 고독하게 살아가는 화자의 삶을 드러내고 있다고 볼 수 있다.

03 서경별곡

본문 26~27쪽

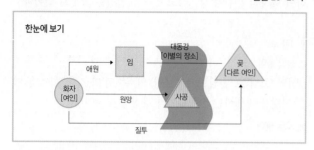

생생 Note

화자 이별의 상황에 처한 여인
상황 임과의 이별을 눈앞에 둠
주제 임에 대한 사랑과 이별의 한(恨)
핵심 시어의 의미 ① 대동강 ② 샤공(사공)
표현 반복법

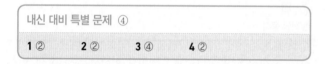

내신 대비 특별 문제 ④

1 ②　　**2** ②　　**3** ④　　**4** ②

내신 대비 특별 문제 답 ④

○정답 풀이

이 작품의 화자는 임을 대동강 건너편으로 떠나게 하는 사공을 원망하며 비난하고 있다.

✕오답 풀이

① 이 작품의 화자는 이별의 상황에 처한 여인으로 이별을 적극적으로 거부하며 임을 따르고자 하고 있다.

② 1연에서는 화자의 정서를 직설적으로 표출하고 있으나, 2~3연에서는 '구슬', '바회' 등의 비유적 표현을 사용하고 있다.

③ 이 작품은 3·3·3조, 3음보의 율격을 따르고 있다.

⑤ 이 작품의 화자는 이별의 상황에 처해 있다. 하지만 '위 두어렁셩 두어렁셩 다링디리'라는 후렴구는 이별의 슬픔과 상반되는 경쾌한 리듬감을 형성하고 있다.

1 답 ②

○정답 풀이

'질삼뵈'는 '길쌈하던 베'로 화자가 여성임을 짐작하게 해 주며, '대동강 건넌편 고즐여'는 이어지는 '것고리이다'를 통해 임이 배를 타고 대동강을 건너면 '꽃'으로 비유된 새로운 여성에게 마음을 빼앗길 것이라는 불안과 질투의 감정이 드러나고 있다. 이러한 점에서 여성 화자임을 짐작할 수 있다.

✕오답 풀이

① 화자가 이별의 상황에 놓여 있는 것은 맞지만 자신의 운명으로 여기고 수용하고 있는 것이 아니라 오히려 임과의 이별을 적극적으로 거부하고 있다.

③ 화자는 3연에서 임이 대동강을 건너면 새로운 여인을 만나게 될 것

이라며 불안과 질투의 감정을 드러내고 있다. 임이 '대동강 건넌편 고즐'만 조심하면 좋겠다고 생각했다는 설명은 적절하지 않다.

④ 이별의 상황에서 화자는 임에 대한 변함없는 사랑과 믿음을 표현하고 있으며 이를 통해 임이 이별을 철회하게 하려는 의도가 숨겨져 있다고 볼 수 있다. 따라서 2연에서 이별이 가져다 준 임의 사랑에 대한 확신을 표현하고 있어서 화자의 태도에 일관성이 부족한 모습을 보인다는 설명은 적절하지 않다.

⑤ 2연의 노랫말이 〈정석가〉의 6연과 유사한 이유는 당시에 유행하던 표현이거나 구전되는 과정에서 첨삭 또는 중복되었기 때문으로 볼 수 있다. 그리고 〈서경별곡〉에는 임금을 송축하는 내용이 담겨 있지 않다.

2 답 ②

○정답 풀이

ⓑ의 '구슬'은 임에 대한 화자의 변함없는 사랑을 나타낸다.

✕오답 풀이

① ⓐ는 생업을 버리고서라도 임을 따르겠다는 열정을 보여 준다.

③ ⓒ는 '끈'을 가리키는 것으로, 믿음을 의미한다.

④ ⓓ '대동강'은 화자와 임을 갈라놓은 이별의 공간이다.

⑤ ⓔ는 '꽃'을 의미하는데, 다른 여인을 비유하는 말이다.

3 답 ④

○정답 풀이

이 작품의 화자는 임과 자신이 이별하는 원인을 사공 때문이라 여기고 그를 원망하고 있고, 〈보기〉의 화자는 개가 짖어서 오는 임을 쫓아 버린다며 개를 원망하고 있다. 이 작품과 〈보기〉의 화자가 보이는 이 같은 태도는 임에 대한 원망을 다른 대상에게 돌려 표현한다는 공통점이 있다. 따라서 노여움을 엉뚱한 데에 화풀이한다는 뜻의 속담을 활용해 비판할 수 있다.

✕오답 풀이

① '누워서 침 뱉기'는 남을 해치려고 하다가 도리어 자기가 해를 입게 된다는 것을 비유적으로 이르는 말이므로 적절하지 않다.

② '믿는 도끼에 발등 찍힌다'는 잘되리라고 믿고 있던 일이 어긋나거나 믿고 있던 사람이 배반하여 오히려 해를 입음을 비유적으로 이르는 말이므로, 사공에 대한 화자의 태도라기보다는 임에 대한 화자의 심리를 표현하기에 적절한 말이다.

③ '숭어가 뛰니까 망둥이도 뛴다'는 남이 한다고 하니까 분별없이 덩달아 나섬을 비유적으로 이르는 말이므로 적절하지 않다.

⑤ '등잔 밑이 어둡다'는 대상에 가까이 있는 사람이 도리어 대상에 대하여 잘 알기 어렵다는 말이므로 적절하지 않다.

4 답 ②

○정답 풀이

[A]의 '신'과 [B]의 '붉은 마음'은 모두 변하지 않는 화자의 마음을 나타내는 것이다. [A]와 [B]의 '바위'는 모두 시련, 장애물을 의미하는 것이므로, '신'과 '붉은 마음'을 '바위'로 형상화하였다는 설명은 적절하지 않다.

✗오답 풀이

① [A]와 [B]에서 '구슬'은 바위에 떨어져 깨지거나 흩어질 수 있는 대상인 반면 '긴'이나 '끈'은 끊어지지 않는 것으로 형상화되어 있으므로, '구슬'은 변할 수 있는 것을, '긴'이나 '끈'은 변하지 않는 것을 비유하는 소재로 활용하였다고 볼 수 있다.

③ [A]에서는 '신', [B]에서는 '붉은 마음'을 통해 변하지 않는 마음을 소중한 가치로 여기는 화자의 태도를 드러내고 있다.

④ [A]와 [B] 모두 '구슬과 끈'의 관계를 통해 화자의 마음을 드러내는 모티프가 사용되었고, 각각 고려 가요와 한시의 형식으로 구현된 작품이므로, 동일한 모티프가 서로 다른 형식의 작품으로 수용되었다는 설명은 적절하다.

⑤ [A]에는 '위 두어렁셩 두어렁셩 다링디리'라는 여음구가 사용되었고 [B]에는 여음구가 사용되지 않았다.

04 정석가

본문 28~29쪽

한눈에 보기

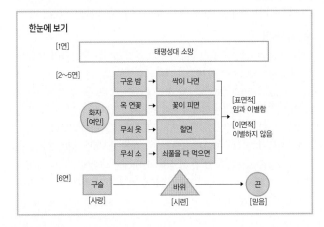

생생 Note

화자 • 태평성대를 바라는 신하(임: 임금)
　　　• 사랑을 하는 어떤 여인(임: 연인)
상황 임과의 사랑이 영원하기를 소망함
주제 임(임금)에 대한 영원한 사랑
핵심 시어의 의미 사랑, 바위
표현 역설법

내신 대비 특별 문제 ③

1 ④	2 ⑤	3 ③

내신 대비 특별 문제 답 ③

◎정답 풀이

이 작품에 등장하는 자연물은 화자의 변함없는 사랑을 강조하기 위한 소재로, 삶의 비극성과는 관련이 없다.

✗오답 풀이

① 이 작품은 전 6연으로 이루어져 있으며, 2~5연에는 '유덕(有德)ᄒ신 님 여희ᄋ와지이다.'라는 후렴구가 쓰이고 있다.

②, ⑤ 구운 밤에서 싹이 나고, 옥으로 새긴 연꽃이 바위 위에서 피어나며, 무쇠로 만든 옷이 헐고, 무쇠로 만든 소가 쇠풀을 먹는 불가능한 상황을 설정하여 임과 이별하지 않겠다는 화자의 의지를 반어적·역설적으로 표현하고 있다.

④ 2~6연과 달리 1연에서는 태평성대를 기원하고 있는데, 이는 민요로 불리던 민간의 노래가 궁중악의 가사로 수용되었음을 보여 주는 것이다.

1 답 ④

◎정답 풀이

[결사]는 비유적 표현을 활용하여 임에 대한 영원한 사랑을 다짐하고 있는 부분이다. '즈믄 히를 외오곰 녀신들'은 '천 년을 외따로 살아간들'이라는 뜻으로, 변함없는 사랑을 다짐하기 위한 가정이다. 즉, [결사]가 부정적 상황을 예언하고 있는 것이 아니므로 ④는 잘못된 감상이다.

✗오답 풀이

① [서사]는 태평성대를 기원하는 내용이고, [본사]와 [결사]는 임과의 영원한 사랑을 소망하는 내용이다. 따라서 [서사]는 [본사], [결사]와 이질적인 내용이다.

② [본사]는 모두 '유덕(有德)ᄒ신 님 여희ᄋ와지이다.'라는 구절을 반복하면서 통일성을 부여하고 있다.

③ [본사]는 각 연이 모두 1~5행에서는 실현이 불가능한 상황을 가정하고 있다. 그리고 6행에서는 반어법을 사용하여 임과 이별하지 않겠다는 소망을 제시하고 있다.

⑤ [본사]에서는 불가능한 상황을 가정하며 임과의 영원한 사랑을 반어법을 사용해 기원하고 있다. 반면 [결사]에서는 비유적 표현을 통해 임에 대한 영원한 사랑과 믿음을 다짐하고 있는데 설의법을 사용해 끝맺음을 하고 있다. 즉, [결사]는 [본사]와 다른 표현 방식을 사용하고 있는 것이다.

2 답 ⑤

◎정답 풀이

이 작품의 화자는 임에 대한 변함없는 사랑을 노래하고 있고, 〈보기〉의 화자는 임이 떠난 후에 돌아오지 않는 상황에 처해 있다. 따라서 이 작품과 〈보기〉의 화자가 동일하다면, 화자는 임과의 사랑이 영원할 것이라 믿었지만 돌아오지 않는 임 때문에 안타까워하는 심정일 것이다.

✗오답 풀이

① 이 작품에서 화자는 임에 대한 변함없는 사랑을 노래하고 있으므로 '내가 임을 버렸다'는 내용은 적절하지 않다.

② 이 작품과 〈보기〉에서 화자는 운명론적인 태도를 보이고 있지 않으며, '떠나려는 사람은 보내 주는 것'이 옳다는 반응도 적절하지 않다.

③ 〈보기〉의 화자는 자신을 떠나간 임을 기다리며 한탄하고 있으므로 '이제는 그럭저럭 지낼 만'하다는 반응은 적절하지 않다.

④ 이 작품의 화자는 임과의 영원한 사랑을 노래하고 있을 뿐, '임과 헤어질 것을 걱정하고 두려워'하는 모습을 보이고 있지 않다.

3 답 ③

● 정답 풀이

ⓐ와 의미가 가까운 것은 '믿음'을 의미하는 '긴'이다.

✗ 오답 풀이

①, ②, ④, ⑤ '바회예 디신돌' 즉 '바위에 떨어진들'은 임(임금)과의 이별과 같은 부정적 상황을 의미하고 이것은 다시 '즈믄 히롤 외오곰' 즉 '천 년을 외따로이' 사는 것과 연결되어 이별과 같은 부정적 상황이 지속됨을 의미한다.

 05 만전춘별사

본문 30~31쪽

한눈에 보기

생생 Note

화자 '나'(임과 함께하고자 하는 이)
상황 임과 영원한 사랑을 하기를 원함
주제 임과의 영원한 사랑에 대한 소망
핵심 시어의 의미 도화

내신 대비 특별 문제 ④

1 ④   **2** ③   **3** ⑤   **4** ②

내신 대비 특별 문제 답 ④

● 정답 풀이

이 작품은 반복되는 구절이나 단어를 통해 운율감을 형성하고는 있지만, 매 연마다 반복되는 후렴구가 나타나지는 않는다.

✗ 오답 풀이

①, ② 이 작품은 임에 대한 사랑을 직설적으로 표현하고 있어 대표적인 남녀상열지사로 꼽힌다.

③ 4연에서 '임'을 '오리'에 비유하여 방탕한 임의 모습을 효과적으로 비판하고 있다.

⑤ 2연에서 만발한 '도화'가 근심 없이 웃는 모습과 대조되어 화자의 외로움이 강조되고 있다.

1 답 ④

● 정답 풀이

'금슈산(錦繡山) 니블 안해 샤향(麝香) 각시를 아나 누어'는

'금수산 이불 안에서 아름다운 여인을 안고 누워'라는 뜻으로, 사랑의 열정과 욕망이 드러난 부분이다. 임의 방탕한 생활을 풍자하는 모습은 4연에 잘 나타나 있다.

2 답 ③

● 정답 풀이

ⓒ은 이 작품에서 화자 자신을 의미하는 것으로 볼 수도 있고, 오리로 표현된 임과 방탕한 생활을 하는 다른 여인으로 볼 수도 있다. 그러나 ⓒ을 화자를 관찰하는 존재로 볼 수는 없다. 또한 ⓒ이 화자의 외로운 마음을 이해하고 있다고 볼 근거도 없다.

3 답 ⑤

● 정답 풀이

이 작품의 1연은 얼음 위에 댓잎을 깔고 그 위에서 남녀가 밤을 지새운다는 극단적인 상황을 설정하여 죽음보다 강렬한 화자의 사랑을 나타내고 있다. 〈보기〉에서도 잔등이 부러지고 부스럼이 난 병약한 개미가 호랑이를 물고 북해를 건너가는 극단적인 과장을 통해 화자의 결백을 호소하고 있다.

✗ 오답 풀이

① 이 작품의 1연은 간절한 어조, 〈보기〉는 호소하는 듯한 어조가 일관되게 사용되어 어조의 변화가 나타나지 않는다.

② 이 작품의 1연과 〈보기〉 모두 반복이 나타난다고 볼 수 있으나, 〈보기〉의 경우 구절의 반복이 주제를 강조하고 있지는 않다.

③ 이 작품의 1연과 〈보기〉에는 반어적 표현이 사용되지 않았다.

④ 이 작품의 1연과 〈보기〉는 극단적인 상황을 제시하는 방법으로 화자의 소망을 표출하고 있다. 이 작품의 1연에는 대상에 인격을 부여하는 방법이 사용되지 않았으며, 〈보기〉 역시 '개야미(개미)'가 등장하지만 인격을 부여한 것은 아니다.

4 답 ②

● 정답 풀이

6연의 '원딕평싱(遠代平生)애 여힐 술 모륵 옵새'에는 임과의 영원한 사랑을 바라는 화자의 기대감이 드러나 있다. 그러나 〈보기〉에서는 임에 대한 그리움과 기다림만이 드러나고 있을 뿐, 임과의 영원한 사랑에 대한 희망은 나타나 있지 않다.

✗ 오답 풀이

① 이 작품에서 1연은 '어름 우희'를 통해 계절적 배경이 겨울임을 짐작할 수 있으며, 2연은 '도화'를 통해 봄임을 알 수 있다. 이러한 계절적 배경은 화자의 임에 대한 사랑의 열정과 그리움의 정서를 부각하는 역할을 한다. 그리고 〈보기〉 역시 초장에서 겨울을 계절적 배경으로 활용하여 화자의 임에 대한 그리움의 정서를 부각하고 있다.

③ 이 작품은 1연에서, 〈보기〉는 종장에서 임과 함께 지내는 시간이 천천히 흐르기를 바라는 마음이 드러나고 있다.

④ 이 작품과 〈보기〉 모두 화자가 현재 처한 상황의 원인을 자신에게 돌리고 있는 내용은 나타나지 않는다.

⑤ 이 작품은 부재하는 임에 대한 그리움의 정서도 드러나지만, 4연에

서 방탕한 임에 대한 원망도 드러나고 있다. 그러나 〈보기〉에서는 부재하는 임에 대한 그리움의 정서만 드러날 뿐, 화자가 임을 원망하는 마음은 드러나 있지 않다.

청산별곡

본문 32~33쪽

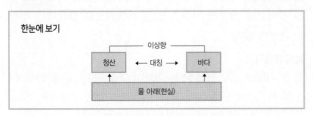

생생 Note

화자 '나'(•유랑민 •실연한 여인 •변방의 병사 •좌절한 지식인)
상황 •유랑민 – 삶의 터전을 잃음 •실연한 여인 – 사랑하는 임을 잃음 •변방의 병사, 좌절한 지식인 – 삶의 고뇌와 비애를 겪음
주제 삶의 고뇌와 비애에서 벗어나고 싶은 욕구
핵심 시어의 의미 ① 새 ② 강수

내신 대비 특별 문제 ⑤

1 ③　　**2** ④　　**3** ②　　**4** ②

내신 대비 특별 문제 **답** ⑤

○정답 풀이

이 작품의 화자는 삶의 비애를 극복하려는 강한 의지보다는 이상향인 '쳥산(청산)'과 '바룰(바다)'로 도피하고자 하는 태도를 보이고 있다.

✗오답 풀이

① '살어리/살어리/랏다'와 같이 3 · 3 · 2조, 3음보를 보이고 있다.
② 'ㄹ', 'ㅇ' 음을 반복한 밝고 경쾌한 느낌의 후렴구를 사용하고 있다.
③ '쳥산'과 '바룰'은 속세와 대비되는 이상향의 의미를 지니고 있다.
④ 고려 가요는 구전되다가 훈민정음 창제 이후 문자로 정착되기 시작했다.

1 **답** ③

○정답 풀이

3연의 제재는 '새'이며, 이는 시적 화자가 떠나온 속세인 '믈 아래'로 '(날아)가는 새' 또는 '믈 아래'에 있는 '갈던 밭(사래)'으로 볼 수 있다. 그리고 '새'를 어떤 의미로 해석하더라도 '새'라는 소재는 속세에 대한 화자의 미련을 함축하고 있다.

✗오답 풀이

① 1연의 제재는 '쳥산'으로, 시적 화자의 이상향이자 현실 도피처를 의미한다.

② 2연의 제재는 '새'로, 시적 화자의 분신으로서 감정 이입(고독감과 슬픔)의 대상이다.
④ 4연의 제재는 '밤'으로, 이럭저럭 지내는 '낮'과 대비되는 절망적 고독의 시간을 의미한다.
⑤ 5연의 제재는 '돌'로, 피할 수 없는 인간의 숙명과 고통을 의미한다.

2 **답** ④

○정답 풀이

이 작품에서 '사스미 짒대예 올아셔 희금(奚琴)을 혀거를' 듣는다는 것은 기적이 일어나기를 바라는 화자의 마음이 투영된 상황이거나, 화자가 광대의 산대놀이를 보며 시름을 잊고자 하는 것으로 해석할 수 있다. 그러나 '희금' 소리가 화자의 깨달음을 유도한다는 근거는 찾아볼 수 없다.

✗오답 풀이

① 화자는 '널라와 시름 한 나도'에서 '너(새)'와 자신의 시름을 비교하며 새보다 자신의 시름이 많다고 하였다.
② 화자가 속세를 의미하는 '믈 아래'를 바라본다는 것은 자신이 떠나온 곳에 대해 미련이 남아 있는 것으로 이해할 수 있다.
③ '바르래 살어리랏다'라고 말하는 것을 통해 화자가 '쳥산'을 떠나 또 다른 새로운 이상향을 모색하고 있음을 알 수 있다.
⑤ '강수'는 독한 술이라는 뜻이며, 현실의 고통을 일시적으로 잊게 하는 소재이다. 따라서 속세의 번뇌를 술을 통해 잊고자 하는 체념적 태도를 엿볼 수 있다.

3 **답** ②

○정답 풀이

이 작품의 화자는 삶의 터전을 잃은 유랑민, 실연한 여인, 좌절한 지식인, 변방의 병사 등으로 다양하게 볼 수 있다. 〈보기〉의 설명에 따라 화자를 ⓐ '유랑민'으로 본다면 이 작품에서 '가던 새'는 유랑민이 삶의 터전을 잃기 전에 갈던 밭이랑으로, '잉 무든 장글란'은 전쟁 때문에 사용하지 못해 이끼가 묻은 쟁기로 해석하는 것이 적절하다.

4 **답** ②

○정답 풀이

〈보기〉에는 '문전의 옥토는 어찌 되고', '밭은 헐려서 신작로 되고' 등에서 비애의 원인이 직접 제시되어 있지만, 이 작품에서는 비애의 원인이 구체적으로 제시되어 있지 않다.

✗오답 풀이

④ 이 작품의 후렴구는 삶의 애환과 비애를 노래한 앞의 내용과 달리 밝고 경쾌한 분위기를 형성하고 운율감을 느끼게 한다. 이러한 후렴구를 통해 화자의 비애감이 강조되는 동시에 고려인의 낙천적 성격을 엿볼 수 있다. 그러나 〈보기〉의 후렴구는 '배 띄어라 노다 가세'에서 부정적 현실에 대해 체념적이며 자조적인 화자의 태도가 드러난다.
⑤ 이 작품은 '쳥산'과 '바룰'이라는 두 공간을 중심으로 대칭적 구조로 시상이 전개되고 있으며, 〈보기〉는 각 연이 시간(역사)의 흐름에 따라 시상이 전개되고 있다. 참고로, 〈보기〉의 '중략' 이전은 을미사변 이전과 이후의 모습이고 '중략' 이후는 일제의 수탈이 본격화된 시기의 모습이다.

07 한림별곡

본문 34~35쪽

한눈에 보기

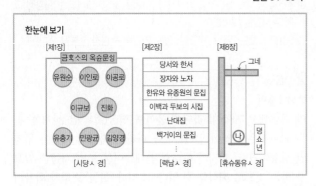

생생 Note

화자 '나'(한림원의 선비)
상황 제1장 – 과거 시험을 봄, 제2장 – 명서를 열독함, 제8장 – 풍류를 즐김
주제 신흥 사대부의 학문적 자부심과 향락적인 풍류 생활
핵심 시어의 의미 글위

내신 대비 특별 문제 ③

1 ③　　**2** ③　　**3** ④

내신 대비 특별 문제　답 ③

○**정답 풀이**

이 작품과 같은 갈래 즉, 경기체가는 호화롭고 향락적인 지배층의 생활상을 주된 소재로 삼아 백성들로부터 호응을 얻지 못했다. ③은 고려 가요에 대한 설명이다.

✗**오답 풀이**

① 노래의 끝 부분에 반드시 '경(景) 긔 엇더ᄒ니잇고'나 '경기하여'를 붙인 데서 경기체가라는 명칭이 유래되었다.

②, ④ 경기체가는 선비들의 학식, 체험, 사물이나 경치 등 객관적 대상의 나열을 통해 무신 정권 이후 등장한 신흥 사대부의 호탕한 기상과 자부심을 드러내었다.

⑤ 경기체가는 고려 중엽부터 조선 초기까지 향유되었으며, 권근의 〈상대별곡〉에서 볼 수 있듯이 조선 시대에 와서도 사대부들에 의해 창작되었다. 또한 가사의 형성에 영향을 주었다.

1　답 ③

○**정답 풀이**

이 작품은 신흥 사대부들의 호화롭고 향락적인 삶의 모습을 보여 주고 있으며, 〈보기〉는 근면한 삶의 자세를 강조하고 있다.

✗**오답 풀이**

① 〈보기〉에서는 풍류적인 삶의 태도가 드러나지 않는다.

② 이 작품과 〈보기〉 모두 사대부의 현실 도피적인 모습과는 거리가 멀다.

④ 이 작품의 화자는 '나(한림원의 선비)'로, 신흥 사대부들의 호방한 기개와 자부심을 노래하고 있다. 따라서 여성 화자의 목소리가 드러난다고 볼 수 없다.

⑤ 〈보기〉에는 사대부에 대한 비판 의식이 드러나지 않는다.

2　답 ③

○**정답 풀이**

ⓒ은 명저와 명서를 나열하고 있는 것이다. 이는 화자가 자신의 학식을 과시하기 위해 그동안 읽은 서적들을 나열하고 있는 것이므로 개인적 차원의 일을 사회적으로 확대하는 것과는 관련이 없다.

✗**오답 풀이**

① ⓐ '시댱(試場)ㅅ 경(景)'은 1~3행에서 나열한 명문장들을 집약하여 제시하고 있는 구절이다. 그리고 이어지는 '경(景) 긔 엇더ᄒ니잇고'는 이런 명문장들을 배운 자신을 과시하는 구절이다.

② ⓑ은 '금의가 배출한 죽순처럼 많은 제자들'을 의미한다. 이어지는 '날조차 몃 부니잇고'를 고려할 때, ⓑ에서 화자가 사회적으로 신분과 학식이 높은 인물임을 짐작할 수 있다.

④ ⓓ '당당당'은 3 · 3 · 4조의 율격을 맞추기 위해 사용된 의미 없는 소리로, 음악적 효과를 형성하고 있다.

⑤ ⓔ에서는 붉은 색을 활용하여 사랑이나 욕정의 이미지를 환기함으로써, 남녀가 향락적으로 노는 시적 상황을 강조하고 있다.

3　답 ④

○**정답 풀이**

이 작품에서 '글위(그네)'는 사대부들의 유희적 · 향락적인 생활을 드러내는 도구이며, 〈보기〉의 '그네'는 화자를 이상향으로 도달하게 해 주는 매개체이자, 동시에 인간의 한계를 인식하게 하는 소재이다.

✗**오답 풀이**

① 이 작품에서 '글위'는 '향락을 즐기기 위한 도구'이지만, 〈보기〉의 '그네'는 향락과는 관련이 없다.

② 이 작품의 '글위'는 사대부들의 유희를 위한 도구로 그들의 향락적 생활과 관련이 있다. 한편 〈보기〉의 '그네'는 현실을 벗어나 이상향에 도달하고 싶은 춘향의 마음을 드러내 주는 매개체이므로, 사랑의 성취와는 관련이 없다.

③ ⓐ, ⓑ 모두 화자의 감정이 이입된 객관적 상관물이 아니다.

⑤ 이 작품의 '글위'는 '지적 즐거움'이 아니라 '향락을 즐기기 위한 도구'이다. 〈보기〉의 '그네'도 '물질적 욕망을 위한 도구'가 아니다.

01 추야우중·제가야산독서당·촉규화

본문 38~39쪽

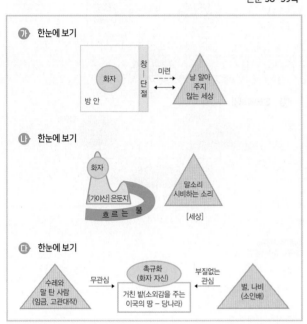

가
화자 '나'(지식인)
상황 비 내리는 가을밤 창밖을 바라봄
주제 고국에 대한 향수 또는 뜻을 펴지 못한 지식인의 고뇌
핵심 시어의 의미 창

나
화자 산에 은둔하는 이(지식인)
상황 세상이 싫어 산에 은둔함
주제 산중에 은둔하고 싶은 심경
핵심 시어의 의미 단절, 인간
표현 활유법

다
화자 자신의 처지를 한탄하는 이(지식인)
상황 자신의 능력을 알아주는 사람이 없음
주제 자신을 알아주지 않는 시대에 대한 한스러움
핵심 시어의 의미 수레와 말 탄 사람
표현 자연물

내신 대비 특별 문제 ②

1 ⑤ **2** ⑤ **3** ① **4** ④

내신 대비 특별 문제 **답** ②

○ **정답 풀이**
[가]의 '가을바람', '비'와 같은 자연물은 화자의 시름을 심화시

키는 소재이다. 따라서 '자연과의 조화를 통한 고뇌 극복'이라는 설명은 적절하지 않다.

✗ **오답 풀이**
① [가]의 화자는 자신을 알아주는 이가 없는 세상에 대한 소외감으로 인해 한탄하고 있다.
③ [나]의 화자는 산골을 흐르는 웅장한 물소리(자연의 소리)와 그 물소리로 인해 들리지 않는 말소리(인간의 소리)를 대비시켜 산중에 은둔하고 싶은 심경을 강조하고 있다.
④ [나]의 화자는 흐르는 물로 온 산을 둘러 속세와 단절하려는 의지를 나타내고 있다.
⑤ [다]의 화자는 '거친 밭 언덕 쓸쓸한 곳'에 '탐스런 꽃송이'가 피었다고 자연물에 비유하여 자신의 완숙한 학문적 경지에 대한 자부심을 드러내고 있다.

1 답 ⑤

○ **정답 풀이**
[가]는 '밤', '비' 등의 객관적 상관물을 이용하여 고독한 화자의 심정을 형상화하였고, [나]는 자연의 소리와 인간의 소리를 대조하여 세상과 단절하고 산중에 은둔하고자 하는 화자의 의지를 형상화하였다.

✗ **오답 풀이**
① [가]에는 고향에 대한 화자의 그리움이 나타나지만, [나]에는 고향에 대한 그리움이 나타나지 않는다.
② [가]의 화자는 소외감과 고향에 대한 그리움으로 한탄하고 있으므로 현실을 비판적으로 인식하고 있다고 볼 수 있다. 한편 [나]의 화자는 속세에서 벗어나 산속에 은둔하고 싶어 하므로 현실에 대해 우호적으로 인식하고 있다고 보기 어렵다.
③ [가]의 '가을바람'은 화자의 시름을 심화시키는 소재로, 고뇌하는 화자의 심리를 보여 주고 있다. 그러나 [나]의 '바위'는 인간 세계와 대비되는 자연물로, 화자의 심리를 보여 주지 않는다.
④ [가]의 화자는 세상에 대해 부정적·비판적으로 인식하고 있다. 그러나 [나]의 화자는 자연에 대한 경외감을 느끼고 있지 않다.

2 답 ⑤

○ **정답 풀이**
[가]의 화자는 자신을 알아주지 않는 세상으로 인해 괴롭고 외로운 상태이며 고향을 그리워하고 있다. 그런데 〈보기〉의 설명처럼 [가]가 작가 최치원이 귀국한 후에 정치적인 소외감을 드러내기 위해 쓰여진 작품이라면, ⓜ '만 리'는 단순히 물리적인 거리를 나타내는 것이 아니라 화자와 세상과의 심리적·정서적인 거리감을 공간적으로 형상화한 것이라고 볼 수 있다.

✗ **오답 풀이**
① ㉠은 계절적 배경을 드러내며 화자의 외로움을 심화시키는 기능을 한다.
② ㉡은 시간적 배경을 드러내면서 화자의 외로움을 심화시키는 기능을 한다.
③ ㉢은 화자의 외로움을 심화시키는 기능을 하는 배경이다.
④ ㉣은 시간적 배경을 알 수 있게 하면서 동시에 화자의 외로움을 심

화시키는 기능을 한다.

3 답 ①

○ **정답 풀이**

[나]는 '늘 시비(是非)하는 소리'가 들리는 속세의 상황과 '물' 흐르는 소리가 봉우리를 울릴 정도로 가득 찬 '산'의 상황이 대조적으로 제시되어 있다. 〈보기〉는 잠을 자고 싶어도 못 자는 화자의 상황과 밤을 헛되이 보내면서 잠 못 들어 한탄하는 사람의 상황이 대조적으로 제시되어 있다. 따라서 두 작품은 대조적 상황을 제시하여 화자의 처지를 드러낸다는 측면에서 공통점이 있다.

✕ **오답 풀이**

② [나]와 〈보기〉는 모두 계절을 나타내는 시어가 사용되지 않아 계절적 배경을 알 수 없다.

③ [나]와 〈보기〉는 모두 문법에 맞는 정상적인 문장의 어순을 바꾸어 표현하는 도치법이 사용되지 않았다.

④ [나]는 앞부분에는 외적 요소나 경치를 묘사하고 뒷부분에는 내적 상태나 감정, 정서를 표현하는 시상 전개 방법인 선경 후정이 사용되었을 뿐, 시간의 흐름에 따라 시상이 전개되고 있지 않으며 이에 따라 사물의 속성이 부각되고 있지도 않다. 〈보기〉는 '어제 간밤 오던 잠아 오늘 아침 다시 오네'에서 시간의 흐름이 드러나기는 하지만 이를 통해 사물의 속성을 부각하고 있지는 않다.

⑤ '단정적 어조'는 딱 잘라서 판단하고 결정하듯 단호한 어조를 의미한다. [나]는 감탄형 종결 어미인 '–어라'와 '–네'에서 혼잣말하는 독백의 어조와 영탄적 어조가 드러날 뿐, 단정적 어조는 나타나지 않는다. 반면에 〈보기〉는 감탄형 종결 어미인 '–네', 의문형 종결 어미인 '–뇨', '–니', '–ㄴ가', 평서형 종결 어미인 '–다'가 사용되어 잠이 오는 상황에 대한 화자의 탄식과 의인화된 대상인 '잠'에게 말을 건네는 어조를 알 수 있으나, 단정적 어조는 나타나지 않는다. 또한 [나]에는 '늘 시비(是非)하는 소리'가 있는 세상에 대한 부정적 인식이, 〈보기〉에는 잠을 잘 수 없는 부정적 상황이 드러나지만 현실에 대한 화자의 비판 의식이 드러난다고 보기 어렵다.

4 답 ④

○ **정답 풀이**

[다]의 7행은 화자가 자신의 출신과 처지에 대한 부끄러움과 신분 때문에 느끼는 소외감 및 한스러움을 표현한 구절이다. 이를 통해 '천한 땅'은 신라 혹은 화자의 신분적 한계를 의미함을 알 수 있다. 따라서 '천한 땅'이 당나라에 대한 반감에서 나온 표현으로 당나라를 의미하는 것이라는 설명은 적절하지 않다.

02 송인·부벽루

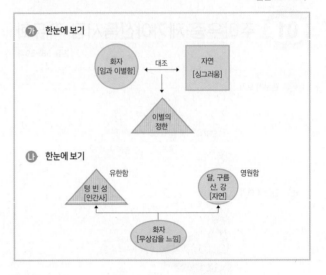

생생 Note

가
화자 임과 이별하는 사람
상황 대동강변에서 이별함
주제 이별의 슬픔
핵심 시어의 의미 비, 물결
표현 시각적

나
화자 부벽루에 서 있는 어떤 사람
상황 부벽루에 올라 역사와 인간의 유한함을 생각함
주제 인간 역사의 무상함과 고려 국운 회복에의 소망
핵심 시어의 의미 텅 빈 성

내신 대비 특별 문제 ③

| 1 ④ | 2 ④ | 3 ③ | 4 ③ |

내신 대비 특별 문제 답 ③

○ **정답 풀이**

객관적 상관물이란 화자의 사상과 감정을 구체적인 사물을 통해 간접적으로 나타낼 때 활용되는 사물이다. [가]의 '남포'는 이별의 공간으로 구체성, 향토성을 띠지만 객관적 상관물은 아니다.

✕ **오답 풀이**

① [가]는 이별의 눈물 때문에 대동강 물이 마르지 않고 보태진다고 표현함으로써 이별의 슬픔을 공간적으로 형상화하고 있다.

② [가]는 싱그러운 자연과 인간의 이별을 대조적으로 나타내고 있으며, 도치법과 과장법, 설의법 등을 사용하여 이별의 슬픔을 강조하고 있다.

④ [나]는 전반부(수련, 함련)에서 부벽루에 올라 조망한 평양성의 모습을, 후반부(경련, 미련)에서 평양성의 정경에서 느끼는 쓸쓸한 감정

을 표현하고 있다.

⑤ [나]의 '천 년 구름 아래 바위는 늙었네.'에서 시간의 흐름을 시각적으로 형상화한 표현을 찾아볼 수 있다.

1 답 ④

○ **정답 풀이**

[가]는 자연의 싱그러운 모습과 임과 이별하는 화자의 처지를 대비하여 이별의 한을 부각시키고 있고, [나]는 무한한 존재인 달, 구름, 산, 강과 유한한 존재인 인간을 대비하여 무상감을 드러내고 있다. 그러나 두 작품 모두 자연에 대한 예찬적 태도는 나타나지 않는다.

✕ **오답 풀이**

① [나]의 화자는 '텅 빈 성'으로 표현된 퇴락한 평양성의 모습을 보고, '기린마는 떠나간 뒤 돌아오지 않으니 / 천손은 지금 어느 곳에 노니는가?'라고 하였다. 이것은 역사의 중단을 탄식하며 고구려의 동명왕 같은 영웅이 다시 나타나 국운을 바로잡기 바라는 화자의 소망을 드러낸 것이다. 즉, 이별의 슬픔을 노래한 [가]의 화자와 달리 [나]의 화자는 역사 인식을 드러내고 있는 것이다.

② [가]는 이별의 한을 상징하는 '물'을 통해 이별의 슬픔을 드러내고 있다. [나]의 '텅 빈 성'은 인간 역사의 유한함을 상징하는 것으로, 이를 통해 인간 역사의 무상함을 형상화하고 있는 것이다.

③ [가]는 싱그러운 자연과 이별하는 인간의 삶이 대비를 이루어 이별의 정한을 드러내고 있고, [나]는 허망한 인간 역사와 변함없는 자연이 대비를 이루어 인간 역사의 무상함에 대한 화자의 감회를 드러내고 있다.

⑤ [가]는 이별의 슬픔을 드러낸 한시로, 화자의 슬픔이 임과의 이별 때문임이 구체적으로 드러나 있다. [나]에 비해 화자의 정서를 유발한 사유가 좀 더 직접적으로 드러나고 있는 것이다.

2 답 ④

○ **정답 풀이**

[가]의 화자는 대동강 남포에서 임과 이별하며 슬픈 노래를 부르고 있다. 따라서 ⓐ는 임과 이별하는 현재 상황에서 비롯된 슬픔을 드러내는 것이다. 한편 [나]의 화자는 부벽루에서 자연의 무한함과 대비되는 인간 역사의 유한함을 생각하며 무상감을 느끼고 휘파람을 불고 있다. 그런데 [나]의 화자는 고구려의 동명왕을 떠올리며 고려의 국운이 회복되기를 소망하고 있다. 따라서 ⓐ는 개인적 차원과 관련된 것인 반면, ⓑ는 역사적 차원과 관련 있는 것으로 볼 수 있다.

✕ **오답 풀이**

① ⓐ에서 체념의 정서를 이끌어 낼 수는 있다. 그러나 ⓑ에서 극복의 의지를 찾아 볼 수는 없다.

② ⓐ는 임과의 이별로 인한 슬픔을 드러내는 것이다. 넓은 의미에서 슬픔 역시 심리적 갈등이라고 볼 수 있지만, 좁은 의미에서는 ⓐ에 심리적 갈등이 나타나지 않는다. ⓑ는 역사의 무상함에서 비롯된 화자의 쓸쓸함을 드러내는 것이므로 외적 갈등은 나타나지 않는다.

③ ⓐ는 임과 이별을 하는 현재 상황에 대한 한탄이며, ⓑ는 과거의 영화가 사라져 버린 현재 상황에 대한 한탄이다.

⑤ ⓐ는 현실 상황에 대한 슬픔을 드러내지만 무상함의 정서가 드러나지는 않는다. ⓑ는 자연과 대비되는 인간 역사에 대한 무상함을 드러내지만 자연에 대한 깨달음을 나타내는 것은 아니다.

3 답 ③

○ **정답 풀이**

Ⅲ의 '대동강'은 화자와 임이 이별을 하는 공간이자, 화자의 슬픔이 지속되는 공간이다. 그러나 화자가 대동강을 통해 원망의 마음을 임에게 전달하고 있는 것은 아니다. 따라서 화자의 원망하는 마음을 임에게 전달하는 매개체로 보는 것은 적절하지 않다.

✕ **오답 풀이**

① 비 맞은 '풀빛'의 푸른빛(시각적 심상)을 통해 이별한 화자의 슬픔과 대비되는 자연의 싱그러움이 느껴진다.

② '남포'는 대동강에 있는 포구 중 하나로 화자가 임을 보내며 눈물을 흘리고 있는 이별의 공간이다.

④ 대동강이 언제 마를지 알 수 없는 것은 화자가 흘리는 슬픔의 눈물이 대동강 물에 더해지기 때문이라고 하였다. 이를 통해 Ⅳ의 '눈물'과 Ⅲ의 '대동강 물'이 동일시되고 있음을 알 수 있다. 그리고 이별의 슬픔을 드러내는 '눈물'이 '대동강 물'에 더해진다는 것에서 화자의 슬픔이 극대화되고 있음을 알 수 있다.

⑤ Ⅳ의 '푸른 물결'은 Ⅰ에 그려진 풀빛이 푸른 강변의 풍경과 시각적으로 호응하면서 화자의 슬픔이 극대화되어 나타난다.

4 답 ③

○ **정답 풀이**

ⓒ은 장구한 세월 동안 같은 자리를 변함없이 지키고 있는 자연 풍경을 묘사하여 시간의 흐름을 시각적으로 형상화하고 있는 구절이다. 화자는 '텅 빈 성'(평양성)에서 인간 역사의 유한함을 느끼고, 자연의 무한함과 대조되는 그 모습을 통해 인생무상을 드러내고 있다. 따라서 ⓒ을 고구려의 몰락과 함께 황폐해진 자연의 풍경을 그린 것이라고 보는 것은 적절하지 않다.

✕ **오답 풀이**

① 〈보기〉에 따르면 ⑤은 화자가 여행 중에 부벽루에 오른 것을 나타낸 것이다. 화자는 이를 계기로 하여 과거의 영화를 찾을 수 없는 고려의 시대적 상황을 성찰하고 있다.

② '텅 빈 성'은 원(元)나라의 점령으로 인해 크게 황폐해진 평양성의 현재 모습으로 볼 수 있다.

④ '기린마'는 고구려의 시조인 동명왕의 전설과 관련된 것이다. 그리고 이 기린마를 이제는 찾을 수 없다고 한 것은 변해버린 현실로 인한 무상감을 드러내는 것으로 볼 수 있다.

⑤ 변함없는 자연의 모습은 유한한 인간의 역사와 대비되면서 화자의 애상감을 부각하는 기능을 한다.

03 보리타작

본문 42~43쪽

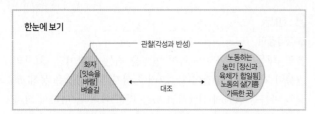

한눈에 보기

```
                ─── 관찰(각성과 반성) ───
      화자                            노동하는
   [잇속을                           농민 [정신과
    바람]            ◀──대조──▶      육체가 합일됨]
    벼슬길                           노동의 삶[기쁨
                                    가득한 곳]
```

생생 Note

화자 어떤 사람(지식인, 벼슬길에 있었던 사람)
상황 농민의 보리타작을 바라봄
주제 농민들의 건강한 노동을 통해 얻은 삶의 깨달음
핵심 시어의 의미 기쁨 가득한 곳

내신 대비 특별 문제 ①

1 ④   **2** ⑤   **3** ③

내신 대비 특별 문제 답 ①

● **정답 풀이**

이 작품의 화자는 노동하는 농민들의 모습을 통해 정신과 육체가 일치된 건강한 삶을 예찬하며, 헛된 명분을 좇던 자신의 삶을 반성하고 있다. 따라서 농촌의 어려운 현실을 풍자적으로 비판하고 있다는 설명은 적절하지 않다.

1 답 ④

● **정답 풀이**

〈보기〉의 내용을 통해 정약용이 귀양살이를 하며 경제적으로 어려웠다는 것을 알 수 있다. 그러나 '막걸리'와 '보리밥'에 작가의 경제적 어려움이 반영되어 있다고 보는 것은 적절하지 않다. '막걸리'와 '보리밥'은 농민들의 일상과 관련된 소재로 농민들의 건강하고 소박한 삶을 드러내는 것으로 보아야 하기 때문이다. 또한 이 작품에서 화자가 '막걸리'와 '보리밥'을 부러워하는 모습을 보이는 것도 아니다.

✗ **오답 풀이**

① 이 작품에서 화자는 몸과 마음이 일치된 농민의 삶을 긍정적으로 평가하고 있다. 〈보기〉를 통해 이러한 시각에는 작가가 주장한 중농주의 사상이 반영되어 있기 때문이라고 볼 수 있다.

② 화자는 벼슬길에서 헤맸던 과거를 반성하고 있다. 이처럼 벼슬길을 멀리하겠다는 다짐은 〈보기〉의 내용으로 보아 벼슬살이를 하던 중 귀양살이를 하게 된 작가의 경험과 관계된 것임을 알 수 있다.

③ 작가가 실학사상에 기반을 두고 중농주의를 주장했다는 〈보기〉의 내용을 참고할 때, 농민의 삶을 마음과 몸이 조화된 삶으로 예찬하는 태도에는 실제 생활보다는 관념적 명분을 더 중시했던 사대부들에 대한 비판 의식이 내재되어 있다고 볼 수 있다.

⑤ 화자는 보리타작을 하는 모습을 사실적으로 묘사하고 있는데, 이는

귀양살이를 하며 백성들의 삶을 가까이에서 지켜볼 수 있었기 때문에 가능한 것이라고 볼 수 있다.

2 답 ⑤

● **정답 풀이**

'기쁨 가득한 곳이 먼 데 있지 않은데'는 세속적인 욕망을 좇던 삶을 반성하게 하는 역할을 한다. 따라서 시상 전개 '새로운 삶에의 다짐'에 어울리는 화자의 태도는 '세상의 헛된 욕망을 찾아 떠도는 삶을 살지 않겠다는 다짐' 정도가 적절하다.

✗ **오답 풀이**

① '햇볕에 그을린 어깨'는 농민의 건강한 육체를 표현한 것이다. 농민의 모습을 관찰한 화자가 노동하는 농민들의 건강한 삶의 모습을 표현한 구절이다.

② 대상의 관찰을 통해 보리타작하는 마당의 역동적인 모습을 "허이' 소리 하며 발맞춰 타작하니'로 표현하고 있다.

③ '몸이 바라는 잇속을 벗어난 마음이러니'는 농민들의 건강한 노동 현장을 보고 '마음이 이끄는 대로 자유롭게 살고 있는' 삶에 대한 화자의 평가와 깨달음을 표현한 것이다.

④ '무얼 바라 이곳저곳 떠도는가'에는 세상에 나아가 세속적 욕망을 달성하기 위해 시달렸던 자신의 삶을 반성하고 있는 화자의 태도가 드러나 있다.

3 답 ③

● **정답 풀이**

이 작품의 화자는 보리타작하는 농민의 모습을 관찰자적 입장에서 바라보고 있을 뿐, 함께 농사를 짓고 있지는 않다.

✗ **오답 풀이**

①, ⑤ 이 작품의 화자는 노동하는 농민들의 건강한 모습을 보며 명분을 좇던 자신을 반성하고 있다. 따라서 노동하는 농민들의 모습이 건강하고 밝게 느껴진다는 반응이나, 헛된 세속적 가치를 좇던 과거의 자신을 부끄럽게 생각하는 반응을 보이는 것은 적절하다.

②, ④ 〈보기〉의 화자는 농사일의 즐거움을 땀 흘리며 일하고 시원한 바람을 쐬며 휘파람을 부는 모습으로 형상화하고 있다. 따라서 꿀맛 같은 휴식도 힘겨운 노동이 있었기에 값지다는 말과 농촌이 땀 흘려 일하는 곳이고, 노동을 참된 삶의 모습으로 생각하는 말을 하는 것은 적절하다.

절명시·무어별

본문 44~45쪽

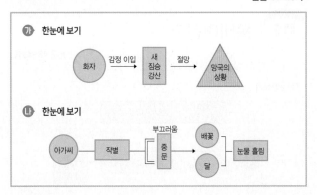

생생 Note

가
화자 어떤 사람(지식인)
상황 나라가 망함
주제 나라를 잃은 지식인의 비탄과 절망
핵심 시어의 의미 새, 강산

나
화자 관찰자(화자), 젊은 아가씨(인물)
상황 말없이 헤어지고 슬퍼하는 아가씨를 봄
주제 이별의 정한
핵심 시어의 의미 배꽃, 달

내신 대비 특별 문제 ②

1 ②   2 ③   3 ⑤   4 ③

내신 대비 특별 문제 **답** ②
○ **정답 풀이**
[가]의 '무궁화'는 우리나라를 의미하는 대유적 표현이다. [가]에서는 활유법과 감정 이입을 이용하여 화자의 정서를 강조하고 있을 뿐, 화자의 정서와 대조적 의미를 지니는 객관적 상관물이 사용되지 않았다.

✗ **오답 풀이**
① [가]의 '무궁화 세계는 이미 사라지고 말았구나.'에서 국권 피탈의 상황임을 알 수 있고, '글 아는 사람 노릇하기 어렵구나.'에서 지식인으로서의 비탄과 고뇌를 확인할 수 있다.
③ [가]의 '새와 짐승은 슬피 울고 강산은 찡그리네.'에 활유법이 사용되었다. 그리고 화자는 고백조의 어조를 사용해 나라를 빼앗긴 지식인의 비통한 심정을 드러내고 있다.
④ [나]의 '배꽃 사이 달을 보며 눈물 흘리네.'는 이별하는 여인의 심정을 감각적인 표현을 사용해 드러낸 구절이다.
⑤ [나]의 화자는 임과 이별하고 돌아와 중문을 닫고 눈물 흘리는 여인의 모습을 관찰하며 객관적으로 상황을 전달하고 있다.

---

1 **답** ②
○ **정답 풀이**
[가]의 경우 3행에서 '가을 등불'이라고 하여 계절적 배경이 '가을'임이 드러나고 있다. 한편 [나]는 4행의 '배꽃 사이'라는 표현에서 계절적 배경이 '봄'임을 알 수 있다.

2 **답** ③
○ **정답 풀이**
중문을 닫는 행위는 시의 맥락상 부끄러움을 감추려는 행위로 볼 수 있다.

✗ **오답 풀이**
① 1~2행에는 열다섯 살 소녀의 이별 장면이 표현되어 있다. 남 부끄러워 말도 못하고 헤어져야 하는 안타까움이 표현되어 있다.
② 3~4행에는 임은 떠나고 홀로 남은 여인이 집에 돌아와 남몰래 눈물 흘리는 모습이 제시되어 있다. 이를 통해 말도 못하고 헤어진 여인이 느끼는 이별의 슬픔을 강화하는 효과를 거두고 있다.
④ '배꽃'은 계절적 배경을 알려 주는 역할을 하며 피고 금방 떨어지는 속성 때문에 애잔한 느낌을 줌으로써 소녀의 정서와 어울려 이별의 슬픔을 부각하는 효과를 거두고 있다.
⑤ '배꽃 사이 달'은 하늘에 떠 있어서 늘 우러러 선망하는 대상이라는 이미지를 지닌다. 이는 이별한 임을 연상시키기 때문에 소녀에게 떠난 임을 더욱 생각나게 하는 소재가 되며 임에 대한 그리움에서 오는 소녀의 슬픔을 고조시키고 있다.

3 **답** ⑤
○ **정답 풀이**
[가]의 화자는 국권이 피탈된 상황에 대해 지식인으로서의 책임감과 비탄을 드러내고 있을 뿐, 모두 다 싸워야 한다는 강한 투쟁 의지를 보이고 있지는 않다.

✗ **오답 풀이**
① 〈보기〉의 화자는 난적을 쳐야 한다는 강한 투쟁 의지를 드러내고 있다.
② [가]의 화자는 절망적인 현실에 대한 인식을 나타내기 위해 '새와 짐승은 슬피 울고 강산은 찡그리네.'라는 비유적 표현을 사용하고 있다.
③ [가]의 화자는 '글 아는 사람 노릇'이 어렵다고 하며 지식인으로서의 고뇌를 드러내고 있다. 그러므로 초야에 묻혀 있으면서도 나라에 대한 충성심을 간직하며 살고 있는 〈보기〉의 화자에게 ③과 같은 말을 할 수 있다.
④ 〈보기〉의 화자는 난적은 누구나 쳐야 한다며 강한 투쟁 의지를 보이고 있고, [가]의 화자는 한탄만 하고 있으므로 적절한 말이다.

4 **답** ③
○ **정답 풀이**
2구의 '남 부끄러워 말도 못하고'와 4구의 '눈물 흘리네'라는 시구를 고려할 때, 3구에서 중문을 닫는 인물의 행동은 자신의 마음과 눈물을 흘리는 모습을 남에게 들키지 않으려는 심리에서 비롯된 것으로 볼 수 있다.

✕ 오답 풀이

① 시적 상황의 주인공인 '아가씨'를 화자가 관찰자적인 시각에서 소개하고 있다.
② 2구의 내용은 아가씨가 말도 하지 못한 채 사랑하는 사람과 헤어졌다는 것이다. 이러한 이별의 상황은 4구에서 눈물을 흘리는 모습으로 이어지고 있으므로, 2구는 4구에서 흘리는 눈물의 원인이 된다.
④ '배꽃'과 '달'은 각각 계절적, 시간적 배경을 나타내며, 이별의 안타까움을 더해 주면서 애상적인 분위기를 조성하는 기능을 한다.
⑤ 사랑하는 사람과 헤어진 '아가씨'의 슬픔이 배꽃 사이의 달을 보며 눈물을 흘리는 모습으로 형상화되고 있다.

4부 | 악장, 언해, 민요

01 용비어천가

본문 48~49쪽

한눈에 보기

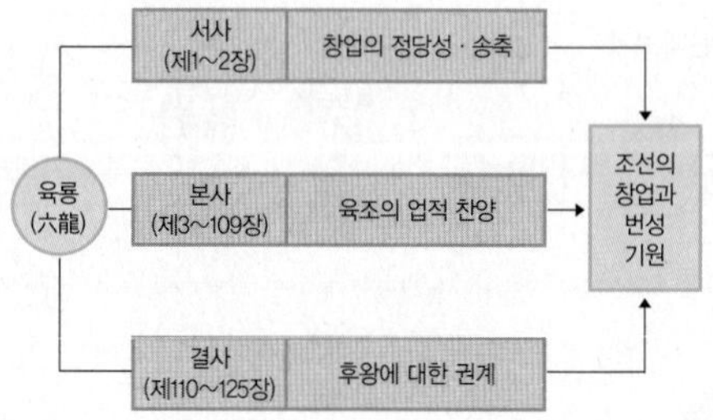

생생 Note

화자 조선 건국의 정당성을 밝히려는 사람들
상황 조선 왕조의 발전을 송축하며 후왕에게 권계함
주제 〈제1장〉–새 왕조 창업의 천명성(天命性) 〈제2장〉–조선의 무궁한 발전 기원 〈제125장〉–후대 왕에 대한 경천근민의 권계
핵심 시어의 의미 ① 천복, 경천근민 ② ᄇᆞᄅᆞᆷ, ᄀᆞᄆᆞᆯ

내신 대비 특별 문제 ④

1 ② **2** ⑤ **3** ④

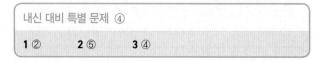

내신 대비 특별 문제 답 ④

○ 정답 풀이

악장은 창작된 기록 문학이다. 구비 전승의 과정을 거치면서 궁중악의 가사로 수용된 것은 고려 가요이다.

1 답 ②

○ 정답 풀이

[가]의 '고성(古聖)이 동부(同符)ᄒᆞ시니.'는 '(중국의) 옛 성왕들과 똑같으시니.'라는 뜻으로 해동 육룡과 고성의 사적이 일치한다는 것이다. 이는 새 왕조를 창업한 육조를 중국의 왕들과 비교해 조선 건국의 천명성, 정당성을 강조하고 있는 것이다. 따라서 '육룡'과 '고성'이 동일인이라는 감상은 잘못된 것이다.

✕ 오답 풀이

① [가]의 '천복(天福)이시니'는 '하늘의 복을 받으시니'라는 뜻으로, 조선 왕조의 창업이 천명에 의한 것임을 드러낸 표현이다. 또한 '고성(古聖)이 동부(同符)ᄒᆞ시니'는 중국의 옛 성왕들과 업적이 똑같다는 뜻으로, 조선 건국의 정당성을 강조하고 있는 표현이다.
③ [나]는 앞뒤 절의 구조가 비슷한 대구법을 사용하고 있으며, 이를 통해 운율감이 느껴진다.
④ [나]의 '곶 됴코 여름 하ᄂᆞ니.'는 '꽃이 좋고 열매가 많이 열리니.'라

는 뜻으로, 여기서 '곶'과 '여름'은 '문화와 문물의 융성'과 '왕손의 번성'을 비유한 말이다.

⑤ [다]의 '천 세(千世) 우희'는 한양이 도읍지로 정해진 것이 천 년도 넘었다는 의미로, 한양에 왕조를 창업한 것이 하늘이 점지해 준 운명이라는 점을 강조하고 있는 것이다.

2 답 ⑤

○ 정답 풀이

〈제2장〉에서 '뿌리 깊은 나무', '샘이 깊은 물'은 기초가 튼튼한 나라를 의미하는 것으로, 〈제2장〉은 나라의 기초가 튼튼하면 어떤 시련에도 흔들리지 않고 굳건할 것임을 비유적으로 표현하고 있다. 즉, 세상사를 자연물에 빗대어 표현한 것일 뿐, 자연 현상과 인간의 삶을 대조하고 있지 않다. 〈제125장〉역시 후대 왕에 대한 권계를 담고 있을 뿐, 인간의 삶과 대조되는 자연 현상이 드러나 있지 않다.

✕ 오답 풀이

① 〈제2장〉에서는 뿌리와 샘이 깊은 '나무'와 '물'이 시련을 이겨 내고 결실을 맺는다는, 유사한 자연의 이치가 담긴 두 사례를 나란히 배열하고 있다.

② 〈제125장〉의 1행에서는 '-니', 2행에서는 '-리이다', 3행에서는 '-잇가'의 각각 다른 종결 어미가 사용되었다.

③ '전언'은 전하는 말, '수신자'는 그러한 말을 듣는 사람을 의미한다. 〈제125장〉에서는 '임금하 아소서'라고 하며 후대의 임금들에게 전하는 말이라는 것을 명시하고 있다.

④ 〈제125장〉에는 '천 세(千世), 누인 개국(累人開國), 복년(卜年), 성신(聖神), 경천근민(敬天勤民)' 등 한자어가 사용되었지만, 〈제2장〉에는 한자어 없이 순 우리말이 사용되었다.

3 답 ④

○ 정답 풀이

〈보기 2〉의 '강파'와 '바람'은 자연물이고, '소정'과 '그물'이 인공물인 것은 맞다. 그러나 '소정'과 '그물'은 화자가 자연에서 한가로이 지내는 모습과 관련된 도구들이므로, 자연물과 대립되는 것이 아니다. 또한 〈보기 2〉의 화자는 개인적인 한가로움을 즐기며 임금의 은혜에 감사하고 있으므로 '사'와 '대부'라는 정체성 사이에서 고뇌하고 있는 것이 아니다.

✕ 오답 풀이

① 〈보기 1〉에서 이 작품은 새 왕조에 대한 송축을 목적으로 한 작품임을 알 수 있다. 이를 통해 볼 때 [나]의 '뿌리 깊은 나무'와 '샘이 깊은 물'은 기반이 굳건하고 기원이 유구하다는 뜻을 내세워 왕조를 송축하는 표현이다.

② 〈보기 1〉에서 이 작품은 왕에 대한 권계를 나타낸다고 하였다. '경천근민'은 왕의 덕목을 부각하는 것으로, 〈보기 1〉의 내용과 관련지어 보면 이것은 신하의 임무인 '대부(大夫)'로서의 정치적 의식을 드러낸 것이다.

③ 〈보기 2〉의 화자가 한가하게 소일하는 것은 강호에서 개인적 삶을 누리는 것을 표현한 것이다. 그런데 화자는 '역군은이샷다'라고 하며 자신이 소일하는 것도 임금의 은혜 덕분이라고 하였다. 이는 개인적 삶과 정치적 성격을 모두 드러낸 것이다.

⑤ [다]의 '한강 북녁'은 새 왕조인 조선의 터전을 가리키므로 정치적 의미를 지니는 것이다. 〈보기 2〉의 화자는 자연을 즐기고 있으므로 '강호'가 개인적 의미를 갖는다고 할 수 있다. 그리고 '강호'에서의 삶을 노래하며 임금의 은혜에 감사하고 있으므로 '강호'는 정치적 의미도 지니고 있다.

02 춘망·귀안

본문 50~51쪽

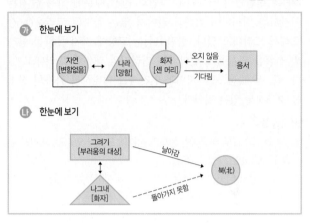

생생 Note

가
화자 전쟁으로 가족과 헤어져 지내는 이(두보)
상황 전쟁 중에 가족을 그리워함
주제 전란의 비애와 가족에 대한 그리움
핵심 시어의 의미 봉화

나
화자 전쟁으로 인해 고향에 돌아가지 못하는 이(두보)
상황 객지에서 고향 쪽으로 날아가는 기러기를 봄
주제 고향에 대한 그리움
핵심 시어의 의미 그려기
표현 대비

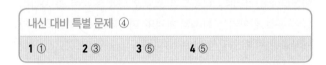

내신 대비 특별 문제 ④

1 ①   2 ③   3 ⑤   4 ⑤

내신 대비 특별 문제 답 ④

○ 정답 풀이

고향에 대한 그리움을 노래한 [나]에서는 고향에 가지 못하는 부정적 상황만 드러날 뿐, 이를 극복하려고 하는 화자의 의지를 확인할 수는 없다.

✕ 오답 풀이

① [가]는 '나라히 파망(坡亡)ᄒ니 ～ 플와 나모ᄲᅮᆫ 기펫도다.'에서 대구의 표현 방법을 사용하고 있다.

② [가]의 전반부에서는 전란으로 인해 황폐해진 장안의 모습을 그리고 있고, 후반부에서는 가족에 대한 그리움과 늙어 가는 데에서 오는

화자의 비애감을 나타내고 있다. 이는 경치를 먼저 노래하고 정서를 나중에 읊는 선경 후정에 따른 시상 전개 방식이다.
③ [가]에서는 전쟁으로 인해 집의 소식이 끊긴 구체적인 상황을 통해 현실의 어려움을 보여 주고 있다.
⑤ [나]에서는 봄이라는 계절적 배경을 직접 제시함으로써 고향에 돌아가지 못하는 화자의 애상감과 그리움을 강조하고 있다.

1 답 ①
○ 정답 풀이
[가]는 변함없이 아름다운 자연과 전쟁 때문에 고통을 겪는 인간사를 대비하여 가족과 떨어져 있는 화자의 그리움을 강조해서 드러내고 있다. 한편 [나]는 고향에 가지 못하는 화자의 슬픔을 자유롭게 날아가는 기러기와 대비해 드러내고 있다. 즉, 두 작품 모두 자연과 인간사를 대비하여 화자의 정서를 강조하고 있는 것이다.

✗ 오답 풀이
② [가]와 [나] 모두 비극적인 현재의 상황이 드러나 있지만, 과거와 현재를 대조하는 내용은 없다.
③ [가]의 '플와 나모', '셴 머리' 등에서 색채 이미지를 떠올릴 수는 있다. 그러나 [가]에서 구체적인 색채 이미지를 사용하여 대상을 선명하게 묘사하고 있는 것은 아니다. [나]에는 색채 이미지가 사용되지 않았다.
④ [가]의 '고지 눖믈롤 쓰리게코'와 '새 ᄆᆞ믈 놀래노라'에서 주객이 전도된 표현을 사용해 전란으로 인한 화자의 상심을 드러내고 있다. 그러나 [나]에서는 주객이 전도된 표현이 나타나지 않는다.
⑤ [나]에서는 '만 리'라는 구체적 수치를 사용하여 공간적 거리를 나타내면서 화자와 고향과의 정서적 거리감을 표현하고 있다. 그러나 [가]에는 공간적 거리가 드러나 있지 않다.

2 답 ③
○ 정답 풀이
[나]의 '그려기'는 화자의 처지와 대비되는 존재로 고향으로 돌아가고 싶어도 돌아가지 못하는 화자의 마음을 더욱 애절하게 만든다. 이와 유사한 기능을 하는 것은 ③의 '나릿믈'이다. 얼었다 녹았다 하는 '나릿믈'은 외로운 마음을 녹여 줄 사람이 없이 홀로 살아가는 화자의 처지와 대비되는 소재로, 화자의 외로움을 더욱 심화시키는 기능을 한다.

✗ 오답 풀이
① '구룸'은 화자와 임 사이를 가로막는 장애물을 의미한다.
② '거북'은 소망을 듣는 대상이자 신성한 존재를 의미한다.
④ '새'는 삶의 비애와 고독을 느끼는 화자의 감정이 이입된 소재로, 동병상련의 대상이다.
⑤ '청풍명월(淸風明月)'은 맑은 바람과 밝은 달이라는 의미로, 시적 화자가 머물고자 하는 자연을 의미한다.

3 답 ⑤
○ 정답 풀이
'다 빈혀룰 이긔디 몯홀 둣ᄒᆞ도다'는 나라와 가족에 대한 걱정으로 머리가 짧아져서 이제는 머리털을 다 모아도 비녀를

이기지 못할 만큼 쇠약해졌음이 드러난다. 즉 전란의 참혹함을 드러내고자 한 것이지 젊은 날에 대한 그리움을 표현하고자 한 것이 아니다.

✗ 오답 풀이
① '나라히 파망ᄒᆞ니 뫼콰 ᄀ룸쑨 잇고'는 변화하는 인간사와 변함없는 자연을 통해 전란의 모습을 표현하려 하였다.
② '여희여슈믈 슬호니 새 ᄆᆞ믈 놀래노라'는 가족과 헤어진 상황에서 새조차 마음을 놀라게 하는 작가의 처지를 표현한 것이다. 전란으로 인해 어지러운 시국에 느끼는 슬픔을 새가 날기만 해도 마음이 놀라는 자신의 모습을 통해 표현하였다.
③ '봉화ㅣ 석 둘 롤 니어시니'는 전란이 계속됨을 봉화가 끊이지 않고 오르는 것에 빗대어 표현하고 있다.
④ '지븻 음서는 만금이 ᄉᆞ도다'는 집의 소식이 만금보다 값지다고 표현함으로써 가족의 소식을 알고 싶은 화자의 간절한 마음과 가족의 소식을 듣기 어려운 현실을 나타내고 있다.

4 답 ⑤
○ 정답 풀이
ⓜ은 전란 때문에 떠났던 고향으로 돌아가고 싶어 하는 화자의 마음을 북으로 날아가는 기러기를 부러워하는 것으로 나타낸 표현이다. 즉, 화자는 이미 고향을 떠나 있는 상태에서 고향으로 돌아가지 못하는 비통함을 강조하는 것이지, 고향을 떠나는 상황에서 과거를 후회하거나 자책하는 것이 아니다.

✗ 오답 풀이
① [가]의 화자는 봄이 되어 꽃이 피었지만 그것을 보고 눈물을 흘린다. 즉, ㉠에서는 아름다운 자연을 즐길 마음의 여유조차 없는 화자의 심리 상태가 드러난다.
② 집에서 오는 편지가 만금보다 비싸다는 것은 전란 때문에 가족 간의 소식 교류가 제대로 이루어지지 못하는 상황을 암시하는 것이다.
③ ㉢은 가족과 떨어진 채 늙고 쇠약해져 가는 자신의 신세에 대한 한탄으로, 비애감이 느껴지는 부분이다.
④ '나그내(나그네)'는 전란 때문에 고향을 떠나 타지에 있는 화자가 자신을 객관화해서 표현한 것이다.

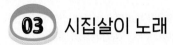

03 시집살이 노래

본문 52~53쪽

한눈에 보기

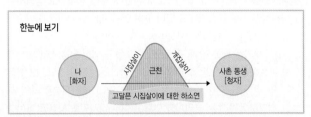

생생 Note

화자 •[가] 사촌 동생 •[나], [다] 형님(주된 화자—시집살이를 하다가 근친 옴)
상황 시집살이를 하다 근친 온 형님이 사촌 동생과 대화함
주제 시집살이의 한(恨)과 체념
핵심 시어의 의미 ① 개집살이 ② 거위, 오리

내신 대비 특별 문제 ④

1 ④   2 ④   3 ①   4 ②

내신 대비 특별 문제 답 ④

○ 정답 풀이

이 작품의 주된 화자(형님)는 시집살이의 어려움을 토로하고 있지만, 그것을 적극적으로 극복하려는 태도를 보이고 있지는 않다. 오히려 해학적 표현을 통해 현실에 순응하고 체념하는 태도를 보이고 있다.

1 답 ④

○ 정답 풀이

이 작품에서는 시댁 식구들과 화자 자신을 '새'에 비유하여 그 특성과 처지를 해학적으로 표현하고 있을 뿐, 대상에 인격을 부여하여 친근감을 드러내는 표현은 사용되지 않았다.

✗ 오답 풀이

① 이 작품에서는 시댁 식구들의 특성을 '새'에 비유하여 표현하고 있다.
② [나]에서 '시집살이 더 맵더라.'라며 미각적 심상을 사용하여 시집살이의 고통을 감각적으로 표현하고 있다.
③ [다]에서 '울었던가 말았던가 베갯머리 소(沼)이 졌네.'와 같이 화자의 설움을 과장하여 표현하고 있다.
⑤ [다]의 '울었던가 말았던가~쌍쌍이 때 들어오네.'에는 '거위'와 '오리'로 비유된 자식들에게서 위안을 받으며 시집살이의 고통을 체념하고 있는 화자의 태도가 해학적으로 드러나 있다.

2 답 ④

○ 정답 풀이

ⓒ에서 화자가 자신을 '썩는 새'라고 한 것은 고된 시집살이에 적극적으로 맞서지 못하고 마음속으로만 애를 태워야 하는

자신의 처지를 자조적으로 표현한 것이다. 따라서 화자가 애를 태우는 이유는 자식이 나약하기 때문이라기보다 시집살이의 고충으로 인한 한(恨) 때문이므로 ④는 적절하지 않다.

3 답 ①

○ 정답 풀이

'시아버니 호랑새요~나 하나만 썩는 샐세'에서와 같이 대구와 열거를 통해 리듬감을 형성하고 있다.

✗ 오답 풀이

② 이 작품은 낭송하기에 규칙적인 4·4조 4음보의 율격을 지니고 있다.
③ 갈수록 리듬이 빨라지거나 화자의 정서가 고조된다고 볼 근거는 없다. 오히려 시집살이의 괴로움을 한탄하는 여인의 어조로 느릿하고 길게 이어지는 가락이 주조를 이루고 있다.
④ 이 작품은 선창과 후창으로 이루어진 후렴을 갖춘 노래가 아니기 때문에 선후창 방식이 계속해서 반복하여 이루어진다는 설명은 적절하지 않다.
⑤ '형님 온다 / 형님 온다 / 분고개로 / 형님 온다'는 4·4조 4음보의 율격 구조를 보여 준다. 따라서 2개 마디씩 구분지어 읽을 때 리듬감이 살아난다는 설명은 적절하지 않다.

4 답 ②

○ 정답 풀이

'나'와 '부인' 모두 구체적 청자를 대상으로 자신의 처지를 하소연하고 있다. [나]의 '나'는 시집살이에 대해 물어본 사촌 동생을 대상으로 시집살이의 어려움을 하소연하고 있다. 그리고 〈보기〉의 '부인'은 친정에 편지를 하여 친정 식구들을 대상으로 자신의 처지를 하소연하고 있다.

✗ 오답 풀이

① [나]에서 '나'는 '오 리(五里) 물을 길어다가 십 리(十里) 방아 찧어다가, / 아홉 솥에 불을 때고 열두 방에 자리 걷고'라며 수치를 활용하여 자신의 어려움을 강조하고 있다. 하지만 〈보기〉에서는 구체적 수치가 나타나지 않는다.
③ 〈보기〉의 '여기저기 사설이요 구석구석 모함이라.'를 통해 '부인'은 거짓으로 시댁 식구들을 모함하고 있음을 알 수 있다. 이와 달리 [나]에서 '나'의 말은 과장된 부분은 있지만 내용 자체를 거짓으로 볼 만한 근거를 찾을 수 없다.
④ '게염할사', '암상할사', '고자질에', '엄숙하기', '요악(妖惡)한' 등 〈보기〉의 '부인'은 시댁 식구들의 성격을 대체로 직설적으로 제시하고 있다. 반면 [나]의 '나'는 시댁 식구들의 성격을 새에 비유하여 드러내고 있다.
⑤ [나]의 '남편 하나 미련새요'에서 남편에 대한 '나'의 원망이 드러나고 있다. 그리고 〈보기〉의 '남편이나 믿었더니 십벌지목(十伐之木) 되었에라.'에서 남편에 대한 '부인'의 원망이 드러나고 있다.

04 베틀 노래·논매기 노래

본문 54~55쪽

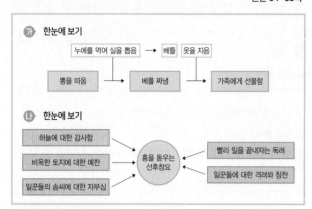

생생 Note

가
화자 길쌈하는 여인
상황 베를 짜며 노래를 부름
주제 베를 짜며 갖는 낭만적 여유와 가족애
핵심 시어의 의미 겹옷, 솜옷

나
화자 농부들
상황 논의 김을 매며 노래를 부름
주제 농사일의 기쁨과 보람
핵심 시어의 의미 후렴구

내신 대비 특별 문제 ③

1 ④　　　**2** ③　　　**3** ②

내신 대비 특별 문제 **답** ③

정답 풀이

[가]는 베를 짤 때의 고달픔을 잊기 위해 부른 노동요로, 베 짜는 과정과 가족을 생각하는 여인의 마음이 드러나 있을 뿐 현실의 모순에 대한 여인의 한(恨)은 나타나지 않는다.

1 **답** ④

정답 풀이

[가]는 뽕잎을 따서 실을 뽑고, 베를 짜는 베 짜기 과정과 그 후 옷을 짓는 과정이 시간적 순서에 따라 추보식으로 전개되고 있다. 한편 [나]는 선창 부분에서는 하늘에 대한 감사함, 비옥한 토지와 일꾼들의 솜씨에 대한 자부심 등이 나타나 있으며, 후창 부분에서는 '잘하고 자로 하네'라고 추켜 주며 흥겨운 분위기를 만들고 있다. 따라서 [나]가 노동의 구체적인 의미를 나열했다는 설명은 적절하지 않다.

오답 풀이

① [가]는 1행과 2행에서 대구법과 반복법이 사용되었다. 그리고 [나]는 '일락서산(日落西山)에 해는 지고 월출동령(月出東嶺)에 달 돋는다.'

에 대구법이 사용되었고, 후렴구가 반복되고 있다. 이러한 대구법과 반복법을 사용함으로써 [가], [나] 모두 운율감이 느껴진다.

② [가]는 힘든 베 짜기를 하면서도 자신을 베 짜는 선녀라고 상상하는 낙천적인 태도를 드러내고 있다. [나] 역시 힘든 농사일을 흥겨움으로 승화시키는 낙천적인 사고방식이 드러나 있다.

③ [가]의 화자는 베를 짠 후 그것으로 가족들을 위한 옷을 짓겠다는 것으로 보아 [가]는 노동 후에 얻게 되는 결과와 보람에 주목하고 있음을 알 수 있다. 반면 [나]는 '잘하고 자로 하네'라며 서로를 추켜 주고 격려하며 흥겨운 분위기를 만들어 힘든 농사일의 능률을 높이고 있다.

⑤ [가]는 베를 짜는 여성 화자 한 명이 부르는 독창 형식인데 반해, [나]는 선창자가 앞소리를 부르고 나면 다른 사람들이 후렴구인 뒷소리를 부르는 선후창 형식으로 되어 있다.

2 **답** ③

정답 풀이

'하늘에다 베틀 놓고 구름 속에 이매 걸어'는 화자 자신을 선녀에 빗대어 힘듦과 지루함을 덜어 보려는 낭만적인 여유가 나타난 것이지 베 짜는 일을 하늘이 도와주기를 바라는 마음이 드러나 있는 것은 아니다.

오답 풀이

① [가]에는 '뽕 따기 → 실뽑기 → 이매 걸기 → 베 짜기'와 같이 베 짜기의 과정이 나타나 있다.

② '기심 매러 갈 적에는 갈뽕을 따 가지고 / 기심 매고 올 적에는 올뽕을 따 가지고'에서 '갈'과 '갈뽕', '올'과 '올뽕'은 발음의 유사성을 보여 준다. [가]에서는 이러한 언어유희를 활용하여 흥을 돋우고 있다.

④ [가]의 '짜궁짜궁'은 베 짜는 소리를 흉내 낸 의성어로 노동의 단조로움에서 벗어나는 것에 기여하고 있다.

⑤ '외씨 같은 보선 지어 오빠넘께 드리고 / 겹옷 짓고 솜옷 지어 우리 부모 드리겠네'를 보면 베를 짜서 오빠의 버선과 부모의 옷을 지어 줌이 드러난다. 따라서 형제간의 우애와 부모에 대한 효친의 정서가 나타나고 있어서 유교적 성향을 짐작케 하고 있다는 설명은 적절하다.

3 **답** ②

정답 풀이

ⓛ은 논매기 일은 부지런히 하지 않고 '잘한다'는 소리(후창)만 열심히 하면 길을 가는 행인이 쳐다보느라고 발걸음을 떼지 못한다는 의미이다. 즉, 말보다는 행동으로 논의 김을 매는 일을 더 열심히 하라는 선창자의 독려라고 할 수 있다. 따라서 ⓛ이 노래를 잘 부르자는 의미라는 해석은 적절하지 않다.

오답 풀이

① 일반적으로 후렴구는 의미 없는 내용을 반복하여 운율감을 형성하는 경우가 많다. 그러나 [나]의 후렴구인 ㉠은 흥을 돋우며 운율을 형성할 뿐만 아니라 서로를 격려하면서 칭찬하는 내용을 담고 있다.

③ 이 논의 일을 빨리 끝내고 저 논으로 가자는 의미로, 일을 빨리 할 것을 독려하는 내용이다. 이를 통해 서로 논매는 일을 돕는 상부상조의 정신이 드러나고 있다.

④ '담송담송'은 '좀 성기거나 드문드문한 모양'을 나타내는 표현이다. ㉢은 논매기를 할 닷 마지기의 논밭이 얼마 남지 않았음을 시각적

으로 표현하며 남은 일을 빨리 끝내자는 의미를 담고 있다.

⑤ ⓜ은 같은 의미를 지닌 한자어와 우리말을 중복하여 표현함으로써 시간의 흐름을 강조하고 있다. 이 같은 표현은 더 부지런히 남은 일을 하자는 의도를 드러낸다.

5부 | 시조

01 백설이 ᄌᆞ자진 골에 ~ 외

본문 58~59쪽

생생 Note

㉮
화자 고려 유신
상황 왕조가 기울어 가는 상황
주제 기울어 가는 왕조에 대한 안타까움
핵심 시어의 의미 백설, 구름, 매화

㉯
화자 고려 유신
상황 옛 나라의 도읍을 찾아감
주제 고려 왕조에 대한 회고와 인생무상
핵심 시어의 의미 필마, 중의적
표현 대조법

㉰
화자 고려 유신
상황 시류에 영합하는 자들이 회유함
주제 고려 왕조에 대한 변함없는 충절
핵심 시어의 의미 일편단심
표현 반복법

㉱
화자 고려 유신
상황 외부의 압력이 거세지는 상황
주제 고려 왕조에 대한 충절
핵심 시어의 의미 눈, 딩
표현 설의법

내신 대비 특별 문제 ②

1 ④　　　**2** ⑤　　　**3** ④

내신 대비 특별 문제　답 ②

○ 정답 풀이

ⓛ '태평연월(太平烟月)'은 근심이나 걱정이 없는 편안한 세월을 의미하는 시어가 맞다. 그러나 [나]는 고려 왕조에 대한 회고와 인생무상을 노래한 작품으로, 여기서 '태평연월(太平烟月)'은 조선 왕조의 융성이 아니라 고려의 융성했던 시절을 상징하는 것이다.

1　답 ④

○ 정답 풀이

[다]의 '백골(白骨)이 진토(塵土) 되여'는 죽더라도 임을 따르겠다는 것을 강조하기 위한 표현으로, 〈보기〉의 설명에 따르면 의리를 중시하는 이념이 투영된 것이다.

✕ 오답 풀이

①, ② [가]에서 '백설(白雪)'은 녹아 없어진 세력이므로, 이전 왕조에 충

성하던 세력이라고 볼 수 있다. 한편 '구롬'은 그러한 상황에서 세력을 잡은, 새로운 왕조에 충성하는 세력이라고 해석할 수 있다.
③ [가]의 '갈 곳 몰라 ᄒᆞ노라'는 화자가 이전 왕조를 그리워하고 있는 상황을 고려할 때, 두 왕조 사이에서 갈등하고 있다기보다는 나라가 기울어 가는 상황을 안타까워하는 것으로 보는 해석이 적절하다.
⑤ [다]의 '님'은 의리를 중시하는 화자가 따르고자 하는 대상이므로, 새로운 왕조가 아니라 이전 왕조를 의미한다.

2 답 ⑤

● 정답 풀이
⑤의 설명은 강호(자연)에서 한가롭게 지내는 내용을 담고 있는 강호 한정가에서 주로 나타나는 특징이다. 그러나 [가]와 [라]는 고려 왕조에 대한 화자의 정서와 태도를 드러내는 작품이므로 ⑤의 설명에 해당되지 않는다.

✗ 오답 풀이
① [가]의 화자는 기울어져 가는 나라를 '석양(夕陽)'에 빗대어 표현하며 고뇌하는 심정과 안타까움을 드러내고 있다.
② [나]의 화자는 오백 년 도읍지, 즉 고려의 옛 수도인 송도에서 고려 왕조의 융성했던 시절을 회고하며 망국의 한과 인생무상을 드러내고 있다.
③ '맥수지탄(麥秀之嘆)'은 '고국의 멸망을 한탄함'이라는 뜻으로, 망국의 한을 회고적 정서 속에 담고 있는 [나]의 내용과 관련이 있는 한자 성어이다.
④ 고려 왕조에 대한 변함없는 충성심을 [다]는 '일편단심(一片丹心)이야 가실 줄이 이시랴.'라며 직설적으로 표현한 데 반해, [라]는 눈 속에서도 푸른 '대나무'라는 자연물을 통해 비유적으로 표현하고 있다.

3 답 ④

● 정답 풀이
'눈 속에 프를소냐'는 '눈 속에 어찌 푸르겠는가'라는 뜻으로, 대나무가 눈 속에서도 변함없이 푸르다는 의미를 의문형 종결 어미로 표현한 설의적 표현이다. 이는 대나무와 같이 변하지 않는 화자의 지조와 절개를 강조하여 드러내는 표현이지만, 새 왕조에 협력하는 사람들을 원망하는 화자의 감정은 드러나지 않는다.

✗ 오답 풀이
① '뒤'가 '눈'을 맞아 휘어졌다는 내용을 통해 '눈'은 대나무에게 있어 시련과 고난을 의미함을 알 수 있다. 〈보기〉를 고려할 때 고려에 대한 지조와 절개를 지키고자 하는 작가에게 새로운 왕조에 협력하기를 강요하는 세력은 '눈'과 같은 존재였음을 짐작해 볼 수 있다.
② '휘여진'은 눈을 맞은 대나무가 시련을 겪고 있음을 의미하므로, 새 왕조에 반대한 작가가 치악산에 은거하며 벼슬에 나아가지 않는 삶을 택한 것을 빗대어 표현한 것으로 볼 수 있다.
③ '절(節)'은 '절개'를 의미하므로, 〈보기〉를 고려할 때 작가의 '절개'는 새 왕조에 반대하여 은거 생활을 하였고, 벼슬을 받고도 거절하여 응하지 않는 행동으로 드러난다고 볼 수 있다.
⑤ '너'는 '뒤'를 지칭한 것으로 '너(뒤)'가 지조와 절개가 있다는 면에서 새 왕조에 협력하지 않고 끝까지 고려에 대한 지조와 절개를 지키고자 했던 화자의 태도와 유사하다고 볼 수 있다.

02 이 몸이 주거 가셔 ~ 외

본문 60~61쪽

생생 Note

㉮
화자 충신
상황 수양 대군 일파가 득세하여 홀로 절개를 지킴
주제 굳은 절개
핵심 시어의 의미 백설

㉯
화자 충신
상황 수양 대군 일파가 득세하여 홀로 절개를 지킴
주제 충신의 절개
핵심 시어의 의미 가마귀, 야광명월

㉰
화자 충신
상황 임(단종)과의 이별
주제 단종과 이별한 슬픔
핵심 시어의 의미 촛불
표현 감정 이입

㉱
화자 충신
상황 임(단종)과의 이별
주제 단종에 대한 충정
핵심 시어의 의미 단종
표현 감정 이입

내신 대비 특별 문제 ④

1 ②   **2** ①   **3** ⑤

내신 대비 특별 문제 답 ④

● 정답 풀이
[가]에서는 '낙락장송', '백설' 등을 활용하여 절개를 지키려는 화자의 심정을 드러내고 있고, [나]에서는 '가마귀'와 '야광명월' 등을 활용하여 화자의 충정을 드러내고 있다. 그리고 [다]에서는 '촛불', [라]에서는 '믈(물)'이라는 사물을 활용하여 이별을 슬퍼하는 화자의 심정을 드러내고 있다.

✗ 오답 풀이
① [가]는 굳은 절개를 드러내는 남성적 어조, [나]는 참된 충성을 다짐하는 의지적 어조, [다]와 [라]는 이별의 슬픔을 드러내는 애상적 어조가 드러난다.
② [가]~[라] 모두 수양 대군의 왕위 찬탈과 단종의 유배라는 정치적 사건과 관련된 내용을 다루고 있을 뿐, 물아일체의 경지와는 아무런 관련이 없다.
③ [가]~[라] 중 해학적 방법으로 대상을 풍자하며 희화화하고 있는 작품은 없다.
⑤ [가]~[라]에서는 각각 시각과 청각의 이미지를 사용하고 있지만 사물을 실감나게 표현하는 감각적 이미지의 사용을 확인할 수 없다.

1 탭 ②

○정답 풀이

[가]에서 화자는 흰 눈이 천지를 덮을 때 홀로 절개를 굳게 지키겠다고 말하고 있다. 따라서 '백설'은 사육신을 의미하는 게 아니라, 화자(사육신)에게 시련이 되는 대상 즉, 계유정난을 통해 왕위를 찬탈한 수양 대군 일파를 의미하는 것이다.

✕오답 풀이

① 굳은 절개를 노래하고 있는 [가]의 화자의 태도로 볼 때, '이 몸이 주거 가셔'는 단종의 복위를 위해 죽음을 각오하고 있는 것으로 볼 수 있다.

③ '야광명월'은 밤에 밝게 빛나는 달을 나타내는 것으로, [나]에서는 계유정난, 왕위 찬탈과 같은 부정적인 상황을 반대하고 지조를 지킨 충신을 의미한다.

④ 〈보기〉의 내용으로 보아 [다]는 왕위를 찬탈당한 단종과 이별하는 슬픔을 촛불에 비유하여 표현한 것임을 알 수 있다. 따라서 [다]의 '이별'은 화자와 왕위를 찬탈당한 단종과의 이별을 의미하는 것임을 알 수 있다.

⑤ [라]의 '뇌 무움둘 뒤 업서'는 '내 마음을 둘 곳이 없어'라는 뜻으로, 단종을 유배지인 영월에 홀로 남겨 두고 온 화자의 안타까움과 슬픔을 나타낸다.

2 탭 ①

○정답 풀이

[나]에서 '가마귀'가 '눈비 마ᄌ 희는 듯 검노미라.'는 '까마귀가 눈비를 맞아서 희어지는 듯하다가 검어지는구나.'라는 뜻으로, 까마귀가 흰 색인 척하며 검은 본색을 숨기고 있지만 이내 본색이 드러난다는 의미이다. 〈보기 1〉에서 작가는 권력을 탐하는 이들의 위선적 태도를 비판하려는 의도를 드러내고 있다고 하였으므로, 이를 고려할 때 Ⓐ(가마귀)는 명분을 내세우며 단종을 폐위시키고 권력을 차지한 세조와 간신들을 의미한다고 볼 수 있다. 따라서 Ⓐ가 작가 자신을 가리킨다는 설명은 적절하지 않다.

✕오답 풀이

② '밤'은 부정적 의미를 함축한 어둠의 시간이므로, 〈보기 1〉을 고려할 때 작가는 세조가 단종을 몰아내고 왕위에 오른 시대 상황을 '밤'과 같이 어둡고 부정적이라고 인식했음을 알 수 있다.

③ '일편단심(一片丹心)'은 '한 조각의 붉은 마음'이라는 뜻으로, '진심에서 우러나오는 변치 아니하는 마음'을 이르는 말이다. 따라서 Ⓒ(일편단심)는 세조의 회유를 뿌리치고 단종에 대한 충의를 지키려는 작가의 굳은 지조와 절개의 마음을 드러낸 것으로 볼 수 있다.

④ 〈보기 2〉에서 작가는 '가마귀'가 '거치 거믄들 속조차 거믈소냐'라고 하였다. 이는 까마귀가 겉(외면)이 검다고 해서 속(내면)까지 검은 것은 아니라는 의미이다. 따라서 Ⓓ(가마귀)는 작가가 한 행위가 검게 보이겠지만 그렇다고 그 행위의 의도가 검은 것은 아님을 빗대어 표현함으로써 자기 행위의 정당성을 주장하고자 자신과 동일시한 대상으로 볼 수 있다.

⑤ 〈보기 2〉에서 작가는 '백로(白鷺)'에게 '아마도 것 희고 속 검을손 너뿐인가 하노라'라고 하였다. 이는 백로가 겉(외면)으로는 하얗고 깨끗한 척 하지만 사실 속(내면)은 검다는 것을 의미한다. 따라서 Ⓔ

(백로)는 겉으로는 고고한 척하지만 실제로는 표리부동(表裏不同)한 무리를 가리키는 것이며, 작가는 이들을 비판하고 있다.

3 탭 ⑤

○정답 풀이

㉠은 가지가 길게 늘어지고 키가 큰 소나무를 의미하는데, 화자는 자신이 죽어서 ㉠이 되겠다고 하였다. 즉, 지조와 절개를 지키겠다는 태도를 드러내고 있는 것이다. 따라서 ㉠은 화자가 지향하는 삶의 모습을 나타내는 것이다. 한편 ㉡은 이별을 슬퍼하며 눈물을 흘리고 있다. 이는 임(단종)과 이별한 화자의 슬픔과 안타까운 마음을 나타내고 있는 것이다.

✕오답 풀이

① ㉡에는 화자의 감정이 이입되어 있는 것이 맞다. 그러나 ㉠은 화자의 태도를 나타내는 것일 뿐, ㉠에 화자의 감정이 이입되어 있는 것은 아니다.

② ㉠에만 해당하는 설명이다.

③, ④ ㉠과 ㉡ 모두에 해당하지 않는 설명이다.

03 십 년을 경영호여 ~ 외

본문 62~63쪽

생생 Note

㉮
화자 '나'(자연을 즐기는 이)
상황 자연 속에서의 삶
주제 자연에의 귀의, 안빈낙도
핵심 시어의 의미 초려삼간(草廬三間)

㉯
화자 자연을 즐기는 이
상황 자연 속에서의 삶
주제 자연과 더불어 사는 즐거운 삶
핵심 시어의 의미 청산, 유수, 청풍, 명월
표현 대구법

㉰
화자 '나'(자연을 즐기는 이)
상황 자연 속에서의 삶
주제 자연을 즐김
핵심 시어의 의미 힘센이

㉱
화자 자연을 즐기는 이
상황 자연 속에서의 삶
주제 산촌 생활에서의 안빈낙도
핵심 시어의 의미 집방석, 솔불, 낙엽, 달
표현 대조법

내신 대비 특별 문제 ③

1 ②	2 ①	3 ③	4 ③	5 ④

연 속에 거처할 공간을 의미하며 소박한 삶의 태도를 담고 있는 소재이다.

내신 대비 특별 문제 **답** ③

○ 정답 풀이

[가]~[라]의 화자들은 모두 자연 속에서 자연을 즐기며 자신의 삶에 만족하는 태도를 보이고 있다. 이처럼 자연을 바라보는 화자가 자연과 어우러지는 모습에서 자연의 조화에 순응하는 우아미가 드러난다고 할 수 있다. 따라서 ③이 적절한 설명이다.

✕ 오답 풀이

①, ② [가]의 화자가 소박하게 살아가며 자연물에 인격을 부여한 것은 맞지만, 이것이 숭고미나 비장미와 관련된 것은 아니다.

④ [다]의 화자는 자연을 즐기며 그 속에서 유유자적한 삶의 태도를 보이고 있으므로 우아미가 드러나는 것이다.

⑤ [라]의 화자 역시 자연 속에서 소박한 풍류를 즐기고 있으므로 우아미가 드러나는 것이다.

1 **답** ②

○ 정답 풀이

[나]에는 자연에 동화되어 자연을 즐기는 화자의 모습이 제시되어 있을 뿐, 인생사의 고통이나 시련은 나타나 있지 않다.

✕ 오답 풀이

① [가]의 화자가 십 년이나 계획하여 지어 낸 것은 으리으리한 집이 아니라 소박한 초가삼간이며, 그것도 달과 청풍에게 한 칸씩 주는 모습에서 안빈낙도하는 화자의 태도를 알 수 있다.

③, ④ [다]의 화자는 가난한 처지이지만 자연의 아름다움을 맘껏 누리는 삶에 만족감을 나타내고 있다.

⑤ [라]는 인공적인 소재인 '짚방석(짚방석)'과 '솔불', 자연적인 소재인 '낙엽'과 '달'의 대조를 통해 자연 속에서 소박한 풍류를 즐기며 안빈낙도하는 화자의 모습을 그리고 있다.

2 **답** ①

○ 정답 풀이

[가]의 화자는 자연을 자신과 동일한 인격체로 대우하며 달과 청풍에 방을 한 칸씩 맡기겠다고 하였다. 그리고 ⓐ에서 강산을 들여놓을 곳이 없으니 주위에 둘러놓고 보겠다고 하였다. 이것은 자연의 아름다움에 몰입하여 자연과 하나가 되는 경지에 이른 화자의 만족감에서 비롯된 것이다. 따라서 ⓐ에는 자연을 곁에 두고 살아가는 화자의 만족감이 담겨 있다.

3 **답** ③

○ 정답 풀이

'나 ᄒ 간 ᄃᆞᆯ ᄒ 간에 청풍 ᄒ 간 맛져 두고'에는 자연과 하나가 되는 물아일체의 경지가 드러난다. 화자는 자연 친화적 삶을 소망하기 때문에 'ᄃᆞᆯ'과 '청풍'에게도 방을 내어 줌으로써 자연 속에서의 외로움을 달래고 있다는 설명은 적절하지 않다.

✕ 오답 풀이

① '십 년을 경영ᄒᆞ여'는 '십 년 동안 계획하여'의 의미이므로 자연에 은거하려는 마음을 오래 전부터 지녀 왔음을 짐작케 한다.

② '초려삼간'은 세 칸밖에 되지 않는 작은 초가라는 의미로 화자가 자

④ 'ᄃᆞᆯ'과 '청풍'에게 초려삼간을 각각 한 '간'씩 주겠다는 것에는 자연을 벗으로 삼아 살아가려는 화자의 자연 친화적인 태도가 담겨 있다고 할 수 있다.

⑤ '강산을 둘러 두고 보겠다'는 것은 '강산'을 '병풍'처럼 둘러 두겠다는 참신한 표현으로 자연에 인위적인 힘을 가하지 않고 자연 그대로를 즐기려는 화자의 마음이 담겨 있는 표현이라 할 수 있다.

4 **답** ③

○ 정답 풀이

[나]의 화자는 의연하고 영원한 자연을 마음껏 즐길 수 있다는 사실에 만족하고 있다. 그리고 자연 속에 묻혀 자연과 동화된 모습을 보이고 있다. [다]의 화자는 자연은 힘도 없고 가난한 자신도 즐길 수 있다며 자연 속에서 자연을 마음껏 즐기고 있다. 따라서 [나]와 [다]의 화자는 모두 자연을 아름다운 경치를 즐길 수 있는 만족스러운 공간으로 생각하고 있는 것이다.

5 **답** ④

○ 정답 풀이

㉠, ㉡, ㉢, ㉤은 모두 화자가 즐기고자 하는 것으로 순수한 자연과 관련된 시어들이다. 그러나 ㉣은 인공적인 요소로 화자가 거부하고 있는 것이라는 점에서 나머지와 함축적 의미에 차이가 있다.

04 **추강에 밤이 드니 ~ 외**

본문 64~65쪽

생생 Note

가
화자 가을밤의 정취를 즐기는 이
상황 가을 강에서의 낚시
주제 가을 달밤의 풍류와 정취
핵심 시어의 의미 욕심

나
화자 '나'(경치를 즐기는 이)
상황 지리산 양단수의 경치를 감상함
주제 지리산 양단수의 경치 예찬
핵심 시어의 의미 도화, 무릉
표현 문답법

다
화자 농촌에 사는 이
상황 가을 정취와 농촌 생활을 즐김
주제 농촌 생활의 풍요로움과 흥겨움
핵심 시어의 의미 대쵸, 밤, 게

라

화자 자연을 즐기는 이
상황 초가에서 거문고를 타며 풍류를 즐김
주제 자연에서 느끼는 한적한 정취
핵심 시어의 의미 자연
표현 의인법

내신 대비 특별 문제 ③

1 ④   **2** ①   **3** ④   **4** ④

내신 대비 특별 문제 🔷 답 ③

○ **정답 풀이**

[가]의 화자는 가을밤의 정취를 즐기며 유유자적한 삶을 살고 있고, [나]의 화자는 두류산 양단수의 경치를 예찬하며 자연 친화적인 태도를 보이고 있다. [다]에는 농촌에서 가을의 정취를 즐기는 화자의 만족감이 드러나 있으며, [라]에는 자연에 묻혀 풍류를 즐기는 화자의 유유자적한 모습이 드러나 있다. 이를 통해 [가]~[라]의 화자가 모두 현재 자신이 처한 상황에 만족하는 태도를 드러내고 있음을 알 수 있다.

✕ **오답 풀이**

① [가]와 [다]에만 해당하는 설명이다.
② [가]~[라] 모두 자신의 삶을 성찰하는 화자의 모습은 보이지 않는다.
④ [다]와 [라]에만 설의법이 사용되었다.
⑤ [가]와 [라]에 해당하는 설명이다.

1 🔷 답 ④

○ **정답 풀이**

[다]는 풍요로운 가을 정취를 감각적으로 묘사하여 농촌 생활의 흥겨움을 노래하고 있다.

✕ **오답 풀이**

① [가]의 화자는 빈 배에 무심한 달빛만 싣고 돌아오고 있는데, 이는 세속적 물욕과 명리를 초월한 모습이다.
② [가]는 가을 달밤에 배를 띄워 풍류를 즐기는 한가로운 삶의 모습을 마치 한 폭의 동양화처럼 제시하고 있다. 그리고 초장과 중장에 대구법이 사용되었다.
③ [나]는 두류산 양단수의 풍경을 이상향인 무릉도원에 빗대어 표현함으로써, 그 아름다운 경치에 감탄한 화자의 감흥을 부각하고 있다.
⑤ [라]에는 초가에서 한가로이 풍류를 즐기는 화자의 모습이 잘 나타나 있다.

2 🔷 답 ①

○ **정답 풀이**

[가]의 '무심훈 둘빗'은 세속적 물욕과 명리를 초월한 자연을 의미한다. 그리고 [나]의 '도화'와 '무릉'은 도교의 이상향인 무릉도원을 연상하게 하는 소재이다.

✕ **오답 풀이**

② [가]의 '낚시'는 화자의 여유로운 삶을 보여 주는 시어이며, [다]의 '밤'은 화자가 풍류를 즐길 수 있는 조건으로 풍요로운 가을의 정취를 보여 주는 소재이다.
③ [가]의 화자가 여유롭게 낚시를 하고 있는 '추강'은 [라]의 '초암'처럼 세속과 동떨어진 공간으로서의 자연을 의미한다.
④ [나]의 '산영'은 두류산의 그림자를 뜻하며, [다]의 '체 장ᄉᆞ'는 술을 거르는 체를 파는 장수를 뜻한다. 둘 다 화자가 부정적으로 보고 있는 대상이 아니다.
⑤ [라]의 '백운'은 화자의 거문고 소리에 조는 모습을 보이며 시적 화자와 물아일체된 모습을 보이는 대상이다. 그러나 [다]의 '게'는 풍요로운 가을의 정취를 보여 주는 시어로 화자와 교감이 이루어지고 있다고 보기는 어렵다.

3 🔷 답 ④

○ **정답 풀이**

[가]의 '뷘 빅'는 고기는 없고 무심한 달빛만 가득한 무욕의 공간으로, 여기에서는 물욕과 명리에서 벗어난 화자의 담담한 심경이 나타나 있다. 그리고 〈보기〉의 '뷘 빅'에서는 짝 잃은 갈매기처럼 혼자 지내야 하는 화자의 고독감이 나타난다.

✕ **오답 풀이**

① [가]에는 과거 회상의 내용이 드러나 있지 않고, 〈보기〉에는 자아 성찰의 모습이 드러나 있지 않다.
② ㉠과 ⓐ 모두 비어 있는 외양에서 파악되는 속성을 중시한 표현이라고 할 수 있다.
③ [가]의 ㉠과 〈보기〉의 ⓐ는 화자의 소극적이거나 적극적인 인식과는 관련이 없다.
⑤ [가]의 ㉠과 〈보기〉의 ⓐ는 화자의 마음을 짐작하게 하는 소재이다.

4 🔷 답 ④

○ **정답 풀이**

[다]는 풍요로운 가을 농촌의 흥겨움과 풍류를 노래한 작품이다. 이 작품은 관념적인 표현과 한자어를 배제하고 순우리말을 사용하여, 농촌의 가을 풍경을 사실적이고 구체적으로 묘사하고 있다.

✕ **오답 풀이**

① [나]는 두류산 양단수의 아름다움을 예찬하면서 자연에 귀의하여 은둔자로 살아가는 화자의 삶을 노래하고 있다.
② [나]는 종장에서 묻고 답하는 문답법을 활용하여, 무릉도원과도 같은 두류산 양단수의 아름다움에 취한 화자의 감흥을 부각하고 있다.
③ [나]는 이상향인 무릉도원에 빗대어 두류산 양단수의 아름다움을 강조하고 있다.
⑤ [다]는 '대쵸 → 밤 → 게'로 시선을 이동하며 시상을 전개해 가을 농촌의 풍요로운 모습을 효과적으로 형상화하고 있다.

05 이화우 흣쑤릴 제 ~ 외

본문 66~67쪽

 생생 Note

가
화자 '나'(임을 그리워하는 이)
상황 임과의 이별
주제 임을 그리는 마음
핵심 시어의 의미 이화우, 추풍낙엽

나
화자 '나'(임과의 이별을 안타까워하는 이)
상황 임에게 자신의 사랑을 전하려 함
주제 임에게 보내는 사랑
핵심 시어의 의미 묏버들
표현 도치법

다
화자 임을 기다리는 이
상황 임의 부재
주제 임을 향한 절실한 그리움
핵심 시어의 의미 동지ㅅ돌 기나긴 밤
표현 구체화

라
화자 임과 이별한 이
상황 임과의 이별
주제 임과 이별한 슬픔과 간절한 그리움
핵심 시어의 의미 소나무, 버들
표현 해학적

내신 대비 특별 문제 ②

1 ③　　　　**2** ④　　　　**3** ②

내신 대비 특별 문제　**답** ②

○정답 풀이
[다]는 '서리서리'와 '구뷔구뷔'와 같이 우리말의 묘미를 살린 음성 상징어를 사용하였고 [라] 역시 '흔덕흔덕', '흔들흔들', '후루룩 비쭉'과 같은 음성 상징어를 사용하였다.

✗오답 풀이
① [다]와 [라] 모두 임의 부재가 작품 창작의 계기가 되고 있으며, 화자는 임에 대한 그리움을 드러내고 있다.
③ [다]는 '밤'이라는 추상적 개념을 '버혀 낼' 수 있는 구체적 사물로 표현하고 있다.
④ [라]에는 화자가 임과 이별하고 슬퍼하며 눈물, 콧물을 흘리는 모습이 우스꽝스럽게 표현되어 있어 독자로 하여금 웃음을 자아내게 한다.
⑤ [라]에서 '재'는 '소나무', '개울'은 '버들'이 있는 공간이다. [다]의 '춘풍 니불 아릭'는 임이 오면 펴기 위해 '동지ㅅ돌 기나긴 밤'을 '서리서리' 넣어 놓은 공간이라는 의미를 지니므로 임이 오는 날에 대한 기대가 담겨 있다는 설명은 적절하다.

---

1 **답** ③
○정답 풀이
[나]에는 '보내노라 님의손딕'에 어순을 바꾸는 표현이 나타나 있지만 [라]에는 어순을 바꾸는 표현이 드러나지 않는다.

✗오답 풀이
① [가]~[다]는 모두 평시조로 4음보의 율격이 나타나고 있으며 이러한 음보율은 음악적 효과를 주어 노래로서의 특징을 드러낸다.
② [가]~[다]는 평시조의 기본 형식인 3장 6구의 정형적인 형식을 보여주고 있다. 또한 일정한 글자 수의 반복이 나타난다.
④ 음성 상징어는 주로 음절이나 단어가 반복되기 때문에 운율을 형성한다. [다]의 '서리서리', '구뷔구뷔', [라]의 '흔덕흔덕', '흔들흔들', '후루룩 비쭉'과 같이 음성 상징어를 사용하여 음악적 효과를 부각하고 있다.
⑤ [가]~[다]는 대구의 표현이 나타나지 않지만 [라]는 초장과 중장이 대구를 이루고 있으며 이를 통해 음악적 효과를 거두고 있다.

2 **답** ④
○정답 풀이
[나]의 '묏버들'은 화자가 임에게 바치는 사랑의 정표이자, 임을 그리워하는 화자의 분신이다. 그리고 〈보기〉의 '청광'은 화자가 임에게 바치는 사랑과 정성을 상징한다. 따라서 두 작품의 공통점은 대상(임)에 대한 정성과 사랑을 상징하는 소재를 통해 임을 그리워하는 화자의 심정을 나타내고 있다는 것이다.

✗오답 풀이
① 〈보기〉의 '둘'과 '별'은 임(임금)을 상징하는 자연물이지만, [나]에는 '임'을 빗대어 나타낸 자연물이 없다.
② [나]의 초장은 원래 '묏버들 갈히 것거 님의손딕 보내노라'의 문장 구조로, 도치법을 사용하여 임에 대한 화자의 마음을 효과적으로 드러내고 있다. 그러나 〈보기〉에는 도치법이 사용되지 않았다.
③, ⑤ [나]와 〈보기〉의 화자는 모두 임을 그리워하고 있지만, 부재하는 대상을 원망하고 있지 않다. 또한 자신이 처한 상황을 극복하고자 하는 강한 의지를 보이지도 않는다.

3 **답** ②
○정답 풀이
[다]는 임을 기다리는 마음을 참신한 발상을 통해 드러낸 시조로, 시상 전개에 긴장감을 부여하는 표현은 사용되지 않았다.

✗오답 풀이
① '서리서리 너헛다가'와 '구뷔구뷔 펴리라'에서 우리말의 묘미를 잘 살린 표현이 사용되었음을 확인할 수 있다.
③, ④ 추상적 개념인 시간을 구체적인 사물인 것처럼 표현하여 이불 아래에 넣었다가 임이 오는 날에 펴겠다는 데에서 화자의 그리움과 발상의 참신함을 확인할 수 있다.
⑤ '구뷔구뷔'는 의태어로, 임이 오시는 날에는 밤을 길게 하고 싶다는 의미로 사용한 표현이다. 이러한 표현에서 임과 오랫동안 정을 나누고 싶어 하는 화자의 심정을 확인할 수 있다.

06 호 손에 막디 잡고 ~ 외

본문 68~69쪽

생생 Note

가

화자 늙음을 막아 보려는 이
상황 늙음을 막으려 함
주제 늙음을 한탄함
핵심 시어의 의미 백발
표현 의인법

나

화자 (전쟁으로 헤어진) 동생들을 기다리는 이
상황 (전쟁 중에) 두 동생과 이별함
주제 헤어진 아우들을 그리워하는 심정
핵심 시어의 의미 석양 문외

다

화자 어버이를 여읜 이
상황 조홍감을 대접받음
주제 부모님에 대한 그리움
핵심 시어의 의미 조홍감

라

화자 '나'(시름에 빠진 이)
상황 시름에 빠져 있음
주제 노래를 통해 시름을 풀려고 함
핵심 시어의 의미 노래
표현 연쇄법

내신 대비 특별 문제 ⑤

1 ①　　**2** ⑤　　**3** ③

내신 대비 특별 문제　**답** ⑤

○정답 풀이

ⓔ '노래 삼긴 사람'은 시름을 풀기 위해 노래를 만든 사람이지만, 화자가 아니라 '노래를 처음 만든 사람'을 의미한다. 화자는 시름이 '진실로 풀릴 거시면은 나도 불러 보리라.'라고 하며 자신의 시름을 풀기 위한 장치로 노래를 선택하였을 뿐이다.

1 **답** ①

○정답 풀이

[가]는 두 손에 막대와 가시를 들고서라도 백발을 막아 보려고 했는데 백발이 먼저 알고 지름길로 와 버렸다는 내용으로, 인생의 유한함과 늙음의 서글픔을 여유롭게 받아들이는 달관의 경지를 보여 주고 있다. 〈보기〉는 봄 산의 눈을 녹이는 봄바람으로 백발을 불어서 날려 젊음을 찾고 싶다는 내용으로, 늙음에 대한 한탄 속에서도 인생을 달관하는 여유를 드러내고 있다. 따라서 ㉠의 내용은 적절하므로 ①과 같이 고칠 필요가 없다.

✕오답 풀이

② [가]에서는 '세월의 흐름과 늙음'이라는 추상적 대상을 '늙는 길'과 '오는 백발(白髮)'로 구체화하여 표현하고 있다.
③ [가]의 중장에서는 늙음을 막으려는 행동을 해학적으로 표현하고 있으므로 ㉢의 근거로 제시하는 것은 적절하다.
④ 〈보기〉의 화자는 '희묵은 서리'의 흰색 이미지가 자신의 백발을 연상시키는 것을 이용해 늙은 자신의 모습을 참신하게 표현하고 있다.
⑤ 〈보기〉에는 의인법을 통해 늙음을 피할 수 없음을 강조하는 표현이 사용되지 않았다. 그러나 [가]는 화자가 '백발(白髮)'을 막으려 했더니 먼저 알고 지름길로 왔다고 한 데서 의인법이 드러나므로 ㉤을 [가]에 대한 설명으로 옮기는 것은 적절하다.

2 **답** ⑤

○정답 풀이

[가]의 화자는 늙음 때문에, [나]의 화자는 헤어진 형제에 대한 그리움 때문에, [다]의 화자는 돌아가신 부모님에 대한 그리움 때문에, [라]의 화자는 삶의 시름 때문에 각각 안타까워하고 있다.

✕오답 풀이

① [가]는 한 손에 막대를 잡고 또 한 손에는 가시를 쥐고 늙음을 피하기 위해 늙는 길을 가시로 막고, 오는 백발을 막대로 치려 했다며 해학적으로 표현하고 있다.
② [나]의 화자는 '날마다 석양 문외에 한숨 겨워 하노라.'에서 헤어진 동생들에 대한 안타까움과 그리움을 직설적으로 표현하고 있다.
③ [다]의 화자는 소반에 놓인 붉은 감을 보고 떠올린 부모님에 대한 그리움을 표현하고 있다.
④ [라]의 화자는 노래를 통해 세상살이에서 오는 근심과 걱정을 풀고자 하고 있다.

3 **답** ③

○정답 풀이

'역설(逆說)'은 논리적으로 이치에 맞지 않는 말 속에 진리를 담아 표현하는 기법이다. [다]에 역설적 표현은 사용되지 않았다.

✕오답 풀이

① 중심 소재인 '조홍감'은 창작의 계기이자 정서 환기의 기능을 한다.
② 효 의식이 두드러지는 '유자(柚子)' 관련 고사를 인용하여 주제를 효과적으로 부각시키고 있다.
④ 부모님이 돌아가신 것을 안타까워하는 종장의 내용과 관련된 한자 성어는, '효도를 다하지 못한 채 어버이를 여읜 자식의 슬픔을 이르는 말'인 '풍수지탄'이다.
⑤ 돌아가신 부모님을 그리워하는 화자의 모습을 통해 부모님 생전에 효도를 다하자는 교훈을 독자에게 줄 수 있다.

두터비 푸리를 물고 ~ 외

 생생 Note

가
화자 두꺼비를 바라보는 이 → 두꺼비
상황 두꺼비가 두엄 아래로 떨어지고 허세를 부림
주제 탐관오리의 횡포와 허장성세(虛張聲勢) 풍자
핵심 시어의 의미 두터비, 푸리, 백송골
표현 의인법

나
화자 잠자리를 잡는 아이들을 바라보는 이
상황 아이들이 거짓말로 잠자리를 잡으려 함
주제 약육강식의 세태 풍자
핵심 시어의 의미 붉가숭이, 붉가숭아
표현 풍자적

다
화자 게젓 장수를 바라보는 이
상황 게젓 장수의 현학적 태도를 봄
주제 현학적 태도 풍자
핵심 시어의 의미 쟝사
표현 대화체

내신 대비 특별 문제 ⑤

1 ③   **2** ②   **3** ⑤

내신 대비 특별 문제 답 ⑤

⊙정답풀이
[가]~[다]의 '두터비', '붉가숭이', '쟝사'는 풍자의 대상이라는 점에서는 공통적이나, '두터비'가 가해자, '붉가숭이'가 가해자이면서 피해자인 것과 달리 '쟝사'는 가해자나 피해자로 구분할 수 없다는 점에서 차이가 있다.

✗오답풀이
① [가]에서는 약자에게는 강하면서도 강자에게는 비굴한 모습을 보이는 '두터비'라는 부정적 대상을 희화화하여 풍자하고 있다.
② [나]의 화자는 '붉가버슨 아해(兒孩)ㅣ들'이 '붉가숭애(붉가숭이)'를 모해하는 상황을 통해 서로를 모해하는 세태를 개탄하고 있다.
③ [다]에서 쉬운 우리말을 두고 어려운 한자어를 쓰며 현학적 언행을 하는 게젓 장수에 대한 풍자는 비실용적이고 비현실적인 허위의식을 비판하는 것으로 볼 수 있다.
④ [가]에서는 약자를 수탈하는 강자를 풍자하고 있고, [다]에서는 현학적 언행을 풍자하고 있다. 이처럼 [가]와 [다]는 모두 대상에 대해 풍자적인 태도를 드러내고 있는데, 이러한 태도는 일반 민중들의 비판 의식이 성장한 것과 관련이 있다고 할 수 있다.

1 답 ③

⊙정답풀이
[가]의 중장부터 화자가 '두터비'로 바뀐다고 가정한다면 중장은 '두터비'가 '백송골'을 보고 나타낸 행동 즉 펄쩍 뛰어 내닫

다가 두엄 아래 자빠진 체험과 가슴이 섬뜩하였다는 심리를 직접적으로 드러낸 것이라 볼 수 있다.

✗오답풀이
① '백송골'이 '두터비'의 우위에 있는 관계는 바뀌지 않는다.
② [가]에는 '백송골'과 '두터비' 사이의 갈등의 원인이 다각적으로 나타나지 않는다.
④, ⑤ 종장에는 자신의 행동에 대한 '두터비'의 자기 합리화가 나타난다. 이를 부정적인 상황에 맞서려는 의지나 반성적 성찰로 볼 수 없다.

2 답 ②

⊙정답풀이
[나]의 중장에서 '붉가숭아'는 '붉가버슨 아해'가 잡으려 하는 잠자리를 의미한다. 즉, '붉가숭아'는 속아 넘어가는 자, 모해를 당하는 자에 해당한다. 또한 '붉가버슨 아해', '붉가숭이'는 속이는 자, 모해를 하는 자로 볼 수 있다.

✗오답풀이
① 초장의 '붉가버슨 아해'와 중장의 '붉가숭이'는 모해하는 말로 잠자리를 잡으려는 아이들이다.
③ 중장의 '붉가숭아'는 귀가 솔깃하도록 남의 비위를 맞추거나 이로운 조건을 내세워 꾀는 말을 뜻하는 '감언이설'에 속으면 아이들에게 잡힐 수 있다.
④ 이리 오면 산다는 '붉가버슨 아해'의 말은 잠자리를 잡기 위해 본심을 숨긴 말이다. 따라서 이에 대해 입에는 꿀이 있고 배 속에는 칼이 있다는 뜻의 '구밀복검'이라고 비판할 수 있다.
⑤ '세상일이 다 이러호가 ㅎ노라.'는 약육강식의 세태에 대한 화자의 깨달음과 개탄을 나타내는 것이다. 이를 통해 각박한 세태에 대한 작가의 비판적 인식을 확인할 수 있다.

3 답 ⑤

⊙정답풀이
[다]의 화자는 게젓 장수가 쓸데없이 한자어를 사용하면서 양반의 현학적인 말투를 흉내 내고 있는 것을 풍자하며 비판하고 있다. ⓔ는 알아듣기 쉬운 우리말을 두고 어려운 한자어를 사용하는 장수의 행동을 풍자하고 비판하는 말일 뿐, 장수의 실수를 바로잡아 주는 말은 아니다.

✗오답풀이
① '두험'은 '풀, 짚 또는 가축의 배설물 따위를 썩힌 거름'으로, 두꺼비는 파리를 문 채 쌓여 있는 이것 위에 뛰어 올라가 앉아 있다. 이로 볼 때, '두험'은 부정부패가 만연한 사회나, 관리가 부정한 방법으로 백성들에게 수탈하여 쌓아 둔 재물을 의미하는 것이라고 할 수 있다.
② ⓑ는 파리를 물고 있던 두꺼비가 백송골을 보고 놀라는 부분이다. 파리는 힘없는 백성을 의미하고, 그러한 파리를 괴롭히는 두꺼비는 탐관오리를 의미한다고 할 수 있다. 그런데 그러한 두꺼비가 백송골을 보고 놀라고 있으므로 백송골은 두꺼비보다 힘이 더 센 고위 관리나 외세를 의미한다고 볼 수 있다.
③ '두터비'는 백송골을 보고 지레 놀란 나머지 두엄 아래로 자빠졌다. 그런데도 '날랜 자신이라서 재빨리 피했다.'며 자신의 실수를 합리화하는 허세를 부리고 있다.

④ '장사'는 쉬운 우리말을 두고 어려운 한자어를 사용하여 게젓을 설명하는 것으로 보아 현학적인 태도를 지니고 있음을 알 수 있다.

08 귓도리 져 귓도리 ~ 외

본문 72~73쪽

 생생 Note

가
화자 '나'(잠 못 드는 여인)
상황 임의 부재
주제 임을 그리는 외로운 여인의 마음
핵심 시어의 의미 귓도리, 동병상련
표현 반복법

나
화자 '나'(임을 기다리는 여인)
상황 임이 부재한 상황에서 삼 줄기를 임으로 착각함
주제 임을 기다리는 애타는 마음
핵심 시어의 의미 주추리 삼대
표현 음성 상징어

다
화자 '나'(임과 이별한 이)
상황 임과의 이별
주제 임을 여읜 참담함
핵심 시어의 의미 가토릭, 도사공
표현 과장법

내신 대비 특별 문제 ④

| 1 ⑤ | 2 ③ | 3 ⑤ | 4 ⑤ |

내신 대비 특별 문제 **답** ④

 정답 풀이

[가]는 임을 그리워하며 잠 못 드는 여인의 외로운 마음을 노래한 시조이고, [나]는 삼 줄기를 임으로 착각할 정도로 임에 대한 간절한 그리움을 노래하고 있는 시조이다. [다]는 임과 이별한 화자가 자신의 참담한 심정을 까투리와 도사공의 마음과 비교하여 임에 대한 간절한 그리움을 드러내고 있다. 따라서 [가]~[다]의 공통점으로 적절한 것은 ④이다.

오답 풀이

① [가]에만 해당하는 설명이다. [가]의 화자는 '귓도리'에 외로운 마음을 감정 이입하여 표현하였다.
② [가]~[다]의 화자가 상황에 대해 운명론적 체념을 드러내고 있지는 않다.
③ [나]와 [다]에 해당하는 설명이다. [가]에는 반어법이 사용되었을 뿐, 과장된 표현은 사용되지 않았다.
⑤ [가]~[다]의 화자 모두 임과의 재회에 대해 의지적 태도를 드러내고 있는 것은 아니다.

1 답 ⑤

정답 풀이

[가]~[다]에는 임의 부재에 대한 화자의 안타까운 마음이 공통적으로 드러나 있을 뿐, 불평등한 남녀 관계에 대한 화자의 불만이 직접적으로 드러나 있는 것은 아니다.

오답 풀이

① [가]의 '여읜 잠을 살드리도 깨오는고나.', '무인동방(無人洞房)'을 통해 고독한 상황에서 잠을 이루지 못하고 있는 화자의 모습을 확인할 수 있다.
② [나]에는 임을 마중 나가 기다리는 화자의 간절한 마음이 진솔하게 드러나 있고, 삼대 줄기에 속아 그것이 임인 줄 알고 달려가는 화자의 과장된 모습에서 해학미가 느껴지고 있다. [나]는 이와 같은 진솔함과 해학미가 적절하게 어우러져 높은 문학적 성과를 거두고 있는 작품이다.
③ [나]의 '보션 버서 품에 품고 신 버서 손에 쥐고 ~ 즌 듸 무른 듸 굴희지 말고 워렁충창 건너가셔'에서 임을 빨리 만나고 싶어 하는 화자의 마음이 과장된 행동을 통해 해학적으로 표현되고 있다.
④ [다]는 임을 여읜 화자의 마음을 '가토릭', '도사공'과 비교하여 그 절박함을 드러내고 있다. 특히 중장에서 도사공의 절박한 심정이 열거ᆞ과장되어 화자의 절박한 심정을 강조하고 있다.

2 답 ③

정답 풀이

ⓐ는 무인동방하는 화자의 심정을 알아 주는 소재로, 화자와 동병상련의 관계에 있으며 화자의 외로운 심정이 감정 이입된 대상이다. 그러나 ③의 'ㅂ람'은 화자가 기다리는 임이 온 것으로 착각하게 만드는 대상으로, 화자의 기다림과 그리움을 드러나게 하는 소재이다.

오답 풀이

① '실솔(귀뚜라미)'은 임을 그리워하는 화자의 감정이 이입된 대상이자, 화자의 마음을 임에게 전해 주는 역할을 한다.
② '북해청소'에 있지 못하고 앞 못에 있는 '고기'는 궁궐에서 벗어나지 못하는 화자와 같은 처지에 놓여 있다. 즉, '고기'는 현재의 처지에서 벗어나고 싶어 하는 화자의 감정이 이입된 대상이다.
④ 피나게 우는 '접동'은 임과 이별한 화자의 슬픈 감정이 이입된 대상이다.
⑤ 슬피 울며 흘러가는 '여흘(여울물)'은 임(단종)과 이별한 화자의 슬픈 감정이 이입된 대상이자, 화자와 임을 연결해 주는 역할을 한다.

3 답 ⑤

정답 풀이

[다]의 '가토릭'와 '도사공'은 임을 여읜 화자의 마음을 비교하기 위해 설정된 대상으로, 셋 중에 엊그제 임과 이별한 화자 자신의 마음이 가장 참담함을 강조하고 있다. 하지만 '가토릭'와 '도사공'은 비교 대상일 뿐, 그 대상들에 화자의 심리가 이입되었다고 보는 것은 적절하지 않다.

4 답 ⑤

○**정답 풀이**

[나]의 중장에서는 임을 간절히 기다리는데도 임이 오지 않는 슬픈 상황에서 화자의 행동을 과장을 통한 해학으로 표현하는 모습을 확인할 수 있다. 그러나 [가]의 화자는 자연물인 귀뚜라미의 소리에 자신의 외로운 심정을 의탁해서 표현하고 있을 뿐, 해학적 모습은 보이지 않는다.

✗**오답 풀이**

① [가]~[다] 모두 시조의 3장 형식과 종장 첫 3음절만 지키면서, 2구 이상 길어져 장형화되고 있다. 특히 [가]의 중장, [나]의 중장, [다]의 중장에서 그 형태가 두드러지게 나타난다.

② [나]의 중장에서는 임을 기다리는 화자의 모습과 삼 줄기를 임인 줄 알고 황급히 달려가는 화자의 행동을 일상어를 사용하여 과장되게 묘사하고 있다. 그리고 [다]의 중장에서는 설상가상의 처지에 처한 도사공의 절박한 상황을 직설적 표현을 통해 과장되게 묘사하고 있다.

③ [가]의 화자는 자신이 외로운 심정이기에 귀뚜라미의 소리도 자신처럼 슬픈 울음인 것으로 표현하고 있다. 이는 인간 본위로 자연물을 바라보는 사설시조의 특징에 해당한다.

④ [가]에는 독수공방하는 화자의 처지가, [나]에는 임을 애타게 기다리는 화자의 처지가, [다]에는 임을 여읜 화자의 처지가 나타나므로 세 작품 모두 임의 부재를 소재로 삼고 있음을 알 수 있다. 사랑하는 사람과의 이별은 인간이 현실의 삶을 살아가면서 생기는 문제 상황으로 볼 수 있으며, 이런 상황에서 나타나는 자연스러운 정서가 [가]~[다]에서 드러나고 있다.

---

09 창 내고쟈 창을 내고쟈 ~ 외

본문 74~75쪽

생생 Note

가
화자 '나'(가슴이 답답한 민중)
상황 현실적 고통으로 인해 답답해함
주제 삶의 답답함으로부터 벗어나고 싶은 소망
핵심 시어의 의미 창
표현 반복법

나
화자 '나'(임을 기다리는 이)
상황 오지 않는 임을 기다림
주제 임을 기다리는 안타까운 마음
핵심 시어의 의미 성, 담, 집, 두지, 궤, 쌍비목 외걸새, 용거북 ㅈ물쇠
표현 연쇄법

다
화자 어느 며느리
상황 어려운 시집살이
주제 시댁 식구들에 대한 원망
핵심 시어의 의미 돌피, 멋곳
표현 직유법

내신 대비 특별 문제 ③

1 ②　　　 2 ①　　　 3 ②　　　 4 ③

내신 대비 특별 문제 답 ③

○**정답 풀이**

[가]의 화자는 삶의 답답함으로부터 벗어나고 싶어 가슴에 창을 내겠다고 하였고, [나]는 오지 않는 임을 기다리는 안타까운 마음을 노래하고 있는 작품이다. 그리고 [다]의 화자는 시집 식구들에 대한 원망을 드러내며 시집살이의 고충을 노래하고 있다. 즉, [가]~[다]의 화자들은 모두 현재 자신이 처한 상황에 대해 불만족스러워하고 있는 것이다.

1 답 ②

○**정답 풀이**

[나]에는 오지 않는 임에 대한 원망이, [다]에는 화자에게 혹독한 시집살이를 시키는 시댁 식구들에 대한 원망이 드러나 있다. 그러나 [가]에는 삶에 대한 답답함만이 드러나 있을 뿐, 특정 대상에 대한 원망이 나타나 있지 않다.

✗**오답 풀이**

① [나]의 화자는 오지 않는 임 때문에, [다]의 화자는 혹독한 시집살이 때문에 고뇌하고 있다. 그러나 [가]에는 화자가 답답함을 느끼는 원인이 구체적으로 드러나지 않았다.

③ [나]에는 화자가 임이 오지 못하는 이유를 추측하여 연쇄법을 사용해 해학적으로 표현하였으나, [가]와 [다]에는 연쇄적 표현이 사용되지 않았다.

④ [다]의 화자는 '싀어마님'을 대상으로 하여 혹독한 시집살이에 대해 적극적으로 항변하며 억울함을 호소하고 있다. 그러나 [가]와 [나]에서는 부정적 대상을 향해 적극적으로 항변하는 내용을 찾아볼 수 없다.

⑤ [가]는 장지문과 각종 부속품의 종류를 나열하여, [나]는 '두지, 궤, 쌍비목 외걸새, 용거북 ㅈ물쇠' 등의 소재를 열거하여, [다]는 '휘초리, 횃동, 송곳' 등의 일상적 소재를 사용하여 화자가 느끼는 감정을 진솔하게 노래하고 있다.

2 답 ①

○**정답 풀이**

[가]와 [나]는 모두 시어와 시구의 반복을 통해 운율을 형성하고 있으므로, ①은 [가]에서 변경된 내용으로 보기에 적절하지 않다.

✗**오답 풀이**

②, ③, ④ [나]의 중장은 '성'부터 '궤'까지 임을 오지 못하게 하는 것으로 추측되는 소재(장애물)를 연쇄법을 사용해 나열하며 임을 기다리는 안타까운 마음을 드러내고 있다.

⑤ [나]는 '오던다, 업스랴'의 의문형 어미를 통해 오지 않는 임에 대한 화자의 원망감을 드러내고 있다.

3 답 ②

○정답 풀이
조선 후기에 사설시조가 등장한 것은 맞지만 기존의 형식에서 변화가 이루어진 것이지 기존의 형식이 사라졌다고 볼 수 없다.

✘오답 풀이
① 평시조와 사설시조는 향유 계층과 함께 담아내고자 하는 내용이 달라지면서 표현에도 변화가 생긴 것이라 이해할 수 있다.
③ [나]의 중장 부분은 평시조와 비교하여 6구 이상이 늘어난 형식을 보여 주고 있다.
④, ⑤ [나]는 '두지', '궤', '쌍빈목 외걸새', '용거북 ᄌ물쇠' 등 일상생활의 사물들을 열거하며 임이 오지 못하는 이유를 과장하여 표현하면서 화자 자신의 답답한 마음을 생생하게 드러내고 있다.

4 답 ③
○정답 풀이
[다]는 시댁 식구들의 성격과 모습을 일상적인 소재에 비유하여 드러냄으로써 시집살이의 고달픔을 노래하고 있는 시조이다. 그러나 [다]에서 시댁 식구들의 도덕적 결함을 신랄하게 비판하고 있는 것은 아니다.

✘오답 풀이
① 화자는 초장에서 '싀어마님 며ᄂ라기 낫바 벽 바흘 구루지 마오.'라며 시어머님에 대한 원망을 직접적으로 드러내고 있다.
② '건 밧틔 멋곳 ᄀ튼 며느리(기름진 밭에 메꽃 같은 며느리)'라는 비유적 표현으로 화자 자신에 대한 자부심을 드러내고 있다.
④ 회초리, 쇠똥, 송곳, 오이꽃 등 일상적인 소재에 시댁 식구들의 성격과 모습을 비유하고 있다.
⑤ 특히 중장에서 시댁 식구들의 성격과 모습을 비유와 열거를 사용해 해학적으로 제시하고 있는데, 이는 웃음으로 시집살이의 고달픔을 극복하려는 모습이다.

10 율리유곡

본문 76~77쪽

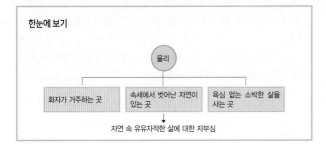

한눈에 보기

율리
├ 화자가 거주하는 곳
├ 속세에서 벗어난 자연이 있는 곳
└ 욕심 없는 소박한 삶을 사는 곳

↓

자연 속 유유자적한 삶에 대한 자부심

생생 Note

화자 관직에서 물러나 고향에 돌아온 '나'
상황 밤마을(율리)에서 유유자적한 삶을 살아가고 있음
주제 자연 속에서 유유자적하며 풍류를 즐기는 삶에 대한 만족감
핵심 시어의 의미 ① 자연 ② 공명, 만호후
표현 ① 대조적 ② 설의적 ③ 일상적

내신 대비 특별 문제 답 ③
○정답 풀이
부름의 형식은 〈제6곡〉 '저 백구야'에 나타나는데 '백구'는 세속적 욕망을 드러내는 존재로 화자와 대조적인 성격을 지닌다. 따라서 대상과의 친근감을 드러내고 있는 것은 아니다.

✘오답 풀이
① 〈제6곡〉 '백구'를 구체적 청자로 설정하여 의인화하였으며, 〈제11곡〉 '대 막대'를 '너'로 칭하며 의인화하여 '신의'가 있는 존재로 표현하고 있다.
② 〈제1곡〉의 '그와 내가 다르랴'를 통해 화자와 도연명이 자연 생활에 대한 자부심이 동일함을 강조하고 있다.
④ '백구'는 '고기'를 엿보는 '군마음'을 가지고 있는 대상으로, 속세를 거부하며 자연을 즐기는 화자와 대조를 이루는 대상이다.
⑤ '공명, 부귀, 삼공, 시끄런 문서' 등과 같이 자연과 대립되는 시어를 사용하여 자연 속 공간을 강조하고 있다.

1 답 ③
○정답 풀이
〈제6곡〉에서 '고기 엿보기'의 주체는 화자와 대조적인 '백구'이며, '고기 엿보기'는 세속적 욕망을 추구하는 삶을 나타낸 것이다. 따라서 화자의 소박하고 유유자적한 삶을 나타낸 것이라는 설명은 적절하지 않다.

2 답 ④
○정답 풀이
[A]에는 '대 막대'의 쓰임이 달라진 상황이 나타나 있다. 즉 화자가 어릴 적 '대 막대'는 놀잇감이었지만 현재의 '대 막대'는 화자를 세우고 다니는 지팡이 역할을 해 준다. 이를 통해 세월의 흐름을 확인할 수 있다.

✘오답 풀이
① [A]의 초장에는 '대 막대'를 보는 반가움이 나타나 있으며, 이를 설의적 표현이 아니라 감탄형 어미를 통해 영탄적으로 표현하였다.
② [A]에는 '대 막대'와 관련된 화자의 행위들이 나타나 있지만 무력감이 아니라 대상에 대한 감회를 표현하고 있다.
③ '대 막대'의 쓰임이 달라졌지만 이로 인해 인생무상의 정서를 느끼는 것은 아니다. 오히려 유신한 '대 막대'에 대한 예찬적 태도가 나타나 있다.
⑤ '아이 적에', '다니더니'와 '이제란'과 같이 시간을 알 수 있는 표현이 나타나 있지만 '대 막대'에 대한 화자의 원망은 나타나지 않는다.

3 답 ④
○정답 풀이
㉠의 '백구'는 화자와 대조되는 대상으로 세속적 욕망을 추구하는 존재이다. 따라서 화자가 비판적으로 바라보는 대상으

로 볼 수 있다. 이와 달리 ⓒ의 '대 막대'는 화자가 어릴 적에
는 놀잇감으로, 현재는 지팡이로 함께하기에 신의를 지킨다
는 점에서 예찬의 대상이다.

✘ 오답 풀이
① ㉠은 화자와 대조되는 대상이다.
② 과거 관직 생활을 했던 화자의 상황을 '매인 새'에 빗댄 것이므로 ⓒ
이 현재 화자의 처지를 빗댄 대상이라는 설명은 적절하지 않다.
③ ㉠과 ⓒ은 모두 화자가 부정적으로 여기는 대상이라는 점에서 적절
하지 않다.
⑤ 화자가 친밀감 있게 여기는 대상은 ⓒ이 아니라 ⓒ이다.

4 답 ②

● 정답 풀이
〈제2곡〉에는 '공명'과 '부귀', '번우한 일'로 표현된 속세를 멀
리하려는 화자의 태도가 나타나 있다. 이를 통해 '남이 아니
잊으랴'에는 남들로부터 소외당했다는 정서가 아닌 속세와 단
절하려는 화자의 의지로 보는 것이 적절하다.

11 도산십이곡

본문 78~79쪽

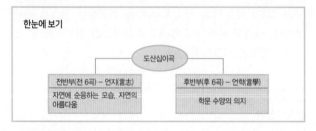

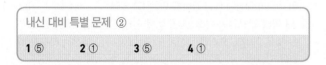

내신 대비 특별 문제 ②

1 ⑤   2 ①   3 ⑤   4 ①

내신 대비 특별 문제 답 ②

● 정답 풀이
[마]에서는 학문의 길을 버려 두고 벼슬길에 있었던 것에 대
한 화자의 후회와 반성의 태도는 드러나지만, 화자가 절망의
감정에 빠져 있는 것은 아니다. 오히려 화자는 과거를 반성함
으로써 학문에의 의지를 다지고 있다.

1 답 ⑤

● 정답 풀이
이 작품에 시각적 이미지를 사용한 부분은 있지만 공감각적
이미지를 활용한 부분은 없다.

✘ 오답 풀이
① [라]에서는 앞 구절의 끝 어구를 다음 구절의 앞 어구에 이어받아 쓰
는 연쇄법을 사용하여 옛 성현의 가르침을 본받고 살겠다는 화자의
다짐을 부각하고 있다.
② [가]에서 화자는 'ㅎ 몰며 천석고황(泉石膏肓)을 고텨 므슴ㅎ료.'라고
하며 설의법을 사용해 자연에 묻혀 사는 자신의 삶에 대한 자부심
을 드러내고 있다.
③ [바]의 초장과 중장에는 대구법이 사용되었다. 이것을 통해 화자는
영원하고 변함없는 자연에 대한 예찬적 태도를 드러내고 있다.
④ [가]는 초, 중, 종장이 모두 '엇더ㅎ료', '므슴ㅎ료'로 끝나고 있다. 이
처럼 '-ㅎ료'라는 동일한 글자를 규칙적으로 사용함으로써 이 작품
은 운율감이 느껴진다.

2 답 ①

● 정답 풀이
ⓒ~ⓜ은 학문 수양과 관련 있는 시어이나, ㉠의 '천석고황(泉
石膏肓)'은 자연을 사랑하는 마음을 표현한 말이다.

3 답 ⑤

● 정답 풀이
[바]의 '청산'과 '유수'는 자연의 영원성을 상징하며 화자가 닮
고 싶은 존재이나, 인간의 무상감을 부각시키고 있지는 않다.

✘ 오답 풀이
① '이런돌 엇더ㅎ며 뎌런돌 엇더ㅎ료'는 '이런들 어떠하며 저런들 어
떠하겠는가?'라는 뜻이다. 여기에는 자연에 묻혀 지내는 화자의 달
관적 삶의 태도가 드러난다.
② [나]의 '병(病)'은 자연을 사랑하는 마음이 병처럼 깊다는 의미의 '천
석고황'과 같은 의미이다.
③ [라]의 '고인(古人)'은 '학문적 업적이 높은 성현'을 의미하는 시어
이다. 화자가 그들의 가르침을 본받겠다는 의지를 드러내고 있다는
점에서 '고인'은 화자가 추구하고자 하는 이상적 인물상임을 알 수
있다.
④ '이제야 도라온고'에는 지난날 벼슬살이를 하며 자기 수양과 학문
도야에 소홀했던 자신의 과거를 반성하는 화자의 태도가 드러나 있
다.

4 답 ①

● 정답 풀이
〈도산십이곡〉은 한 개인으로서 자연과 벗하여 살고 싶은 소
망이 드러나 있다. 〈보기〉는 '전원의 즐거움을 얻게 되면~농
사짓는 늙은이가 되리라.'에서 전원의 고향에서 즐거운 삶을
누리고자 하는 화자의 소망을 확인할 수 있다.

✘ 오답 풀이
② 두 작품 모두 자연에서 지내는 삶을 살고자 하는 소망이 드러나 있

는데 이는 지배층의 핍박으로부터 도피하기 위한 것이 아니라 자연에서 사는 삶이 즐거워서이다. 또한 두 작품 모두 은둔의 삶을 제시하는 것이 아니라 자연에서 한가로운 삶을 살고자 하는 소망이 나타나 있다.

③ 〈도산십이곡〉의 화자는 자연에서의 삶에 만족감을 느끼고 있으며 계속해서 이런 삶을 살아가기를 소망하고 있다. 〈보기〉의 화자는 이미 부친에게서 별장을 물려받았으며 자연 속에 위치한 집에서 전원의 즐거움을 얻게 되기를 바라고 있다. 따라서 두 작품 모두 불우한 처지에서 점진적으로 벗어날 수 있으리라는 낙관적 태도를 보여 주고 있다는 설명은 적절하지 않다.

④ 〈도산십이곡〉의 화자는 자연 속에서 느끼는 만족감을 노래하고 있지만 이를 위해 삶의 물질적 여건이 필요함을 드러내고 있지 않다. 또한 〈보기〉에서 별장을 물려받은 것은 자연의 즐거움을 누릴 수 있게 된 계기가 되는 것이지 이를 통해 삶의 물질적 여건의 필요성을 강조한 것으로 보기는 어렵다.

⑤ 〈도산십이곡〉의 화자는 속세가 아니라 자연 속에 있으며 〈보기〉의 화자는 현재 속세에 살고 있으며, 고향으로 돌아가 농사지으며 살기를 소망하고 있다.

(12) 고산구곡가

본문 80~81쪽

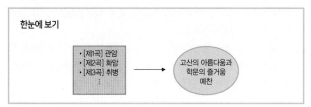

한눈에 보기

- [제1곡] 관암
- [제2곡] 화암
- [제3곡] 취병
  ⋮

→ 고산의 아름다움과 학문의 즐거움 예찬

생생 Note

화자 자연 속에서 학문을 하는 선비
상황 자연 속에서의 생활
주제 고산의 아름다움과 학문의 즐거움
핵심 시어의 의미 학주자
표현 공간 이동

내신 대비 특별 문제 ②

1 ②   **2** ③   **3** ③

내신 대비 특별 문제 **답** ②

○ 정답 풀이
'고산 구곡'은 화자가 현재 위치하고 있는 현실적 공간이며, '평무, 벽파, 꽃, 녹수, 산조' 등의 자연물을 통해 화자의 자연 친화적 태도가 드러나고 있다. 따라서 자연이 비현실적 대상이라는 ②의 설명은 적절하지 않다.

1 **답** ②

○ 정답 풀이
[나]는 '관암'의 아침 경치와 풍경을 즐기는 화자의 모습이 제시되어 있다. [나]에서 화자는 해가 비친 '관암'의 경치가 그림같이 아름답다고 감탄하며 그 경치를 '벗 온 양', 즉 '벗이 찾아온 것처럼' 본다고 하고 있다. 따라서 [나]는 '관암'의 아침 경치만 제시되었을 뿐 하루의 시간적 흐름은 드러나지 않으며, 화자가 실제로 '벗'과 함께 경치를 감상하고 있지도 않다.

✗ 오답 풀이
① [가]의 '학주자'는 '주자의 학문을 공부한다.'는 의미로, 고산 구곡담에 살면서 학문에 정진하려는 화자의 모습이 제시되어 있다. 따라서 '학주자'를 통해 화자가 자연 속에서 살아가는 삶은 학문과 연관되어 있음을 알 수 있다.
③ [다]의 '벽파에 곳츨 씌워 야외에 보내노라.'는 '푸른 물결에 꽃을 띄워 멀리 들판으로 보내노라.'라는 의미로, 시각적 이미지를 활용하여 '화암'의 늦봄 경치를 노래하고 있다. 따라서 감각적 이미지를 활용하여 계절에 따른 자연의 아름다움을 느낄 수 있다는 설명은 적절하다.
④ [라]의 '녹수'는 '푸른 나무', '취병'은 '비취색의 병풍같은 절벽'이라는 뜻이다. 따라서 '취병'이라는 지명은 '녹수'가 많아 절벽이 푸르게 보이는 지역의 특성과 관련되어 있음을 알 수 있다.
⑤ [마]에서 화자는 달이 밝게 뜬 '금탄'에서 '옥진금휘로 수삼곡(數三曲)을 연주하'며 자연을 즐기고 있다. 따라서 자연 속에서 음악과 어우러져 풍류를 즐기는 화자의 운치 있는 모습이 드러난다는 설명은 적절하다.

2 **답** ③

○ 정답 풀이
[가]의 '살름'은 고산 구곡담의 아름다움을 모르는 사람들이고, '벗님네'는 시적 화자를 찾아오는 후학들을 의미한다. [다]의 '살름'은 경치 좋은 곳을 모르는 사람들이나, [라]의 '산조(山鳥)'는 자연의 흥취를 더하는 자연물이다. 따라서 ③은 적절하지 않은 설명이다.

✗ 오답 풀이
① [가]는 고산에 집을 짓고 주자학을 연구한다는 내용으로 이 작품 전체의 내용을 집약적으로 서술하고 있다.
② [가]의 초장에 나오는 '고산 구곡담(高山九曲潭)'은 이 작품 전체의 시적 대상이자 작품의 공간적 배경이다.
④ 제1곡은 '관암', 제2곡은 '화암', 제3곡은 '취병'이 제재가 되어 시상이 전개되고 있다. 즉, [나]~[라]는 공간의 이동에 따라 내용이 전개되고 있는 것이다.
⑤ [나]~[라]에서 화자는 관암과 화암, 취병의 아름다움과 그곳에서의 풍류를 노래하고, 아름다운 경치를 사람들에게 알리려 한다. 이로 보아 화자는 자연에 대한 예찬적 태도를 가지고 있음을 알 수 있다.

3 **답** ③

○ 정답 풀이
㉠과 ㉡은 중의법이 사용된 시어들이다. ㉠은 '지명'과 '갓(冠)같이 생긴 바위'라는 두 개의 의미를 가지고 있고, ㉡도 '지명'

과 '꽃바위'라는 두 개의 의미를 가지고 있다. ③의 '나믄 히'도 '하루 중의 나머지 시간'과 '여생'이라는 두 개의 의미로 해석되므로 중의법이 사용된 시어이다.

✗오답 풀이

① '가마귀'는 조선의 개국 공신을 의미하는 것으로, '백로'와 대조되는 상징적 시어이다.
② '촛(燭)불'은 임과 이별하여 슬퍼하는 화자의 감정이 이입된 시어로, 감정 이입의 표현이 사용되었다.
④ '정좌수(鄭座首)'는 화자 자신을 이르는 시어로, 특별한 표현법과는 관련이 없다.
⑤ '청산(靑山)'은 자연을 의미하는 시어로, '녹수(綠水)'와 대구를 이룬다.

13 입암이십구곡

본문 82~83쪽

한눈에 보기

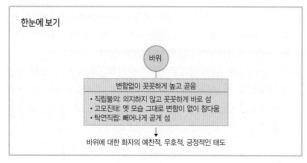

바위

변함없이 꼿꼿하게 높고 곧음

• 직립불의: 의지하지 않고 꼿꼿하게 바로 섬
• 고모진태: 옛 모습 그대로 변함이 없이 참다움
• 탁연직립: 빼어나게 곧게 섬

바위에 대한 화자의 예찬적, 우호적, 긍정적인 태도

생생 Note

화자 〈제1곡〉~〈제5곡〉: 바위의 속성을 본받고 싶은 화자, 〈제6곡〉: 자연에서 살겠다는 의지를 드러내는 '바위'
상황 자연 속에서 바위를 벗 삼아 생활함
주제 곧고 변함없는 바위를 예찬함
핵심 시어의 의미 ① 바위 ② 탁연직립, 왕기순인
표현 ① 대조 ② 의인화 ③ 대화

내신 대비 특별 문제 ⑤

| **1** ② | **2** ① | **3** ③ | **4** ③ |

내신 대비 특별 문제 답 ⑤

○정답 풀이

〈제4곡〉의 종장에서 '애닯다'라고 감정을 직접 제시하여 바위처럼 높고 곧지 못함에 대한 안타까움을 표현하고 있다.

✗오답 풀이

① 대상이 계절마다 제시되어 있지 않고 이에 따른 상반된 가치관도 드러나지 않는다.
② 시간의 흐름에 따른 시상 전개는 나타나 있지 않다.
③ 색채 대비는 사용되지 않았다.

④ 〈제4곡〉의 '못ᄒ랴'와 〈제5곡〉의 '추ᄌ오랴'에서 의문의 형식을 활용한 설의법이 나타나지만, 이를 통해 대상에 대한 화자의 거리감을 강조하고 있는 것은 아니다.

1 답 ②

○정답 풀이

'탁연직립'은 '빼어나게 곧게 섬'을 의미하여 화자가 추구하는 바람직한 삶의 자세로 볼 수 있지만, '왕기순인'은 '나의 본분을 버리고 몸을 굽혀 남을 좇음'이라는 의미로 '탁연직립'과 대조적인 뜻을 지닌다. 따라서 '왕기순인'은 〈제6곡〉의 화자가 추구하는 바람직한 삶의 자세로 볼 수 없다.

2 답 ①

○정답 풀이

㉠의 '최령한 오인'이란 가장 신령하다 여기는 인간을 의미하므로 인간이 뛰어난 위치에 있다고 생각하는 인식이 담겨 있음을 알 수 있다.

✗오답 풀이

② '바람서리'는 다른 자연물들을 변하게 만드는 부정적인 외부 요인이므로 대상의 긍정적인 변화를 야기하는 역할을 한다고 볼 수 없다.
③ 화자는 바위와 벗하면 '세상에 이익 되는 세 벗'이 필요 없다고 말하고 있을 뿐 '세상에 이익 되는 세 벗'이 화자가 닮고 싶은 바위의 속성을 이미 갖고 있다고 한 것은 아니다.
④ '먹줄 업시 삼긴 바회'는 인간처럼 법도를 알기 위해 배움의 과정을 거치지 않은 바위를 뜻하지만, 법도를 앎에 있어 배움이 필요 없음을 의미하는 것은 아니다.
⑤ '애닯다'는 바위의 품성을 닮지 않는 사람들에 대한 안타까움을 직접적으로 드러낸 표현으로 바위와의 물리적 거리감에서 느껴지는 화자의 심정을 나타낸 표현이 아니다.

3 답 ③

○정답 풀이

'바위'는 인간이 본받아야 할 바람직한 품성을 지닌 존재로 인간보다 우월한 속성을 지닌 존재로 볼 수 있으므로, 대등한 위상을 지닌 것으로 볼 수 없다. 또한 '바위'는 진실한 모습을 오랜 세월 그대로 지니고 있는 불변성을 띠며, 높고 곧은 속성을 갖고 있다.

4 답 ③

○정답 풀이

이 작품에는 '바위'를 의인화하여 인격체로 드러내고 있지만, 〈보기〉에는 의인화된 자연물이 나타나 있지 않다.

✗오답 풀이

① 이 작품과 〈보기〉 모두 '바위'라는 자연물의 변치 않는 속성으로 인해 예찬함을 드러내고 있다.
② 이 작품과 〈보기〉 모두 시조로 초장, 중장, 종장의 3장 구성을 지니며 4음보의 형식상 규칙을 지키는 정형시이다.
④ 〈보기〉와 달리 이 작품은 〈제4곡〉 종장에서 '애닯다 가히 사람이오

이 돌만도 못ᄒ랴'와 같이 바위의 품성을 닮지 못한 사람들에 대한 안타까움을 드러내고 있다.
⑤ 이 작품과 달리 〈보기〉는 쉽게 피었다 지는 '꽃'과 푸르렀다가 금세 누렇게 변하는 '풀'이라는 자연물과 대비되는 바위의 변함없는 속성을 예찬하고 있다.

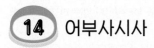

14 어부사시사

본문 84~85쪽

한눈에 보기

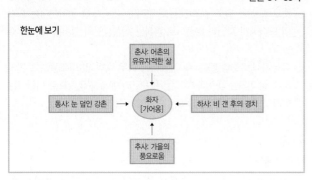

생생 Note

화자 어부(漁父) – 어촌에서 유유자적한 삶을 사는 가어옹(假漁翁)
상황 아름다운 자연에서 유유자적한 생활을 하고 있음
주제 어촌의 아름다운 사시(四時)와 어부의 흥취
핵심 시어의 의미 ① 인간 ② 션계, 블계
표현 색채

내신 대비 특별 문제 ④

1 ③　　**2** ①　　**3** ⑤　　**4** ⑤

내신 대비 특별 문제　답 ④

○ 정답 풀이
이 작품은 자연물을 통해 계절감을 나타내고 있을 뿐, 자연물에 화자의 감정을 이입한 표현은 사용하지 않았다.

✕ 오답 풀이
① [가]와 [나]의 초장, [라]의 중장에 대구법이 사용되었다.
② [라]의 중장에서 푸른 바다[만경류리(萬頃琉璃)]와 흰 눈이 덮인 산[천텹옥산(千疊玉山)]이 색채 대비를 이루고 있다.
③ 가을의 풍요로움을 '고기마다 술져 읻다.'와 같이 표현하는 것에서 우리말의 묘미를 느낄 수 있다.
⑤ 초장과 중장, 중장과 종장 사이의 여음 · 후렴구는 운율을 형성하고 화자의 흥을 표현하는 기능을 한다.

1 답 ③

○ 정답 풀이
[나]의 '연강텹장'은 안개 낀 강과 첩첩이 쌓인 봉우리라는 의

미로, 아름다운 자연을 나타낸다. 여기서는 화자가 한가로운 생활을 즐기는 어촌의 아름다움을 드러내는 표현일 뿐, 화자가 그 같은 그림을 그리고 있는 것은 아니다.

✕ 오답 풀이
① 가어옹인 화자가 흥취를 즐기는 방편으로 고기잡이를 하기 때문에 깊은 연못에 있는 온갖 고기는 꼭 잡아야 하는 대상이 아니라 즐겨 구경하는 대상일 뿐이다.
② 강호에서 한가로운 생활을 하는 화자에게 낚시는 생계의 수단이 아니므로 깊은 흥을 금할 수 없는 즐거운 일이다.
④ 화자는 생계를 위해 고기잡이를 하러 간 것이 아니기 때문에 너른 바다에서도 실컷 한가롭고 편안하게 즐길 수 있는 것이다.
⑤ '인간을 도라보니 머도록 더욱 됴타.'는 속세가 멀리 있어 좋다는 의미이다. 이는 화자가 속세를 떠나 강호에서의 삶에 만족하기 때문에 가능한 표현이다.

2 답 ①

○ 정답 풀이
[가]의 '벅구기'와 '버들숩'은 뻐꾸기와 버드나무 숲을 의미하는 것으로, 계절감이 드러나는 소재이다. 이것은 봄날의 흥취를 표현하기 위해 사용된 것일 뿐, 화자가 '벅구기'와 '버들숩'을 동경하고 있는 것은 아니다.

✕ 오답 풀이
② 화자는 낚싯대를 둘러메고는 절로 이는 흥을 금할 수 없다고 하였다. 이를 통해 '낙대'가 어촌의 유유자적한 생활을 드러내는 소재임을 알 수 있다.
③ ⓒ에서 '가을이 되니 고기마다 살져 있다'라고 하였으므로 '고기'는 가을의 풍요로움을 보여 주는 소재로 볼 수 있다.
④ ⓔ의 '천텹옥산'은 첩첩이 눈 덮인 산을 의미한다. 그런데 초장에서 간밤에 눈이 내린 후 경물이 달라졌다고 하였다. 그러므로 이것은 '간밤의 눈'으로 인해 변한 풍경을 드러내는 표현이다.
⑤ '션계'와 '블계'는 이상 세계를 의미한다. 그런데 화자는 자신이 있는 곳(어촌)이 그러한 이상 세계인 것 같다며 예찬적인 태도를 드러내며 자신이 머무는 곳에 대해 만족하고 있다.

3 답 ⑤

○ 정답 풀이
ⓐ '인간(人間)'은 화자가 멀리하고자 하는 '속세'를, ⓑ '경물(景物)'은 화자가 현재 바라보는 공간이자 앞으로도 머물고자 하는 공간인 아름다운 강촌의 경치를 의미한다.

✕ 오답 풀이
① ⓑ에 대해 화자는 감탄하며 예찬적 태도를 보이고 있으므로 ⓑ는 화자가 정서적으로 지향하는 공간이라 할 수 있다. 그러나 [다]의 종장인 '인간(人間)을 도라보니 머도록 더욱 됴타.'를 볼 때, ⓐ는 화자가 정서적으로 멀리하고자 하는 공간이다.
② ⓐ, ⓑ 모두 해당하지 않는 설명이다.
③ ⓐ는 화자가 아닌 속세를 의미하는 표현이다.
④ ⓐ는 화자에게 부정적으로 인식되는 대상이고, ⓑ는 화자에게 긍정적으로 인식되는 공간이다.

4 답 ⑤

○ 정답 풀이

[다]는 가을 강촌의 풍요로움을 노래하며 한가롭게 자연을 즐기는 화자의 만족감이 드러나 있다. 반면 〈보기〉의 화자는 봄바람이 며칠이나 더 불겠냐며 웃고 싶은 대로 웃으라고 말하고 있다. 이는 현재의 상황이 미래에는 바뀔 것이라는 의지를 드러내는 것이다. 따라서 ⑤는 [다]와 〈보기〉에 대한 설명이 바뀐 것이다.

✗ 오답 풀이

① [다]에는 'ᄀ올(가을)'이 구체적 배경으로 드러나 있으며, 〈보기〉에는 '춘풍(봄바람)'이라는 계절을 드러내는 시어가 사용되었다.

② [다]의 '만경딩파'는 시각적 표현이며, 의성어인 '지국총 지국총 어사와'는 청각적 표현이다. 〈보기〉는 '만산홍록이 휘드르며 웃는고야'에 시각적 표현이 사용되었으며, '비 듣는 소리'에 청각적 표현이 사용되었다.

③ [다]의 화자는 자연을 즐기며 현재의 삶에 만족하고 있다. 반면 〈보기〉의 화자는 온 산의 꽃과 풀들이 자신을 비웃는다고 생각하며 자신의 처지에 불만족스러워하고 있다.

④ [다]의 화자는 자연 속에서 자연을 즐기고 있을 뿐이다. 그러나 〈보기〉의 화자는 '만산홍록'이 자신을 비웃는다며 자연물에 인격을 부여하고 있다.

---

15 만흥

본문 86~87쪽

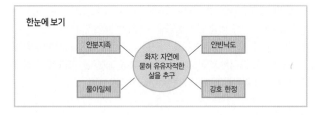

한눈에 보기

안분지족 — 안빈낙도
화자: 자연에 묻혀 유유자적한 삶을 추구
물아일체 — 강호 한정

생생 Note

화자 '나'
상황 산수를 즐기며 유유자적하는 생활을 함
주제 자연에 묻혀 사는 즐거움
핵심 시어의 의미 ① 뛰집 ② 임천한흥

내신 대비 특별 문제 ④

1 ③   **2** ②   **3** ③

내신 대비 특별 문제 답 ④

○ 정답 풀이

'청운지지(靑雲之志)'는 '높은 지위에 오르고자 하는 욕망'을

의미하는 말로, 자연 속에서 한가한 흥취를 즐기고자 하는 화자의 태도를 표현한 것으로 적절하지 않다.

✗ 오답 풀이

① 안분지족(安分知足)은 '편안한 마음으로 제 분수를 지키며 만족할 줄을 앎'이라는 뜻으로, 속세를 벗어나 자연 속에서 만족해하는 화자의 모습에서 확인할 수 있다.

② 안빈낙도(安貧樂道)는 '가난한 생활을 하면서도 편안한 마음으로 도를 즐겨 지킴'이라는 뜻으로, 보리밥과 풋나물을 먹고 바위 끝 물가에서 실컷 노니며 세속적인 가치를 부러워하지 않는 화자의 모습에서 확인할 수 있다.

③ 심심상인(心心相印)은 '말없이 마음과 마음으로 뜻을 전함'이라는 뜻으로, 산은 말도 없고 웃음도 없지만 마냥 그를 좋아한다는 화자의 모습에서 자연과 마음으로 통하는 심심상인의 정서를 확인할 수 있다.

⑤ 유유자적(悠悠自適)은 '속세를 떠나 아무 속박 없이 조용하고 편안하게 삶'이라는 뜻이다. 이것은 [가]~[라]에서 공통적으로 나타나는 화자의 모습인 자연을 즐기는 태도에서 확인할 수 있다.

---

1 답 ③

○ 정답 풀이

이 작품의 시적 화자는 속세를 벗어나 자연에 묻혀 자연을 즐기겠다는 의식을 드러내고 있다. 그러나 작품 어디에서도 현실의 욕망과 탈속한 삶 사이에서 갈등하는 화자의 모습은 찾아볼 수 없다.

✗ 오답 풀이

① 움막을 짓고 만족하는 모습, 보리밥과 풋나물을 알맞게 먹는 모습 등에서 화자가 소박하고 검소한 삶을 즐기고 있음을 알 수 있다.

② 자연 속에서 안빈낙도하는 삶이 '삼공(三公)'이나 '만승(萬乘)'보다 낫다며 벼슬살이의 어리석음을 은근히 꼬집고 있다.

④, ⑤ 화자가 자연 속에서 안분지족하는 모습은 세속적인 가치나 정치적 현실에 대해 관심을 두지 않는 태도를 보이는 것으로 볼 수 있다. 이는 화자가 자연의 가치를 지향하고 있으며 의도적으로 세속적 현실과 거리를 두고 있음을 의미한다.

---

2 답 ②

○ 정답 풀이

화자는 '보리밥 풋ᄂ물'을 먹으면서도 그 밖의 다른 일을 부러워하지 않는다. 따라서 '보리밥 풋ᄂ물'은 청빈하고 검소한 생활을 의미한다고 보는 것이 적절하다. 그러므로 화자가 자신의 궁핍한 처지를 직시하고, 이를 한스럽게 여긴다는 ②의 설명은 적절하지 않다.

✗ 오답 풀이

① '그 모른 ᄂ들'은 자연에서 은거하는 화자를 비웃고 있는 사람들로, 〈보기〉의 내용으로 보아 조정에서 권력을 추구하는 사람들을 의미하는 것으로 볼 수 있다.

③ '부롤 줄이 이시라'는 부러워하지 않는다는 의미로, 화자가 세속적 가치인 관료로서의 삶에 미련이 없음을 알 수 있다.

④ '잔 들고 혼자 안자' 있는 화자는 현실 정치에서 벗어나 자연에 머물

고 있는 것에 만족해하고 있다. 이로 볼 때 화자의 현실 도피 태도가 드러난 표현이라 할 수 있다.
⑤ '만승이 이만호랴'를 통해 화자가 자연에서의 삶에 만족하며 자부심을 느끼고 있음을 알 수 있다.

3 답 ③
○정답 풀이
'온포(溫飽)'는 '옷을 따뜻하게 입고 음식을 배불리 먹는다.'라는 뜻으로 생활에 아쉬움이 없이 넉넉함을 이르는 말이다. 따라서 '온포(溫飽)'는 세상의 부귀영화, 즉 세속적 욕망을 뜻한다. 이와 비슷한 의미의 시어는 세속의 부귀영화, 속세의 벼슬길을 뜻하는 ⓒ '그나믄 녀나믄 일'이다.

✗오답 풀이
① ⓐ '쒸집'은 움막, 띠집을 의미하는데 이는 화자가 자연 속에서 안분지족하는 삶을 사는 모습을 보여 주는 소재이다.
② ⓑ '하암'은 시골에서 자라 세상 물정에 어둡고 어리석은 사람을 의미한다. 여기서는 화자 자신을 가리킨다.
④ ⓓ '소부 허유(巢父許由)'는 속세에 나서지 않고 자연을 벗삼아 살았다는 고대 중국의 인물들로, '온포(溫飽)'와 같은 세속적 욕망과는 의미하는 바가 다르다.
⑤ ⓔ '임천한흥(林泉閑興)'은 자연 속에서 느끼는 한가한 흥취를 의미한다.

16 견회요

본문 88~89쪽

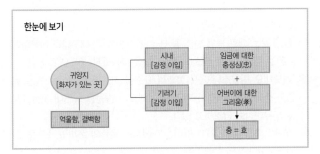

한눈에 보기

생생 Note

화자 귀양지에 있는 '나'
상황 '나'가 귀양지에서 부모와 임금을 그리워함
주제 사친(思親)과 우국충정(憂國衷情)
핵심 시어의 의미 시내, 외기러기
표현 ① 감정 이입 ② 설의법 ③ 반복법

내신 대비 특별 문제 ④

| 1 ⑤ | 2 ④ | 3 ② |

○정답 풀이
[라]에서 화자는 슬피 울며 날아가는 외기러기와 자신의 상황을 동일시하며 외기러기에 자신의 감정을 이입하고 있다. 즉, 화자가 외기러기를 부러워하고 있는 것이 아니므로 외기러기를 부러운 눈빛으로 바라보는 화자의 모습은 적절하지 않다.

✗오답 풀이
① [나]의 '아뫼 아무리 일러도 임이 혜여 보소서.'에서 '아뫼'는 화자를 헐뜯는 이를 의미한다. 따라서 임금에게 주인공을 모함하는 반동 인물을 등장시키는 것은 적절하다.
② [다]에서 화자는 흐르는 시내에 자신의 감정을 이입하여 임금에 대한 충성의 의지를 드러내고 있다. 따라서 주인공이 흐르는 시냇물을 바라보며 임금을 생각하는 모습을 담아내는 것은 적절하다.
③ [라]의 '뫼흔 길고 길고 물은 멀고 멀고'를 통해 화자가 산과 강으로 둘러싸여 있는 곳에 위치해 있음을 알 수 있다. 또한 [다]의 '밧긔 울어 예는 저 시내야.'를 통해 근처에 시내가 흐르고 있음을 추측할 수 있다.
⑤ [나]에서 화자는 결백을 호소하며 자신의 지난 일이 망령된 것은 모두 임을 위한 것이었다고 하였다. 따라서 주인공이 과거를 회상하며 억울한 표정으로 연기를 하는 것은 적절하다.

1 답 ⑤
○정답 풀이
[마]에서는 충성보다 효를 강조했던 과거를 후회하고 있는 것이 아니라, 임금에 대한 마음도 부모님에 대한 효성만큼 중요하다는 '연군지정'에 대해 말하고 있는 것이다.

✗오답 풀이
① [가]에서 화자는 자신이 할 일만 하겠다고 신념을 드러내고 있다. 이는 〈보기〉의 내용으로 보아 작가가 상소를 올린 일과 관련된 것임을 알 수 있다.
② [나]에서 화자는 자신의 행동이 임을 위한 것이었음을 강조하고 있다. 이는 〈보기〉의 내용으로 보아 임금에 대한 충성심에서 비롯된 행동들이 유배라는 결과로 나타난 것에 대한 억울한 심정과 자신의 결백을 드러낸 것이라 할 수 있다.
③ [다]에서 화자는 '님 향한 내 뜻을 조차 그칠 뉘를 모르다.'라고 했다. 이는 〈보기〉의 내용으로 보아 유배지에서 느끼는 임금에 대한 충절과 충성에 대한 의지를 드러낸 것이라고 볼 수 있다.
④ [라]에서는 장애물(뫼, 물)로 둘러싸인 곳에서 느끼는 부모님에 대한 그리움을 외기러기에 이입해 드러내고 있다. 이는 〈보기〉의 내용으로 보아 유배지에서 느끼는 부모에 대한 간절한 그리움을 드러낸 표현이라고 볼 수 있다.

2 답 ④
○정답 풀이
〈보기〉의 시조에서 작가는 '구름'에 자신이 처한 어려운 상황과 심정을 투영하여 원통한 마음을 드러내고 있다. 즉, 구름이라는 대상과 화자를 동일시하여 화자의 감정을 대상에 이입한 '감정 이입'을 사용한 것이다. 이 작품에서 이처럼 감정 이입이 사용된 부분은 [다]와 [라]이다. [다]에서는 임금을 생각하는 화자의 마음을 '시내(시냇물)'에, [라]에서는 부모님을 그리워하는 화자의 마음을 '외기러기'에 감정 이입하여 나타내었다.

3 답 ②
○ 정답 풀이

[나]에서 화자는 자신이 망령된 일을 한 것은 모두 임금을 위한 행동이었다고 하며 자신의 결백을 주장하고 있다. 이것은 임금에 대한 충성심을 내세워 자신의 결백을 강조하고자 하는 의도가 담겨 있는 것이다. 그러나 한편으로는 '내 일 망령된 줄 내라 하여 모랄 손가.'라고 하며 자신의 행동이 어리석은 일이었음을 자책하고 있기도 하다. 반면 〈보기〉의 화자는 자신은 '과(過)도 허믈도 천만(千萬) 업소이다.'라고 하며 자신이 결백하다는 것만을 주장할 뿐, 반성하는 모습은 보이지 않고 있다.

✕ 오답 풀이

① [나]의 '아뫼'는 화자를 헐뜯는 사람들을 의미하고, 〈보기〉의 '벼기더시니'는 화자에게 허물이 있다고 우기는 사람들이다. 이를 통해 [나]와 〈보기〉 모두 화자를 모함하는 대상이 있음을 언급하고 있다는 것을 알 수 있다.

③ [나]의 '혜여 보소서', 〈보기〉의 '괴오쇼셔'는 '-소서'라는 정중한 부탁이나 기원을 나타내는 상대 높임(합쇼체)의 종결 어미를 사용하여 임에게 자신의 바람을 드러내고 있는 부분이다.

④ 〈보기〉에서는 화자가 접동새와 자신을 동일시하고, '잔월효성'이 자신의 결백을 알 것이라 하며 결백을 호소하고 있다. [나]에서도 화자가 자신의 결백을 호소하고 있으나 자연물을 활용한 것은 아니다.

⑤ 〈보기〉의 '니미 나룰 ᄒ마 니즈시니잇가.'에는 임이 자신을 잊은 것에 대한 화자의 원망과 걱정이 드러나 있다. 그러나 [나]에는 자신의 결백을 호소하는 화자의 모습만 드러나 있을 뿐, 임이 자신을 잊었을까 봐 원망하는 모습은 드러나 있지 않다.

17 농가

본문 90~91쪽

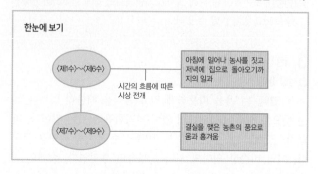

생생 Note

화자 농촌에서 농사를 짓고 살아가는 사람
상황 농사를 준비하고 농사일을 열심히 하면서 즐거움을 느낌
주제 농촌의 생활과 농사일의 즐거움
핵심 시어의 의미 ① 무근 풀, 볏 ② 면화, 벼
표현 시간적

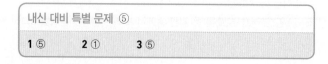

내신 대비 특별 문제 ⑤		
1 ⑤	2 ①	3 ⑤

내신 대비 특별 문제 답 ⑤
○ 정답 풀이

[E]에는 문답 형식을 사용하지 않았으며, 청각적 심상을 사용하여 흥겨운 분위기를 표현하고 있다.

✕ 오답 풀이

① '둘너 내쟈'에서 청유형 어미를 반복하여 공동체의 농사일을 독려하고 있다.

② '씀은 듣ᄂ 대로 듣고 볏슨 쐴 대로 쐰다'와 같이 대구법을 사용하여 고된 농사일에도 최선을 다하는 모습을 생생하게 그려 내고 있다.

③ '네오내오 다를소냐'에서 설의적 표현을 사용하여 점심을 먹은 뒤 한숨 졸음이 오는 것이 너와 내가 다르지 않음을 드러내 공동체적 삶의 유대감을 강조하고 있다.

④ '우배초적이 홈ᄭᅴ 가쟈 빅아ᄂ고'에서는 목동의 풀피리 소리를 의인화하여 농부의 삶에 깃든 소박한 풍취를 드러내고 있다.

1 답 ⑤
○ 정답 풀이

[가]는 자연을 농사를 짓는 삶의 현장이자 노동의 공간으로 보고 있지만, [나]는 자연을 풍류를 즐기는 강호한정의 대상으로 보고 있다.

✕ 오답 풀이

① 농민의 삶을 예찬하며 이상화된 농촌의 모습을 그리고 있는 것은 [가]이다.

② [가]에는 청유형 어미를 반복하여 잡초 뽑기를 권하는 부분은 나타나 있지만, [나]는 자연 속에서 풍류를 즐기는 이상적 가치를 직접적

으로 권하고 있지는 않다.
③ 현실적 공간인 농촌의 공동체에 긍정적인 가치를 부여하고 있는 것은 [가]이다.
④ 자연 속 풍류를 모르는 속세 사람들을 안타깝게 여기고 있는 것은 [가]가 아니라 [나]이다.

2 답 ①

○ 정답 풀이

㉠에는 누구의 밭이 더 짙어졌는지 의문형으로 나타나 있지만, 이미 일의 차례가 정해져 있으므로 순서를 정하기 위해 묻는다고 보기 어렵다.

✗ 오답 풀이

② ㉡에는 땀 흘려 일하는 농민이 고된 노동 후 땀을 식히며 잠시 여유를 즐기는 모습을 마치 이해하는 듯이 행동하는 '손님'에 대한 은근한 비판이 나타나 있다.
③ ㉢에는 땀 흘리며 일한 후 먹는 보리밥과 콩잎 반찬을 통해 소박하지만 만족하는 화자의 정서가 나타나 있다.
④ ㉣에는 일을 끝낸 후 시냇가에서 손발을 씻고, 호미를 메고 집으로 돌아가는 모습을 통해 흥취를 드러내고 있다.
⑤ ㉤에는 '면화'와 '벼'라는 수확물을 주신 하느님에 대한 감사한 마음과 농사의 결실을 바라보는 화자의 만족감이 나타나 있다.

3 답 ⑤

○ 정답 풀이

〈보기〉에서 '자연 친화적인 정서나 안빈낙도를 노래했던 기존 사대부들의 시조와 달리 화자는 농사일에 직접 참여하면서 공동체적 삶에 대한 따뜻한 시선과 농사일의 수고로움, 수확에 대한 기대, 그리고 소박하지만 풍요로운 농촌 생활을 비교적 사실적으로 그리고 있다.'고 하였으므로 농촌의 즐거운 분위기를 관찰하며 자연에서 만족하는 사대부의 안빈낙도를 드러내고 있다는 설명은 적절하지 않다.

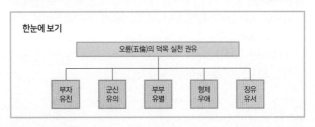

한눈에 보기

오륜(五倫)의 덕목 실천 권유

부자유친 / 군신유의 / 부부유별 / 형제우애 / 장유유서

생생 Note

화자 '나'(백성들을 교화하려는 사람)
상황 백성들의 생활 풍속이 무지한 것을 보고 노래를 지어 사람의 윤리를 밝히고자 함
주제 삼강오륜(三綱五倫)의 교훈
핵심 시어의 의미 ① 둥, 항것 ② 개도티
표현 직설적

내신 대비 특별 문제 ③

1 ⑤   2 ④   3 ③

내신 대비 특별 문제   답 ③

○ 정답 풀이

이 작품은 계몽적인 내용을 직설적으로 전달하여 주제를 드러내고 있다. 그러나 이 작품에서 과거와 현재를 대비한 표현은 찾아볼 수 없다.

✗ 오답 풀이

① [다]에서 자연의 이치를 따르는 '벌과 가여미'에 빗대어 군신 관계에 대한 화자의 생각을 드러내고 있다.
② [가]의 '이 말씀 드러스라.'에서 권계하는 어투를 통해 백성들을 교화하고자 하는 목적이 드러나고 있다.
④ [라]의 '손이시나 다륵실가.'와 [바]의 '어듸가 다롤고.'에서 의문형 종결 표현을 사용한 설의법을 통해 화자의 생각을 강조하고 있다.
⑤ [나]의 '아바님 날 나흐시고 어마님 날 기륵시니'와 [바]의 '늘그니는 부모(父母) 굳고 얼우는 형(兄) 굿티니'에서 유사한 문장 구조를 나란히 배열한 대구법이 사용되었다.

1 답 ⑤

○ 정답 풀이

이 작품의 [마]에서는 '형님'이라는 호칭을 통해 초장의 화자가 아우임을, 중장은 '아슨야'라고 부르는 말을 통해 화자가 형임을 알 수 있다. 또한 종장은 '형제'라는 3인칭 주어를 통해 작가가 화자로서 말하는 것으로 볼 수 있다. 따라서 [마] 전체의 화자를 형으로 보는 것은 적절하지 않다.

✗ 오답 풀이

① [가]와 [바]에서는 작가가 화자로 등장해 백성들에게 권계하고 교훈을 주려는 의도를 직접 드러내고 있다.

② [나]에서는 자식을 화자로 설정하여 부모님에 대한 도리를 드러내고 있다.

③ [다]에서는 종과 상전의 관계에 대해 얘기하고 있는데, 〈보기〉의 내용으로 보아 감사 생활을 했던 작가가 임금과 신하의 올바른 관계에 대해 말하고 있는 것으로 볼 수 있다.

④ [라]에서는 아내를 화자로 설정하여 지아비(남편)를 손님처럼 공경해야 한다는 생각을 드러내고 있다.

2 답 ④

○ 정답 풀이

〈제5수〉에서는 어머니의 사랑을 화제로 삼아 형님과 아우가 대화를 나누는 형식을 통해 형제의 우애를 보여 주고 있다.

✗ 오답 풀이

① 〈제1수〉에서 유교적 덕목을 실천할 것을 권하고 있지만 반어적 표현법이 사용된 것은 아니다.

② 〈제3수〉에서는 자연물인 벌과 개미를 통해 상전과 종의 관계를 비유하고 있다. 여기에서 벌과 개미는 각각 여왕벌이나 여왕개미를 중심으로 충성을 다한다는 의미에서 두 자연물의 차이를 활용하고 있다는 설명은 적절하지 않다.

③ 〈제4수〉에는 '손이시나 다ᄅ실가'와 같이 설의적 표현이 사용되었지만 아내에 대한 남편의 바람직한 모습이 아니라 남편에 대한 아내의 바람직한 모습을 강조하고 있다.

⑤ 〈제6수〉에는 고사를 인용한 부분을 찾을 수 없다.

3 답 ③

○ 정답 풀이

[나]와 〈보기〉는 모두 부모님의 은혜에 대해 노래하고 있는데, 〈보기〉는 '~여라'와 같은 명령형 어미를 통해 백성들에게 교훈을 주려는 의도를 보다 직설적으로 드러내고 있다. 참고로, 〈보기〉는 주세붕의 〈오륜가〉에 비해 내용을 있는 그대로 전달하여 문학성은 다소 떨어지나 교훈적인 주제가 선명하게 드러난다.

✗ 오답 풀이

① 〈보기〉는 부모에 대한 효(孝)를 다루고 있으므로 기존 작품과 주제가 유사하다.

② 〈보기〉에서 '오조(烏鳥)'와의 비교를 통해 부모에게 효도해야 함을 이야기하고 있을 뿐, [나]와 〈보기〉 모두 대조되는 자연물을 사용하지는 않았다.

④, ⑤ [나]와 〈보기〉 모두 화자의 감정을 이입한 소재와 선경 후정의 구조가 사용되지 않았다.

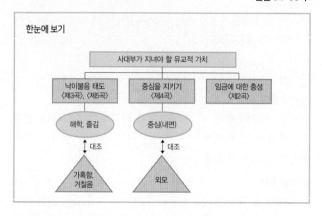

한눈에 보기

사대부가 지녀야 할 유교적 가치

낙이불음 태도 〈제3곡〉, 〈제5곡〉 — 중심을 지키기 〈제4곡〉 — 임금에 대한 충성 〈제2곡〉

해학, 즐김 ↕ 대조 — 중심(내면) ↕ 대조

가혹함, 거칠음 — 외모

생생 Note

화자 '나'(풍류 속에서도 사대부가 지녀야 할 바람직한 자세를 잊지 않는 이)

상황 여러 사람이 모인 자리에서 함께 풍류를 즐김

주제 사대부의 바람직한 태도 권계(낙이불음(樂而不淫) 사상과 중심을 지키는 삶의 지향)

핵심 시어의 의미 ① 해학, 중심 ② 술

표현 ① 반복 ② 설의법

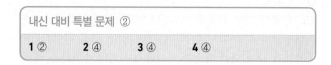

내신 대비 특별 문제 ②

1 ②　　　2 ④　　　3 ④　　　4 ④

내신 대비 특별 문제 답 ②

○ 정답 풀이

'과유불급'은 정도를 지나침은 미치지 못함과 같다는 뜻으로, 중용(中庸)이 중요함을 이르는 말이다. 따라서 ㉠에서 '즐김'은 좋아하나 '거칠음(지나침)'은 말아야 한다는 의도와 잘 맞는다.

✗ 오답 풀이

① '흥진비래'는 즐거운 일이 다하면 슬픈 일이 닥쳐온다는 뜻으로, 세상일은 순환되는 것임을 이르는 말이다.

③ '새옹지마'는 인생의 길흉화복은 변화가 많아서 예측하기 어려움을 이르는 말이다.

④ '경거망동'은 경솔하여 생각 없이 망령되게 행동함을 이르는 말이다.

⑤ '부화뇌동'은 줏대 없이 남의 의견에 따라 움직임을 이르는 말이다.

1 답 ②

○ 정답 풀이

〈제1곡〉은 작품을 창작한 동기가 나타나 있으며, 〈제6곡〉은 현재의 풍류를 즐기기를 권하는 내용이 나타나 있다. 따라서 〈제1곡〉과 〈제6곡〉 모두 중심을 지켜야 한다는 작가의 인식이 나타나 있지는 않다.

✗ 오답 풀이

① 화자는 '고조'와 '정성'을 '다시 블너 보리라'라고 하여 사대부의 바람직한 자세를 알리겠다는 의지를 드러내고 있다.

③ '성은이 지중하시니 못 갑흘가 하노라'에는 임금의 은혜를 갚으려 노력하는 사대부로서의 바람직한 모습이 나타나 있다.

④ 〈제3곡〉의 '해학을 됴하후나 가혹함이 되올소냐', 〈제4곡〉의 '중심을 즐길지니 외모를 위홀소냐', 〈제5곡〉의 '즐기믈 됴하후나 거칠음은 말지어다'에는 현재를 즐기되 지나쳐서는 안 된다는 권계가 담겨 있다.

⑤ '싱젼의 다 즐기지 못후면 뉘우칠까 후노라'에는 미래보다 현재의 즐거운 생활에 더 가치를 부여하는 작가의 생각이 담겨 있다.

2 답 ④

● 정답 풀이

'해학'과 '가혹함', '중심'과 '외모', '즐김'과 '거칠음'을 대조하여 화자가 지향해야 할 가치가 강조되며 드러나고 있다.

✗ 오답 풀이

① 색채어는 사용되지 않았으며, 자연의 아름다움을 노래하지도 않았다.

② 〈제6곡〉 초장에서 풍류를 권하는 화자의 흥겨움이 나타나지만 공감각적 심상이 사용되지는 않았다.

③ 이 작품에 설의법은 나타나지만 지난날에 대한 화자의 후회는 나타나 있지 않다.

⑤ 〈제2곡〉에는 임금의 은혜를 갚기 위한 노력이 나타나 있지만 화자를 자연물에 비유하고 있지는 않다.

3 답 ④

● 정답 풀이

'아니 놀고 어찌하리'는 한 해가 다가는 상황이므로 현재를 즐기며 놀아야 한다는 현세적 가치관이 담겨 있다. 따라서 임금의 부름을 받지 못해 현실을 도피하려는 태도가 나타나 있다고 볼 수 없다.

✗ 오답 풀이

① '고조'를 '아는 이 전혀 없네'에는 옳은 소리가 적은 현실에 대한 화자의 안타까움이 드러나 있다.

② '성은이 지중하시니'는 임금의 은혜가 매우 무겁고 크다는 의미이므로 사대부가 지녀야 할 유교적 '충' 사상이 담겨 있다고 볼 수 있다.

③ '외모를 위홀소냐'에는 '중심'인 내면적 가치보다 '외모' 즉, 겉모습을 중시하면 안 된다는 의미가 담겨 있다.

⑤ '빅년 후 도라보오'에서 '백 년'은 오랜 세월을 과장되게 표현한 것으로 현재를 즐기자는 권유가 정당함을 드러내고 있다.

4 답 ④

● 정답 풀이

ⓐ '풍아'는 시를 짓고 읊는 풍류의 이치를 의미한다. 특히 화자는 옳은 '풍아'를 강조하는데, 이를 위해 ⓒ '술'은 화자로 하여금 풍류를 더욱 즐기게 해 주는 소재라는 점에서 긍정적이지만, ⓓ '거칠음'은 옳은 '풍아'를 위해 경계해야 할 대상이라는 점에서 적절하지 않다.

✗ 오답 풀이

① 옳은 '풍아'는 사대부로서 지녀야 할 바람직한 요소이다.

② 옳은 '풍아'는 '술'을 통해 풍류를 즐기면서도 '거칠음'은 절제해야 얻을 수 있다.

③ '해학'은 사대부가 좋아해야 할 요소이지만 '거칠음'은 삼가야 할 요소이다.

⑤ '술'과 다양한 악기들인 '종고금슬'은 모두 화자가 풍류를 즐기게 해 주는 수단이다.

20 매화사

본문 96~97쪽

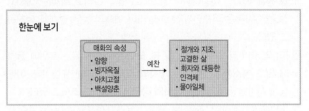

생생 Note

화자 '나'
상황 매화를 감상함
주제 매화에 대한 예찬
핵심 시어의 의미 ① 빙자옥질, 아치고절 ② 척촉, 두견화
표현 의인법

내신 대비 특별 문제 ②

1 ③   **2** ⑤   **3** ②

내신 대비 특별 문제 답 ②

● 정답 풀이

이 작품에서 화자는 매화를 감상하며 예찬하고 있다. 그러나 화자가 은둔하는 삶을 살고 있지 않으며 은둔하는 삶에서 느끼는 여유를 노래하고 있지도 않다.

✗ 오답 풀이

①, ③ 매화를 '너'로 의인화하였고, 설의법, 영탄법 등을 사용하여 매화에 대한 애정을 드러내고 있다.

④ 그윽한 향기를 의미하는 '암향', 얼음같이 맑고 깨끗한 모습과 구슬같이 아름다운 자질을 의미하는 '빙자옥질', 겨울의 흰 눈 속에서도 봄빛을 보이는 것을 의미하는 '백설양춘' 등에서 확인할 수 있다.

⑤ [나]에서 눈 내리는 중에도 꽃을 피우는 것, [마]에서 추위를 이기고 봄소식을 전하려 꽃을 피우는 것, [바]에서 눈 속에서도 꽃을 피워 봄빛을 보이는 것 등은 모두 대상인 매화의 강인한 의지를 보여 주는 것이다. 이러한 매화의 모습에서 화자는 자연의 질서와 섭리를 느끼며 예찬하는 모습을 드러내고 있다.

1 답 ③

● 정답 풀이

[라]에서는 '눈으로 기약(期約)터니 네 과연(果然) 퓌엿고나.'

에서 겨울이라는 계절이 드러나고 있으며, [다]에서는 '눈 속에 네로고나.'에서 겨울이라는 계절이 드러나고 있다. 즉, [다]와 [라]는 모두 계절감이 드러나는 시어를 사용해 대상인 매화의 강인함과 신의를 강조하고 있다.

✗ 오답 풀이

① [나]의 종장에서 '암향(暗香)'은 '그윽한 향기'를 뜻하는 것으로 후각적 심상에 해당한다. 이를 통해 매화의 고결한 성품을 집약하여 보여 주고 있으므로 적절한 설명이다.

② [다]에서 '빙자옥질'은 '얼음같이 맑고 깨끗한 살결과 구슬같이 아름다운 자질'을 의미하는 것으로, 매화를 여인에 비유한 표현이다. 이를 통해 매화의 아름다움이 강조되고 있다. 그리고 화자는 '아치고절(雅致高節)은 너쑨인가 ᄒ노라.'라며 매화의 높은 절개를 예찬하고 있다.

④ [마]의 '아무리 얼우려 ᄒ인들 봄 쯧이야 아슬소냐.'는 추위에 굴하지 않고 봄소식을 전하려는 매화의 의지를 드러낸 표현이다. 이를 통해 시련에 굴하지 않는 매화의 강인한 속성이 강조되고 있다.

⑤ [바]에서는 매화와 대비되는 '척촉', '두견화'를 제시하여 눈 속에서도 꽃을 피우는 매화의 강인한 면모를 부각시키고 있다.

2 답 ⑤

○ 정답 풀이

〈보기〉에서 '당대의 이념과 관련하여~덧붙여지기도 한다.'라고 하였지만 매화를 당대 이념에 국한하여 감상해야 '봄 쯧'의 의미를 파악할 수 있는 것은 아니다.

✗ 오답 풀이

① '매영이 부드친 창'을 보며 '거문고와 노릭'를 하는 것에서 매화가 불러일으킨 시흥을 즐기는 풍류적 태도를 확인할 수 있다.

② '잔 드러 권하랼제'에서 술잔을 들어 다른 이들에게 권하고 있음이 나타나는데 이를 통해 고조된 흥취를 사람들과 함께하고 싶은 마음이 드러나고 있다.

③ 매화를 심미적으로 접근하여 감상할 때, '황혼월'로 인한 낭만적 분위기가 매화의 아름다움을 돋보이게 한다고 볼 수 있다.

④ '아치고절'은 아담한 풍치나 높은 절개라는 뜻으로 매화를 의미하는데 매화가 나타내는 우아한 풍치에서 매화를 감상하는 심미적 가치를, 높은 절개에서 당대의 규범적 가치를 확인할 수 있다.

3 답 ②

○ 정답 풀이

[다]에서는 근경의 매화를 예찬하고 있고, 〈보기〉에서도 근경의 매화를 예찬하고 있다.

✗ 오답 풀이

① [나]에서 화자는 매화에 초점을 맞춰 진술하고 있다. 〈보기〉에서도 달과 조화를 이루는 매화의 모습을 노래하고 있다.

③ [마]에서는 '매화(梅花)를 침노(侵擄)ᄒ다.'라며 '매화'라 지칭하고 있으나, 〈보기〉에서는 매화를 '너'라고 친근하게 부르고 있다.

④ [바]에서는 '동쪽 누각' 옆에 숨어 피어 있는 '매화'를 노래하고 있고, 〈보기〉에서는 방 안('합리')의 매화를 노래하고 있다.

⑤ [바]에서는 눈 속에서 피어난('백설양춘') 매화를 노래하고 있고, 〈보기〉에서는 달과 어울리는('매월이 벗되는 줄') 매화를 노래하고 있다.

6부 | 가사

01 상춘곡

본문 100~102쪽

한눈에 보기

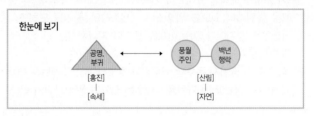

생생 Note

화자 '나'(남성, 양반 사대부)
상황 자연에 묻혀 살며 유유자적함
주제 봄의 완상(玩賞)과 안빈낙도
핵심 시어의 의미 ① 새 ② 백년행락
표현 공간

내신 대비 특별 문제 ⑤

1 ⑤	2 ③	3 ④	4 ③

내신 대비 특별 문제 답 ⑤

○ 정답 풀이

이 작품에는 봄을 완상하는 화자의 안빈낙도하는 삶의 태도가 나타날 뿐, 연군이나 우국과 같은 유교적 관념은 나타나 있지 않다.

1 답 ⑤

○ 정답 풀이

이 작품은 봄 경치를 완상하며 자연 속에서 한가하게 지내는 화자의 즐거움을 노래하고 있다. 특히 [나]의 '도화 행화(挑花杏花)는 석양리(夕陽裏)예 퓌여 잇고, / 녹양방초(綠楊芳草)는 세우 중(細雨中)에 프르도다.'에서 '도화 행화'나 '녹양방초'와 같은 자연물들을 통해 봄의 아름다움을 구체적으로 묘사하고 있음을 알 수 있다.

✗ 오답 풀이

① 이 작품은 3 · 4조, 4음보의 연속체로 리듬감이 드러나긴 하지만, 이 작품에 연쇄법이 사용되지는 않았다.

② 이 작품에서 풍자의 기법은 찾을 수 없다. 또한 화자는 봄의 완상, 즉 봄에 대한 자신의 주관적인 감상을 이야기하고 있을 뿐, 세태를 비판하고 있지 않다.

③ 이 작품에서 과거와 현재를 대비하는 내용을 찾을 수 없다.

④ 이 작품에는 '물아일체(物我一體)어니, 흥(興)이이 다룰소냐.'처럼 설의적 표현이 나타나긴 하지만, 화자의 내적 갈등을 표출하고 있는 것은 아니다.

2 답 ③

○정답 풀이

ⓒ은 자연(문맥상 '새')과 화자가 하나이므로 흥이 다르지 않다는 뜻으로, 자연과 화자가 하나된 경지를 드러낸다. 그러나 이 부분을 통해서 화자의 겸손한 태도를 확인하기는 어렵다.

3 답 ④

○정답 풀이

[A]의 '날만흔 이'는 화자와 비슷한 처지의 사람을 가리키는데, 화자는 그들이 자연에 묻혀 지내는 지극한 즐거움을 모른다고 하였다. 한편 [B]의 '천촌만락(千村萬落)'은 수많은 촌락을 의미하는데, 화자가 산봉우리에서 바라보고 있는 곳이다. 따라서 '날만흔 이'가 '천촌만락(千村萬落)'에서 자연의 경치를 즐기는 사람들이라고 볼 수 없다.

✗오답 풀이

①, ② [A], [B]에서 화자는 자연에 묻혀 자연을 즐기고 있으며, 화자가 자연에서 즐기는 다양한 풍류를 [B]에서 나열하고 있으므로 적절한 설명이다.

③ '수간모옥(數間茅屋)'은 몇 칸 안 되는 작은 초가를 의미하는 것으로, 소박한 화자의 삶의 태도를 알 수 있다. 그리고 자연을 즐기며 화자는 무릉(武陵)이 가깝다고 여기고 있는데, 이로 보아 화자는 자연을 즐기며 자연을 이상향으로 여기고 있음을 알 수 있다.

⑤ '소나무와 대나무가 울창한 곳'과 '소나무 숲 사이의 좁은 길'을 연결하면 화자가 있는 곳은 소나무 숲이 있는 자연임을 짐작할 수 있다.

4 답 ③

○정답 풀이

Ⅱ(정자)에서 화자는 한가한 가운데 깃드는 참다운 맛이라는 뜻의 '한중진미(閑中眞味)'를 아는 사람이 자신뿐이라고 말하고 있다. 따라서 화자가 '한중진미'를 아는 벗이 있다는 것에 만족감을 느끼고 있다고 볼 수 없다.

02 만분가

본문 103~105쪽

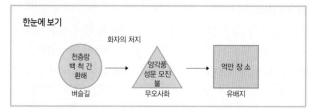

한눈에 보기

벼슬길 → 무오사화 → 유배지
천층랑 백 척 간 환해 → 양각풍 성문 모진 불 → 억만 장소

생생 Note

화자 임과 이별한 이(여인)
상황 천상에서 쫓겨남
주제 유배를 당한 억울함의 호소와 연군지정
핵심 시어의 의미 ① 두견, 구름 ② 외기러기, (우난) 새
표현 고사, 억울함

내신 대비 특별 문제 ⑤

| 1 ④ | 2 ⑤ | 3 ⑤ | 4 ⑤ |

내신 대비 특별 문제 답 ⑤

○정답 풀이

'흉중(胸中)의 싸힌 말숨 슬커시 스로리라'에서 알 수 있듯 이 작품의 화자는 격정적이고 강렬한 어조로 자신의 억울함과 임에 대한 그리움을 토로하고 있다.

✗오답 풀이

① 이 작품은 3(4)·4조, 4음보의 규칙적인 율격을 가지고 있다.

② 이 작품은 수양산에서 굶어 죽은 백이의 고사 등을 인용하여 자신의 처지를 드러내고 있다.

③ 이 작품은 임금을 그리워하는 마음을 담고 있다는 점에서 유교적인 주제의 작품으로 분류할 수 있다. 그리고 신선이 사는 곳인 '자청전(紫淸殿)', '삼청동리(三淸洞裏)' 등과 같은 도교적 성격의 시어도 사용하고 있다.

④ 이 작품의 화자는 험난한 벼슬길을 '천층랑(千層浪)'에 비유하고, 유배의 계기가 된 무오사화를 '양각풍(羊角風)'이나 '성문(城門) 모딘 불' 등에 비유하여 자신이 처한 상황을 생생하게 표현하고 있다.

1 답 ④

○정답 풀이

이 작품의 화자는 시종일관 억울함을 토로하고 있다. 따라서 자신의 잘못을 깨닫기 시작했다는 ④의 내용은 이 작품에 나타난 화자의 태도 및 정서와 일치하지 않는다.

✗오답 풀이

① [나]에서 화자는 벼슬길을 험한 물결인 '천층랑(千層浪)', 위태로운 지경인 '백 척 간(百尺竿)' 등 험난하고 위험한 곳으로 표현하고 있다.

② [나]에서 화자는 아무런 관련이 없는 노나라의 술과 한단을 언급하며 자신 역시 아무 관련이 없는 일로 벌을 받고 있음을 이야기하고 있다. 이를 통해 아무 죄도 없는 화자가 억울하게 유배를 당하게 되었음을 짐작할 수 있다.

③ 이 작품은 억울하게 유배를 당한 화자가 자신의 억울함을 호소하고 있는 유배 가사이다. 특히 [라]의 '고정의국(孤情依國)의 원분(寃憤)만 싸혓시니'에 억울하게 유배를 당해야만 하는 현실에 대한 화자의 분노와 원한이 잘 드러나 있다.

⑤ [라]의 '고국송추(故國松楸)를 꿈의 가 몬져 보고 / 선인(先人) 구묘(丘墓)를 싯각ᄒᆞ니'에서 고향에 대한 화자의 그리움을 확인할 수 있다.

2 답 ⑤

○정답 풀이

ⓜ에서 '월중소영'은 달 아래 드문드문 비치는 그림자라는 뜻으로, 죽어서 다른 존재가 되어서라도 임과 함께하려는 화자의 의지가 투영된 분신이다. 따라서 임의 곁에 있는 다른 인물을 표현한 것이며 화자의 체념적 정서를 보여 주는 시어라는 ⑤의 설명은 적절하지 않다.

① ⓣ에서 '천문(天門)'은 대궐의 높은 문을 높여 이르는 말로, 임금이 계신 곳을 의미한다. 그리고 '구만 리'는 유배지와 한양 사이의 심리적 거리를 의미한다.
② ⓛ에서 '성문(城門) 모딘 불'은 화자가 유배를 가게 된 사건인 무오사화를 의미하며, '옥석(玉石)'이 함께 탄다는 것은 죄가 없는 화자[옥(玉)]가 죄인들[석(石)]과 함께 고초를 당하는 현실을 나타낸 것이다.
③ ⓒ에서 '비'는 유배지의 쓸쓸함을 드러내는 배경이다. 그리고 '외기러기'는 화자의 감정이 이입된 것으로 억울한 화자의 처지를 나타낸다.
④ ⓔ에서 화자는 자신을 모함한 간신들은 조정에 남아 있고 결백한 자신은 유배를 당한 사실을 유명한 도적인 도척은 편안히 놀고, 지조와 절개로 이름 높은 백이는 수양산에서 굶어 죽은 고사에 빗대어 표현하고 있다.

3 답 ⑤
○정답풀이
ⓔ는 화자의 억울하고 분한 심정을 나타낸 것으로 이는 뒤에 이어지는 '님의 집 창 밧긔 외나모 매화 되여'와 '설중의 혼자 픠여 침변의 이위는 듯'에서 알 수 있듯이 임금에 대한 충성심과 그리움을 드러내기 위해 사용한 표현이다.

① ⓐ는 '옥황 향안전의 지적의 나아 안자'로 볼 때 옥황으로 비유되어 있는 임금에게 화자 자신의 가슴 속에 맺혀 있는 억울한 심정을 하소연하고 싶다는 표현임을 알 수 있다. 이는 이 작품을 쓴 동기가 된다.
② ⓑ는 노나라의 술과 조나라의 수도인 한단은 서로 아무 관련이 없다는 의미로 유배 온 화자가 자신의 무죄를 호소한 것이라 할 수 있다.
③ ⓒ에서 '옥ᄀᆞᄐᆞᆫ 면목' 즉 옥 같은 얼굴은 임금의 용안을 의미한다. 임금의 얼굴을 '그리다가 말년지고'라고 노래함으로써 화자는 임금에 대한 그리움을 드러내고 있다.
④ ⓓ에서 '고정의국'은 유배지에서 나라를 염려하는 마음을 표현한 것이고 '원분만 싸혓시니'는 원망과 울분만 쌓여 있음을 나타낸다. 이는 화자가 유배지에서 느끼는 나라를 염려하는 마음과 원통하고 억울한 심정이 표현되어 있는 것이라고 할 수 있다.

4 답 ⑤
○정답풀이
〈보기〉의 〈정과정〉에는 비유가, 이 작품에는 비유와 인용 등의 표현 방법이 사용되었다. 그러나 두 작품 모두 다소 강렬하고 격정적인 어조를 사용하여 자신의 억울함을 직접적으로 호소하고 있으므로 '화자의 감정을 절제하고 있다'는 설명은 적절하지 않다.

① 이 작품은 [나]와 [라]에서 자신의 억울함을 토로하고 있으며, 〈정과정〉은 '과(過)도 허물도 천만(千萬) 업소이다.' 등에서 자신의 억울함을 하소연하고 있다.
② 이 작품은 전반에 걸쳐 임금을 그리워하는 화자의 모습을 드러내고 있고, 〈정과정〉은 '내 님믈 그리ᄉᆞ와 우니다니'라며 임금에 대한 화

자의 그리움을 드러내고 있다.
③ 이 작품은 '두견(杜鵑)'이나 '구름' 등 다양한 자연물을 이용하여 임금에 대한 그리움을 표현하고 있으며, 〈정과정〉은 임금이 그리워 울고 있는 자신의 모습을 '산(山) 졉동새'에 빗대어 표현하고 있다.
④ 이 작품과 〈정과정〉의 작가는 모두 유배를 당한 자신의 처지를 임과 이별한 이(여성)에 빗대어 노래하고 있다.

03 탄궁가

본문 106~108쪽

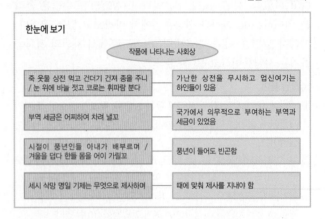

한눈에 보기

작품에 나타나는 사회상

죽 웃믈 상전 먹고 건더기 긴져 종을 주니 / 눈 위에 바늘 젓고 코로는 휘파람 분다	가난한 상전을 무시하고 업신여기는 하인들이 있음
부역 세금은 어찌하여 차려 낼꼬	국가에서 의무적으로 부여하는 부역과 세금이 있었음
시절이 풍년인들 아내가 배부르며 / 겨울을 덥다 한들 몸을 어이 가릴꼬	풍년이 들어도 빈곤함
세시 삭망 명일 기제는 무엇으로 제사하며	때에 맞춰 제사를 지내야 함

생생 Note

화자 경제적으로 몰락한 사대부
상황 극심한 궁핍으로 인해 고통을 받고 있음
주제 가난으로 인한 고통과 궁핍한 삶에 대한 체념적 수용
핵심 시어의 의미 ① 봄날 ② 장초 ③ 가난귀신
표현 ① 비교 ② 의인화 ③ 대구법

내신 대비 특별 문제 ⑤

1 ②   2 ②   3 ①   4 ③

내신 대비 특별 문제 답 ⑤

○정답풀이
이 작품에서 대구법이 사용된 부분은 '삼십 일에 아홉 끼니~쓰거나 못 쓰거나', '안표가 자주 빈들~나같이 극심할까', '환곡 장리는~어찌하려 차려 낼꼬' 등으로 모두 화자의 극심한 궁핍함을 드러내고 있다. 부정적 현실에 대한 극복 의지를 강조하고 있는 것은 아니다.

① '올벼 씨 한 말은~서너 되 부쳤거늘'과 같이 화자가 처한 상황을 구체적으로 묘사하여 사실성을 높이고 있다.
② 화자는 '가난귀신'과 이별하고 싶었으나 가난귀신의 말을 들은 후 체념하고 현실을 수용하며 내적 갈등을 해소하고 있다.
③ '안표가 자주 빈들~나같이 극심할까'에는 중국 고사 속 인물과 자신의 가난을 비교하며 화자 자신의 궁핍함이 더욱 심하다는 것을

강조하고 있다.

④ '이봐 아이들아 아무쪼록 힘을 써라'에서 하인들에게 말을 건네는 방식을 사용하여 하인들이 힘써 일하기를 바라는 화자의 바람을 드러내고 있다.

1 답 ②

○정답 풀이

이 작품의 '죽 웃물 상전 먹고 건더기 건져 종을 주니 / 눈 위에 바늘 젓고 코로는 휘파람 분다'에는 몰락한 사대부가 오히려 종의 눈치를 보는 상황이 나타나 있다. 〈보기〉역시 '수염이 긴 노비는 노주분을 잊었거든 / 봄이 왔다 알리는 걸 어느 사이 생각하리'와 '경당문노인들 누구에게 물을런고'를 통해 농사철이 왔음을 알려 줘야 할 노비의 역할을 기대할 수 없는 상황과 노비의 눈치를 보는 상황이 제시되어 있다. 모두 종의 눈치를 보며 직접 농사를 짓는 것이 자신의 분수임을 깨닫고 있다는 점에서 공통적이다.

✗오답 풀이

① 두 작품 모두 집안에서 자신의 역할을 제대로 하지 않는 종의 모습이 나타나 있지만, 그것을 꾸짖는 상황은 나타나 있지 않다.

③ 노비의 역할을 기대할 수 없어 사대부가 직접 농사를 짓고자 하는 상황은 제시되었지만, 사대부로서 농업을 근본으로 여기는 태도는 언급되지 않았다.

④ 가난한 처지가 자신의 분수임을 인식한다는 점에서 안분지족으로 볼 수 있지만, 자연을 즐기는 사대부의 태도는 나타나 있지 않다.

⑤ 이 작품에는 농사철이 다가왔지만 파종할 볍씨가 마련되지 않아 농사를 짓기 어려운 궁핍한 상황이 나타나므로 농사철에 일손을 보태야 하는 상황이 제시된 것으로 보기 어렵다. 〈보기〉에서 직접 농사 짓는 것을 자신의 분수로 여기는 까닭은 노비의 역할을 기대할 수 없기 때문이지 바쁜 농사철에 일손을 보태기 위한 것은 아니다.

2 답 ②

○정답 풀이

'돌이켜 생각하니 네 말도 다 옳도다'는 가난에 대한 화자의 인식이 변한 부분이다. 따라서 화자는 가난을 받아들이려 하고 있기 때문에 비관적 현실 인식은 유지되며 가난을 떨쳐 낼 대상으로 깨닫고 있다는 설명은 적절하지 않다.

✗오답 풀이

① 가난을 귀신에 빗대어 '가난귀신'으로 표현하고 이를 이별하고 싶은 대상으로 나타내어 상황을 희화화하고 있다.

③ '위협으로 회피하며 잔꾀로 여일려나'를 통해 현실적으로 가난에서 벗어나기 어려움을 깨닫고 있음을 알 수 있다.

④ '무정한 세상은 다 나를 버리거늘'에는 세상에 대한 부정적 인식이 드러나고, '네 혼자 신의 있어 나를 아니 버리거든'에는 '가난귀신'에 대한 믿음과 의지가 드러나 있다.

⑤ '어려서부터 지금까지 희로애락을 너와 함께하여 / 죽거나 살거나 헤어질 일이 없었거늘'을 통해 화자의 가난한 상황이 매우 오래되었음을 알 수 있다.

3 답 ①

○정답 풀이

㉠은 '삼십 일에 아홉 끼니'도 먹을까 말까 할 정도로, '십 년 동안 갓 하나'를 쓸까 말까 할 정도로 화자의 가난함이 매우 극심했음을 구체적 수치로 드러냈다. 그러나 이 부분만으로 당시 몰락한 사대부들이 많았다고 보기는 어렵다.

✗오답 풀이

② ㉡에는 파종할 볍씨조차 쥐가 먹어서 농사를 짓기도 어려운 집안의 형편 때문에 식구들을 춥고 배고프게 만들게 되었다며 가장으로서의 근심이 나타나 있다.

③ ㉢은 오랜 시간 동안 밥을 해 먹지 못해 솥이 녹슬어 붉은 빛이 되었음을 의미한다. 이는 끼니조차 잇지 못하는 가난한 생활이 오래 지속되었음이 드러나는 부분으로 가난을 극복할 대안을 찾지 못하고 있음을 알 수 있다.

④ ㉣에는 가난으로 인해 제사나 친척 손님들 접대를 할 수도 없는 화자의 상황이 나타나 있다. 이를 통해 사대부이지만 가난하기 때문에 사회적 책임을 다하지 못하는 현실이 드러나고 있다.

⑤ ㉤은 가난을 수용하는 체념적인 자세가 나타난 부분으로 현실적으로 극복이 불가능한 궁핍함을 정신적으로 극복하려는 자세가 드러난다고 볼 수 있다.

4 답 ③

○정답 풀이

ⓐ '봄날'은 농사를 시작함을 알리는 계절적 배경으로 농사조차 짓기 힘든 화자의 절망적 상황을 더욱 인식하게 만드는 소재라 할 수 있다. 또한 아무 걱정 모르는 ⓓ '장초' 역시 화자의 근심 많은 절망적 상황을 더욱 인식하게 만드는 소재라 할 수 있다.

✗오답 풀이

① ⓐ는 농사를 시작해야 하는 시기로 농사 준비를 하지 못하는 화자에게는 절망감을 심화시키는 기능을 한다.

② ⓐ와 ⓑ는 모두 농사철이 다가오는 것을 알리는 존재로 농사 준비를 하지 못하는 화자의 궁핍하고 절망적인 상황이 더욱 강조된다. 따라서 부러움의 대상으로 보기는 어렵다.

④ ⓒ는 농사지을 볍씨를 먹어 버린 존재로 화자의 빈곤한 현실을 심화시키는 소재로 볼 수 있다. 하지만 이를 탐관오리로 보기는 어렵다.

⑤ ⓓ는 아무것도 모르고 자라남을 뜻하는 것으로 근심 걱정 많은 화자와 대비되면서 화자의 부정적 현실이 오히려 더 부각된다.

04 관동별곡

본문 109~112쪽

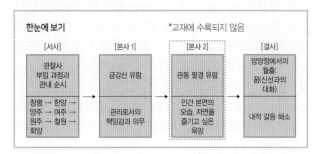

한눈에 보기   *교재에 수록되지 않음

[서사]	[본사 1]	[본사 2]	[결사]
관찰사 부임 과정과 관내 순시	금강산 유람	관동 팔경 유람	망양정에서의 월출: 꿈(신선과의 대화)
창평 → 한양 양주 → 여주 원주 → 철원 → 회양	관리로서의 책임감과 의무	인간 본연의 모습, 자연을 즐기고 싶은 욕망	내적 갈등 해소

생생 Note

화자 관동 지방을 유람하고 있는 양반(관찰사)
상황 강원도에 관찰사로 부임하여 금강산과 관동 팔경을 유람함
주제 관동 지방의 절경 유람에 대한 감탄과 연군지정 및 애민 정신
핵심 시어의 의미 쉼(꿈)
표현 ① 시조 ② 자연물 ③ 시간적

내신 대비 특별 문제 ②

1 ④   **2** ③   **3** ①   **4** ⑤

내신 대비 특별 문제 답 ②

○정답 풀이

이 작품의 화자는 강원도 관찰사로 임명되어 임금의 은혜에 감사한 후 관동 지방을 유람하고 있다. 화자는 아름다운 자연을 즐기고 싶은 마음과 위정자로서 선정을 베풀고자 하는 책무 사이에서 갈등하지만 꿈에서 신선과 만나 대화를 나눈 후 갈등이 해소되고 있다. 이 작품에서 화자가 자신을 신선에 비유하고 있는 것은 사실이지만 자신의 처지를 한탄하고 있는 것은 아니다.

✗오답 풀이

① 이 작품은 언어적 기교가 뛰어나며 우리말의 아름다움을 잘 살린 가사 문학의 대표작이다.
③ 화자는 만폭동, 금강대, 진헐대, 개심대 등 관동 팔경을 유람하고 있다. 이 작품은 그러한 화자의 여정에 따라 시상이 전개되는 추보식 구성으로 이루어져 있다.
④ [가]에서는 회양에서 선정을 펼친 급장유의 고사가 인용되었고, [나]에서는 서호에 은거했던 중국의 임포의 고사가 사용되었다. 또한 '廬녀山산 眞진面면目목'은 소동파의 시에서 인용한 표현이다. 이처럼 고사와 시의 구절을 인용하여 화자는 관찰사로서의 자신의 임무와 다짐, 아름다운 금강산에 대한 감탄 등을 드러내고 있다.
⑤ [나]에서 진헐대에서 바라본 금강산의 모습을 묘사하면서 '놉흐시고 望망高고臺티 외로올샤 穴혈望망峰봉이 / 하늘의 추미러 무슨 일을 스로리라'라고 하였다. 이것은 우뚝 솟은 망고대와 혈망봉을 강직하고 지조 있는 신하의 모습으로 투사해 화자 자신의 절개를 다짐하고 있는 부분이다.

---

1 답 ④

○정답 풀이

[라]에는 '白빅蓮년花화 혼 가지를 뉘라셔 보내신고.'와 같이 의문형 문장이 사용되었다. 하지만 이는 자신의 임무에 대한 화자의 굳은 다짐이 아니라 아름다운 달에 대한 감탄을 드러내며 강조하고 있는 표현이다. 그리고 '英영雄웅은 어듸 가며 四〈仙션은 긔 뉘러니'는 이백과 신라 때의 사선에 대한 물음으로 신선에 대한 동경을 드러낸 것이다.

✗오답 풀이

① '延연秋츄門문 드리드라 ~ 雉티岳악이 여긔로다.'는 임금을 뵙고 나서 관찰사로 부임하는 여정을 드러낸 것이다. 그런데 여정을 과감하게 생략하여 내용 전개를 속도감 있게 나타내고 있다.
② '銀은 フ톤 무지게 ~ 보니는 눈이로다.'에서 폭포의 역동적인 모습을 '무지게', '초리'로 은유적으로 나타내었다. 그리고 은 같은 무지개, 옥 같은 용이라고 직유법을 사용했으므로 비유적인 표현이 사용되었음을 확인할 수 있다. 또한 폭포 소리를 '우레', 폭포의 모습을 '눈'이라고 표현한 것에서 각각 청각적, 시각적 표현이 사용되었음을 확인할 수 있다.
③ '묽거든 조티 마나 조커든 묽디 마나.'에서 앞말을 바로 뒤에 이어 제시한 연쇄법을 사용하였다. 이러한 연쇄법을 통해 맑고 깨끗한 산의 정기를 강조해 표현하고 있다.
⑤ 화자는 관찰사로서 공적 임무를 수행해야 한다는 것과 신선처럼 자연을 즐기고 싶다는 개인적 욕망 사이에서 갈등하고 있다. 그런데 [마]에서 화자는 꿈속 신선과 대화를 나누며 '이 술 가져다가 ~ 흔 잔 ᄒᆞᆺ고야.'라고 하였다. 이는 애민 정신과 자연을 즐기고 싶은 마음을 동시에 해결하여 화자의 내적 갈등이 해소되었음을 보여 주는 부분이다.

---

2 답 ③

○정답 풀이

'毗비盧로峰봉 上샹上샹頭두의 올라 보니 긔 뉘신고. ~ 오ᄅᆞ디 못ᄒᆞ거니 ᄂᆞ려가미 고이ᄒᆞᆯ가.'는 공자의 정신적 경지에 대한 부러움을 표현한 부분으로, 화자는 자신이 그에 미치지 못함을 한탄하고 있다. 즉, 비로봉의 꼭대기에 올라갈 수 없는 자신의 처지를 정당화하고 있는 부분이다. 따라서 화자가 비로봉 상상두에 올라 천하의 경지를 바라본 후 내려가려 한다는 감상은 적절하지 않다.

✗오답 풀이

① 화자는 소양강에서 흘러내린 물이 흘러 들어갈 한강, 즉 임금이 계신 한양 땅을 생각하고 있다. 이는 관동 지방에 관찰사로 부임해서도 연군지정을 드러내고 있는 것이다.
② 화자는 궁예 왕의 대궐터를 보면서 까마귀와 까치만 운다고 하였다. 이는 한 나라의 흥망성쇠를 통해 자신이 느낀 인생무상을 드러내고 있는 것이다.
④ 화자는 달밤의 경관, 즉 밝고 좋은 세계를 남들에게 다 보여 주고 싶다는 말을 하고 있다. 이처럼 백성을 생각하는 화자의 모습을 통해 선정에의 포부와 애민 정신을 알 수 있다.
⑤ ㉤은 꿈속의 신선이 화자에게 하는 말로, 화자가 하늘의 참신선이라는 내용이다. ㉤의 바로 뒤에 이어지는 말을 통해 이것은 화자가 자

신을 하늘에서 인간 세계로 내려온 신선으로 설정한 것임을 알 수 있다.

3 답 ①

○정답 풀이

[나]의 '時시節절이 三삼月월인 제'를 통해 계절적 배경이 봄임을 알 수 있다. 따라서 금강산의 가을 경치를 감상했다는 ⓐ의 내용은 적절하지 않다.

✕오답 풀이

② 만폭동 폭포 소리가 '섯돌며 쑴는 소리 十십 里리의 주자시니'라고 하였으므로 ⓑ의 내용과 일치한다.

③ 학이 '西서湖호 녯 主쥬人인을 반겨셔 넘노는 둣.'이라고 하였는데 '서호 옛 주인'은 화자 자신을 비유한 표현이므로 적절하다.

④ 화자는 진헐대에서 바라본 산봉우리의 역동적인 모습을 '놀거든 뛰디 마나 셧거든 솟디 마나.'라고 표현하였다. 따라서 ⓓ는 적절한 내용이다.

⑤ '놉흘시고 望망高고臺뒤 외로올샤 穴혈望망峰봉이 / 하놀의 추미러 므스 일을 스로리라'라고 하였다. 이는 망고대와 혈망봉의 곧은 모습이 마치 직간을 하는 충신(화자 자신)의 모습과 같다는 것을 나타내는 표현이다. 따라서 ⓔ는 [나]의 내용과 통하는 것이므로 적절하다.

4 답 ⑤

○정답 풀이

'明명月월이 千천山산萬만落낙의 아니 비췬 뒤 업다'는 화자가 꿈에서 깬 후에 자신의 감회를 노래한 부분으로 화자가 관찰사로서 실현하고자 하는 선정에의 포부가 임금의 은혜임을 드러내는 부분이다. 화자가 상계로 복귀했음을 암시하는 표현이라는 설명은 적절하지 않다.

✕오답 풀이

① '듯좀'에 드는 장면을 통해 화자 자신이 상계의 신선이었음을 전해 듣게 되는 것으로 설정되어 있다.

② '흔 사롬'은 '그디룰 내 모르랴 上샹界계예 眞진仙션이라'라고 말하며 화자가 상계의 신선이었음을 알려 주고 있다.

③ '黃황庭뎡經경 一一字ㅈ룰 엇디 그릇 닐거 두고'를 통해 화자가 인간 세상으로 귀양 오게 된 이유가 드러난다.

④ 꿈에서 '흔 사롬'은 '億억萬만 蒼창生싱을 다 醉취케 밍근 後후의 / 그제야 고텨 맛나 쏘 흔 잔 ㅎ잣고야'라고 말하고 있다. 이로 보아 화자가 자신이 지은 죄 값으로 인간 세상에서 수행해야 하는 일은 백성들이 즐거움과 평안함을 누리는 세계를 이루는 것임을 짐작할 수 있다.

05 성산별곡

본문 113~115쪽

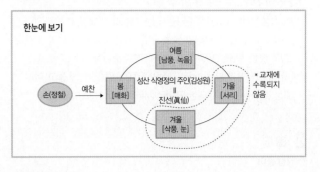

생생 Note

화자 손(정철-양반 사대부)
상황 성산(자연)에서 유유자적 생활하는 식영정 주인(김성원)을 바라봄
주제 성산의 계절에 따른 풍물과 김성원의 풍류 예찬
핵심 시어의 의미 ① 엇던 디날 손 ② 진선
표현 ① 계절 ② 고사

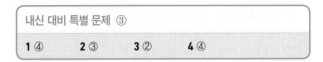

내신 대비 특별 문제 ③

(내신 대비) 특별 문제   답 ③

○정답 풀이

이 작품은 시간(계절)의 흐름에 따라 시상을 전개하고 있으나, 이에 따른 화자의 심리 변화는 나타나 있지 않다.

✕오답 풀이

① 이 작품은 작가가 25세 때, 처외재당숙 김성원을 예찬한 작품으로 작가의 체험을 바탕으로 하고 있다.

② [다]의 뒷부분 '청강(淸江)의 썻는 올히 ~ 무심(無心)코 한가(閑暇)호미 주인(主人)과 엇디호고'는 무심하고 한가로운 오리의 모습을 통해 성산의 여름을 즐기는 식영정 주인을 노래하고 있다. 여기서 무심하고 한가로운 것은 인물의 정서인데, 자연물인 오리를 통해 나타낸 것이다.

④ 자연에서 즐기는 한가로움에 대해 노래하고 있는 작품인데, '적막(寂寞) 산중(山中)의 들고 아니 나시눈고'를 통해 식영정 주인이 자연 속에 은둔하고 있음을 알 수 있다.

⑤ '청문(靑門) 고사(故事)', '염계(廉溪)', '옥자(玉字)' 등에서 한자어와 중국 고사들을 빈번하게 사용하여 서술하고 있음을 확인할 수 있다.

1 답 ④

○정답 풀이

이 작품에서는 추상적인 관념을 수량으로 구체화하여 표현한 부분을 찾을 수 없다.

✕오답 풀이

① '엇던 디날 손'은 '어떤 지나가는 나그네'라는 뜻으로, 화자 자신을 객관화시켜 나타낸 표현이다.

② [가]의 '주인(主人)아 내 말 듯소.'와 '적막(寂寞) 산중(山中)의 들고 아니 나시 는고.'에서 청자인 식영정 주인에게 말을 건네는 방식으로 시상이 전개되고 있음을 알 수 있다.

③ 이 작품에서는 성산의 '주인'을 다른 대상에 빗대어 표현한 것이 많은데, [가]의 '천변(天邊)의 쩟 는 구름', [다]의 '올히', [라]의 '장공(長空)의 쩟 는 학(鶴)'과 같은 표현이 여기에 속한다.

⑤ [라]의 마지막 부분은 서두의 '적막(寂寞) 산중(山中)의 들고 아니 나시 는고.'라는 물음에 대한 답으로 서두와 호응이 되고 있다.

2 답 ③

○ 정답 풀이

[나]에서 '매창'과 '도화'는 계절적 배경이 봄임을 알 수 있게 해 주며, [다]에서 '남풍'과 '녹음'은 여름임을 알 수 있게 해 준다.

✗ 오답 풀이

[나]에서 '산옹'과 '양지', '청문', '망혜', '죽장'은 모두 계절과 관계 없는 시어이다. '방초주'의 경우 아름다운 풀이 우거진 물가의 작은 섬을 의미하는 것으로, 봄의 계절감을 나타내는 시어로 볼 수 있다. [다]에서 '유월'은 여름을 직접적으로 나타내는 시어이고, '꾀꼬리', '마의', '홍백련' 등은 배경이 여름임을 알 수 있는 시어이다. 그러나 '삼추'는 여기서는 성산이 속세와 달리 시원하다는 의미로 사용되었지만 그 자체로는 가을을 의미하는 시어이다. '백구'는 계절과 관계가 없다.

3 답 ②

○ 정답 풀이

[가]의 '인생(人生) 세간(世間)의 됴흔 일 하건마 는'은 '인간 세상에 좋은 일 많건마는'의 뜻인데, 이는 '주인'의 생각이 아니라 화자인 '디날 손'의 생각이다. 즉, 이 작품에서는 '주인'이 '인간 세상에 좋은 일이 많다'고 말한 내용을 찾아볼 수 없다.

✗ 오답 풀이

① [가]의 '엇디 혼 강산(江山)을 가디록 나이 녀겨 / 적막(寂寞) 산중(山中)의 들고 아니 나시 는고.'에서 확인할 수 있는 내용이다.

③ [가]의 '져근덧 올라안자 엇던고 다시 보니'와 '창계(滄溪) 흰 믈결이 정자(亭子) 알픠 둘러시니 / 천손(天孫) 운금(雲錦)을 뉘라셔 버혀 내여 / 닛 는 듯 펴티 는 듯 헌수토 헌수홀샤'에서 확인할 수 있는 내용이다.

④ [가]의 '눈 아래 헤틴 경(景)이 철철이 절로 나니 / 듯거니 보거니 일마다 선간(仙間)이라.'에서 확인할 수 있는 내용이다.

⑤ [라]의 '이 골의 진선(眞仙)이라.'와 '손이셔 주인(主人)두려 닐오듸 그듸 긘가 흐노라.'에서 확인할 수 있는 내용이다.

4 답 ④

○ 정답 풀이

④는 속세에 대한 화자의 인식일 뿐, 작품 전체의 지배적 정서로 볼 수 없다. 이 작품에는 자연 속에서 풍류를 즐기는 물아일체의 정서와 대상(성산과 주인)에 대한 예찬적 태도가 지배적으로 드러나 있다.

✗ 오답 풀이

① ⓐ '천변(天邊)의 쩟 는 구름'은 성산에서 유유자적한 삶을 즐기고 있는 주인 김성원을 비유한 말이다.

② ⓑ '흐룻밤 비 긔운의 홍백련(紅白蓮)이 섯거 피니'는 자연의 아름다움을 비 온 뒤에 핀 붉은 연꽃과 흰 연꽃의 선명한 시각적 이미지로 형상화한 것이다.

③ ⓒ '인간(人間) 유월(六月)이 여긔 는 삼추(三秋)로다.'는 속세는 6월 여름이지만 식영정은 가을처럼 시원하다는 의미로, 여름을 시원하게 보내는 화자의 만족감을 드러낸 것이다.

⑤ ⓔ '요대(瑤臺) 월하(月下)의 힝혀 아니 만나신가.'는 '(이전에) 신선이 사는 달에서 혹시 (나를) 만나지 아니하였는가.'라는 의미로 화자 자신도 신선의 풍모가 있음을 은근히 드러내고 있는 것이다.

06 사미인곡

본문 116~118쪽

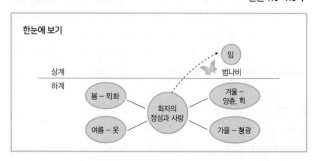
한눈에 보기

생생 Note

화자 '나'(임과 이별한 여성)
상황 임에게 버림받아 홀로 지내고 있음
주제 연군의 정
핵심 시어의 의미 ① 광한뎐 ② 기러기 ③ 범나븨

내신 대비 특별 문제 ⑤

내신 대비 특별 문제 답 ⑤

○ 정답 풀이

이 작품은 '충신연주지사(忠臣戀主之詞)'의 대표작으로 임금에 대해 원망하는 내용이 아니라, 자신의 변함없는 충정을 강조하며 임금에 대한 그리움을 토로하는 내용이다.

✗ 오답 풀이

① 이 작품은 임금을 연모하는 연군지사로, 화자가 그리워하는 대상인 '미인(美人)'은 임금을 의미한다.

② 이 작품은 봄, 여름, 가을, 겨울의 사계절의 흐름에 따라 시상을 전개하며 임에 대한 그리움과 임을 향한 화자의 정성과 사랑을 표현하고 있다.

③ 이 작품은 임금을 임으로, 자신을 여인으로 설정하여 이별한 임에

대한 그리움을 여성적 어조로 표현하고 있다. 또한 [가]의 '연지분(臙脂粉)'과 [마]의 '홍상(紅裳)'을 통해 화자가 여성임을 알 수 있다.

④ 이 작품의 화자는 임에 대한 그리움을 독백체로 표현하고 있다.

1 답 ③

○정답 풀이

〈보기〉의 화자는 밑줄 친 부분에서 도탄에 빠진 백성들에게 선정을 베풀겠다는 태도를 보이고 있다. 이 작품의 화자도 ⓒ에서 임금의 선정이 온 나라에 퍼지기를 기대하고 있다.

✗오답 풀이

① ㉠은 아름답게 꾸며도 보아 줄 사람이 없다는 의미로 화자의 외로운 심정이 나타난다.

② ⓛ에는 임에 대한 변함없는 충성심을 드러내며 임을 그리워하는 화자의 태도가 나타나 있다.

④ ⓔ에는 임을 걱정하는 화자의 태도가 나타나 있다.

⑤ ⓜ은 임에 대한 그리움과 화자의 시름을 과장되게 표현한 것이다.

2 답 ④

○정답 풀이

ⓓ는 온 세상이 눈으로 덮여 사람은 물론이거니와 날아다니는 새들도 모두 움직임을 그친 상황을 묘사한 구절이다. 이것은 추위를 강조하여 임에 대한 화자의 걱정이 더욱 커짐을 나타내는 것이다. 따라서 ⓓ를 '소재의 대비를 통해 임의 부재에서 느끼는 상실감을 나타내고 있다.'라고 이해하는 것은 적절하지 않다.

✗오답 풀이

① ⓐ는 한숨과 눈물로 세월을 보내고 있다는 의미로, '한숨'과 '눈믈(눈물)'이라는 어휘를 통해 임과 이별한 화자의 슬픔을 집약해 보여 주고 있다.

② ⓑ는 듣고 보고 하는 가운데 흐느낄 일이 많다는 의미이다. 여기서 '늣길 일'이란 뒤에 이어지는 화자의 하소연을 의미하므로 이것을 통해 화자의 한(恨)을 짐작할 수 있다.

③ ⓒ는 '쳔 리(천 리)', '만 리'라는 구체적인 수치를 사용하여 화자와 임 사이의 거리감을 나타내는 표현이다.

⑤ 화자는 현실에서는 여러 장애물 때문에 임을 만날 수 없기에 꿈이라는 공간을 통해서라도 임을 만나고자 한다. ⓔ는 그러한 화자의 소망을 드러낸 구절이다.

3 답 ④

○정답 풀이

이 작품은 임에 대한 화자의 일편단심을 뛰어난 우리말의 구사와 계절의 흐름에 따른 정서 변화를 통해 표현하고 있다. 따라서 유려한 한문 문장을 사용하였다는 ④의 설명은 적절하지 않다.

✗오답 풀이

① 화자는 죽어서 '범나븨'가 되어 향기 묻은 날개로 임의 옷에 옮아 가 앉겠다고 했다. 이는 죽어서라도 임과 함께 있고자 하는 소망을 드러낸 것이다.

② 이 작품은 봄, 여름, 가을, 겨울의 시간의 흐름에 따른 화자의 심리를 표현하는 시상 전개 방식을 사용하고 있다. 이처럼 계절의 변화에 따른 시상 전개 방식은 화자의 임에 대한 연모의 정이 점차 고조되고 있으며 그리움이 절실함을 드러내는 효과를 가지고 있다.

③ 이 작품의 화자는 각 계절마다 다른 소재를 사용하여 임에 대한 자신의 사랑과 정성을 표현하고 있다.

⑤ 임을 그리워하는 화자의 안타까운 심정을 통해 독자들은 연민을 느낄 수 있다.

4 답 ④

○정답 풀이

'쇼샹남반(瀟湘南畔)'은 중국 호남성에 있는 소수와 상수의 남쪽 언덕으로, 따뜻하고 경치가 좋기로 유명한 곳이다. 이것은 따뜻한 남쪽을 가리키는데, 〈보기〉의 내용을 통해 볼 때 이 작품에서는 작가가 머물고 있던 전남 창평을 의미한다. 따라서 이를 임금이 계신 궁궐을 가리키는 것이라고 이해하는 것은 적절하지 않다. 임금이 계신 궁궐을 가리키는 표현은 '광한뎐(廣寒殿)', '봉황누(鳳凰樓)', '옥누(玉樓) 고쳐(高處)' 등이다.

✗오답 풀이

① '호싱 연분'은 한평생 인연이라는 의미이다. 〈보기〉에서 이 작품은 임금에 대한 충절과 연군의 정을 드러내고 있다고 하였다. 즉 '호싱 연분'은 임금에 대한 연모의 마음을 남녀의 천생연분에 비유해 나타낸 표현이라고 할 수 있다.

② 〈보기〉에서 작가는 당쟁으로 인해 탄핵을 받아 관직에서 물러나 고향으로 내려갔다고 하였다. 따라서 '얼킈연 디 삼 년(三年)'은 벼슬에서 물러나 낙향한 지 3년이 지났다는 의미로 해석할 수 있다.

③ '산(山)인가 구롬인가'에서 '산'과 '구롬'은 화자와 임 사이의 장애물을 의미한다. 〈보기〉에서 작가는 당쟁으로 인해 탄핵을 받고 임금 곁을 떠나 있는 상황이므로, 여기서의 '산(山)'과 '구롬'은 화자를 탄핵한 정적으로 볼 수 있다.

⑤ 〈보기〉에서 이 작품은 화자를 여성으로 설정함으로써 임에 대한 간절한 그리움을 보다 섬세하고 구체적으로 드러낼 수 있었다고 하였다. '홍상(紅裳)을 니믜츠고'에서 '홍상'은 붉은 치마로, 화자가 여성임을 암시하는 소재이다.

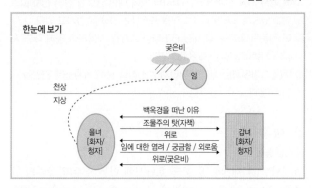

07 속미인곡

본문 119~121쪽

한눈에 보기

굳은비

천상
지상

임

을녀
[화자/
청자]

백옥경을 떠난 이유
조물주의 탓(자책)
위로
임에 대한 염려 / 궁금함 / 외로움
위로(굳은비)

갑녀
[화자/
청자]

생생 Note

화자 · 하소연하는 을녀(주된 화자) · 위로하는 갑녀
상황 을녀가 임(임금)에 대한 그리움을 갑녀에게 말함
주제 연군의 정
핵심 시어의 의미 낙월, 구준비
표현 대화체, 여성(여인)

내신 대비 특별 문제 ①

1 ④   **2** ③   **3** ⑤   **4** ③

내신 대비 **특별 문제** **답** ①

○정답 풀이

이 작품은 한 여인이 질문을 하고, 다른 여인이 그에 따른 자신의 정서와 상황을 상세하게 답하는 형식으로 되어 있다. 이 작품은 우리말의 절묘한 구사와 세련된 표현이 돋보일 뿐, 과감한 생략이나 압축적 표현은 사용되지 않았다.

✗오답 풀이

②. ③ 두 여인의 대화체로 구성된 이 작품은 임과 이별한 슬픔과 임에 대한 화자의 그리움을 이야기하고 있다.
④ 소극적인 사랑을 상징하는 '낙월(落月)'과 적극적인 사랑을 상징하는 '구준비'는 모두 자연물이며, 이를 통해 임과 함께 있고자 하는 화자의 심정을 표현하고 있다.
⑤ 화자는 임과 이별한 부정적 상황에서 벗어나 임과 재회하기를 염원하고 있다.

1 **답** ④

○정답 풀이

㉠에는 이별을 하게 된 것에 대해 임을 원망하기보다는 이별의 모든 원인을 자신의 숙명으로 돌리는 태도가 나타나 있다.

✗오답 풀이

①. ③ ㉠에는 임에게 지나치게 응석과 아양을 부렸던 자신의 잘못을 인정하며 임과 이별을 하게 된 자신의 처지를 되짚어 보고 있는 화자의 태도가 나타나 있다.
② 화자는 임과 떨어져 사는 자신의 신세를 조물주의 탓으로 돌리며

한탄하고 있다.
⑤ '셜워 플텨 혜니 조믈(造物)의 타시로다.'에는 표면적으로는 조물주에 대한 원망이 나타나지만, 이면적으로는 운명에 대한 화자의 체념과 자책이 나타난다.

2 **답** ③

○정답 풀이

[A]에서는 갑녀가 을녀에게 '히 다 뎌 져믄 날의 눌을 보라 가시는고'라고 묻자 을녀가 '어와 네어이고 내 스셜 드러 보오'라고 대답한다. 이를 통해 갑녀와 을녀는 예전부터 알고 지내던 사이이며 을녀가 갑녀에게 자신의 심정을 토로함을 알 수 있다. 〈보기〉에서 '나'는 '형님 동생'이라고 하였고 사촌 형님을 마중 나가는 상황이므로, 두 인물이 예전부터 알고 지낸 사이임을 알 수 있다. 또한 사촌 형님은 자신의 시집살이에 대한 심정을 토로하고 있다.

✗오답 풀이

① [A]는 시어가 반복되어 제시되지 않았으며 4음보 율격을 통해 리듬감이 형성되고 있다. 반면에 〈보기〉는 '형님 온다', '형님', '시집살이', '고추', '당추' 등 시어의 반복뿐만 아니라, 4음보 율격을 통해 리듬감을 살리고 있다.
② [A]의 화자는 자신이 '아양이며 교태며 어지럽게 하였던지' 임이 자신을 반기는 낯빛이 예전과 달라졌다고 말하고 있으므로, 임과 이별한 문제 상황에 대한 책임을 제삼자에게 전가하고 있지 않다. 〈보기〉의 화자는 시집살이가 맵다는 이야기를 하고 있을 뿐. 제삼자에게 시집살이에 대한 책임을 전가하는 내용은 제시되지 않았다.
④ [A]는 특정 공간에서 대화를 나누고 있기는 하지만 공간의 변화가 드러나지는 않는다. 〈보기〉는 계절적 배경이 드러나지 않으므로 이에 대해 알 수 없다.
⑤ [A]는 '천상(天上) 백옥경(白玉京)'을 임금이 계시는 궁궐에 빗대어 나타내었지만 비유적 표현이 다양하게 드러나는 것은 아니며, 〈보기〉에는 반어적 표현이 사용되지 않았다.

3 **답** ⑤

○정답 풀이

'낙월(ⓐ)'과 '구준비(ⓑ)'는 모두 임을 그리워하는 여인의 분신으로, 죽어서라도 임과 함께하고자 하는 여인의 정서가 투영된 소재이다. 그러나 ⓐ는 멀리서 잠깐 동안 임을 바라볼 수 있는 소재로 화자 2(을녀)의 소극적인 애정관을 나타내는데 반해, ⓑ는 오랫동안 내리며 임의 옷을 적실 수 있는 소재로 적극적인 애정관을 나타낸다. 따라서 소극적 애정관을 나타내는 것이라는 점에서 ⓐ와 ⓑ가 유사하다고 한 ⑤는 잘못된 설명이다.

4 **답** ③

○정답 풀이

Ⅱ에서 화자 2(을녀)는 자신이 임과 이별하게 된 이유가 자신의 죄와 조물주의 탓 때문이라고 말하고 있다. 하지만 이때 화자 2(을녀)가 조물주를 탓하는 것은 이별한 상황에 대해 체념하고 자책하는 것으로 볼 수 있다. 따라서 Ⅲ에서 화자

2(을녀)에게 건네는 화자 1(갑녀)의 말은 너무 자책하지 말라는 위로로 해석하는 것이 적절하다.

✗ 오답 풀이

① 화자 1(갑녀)은 화자 2(을녀)가 임과 이별한 상황임을 알고 있으며, '눌을 보라 가시눈고.'라는 질문을 하여 중심인물인 화자 2(을녀)의 이야기를 이끌어 내는 보조적 인물이다.

② 화자 2(을녀)는 '조믈(造物)의 타시로다.'라며 표면적으로는 조물주를 탓하는 동시에, '내 몸의 지은 죄 뫼フ티 싸혀시니'라며 자신의 잘못으로 인해 임과 이별하게 되었음을 자책하고 있다.

④ 화자 1(갑녀)의 위로를 들은 화자 2(을녀)는 마음속에 맺힌 일을 상세하게 풀어 내며 임과 이별한 안타까움, 독수공방의 외로움, 임과의 재회를 원하는 심정 등을 하소연하고 있다.

⑤ 화자 2(을녀)는 '어엿븐 그림재'만이 자신을 따를 뿐이라며 외로운 자신의 처지를 강조하고, 자신을 '낙월(落月)'에 비유하여 죽어서도 임을 따르고자 하는 의지를 드러내고 있다.

08 면앙정가

본문 122~124쪽

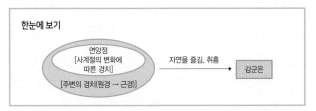

생생 Note

화자 자연에서 유유자적하는 이
상황 면앙정 주위의 경치를 감상하고 풍류를 즐김
주제 자연을 즐기는 풍류와 군은(君恩)에 대한 감사
핵심 시어의 의미 ① 늘근 놈 ② 경궁요대, 옥해 은산
표현 묘사

내신 대비 특별 문제 ③				
1 ⑤	2 ①	3 ⑤	4 ③	5 ②

내신 대비 특별 문제 답 ③

○ 정답 풀이

이 작품의 마지막 결구에서 '이 몸이 이렁 굼도 역군은(亦君恩)이샷다.'라며 연군의 정을 직설적으로 제시하고 있을 뿐, 상징적 소재를 사용하여 연군의 정을 형상화하고 있지는 않다.

✗ 오답 풀이

① '금슈(錦繡)', '황운(黃雲)', '경궁요대(瓊宮瑤臺)'와 옥해 은산(玉海銀山)' 등의 비유적 표현으로 계절감을 선명하게 표현하고 있다.

② 작품의 처음 부분에서는 면앙정이 위치해 있는 제월봉의 형세를 묘

사하고 있고, 그 이후로 그 속에 자리 잡은 면앙정과 그 주변의 풍경을 묘사하고 있다.

④ [가]의 '일곱 구비 홈머움쳐 므득므득 버려눈 듯'은 산의 형상을 의태어를 활용하여 감각적이고 생생하게 묘사한 표현이다.

⑤ [다]의 '니것도 보려ᄒ고 져것도 드르려코 ~ 이 뫼헤 안자 보고 져 뫼헤 거러 보니'에서 대구법과 열거법을 사용하여 자연을 즐기느라 바쁜 화자의 생활을 표현하고 있다. 이를 통해 풍류를 즐기는 화자의 흥취가 드러나고 있다.

1 답 ⑤

○ 정답 풀이

이 작품에는 자연을 즐기느라 여념이 없는 화자의 모습이 대구와 열거를 통해 표현되어 있지만, 가족과 떨어져 지내야 하는 안타까움은 나타나 있지 않다.

✗ 오답 풀이

① 화자는 제월봉 아래의 정자(면앙정)에서 아름다운 자연을 즐기고 있다. 인간 세상을 떠나 자연에 묻혀 있는 자신을 신선이라고 표현한 것으로 볼 때, 화자는 자연 친화적인 태도를 드러내고 있는 것이다.

② [나]에서 봄, 여름, 가을, 겨울로 이어지는 계절의 변화에 따라 달라지는 면앙정 주변의 아름다운 경치를 묘사하고 있다.

③ 화자는 자연 속에서 풍류를 만끽하면서도 마지막에서 '역군은(亦君恩)이샷다.'라며 이 모든 것을 임금의 은혜로 돌리는 유학자로서의 자세를 잊지 않고 있다.

④ [가]의 '므득므득(우뚝우뚝)'과 같은 의태어를 통해 제월봉의 형세를 생생하고 감각적으로 표현하고 있다.

2 답 ①

○ 정답 풀이

〈보기〉는 강호가도와 충효 사상의 결합에 대한 설명으로, 이 작품의 화자는 자연 속에서 풍류를 만끽하고 있는 자신의 상황이 모두 임금의 은혜 덕분이라 표현하고 있다. ①의 화자도 자연을 예찬한 후에, 임금('피미일인')에 대한 연군의 정을 드러내고 있으므로 이 작품의 화자와 정서가 유사하다.

✗ 오답 풀이

② 자연을 완상하며 혼탁한 세상을 비꼬고 있을 뿐, 임금의 은혜에 대한 감사는 나타나 있지 않다.

③ 중종이 승하한 후에 그 슬픔을 노래한 시조로, 충의는 표현되어 있지만 강호가도는 나타나지 않는다.

④ 임금에 대한 충성과 절개를 다짐하는 시조로, 충의는 표현되어 있지만 강호가도는 나타나 있지 않다.

⑤ 임금과 백성 사이의 올바른 관계를 제시하는 시조로, 강호가도는 나타나지 않는다.

3 답 ⑤

○ 정답 풀이

ⓒ '녹양(綠楊)'은 푸른 버드나무로 여름의 계절감을 나타낸다. ⓜ '황운(黃雲)'은 누런 구름이라는 뜻으로, 누렇게 익은 곡식을 비유하는 말이다. 따라서 ⓒ은 여름, ⓜ은 가을의 계절감을 드러내는 자연물들이다.

✗ 오답 풀이

① ㉠ '늘근 농'은 제월봉의 가운데 굽이를 비유한 표현이고, ㉡ '청학(靑鶴)'은 면앙정을 비유한 표현이다. 즉, ㉠과 ㉡은 화자가 바라보고 있는 자연물이 아니라 화자가 바라보고 있는 대상을 비유한 표현이다.

② ㉠은 제월봉의 가운데 굽이를 생동감 넘치게 묘사한 것이고, ㉣은 가을이라는 계절감을 드러낸 소재이다.

③ ㉣ '황앵(黃鶯)'은 화자의 감정이 이입된 대상물이 맞다. 그러나 ㉡은 면앙정을 비유한 표현일 뿐 화자의 감정이 이입된 것은 아니다.

④ ㉢과 ㉣은 여름이라는 계절감을 드러내는 소재일 뿐, 대비적 관계에 놓인 것은 아니다.

4 답 ③

○ 정답 풀이

화자는 ㉢ '청려장(靑藜杖)'이 다 무디어져 간다고 하였다. 이것은 화자가 자연을 완상하느라고 여기저기 많이 다니다보니 하나의 명아주 지팡이가 닳았다는 뜻이다. 즉, 화자가 그만큼 자연을 사랑하고 즐기고 있음을 나타내는 시어이다. 따라서 ㉢가 병든 몸을 이끌고 다니느라 힘든 화자의 모습을 나타낸다는 설명은 적절하지 않다.

✗ 오답 풀이

① ⓐ '남여(藍輿)'는 의자와 비슷하고 뚜껑이 없는 작은 가마로, 승지나 참의 이상의 벼슬아치가 타던 것이다. 따라서 ⓐ를 통해 화자의 신분을 짐작할 수 있다.

② ⓑ '어적(漁笛)'은 어부의 피리를 의미하는 것으로, 가을 경치를 완상하는 화자의 흥겨움을 감정 이입하여 드러낸 소재이다.

④ 화자는 자연에 묻혀 사는 자신을 ⓓ '신선(神仙)'에 비유해 자연을 즐기는 모습을 나타내고 있다.

⑤ 화자는 자신의 호탕한 정회를 강조하기 위해 시선(詩仙)이라 불리는 ⓔ '이태백(李太白)'과 자신을 견주고 있다.

5 답 ②

○ 정답 풀이

[A]에서 화자는 '취흥(醉興)을 비야거니 / 근심이라 이시며 시름이라 브터시랴.'라며 자연에서 즐기는 풍류를 노래하고 있다. 〈보기〉의 화자 역시 전원에서 풍류를 즐기고 '흥치며 도라와셔' 남은 생을 보내겠다고 하였다. 따라서 [A]와 〈보기〉의 공통점은 자연을 즐기는 흥겨운 마음이 직설적으로 드러나 있다는 것이다.

09 지수정가

본문 125~127쪽

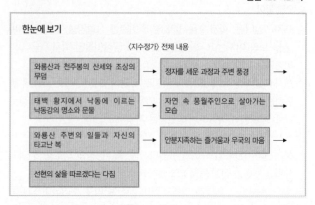

생생 Note

화자 직접 세운 정자인 '지수정'에서 자연의 아름다움과 가치를 발견한 사대부
상황 와룡산에서 '지수정'을 짓고 자연에서 살고 있음
주제 지수정 주변 풍경의 아름다움과 안분지족
핵심 시어의 의미 ① 무릉도원 ② 매화, 녹음, 기러기, 서리, 눈
표현 ① 감각적 ② 계절

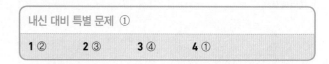

내신 대비 특별 문제 답 ①

○ 정답 풀이

[A]에는 대조적인 시어가 나타나지 않고 화자의 내적 갈등 역시 드러나지 않는다.

✗ 오답 풀이

② '첩첩한 산들은~전후의 울타리로다'와 같이 동일한 문장 구조를 반복해 리듬감을 형성하고 있다.

③ '콸콸'과 같은 음성 상징어를 사용하여 자연 풍경을 생동감 있게 표현하고 있다.

④ '벽류는 콸콸 흘러 옥 술잔을 때리는 듯'에서 자연물을 '옥 술잔'에 비유하였고, '첩첩한 산들은~전후의 울타리로다'에서 '산'을 '병풍'으로, '소나무'를 '울타리'로 비유하였다. 또한 '하물며 바위 벼랑 높은 위에 노송이 용이 되어 구부려 누웠거늘'에서 '노송'을 '용'으로 비유하였다.

⑤ '백석은 치치하여 은도로 새겨 있고'에서 시각적 심상을, '벽류는 콸콸 흘러 옥 술잔을 때리는 듯'에서 청각적 심상을 사용하여 아름다운 경치를 묘사하고 있다.

1 답 ②

○ 정답 풀이

'지수정'은 작가에게 맑고 깨끗한 내면을 수양하는 공간의 의미를 갖지만, 지난날을 반성하는 내용은 나타나 있지 않다.

✗ 오답 풀이

① 〈보기〉에서 '지수'란 물을 머물게 했다는 뜻으로 흐르지 않고 괴어 있는 물(연못)이라고 하였으므로 '연못 파서 활수를 끌어들여 가는 것을 머물게 하니'는 제목과 관련지어 이해할 수 있다.
③ 화자는 처음에 연못만 만들고자 하였는데 점차 주변의 자연에서 가치를 발견하고 있다.
④ '남양의 제갈려'와 '무이의 와룡암'은 고사 속 공간, '필굉 위언의 그림'은 고사 속 그림으로 화자는 자신이 지은 정자를 이들과 같은 것으로 표현하여 만족감과 자부심을 드러내고 있다.
⑤ '무릉도원'은 '이상향', '별천지'를 비유적으로 이르는 말로 화자는 '지수정'을 이러한 이상적 공간으로 바라보고 있다.

2 답 ③
●정답 풀이
ⓒ '하엽주'는 연잎에 맺힌 이슬을 아름다운 구슬에 빗댄 것으로 화자는 이를 통해 군자의 담백함을 알겠다고 하였다.

✕오답 풀이
①, ②, ⑤ '송국죽', '매화', '소나무'는 모두 일반적으로 지조와 절개를 상징하지만, 문맥상 화자에게 군자의 맑은 성품을 환기시키는 소재는 '하엽주'이다.
④ '거문고'는 화자의 풍류를 드러내는 시어이다.

3 답 ④
●정답 풀이
연못 속에 노는 고기를 보는 행위는 여름을 즐기는 화자의 행위이므로 적절하지 않다. 가을 경치를 바라보면서 화자는 거문고 가로 안고 옥난간에 기대니 깃옷 입은 손님들이 자신을 찾아온다고 하였다.

✕오답 풀이
① '창밖의 찬 매화~꽃과 버들 서로 다투니'에 봄의 경치가 나타난다.
② '녹음'은 푸른 잎이 우거진 나무의 그늘로 여름의 계절감을 드러내는 소재이다.
③ '대 사이 서늘한 기운~금수로 꾸몄으니'에 가을의 경치가 나타난다.
⑤ '울울한 소나무는~무고암에 서성이니'에 겨울의 화자의 구체적 행위가 나타난다.

4 답 ①
●정답 풀이
'산가 풍수설에 동구 못이 좋다 할새'에서 Ⓐ를 풍수지리에서 좋다고 하는 곳에 지었음을 알 수 있다.

✕오답 풀이
② '형세는 좁고 굵은 암석은 많고 많다'를 통해 Ⓐ를 위해 얻은 땅은 암석이 많음을 알 수 있지만, 작은 연못은 화자가 땅을 얻은 이후 직접 파서 만든 것이므로 기존에 연못이 있었다고 볼 수 없다.
③ 화자는 Ⓐ를 짓기 위해 '십 년을 경영하여' 땅을 얻었다는 점에서 오랜 시간 준비하였음을 알 수 있지만, '형세는 좁고'에서 땅이 작다는 것을 알 수 있다.
④ Ⓐ를 두고 '작고도 갖추었네'라고 표현한 것은 자연의 순리인 사계절의 변화를 모두 볼 수 있다는 점에서 언급한 것이다. 따라서 생활에 필요한 모든 것을 갖추어 일상의 불편함이 없는 공간으로 보기

는 어렵다.
⑤ 동네 입구에 위치한 Ⓐ는 사계절의 좋은 경치를 볼 수 있는 곳은 맞지만 항상 외부와 단절된 탈속적 공간으로 보기 어렵다. 겨울에 눈이 많이 와서 사람의 발자취가 끊어진 것이므로 Ⓐ를 외부와 단절된 공간으로 보는 것은 적절하지 않다.

10 농가월령가

본문 128~131쪽

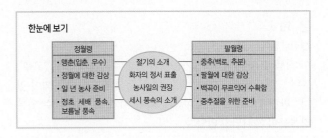

생생 Note

화자 '나'(양반 사대부)
상황 농사일을 권장하고 세시 풍속을 소개함
주제 각 달과 절기에 따른 농사일에 대한 권장과 세시 풍속 소개
핵심 시어의 의미 성의
표현 농촌, 계몽적

내신 대비 특별 문제 ①

1 ④   2 ①   3 ⑤   4 ⑤

내신 대비 특별 문제 답 ①
●정답 풀이
이 작품은 농사일을 권장하고 세시 풍속을 소개하는 내용으로 되어 있다. 따라서 관념적인 유교 이념을 다루고 있다기보다는 현실과 관련된 내용을 다루고 있는 것으로 볼 수 있다.

✕오답 풀이
② 이 작품은 자연을 풍류의 대상으로 보던 조선 전기 가사와 다른 모습을 보인다. 이 작품에서는 농촌에서 해야 할 일들을 나열하고 있어 자연이 삶의 현장으로 제시되고 있다.
③ '구지 마라', '미리 ㅎ라', '힘쎠 ㅎ소', 'ㅎ야 보소', 'ㅎ세'와 같은 명령형, 청유형 표현을 사용하고 있으며 농사일을 권장하는 계몽적 내용을 다루고 있다.
④ 이 작품은 농가에서 해야 할 일을 각 달별로 알려 주고 있다.
⑤ '오좀듀기(거름 주기)', '이영 녁고(이엉을 엮고)' 등의 농촌 생활과 관련된 어휘를 사용하고 있으며, '보름날 약식(藥食) 다례(茶禮)', '더위 팔기 달마지 홰불 혀기' 등의 세시 풍속을 소개하고 있다.

1 답 ④
●정답 풀이
이 작품은 월령체 작품으로 농촌에서 한 해 동안 계절에 따라

해야 할 일을 시간의 흐름에 따라 제시하고 있다.

✗오답 풀이

① 이 작품에서 수미 상관의 구조는 찾아볼 수 없다.

② 이 작품은 '절기의 소개 – 화자의 정서 표출 – 농사일의 권장 – 세시 풍속의 소개'로 구성되어 있지만, 이것을 기승전결의 구성으로 보기는 어렵다.

③ 이 작품에서 선경 후정의 전개는 찾아볼 수 없다.

⑤ 이 작품은 세시 풍속의 다양한 모습을 보여 주고 있지만 이것이 시선의 이동에 따라 전개되고 있는 것은 아니다.

2 답 ①

●정답 풀이

이 작품의 〈팔월령〉에는 가을에 수확할 수 있는 '목화', '고추', '수수', '콩', '머루', '다래', '밤', '대추' 등의 작물이 제시되어 있다. 반면에 〈보기〉에는 이렇게 특정 시기에 수확할 수 있는 작물들이 제시되지 않았다.

✗오답 풀이

② 〈보기〉의 〈제4수〉에서는 농사일을 하던 화자가 '청풍에 옷깃 열고 긴 휘파람 흘리 불'며 휴식을 즐기는 여유로움이 드러나 있다. 그러나 이 작품에는 〈정월령〉에서 겨울에 해야 하는 농가의 일과 〈팔월령〉에서 가을에 해야 하는 농가의 일이 제시되어 있을 뿐, 농사일을 하던 중에 휴식을 즐기는 화자의 모습은 제시되지 않았다.

③ 이 작품에는 〈정월령〉에서 송곡주를 거르고, 〈팔월령〉에서 각종 곡식과 열매를 수확하는 모습과 명주에 물들이고 수의와 혼수를 장만하는 모습이 다양하게 제시되어 있다. 반면에 〈보기〉에는 먹고 입는 것과 관련된 농가의 일이 구체적으로 제시되지 않았다.

④ 이 작품과 〈보기〉의 화자는 모두 농가에서 하는 일에 대해 노래하고 있으므로 노동의 현장에 주목하고 있다는 감상은 적절하다.

⑤ 이 작품과 〈보기〉는 모두 농촌을 배경으로 그 속에서 살아가는 농부들의 일상을 노래하고 있으므로, 농촌이라는 배경이 농부들의 일상적인 삶을 보여 주는 공간이라는 감상은 적절하다.

3 답 ⑤

●정답 풀이

'귀밝히는 약(藥)슐이며 부름 삭는 생률(生栗)이라'는 대보름날 귀밝이술을 마시고 부럼을 깨는 세시 풍속을 소개한 부분이다.

✗오답 풀이

① '정월(正月)은 맹춘(孟春)이라 입춘(立春) 우수(雨水) 절후(節侯)로다'는 〈농가월령가〉에서 반복되는 구조인 절기를 소개하는 부분에 해당한다.

② '평교(平郊) 광야(廣野)의 운물(雲物)이 변(變)ㅎ도다'는 〈농가월령가〉에서 반복되는 구조인 감상이 나타나는 부분에 해당한다.

③ 1월령에서 〈농가월령가〉의 각 달을 노래할 때 반복되는 구조 중 세 번째인 '농부들이 해야 할 농사일' 부분은 '어와 우리 성상(聖上) 애민 중농(愛民重農)ㅎ오시니'로 시작하고 있다. 임금께서 백성을 사랑하고 농사를 중히 여긴다는 의미이다. '네 몸 이해(利害) 고사(姑舍)ㅎ고 성의(聖意)를 어길소냐?'는 임금의 뜻을 받아 성의를 어기지 말고 농사일을 게을리 하지 말라는 뜻이 담겨 있다.

④ '봄에 만일 실시(失時)ㅎ면 종년(終年) 일이 낭패되네'를 통해 1월 달 농사일의 중요성이 강조되고 있다. 그 뒤에 이어지는 농사일은 '농지(農地)를 다스리고 농우(農牛)를 살펴 먹여 / 직거름 직와 노코 일변(一邊)으로 시러 닉여 / 맥전(麥田)의 오좀듀기 세전(歲前)보다 힘써 ㅎ소'에 나타나 있다.

4 답 ⑤

●정답 풀이

[A]에서 화자는 가을걷이를 하고 장보기와 추석 쇠기 등 농가에서 해야 할 일들에 대해 구체적으로 권장하고 있다. 한편 〈보기〉의 화자는 소 치는 아이에게 어서 일어나 부지런히 밭을 갈라고 권유하고 있다. 즉, 두 작품 모두 농가에 대한 화자의 권장하는 태도가 드러나 있는 것이다.

✗오답 풀이

① [A]와 〈보기〉 모두 근면과 성실함을 강조하고 있다.

② [A]에서는 농가에서 가을에 해야 할 일들을 나열하고 있는 반면, 〈보기〉에서는 농촌 마을의 평화로운 아침 풍경을 시각과 청각적 심상을 이용해 제시하고 있다.

③ [A]와 〈보기〉 모두 농사일에 대한 비관적인 전망을 하고 있지 않다.

④ [A]와 〈보기〉 모두 농경 생활에서 풍류를 즐기는 기쁨을 표현한 것이 아니다.

11 연행가

본문 132~134쪽

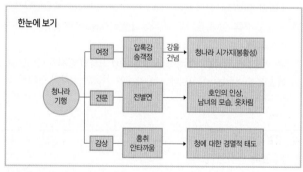

한눈에 보기

생생 Note

화자 '나'(청나라를 방문한 사신)
상황 청나라를 기행함
주제 청나라의 문물과 제도, 풍속에 대한 견문과 감상
핵심 시어의 의미 압녹강변, 송객정
표현 해학, 객관적, 생동감

내신 대비 특별 문제 ⑤

| 1 ⑤ | 2 ① | 3 ④ | 4 ⑤ |

○정답 풀이

〈보기〉는 당시 조선인들의 친명반청(명나라를 높이고 청나라를 멸시함) 의식을 설명한 것이다. 이 작품에서는 ⓔ에 대해 청나라 여자의 큰 발과 한족 여자의 작은 발을 대조한 후, 명나라의 '전족' 풍습만이 볼 만한 것이라는 평가를 내리고 있는 부분에서 이와 같은 의식이 드러난다.

1 답 ⑤

○정답 풀이

이 작품은 청나라 사람들을 다소 얕잡아 보는 시각에서 서술하고 있으며, [마]의 마지막 부분 '그러타고 웃지 마라. ~ 지금까지 볼 것 잇다.'에 화자의 친명반청 의식이 직접적으로 드러나 있다.

2 답 ①

○정답 풀이

㉠은 청나라 사람들의 불결한 생활 문화를 과장과 해학을 통해 익살스럽게 표현한 구절로, 〈보기〉의 밑줄 친 부분에서 설명한 특징이 가장 잘 나타난 표현이다.

3 답 ④

○정답 풀이

〈보기〉는 3인칭 시점으로 '그'의 심리를 주로 간접 제시를 통해 보여 줌으로써 독자로 하여금 인물의 심리를 상상할 수 있도록 하고 있다. 반면 이 작품은 1인칭 시점으로 화자가 자신의 정서를 직접 서술하고 있어 독자가 인물의 심리를 상상해 볼 여지가 〈보기〉에 비해 적다. 따라서 ④의 진술은 옳지 못하다.

✗오답 풀이

① 〈보기〉에는 인물의 신분에 대한 특별한 언급이 없으나, [가]에서는 '사신', [나]에서는 '장계'라는 어휘를 통해 관리라는 인물의 신분이 보다 구체적으로 드러나고 있다.
② 〈보기〉에서는 자연물을 활용한 표현이 나타나지 않지만, [나]에서는 '빗운은 요요ᄒ고 광식이 참담ᄒ다.'와 같이 자연물을 활용하여 인물의 쓸쓸한 정서를 효과적으로 나타내고 있다.
③ 〈보기〉에는 인물의 심리가 직접적으로 드러나지 않았으나, [가]와 [나]에서는 '삼 사신을 전별ᄒ신 쳐창키도 그지없다.', '상ᄉ별곡 ᄒᆫ 곡조을 참아 듯기 어려워라.', '거국지회 그음업셔 억제ᄒ기 어려운 쥼' 등의 구절에서 인물의 감회가 직접적으로 나타나고 있다.
⑤ 〈보기〉는 율격이 느껴지지 않는 산문으로 구성되어 있으나, [가]와 [나]는 4음보의 율격을 통해 리듬감이 느껴진다.

4 답 ⑤

○정답 풀이

㉱는 여성의 발을 묶어 놓아 발육을 억제시키는 명나라의 풍습인 전족에 대한 화자의 의식을 드러낸 표현이다. 이는 여인의 작은 발에 명나라의 제도가 남아 있다고 하며 명나라를 높

이고 청나라를 멸시하는 의식을 드러내는 표현이다.

✗오답 풀이

① '거국지회'는 나라를 떠나는 안타까운 심정을 의미하는 것이며, '홍상'은 붉은 치마를 의미하는 것으로 아름다운 여자를 뜻한다. ㉮에서 아름다운 여인의 눈물은 화자의 심회를 돕고 있으므로 ①은 적절한 설명이다.
② ㉯는 대구를 사용하여 청나라의 집들과 거리 모습을 표현한 것이다. 녹색 창과 붉은 문의 여염집은 오색이 영롱하고, 화려한 집과 난간의 시가지는 만물이 번화하다고 하였다.
③ ㉰는 화자의 일행들을 본 청나라 사람들의 반응을 소개하면서 '져의 기리 지져귀며'라고 표현하였다. 이것은 청나라를 얕잡아 보는 화자의 시각이 드러난 표현이다.
④ 청나라 여인들의 옷차림이 남자의 옷차림과 비슷한데 다홍빛 바지에다 푸른빛 저고리라며 시각적 이미지인 색채 감각을 사용해 설명하고 있다.

 규원가

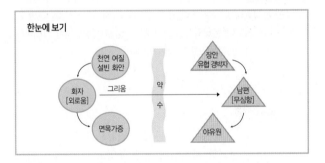

생생 Note

화자 '나'(사대부가의 여인)
상황 봉건적 질서 속에 살아가는 화자가 남편의 사랑을 잃고 괴로워함
주제 봉건 제도하에서 겪는 부녀자의 한(恨)
핵심 시어의 의미 ① 장안 유협 경박자 ② 실솔
표현 감정 이입

내신 대비 특별 문제 ⑤

1 ①	**2** ③	**3** ④	**4** ②

○정답 풀이

이 작품은 임이 부재하는 상황에서 오지 않는 임에 대한 화자의 원망과 그리움을 주로 표현하고 있을 뿐, 임의 마음을 돌리기 위한 적극적 고백은 나타나지 않는다.

1 답 ①

○ 정답 풀이

[가]에서 화자는 '연광(年光) 흘흘ᄒ고 조물(造物)이 다시(多猜)ᄒ야 / 봄바람 가을 믈이 뵈오리 북 지나듯 / 설빈 화안(雪鬢花顔) 어딕 두고 면목가증(面目可憎) 되거고나.'라고 하며 흐르는 세월에 대해 한탄을 하고 있다. 특히 '설빈 화안(雪鬢花顔)'과 같이 아름다웠던 젊은 시절의 모습과 '면목가증(面目可憎)'처럼 미워져 버린 현재의 모습을 대조하며 흐르는 세월에 대한 무상감을 드러내고 있다.

✘ 오답 풀이

② 이 작품은 화자가 느끼는 외로움, 임에 대한 원망 등을 독백체를 통해 드러내고 있다. 따라서 대상에게 말을 건네는 방식을 사용했다는 것은 적절하지 않다.

③ '인연(因緣)을 긋쳐신들 싱각이나 업슬소냐.', '박명(薄命)ᄒ 홍안(紅顔)이야 날 가투니 쏘 이실가.' 등에서 의문형 문장이 사용되었다. 그러나 이러한 표현은 각각 남편에 대한 그리움과 자신의 신세에 대한 한탄일 뿐, 현실에서 벗어나고자 하는 소망을 드러낸 것은 아니다.

④ '옥창(玉窓)에 심근 매화(梅花) 몃 번이나 피여 진고.'는 추상적인 시간의 흐름을 구체화한 표현이다. 이것은 세월의 흐름을 나타낸 것일 뿐, 이러한 표현을 통해 임에 대한 원망의 정서를 드러낸 것은 아니다.

⑤ 이 작품에는 '매화', '자최눈', '실솔' 등과 같은 계절적인 소재가 활용되었다. 그러나 이것은 임에 대한 그리움과 자신의 처지에 대한 안타까움을 계절의 변화와 함께 드러낸 것일 뿐, 임에 대한 그리움이 해소되어 가는 과정을 표현한 것은 아니다.

2 답 ③

○ 정답 풀이

㉠에서는 임과의 이별이라는 문제의 원인으로 어느 임도 사랑할 수 없는 참괴한 자신의 얼굴을 들었고, ㉡에서는 임이 돌아오지 않는 문제 상황의 원인으로 임과 화자의 사이를 가로막고 있는 '약수(弱水)'를 들고 있다. 즉 ㉠은 화자가 문제의 원인을 자신의 내부에서 찾으려고 하고, ㉡은 자신의 외부에서 찾으려고 한다고 볼 수 있다.

✘ 오답 풀이

① ㉡에서는 '견우, 직녀'와 대조하여 소식조차 없는 임에 대한 원망의 심리를 드러내고 있다. 그리고 ㉠에서는 자탄과 자괴감을 드러내고 있으므로 정서를 우회적으로 표현했다고 볼 수 없다.

② ㉠의 '스스로 참괴(慚愧)ᄒ니 누구를 원망(怨望)ᄒ리.'에는 스스로에 대한 한탄의 정서가 드러나 있고, ㉡에는 돌아오지 않는 임에 대한 원망의 정서가 드러나 있다.

④ ㉠의 '누구를 원망(怨望)ᄒ리.'에서는 임이 자신을 사랑하지 않는 현실에 대해 체념적인 태도가 드러나 있다. 그러나 ㉡에는 돌아오지 않는 임에 대한 원망과 슬픔만이 드러나 있을 뿐, 현실을 받아들이는 수용적 태도는 나타나 있지 않다.

⑤ ㉠에서는 임과 이별한 화자의 내적 갈등이 심화되고 있다. 그런데 ㉡에는 화자와 돌아오지 않는 임 사이의 외적 갈등이 완화되었다고 볼 수 있는 어떠한 단서도 나타나 있지 않다.

3 답 ④

○ 정답 풀이

[라]의 '천상(天上)의 견우직녀(牽牛織女) ~ 소식(消息)조차 쓰쳣는고.'에서 화자는 견우, 직녀와 자신의 상황을 비교하고 있다. 은하수가 막혀 있어도 1년에 한 번씩은 만나는 견우, 직녀와는 달리 자신은 임과 만나지 못한다고 말하고 있다. 한편 〈보기〉의 화자는 '나 혼자 이러ᄒ가 남도 아니 이러ᄒ가'라고 하며 임과 이별하고 독수공방하는 자신의 상황을 남과 비교하며 한탄하고 있다. 따라서 ④의 설명이 [라]와 〈보기〉의 공통점으로 적절하다.

✘ 오답 풀이

① [라]의 화자는 '아마도 이 님의 지위로 살동말동 ᄒ여라.'라고 하며 자신의 신세가 이렇게 된 것이 임의 탓이라고 원망하고 있다. 그러나 임과의 재회를 확신하고 있지 않다. 한편 〈보기〉의 화자는 임을 의심하면서도 재회에 대한 소망을 드러내고 있지만, 재회에 대해 확신을 드러낸 부분은 없다.

② [라]에서는 화자의 서러운 감정을 '새소리'에 이입하여 드러내고 있다. 그러나 〈보기〉에서는 자연물에 화자의 감정을 이입한 부분이 없다.

③ [라]에서 화자는 꿈에서라도 임을 만나려고 했지만, '디는 닙'과 '우는 즘생' 때문에 잠을 이루지 못한다. 즉, [라]의 화자는 꿈을 통해 고뇌를 해결하려다 실패했다고 볼 수 있다. 반면 〈보기〉에는 '꿈'이라는 소재 자체가 등장하지 않는다.

⑤ [라]에서 화자는 꿈에서라도 임을 보려 하지만 '디는 닙'과 '우는 즘생' 때문에 임을 만나지 못한다. 그래서 '므스 일 원수로서 잠조차 ᄭᆡ오는다.'라고 하며 임과 자신을 가로막는 방해물에 대해 한탄하고 있다. 또한 임과 자신 사이에 '무슨 약수(弱水)'가 가렸는지 한탄하고 있다. 반면 〈보기〉의 화자는 질투의 대상인 '노류장화'에 대해 언급하고 있지만, 임과 자신 사이를 방해하는 대상에 대해 한탄의 정서를 드러내고 있지는 않다.

4 답 ②

○ 정답 풀이

ⓐ는 임이 삼삼오오 짝을 지어 다니는 기생집을 의미한다. 화자는 이곳에 새로운 기생이 나타난 것이 아닌가 하고 생각하고 있다. 이로 보아 ⓐ는 화자가 임이 있을 것으로 추측하는 공간이다. ⓑ는 연꽃이 그려진 휘장으로, 화자가 있는 방을 의미한다. 화자는 이러한 방이 '적막(寂寞)ᄒ니'라고 하며 임이 오지 않아 외로운 처지임을 드러내고 있다. 따라서 ⓑ는 화자가 임의 부재를 인식하고 있는 공간이다.

✘ 오답 풀이

① '곳 피고 날 저물 제 정처(定處) 업시 나가 잇어'라고 하였으므로 임은 이미 화자의 곁을 떠나 있는 상태이다. 따라서 ⓐ는 화자가 임과 이별하게 되는 공간이 아니다. 그리고 ⓑ는 임과 헤어진 화자가 혼자 있는 공간이다.

③ 화자는 임이 있는 ⓐ에 새 사람과 생겼을까 봐 걱정하고 있으므로 ⓐ는 화자에게 시련을 유발한다고 볼 수 있다. 그러나 ⓑ는 화자가 독수공방하며 외로움을 느끼는 공간이므로 시련이 해소되는 공간이 아니다.

④ ⓑ에서 화자가 임에 대한 그리움을 극복하고 있는 것은 아니다. ⓑ 는 오히려 자신의 거문고 소리를 들어줄 사람이 없는 현실을 슬퍼 하며 임에 대한 그리움과 외로움을 절실히 드러내는 공간이다.
⑤ 이 작품에서 화자는 자신의 잘못을 인정하거나 과거를 반성하고 있 지 않다.

13 누항사

본문 138~141쪽

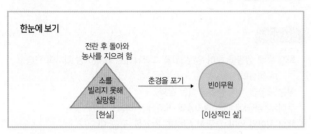

한눈에 보기

전란 후 돌아와
농사를 지으려 함

소를
빌리지 못해
실망함 → 춘경을 포기 → 빈이무원

[현실] [이상적인 삶]

생생 Note

화자 '나'-양반, 남성
상황 전쟁 후 벼슬에서 물러나 궁핍한 상황에서 농사를 지으려 함
주제 누항에 사는 선비의 곤궁한 삶과 안빈낙도의 추구
핵심 시어의 의미 빈이무원
표현 ① 대화체 ② 한자어

내신 대비 특별 문제 ①

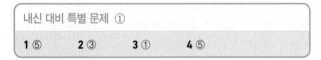

| 1 ⑤ | 2 ③ | 3 ① | 4 ⑤ |

내신 대비 특별 문제   답 ①

○정답 풀이

이 작품은 임진왜란 후 작가가 겪었던 궁핍한 생활의 체험을 구체적이고 사실적으로 그려 내고 있다.

✗오답 풀이

② '소 주인'을 각박한 세태를 보여 주기 위한 허구적 인물로 볼 수는 있지만, '소 주인'이 희화화되어 나타나지 않으므로 적절하지 않은 설명이다.
③ 이 작품에서 화자는 빈궁하여 농사를 지을 소가 없어서 이웃에 빌 리러 가는 형편이다. 이는 작가 자신이 경험한 궁핍하고 초라한 생 활을 사실적·구체적·직접적으로 형상화하고 있을 뿐, 당시 백성 들의 생활을 관찰자의 입장에서 서술하고 있는 것은 아니다.
④ 전쟁 후 작가의 궁핍한 현실을 사실적으로 나타낸 작품으로, 전쟁 상황을 극복하려는 의지가 반영되어 있다는 내용은 적절하지 않은 설명이다.
⑤ 대화체와 일상 언어를 이용하여 작가가 경험한 전쟁 후의 궁핍한 삶과 빈이무원의 태도를 사실적으로 표현하고 있을 뿐, 비유적이고 상징적인 표현으로 이상 세계에 대한 동경을 드러내고 있는 작품은 아니다.

1 답 ⑤

○정답 풀이

이 작품에 '경당문노(耕當問奴)', '궁경가색(躬耕稼穡)'과 같은 농사 관련 말이 등장하고 있고, '쇼', '소뷔', '볏보님'과 같이 농사와 관련된 소재가 사용된 것은 사실이다. 하지만 이러한 표현과 소재는 농사일에 힘쓸 것을 권장하기 위해 사용된 것 이 아니라, 전란 후의 어려운 상황 속에서 농사를 직접 지어 야 하는 양반인 화자의 상황을 드러내기 위해 사용된 것이다.

✗오답 풀이

① [나]의 '분의 망신(奮義忘身)ᄒ야 죽어야 말녀 너겨~이시섭혈(履尸 涉血)ᄒ야 몃 백전(百戰)을 지닛연고.'라는 화자의 회상을 통해 이 작품의 배경이 5년간 벌어진 전쟁(임진왜란) 후임을 알 수 있다. 그 리고 작품 전반에서 화자의 궁핍하고 어려운 생활상이 사실적으로 표현되고 있다.
② [바]의 '강호(江湖) 혼 쑴을 꾸언 지도 오리러니 / 구복(口腹)이 위루 (爲累)ᄒ야 어지버 이져써다.'는 자연을 벗 삼아 살겠다는 꿈을 꾸었 으나 먹고사는 것이 누가 되어 다 잊어버렸다는 의미이다. 여기에서 궁핍하고 어려운 현실과 이상 사이에서 갈등하는 화자의 모습을 엿 볼 수 있다.
③ 소를 빌리러 갔다가 빈손으로 돌아오는 [라]에서 현실적인 삶의 모 습을 엿볼 수 있고, [바]의 '강호(江湖) 혼 쑴을 꾸언 지도 오리러니 ~다토리 업슬손 다문 인가 너기로라.'를 통해 자연 친화적인 화자 의 태도를 확인할 수 있다.
④ 작품의 끝 부분에서 '충효(忠孝), 화형제(和兄弟), 신붕우(信朋友)'와 같은 유교적 이상을 실천하고자 하는 화자의 태도가 드러나고 있다.

2 답 ③

○정답 풀이

화자가 '친절(親切)ᄒ라 너긴 집[B]'으로 간 것은 '쇼 혼 젹 듀 마 ᄒ고 엄섬이 ᄒᄂ 말삼' 때문이다. 즉, 소 주인은 소를 빌 려주겠다고 엉성하게 말한 것이지 굳은 약속을 한 것이 아 니다.

✗오답 풀이

① 화자는 '누항(陋巷) 깁푼 곳의 초막(草幕)'에서 '설 데인 숙냉(熟冷)애 뷘 배 쇡일' 정도로 곤궁한 생활을 하고 있다. 그러나 '안빈 일념(安 貧一念)을 젹망졍 품고' 있다고 하였다.
② 화자는 '궁경가색(躬耕稼穡)이 뇌 분(分)인 줄 알리로다.'라고 하며 몸소 농사를 짓겠다는 생각을 한다. 그러나 '아므려 갈고젼들 어뇌 쇼로 갈로손고.'라고 하며 소가 없어 근심하고 있다.
④ 화자가 소를 빌리러 갔지만 소 주인은 이웃 사람이 수평과 술을 가 져와 소를 빌려주겠다고 약속을 했기 때문에 화자에게 빌려줄 수 없다고 우회적으로 말하고 있다.
⑤ 집으로 돌아온 화자는 잠을 이루지 못하고 쓸데없이 걸려 있는 농 기구를 보며 탄식을 한다. 그리고 '춘경(春耕)도 거의거다 후리쳐 더 뎌 두쟈.'라고 하며 농사짓기에 대해 자포자기하는 마음을 드러낸다.

3 답 ①

○정답 풀이

화자는 '수의(隨宜)로 살려 ᄒ니'에서 알 수 있듯이 옳은 일을 좇아 살려는 의지를 보여 주고 있다. 비록 뜻대로 되지 않는다고 말하고 있지만 이런 현실과 타협할 수밖에 없는 포기가 드러나지는 않는다.

✗ 오답 풀이

② '병과(兵戈) 오재(五載)예 감사심(敢死心)을 가져 이셔 / 이시섭혈(履尸涉血)ᄒᆞ야 몃 백전(百戰)을 지닉연고'를 통해 전란에 참전하여 싸움에 임했던 화자의 모습이 회상되고 있다.

③ '일노장수(一奴長鬚)는 노주분(奴主分)을 이졋거든'에는 임진왜란 이후의 사회적 변화가 나타나 있고 '신야경수(莘野耕叟)와 농상경옹(壟上耕翁)을 천(賤)타 ᄒᆞ리 업것마ᄂᆞᆫ / 아므려 갈고젼들 어니 쇼로 갈로손고'에는 직접 농사 짓는 일을 했던 은나라의 이윤과 진나라의 진승의 고사를 인용하여 그러한 일이 천하다 할 수 없다며 부끄럽게 여기지 않음을 밝히고 있다. 또한 농사를 지으려 해도 소가 없음을 한탄하고 있다.

④ 소를 빌리기 위해 소 주인에게 갔지만 거절당하고 돌아오는 모습을 통해 화자의 참담하고 서글픈 심정이 드러난다.

⑤ '단사표음(簞食瓢飲)을 이도 족(足)히 너기로라'를 통해 가난한 생활이지만 현재의 생활에 만족해하는 화자의 태도를 알 수 있다. 또한 '태평천하(太平天下)애 충효(忠孝)를 일을 삼아 / 화형제(和兄弟) 신붕우(信朋友) 외다 하리 뉘 이시리'를 통해 유교적 도의를 지키는 삶에 대한 의지를 드러내고 있다.

4 답 ⑤

○ 정답 풀이

화자는 가난하지만 원망하지 않겠다는 '빈이무원(貧而無怨)'의 자세를 드러내고 있다. 그리고 충효와 화형제, 신붕우 등 유교적 정신을 추구하며 그 밖의 일은 타고난 대로 살겠노라고 하였다. 이는 유교적 이상을 추구하는 화자의 삶의 태도를 드러내는 것일 뿐, 좌절이나 무력감과는 관계가 없다.

✗ 오답 풀이

① ⓐ는 '덜 데운 숭늉'으로 초라한 음식을 뜻한다. 이를 통해 화자의 빈궁함이 단적으로 드러나고 있다.

② ⓑ는 '몸소 밭 갈고 씨 뿌리고 곡식을 거둠'을 뜻한다. 화자가 밭 가는 것을 종에게 맡기지 않고 자신이 직접 하는 것이 분수에 맞다고 한 것으로 보아 화자의 곤궁한 처지를 짐작할 수 있다.

③ 소를 빌리기 위해 ⓒ처럼 허둥지둥 달려가는 화자의 모습은 양반의 위상이 추락한 모습과 함께 화자의 절박함을 드러내는 것이다.

④ ⓓ는 '자연과 더불어 살겠다는 꿈'으로 화자의 이상에 해당한다.

---

14 죽창곡

본문 142~144쪽

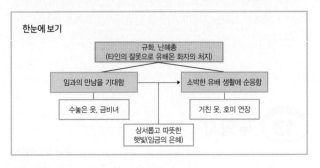

생생 Note

화자 유배 생활을 하며 임(임금)을 그리워하는 화자(여성 화자의 모습으로 형상화)
상황 곤궁한 유배 생활을 하는 상황
주제 임(임금)에 대한 그리움과 변치 않는 마음
핵심 시어의 의미 ① 규화, 난혜총 ② 조물, 구름, 마

내신 대비 특별 문제 ⑤

1 ②　　　**2** ⑤　　　**3** ③

내신 대비 특별 문제 답 ⑤

○ 정답 풀이

'은탕왕' 고사를 통해 임금의 은혜를 떠올리고 '화봉삼축'의 고사를 사용하여 임금의 축복을 기원하고 있지만, 현실에 대한 비판적 태도는 드러나 있지 않다.

✗ 오답 풀이

① '화공의 붓긋흐로 그려 내여 울닐 손가 / 연년의 가곡으로 띄여다가 도도올가'에서 대구법을 사용하여 운율감을 형성하고 있다.

② '내 얼골 고운 줄을 님이 엇디 알으실고'에서 설의법을 사용하여 자신의 모습을 보여 주지 못하는 화자의 안타까움을 드러내고 있다.

③, ④ '대가티 고든 절을 님이 더욱 모르려든'에서 화자의 변함없는 지조와 절개를 자연물인 대나무에 빗대어 드러내고 있다.

1 답 ②

○ 정답 풀이

'아리따운 님의 거동 친한 적 업건마는'은 화자가 아직 사회적으로 출세하여 임금을 가까이에서 함께한 적이 없음을 의미한다. 따라서 현재까지 입신양명의 기회가 없었음을 알 수는 있지만, 앞으로 입신양명의 기회가 막혔음을 깨달았다고 보기 어렵다.

✗ 오답 풀이

① 임을 생각하고 있는 상황으로 임에 대한 그리움이 드러난다.

③ '형극의 떨어진 불'은 유배를 당한 화자의 부친을 의미하고 '난혜총'은 화자 자신을 의미한다. 따라서 화자가 자신의 잘못이 아닌 이유로 현재의 상황에 처하게 되었음을 유추할 수 있다.

④ 유배지에서 아버지를 부양하기 위해 음식 거리를 마련하는 화자의
   모습이 나타난다.
⑤ '햇빗'은 임금의 은혜를 의미하며 화자는 유배지에서의 소박한 생활
   도 임금의 은혜 덕분임을 드러내고 있다.

2 답 ⑤

○ **정답 풀이**

이 작품의 화자는 유배 생활 역시 임금의 은혜 덕분임을 밝히
고 있다. 그리고 '추야 앙금이야 뷔엿다 관여하며 / 밧긔 더딘
봉이 처량함을 한할소냐'에서 임과 함께하지 못해도 더 이상
한탄하지 않겠다는 의지를 드러내고 있다.

✗ **오답 풀이**

① 이 작품과 〈보기〉는 모두 여성 화자를 설정하여 주제를 드러내고 있
   지만, 두 여성 화자의 대화체 형식은 〈보기〉에만 해당한다.
② 이 작품의 '화봉삼축 을푸면서'에서 화자는 현재 자신의 유배 생활
   에 순응하며 임금의 축복을 기원하고 있다. 하지만 〈보기〉는 현재
   상황이 화자 자신이 지은 죄 때문이라고 자책하고 있을 뿐 임의 축
   복을 기원하고 있지는 않다.
③ 이 작품은 임금에 대한 화자의 지조 및 절개를 '대'에, 임금의 은혜
   를 '햇빛'에 빗대어 표현하고 있다. 〈보기〉는 자신이 지은 죄를 '뫼
   (산)'라는 자연물에 빗대어 표현하고 있다.
④ 〈보기〉는 이별의 원인이 자신에게 있으며 이 모든 것이 조물주의 탓
   이라고 말하고 있다. 이 작품은 '세사의 마히 고하' 등에서 알 수 있
   듯이 이별의 원인을 외부 탓으로 돌리고 있다.

3 답 ③

○ **정답 풀이**

'구름'과 '우레 풍우'는 화자에게 시련과 고통을 주는 존재이지
만, '거친 옷'은 임과의 만남을 포기하고 소박한 유배 생활을
받아들이려는 화자의 심리를 드러내는 소재이다.

✗ **오답 풀이**

① '연지분'과 '금비녀'는 주로 여성들이 쓰는 물건이므로 이를 통해 화
   자가 여성으로 설정되었음을 알 수 있으며, '홍안'은 이 작품에서 젊
   은 여성을 의미한다.
② '대나무'는 일반적으로 지조와 절개를 상징하는 소재로 이 작품에서
   '열녀전'과 '대'는 화자의 지조와 절개를 의미한다.
④ '규화'와 '난혜총'은 임과 인연을 이루지 못하는 화자를 비유하고 있
   다.
⑤ 금비녀를 걷어 내고 호미 연장을 다 갖추어 나물을 캐고 조개를 줍
   는 것은 모두 임과의 만남을 포기하고 소박한 현실에 순응하는 화
   자의 심리를 드러내는 것이라 할 수 있다.

명강 고전시가

고전시가의 명품 실전서

- 교과서, EBS, 평가원 수록 작품 분석 후 갈래별 대표 작품 선정
- 내신과 수능을 한 번에 대비할 수 있는 실력 향상 문항 수록
- 갈래별 학습 방향과 갈래 핵심 이론 완벽 정리

내신과 수능을
한번에 잡자!

꿈틀 국어 교재 목록

고등 국어 기초 실력 완성

고고 시리즈

고등 국어 공부, 내신과 수능 대비에 필요한 모든 내용을
알차게 정리한 교재

기본
문학
독서
문법

밥 먹듯이 매일매일 국어 공부

밥 시리즈

기출 공부를 통해 수능 필살기를 익힐 수 있도록 돕는
친절한 학습 시스템

처음 시작하는 문학 | 처음 시작하는 비문학 독서
문학 | 비문학 독서
언어와 매체 | 화법과 작문
어휘력

문학 영역 갈래별 명품 교재

명강 시리즈

수능에 출제될 만한 주요 작품과 실전 문제가 갈래별로
수록된 문학 영역 심화 학습 교재

현대시
고전시가
현대소설
고전산문

국어 기본 실력 다지기

국어 개념 완성

국어 공부에 꼭 필요한 개념을 예시 작품을 통해 완성할
수 있는 교재

문이과 통합 수능 실전 대비

국어는 꿈틀 시리즈

문이과 통합 수능 경향을 반영하여 수능 실전에 대비할
수 있도록 구성한 교재

문학
비문학 독서
단기 언어와 매체

내신·수능 대비

고등 국어 통합편

고1 국어 교과서 핵심 내용을 한 권으로 총정리하는 교재

일목요연한 필수 작품 정리

모든 것 시리즈

새 문학 교과서와 EBS 교재 수록 작품. 그 밖에 수능에 나올
만한 작품들을 총망라한 교재

현대시의 모든 것 | 고전시가의 모든 것
현대산문의 모든 것 | 고전산문의 모든 것
문법·어휘의 모든 것

문학 작품 집중 학습

문학 비책

필수&빈출 문학 작품 194편을 한 권으로 총정리하는 교재

고전시가 비책

고전시가 최다 작품의 필수 지문을 총정리한 고전시가 프리미엄 교재